suhrkamp taschenbuch
wissenschaft 633

Ausgehend von der Kunstgeschichte hatte der Stilbegriff seit der Jahrhundertwende die Forschung und die diskursive Praxis der kulturwissenschaftlichen Disziplinen geprägt. Nach 1945 bot er sich (zumal an den deutschen Universitäten und in bescheidenerem Zuschnitt) noch einmal als ein Refugium an, das Schutz vor Politisierung der akademischen Praxis verhieß. Seither gehört der Stilbegriff zu den ausgemusterten Beständen geisteswissenschaftlicher Tradition. Was hat es nun vor diesem Hintergrund zu bedeuten, daß sich der Stilbegriff seit etwa einem Jahrzehnt in den Sozialwissenschaften – und dort besonders in der Zone theoretisch anspruchsvoller Diskussion – neuer Beliebtheit erfreut?

Diese Frage hatte Literaturwissenschaftler, Linguisten, Philosophen, Soziologen, Psychologen, Theologen, Historiker und Archäologen aus Brasilien, der Bundesrepublik Deutschland, der Deutschen Demokratischen Republik, Frankreich, Jugoslawien, Kanada, Österreich, Spanien und den USA im Frühjahr 1985 zu einem Kolloquium in Dubrovnik zusammengeführt. Ihre Gespräche zeigten, daß es für eine Reflexion über den gegenwärtigen Stellenwert des ›Stilbegriffs‹ in den Geisteswissenschaften notwendig ist, die vielfältigen Geschichten seines Gebrauchs zu rekonstruieren. Das sind Geschichten der Konkurrenz zwischen *Schrift* und *gesprochenem Wort;* Geschichten der Komplementarität (oder auch Asymmetrie) zwischen *gesellschaftlicher Repräsentation* und ihrer *analytischen Durchdringung;* vor allem aber, seit der attischen Klassik im vierten vorchristlichen Jahrhundert, Geschichten der Inkompatibilität zwischen *Subjektivität* und einem *monolithischen Begriff von* ›*Wahrheit*‹.

Die historische Tiefenschärfe, die sich im Bezugsfeld solcher konzeptueller Oppositionen herstellt, verschiebt die Ausgangsfrage nach den Funktionsmöglichkeiten des Stilbegriffs in den Diskursen heutiger Kulturwissenschaften und eröffnet die Chance (oder auch das Risiko) ihrer epistemologischen Selbstbesinnung. Die jüngste Konjunktur des Stilbegriffs scheint Indiz dafür zu sein, daß sich im Bruch im westlichen Denken ankündigt. Was sich abzeichnet, ist ein Weltbild der ›*Pluralität von Wirklichkeiten*‹, gegen das - aber wie lange noch? - Reflexions-Traditionen der Aufklärung und des 19. Jahrhunderts wie die idealistische Erkenntnistheorie, die Hermeneutik und nicht selten sogar ein kaum verhüllter Positivismus gekehrt werden.

"Stil"

*Geschichten und Funktionen
eines kulturwissenschaftlichen
Diskurselements*

Herausgegeben von
Hans Ulrich Gumbrecht
und K. Ludwig Pfeiffer

Unter Mitarbeit von
Armin Biermann, Thomas Müller
Bernd Schulte, Barbara Ullrich

Suhrkamp

CIP-Kurztitelaufnahme der Deutschen Bibliothek
Stil : Geschichten u. Funktionen
e. kulturwiss. Diskurselements /
hrsg. von Hans Ulrich Gumbrecht
u. K. Ludwig Pfeiffer.
Unter Mitarb. von Armin Biermann ... –
1. Aufl. – Frankfurt am Main :
Suhrkamp, 1986.
(Suhrkamp-Taschenbuch Wissenschaft ; 633)
ISBN 3-518-28233-6
NE: Gumbrecht, Hans Ulrich [Hrsg.]; GT

suhrkamp taschenbuch wissenschaft 633
Erste Auflage 1986
© Suhrkamp Verlag Frankfurt am Main 1986
Suhrkamp Taschenbuch Verlag
Alle Rechte vorbehalten, insbesondere das
des öffentlichen Vortrags, der Übertragung
durch Rundfunk und Fernsehen
sowie der Übersetzung, auch einzelner Teile.
Satz und Druck: Wagner GmbH, Nördlingen
Printed in Germany
Umschlag nach Entwürfen von
Willy Fleckhaus und Rolf Staudt

1 2 3 4 5 6 – 91 90 89 88 87 86

Inhalt

III Stil – Soziale Repräsentation/kulturhistorische Rekonstruktion

IV STILBEGRIFFE UND THEORIEKONSTRUKTIONEN

V Abgesänge

Le style c'est le diable
Paul Valéry

I
Auftakte

Wolfgang Ernst
Mit dem Gespür des Stil(ett)s:
Klio in den Spuren von Atlantis
(Historiograffiti)

Nimmt man Stil als historio*graphische* Kategorie ernst, so verweist das griechische *graphein* (eigentlich: »kratzen«) nachhaltig auf die wegbahnende Arbeit des Schreibinstruments (lateinisch: *stilus*). Folglich bedeutet die Frage des Stils auch immer das gewichtige Abwägen eines spitzen Gegenstandes (Stilett), mit dem der Historiker das angreifen kann, worauf sich die »Materie der Geschichte« gern beruft (Honegger, C., 1977), um dort ein Mal aufzudrücken, eine Spur oder eine Form zu hinterlassen, aber auch, um eine drohende Kraft zurückzudrängen, sie auf Distanz zu halten, sie zurückzustoßen, sich vor ihr zu hüten – dann wankt er und weicht flüchtig hinter seinen Text zurück (textiler Schleier), um wieder Segel zu setzen (mit der gleichen Textur) und den Federkiel zum Schiffssporn zu verwandeln: »Auf die Schiffe, ihr Philosophen!« (Nietzsche), Atlantis suchen.

Der Stil kann mit seinem Sporn also *auch* gegen die schreckliche, blendende und tödliche Drohung schützen, die sich (dessen, was sich) *darstellt,* hartnäckig sich zeigt: die Präsenz also, der Gehalt, die Sache selbst, die Wahrheit – es sei denn, in all dieser Entschleierung des Unterschieds zeigt sich nicht *schon* der deflorierte Abgrund. *Schon,* Name dessen, was erlischt oder sich im voraus entzieht und dennoch ein Mal hinterläßt, eine entzogene Signatur auf ebendem, woraus es sich entzieht – dem Hier und Jetzt (Derrida, J., 1976, Einleitung).

So verweist der *sporn*ende Stil(us) des Historikers mit etymologischer Notwendigkeit auf den Begriff der *Spur,* deren Fährte seine Schrift markiert, eine Bruchlinie, die Vergangenheit vom Hier und Jetzt abspaltet:

Die Entstehung des geschichtlichen Bewußtseins in den letzten Jahrhunderten bedeutet einen Einschnitt von noch viel tieferer Art. Seither ist die Kontinuität der abendländischen Denktradition nur noch in gebrochener Weise wirksam. Denn die naive Unschuld ist verlorengegangen, mit der man die Begriffe der Tradition den eigenen Gedanken dienstbar gemacht hatte (Gadamer, H.-G., 1965, S. xxviii f.).

Tiefer Einschnitt: Gravierende Arbeit des Stil(u)s, Einbruch der Manipulation in die Unschuld Klios? Ganz so jungfräulich war der museale Raum nie gewesen. Mit der Schrift, als Akt der Verzeitlichung Bedingung von Geschichtlichkeit schlechthin, tat sich Klio immer »*schon* der deflorierte Abgrund« auf, der sich durch seine eigene Zuschreibung entzieht. Tradition und Kontinuität sind schriftlich angelegt; als Spur liegt bereits vor, worin der Sporn des Geschichtsschreibers sich einschreibt. Spuren nehmen ein solches Einschreiben vorweg: Wegbahnendes Anliegen der *architraces,* deren Ertastung Wolfgang Müller unter dem Rubrum »Vor-Schleifspuren im Kopfgetriebe« anleitet:

Tief im Unterschorf, in den krustigen Narben, ertasten wir eine subtile, fast unmerkliche, verschwommene Spur – eine, schließlich als Ganzes – erkennbare, ständig fluktuierende angerissene, eingesandete Fährte.
Zur gleichen Zeit erspüren wir diese Spur in einem noch nicht real existierenden, noch nicht stattgefundenen Zeitraum auf. Dem Zeitpunkt, wo die Reste und Bruchstücke dieser Fährte, Spuren in einer vorhergehenden Zerstörung ruhend, den neuen Zeitpunkt der Restaurierung und Rekonstruierung berührt (Müller, W., 1982, S. 85).

Indem Gadamer den Ursprung von Geschichtsbewußtsein zwar als Gravur beschreibt (»Einschnitt«, »gebrochene« Tradition), dies jedoch rein historisch arretiert, folgt er dem Gestus der Metaphysik seit Plato, die gern idealisierend von Schrift in der Geschichtsphilosophie absah und das Unbehagen an der *architrace* durch historische Benennung, also *logos*-hörig, bannte: Derselbe Plato, der in seinem Dialog *Phaidros* das Medium Schrift sokratisch verwirft (§ 59), läßt im *Kritias* Atlantis untergehen. Indem er die Vor-Schleifspuren (graphisch, skriptural) durch seine Erzählung *(logos, historia)* von Atlantis als Vorgeschichte präsentiert, scheint er deren Unhintergehbarkeit zu meistern, jenes »schon«, von dem Derrida spricht (und in dessen *déjà* sich reziprok die Initialen seines Namens bergen). In der Ablenkung vom *ineffabile* der Schrift wähnt sich der *logos* allmächtig. Die Stilkunde selbst weist diese Bewegung als Katachrese aus: Schrift wird als Rede gehandelt, und die Narbe dieses Bildbruchs scheint wie weggewischt mit der Mythologie des weißen, unbeschriebenen Blattes Papier. Hier interveniert Derrida: Eine solche Vorgeschichte ist unzulässig, einen solchen ersten Text gibt es nicht,

... nicht einmal eine unberührte Fläche für seine Inschrift, und wenn das Palimpsest einen blanken, materiellen Untergrund für eine Ur-Schrift erfordert, kein Palimpsest. Kein Vorwort (Derrida, J., 1979, S. 146 f.).

Platos Bannung der *architrace* durch die Benennung Atlantis entpuppt sich als nichtiger Wahn, als listige Täuschung etymologischer Mimesis, wenn offenbar wird, daß sich dieser Name nur im Rückgang auf einen Nicht-Ursprung erst konstituiert: »Atlantis«, wohl doch aus dem Ägyptischen, bedeutet »die namenlose (Insel)« (Schenkel, W., 1979).

Von der Katastrophe der Schrift (als die sie sich etwa auch für Jean-Jacques Rousseau darstellt) (Weigand, K., 1978, S. LIX) zu der von Atlantis: Was oft als häretischer Abzweig der Geschichtsschreibung erscheint, zog doch durch die abendländische Geistesgeschichte seine Bahnen und erweist sich am Ende als deren Spiegelschrift im Anders-Sein, als notwendiges Korrelat zur wesentlichen Unvollendetheit einer Geschichtsbetrachtung, die ihren graphischen Ursprung ständig löscht. Der Diskurs, der unter dem Namen Atlantis figuriert, ist gekennzeichnet von Katastrophe und Tod, und somit nichts anderes als der auf den Nenner gebrachte Befund, dessen Abwesenheit der Historiker durch die Kraft und Animation (Stil) seines Diskurses zu überwinden trachtet (Certeau, M. de, 1975a, S. 60). Wegmarkierungen der Historiographie wurden als die Spuren einer vorhistorischen Realität »Atlantis« entziffert, weil der Gedanke ursprungloser Spuren einem kausalen Denken unerträglich erschien, das nicht grundlos sich zu halten vermag. Sicher gibt es so etwas wie ein Kollektivgedächtnis an Dinge, die nie Gegenwart waren; ebenso hat sich Geschichtsphilosophie immer gerne in Hinblick auf eine schon verlorene Geschichte konstituiert; fatale Strategie der Exorzierung einer ständig anhaftenden *architrace*, die als Untergang des Landes Atlantis aus dem Terror der Geschichte exterritorialisiert wurde, schonungslos. Die Nahtstelle, die den Bruch der Schrift mit der Erzählung *(logos)* markiert, wird als Narbe der Katastrophe von Atlantis identifiziert und sichergestellt; Aufklärung eines Verbrechens, das in der Tat nie geschah. Der atlantische Rücken, Signatur der Kontinentaldrift, bezeichnet nichts als die Abwesenheit eines sechsten Kontinents.

Doch nur zu oft verrät sich hinter der Rede von Atlantis die *architrace* der Historiographie. Cyrus Headley, Erzähler in Sir

Arthur Conan Doyles Roman *The Maracot Deep* (1929), hat submarin, tief im Unterschorf vor den Kanarischen Inseln, Überlebende der Kultur von Atlantis entdeckt. Als Zuschauer ihrer kinematographischen Gedächtnisprojektionen überkommt ihn das intime Gefühl von *déjà vu;* sein Gespür setzt ihn auf die Fährte seiner eigenen Vor-Schleifspuren:

Ich, Produkt einer modernen Kultur, war einmal Teil dieser antiken und mächtigen Zivilisation gewesen. Jetzt begriff ich, warum viele Symbole und Hieroglyphen, die ich hier gesehen hatte, mich mit einer vagen Vertrautheit beeindruckt hatten. Wieder und wieder war ich mir wie ein Mann vorgekommen, der angestrengt sein Gedächtnis bemüht, weil er spürt, an der Schwelle zu einer großen Entdeckung zu stehen. Eine Entdeckung, die ständig auf sich aufmerksam macht, gleichzeitig aber für den Forschenden immer zu weit weg ist, um sie greifen zu können... aus dem tiefsten Innern meines Unterbewußtseins, wo die Erinnerungen an eine Zeit vor Zwölftausend Jahren noch immer weilten (Doyle, Sir A. C., 1981, S. 142 f.).

Geschichtsbewußtsein ist nur die Spitze des Eisbergs der Geschichte (Veyne, P., 1981); das spornende Vorgehen des Historikers kann dem kaum auf die Spur kommen, was als kollektives Katastrophengedächtnis immer schon wieder abgewehrt werden soll. *Stilus:* Schreibgerät, mit dem man schreibt und das Geschriebene sogleich auch wieder wegglättet *(vertere stilum).* Schriftspuren aber bleiben auf dem Holz zurück, wo auf der Wachstafel scheinbar *tabula rasa* gemacht wurde. Das inzestuöse Gewimmel der Signifikanten im Geschichts*unter*bewußtsein ist der wahre Ort jener »Insula Atlantidis«, von der Athanasius Kircher 1665 in seinem *Mundus Subterraneus* schreibt. Nicht-Ort und Nicht-Eingetroffenheit eines Ereignisses, liegt Atlantis an den Grenzen des gebrochenen Mythos: Und der existiert nur als Geschriebener. Atlantis ist eine »theoretische Fiktion«, so wie Freud den psychischen Apparat in der *Traumdeutung* beschreibt: Im Innern schreibt es sich ein und lagert sich ab (»Erinnerungsspuren«). »Insula Atlantidis«, gebrochener Mythos:

Die Schrift vermehrt sich rund um die Schnittstelle, die im Nichts des Werkes vibriert. Sie ist »Inschrift-Insel«, *Locus solus,* »Strafkolonie«, ein Traum, besetzt mit dem Unlesbaren, zu dem er zu »sprechen«, von dem er zu »reden« glaubt (Certeau, M. de, 1975b, S. 84).

Laut Michel de Certeau ist die Schrift seit vier Jahrhunderten an die Stelle der Mythen getreten. Kafkas *In der Strafkolonie* schildert die Arbeit der Schrift (die der Nadel) als körperliche Verletzung, als Maschine, die auch nach dem Ende noch weiterritzt. In ihrer Tätigkeit kommt die Evidenz dessen zum Zuge, was weder ausgesprochen noch gefunden werden kann, Aufdruck und Spur eines unerreichbaren Gesetzes hinterlassend. Certeau spricht vom Text, der dieses Gesetz mimt, indem er seinen eigenen Tod spielt. Atlantis – auch eine Variante der Texte zur *Ars moriendi,* zu den Todesarten (Stile/Stille)?

Nachdem der spornende Forscher in Doyles Roman den Schleier des Schweigens durchstoßen und Atlantis aufgespürt hat, bietet es sich ihm entblößt als Hieroglyphe, Kryptogramm zur endlichen Lesung entgegen:

Wir hatten einen Moment lang miterlebt, wie eine Decke des großen, dunklen Vorhangs der Natur gelüftet worden war, hatten einen vorübergehenden Lichtstrahl der Wahrheit zwischen den Geheimnissen gesehen, die uns umgeben. Jedes Leben ist nur ein Kapitel in der Geschichte, die Gott entworfen hat. Man kann weder seine Weisheit noch seine Gerechtigkeit beurteilen bis zu jenem letzten Tag..., (Doyle, Sir A.C., 1981, S. 144).

Im Design Gottes ist unsere Geschichte bloße Kopie eines längst verlorenen Originals. Mit Atlantis wird als »schön« beschrieben, was als das »schon« jeder Geschichtsschreibung unhintergehbar ist:

Wenn das Schöne in der Reproduktion nichts verliert, wenn es in seinem Zeichen, in der Kopie als dem Zeichen des Zeichens wiederzuerkennen ist, dann heißt das, daß es schon reproduktive Essenz war, als es zum ›ersten Male‹ produziert wurde (Derrida, J., 1974, S. 357).

Wenn das *déjà vu* konstitutiv ist für das Historische im Moment seiner schriftlichen Verfassung, kann es kaum noch wundern, daß Hermann Wirth 1931 Atlantis anhand universaler frühgeschichtlicher Kultursymbole als »Die heilige Urschrift der Menschheit« zu entziffern suchte. Die Geschichte seiner Zwischenkriegswelt schien sich im Bewußtsein der Zeitgenossen nur noch in eine bereits gebahnte Spur einschreiben zu können, einer Vor-Schrift folgend: dazu verdammt, das Schicksal von Atlantis zu wiederholen (Mereschkowskij, D., 1929, S. 6, 8 f.).

Frenzolf Schmid enthüllte die Architektur von Atlantis als Architektur: »Urtexte der ersten göttlichen Offenbarung. Attalantische Ur-Bibel« (1931). Dasselbe Schreibgerät, das diese Textur webt, durchstößt auch den Schleier. Solche Historiographie markiert die Bruchstelle von Mythos und Geschichte. Das Gilgamesch-Epos lesend, welches als Sintflut-Erzählung selbst Echo vom Typ Atlantis ist, erkennt die Autorin Gertrud Leutenegger,

…daß er immer schon gewesen sein müsse, dieser universelle Riß, der, in immer neuer Gestalt, alle versuchten Harmonien bricht. Hinnehmen kann sie ihn nicht, zu sehr träumt sie den (religiösen) Traum von Einheit. Bisweilen blitzen in den Texten Utopien seiner Überwindung auf… auch hier: Der Riß – der kindliche Traum vom Einssein ist dahin… nun klafft der Riß weiter (Gustafsson, L., 1984).

Geschichte im Aufriß. Das Spiel von Stil und *architrace* kommt gerade an der Stelle zum Zug, wo modernes Geschichtsbewußtsein sich konkretisiert. Über Johann Joachim Winckelmann, der im Vor(be)griff des Historismus die *Geschichte der Kunst des Altertums* (1764) als Kunst*geschichte* prägte, heißt es bei Waetzoldt (*Deutsche Kunsthistoriker*, 1929):

Antik heißt freilich bei Winckelmann griechisch; darin aber, wie er den Vorrang der Griechen begründet, wie er ihre Kunst ableitet und dem »Ursprung, dem Wachstum, der Veränderung und dem Fall« der Künste auf die Spur zu kommen sucht, wie er eine Periodisierung der Stile gibt, offenbaren sich Eigenwuchs und Genialität seines Denkens (Anhang zu Winckelmann, J. J., 1934, S. 426).

Nach-Spüren und Stil-Geschichte bedingen sich in dieser Heuristik. Die Periodisierung der eigentlich griechischen Kunst aber ruht bei Winckelmann »…wesentlich auf den gleichsam apriorisch gefundenen normalen Stilunterschieden, die den fünf Akten der dramatischen Handlung gleichgestellt werden« (Stark, C. B., 1880, S. 66). Stilfindung oszilliert also zwischen graphischer Spurensicherung und dramatischer Imagination; die Katachrese der Geschichtsschreibung bleibt unversöhnt. Halten wir sein stilistisches, sein spornendes Vorgehen fest: »Die volle… Durchdringung der Archäologie aber gelang nur deutschem Tiefsinn« (*a.a.O.*, S. 162). Ozeanische Tiefen und Durchdringung: Mit dem *stilus*/Schiffssporn auf der Suche nach einem ur-*logos*. Doch Klios Buch hat kein Vorwort. Was als Ur-Sprung immer nur in der Bruchlinie von Schrift entzifferbar ist und erst dialektisch sich konstituiert, sollte durch die Allegorisierung von Atlantis *(et alia)* in den Stillstand gezwungen werden. Bezeichnet die Allegorie doch mit Paul de Man

...zunächst eine Distanz zum eigenen Ursprung, und durch ihren Verzicht auf den Wunsch und die Sehnsucht nach dem Zusammenfallen stellt sie ihre Sprache in die Leere dieser zeitlichen Differenz, währenddem das Symbol die Möglichkeit einer Identität oder Identifikation postuliert... Ein ungetrübtes Dasein wird dieser symbolische Stil jedoch nie haben; da er ein über ein Licht geworfener Schleier ist, das man nicht mehr wahrnehmen möchte, wird er nie zu einem guten dichterischen Gewissen gelangen können (Man, P. de, 1969, S. 424).

1772/73 malt Winckelmanns Zeitgenosse Anton Raphael Mengs für die Bibliothek des Museo Pio-Clementino in Rom eine *Allegorie der Geschichte*. Einerseits gestützt auf die greise Zeit (temporale Evidenz), schaut Klio andererseits dem Gott Janus nach, der auf das Antikenmuseum weist (metahistorische Ästhetik). Unvermittelt zwischen diesen beiden Polen, blickt sie nicht auf das, was sie schreibt. Das Dilemma von Stil und Geschichtsschreibung wird offenbar:

Schon die Idee von Stil ist einer zentralen Ambiguität unterworfen: Er soll sowohl Information als auch Gefallen bieten. Er öffnet Fenster zur Wahrheit wie zum Schönen – eine irritierend zwiefache Aussicht (Gay, P., 1975, S. 6).

Damit ist Klios Lage, ihr *double bind*, exakt beschrieben. *Past and beauty:* Durch das Museumsfenster erblickt man die antike Statue der Ariadne. Als Skulptur galt sie als maßgebend für die *disegno*-Studien der Künstler, die seit Vasari Anatomie mit Graphik verbanden. Janus aber ist der doppelgesichtige Gott der Türschwelle: Wohin schaut seine rückwärtsgewandte Hälfte, während er Klio diktiert? Altersgrau, scheint es von Schrecken erstarrt. Wenn die Geschichte kein Vorwort hat, *no preface*, so liegt doch

...in der Allegorie die *facies hippocratica* der Geschichte dem Betrachter vor Augen. Die Geschichte in allem, was sie unzeitiges, leidvolles, verfehltes von Beginn an hat, prägt sich in einem Antlitz (Benjamin, W., 1928, 1980, S. 343).

Janus schaut zurück in den Bereich unsicherer Abgrenzungen zwischen Ur- und Vorgeschichte, Vorurteil und Gesetz. Ariadne einerseits, die mit ihrem Faden eine Ent-Wicklung im Labyrinth des historischen Befunds verspricht; Katastrophen andererseits, deren Medusalächeln sich im Antlitz des Betrachters spiegeln. *Janus bifrons* verkörpert diese Dichotomie selbst; Klios Stil(us) schreibt eine beständige Katachrese, indem sie Janus' Spaltung nachvollzieht. Weder innerhalb noch außerhalb dieser Verstrik-kung, schreibt sie die Bruchlinie selbst.

Wenn sich der moderne Epochenbegriff der Stil-Findung ver-dankt, ist Ladendorfs Diktum »Geschichte ist Stil« (Ladendorf, H., 1958, S. 77) nur konsequent. Auch wenn er hier idealisierend von der gravierenden Arbeit des *stilus* in der Geschichts*schrei-bung* abstrahiert, die Geschichte zur reinen Stimme erheben möchte, um ihre schriftliche Gebrochenheit zu löschen, läßt sich ihr graphischer Ursprung nur schlecht verschleiern. »Jeder Stilbe-griff evoziert einen ›Halo‹ anderer Stilbegriffe« (Hans Ulrich Gumbrecht)[1]: Die reine Stimme entpuppt sich als Mythos, wo sie sich originär schon als Echo vernimmt. Darin liegt die Natur von Stil als implizitem *plurale tantum*: Als Schrift immer schon von *architraces* kontaminiert, trennt sie die gleiche Kluft von ihrer reinen Idee wie den Kollektivsingular Geschichte(n) vom »Geist der Geschichte«, mit dessen Hilfe der Idealismus und Historis-mus des 19. Jahrhunderts Stil und Geschichte zu Totalitäten hypostasierten. Dieser Zwiespalt liegt in der Ambivalenz des griechischen *graphein* schon angelegt: Es gab eine Tradition, welche die Erfindung der Malerei jenem Mädchen zuschrieb, das mit einem *stilus* den Schatten ihres Geliebten an der Wand umriß, um nach seiner Abreise Konturen zu behalten: Repräsentationen als Wieder-Ruf, primordiale Historiographie (Caws, M. A., 1983).

Christine Buci-Glucksmann spricht von Bildgrenzen der Schrift und der Geschichte (1984, S. 31, nach Walter Benjamin). Win-ckelmanns Vorstellung von Stil als »Schreibart« und seine Insi-stenz auf dem Vorrang der Linie setzt nur fort, was Vasari inaugurierte, indem er *speculazione di mente* als *disegno* auswies. Diese graphische Historisierung der Ästhetik läßt sich noch bei Ranke verfolgen, der dem Winckelmannschen Stilparadigma folgt, indem er Epochengrenzen als Linien zieht (Jauß, H. R., 1973, S. 186 ff.). Auch wenn der Historismus diese Schriftspuren verwischt, schleichen sie sich semantisch doch immer wieder ein; Friedrich Meinecke spricht von Winckelmann als dem »Wegbe-reiter« des Historismus, und markiert somit nichts anderes als seine eigene Wiedereinschrift in diesen vorliegenden Pfad, jene *architrace*. Historismus war nicht Produkt einer ununterbroche-nen Evolution, wie Meinecke sie beschreibt: Abgrenzungen, die ihn definieren, gehen als Bruchlinien mitten durch seine Historiographie hindurch (Vidler, A., 1982, S. 56).

Während es so aussieht, als ob erst die formende Hand des Stilisten einer disparaten, oft scheinbar zusammenhanglosen vergangenen Wirklichkeit Ordnung verleiht, ist dieser Ordnungsakt doch rein formal, vollzogen nach den Erfordernissen der Darstellung. Die Ordnung selbst ist etwas, das der Historiker nicht macht: Er findet sie. Ein solch kontroverser Akt wie das Herausmodellieren einer historischen Periode ist keine Konstruktion, sondern eine Entdeckung. Die Ordnung, die Periode liegen schon vor (Gay, P., 1975, S. 217).

Peter Gay geht hier von einer Struktur der Geschichte als Ur-Text aus (Archi/Textur), demgegenüber die Vorstellung einer Architektur Atlantis als präfigurative Vorgeschichte sich kaum fremd ausnimmt. Vor-Geschichtsschreibung: Der *stilus* des Historikers zeichnet einen schon vorgeschriebenen Plan nach. Seine stilistische Signatur bekommt hier ideographischen Charakter.

Den meisten Historikern obliegt die Konstruktion der kollektiven Erinnerung. Sie stehen dabei unter dem Druck, eine beeindruckende Fassade zu entwerfen, die nur entfernte Ähnlichkeit mit der Ereignisstruktur haben mag, die dahinter verborgen liegt (*a.a.O.*, S. 206).

Diese »kosmetische Aktivität«, wie Peter Gay die Arbeit des Historikers weiter nennt, besteht in der Tat aus dem Auferlegen einer kosmischen Ordnung, einem *logos* also (mit Plato und Herodot: Ordnung, Erzählung, Geschichte) – Sinngebung des Sinnlosen (Theodor Lessing). Sein Stil – eine gotische Fassade, klassizistisch meinetwegen, als Überzug eines nackten Betonbaus (*a.a.O.*, S. 5)? Gay spricht hier vom Historiker wie einem historistischen Architekten, konzediert dann aber an anderer Stelle, daß Stil eben doch kein *after-thought* sei, sondern selbst ein heuristischer Zug, der wesentliche Merkmale der beschriebenen Geschichten in der Darstellung selbst enthüllt. Eine dekonstruktivistische Lektüre solcher Texte erweist, daß sich mit einer Dichotomie von quasi apriorischen Strukturen der Geschichte einerseits und ihrer stilistischen Findung andererseits kaum noch arbeiten läßt. Poststrukturalistisches Mißtrauen gegenüber einem solchen archäologischen Verständnis, das mit dem Spaten/*stilus* auf Grund stoßen, bohren zu müssen glaubt, in der Hoffnung auf die Fundamente einer uralten Stadt/Stätte, weil der Gedanke eines Ur-Sprungs aus dem Ab-Grund unerträglich erscheint, setzt dagegen eine Archäographie, die von der beständigen Dislokation des Koordinatensystems von Vergangenheit im Schriftakt ihrer Vernetzung/Textur selbst ausgeht. Dezentriert anstatt enzyklopädisch, lernt eine solche Geschichtsschreibung sich in den Gängen des Labyrinths selbst zu verirren, als das sich der holistische Griff nach dem Ganzen, ein Verständnis von Stil als Schlüssel zu einer Epoche wie ein »Gesamtkunstwerk« herausstellt. In der Postmoderne gibt es keine Avantgarde mehr, die für sich beansprucht, auf den Spuren eines neuen Stils zu sein und dabei die eigene Signatur zu hinterlassen. Aus der Einsicht in das »schon«, das Echo/den »Halo« längst durchgespielter Stile, die Gleichzeitigkeit ihrer Ungleichzeitigkeit, die jede Linearität von Geschichte ständig korrumpiert, resultiert ihre nunmehr ironische und eklektische Zitation. Das nachhistorische Stil-Archiv (Archistil) tritt an die Stelle des Entwicklungsdenkens, und die Florilegien des Flaneurs an die des Fortschritts. Stilistische Differenzierung dient dort nicht mehr als Werkzeug zur Entzifferung der Geschichte, wo Piranesis Ruinenkompilationen Winckelmanns »Lehrgebäude« ersetzen: Von der Ruine als Emblem für Geschichte zum Ruin der Geschichtsschreibung selbst (Böhme, H., 1985). Zerbrochener *stilus*, brechendes Stilett.

Kein Vorwort. Keine Vorgeschichte mehr, wo die Idee der Geschichte selbst von ihrer Schrift obliteriert wird und jene Struktur und Materie (Architektur/Architextur), die der Historiker zu be-schreiben vorgibt, sich als Gespür, als das (immer) *schon* seiner eigenen Schreibung erweist. Kein Atlantis mehr. Was einmal Stil hieß, ist nun markiert von Simulation und Abwesenheit: In einer Welt elektronischer Reproduzierbarkeit, einer Welt von Simulakren also (Baudrillard, J., 1978) bleibt nur noch eine Spur, Karikatur, ein Spiegelbild von Stil (Horkheimer, M./ Adorno, Th. W., 1971, S. 144 ff.). Vom Kult der Ursprünge zur kulturellen Kristallisation: Die Halluzination von Atlantis verfertigt ihre eigene Kopie. Es gibt Erinnerung an vergangene Zeiten, die nie Gegenwart war: Geisterhaft anwesend (präsent), entzieht sie sich der Darstellung (Repräsentation) als vergangene Wirklichkeit. Historiographie gerinnt so in ihren Vor-Schleifspuren, deren Identifikation als potentiell immer schon entzifferte historische Erinnerung durch den Philologen einer Metaphysik entspricht, die unter »Spurensicherung« die Aufklärung von Tatbeständen versteht, die in der Tat nie geschahen.

Nomadische Schrift: Irrfahrt des Odysseus, dessen Schiffskiel die wegbahnende Arbeit des *stilus* (Chladenius zum Stil des Historikers: »*marem furcare*«) beschreibt, kartographisch[2]. Immer auf der Suche nach Ithaka/Atlantis, schwankt seine spurenlassende Forschung zwischen »archi-« und »re-«, oszillographische Suche zwischen Rückkehr zum Ursprung und originärer Sehnsucht. Unaussprechliche Bewegung der Schrift: Geschichtsschreibung ist nur als Rückkehr zu einem Nicht-Ursprung möglich. Nostalgischer Charme:

Der Charme ist kein Gegebenes, sondern erfordert, daß man ihn sucht, und er stiehlt sich fort, wenn wir glauben, ihn zu fassen; wer ihn sucht, hat ihn vielleicht längst gefunden, doch der ihn gefunden hat, sucht ihn noch weiter, weil er schon wieder verloren ist... Der Charme ist weit weg, wie Ithaka... seine Lokalisierungsversuche sind ebenso flüchtig wie die der Nostalgie (Jankélévitch, V., 1974, S. 373).

Im Übergang vom Klassizismus zur Romantik wurde aus dem Stil als Gedankenkleid die Inkarnation der Gedanken selbst (Müller, W. G., 1981, S. 90). Unaussprechlicher Schleiertanz, verstricken sich Stil und Stoff als subtile Intertextur (Thomas de Quincey). Variation: »Stil ist Form und Inhalt, gewoben in die Textur jeder Kunst«, und es gilt, »die Fäden herauszuziehen, aus denen der stilistische Teppich gestrickt ist« (Peter Gay). Thomas Carlyle spricht von Geschichte als Gewebe, das alles Sein durchwirkt:

Vielleicht gelingt es uns, einen Umriß dessen zu entwerfen, was seine Schatten vorauswirft [...] Zeichnet sich da am äußersten Scheitelpunkt unseres gegenwärtigen Horizonts nicht so etwas wie festes Land ab, das Versprechen neuer Inseln der Seligen, vielleicht ganze unentdeckte Amerikas, für deren Entdeckung wir längst das Segeltuch haben? Doch wo ist das listige Auge und Ohr, dem sich diese gottgeschriebene Apokalypse als Sinn artikuliert? Wir sitzen wie in einer grenzenlosen Phantasmagorie, einer Traumgrotte [...] (Carlyle, Th., 1908, S. 38 f.).

Sehnsucht nach Atlantis: »Auf die Schiffe, ihr Philosophen«; die Textur der Historiographie webt das Segeltuch selbst. Doch ist sie auch der Schleier (des Vergessens), den es zu durchstoßen gilt (Stilett/Schiffssporn/Spur). Apokalypse – Entschleierung. Vom Urgrund (Architektur) der Geschichte, namenlos: Atlantis, zum Urtext (Architextur) der Historiographie, in den sich der Historiker mit Gespür einschreibt, in Geschichte(n) verstrickt (nach W. Schapp). *Stilus* und Nadel: Begegnung einer Schreib-/Nähmaschine und eines Regenschirms[3] auf dem Seziertisch.

Der spornende Stil(us), der lange, längliche Gegenstand, Abwehrwaffe, die dabei auch durchbohrt, die lanzenblattartige Spitze, die ihre apotropäische Kraft aus den Geweben, Tüchern, Schleiern zieht, die sich um sie binden, falten und entfalten, ist auch, vergessen wir es nicht, der Regenschirm (Derrida, J., 1975, Einleitung).

Wenn die Wahrheit, wie Nietzsche zu imaginieren liebte, eine Frau ist, dann ist der Stil(us) das scharfe Instrument, das ihren Schleier zerreißt. Gestus des Historikers, der Klio zu Leibe rückt. Doch dieselbe Geste webt schon einen neuen Text-Schleier, den schönen Schein der Geschichte, die das »schon« ihrer Katastrophe nicht erträgt (*sub-ferre*), also im Schriftakt selbst verstellt (*dis-ferre*) und meta-phorisiert. Das französische *caler* (von *la cale:* Kiel, Keil) heißt verkeilen, einen Keil unterlegen, doch auch aufgeben, nachgeben, weichen. *Le décalage* meint das Entfernen von Keilen, doch auch Abstand, Unterschied, Verschiebung, Verlegung. Wieder Carlyle:

Nach einem unmetaphorischen Stil magst du vergeblich suchen: Ist nicht deine Erwartung selbst schon ein Dahin-Langen? Die Differenz liegt hier [...] (Carlyle, Th., 1908, S. 54).

Bleiben wir also bei der Wahrheit. Der Atlantis-Stil will nichts anderes bedeuten, als daß es eine Wahrheit gibt, welcher der Historiker nur (selbstbe)trügerisch entkommt. Die einzige Zuflucht, die einem Autor im Wissen solch sublimer Geschichten bleibt, liegt darin, sie »als Lüge zu erzählen«:

Denn Wahrheit ist eine nackte Dame, und wenn sie zufällig vom Grunde des Meeres heraufgezogen wird, ziemt es sich für einen Gentleman, ihr einen Unterrock zu geben oder sein Gesicht der Wand zuzuwenden und zu geloben, er habe nichts gesehen (Bann, S., 1984, S. 12).

Die Wahrheit vom Grunde des Meeres: Der Alptraum des Historikers ist das wiederaufgetauchte Atlantis. Klios verdrängte Mutterbindung (Mnemosyne) rächt sich fatal, indem sie als Wiederholungszwang der Katastrophe zurückkehrt. Hitler hat die Atlantisforschung aktiv unterstützt. Leopold von Ranke täuschte sich, als er die Wahrheit in der Geschichte suchte: Sein berühmtes Diktum, er wolle »bloß zeigen, wie es eigentlich gewesen«, will sagen,

daß die Schleier gefallen sind: Nicht einmal ein Unterrock für Klios Blöße, und daher besteht a forteriori kein Bedarf nach einem sondierenden Stil *(stylus)*, um sie damit an ihren verborgenen Stellen zudringlich zu sticheln *(a.a.O.)*.

»Gib Klio einen Stoß, sonst verliert sie sich im Grübeln (musing)« (David Jones) – wohin schweifen ihre Gedanken, welcher Stil amüsiert sie? Wenn die Spur von Atlantis einen, wenn nicht *den* Stimulus der historischen Imagination vorgibt (Furneaux, R., 1978, S. 1), dann scheint Alain Robbe-Grillet es längst entdeckt zu haben; in seinem Roman *Ansichten einer Geisterstadt*, der eine Reihe von Phantomstädten beschreibt, die alle jener antiken Ruinenstadt zu entspringen scheinen, von der das erste Kapitel spricht. Eine Archäologie, die ihre eigene historische Zeit und komplexe Bedeutungsräume erfindet, besser: Archäographie auf der Suche nach dem Ursprung, Inschrift der *architrace*. Eine Reihe von Aus-Grabungen *(graphein)* werden durch den Schriftakt selbst gemacht, dessen Verhältnis zur Erzählung *(logos)* prekär bleibt. Ganz wie der Fährtensucher in Andreji Tarkowskijs Film *Stalker* in der »verbotenen Zone«, zeichnet hier die anagrammatische Spurensicherung des Erzählers/Historikers selbst den Plan der verlorenen Stadt. Ein Verbrechen steht im Raum: Inmitten des einzig gut erhaltenen Gebäudes sitzt eine Frau, die mit einem Stahlstichel ein Bild eingraviert – dem Instrument, das die Domäne der Sexualität wie auch der Gewalt mit Schrift verbindet. Das gezeichnete Modell (wieder eine Frau) reagiert mit physischem Schmerz auf ihre Repräsentation durch die Arbeit des *stilus*: »Jemanden abzubilden heißt sozusagen, ihm Gewalt anzutun. Es gibt afrikanische Völker, für die eine Abbildung als Vergewaltigung gilt« (Livingston, B., 1979, S. 233). Klio sitzt schweigend in den Ruinen von Atlantis. Noch einmal nähere ich mich gemessenen Schrittes. Man darf die junge Frau nicht aufstören, die sich stellt, als schreibe sie:

Und es sind gleichsam imaginäre, tief in die Einsamkeit, in die Abwesenheit eingezeichnete Gesten, die sie in die Maschen des unsichtbaren Netzes haben fallen lassen; oder eher hätten fallen lassen [...] Unter dem Vorwand eines gemurmelten »Verzeihung«, das ich ihr bereits habe zukommen lassen, als ich sie beim Eintritt in die Loge unabsichtlich berührte, erbiete ich mich, ihr aus der Verlegenheit zu helfen, indem ich ihr eine kurze Zusammenfassung der Handlung ins Ohr flüstere [...] (Robbe-Grillet, A., 1977, S. 160; 154).

Musendiktat.[4]

Anmerkungen

1 In einer Diskussionsvorlage für die Gruppe »Fächerübergreifendes Projekt« an der Universität Siegen (29. 6. 1983).
2 Dazu das Stichwort »*cale*« im Glossar H.-J. Metzgers (Anhang zu Derrida, J., 1982, S. 320 f.).
3 »Ich habe meinen Schirm vergessen«: Aus den ungedruckten Fragmenten Nietzsches, in Anführungszeichen gesetzt. Ein Zitat? Unter Ziffer 12, 175 eingeordnet in der frz. Übersetzung der *Fröhlichen Wissenschaft*, ed. Colli-Montinari.
4 Vgl. Lachmann, R. (1984), S. 512 ff. Frau Lachmann informierte mich über eine weitere tröstliche Variante der Kette Stil(ett)/Sporn/Spur/Regenschirm: »*Trost*« (mit palatalem »t«) im Russischen heißt »Spazierstock« (aus Schilfrohr).

Literatur

Bann, S. (1984), *The Clothing of Clio: A study of the representation of History in nineteenth-century Britain and France.* Cambridge.

Baudrillard, J. (1978), *Kool Killer oder der Aufstand der Zeichen.* Berlin.

Benjamin, W. (1928) (1980), »Der Ursprung des deutschen Trauerspiels«, in: *Gesammelte Schriften* I, Bd. 1. Frankfurt/M., S. 203-409.

Böhme, H. (1985), »Ruinen-Landschaften: Naturgeschichte und Ästhetik der Allegorie in den späten Filmen von Andreji Tarkowskij«. In: Hesse, H. (Hg.), *Natur und Wissenschaft. Konkursbuch 14.* Tübingen. S. 117-157.

Buci-Glucksman, Ch. (1984), *Walter Benjamin und die Utopie des Weiblichen.* Hamburg.

Carlyle, Th. (1833) (1841) (1908), *Sartor Resartus. On Heroes, Hero-Worship and the Heroic in History.* London/New York.

Caws, M. A. (1983), »Re-presentation as recall«. In: *Enclitic* 7, 1. S. 4-12.

Certeau, M. de (1975a), *L'Ecriture et l'Histoire.* Paris.

Certeau, M. de (1975b), »Sterbekünste. Anti-mystisches Schreiben«. In: *Junggesellenmaschinen/Machines célibataires. Katalog der gleichnamigen Wanderausstellung Kunsthalle Bern* (1975) ... Venedig. S. 83-96.

Derrida, J. (1967) (1974), *Grammatologie.* Frankfurt/M.

Derrida, J. (1975), *Eperons: Les Styles de Nietzsche.* Venedig.

Derrida, J. (1978) (1979), »Scribble (Writing Power)«. In: *Yale French Studies* 58. S. 117-147.

Derrida, J. (1980) (1982), *Die Postkarte: Von Sokrates bis an Freud und jenseits*. Berlin.

Doyle, Sir A.C. (1929) (1981), *Die Maracot-Tiefe:* Im versunkenen Atlantis. Gütersloh.

Furneaux, R. (1978), *Ancient Mysteries*. New York.

Gadamer, H.-G. (1960) (²1965), *Wahrheit und Methode*. Tübingen.

Gay, P. (1975), *Style in History*. London.

Gustafsson, L. (1984), »Risse in der Mauer«. In: *Die Zeit* vom 9.11.1984.

Honegger, C. (Hg.) (1977), *Schrift und Materie der Geschichte: Vorschläge zu einer systematischen Aneignung historischer Prozesse*. Frankfurt/M.

Horkheimer, M./Adorno, Th.W. (1947) (1971), *Dialektik der Aufklärung: Philosophische Fragmente*. Frankfurt/M.

Jankélévitch, V. (1974), *L'Irréversible et la Nostalgie*. Paris.

Jauß, H.R. (1971) (1973), »Geschichte der Kunst und Historie«. In: Koselleck, R./Stempel, W.D. (Hgg.), *Geschichte – Ereignis und Erzählung. (Poetik und Hermeneutik* 5). München. S. 175-209.

Lachmann, R. (1984), »Bachtins Dialogizität und die akmeistische Mythopoetik als Paradigma dialogisierter Lyrik«. In: Stierle, K./Warning, R. (Hgg.), *Das Gespräch (Poetik und Hermeneutik* 11). München. S. 489-515.

Ladendorf, H. (²1958), *Antikenstudium und Antikenkopie*. Berlin.

Livingston, B. (1979), »An Interview with Alain Robbe-Grillet«. In: *Yale French Studies* 57. S. 228-237.

Man, P. de (1969), »Allegorie und Symbol in der Frühromantik«. In: *Typologia Litterarum. Festschrift für Max Wehrli*. Zürich. S. 405-425.

Mereschkowskij, D. (1929), *Geheimnis des Westens: Atlantis – Europa. Betrachtungen über die letzten Dinge*. Leipzig.

Müller, W. (1982), »Anleitung zur Ertastung von Vor-Schleifspuren im Kopfgetriebe«. In: Ders. (Hg.), *Geniale Dilletanten*. Berlin.

Müller, W.G. (1981), *Topik des Stilbegriffs: Zur Geschichte des Stilverständnisses von der Antike bis zur Gegenwart*. Darmstadt.

Robbe-Grillet, A. (1976) (1977), *Ansichten einer Geisterstadt*. München/Wien.

Schapp, W. (1959), *Philosophie der Geschichten*. Leer.

Schenkel, W. (1979), »Atlantis: die ›namenlose‹ Insel«. In: *Göttinger Miszellen* 36 (1979). S. 57-60.

Stark, C.B. (1880), *Systematik und Geschichte der Archäologie der Kunst: Handbuch der Archäologie der Kunst*. 1. Abt. Leipzig.

Veyne, P. (1979) (1981), *Der Eisberg der Geschichte: Foucault revolutioniert die Historie*. Berlin.

Vidler, A. (1982), »The Art of History«. In: *Oppositions* 25. S. 56.

Weigand, K. (Hg.) (1978), *Jean-Jacques Rousseau: Schriften zur Kultur-kritik*. Hamburg.

Winckelmann, J. J. (1764) (1934), *Geschichte der Kunst des Altertums*. Wien.

Brigitte Pichon
Stil und Bewußtseinsökologie
Nathanael West und die dreißiger Jahre:
ein (de)konstruktives Vorspiel

Den Rahmen meiner Überlegungen bilden zwei unterschiedliche Stilkonzepte. Das erste ist ein literarisches. Es thematisiert das Aufbrechen traditioneller, ganzheitlicher Stilbegriffe in moderner Literatur. Das zweite ist ein ›anthropologisches‹. Stil wird auf einer neuen Ebene angesetzt und umschreibt einen Gestaltungsspielraum zwischen kanonisierten Sinnstiftungsmodellen und kontingenten Selektionsmöglichkeiten.

I

Es gehört inzwischen zu den Selbstverständlichkeiten zeitgenössischen Bewußtseins, die Repräsentativitätsfunktion von Sprache zu bestreiten. Dies dokumentiert insbesondere der moderne Roman. Die »Realitätsvokabeln« (Broch), ehedem implizite Garanten von ›Wirklichkeit‹, sind im modernen Roman zu bloßen Stilformeln geronnen. Literarische Stile erfassen ›Wirklichkeit‹ nicht, sondern entwerfen perspektivische Ansichten.
Für europäische Leser, die seit Beginn des Jahrhunderts mit der Entwicklung moderner Literatur, ihrer Infragestellung des aufklärerischen Vernunftbegriffs, des *common sense,* der Fähigkeit, Welt sinnhaft zu gestalten, vertraut sind, mag Nathanael Wests erster Roman, *The Dream Life of Balso Snell* (1931) epigonenhaft und trivial erscheinen. Dieser ›Modernismus‹ ist jedoch zumindest in der Romanproduktion der USA in dieser Zeit fast unbekannt. (Die Situation in der Lyrik ist anders.) Die Sprache des Romans hatte jedenfalls bis zum ausgehenden 19. Jahrhundert die Funktion ausgeübt, auf eine höhere, ›transzendentale‹ Ebene der ›Realität‹ zu verweisen. Mit dem rapiden Anwachsen der Industrialisierung nach dem Bürgerkrieg und dem »Schließen der Grenze« (Turner) wuchs ihr eine mehr und mehr ›realistische‹ Aufgabe zu. Elemente der traditionellen ›romantischen‹ Funktion

wurden jedoch beibehalten. Ich kann hier nicht näher auf diese verzögerte Entwicklung in den USA eingehen. Meine These ist jedoch, daß die Weite des Landes einer der bestimmenden Faktoren für die Beibehaltung des Glaubens an die ›Machbarkeit‹, die Steuerbarkeit von Entwicklungen ist. Denn eine *systematische Auseinandersetzung* mit eventuell auftretenden Problemen muß solange nicht erfolgen, als ein Ausweichen in andere Räume – seien es ›horizontale‹ oder ›vertikale‹ – noch problemlos möglich ist. Das Bewußtsein, daß die Eigendynamik von Gesellschaften der Steuerbarkeit durch den Menschen entzogen ist, daß die Technisierung und Bürokratisierung von Welt nicht nur Probleme löst, sondern gleichzeitig neue aufbrechen läßt, tritt in den USA – anders als in Europa – zu einem sehr viel späteren Zeitpunkt in die breitere Öffentlichkeit. *Symptome* dafür lassen sich jedoch schon früher vereinzelt aufzeigen.

Hier setzt West an. Er zeigt in *Balso* auf einer *tour de force* durch westliche Bewußtseinsformen, daß ›realistische‹ wie ›romantische‹ Ebenen unseres Bewußtseins durch Stilisierungen unseres literarischen und kulturellen Erbes überformt sind. Sie dominieren und konditionieren unsere Vorstellungswelt und mit ihr alle Formen des Lebens. Der Roman spielt sie gegeneinander aus und schwächt sie zu ›bloßen‹ Stilformen ab. *Realitäts*bewußtsein stellt sich als *Stil*bewußtsein dar. Darauf hebt auch die Bezeichnung Balsos als »Barde« ab. Mußten doch Barden über Stilvirtuosität verfügen, um mit dem epischen Repertoire umzugehen und dieses an ihre Zuhörer weiterzugeben. Die ›Stilzitate‹ beginnen bei der Odyssee und der Bibel, verweisen auf Dr. Johnson, Dryden, Swift, G. Moore, Baudelaire, Poe, Mallarmé, Rimbaud, Gide, Eliot, Proust, Dostojewski und Joyce, sowie auf kunsttheoretische Aussagen von Picasso und Cézanne. Selbst der literarisch gebildete Leser hat Schwierigkeiten, zwischen stilistischer Andeutung, Zitat, Plagiat und ›Eigenständigkeit‹ zu unterscheiden, die sich ineinander verschieben und miteinander verwoben sind. Wie auch immer – Kunst und Literatur, Traumbereiche und Vorstellungswelt scheinen von Intertextualitätsmustern durchzogen.

Beinahe alle Stilparodien stellen die unlösbare Diskrepanz zwischen dem menschlichen Drang nach ganzheitlicher Welterfahrung und der Heterogenität und Historizität möglicher Weltbilder vor. Als Resultat der historischen *Bilder* von Totalität als

Horizonte und Balsos komischer *Einstellung* zu ihnen als Thema, entsteht eine Spannung, die den Leser auffordert, einen eigenen Bezugsrahmen zu diesem Spannungsverhältnis zu finden, das im Roman nicht gelöst wird. Dies läßt ihn seine eigene ›moderne‹ Situation erkennen, die West ihm jedoch nicht vorführt, sondern als *Erfahrungsmöglichkeit* anbietet: je intensiver der Mensch nach bedeutungsvollen Weltmodellen sucht, um so mehr erscheint Welt als ein Resultat von Stilisierungen. Die Komik von Balsos Reise durch unsere literarische Vergangenheit vermittelt dem Leser das Gefühl, mit diesen Stilisierungen in spielerischer Weise umgehen zu können. Er kann so die Menschheit und ihre historischen Manifestationen als ständig präsentes Stil*potential* entdekken, bei dem lediglich die limitierte Bewußtseinskapazität des Menschen, nicht aber Realitätsgeltung zur Selektion zwingt.

West geht jedoch noch einen Schritt weiter: er schiebt ständig neue Geschichten in den Ablauf der *story*, durchsetzt den Traum mit anderen Träumen, verändert narrative Formen, literarische und philosophische Sprachstile, parodiert den aristotelischen Dialog, den pikaresken Roman, Reiseberichte, Tagebuch- und Briefromane, schiebt ein weiteres Tagebuch sowie Pamphlete dazwischen, bis der Leser die verschiedenen Realitätsebenen des Romans nicht mehr auseinanderhalten kann. Diese Proliferation von Realitätsebenen signalisiert, daß Traum, Fiktion, Illusion und das, was wir normalerweise Realität nennen, indifferent zu werden beginnen, sobald wir uns von der Notwendigkeit alltäglicher Lebensbewältigung fortbewegen. Der Leser wird in diese (zeitweise sehr ›realistischen‹) Geschichten hineingezogen. Sie präsentieren in sich logische und konsistente Erklärungsmuster, werden aber durch metasprachlichen Kommentar, absurde Witze und einander ausschließende Erklärungsmuster gebrochen, die alle Absolutheitsanspruch stellen. Damit zeigt West, daß jedes der Erklärungsmuster – das des Lesers eingeschlossen – Defizienzen aufweist, sobald er diese eine Stilebene verläßt. Alle Stilformen zeigen nämlich – wie dies Wolfgang Iser bei Joyce schon nachgewiesen hat –

einen latent ideologischen Charakter, indem die Realitäten ständig auf Prinzipien zugeschnitten werden. ...Denn jeder systematische Blickpunkt des Stils wählt aus der Fülle gegebener Wirklichkeit aus. ...Er verfügt damit über die Darstellungswürdigkeit einzelner Phänomene, die aus der Fülle vorhandener Erscheinungen herausgelöst werden. ...Das

Darstellungswürdige ist keine Qualität, die der für die Beobachtung offenliegenden Wirklichkeit zukäme. Sie wird vielmehr in diese hineingesehen (Iser, W., 1972, S. 291 und 299).

West zeigt, daß Sprache unausweichlich Stilisierung ist, daß sie die »Vielgestaltigkeit des Wirklichen eher beschneidet, als sie zur Entfaltung bringt« (Iser, W., 1972, S. 299). Damit wird Sprache als Darstellungsmedium zum Problem des Romans. So führt die Austauschbarkeit der Stile in *Balso* zu ihrem Obsoletwerden. Aber – und das ist mir wichtig – sie führt auch neue Wahlmöglichkeiten für Formen von Weltkonstruktion vor Augen. Denn der Leser stellt fest: je bestimmter mögliche Weltbilder zur Darstellung gelangen, desto größer wird die Diskrepanz zwischen ihnen und es kommt zum Konflikt. Dem Leser wird so seine Begrenztheit verdeutlicht, weil er entdeckt, daß die »Auffassungsakte des Geschehens von der Darstellungstechnik des Geschehens gelenkt« werden (Iser, W., 1972, S. 283). Das impliziert aber auch eine andere Erkenntnis: je weniger rigide ein Denk- oder Lebensstil präsentiert wird, desto flexibler können dann die Reaktionen auf jeweilige historische Situationen sein. Sobald wir mit Nietzsche erkannt haben, daß es »Tatsachen« nicht gibt, »nur *Interpretationen*«, daß wir »kein Faktum ›an sich‹ feststellen« können und es vielleicht sogar »ein Unsinn [ist], so etwas zu wollen« (Nietzsche, F., 1969, III, S. 903), ist uns auf einmal die Welt »»unendlich‹ geworden: insofern wir die Möglichkeit nicht abweisen können, daß sie *unendliche Interpretationen* [– und damit auch die Möglichkeit unendlicher Lebens-Stile –] *in sich schließt*« (Nietzsche, F., 1969, III, S. 250).

II

Nun steht aber auch modernes Leben normalerweise unter Zwängen, die dem literarischen Bewußtsein stilistischer – und das soll *auch* heißen: lebensweltlicher – Beliebigkeit widersprechen. Literarische Modernität ist den Handlungsmöglichkeiten im historischen Kontext voraus. Dies zeigen Wests folgende drei Romane. Sie verdeutlichen den Versuch, den ›erkenntnistheoretischen‹ Bewußtseinsstand von *Balso* festzuhalten und doch den traditionellen Zusammenhang von literarischem Stil und Lebensformen nicht völlig preiszugeben. Die Romane entstanden während der Depressionszeit, einer Zeit, in der die Ideologie der Utopie ›Amerika als Möglichkeitsraum‹ besonders in die Krise geriet. Die Diskrepanzen zwischen dem absolut gesetzten Ideal – vage umrissen im Slogan ›amerikanischer Traum‹ – und einer kontingenten und widerspruchsvollen Realität wurden besonders deutlich. Die Depressionszeit zeigt in ihrem unkontrollierten Verlauf, daß Formen westlicher, speziell ökonomischer Handlungsrationalität immer wieder nur Folgen der Krise zu beseitigen, nicht aber ihre Ursachen aufzuarbeiten in der Lage sind.[1] Die Tatsache, daß die Depressionszeit trotz der unterschiedlichsten Maßnahmen erst durch den Eintritt der USA in den 2. Weltkrieg beendet wurde, macht dies in katastrophaler Weise deutlich.

Angesichts der Krise entsteht ein erhöhter Bedarf nach verbindlichen Sinnangeboten. Daraus resultiert eine spezifische Situation literarischer Aufarbeitung. Sie ist gekennzeichnet von dem Versuch, historisch vorgegebene Sinnentwürfe des Anspruchs ›Amerika‹[2] durch Sozial- bzw. Ideologiekritik einerseits und Affirmation des Bestehenden andererseits einzuholen oder durch Postulate zu überschreiten. Sie soll hier nur kurz mit den beiden Termini ›kritische Negation‹ und ›idealisierende Affirmation‹ umschrieben werden. Die Sinnangebote *dieser* beiden literarischen Strömungen liegen im immer wieder erfolgenden Entwurf neuer idealer Gegenwelten bzw. der nostalgischen Rückschau auf postulierte historische Zustände. Dabei nimmt die Literatur Tendenzen lebensweltlicher und politischer Orientierungen auf, veranschaulicht diese aber durch plastischere und stärker konturierte Appellstrukturen. Dies läßt sich im Roman und Drama besonders deutlich zeigen.

Tendenziell treten idealisierende Affirmation und kritische Negation jedoch auch in der *Lyrik* auf. Denn es zeigt sich, daß sich Lyrik in einer Zeit verschärfter sozialer Probleme in einer schwierigen kommunikativen Situation befindet. Das hohe Reflexionsniveau und die metasprachlichen Reflexionen der imagistischen Lyrik der zweiten und dritten Dekade des Jahrhunderts sind angesichts der konkreten Mangelsituation kaum mehr zu halten. Ihre Hauptvertreter entfalten in den dreißiger Jahren wieder stärker normative Orientierungen, Eliot mit der Religion, Pound mit seinem verstärkten Interesse an faschistischer Ideologie. Auch bei MacLeish, Crane und Williams läßt sich dies zeigen. Sie wenden sich in fast episch zu nennenden Gedichten Themen der

Geschichte Amerikas und seiner Traditionen zu. Diese Tendenz zur Episierung verdeutlicht den Versuch, eine neue Totalität unter affirmativen Vorzeichen bereitzustellen. Die systemkritische Lyrik andererseits lebt von der Umsetzung persönlicher bitterer Erfahrungen in Politparolen und wird so zum bloßen Propagandamittel, zur Dokumentation negativer sozialer Zustände. Allerdings zeichnet sich in einer dritten Gruppe eine literarische Alternative ab, die dann bei West im Roman entfaltet wird. Vor allem Wallace Stevens versucht, das Funktionieren von Sprache und Ideologemen aufzudecken, um dann spielerisch mit ihnen umzugehen. Seine darstellungstheoretischen Reflexionen visieren Einstellungsveränderungen im Umgang mit der eigenen Semantik an. Stevens' Rezeptionsgeschichte zeigt allerdings, ähnlich der Wests, daß er ›seiner Zeit voraus‹ ist.

Im *Drama* bieten sich stärker als in der Lyrik Möglichkeiten, menschliches Handeln als repräsentative Gestaltung sozialer Realität zu präsentieren und so ein Mehr an Perspektiven zu entwerfen. Es zeigt sich aber, daß die beiden Hauptparadigmen des Dramas in den dreißiger Jahren, das sozialkritische Agitprop-Theater und die Boulevard-Komödie, die herrschenden Tendenzen einsinniger Problemverarbeitung reproduzieren. Die Broadway-Komödie (zum Beispiel von Kaufmann und Hart) zielt auf ein Akzeptieren gesellschaftlich geltender Normen ab. Unter dem versöhnlichen Vorzeichen des Lachens erfolgt die Affirmation herrschender Geltungssysteme. Trotz seiner stärkeren Distanziertheit tendiert auch Wilders ›episches‹ Drama (zum Beispiel *Our Town*) in diese Richtung der Affirmation des Bestehenden. Das einfache Leben des kleinen Mannes wird hier durch seine Aufhebung in der Dignität des Universums zum Orientierungsrahmen gemacht. Auffällig ist in diesem Zusammenhang auch die verstärkte Thematisierung großer historischer Ereignisse und Namen bei Sherwood Anderson. Dagegen will das sozialkritische Agitprop-Theater (z.B. Clifford Odets') eine Veränderung gesellschaftlicher Zustände erreichen. Sie erfolgt über eine Erhöhung der subjektiven Normen und Werte einer repräsentativen Figur, die für die (unterdrückte) Klasse steht. In beiden Fällen werden jedoch Lösungen angeboten, die die komplexen Zusammenhänge der empirischen Welt stark vereindeutigen. Das Resultat ist sowohl bei der (affirmativen) Komödie als auch beim (sozialkritischen) Agitprop-Theater ähnlich: über den Aufbau dualistischer

Weltbilder wird eine temporäre Abfuhr von Gefühlen und momentane Lösung von Frustrationen erreicht, da die angebotenen Bewältigungsstrategien meist in Szenen hoher emotionaler Qualität präsentiert werden. Die im Drama gebotene Möglichkeit differenzierterer Weltsicht reduziert sich so auf eine vorab entschiedene politische Perspektive.

Der erhöhte Bedarf nach verbindlichem Sinn schlägt selbst im *Roman* durch. Trotz seiner vermehrten Welthaltigkeit läßt sich auch hier die Tendenz zu verstärkter Affirmation oder Negation nachweisen. Ihr sind, in unterschiedlichen Graden der Eindeutigkeit, selbst Hemingway und Faulkner zuzuordnen. Hemingway vollzieht mit *To Have or to Have Not* eine deutliche sozialkritische Wende. Diese zeigt sich auch in seinen anderen Romanen der dreißiger Jahre. Bei Faulkner ist die Situation nicht so eindeutig. Zwar *kann* man ihn *auch* als Südstaaten-Romancier lesen, der die Werte agrarischer Strukturen und des einfachen Lebens, die Würde des Überdauerns durch »Ertragenkönnen« zum »Zentralbegriff seiner Weltsicht« macht (Iser, W., 1972, S. 235). Es überwiegt jedoch seine Modernität. Darauf kann hier nicht näher eingegangen werden. Jedenfalls lebt der eine der beiden obengenannten Pole, sozialkritische Eindeutigkeit, mit der Wiederaufnahme ›naturalistischer‹[3] Darstellungstechniken eines J. T. Farrell, R. Wright oder N. Algren wieder auf. Der Künstler begreift sich als außerhalb sozialer Realität stehend und geht in Konfrontation mit ihr, propagiert auch gelegentlich ihre Revolutionierung. Wie in der Lyrik wird Erfahrung zur reinen Dokumentation negativer sozialer Zustände. Dies läßt sich selbst bei Dos Passos zeigen, der trotz der Darstellungsexperimente in *USA* von der Forschung häufig dem ›Naturalismus‹ zugerechnet wird (vgl. Meindl, D., 1983, S. 36-44). Die systemstabilisierende Affirmation, der Versuch, Amerika als Idee zu dokumentieren, lassen sich mit der großen Zahl historischer Romane belegen, die – wie zum Beispiel Margaret Mitchells *Gone With the Wind* – gerade in dieser Zeit enorme Popularität gewinnen. Die unzähligen Biographien großer amerikanischer Staatsmänner, das neuerwachte Interesse an den Folklore-Helden Davy Crockett, Paul Bunyan oder Daniel Boone, das Erscheinen der ersten USA-Führer und nicht zuletzt das Bild der säkularisierten Erlöserfigur »Superman« zeigen dieselbe Tendenz.[4] Eine ähnliche Aufwertung der typischen Mittelklassewerte wie in Wilders *Our Town* erfährt der amerikanische Durchschnittsbürger als Möglichkeit der Transzendierung einer chaotischen Wirklichkeit auch in Steinbecks *The Grapes of Wrath*. Diese im Kern romantisch-idealistische Haltung aber ist es gerade, die die Diskrepanz zwischen den Idealbildern der Wirklichkeit und ihrer Realisierungsmöglichkeit immer stärker hervortreten läßt. Die Eindeutigkeit der obengenannten literarischen Richtungen engt offene Verhaltensmöglichkeiten ein. Dem will West entgehen. Zwar gibt er das ›modernistische‹ Bewußtsein *Balsos* weitgehend auf; es kann als ›dekonstruktives‹ Rahmenbewußtsein, als Folie, jedoch nicht mehr abgewiesen werden. Er führt dafür ein größeres Maß an ›realistischen‹ Strukturen wieder ein. So können mögliche und notwendige Beziehungen zwischen Individuum und Gesellschaft ausgelotet werden. Sie lassen sich jedoch weder ideologisch verrechnen, noch gleiten sie in den Status purer ›stilistischer‹ Beliebigkeit ab. Sie verharren vielmehr in einer Ambiguität, die den Leser zu geistiger Tätigkeit aufruft. Indem wir unsere eigene(n) Geschichte(n) ›schreiben‹, verkörpern wir zwar lediglich Stile. Trotz dieses Bewußtseins müssen wir aber auch mit unseren Lebens-Stilen auf sinnvolle Weise umgehen. Deshalb loten die Romane den Gestaltungsspielraum zwischen theoretisch-stilistischer Vieldeutigkeit von Welt und Handlungszwängen aus, ohne diese jedoch in eine bestimmte Richtung zu treiben.

So führt der zweite Roman Wests, *Miss Lonelyhearts* (1933) die langsame geistige Auflösung eines Journalisten vor, der verantwortlich ist für die Sektion ›Ratgeber für einsame Herzen‹. Der Leser wird in diesen Auflösungsprozeß hineingezogen, dessen partielle Ursache die Unmöglichkeit ist, mit Sprache konkretes Leiden zu lindern, ja mit Sprache überhaupt Wirklichkeit zu erfassen. Jede nur mögliche Antwort gerinnt zum Klischee des Mediums, minimalisiert und maximalisiert jedes Problem gleichzeitig. Miss Lonelyhearts ist besessen von seinem Verantwortungsgefühl für die Ordnung des gesamten Universums, einer Wirklichkeit, die längst seiner Kontrolle entzogen ist. Gleichzeitig wird ihm schnell bewußt, daß Sprache immer eine willkürliche und selektive Begrenzung von Erfahrungsmöglichkeiten darstellt. So versucht er, über unterschiedliche Formen von Aktivität, Realität erfahrbar zu machen. Aber auch hier wird ihm klar, daß alle Formen des Lebens Vereinfachungsstrategien (und in diesem Sinne: Stilformen) darstellen, die gleichermaßen nichtssagend und

stereotyp sind. Der Leser, der mit ihm dem Dilemma der prinzipiellen Klischeehaftigkeit von Sprache entkommen will und sich
auf Versuche wie Rückzug in die Idylle der Natur, Promiskuität
und rein körperliche Sinneserfahrung, Kunsterleben, aber auch
distanzierte Ironie einläßt, erkennt mit Miss Lonelyhearts, daß
auch diese zu austauschbaren Handlungsstilen geworden sind.
Auch Literatur, die, um mit Lawrence Durrell zu sprechen,
»einen Teewärmer über Realität stülpt« (Durrell, L., 1968,
S. 758), Liebe, oder die Kultivierung von Voltaires »(innerem)
Garten« bieten keine Alternativen. Die Illusion, daß die Ordnung
der Welt über irgendwelche rationalen Denk- oder Handlungs-
formen wiederherstellbar wäre, kann nur beibehalten werden,
wenn man ihr entflieht. Miss Lonelyhearts, darin verwandt mit
Beckett-Figuren, zieht sich in sein Bett zurück. Er versetzt sich
bewußt in ein Stadium der Hysterie, um sich mit Christus zu
identifizieren. Er glaubt, Wunder wirken zu können und wird
versehentlich von dem Krüppel, den er heilen will, erschossen.
Weder rationaler noch irrationaler Umgang mit Welt sind erfolg-
versprechend. Der Leser, der sich auf die ›realistisch‹ geschilderten Episoden einläßt und sie als Möglichkeiten kontempliert,
wird dies spätestens dann einsehen, wenn ihm durch einen absurden Witz seine eigene Naivität bewußt gemacht wird. Gleichzeitig zeigen die vielen Anspielungen auf literarische Traditionen,
die sich mit der ›metaphysisch-romantischen‹ Frage nach ›Gut‹
und ›Böse‹ vor allem auch in der amerikanischen Literatur ausein-
andergesetzt haben, daß moralische Kategorien zu kurz greifen.
Ich möchte die These riskieren, daß jeder Versuch des Lesers, sich
ernsthaft mit Fragen wie Armut, Leid, dem Bösen, Fragen wie
Gerechtigkeit, Liebe, Glück, Religion, Moral, Freiheit oder einer
anderen der Kategorien zu befassen, denen eine absolute, eindi-
mensionale, nach Ganzheitlichkeit strebende Weltsicht zugrunde
liegt, von West vereitelt wird. Dafür gibt es – abgesehen von der
Komik der einzelnen Episoden – drei Indizien. *Erstens* können
die an Miss Lonelyhearts gerichteten Briefe nicht ernst genommen werden. Offensichtlich suchen die Briefschreiber keinen
wirklichen Rat, sondern nur eine Bestätigung der eigenen Ansicht. Ihre Wortwahl macht dies deutlich, überdies reizen die
›Versprecher‹ und Schreibfehler oft zum Lachen:

…weil es gar nichts bringt unschuldig zu bleiben und nur eine große Enttäuschung ist… Was habe ich nur getan um so ein schrecklich schlimmes Schicksal zu verdienen? Auch wenn ich ein paarmal schlecht war, war ich es nicht bevor ich ein Jahr alt war und ich bin so geboren. Ich habe Papa gefragt und er sagt er weiß es nicht, aber vielleicht hätte ich etwas in der anderen Welt getan bevor ich geboren wurde oder vielleicht werde ich für seine Sünden bestraft. Das glaube ich nicht weil er ein netter Mann ist. Soll ich Selbstmord begehen? Mit bestem Gruß, Verzweifelt (*ML*, S. 212, meine Übersetzung, BP).[5]

In seiner Ernsthaftigkeit stellt sich Miss Lonelyhearts die Brief-schreiber als aufrichtige, demütige, tief leidende Menschen vor. In einer Begegnung mit einer der Briefeschreiberinnen stellt sich dies jedoch als Irrtum heraus. Es zeigt sich außerdem, daß diese Briefe immer nur Perspektiven einer wesentlich vielschichtigeren Problemlage darstellen. Zudem können Probleme, wie sie in den Briefen großenteils geschildert werden, sicher nicht über einen Antwortbrief eines Briefkastenonkels gelöst werden. *Zweitens* wird schon am Anfang deutlich, daß sich selbst Miss Lonely-hearts der Tatsache bewußt ist, daß die ganze Kolumne nur der Auflagenerhöhung der Zeitschrift dienen soll. Dennoch ist er die einzige Figur im Roman, die sich noch auf die Probleme der Briefe einläßt. *Drittens* – und das ist meines Erachtens das wichtigste Indiz – entlarvt die übertriebene Symbolhaftigkeit des Romans sich selbst:

Er betrat den Park durch den Bogen des Nordeingangs und trank in großen Schlucken von dem schattigen Dunkel, das sein Gewölbe ver-hüllte. Dann schritt er in den Schatten eines Laternenpfahls, der auf dem Weg lag, wie ein Speer. Er durchbohrte ihn wie ein Speer (*ML*, S. 214).
…er ließ sich auf eine Bank fallen, gegenüber dem Obelisk zur Erinne-rung an den Krieg mit Mexiko. Der steinerne Schaft warf einen langen, steifen Schatten auf den Weg. Er starrte ihn an, ohne zu wissen, warum. Dann fiel ihm auf, daß der Schatten sich nicht, wie üblich, langsam, sondern in jähen Zuckungen ausdehnte. …Das Denkmal erschien ihm in der untergehenden Sonne rot und dick geschwollen – so als werde es gleich eine Ladung granitenen Spermas ausstoßen (*ML*, S. 231; beides meine Übersetzungen, BP).

Die übersteigerte Symbolik wird – im immer gleichen Kontext: vor einem Rendezvous – zum Kommentar ihrer selbst. Sie ver-deutlicht das Bedürfnis, Welt selbst dann noch in eindeutigen Bedeutungszusammenhängen sehen zu wollen, wenn sie ins widersprüchliche Chaos abzugleiten droht. Dabei bleibt die Ambiguität bestehen, ob diese Tendenz die ersten Anzeichen der bevorstehenden Schizophrenie Miss Lonelyhearts andeutet, oder ob sie bewußte Versuche von ihm sind, noch befriedigende Weltbilder zu konstruieren.

A Cool Million, geschrieben 1934, als sich die Verhältnisse in den USA nach den Maßnahmen des ersten *New Deal* für kurze Zeit zu bessern schienen, ist auf den ersten Blick eine Parodie des Horatio-Alger-Mythos: aus tiefster Armut durch Fleiß (und noch mehr Glück) zu höchstem Reichtum und Ansehen. So verweist der Untertitel »Die Demontage des Mister Lemuel Pitkin« auf die Hauptfigur, die in schneller Folge Geld, Auge, Bein und einige andere Körperteile verliert, bis er endlich ermordet wird. *Story* und Hauptfigur erinnern an Voltaires *Candide*, in ihrer Komik aber auch an Beckett. In ihnen wird jeder Glaube an die Verwirklichung amerikanischer Erfolgsrezepte desillusioniert. Populäre amerikanische Mythen vom tapferen Grenzhelden, vom edlen Wilden oder dem Aufstieg des armen Landbuben zum Präsidenten werden als schlechte Imitationen, die jeweiligen Figuren als einfallslose und brutale Tölpel oder halbgebildete, schlaue Taugenichtse dargestellt. Besonders eine Episode ist aber für diese Diskussion relevant. Sie befaßt sich ausdrücklich mit einem Stilkonzept. Es handelt sich um die Beschreibung von Wu-Fongs Bordell als Miniaturwelt, als »Haus aller Nationen« in dem jedes Zimmer »jeweils in dem Stil des Landes ausgestattet war aus dem [die Insassin] stammte.«[6] West deutet hier das Schmelztiegel-Ideal des amerikanischen Nationalcharakters an, in dem Stil zur Totalitätsformel wird. Dieses Ideal wird jedoch bald entlarvt. Wu-Fong, der »ein Gespür für Modeströmungen« hat, erkennt, daß mit der Depression »der Trend in Richtung vaterländisches Gewerbe und vaterländisches Talent ging.« Getreu der Hearst-Kampagne »›Amerikaner-kauft-Amerikanisches‹« weiß er, daß nur noch ›waschechte‹ Amerikanerinnen gefragt sein würden. Er wechselt einige der Utensilien aus und macht so alle ›Ausländerinnen‹ zu echten ›Amerikanerinnen‹:

Dolores O'Riely [!] aus Alta Vista, Kalifornien. Um Geld zu sparen, hatte Wu-Fong sie in der Suite einquartiert, die Conchita, das spanische Mädchen, vordem bewohnt hatte. Er ersetzte lediglich den Pferdeledersessel mit den Stierhornlehnen durch einen Missionsstuhl und nannte das Ergebnis ›Monterey‹ (S. 128 und 130).

Der Totalitätsanspruch eines Stils, hier eines vermeintlichen Nationalstils, wird damit unterlaufen. Er wird als Schein entlarvt, als Imitation von Stereotypen, die austauschbar sind und leicht manipuliert werden können. Der Rahmen des Horatio-Alger-Mythos dient der Ironisierung einer ganzen Reihe amerikanischer Alltagsmythen, die zu bedeutungslosen Leerformeln geworden sind, *die aber dennoch amerikanische Realität formen*. Da keine Lösungen geboten werden, aktiviert die Offenheit des Textes die Vorstellungskraft des Lesers. Er wird, wie in den anderen Romanen auch, auf sich selbst zurückverwiesen.

Die Welt von Wests letztem Roman *The Day of the Locust* (1939) ist eine Welt, in der Realität und Fiktion ununterscheidbar geworden sind. In dieser Welt wird Stil zum bloßen Element des »Als-Ob« und ist der jeweiligen Diskurspragmatik zugeordnet. Begriffe wie Wahrheit oder Wirklichkeit können hier nicht mehr greifen. Die Figuren und ihre Welt, angesiedelt in Hollywood als Kondensat der westlichen Zivilisation, präsentieren sich als ›Verkehrung‹ des ›Künstlichen‹ und des ›Natürlichen‹. Die Architektur wird als Imitation von Stilen entlarvt, die aus ihren ursprünglichen funktionalen und ästhetischen Zusammenhängen gerissen sind. Naturbeschreibungen beziehen ihre Metaphern aus dem Bereich der Mechanik; die Künstlichkeit der Filmkulisse als Welt des Romans wird nur noch durch die Oberflächlichkeit (und Flächigkeit) der Figuren übertroffen. Sie repräsentieren nicht spezifische Individualstile, sondern sind Stilisierungen, leere Hüllen. Die Charaktere des Romans werden als Reduktionsformen ihrer Rollen präsentiert, als bloß funktionierende Automaten, bei denen Vitalität zur hektischen Betriebsamkeit geworden ist oder in einer Art Stupor versinkt. Die Ideale der Figuren stehen in keinem Bezug zur geschilderten Realität; sie haben ihre Funktion nur noch in der Verbalisierung. Sie werden immer wieder enttäuscht und münden demzufolge in Aggression und Gewalt als den einzig noch möglichen Formen von Wirklichkeitssetzung. Folgerichtig endet der Roman in einer Apokalypse von Gewalt, die schon im Titel angedeutet wird.

Die drei Romane behalten also die Selbstreflexivität und den Modernismus von *Balso* partiell bei. Sie vermitteln aber auch ›realistische‹ Bilder amerikanischer Wirklichkeit. Sie zeigen, daß die Komponenten amerikanischer Ideologie, wie sie in dem vagen aber zentralen Mythos ›amerikanischer Traum‹ zusammengefaßt werden – und der schon konfliktträchtige Konzepte in sich vereint –, daß diese Komponenten zu leeren Stilisierungen geworden sind. Trotz ihres modernen Horizonts demonstrieren sie aber auch den *Bedarf* nach konsistenten Realitätsstrukturen und den *Drang* nach Lösungsangeboten, auch wenn diese nicht mehr semantisch gefüllt werden können. Die einzige Alternative scheint im Rückzug zu liegen – »wohin auch immer! ... wenn es nur außer der Welt ist!« (Baudelaire, Ch., 1985, S. 295; vgl. *ML*, S. 247-249).

Meine Argumentation soll aber einen Schritt über die heute weder theoretisch noch praktisch haltbare Ideologiekritik westlicher Dekadenz hinausgehen. Zwar sind in der Tat die Reduktionsformen von Figuren und Welt der Romane Wests evident, der Bedarf nach verbindlicher semantischer Füllung kann nicht mehr befriedigt werden. West propagiert aber auch nicht die Negierung dieses Bedarfs, das Abgleiten in die Beliebigkeit. Denn zu Wirklichkeitskonstruktionen sind wir unvermeidlich gezwungen. Problematisch erscheint lediglich, daß diese Konstruktionen behandelt werden, *als seien sie die Realität.* Hier wirkt das Stilbewußtsein als Bremse und Selbstverständlichkeitsverlust der Konstrukte. Denn die Stilvielfalt der Romane steigert zunächst ihren Bedeutungsverlust. Jede Aktualisierung idealer Vorstellungen erscheint damit trivial. Damit nimmt West dekonstruktivistische Ansätze vorweg. Aber gerade dieser Bedeutungsverlust ist gleichzeitig eine der Voraussetzungen für den konstruktiven Gestus, den der Erzählmodus von Wests Romanen gleichwohl vorstellt. Die Erkenntnis, daß der Status von Wahrheit problematisch ist, daß ›Wahrheit‹ hinter einer Pluralität von Stilmöglichkeiten opak bleibt, vermittelt *auch* ein Bewußtsein davon, daß Wirklichkeit ein Produkt unserer Bewußtseinsleistungen und damit historisch ist. So werden neue Denk- und Verhaltensspielräume freigesetzt, die im Sinne des obigen Nietzsche-Zitats aufzufassen sind. Der Bedarf nach bedeutungshafter Erfahrung gewinnt durch einen neuen Umgang mit ihm eine andere Schattierung, auch wenn das Bewußtsein seiner Trivialität bestehen bleibt.

West wird häufig ein Vorläufer der ›Postmoderne‹[7] genannt. Wie diese präsentiert er in der Tat nicht *semantische* Problemlösungsstrategien, die als Hintergrund immer die monologischen Strukturen westlichen Wissenserwerbs in sich tragen. Er fragt vielmehr nach ihrer *Handhabung*, der Art und Weise des (rigiden oder flexiblen) Umgangs mit unseren Konstruktionen. Es soll nicht Widersprüchlichkeit *eliminiert*, sondern Vielfalt, Ambiguität und Ambivalenz *akzeptiert* werden. Mit dem Erzählmodus der ›reflexiven Komik‹[8] visiert West eine Pragmatik, eine neue Ökonomie – heute sollte man mit Gregory Bateson wohl Ökologie sagen – unserer Denk- und Verhaltensstile an.

Bateson hat unsere Situation prägnant benannt. Er geht aus von einem kybernetischen Modell, in dem die (›bewußten‹) sekundären Prozesse der Weltkonstruktion nur einen geringen Teil einnehmen. Sie stehen in einem Interdependenz-Verhältnis zu den (›unbewußten‹) primären Prozessen. Nun tendiert vernunftorientierte (westliche) Rationalität aber dazu, diese zu eliminieren, weil sie Homogenität (und nicht Variabilität) anstrebt (vgl. Bateson, G., 1985, S. 182-206). Daraus resultiert eine Pflicht der Wahl, die den Menschen ständig in Situationen der ›zweifachen Verpflichtung‹ *(double bind)* bringt, sich für ein ›Entweder-Oder‹ zwischen dem Bedürfnis nach Bedeutungshaftigkeit und der Erkenntnis seiner Trivialität oder Unerfüllbarkeit zu entscheiden. Voraussetzung für diese *double-bind*-Situation ist allerdings, daß nach beiden Seiten eine intensive Verankerung vorliegt. Vernunftorientierte, nach Homogenität strebende Rationalität verdeutlicht so ihre Virulenz. Denn Leben beruht für Bateson gerade nicht auf Homogenität, sondern »auf eng ineinandergreifenden *Kreisläufen* von Zufälligkeiten [contingency] [...], während das Bewußtsein nur so kurze Bögen solcher Kreisläufe erkennen kann, wie sie die menschlichen Zwecke festlegen können« (Bateson, G., 1985, S. 204 f.). Ambiguität muß von dieser Form von Rationalität also ausgeschlossen werden. Es müßte also der Entscheidungsdruck, der durch die Intensität der ›zweifachen Verpflichtung‹ hervorgerufen wird, gedämpft werden, um die Voraussetzung für Kontiguität zu schaffen. Diese ›Dämpfung‹ kann durch kommunikative Formen wie Spiel, Komik, Ritual etc.

erfolgen (vgl. dazu Bateson, G., 1985, S. 241-261, S. 270-301, 549-565). Aus evolutionstheoretischer Sicht hat diese Situation auch Arthur Koestler gezeichnet: der Mensch müsse mit den Bewußtseinsformen unterschiedlicher, teilweise inkompatibler Evolutionsstadien leben. Er hängt zum einen mit den sogenannten ›Gefühlen‹, ›Sinnen‹, die im Archikortex verankert sind, holistischen Realitätsvorstellungen an und behält so einen prinzipiellen Bedarf an Bedeutungshaftigkeit bei. Die evolutionäre Entwicklung von Intellekt bzw. Rationalität unterliegt aber einer ganz anderen Dynamik[9]; sie treibt permanent einander ablösende Konstrukte von Wirklichkeiten hervor und bezeichnet so Wirklichkeit als Konstrukt des Intellekts. Der so geschaffene Spielraum ist belastend, da er das holistische Bedürfnis stört, andererseits aber unabweisbar ist. Aber er läßt sich in verschiedener Weise handhaben. Hier setzt West an. Der Anspruch der Konstruktionen wird durch die Komik ihrer Darstellung relativiert. Es wird ihnen aber doch ihre Existenzberechtigung nicht abgesprochen. Eine Umorientierung und Milderung der Diskrepanzen zwischen den »Gründen des Herzens« und den »Gründen des Verstandes« (Bateson, G., 1985, S. 183, vgl. S. 195) kann über ›reflexive Komik‹ erfolgen. Der Begriff bietet sich deshalb an, weil er gängige Wertungen wie ›grotesk‹, ›nihilistisch‹ oder ›absurd‹ umgeht und doch für die Atmosphäre der Romane bezeichnend ist. Denn die vorgeführten Situationen verlangen vom Leser *gleichzeitig* ein hohes Maß an Intellektualität *und* Frohsinn. Die Appellstruktur der Romane vermittelt jedenfalls die Einsicht, daß man reflexiv über alles lachen kann, selbst über die zwiespältigen Mechanismen unserer selbst. Dieses Lachen bezeichnet jedoch kein Gefühl des Überlegenseins über Situationen und Figuren als Resultat davon, daß man nicht involviert ist und sie distanziert durchschaut. Es ist ein Lachen, das *gerade* uns selbst umgreift und *auch* unser Bedürfnis nach Wissen und Engagement und die daraus resultierenden Inkongruenzen. Dieses Lachen hat auch nicht den versöhnlichen Charakter, wie er traditionellerweise im amerikanischen Roman vorherrschte. Es ist eher ein Lachen der Freude über Wahlmöglichkeiten als Modell eines souveränen Bewußtseins, das wir – wenn überhaupt – nur noch punktuell haben.

Damit komme ich zu meinem zweiten Stilkonzept. Es könnte *Vermittlerfunktion* ausüben zwischen der modernistischen Reduktion des Zusammenhangs von Stil und Lebensform zu bloßer Stilisierung und dem Totalitätsanspruch, der sich hinter dem traditionellen Stilkonzept verbirgt. Stil wäre dann nicht *bloßer* Stil, eine leere Schale; er wäre aber *auch keine* Ideologie, keine gefüllte Hülse. Wenn Bateson damit recht hat, daß zweckorientiertes, eindimensionales Denken und Handeln keine Lösung ist, weil uns die Feininstrumente fehlen, weil das Ergebnis tendenziell immer kontingent ist; wenn wir uns darüber hinaus nicht so sehr »an einem geplanten Ziel« orientieren, sondern vielmehr die »›Richtung‹ und [den] ›Wert‹ in unseren Handlungen selbst« (Bateson, G., 1985, S. 238) suchen sollten, dann wird Wests Anliegen, unsere eigenen Vorstellungen von uns und unserer Welt nicht allzu ernst zu nehmen, plausibel. Auch Batesons Theorien zu Komik und Spiel gehen in Richtung einer *Neukombination* unserer ›emotionalen‹ (primären) und ›intellektuellen‹ (sekundären) Elemente unseres (kybernetischen) Persönlichkeitsmodells. Wie West plädiert er für einen anderen *Umgang* mit den Elementen (›Körper‹, ›Geist‹, ›Emotion‹, ›Intellekt‹, ›Umwelt‹) dieses Systems (Bateson, G., 1985, S. 241-261). Die Beziehung dieser Elemente untereinander müßte wohl gleichzeitig *komplementär und flexibel* sein. Komplementäre Muster sind den libidinalen Verhaltensmodalitäten zuzuordnen. Sie treten im Spiel, der Kunst und der Komik auf und sind offenbar beteiligt an der Vernetzung von Unbewußtem mit den Vorstellungen und Programmen des Bewußtseins. Sie verbinden Elemente *innerhalb* des Systems und regeln so die komplexen Spannungsbögen, *nicht* aber deren Inhalte. Sie garantieren Flexibilität, *weil* sie nicht semantisch orientiert sind und können so im Austausch bleiben mit einer lediglich semantisch definierten, damit aber immer kontingenten Umwelt. Es wird ein »fortlaufendes, komplexes System [gebildet], das für langsame Veränderung selbst grundlegender (hart-programmierter) Charakteristika offen ist« (Bateson, G., 1985, S. 634). Wests Modus der reflexiven Komik deutet in diese Richtung. Denn er predigt keine neue Doktrin, sondern verweist implizit auf einen möglichen Umgangsstil mit uns selbst, unseren Überzeugungen und den Werten und Normen, die mit ihnen verbunden sind. Viele der ›postmodernen‹ Romane in den USA verfahren in ähnlicher Weise und behandeln unsere Sinnstiftungsmodelle in spielerischer Weise.[10] In einem tieferen als literarischen Sinn unterläuft der Stil der reflexiven Komik den doktrinären Charakter unserer Überzeugungen, von denen wir doch nicht ganz lassen können. Jedoch soll keine neue Ordnung geschaffen, sondern flexibel verzahnte ›Felder der Unordnung‹ ermöglicht, die Kohärenz von Wahlmöglichkeiten zugelassen und die Elastizität unseres »Erwartungsstils« (Luhmann) vergrößert werden. Indem der Stilbegriff nicht mehr als Deskriptionsbegriff für verkappte Totalitäten fungiert, sondern ›tiefer‹ (oder ›höher‹) gelegt wird, definiert man ihn als *Umgangsmodalität*, die zwischen anthropologischen Schichten vermittelt. Diese Umorientierung des literarischen zum anthropologischen Stilbegriff entfernt ihn aus dem Bereich der ›harten‹ Kategorien westlichen Denkens wie ›Wahrheit‹, ›Kausalität‹, ›Bedeutung‹, ›Konsistenz‹. Er wird damit als Beschreibungskategorie für diese verzahnten ›Felder der Unordnung‹ besonders geeignet, die die Ambiguität und Pluralität von Welten lebbar machen.

Anmerkungen

1 Die unterschiedlichen Maßnahmen des 1. und 2. *New Deal,* die auf widersprüchliche Ursachendeutung zurückgehen, verweisen ebenso darauf, wie die gelegentlichen Andeutungen in der Forschung, daß der Eintritt der USA in den II. Weltkrieg mit als Versuch angesehen werden kann, das Land aus der Krise zu führen. Vgl. hierzu Armanski, G. (1982); Bernstein, B. J./Matusow, A. J. (1972), dort vor allem die Aufsätze von C. N. Degler und E. W. Hawley; Morrison, S. E. und andere (1969), Kap. 18 und 19; Kelley, R. (1978), Kap. 30 und 31; Shannon, D. A. (1965); Varga, E. (1969).
2 Eine gründliche Aufarbeitung dieses Anspruchs liefert Boorstin, D. (1958); Kelley, R. (1978), Kap. 3; Parrington, V. L. (1929), Bd. 1; vor allem aber Miller, P. (1961) und (1978). Außerdem ist im Hinblick auf Literatur- und ›Real‹geschichte selbstverständlich erheblich mehr an Sekundärliteratur in diese Arbeit eingeflossen, als hier in Zitaten oder Bibliographie kenntlich gemacht werden konnte. Ich habe nur die wichtigsten Werke aufgeführt. Auch die gelegentliche Verkürzung komplexerer sozialer und literarischer Zusammenhänge mußte aus Platzgründen hingenommen werden.
3 Die Problematik dieses Begriffs wird in der Forschung deutlich. Ich verweise auf Meindl, D. (1983), vor allem aber auf Hakutani, Y./Fried, L. (1975). Es zeigt sich, daß ›Naturalismus‹ als *systematischer* Begriff wenig Erkenntnisgewinn zutage fördert, da er historisch signifikante

Unterschiede verwischt. Für die dreißiger Jahre wird er hier nur heuristisch, zur allgemeinen Beschreibung eines ›Trends‹ verwendet.

4 Vgl. hierzu Neue Gesellschaft für Bildende Kunst (1980), dort vor allem die Aufsätze von Hansen, O., Leonard, Y., Leonard, Y./Stahl, G.

5 Es gibt zwar eine deutsche Übersetzung von *ML* durch Güttinger, F., Zürich (1961), sie trifft meines Erachtens aber vor allem bei den Briefen den speziellen Duktus des Sprachregisters nicht deutlich genug.

6 Für *CM* wurde die treffende Übersetzung von Zimmer, D. E., Zürich (1975) verwendet.

7 Zur Diskussion des Begriffs verweise ich auf Hassan, I. (1971) und (1975); Hoffmann, G. und andere (1977); Köhler, M. (1977). Sie verdeutlichen allerdings eher die Problematik des Begriffs, der auch bei Meindl, D. (1983) nicht deutlicher konturiert wird. Abgesehen von den marxistisch gefärbten, ideologiekritischen Aspekten scheint der Ansatz von Jameson, F. (1984) hier vielversprechender.

8 Für diesen Begriff und für anregende Diskussionen danke ich K. Ludwig Pfeiffer. Vgl. hierzu Preisendanz, W./Warning, R. (1976), dort vor allem die Aufsätze von Marquard, O., S. 133-151, besonders S. 144-151; Preisendanz, W., S. 153-164, besonders S. 161 ff.; Warning, R., S. 279-333, besonders S. 350 ff.; 315 f., 325, 331; ders., S. 376-379, besonders S. 378 f.; Striedter, J., S. 389-398, besonders S. 398; vgl. auch Iser, W. (1979), S. 33-36 und S. 45 ff.

9 Vgl. hierzu Koestler, A. (1968), S. 283-322 sowie (1978), S. 16-32. Die Analyse der mangelnden Integration von vertikalen und horizontalen Gehirnteilen und die unzureichende Koordination zwischen Archikortex und Neokortex läßt sich allerdings nicht von funktionalen Gesichtspunkten leiten. Ihr liegen für mich problematische hierarchische Denkstrukturen zugrunde, die immer noch ein ganzheitliches Denken voraussetzen.

10 Zum Spielbegriff in der amerikanischen zeitgenössischen Literatur verweise ich nur pauschal auf Detweiler, R. (1977); Ehrmann, J. (1968) und (1971); Krupnick, M. L. (1970); Scholes, R. (1970); Stevick, Ph. (1973); Tanner, R. (1971).

Literatur

West, N. (1975), *The Collected Works: The Dream Life of Balso Snell* (1931, abgekürzt: *Balso*); *Miss Lonelyhearts* (1933, abgekürzt: *ML*); *A Cool Million* (1934, abgekürzt: *CM*); *The Day of the Locust* (1939).

Armanski, G. (1982), »Der ›New Deal‹: Konturen eines großen sozialen Aufbruchs«. In: J.-Weydemeyer-Gesellschaft-für-USA-Forschung (Hg.) (1982), *Dollars und Träume* 5. *Studien zu Politik, Ökonomie, Kultur der USA.* S. 33-49.

Baudelaire, Ch. (1985), *Sämtliche Werke.* Hgg. v. F. Kemp/C. Pichois in Zusammenarbeit mit W. Drost. München/Wien.

Bateson, G. (1985), *Ökologie des Geistes. Anthropologische, psychologische, biologische und epistemologische Perspektiven.* Frankfurt/Main.

Bernstein, B. J./Matusow, A. J. (Hgg.) (1972), *20th Century America.* New York.

Bernstein, I. (1969), *Turbulent Years.* Boston.

Boardman, F. W. (1967), *The Thirties.* New York.

Boorstin, D. (1958), *The Americans.* Vol. 1: *The Colonial Experience.* New York.

Detweiler, R. (1977), »Jüngste Entwicklungen in der amerikanischen Erzählliteratur«. In: Bungert, H. (Hg.) (1977), *Die amerikanische Literatur der Gegenwart: Aspekte und Tendenzen.* Stuttgart. S. 205-227.

Detweiler, R. (1977), »Spiele und Spielen in der modernen amerikanischen Erzählliteratur«. In: Bungert, H. (Hg.), *a.a.O.*, S. 154-173.

Dubovsky, M. (1979), »Not so Turbulent Years: Another Look at the American 1930s«. In: *Amerika Studien/American Studies*, 24 (1979). S. 5-20.

Durrell, L. (1968), *The Alexandria Quartet: Justine. Balthazar. Mountolive. Clea.* London.

Ehrmann, J. (1968), »Homo Ludens Revisited«. In: *Yale French Studies*, 41 (1968). S. 31-57.

Ehrmann, J. (1971), »The Death of Literature«. In: *New Literary History*, 3 (1971), S. 31-48.

Hakutani, Y./Fried, L. (Hgg.) (1975), *American Literary Naturalism: A Reassessment.* Heidelberg.

Hassan, I. (1971), *The Dismemberment of Orpheus. Toward a Postmodern Literature.* New York.

Hassan, I. (1975), *Paracriticism. Seven Speculations of the Times.* Urbana/Chicago/London.

Hoffmann, G./Hornung, A./Kunow, R. (1977), »›Modern‹, ›Postmodern‹, and ›Contemporary‹ as Criteria for the Analysis of 20th Century Literature«. In: *Amerika Studien/American Studies*, 22 (1977). S. 19-45.

Jameson, F. (1984), »Postmodernism and Consumer Society«. In: *Amerika Studien/American Studies*, 29 (1984). S. 55-73.

Iser, W. (1972), *Der implizite Leser.* München.

Iser, W. (1979), *Die Artistik des Mißlingens. Ersticktes Lachen im Theater Becketts.* Heidelberg.

Köhler, M. (1977), »»Postmodernismus‹: Ein begriffsgeschichtlicher Überblick«. In: *Amerika Studien/American Studies*, 22 (1977). S. 8-18.

Koestler, A. (1968), *Das Gespenst in der Maschine*. Wien/München/Zürich.

Koestler, A. (1978), *Der Mensch – Irrläufer der Evolution*. Bern/München.

Kelley, R. (1978), *The Shaping of the American Past*. Englewood Cliffs.

Krupnick, M. L. (1970), »Notes from the Funhouse«. In: *Modern Occasions*, 1 (Fall 1970). S. 108-112.

Meindl, D. (1983), *Der amerikanische Roman zwischen Naturalismus und Postmoderne 1930-1960*. München.

Morrison, S. E. et al. (1969), *The Growth of the American Republic*. New York/Toronto.

Miller, P. (1961), *The New England Mind*. Boston.

Miller, P. (1978), *Errand into the Wilderness*. Cambridge.

Neue Gesellschaft für Bildende Künste (Hg.) (1980), *Amerika. Traum und Depression. 1920-40*. Berlin.

Nietzsche, F., (1969), *Werke*, Bd. III, Hgg. v. K. Schlechta. Frankfurt/M./Berlin/Wien.

Parrington, V. L. (1927), *Main Currents in American Thought*. Vol. I: *The Colonial Mind 1620-1800*. San Diego/New York/London.

Preisendanz, W./Warning, R. (1976), *Das Komische*. Poetik und Hermeneutik VII. München.

Scholes, R. (1970), »Metafiction«. In: *Iowa Review*, 1 (1970), S. 100-115.

Shannon, D. A. (1965), *Between the Wars: America 1919-1941*. Boston.

Stevick, Ph. (1973), »Sheherazade Runs out of Plots, Goes on Talking; the King, Puzzled, Listens: An Essay on New Fiction«. In: *Tri Quarterly*, 26 (1973), S. 332-362.

Tanner, T. (1971), *City of Words: American Fiction 1950-70*. New York.

Varga, E. (1969), *Die Krise des Kapitalismus und ihre politischen Folgen*. Frankfurt/Main.

II
Stilbegriff und Theoriegeschichte

Hans-Wolfgang Strätz
Notizen zu ›Stil‹ und Recht

1. Stil im Recht heute

Dem Juristen von heute begegnet ›Stil‹ nicht als eigenständiger Begriff seines Faches, von einer wenig bedeutsamen Ausnahme abgesehen. Spricht man von ›juristischem Stil‹, geht es meistens um die Ausdrucksweise von Juristen und Behörden: und ihr Sprach- und Schreibstil pflegt gemeinhin nicht als vorbildlich zu gelten (›Juristendeutsch‹, ›Behördenchinesisch‹). Eine Glanzleistung absichtlicher amtlicher Sprachbarbarei vollbringen insbesondere südwestdeutsche Staatsanwaltschaften mit ihrem sog. ›Indem-Stil‹; sie halten sich etwas darauf zugute, den ›Anklagesatz‹ als einen grammatikalischen Satz zu formulieren, mag sich dieses Ungetüm auch über mehrere Seiten hin erstrecken. Daß damit § 184 Gerichtsverfassungsgesetz: »Die Gerichtssprache ist deutsch« mißachtet wird, wiegt anscheinend gering; schwerwiegend aber ist, daß bewußt Unverständlichkeit beim Publikum und insbesondere beim Betroffenen, dem Angeklagten, erzeugt wird (deutliche Worte bei Foth, E., 1972, S. 244; vgl. auch Schäfer, G., ³1983, S. 168 f.).

Zur oben angedeuteten Ausnahme: gemeint ist die Unterscheidung von ›Gutachten-‹ und ›Urteil-Stil‹, die den jungen Juristen von den ersten Tagen seines Studiums an begleitet. Auf der Universität jedenfalls wird von den Studenten erwartet, daß sie die ihnen aufgegebenen Fälle ›stilgerecht‹, das heißt im sogenannten ›Gutachtenstil‹ erörtern. Seine Merkmale sind – Grammatik hin oder her – eine blühende ›Konjunktivitis‹ (wenn man dies scherzhaft so bezeichnen darf) und die Anhäufung solcher Wörter, die die Unbestimmtheit der Aussage unterstreichen. Im ›Urteils-Stil‹ hingegen soll die gefundene Entscheidung möglichst klar, knapp und rechtsmittelfest begründet werden. Nur in diesem Umfeld spielt also, wenn ich recht sehe, der Stilbegriff mit einem speziell fachbezogenen Inhalt noch eine Rolle für den Juristen. (Vgl. statt aller Schellhammer, K., ²1984, Rn. 496, 497 ff.)

Daß diese Rolle, gemessen an der hervorragenden Bedeutung des Stilbegriffs für die hohen Künste (und die gelehrten Diskussionen, deren ehrfürchtiger Zeuge ich während des Kolloquiums sein durfte), recht banal ist, wer wollte das leugnen? Gleichwohl hat sie ihren nicht zu unterschätzenden praktischen Wert: die Verwendung des angemessenen Stils erleichtert uns die Fallbearbeitung und die fachliche Diskussion nicht unerheblich; denn sie erzieht dazu, zunächst alle Möglichkeiten der Lösung in Betracht zu ziehen und gegeneinander abzuwägen, und zeigt auf, warum welche Begründung als die die Entscheidung des Streitfalls tragende ausgewählt wurde. Auf einem anderen Blatt steht freilich, daß die Unterscheidung im juristischen Alltag häufig verwischt wird und selbst unsere höchsten Gerichte durchweg eine problematische Stil-Mischung praktizieren.[1] Dieses ungute Durcheinander von Erwägungen und Begründungen mindert die Überzeugungskraft der Urteile, liefert aber stets wieder neue Ansatzpunkte für wissenschaftliche Kritik, so daß der für das deutsche Rechtsleben charakteristische permanente Austausch der Argumente zwischen Rechtslehre und Rechts-Praxis blüht und – manchmal – auch Frucht bringt.

2. ›Stil‹ im Recht früher

Seit wann sich diese Stil-Unterscheidung ausdrücklich in der deutschen Rechtswissenschaft belegen läßt, habe ich nicht zurückverfolgt; der Sache nach dürfte es sie ›schon immer‹ gegeben haben.[2] Jedenfalls war der Begriff ›Stil‹ seit dem Neubeginn gelehrten Rechtsstudiums am Ausgang des 11. Jahrhunderts, wenn auch in anderer Bedeutung, den Juristen geläufig und spielte bei ihnen eine bedeutende Rolle. War es nicht möglicherweise – möchte ich also zu bedenken geben – die Rechtswissenschaft des hohen Mittelalters, die den Stilbegriff erst so ausgeprägt hat, daß er aus der juristischen Wiege in die Höhen der Kunst aufsteigen konnte – so der erste Teil meiner Überlegung –, und waren es nicht gerade Juristen, die wichtige Patendienste auf dem Weg dorthin leisteten – so der zweite Gedanke –?

Die erste Frage ist also, wo ›Stil‹ als terminus juridicus auftaucht und was er dort besagt. Für unseren Zusammenhang genüge die Feststellung, daß ›stilus‹ als juristischer Ausdruck in der Wendung ›stilus curiae‹ mindestens seit der zweiten Hälfte des 12. Jahrhunderts gang und gäbe ist. Angesprochen ist damit der Stil einer Behörde, insbesondere eines Gerichtshofs (zum Beispiel ›stilus curiae imperialis‹; Stil des kaiserlichen Hofs bzw. Hofgerichts). Wird ›stilus curiae‹ ohne nähere Kennzeichnung gebraucht, ist gewöhnlich die curia romana, der päpstliche Hof also, gemeint; ›Kurialstil‹ bezieht sich demnach zumeist auf sie, bis heute die Kurie schlechthin. Sachlich hatte ›stilus curiae‹ unter Juristen bis weit in die Neuzeit hinein zwei gut unterscheidbare Bedeutungen: eine allgemeine – sie setzte sich schließlich weitgehend durch – und eine besondere. Ihre gegenseitige Abhängigkeit und Beeinflussung hat vor allem Luigi Prosdocimi 1962 herausgestellt.

Wenden wir uns zunächst dieser besonderen Bedeutung von ›stilus curiae‹ zu. Sie liegt bei dem 1308 verstorbenen französischen Juristen Pierre de Belleperche (Petrus de Bellapertica: vgl. dazu Horn, N., 1973, S. 282) voll ausgeprägt vor. Auf ihn beruft sich jedenfalls der bedeutende Florentiner Jurist (und Dichter) Cino da Pistoia (um 1270 bis 1336) (Weimar, P./Bruni, F., 1983; Horn, N., 1973, S. 269) in seinem Codex-Kommentar.[3] Beide Juristen verwenden ›stilus curiae‹ als Gegensatz zu ›consuetudo‹. Beides – ›consuetudo‹ und ›stilus curiae‹ – meint Rechtsnormen; beider gemeinsames Kennzeichen ist, daß sie stillschweigend (›tacite‹), also nicht ausdrücklich (›expresse‹), wie das zum Beispiel für ein formelles Gesetz erforderlich ist, aufgestellt sind. ›Consuetudo‹ bezeichnet hier das Gewohnheitsrecht, nämlich eine zwar ungeschriebene, aber von der Allgemeinheit der Rechtsgenossen wie ein Gesetz akzeptierte Rechtsnorm. Demgegenüber ist ›stilus curiae‹ die nur von einem Einzelnen – in der Regel einem höheren Gerichtshof oder Magistrat – eingeführte, allein in seiner Autorität begründete und nur vor ihm geltende Norm. Während sich Gewohnheitsrecht grundsätzlich auf jedem Rechtsgebiet neben oder sogar auch gegen ausdrückliches Gesetzesrecht ausbilden kann, ist ›stilus curiae‹ stets eine Norm des Prozeßrechts.

Cino (und andere) erläutern den Begriff ›stilus curiae‹ am Beispiel einer Gesetzesvorschrift, daß das Klaglibell schriftlich zu übergeben sei »außer in kleineren Streitfällen«. Was ›kleinere Streitfälle‹ sind, läßt das Gesetz aber offen. Wenn nun ein Gericht – so erklärt Cino – bei Klagen bis zu einem bestimmten Streitwert auf die Vorlage eines Klaglibells zu verzichten pflege, dann sei dies ein Fall des bei diesem Gericht gültigen ›stilus curiae‹.[4] Gewöhnlich hingegen ist mit ›stilus curiae‹ die Gesamtheit der Regeln gemeint, nach denen eine Behörde (›curia‹) bei der Abfassung ihrer amtlichen Schriftstücke vorgeht. Diese Bedeutung bringen die mittelalterlichen Juristen in Zusammenhang mit einem römischen Gesetz von 321, das die letztwillige Vergabe von Vermögen an die Kirche erlaubt und so begründet:

›Nichts schuldet man einem Menschen mehr als daß der ›Stil‹ seines letzten Willens, da er danach etwas anders nicht mehr wollen kann, frei und sein Gutdünken, das er nicht mehr zurücknehmen kann, erlaubt sei.‹[5]

Die mittelalterliche Glosse zu diesem Gesetz versteht ›stilus‹ hier als schriftliche (›dispositio in scriptis‹), ›arbitrium‹ als nicht schriftlich (›sine scriptis‹) niedergelegte Verfügung (Prosdocimi, L., 1962, S. 417f.).
Von diesem nur auf das Testament und seine Form bezogenen Wortgebrauch bedarf es dann nur noch eines kleinen Schritts zur Anwendung von ›stilus‹ bei rechtserheblichen Schriftstücken jeder Art. Was mit stilus gewöhnlich gemeint ist, mag ein Beispiel aus dem Kurialstil skizzieren. Diesem gemäß – so lesen wir in einer Dekretale Papst Innozenz' III. von 1200 (Liber Extra 5, 20, 6) – werden Bischöfe jeden Ranges stets als ›Bruder‹, alle anderen Adressaten aber, vom König bis zum einfachsten Menschen, als ›Sohn‹ tituliert, und ein einzelner Adressat wird nicht per ›Euch‹, sondern per ›Du‹ angesprochen. Desgleichen versteht sein Nachfolger Papst Honorius III. (1216-1227), wenn er vom ›stylus ecclesiae Romanae‹ spricht, darunter sowohl den Aufbau eines Schreibens, als auch die Verwendung üblicher Klauseln (Liber Extra 2, 30, 8). In dieser Bedeutung wollen dann auch die Kanonisten ›stilus‹ ausschließlich oder jedenfalls hauptsächlich verstanden wissen und wenden sich damit ausdrücklich gegen die beiden oben genannten älteren Zivilisten.[6] So schreibt Johannes Andreae (gestorben 1348): ›Ich meine aber, daß ›stilus‹ ausschließlich die Gewohnheit oder den Brauch des Schreibens bzw.

Diktierens bedeutet.[7] In diesem Sinn sage man zum Beispiel »der
römische Kurial-Stil geht so und so bei den Reskripten«, läßt sich
aus Alberich von Rosciate (Alberito da Rosate, gestorben 1360)
ergänzen (Prosdocimi, L., 1962, S. 421). Diesen Sinn von ›stilus‹
scheint erstmals Richardus Anglicus in seiner Glosse (nach 1196)
zur Compilatio Prima, der ersten Sammlung päpstlicher Rechts-
quellen nach dem Dekretbuch Gratians (um 1140), betont zu
haben, aber auch Henricus de Segusio, der Kardinal von Ostia
(gestorben 1271), spricht oft von »consuetudo et stilus cancelle-
riae« [Übung und Stil der Kanzlei], von »consuetus stilus et
consuetudo romanae curiae« [üblicher Stil und Übung der römischen Kurie], von »mos et stilus curiae romanae« [Brauch und Stil
der römischen Kurie] (vgl. Prosdocimi, L., 1962, S. 422,
Fn. 10).
Verwenden die Kanonisten also ›stilus‹ vornehmlich in seiner
Kanzlei-Bedeutung, so notieren die Zivilisten zu jener Zeit noch
beide Bedeutungen, Verfahrensnorm und Kanzleibrauch, nebeneinander; jedoch gewinnt auch bei ihnen diese an Boden. Johann
Faber (Jean Faure, gestorben vor 1350) faßt ›stilus‹ als Unterbe-
griff von ›consuetudo‹ auf (vgl. Prosdocimi, L., 1962, S. 426 f.).
Aber auch inhaltlich fließen beide Bedeutungen von ›stylus‹ bald
ineinander. Bereits Baldus de Ubaldis (gestorben 1400) bezeichnet, trotz grundsätzlichen Eintretens für den zivilistischen Be-
griffsinhalt (vgl. Prosdocimi, L., 1962, S. 425 bei Fn. 15), auch die
venezianische Praxis, die Urkunden ähnlich wie die Kurie mit
einer Bleibulle zu siegeln, als ›stilus‹ und überschreitet damit den
Rahmen des Prozeßrechts (vgl. Prosdocimi, L., 1962, S. 425 bei
Fn. 16). Schließlich wird ›stilus‹ allgemein, auch bei den Zivilisten, auf den Schreibmodus der gerichtlichen Akten und Urkunden und auch auf den der Akte der Verwaltung bezogen, wie
Bartolomaeus von Saliceta (gestorben 1412) bezeugt (vgl. Prosdocimi, L., 1962, S. 429).
Im Ergebnis fand also das ius utrumque[8] seit dem 14. Jahrhundert
weithin zu einem einheitlichen Stil-Begriff: er ist terminus techni-
cus für ein nicht schriftlich fixiertes – daran wird ausdrücklich
festgehalten – Regelwerk für die Ausfertigung amtlicher Schriftstücke, bezeichnet also die Art und Weise, wie eine Behörde ihre
Erlasse ›stilisiert‹. Daneben lebt allerdings auch die Bedeutung als
ungeschriebene Prozeßrechtsnorm fort (vgl. Grimm, 1960,
Bd. 10, 2920 f.; zum Inhaltlichen siehe Sellert, W., 1973).

Welchen Sinn hat nun aber das Einhalten des Stils? Dies sei anhand zweier Beispiele, eines aus dem weltlichen, das andere aus dem kirchlichen Recht stammend, erläutert. Baldus de Ubaldis betont im bereits zitierten Zusammenhang ausdrücklich, daß ›stilus‹ nicht ›Gewohnheits-Recht‹ sei (weil nicht durch generelle Rechtsüberzeugung, sondern nur durch einen Magistrat eingeführt), erklärt aber gleichwohl: »Wenn jener Stil weggelassen wird [an anderer Stelle heißt es sogar: gebrochen wird], dann sind der Erlaß bzw. das Privilegium nichtig.«[9]
Die stilgemäße Abfassung einer wichtigen Urkunde ist, folgt man insoweit Baldus, also Gültigkeitsvoraussetzung, juristisch ausgedrückt: der ›Stil‹ ist zwingende Form, ein ›Stilbruch‹ macht einen stilgebundenen Rechtsakt ungültig. Nicht so rigoros bewertet die päpstliche Kurie ihren Stil, wie das zweite Beispiel vom September 1198 zeigt. Es geht um einen päpstlichen Erlaß, den die mißtrauischen Empfänger, Erzbischof und Kanoniker von Mailand, der Kurie zur Prüfung der Echtheit zurückgegeben hatten. Dort befand man: »Zwar keimten wegen des Stils des Diktates (»stylus dictaminis«) und wegen der Form der Buchstaben Zweifel auf, aber die Bleibulle war echt.«[10] Aber dieser erste, durch den inkorrekten Stil erweckte Verdacht bestätigte sich: eine penible Untersuchung der Bullenschnur, an der das Bleisiegel hing, entlarvte das Schreiben als Falsifikat. Dieser Vorfall zeigt, daß das Einhalten des ›stilus curiae‹ ein Sicherungsmittel gegen Urkundenfälschung war. Anders als nach des Baldus Meinung beeinträchtigen bei kurialen Urkunden Abweichungen vom üblichen Stil offenbar nicht ipso jure die Rechtsgültigkeit, sondern mahnen den Empfänger nur zu besonders aufmerksamer Prüfung auch der übrigen Echtheitskriterien.[11]
Als Ergebnis sei zum ersten Teil meiner Überlegungen also festgehalten: ›Stil‹ meint im gemeinen Recht vor allem und im allgemeinen die Gesamtheit jener Elemente, mit denen amtliche Schriftstücke gegen Verfälschungen gesichert werden können; anders ausgedrückt: das Einhalten des ›Stils‹ gewährleistet unter anderem die Echtheit eines rechtserheblichen Schriftstücks. Daneben bleibt aber auch die spezielle Bedeutung eines im Prozeß zu beachtenden Gerichtsbrauchs bekannt.

2.2. Vom ›Stilus‹ der Juristen zum ›Stil‹ der Dichter

Der Ausdruck ›stylus dictaminis‹ des zuletzt genannten päpstlichen Schreibens ist das Stichwort, um die zweite Überlegung zu erläutern, Juristen hätten möglicherweise wichtige Patendienste für die Karriere von ›Stil‹ in der Kunst, insbesondere in der Dichtkunst, geleistet. Mit ›stylus dictaminis‹ ist die ›ars dictaminis‹ oder ›ars dictandi‹ angesprochen, d. h. die Lehre vom kunstgerechten Abfassen eines rechtserheblichen Schriftsatzes (dazu Schaller, H. M., 1980). Der aus der Rhetorik entwickelte Unterricht für den »Schriftsteller« breitete sich seit dem 12. Jahrhundert von Norditalien aus auch nördlich der Alpen aus.[12] Diese Lehrschriften beschränken sich aber nicht stets auf das für die Rechtspraxis Erforderliche, sondern tradieren überhaupt die in der Antike bekannten Stil-Elemente. Daher sind sie sowohl für den prosaischen Rechtsalltag, als auch für den poetischen Gebrauch verwendbar. Um diesen engen Zusammenhang beider Sparten ›stilgebundener‹ Sprech- bzw. Schreibweisen zu verdeutlichen, sei auf zwei eher äußerliche Umstände hingewiesen, vor allem aber auf eine persönliche Seite aufmerksam gemacht. Äußerlich deutet z. B. schon der Titel des Werkes von Geoffroi de Vinsauf, eines der zweiten Hälfte des 12. und dem ersten Jahrzehnt des 13. Jahrhunderts zuzurechnenden Theoretikers der Dichtkunst, die sachliche Nähe an: *Lehrschrift über Weise und Kunst des Diktierens und Versemachens.*[13] Die enge Verflechtung von ›stilisierender‹ Fachsprache und künstlerischem Sprach-Stil beweist im Deutschen vor allem der Umstand, daß wir uns, um die Tätigkeit des Poeten zu benennen, eines der juristischen Fachsprache entlehnten Worts bedienen: ›dichten‹ leitet sich nämlich von ›dictare‹ her, also vom Abfassen eines Schriftsatzes.[14]

Hinsichtlich des persönlichen Elements stütze ich mich vor allem auf Franz Wieacker, der darauf aufmerksam gemacht hat, daß die mit dem Aufblühen des Rechtsstudiums in Bologna seit dem ausgehenden 11. Jahrhundert einhergehende bessere Ausbildung der öffentlichen Funktionäre sich auf die zeitgenössische literarische Kultur einschließlich der Dichtung ausgewirkt habe (vgl. Wieacker, Fr., ²1967, S. 47 f., unter Berufung auf Friedrich, H., 1964, S. 21 f.). Wenn es ferner richtig ist, daß vorherrschender Bildungstyp im damaligen Italien der sowohl über fachliches, als auch über technisch-stilistisches Wissen verfügende Jurist gewesen sei (Friedrich, H., 1964, S. 23), liegt die Annahme nicht fern, daß die künstlerisch begabten und über ihre ›leges‹ und ›canones‹ hinausblickenden damaligen Kollegen ihre erlernte Kunst auch im Bereich nichtjuristischer Sprachfertigkeit erprobten. Die im hohen Mittelalter nicht ganz seltene Personalunion Jurist und Dichter verkörpert z. B. auch der schon genannte Geoffroi de Vinsauf. Anstelle vieler weiterer Namen – insbesondere von Zeitgenossen Dantes – sei hier nur nochmals Cino da Pistoia genannt: als Jurist behielt er bis ins 17. Jahrhundert – also etwa 400 Jahre lang – seinen bekannten Namen, wurde zitiert und studiert (Wieacker, Fr., ²1967, S. 86), und als Lyriker wirkte er bahnbrechend für den ›dolce stil novo‹ (Friedrich, H., 1964, S. 24 f.). Wenn seine Zeitgenossen seinen ausgefeilten Stil und die Komplexität seines Satzbaues rühmen und er sich als Jurist erklärtermaßen dem kulturellen Klima der Artistenfakultät überlegen fühlt (Weimar, P./Bruni, F., 1983, Sp. 2090), so wird deutlich, daß die Stilschulung des Juristen unmittelbar fruchtbar wurde für den Dichter.

3. ›Stil‹ im späteren Recht

3.1. Vom ›stilus curiae‹ zum ›Kanzleistil‹

Mit dem Aufstieg des Stil-Begriffs in der Kunst ging sein Niedergang im Recht einher. Das könnte vor allem mit dem Heraufziehen des ›Akten‹-Zeitalters zusammenhängen, da der ›stilus‹ mit dem Wandel des Kanzleibetriebs seines eigentlichen Sinns als Sicherungsmittel für Urkunden weitgehend entleert, gewissermaßen funktionslos wurde. Der ›Kurialstil‹ (hier im allgemeinen Sinn verstanden) verflacht zum ›Kanzleistil‹, zur bis heute nicht abgestorbenen ›Fachsprache‹ der Kanzleien und Behörden, die noch in manchen Ausdrücken die unmittelbare Verbindung zu den Anfängen deutscher Kanzleisprache bewahrt.
Einige Beispiele aus der noch ungedruckten Oberösterreichischen Landtafel von 1616/1629¹⁵ mögen diese Verwendung und Bedeutung von ›Stil‹ und ›Kanzleistil‹ illustrieren. Beide Bedeutungen ›Prozeßnorm‹ und ›Form‹ finden sich zusammen in der Aussage:

›Da dann dem gemeinen üblichen Stilo nach [das heißt gemäß dem geltenden Gerichtsbrauch] dem Beklagten... in communi [an anderer Stelle: et consueta] forma und hergebrachten gemeinem Canzleistile nach durch Befehl [das heißt mit einem in bestimmter Weise abgefaßten Schriftstück] auferlegt wird, den Kläger ohne weitere Klag zu halten...‹ (OöLandtafel Teil II, Titel 5, §4).

›Kanzleistil‹ bezieht sich sowohl auf die äußere Form, als auch auf den Gebrauch von vorformulierten, feststehenden Textstücken (›Formeln‹); das zeigen neben dieser Stelle auch die folgenden: »derohalben auch dem üblichen Canzlei-Stilo nach diese Wort ... gesetzt werden« (OöLandtafel Teil II, Titel 16, § 18) oder »dem gemeinen Stylo nach ... die Clausel gesetzt wird« (OöLandtafel Teil II, Titel 25, § 1). Dabei war man sich sehr wohl bewußt, daß der Kanzleistil veraltet und nicht mehr ohne weiteres verständlich war; das läßt sich folgendem Satz entnehmen: »Alle Sachen... müssen entweder rechtlich oder gütlich (wie der alte Canzleistilus dies Lands redet) geklagt und angebracht werden« (OöLandtafel Teil II, Titel 5, § 1). In diesem Zusammenhang verdient der Umstand Beachtung, daß nicht nur die Kanzlei selbst den Kanzleistil pflegt und hochhält, sondern daß auch die Untertanen sich seiner zu bedienen haben, wenn sie sich an die hohe Obrigkeit wenden. Das ergibt sich aus Teil II, Titel 14 der Landtafel, der überschrieben ist: »Von den ... rechtlichen Klagen ..., wie nemblichen dieselben verfasst und gestellt sollen werden.« Dort liest man:

Demnach solle hinfüro kein Clag angenommen, noch eine Ladung [des Beklagten] darauf bewilligt ... werden, darin nicht nachgesetzte unterschiedliche Stücke und Substantial-Requisita begriffen sind...

In den fünf Hauptpunkten, die jeweils wieder mehrere Unterpunkte aufweisen, wird dann detailliert geregelt, wie die Klageschrift auszusehen hat, damit sie angenommen wird. So sollen, um nur einen Punkt herauszugreifen, die »Rechtsclagen dem alten Herkommen und gebräuchlichen Stylo nach in prima persona [in der ersten Person] und also gestelt [abgefaßt] werden, als ob der Richter selbst darinnen redete« (OöLandtafel Teil II, Titel 14, §§ 3 f., in einer Fassung vor 1616). Versäumt es der Bürger also, seine Eingabe ›stilgerecht‹ abzufassen, läuft er Gefahr, a limine, von vornherein zurückgewiesen zu werden, ohne daß sein Begehren zur Kenntnis genommen, geschweige denn sachlich beschieden wird. Die Verpflichtung zum Gebrauch des Kanzleistils wird so zur unausweichlichen Demutsgebärde, wird Ausdruck und Ausweis von Untertanen-Ohnmacht. Welche Bedeutung man dem korrekten ›Geschäftsstil‹ vormals zumaß, läßt sich u. a. auch daran ablesen, daß der bedeutende österreichische Strafrechtsreformer Josef v. Sonnenfels (1733-1817) eine besondere Lehrkanzel für Geschäftsstil wahrgenommen hat (Kleinheyer, G., Schröder, J., 1983², S. 251). Dementsprechend gab es eine nicht geringe Zahl von Anleitungsbüchern zum ›Geschäftsstil‹, nach denen man sich im Verkehr mit weltlichen und geistlichen Behörden tunlichst richtete.[16]

3.2. Der ›Stilus‹ der Zeitrechnung

Darüber hinaus hatte, und hat zum Teil bis heute, der Stilbegriff rechtspraktische Bedeutung für den Kalender. Nur noch von historischem Interesse sind die unterschiedlichen ›Jahresstile‹, also die verschiedenen Daten des Jahresbeginns. So war der ›Weihnachts-Stil‹ in Deutschland bis in die Neuzeit hinein weit verbreitet (zum Beispiel als ›stilus curiae Coloniensis‹, ›mos Coloniensis‹, ›stilus germanicus‹), bis sich das ›bürgerliche Jahr‹ (›stilus civilis‹) im 16. Jahrhundert allgemein durchsetzte (Grotefend, H., 1960¹⁰, S. 11-14). Hingegen stößt man bis heute auf die Unterscheidung von ›altem‹ und ›neuem‹ Stil, die auf die Kalenderreform Papst Gregors XIII. von 1582 zurückgeht. Sie hatte zum Beispiel zur Folge, daß in Deutschland bis ins 18. Jahrhundert hinein in katholischen und protestantischen Gebieten zwei unterschiedliche Kalender galten; dabei ging der alte Kalender gegenüber dem neuen um mehr als zehn Tage nach (heute beträgt die Differenz dreizehn Tage). Die Unterschiede beider Kalender-Stile hat man bei Datenvergleichen mit Gebieten orthodoxer Tradition bis heute zu beachten; man denke zum Beispiel nur daran, daß die Petrograder Ereignisse vom 25. Oktober 1917 als ›Oktoberrevolution‹ bezeichnet, aber am 5. November gefeiert werden. Aus der Begegnung mit Christen orientalischer Tradition dürfte bekannt sein, daß die Termine des Osterfestes nach ›neuem‹, das heißt westlichen, und nach ›altem Stil‹ nur selten übereinstimmen, bisweilen sogar weit auseinanderliegen.[17]

4. Rechts-Stile

Nimmt man Stil im allgemeinsten Sinne als das für eine bestimmte Epoche Kennzeichnende, so versteht es sich von selbst, daß man, insofern man vom Stil einer Epoche sprechen, auch einen spezifischen Stil ihres Rechts ausmachen kann. Einige geläufige rechtshistorische Bezeichnungen verleugnen denn auch die Nähe zum Stil-Begriff nicht: das gilt insbesondere für ›mos italicus‹ [italienische Art] und ›mos gallicus‹ [französische Art], für ›elegante Jurisprudenz‹ und für ›usus modernus pandectarum‹ [moderner Gebrauch der Pandekten, der wichtigsten Quelle des römischen Rechts] (vgl. Wieacker, F., 1967², S. 47, passim). Schon im Mittelalter werden ›usus‹ und ›mos‹ nahezu als Äquivalente von ›stilus‹ gebraucht, wie die bereits zitierten Wendungen zur Genüge zeigen (Prosdocimi, L., 1962, S. 422). Daß ›elegant‹ gemeinhin eher mit ›Stil‹ als mit ›Jurisprudenz‹ assoziiert wird, liegt auf der Hand.

Gleichwohl lehrt ein Blick in die Lehrbücher der Rechtsgeschichte, daß eine Einteilung nach ›Rechts-Stilen‹ unüblich ist. Wo derartiges versucht wurde, ist die Entlehnung aus Kunst- und Literaturwissenschaft deutlich, so ausdrücklich angesprochen im Untertitel des 1947 postum erschienenen Werks *Vom Stil des Rechts* von Heinrich Triepel (1868-1946): »Beiträge zu einer Ästhetik des Rechts«. Eher an ›Denk-Stilen‹ orientiert war der 1914 von Hermann Kantorowicz (1877-1940) publizierte Aufriß *Epochen der Rechtswissenschaft*, der ›Formalismus‹ und ›Finalismus‹ als die beherrschenden und miteinander abwechselnden Rechts-Stile ausmachen wollte. Keiner der beiden Versuche hat jedoch breitere Resonanz gefunden (vgl. Wieacker, F., 1967², S. 20 Fn. 19). Woran das liegt, darüber läßt sich trefflich spekulieren; doch ist dies nicht mehr mein Thema. Unter dem Eindruck des beim Kolloquium Gehörten neige ich dazu, die Frage, was unter Stil zu verstehen sei, vorläufig mit Cino da Pistoia so zu beantworten: »Das können wir nicht recht wissen« (Prosdocimi, L., 1962, S. 418 f.); daher sei meinen Notizen zum Verhältnis von ›Stil‹ und Recht als letztes Wort gemäß altem Gutachten-Stil die Klausel angefügt:

salvo meliore iudicio.

1 Kötz, H. (1973) hat dazu das Nötige gesagt und vor allem das französische Beispiel dagegengestellt.

2 So ist in Zedlers Großem vollständigem Universallexikon (1744, 1962) im Artikel »Stylus concisus« vermerkt, diese Schreibart, welche »kein Wort setzet, welches nicht zu Ausdrückung des Verstandes höchst nöthig, anbey die Perioden so kurtz machtet, als möglich, und mithin alle und jede Weitläufigkeit vermeidet«, werde auch »stylus judiciosus« (gerichtlicher Stil) genannt.

3 »Sed de stilo quid dicemus? Nam sicut dixi, non habemus de eo in iure, sed in curia sic. Verumtamen, bene reperitur stilus in iure nostro, pro dispositione, sicut dicimus, quod liber debet esse stilus testatoris … Quomodo ergo accipiemus stilum? Non possumus bene scire. Credo tamen secundum Petrum [de Bellapertica] quod stilus est ius quoddam non scriptum, usibus introductum, ab uno iudice stillatum. Et in hoc ultimo differt a consuetudine, quoniam consuetudo est ius introductum usibus plurium, ut a populo. Sicut enim populus expresse legem facere potest, sic tacite consuetudinem, quae est usus communis. Stilus vero licet sit usu introductus, ab uno iudice saepius stillatus, non tamen est usus communis.« (Prosdocimi, L., 1962, S. 418 f.)

4 »Verbi gratia: lex dicit, quod libellus in scriptis debet edi, nisi in brevioribus litibus, et quae tales sint, lex non determinat; alia statuere et determinare bene permititur maiori iudici. Sed si hoc ab ipso expresse statuatur, erit ius expressum, et lex municipalis, sed si tacite et non expresse statuatur, ut quia iudex usus est, quod in causis viginti solidorum non detur libellus, tunc dicetur stilus curiae, ab illo iudice stillans, ut dictum est.« (Prosdocimi, L., 1962, S. 408 f.).

5 »Nihil est quod magis hominibus debetur, quam ut supremae voluntatis, postquam aliud velle non possunt, liber sit stilus et licitum, quod iterum non redit, arbitrium.« (Codex Theodosianus 16, 2, 4; Codex Justinianus 1, 2, 1).

6 Kanonisten heißen die Vertreter des kanonischen, also kirchlichen Rechts; sie bearbeiten die »canones«, wie noch heute die einzelnen Artikel des kirchlichen Gesetzbuchs genannt werden. Zivilisten sind die Vertreter des ius civile, des weltlichen – und in diesem Sinne: bürgerlichen – Rechts; sie bearbeiten die ›leges‹, die im Corpus Iuris Civilis gesammelten »Gesetze«.

7 »Esset ergo secundum eum [sc. Petrum de la Bellapertica] stylus, quando per usum styllatum a iudice determinata est lex, dicens in minoribus causis libellum non dari ad causas viginti solidorum. Ego puto, quod stylus sit consuetudo, vel usus scribendi tantum, ut probant prae-allegata capitula, unde dicitur a stylo, quo scribitur in cera, vel tabula.« (Prosdocimi, L., 1962, S. 420 f.).

8 ›ius utrumque‹, das heißt beide Rechte, bezeichnet das bürgerliche und kirchliche Recht als die gemeinsame Grundlage des ius commune, des gemeinen Rechts; vgl. Thieme, H. (1971).

9 »si iste stylus omittatur [an anderer Stelle: infringitur] rescriptum et privilegium est nullum« (Prosdocimi, L., 1962, S. 425 f., Fn. 17).

10 »Nam licet in stilo dictaminis et forma scripturae aliquantulum coeperimus dubitare, bullam tamen veram invenimus [...]« (Liber Extra 5, 20, 5, pars decisa).

11 So mahnt Papst Innozenz III. gegen Schluß der oben im Text zitierten Dekretale von 1200 (Liber Extra 5, 20, 6) den auf eine Fälschung hereingefallenen Bischof: »Wir hoffen also, daß Du jetzt vorsichtig bist, damit Du durch falsche Briefe nicht wiederum hintergangen oder getäuscht wirst, und Dich befleißigst, Apostolische Schreiben so aufmerksam zu studieren – sowohl hinsichtlich Bleisiegel, Siegelschnur und Material, als auch hinsichtlich des Stils –, daß Du nicht mehr echte als falsche, falsche als echte Schreiben akzeptierst.« – Zu den Echtheitskriterien der Urkunden vgl. Brandt, A. (1980⁹).

12 Zeugnis dafür sind die zahlreichen Formelbücher und Briefsteller des Mittelalters und der Neuzeit; vgl. dazu Schaller, H. M. (1980).

13 *Documentum de modo et arte dictandi et versificandi.*

14 Vgl. Grimms Deutsches Wörterbuch; zum Beispiel »die brieve waren getihtet, geschriebene unde gerihtet« (Sp. 1058), Entschuldigung Luthers wegen einer verzögerten Antwort auf einen Brief: »...denn ichs auch noch itzt habe müssen tichten und einen andern schreiben lassen [...]« (Sp. 1059).

15 Die Landtafel wurde Ende 1616 von den oberösterreichischen Ständen verabschiedet und dem Landesherrn zur Genehmigung vorgelegt, von seiner Regierung in Wien 1629 ›corrigiert‹, den Ständen zu erneuter Begutachtung vorgelegt, in der Folgezeit aber weder von ihnen abschließend beraten, noch vom Landesherrn formell in Kraft gesetzt, jedoch im Lande als Quelle des Gewohnheitsrechts angesehen und benützt; die Edition wird derzeit von mir vorbereitet. Zur kurzen Information vgl. Strätz, H.-W. (1984), S. 1176-1179.

16 Einige Beispiele mögen genügen: v. Sonnenfels, J. (1784) mit einem Nachtrag (1787); – Rumpf, J. D., (1823); – »Der Geschäftsstil...« (1860); – A. Müller (⁹1903), hg. von K. A. Geiger, der übrigens in der unter seinem Namen erschienenen 10. Auflage (1910) den Ausdruck ›Geschäftsstil‹ aus dem Haupttitel streicht; Eberhart, A. (1906).

17 So feiert man Ostern zum Beispiel im Jahre 1986 am 30. März neuen Stils bzw. am 21. April alten Stils (dies ist der 4. Mai neuen Stils); hingegen fallen im Jahre 1987 die Ostertermine (6. April alten Stils, 19. April neuen Stils) zusammen.

Literatur

Brandt, A. (⁹1980), *Werkzeug des Historikers*. Stuttgart.

Codex Justinianus. Hg. von P. Krueger. In: *Corpus Juris Civilis* Bd. 2 (¹³1963). Berlin.

Codex Theodosianus. Hg. von Th. Mommsen (1905). Berlin.

Der Geschäftsstil (1860). Ein Leitfaden für Gewerbe- und Sonntagsschulen. Enthaltend das Wissenwürdigste über Geschäftsaufsätze und Briefe, nebst einer populären Darstellung der Wechselkunde, bearbeitet von einem praktischen Schulmanne. Wien.

Eberhart, A. (²1906), *Kurze Anleitung zum geistlichen Geschäftsstil*. Brixen.

Foth, E. (1972), »Die Indem-Anklage«. *Deutsche Richterzeitung*. S. 244.

Friedrich, H. (1964), *Epochen der italienischen Lyrik*. Frankfurt/Main.

Grimms Deutsches Wörterbuch (1860). Art. »dichten«, Bd. 2. Leipzig. Sp. 1007-1063.

Grotefend, H. (¹⁰1960), *Taschenbuch der Zeitrechnung*. Hg. von Th. Ulrich. Hannover.

Horn, N. (1973), »Die legistische Literatur der Kommentatoren und die Ausbreitung des gelehrten Rechts«. In: *Handbuch der Quellen und Literatur der neueren europäischen Privatrechtsgeschichte*. Hg. von H. Coing. Bd. 1. München. S. 261 ff.

Kleinheyer, G./Schröder, J. (²1983), *Deutsche Juristen aus fünf Jahrhunderten*. Heidelberg.

Kötz, H. (1973), *Über den Stil höchstrichterlicher Entscheidungen*. (Konstanzer Universitätsreden, Bd. 162). Konstanz.

Liber Extra. In: *Corpus Juris Canonici pars 2*. Hg. von H. Friedberg (1879) (1959). Leipzig/Graz.

Müller, A. (⁹1903), *Anleitung zum geistlichen Geschäftsstil und zur geistlichen Geschäftsverwaltung*. Hg. von K. A. Geiger. Regensburg.

Prosdocimi, L. (1962), »Tra civilisti e canonisti dei sec. XIII et XIV – a proposito della genesi del concetto di ›stylus‹«. In: *Bartolo da Sassoferrato*. Bd. 2. Mailand. S. 414-430.

Rumpf, J. D. (1823), *Der Geschäftsstyl in Amts- und Privatvorträgen*, gegründet auf die Kunst richtig zu denken und sich deutlich, bestimmt und schön auszudrücken, neueste vermehrte Auflage. Reutlingen.

Schäfer, G. (³1983), *Die Praxis des Strafverfahrens*. Stuttgart.

Schaller, H. M. (1980), »Ars dictaminis, Ars dictandi«. In: *Lexikon des Mittelalters*. Bd. 1. München. Sp. 1034-1039.

Schellhammer, K. (⁷1984), *Die Arbeitsmethode des Zivilrichters*. Heidelberg.

Sellert, W. (1973), *Prozeßgrundsätze und Stilus Curiae am Reichshofrat*. (Untersuchungen zur deutschen Staats- und Rechtsgeschichte, Neue Folge, Bd. 18). Aalen.

Sonnenfels, J. v. (1784), *Über den Geschäftsstyl.* Erste Grundlinien für angehende österreichische Kanzlei-Beamte. Wien.

Strätz, H.-W. (1984),»Eherechtliche Bestimmungen in den Entwicklungsstufen der oberennsichen Landtafel«. In: *Zeitschrift für das gesamte Familienrecht.* Bielefeld. S. 1176-1179.

Thieme, H. (1971), »Gemeines Recht«. In: *Handwörterbuch zur deutschen Rechtsgeschichte.* Bd. 1. Berlin. Sp. 1506-1510.

Weimar, P./Bruni, F. (1983), »Cino da Pistoia«. In: *Lexikon des Mittelalters.* Bd. 2. München. Sp. 2089-2091.

Wieacker, Fr. (²1967), *Privatrechtsgeschichte der Neuzeit.* Göttingen.

Zedler, J. (1744) (1962), »Stylus concisus«. In: *Großes Universallexikon.* Bd. 40. Leipzig/Halle/Graz. Sp. 1472.

Peter M. Spangenberg
Pragmatische Kontexte als Horizonte
von Stilreflexionen im Mittelalter

1. Kontinuität und Diskontinuität

Die wahrscheinlich bekannteste Metapher zur Verdeutlichung
mittelalterlicher Selbsterfahrung im Hinblick auf das Verhältnis
zur Antike ist jenes durch Johannes von Salisbury überlieferte
(Metal. III,4) und von Bernhard von Chartres († 1124/30) be-
nutzte Bild von den Zwergen, die auf den Schultern von Riesen
sitzen. Ihre Auslegung ist allerdings wie bei vielen Metaphern
dieser Art nicht eindeutig. Zum einen drücken die bloßen Proportionen ein Inferioritätsgefühl mittelalterlicher Kleriker aus,
zum anderen kann mit diesem Bild auch ein Erkenntnisfortschritt
beschrieben werden, denn von ihrer Position aus können die
Zwerge weiter schauen als ihre Träger, die Riesen. Gerade diese
zweite Interpretation, die uns die ›modernere‹ zu sein scheint, ist
jedoch die ursprüngliche (vgl. Jauß, H. R., ⁴1974, S. 20). Unserem
Vorwissen über mittelalterliche Sinnbildungsleistungen entspricht da schon eher die selbstverständliche und deshalb nicht
extra artikulierte Vorgabe, die dieser Metapher zugrundeliegt: die
Vorstellung von der Kontinuität von Antike und Mittelalter im
Rahmen einer – genealogisch verstandenen – *translatio imperii*
und, in bezug auf die Kontinuität des Wissens, der *translatio
studii*.[1]
Die beiden Perspektiven der kulturellen Kontinuität oder Diskontinuität waren nach der jeweiligen Interessenlage immer wieder Beurteilungs- und Bewertungskriterien für das Mittelalter,
und schon aus wissenschaftshistorischen Gründen muß – besonders aus romanistischer Sicht – jegliche Beschäftigung mit mittel-
alterlichem Rhetorikwissen zu diesem Problem Stellung nehmen.
Mit der Absicht, die Fundamente einer europäischen Gesamtkul-
tur nachzuweisen, griff Ernst Robert Curtius (1948) die Konti-
nuitätsthese wieder auf. Die durch die antike Tradition begründete rhetorische Praxis in lateinischen Texten des Mittelalters war
ihm dazu ein wichtiger Beleg. Auf einem ganz anderen Abstrak-

tionsniveau bewegt sich demgegenüber jene These der kulturellen Differenz von Mittelalter und Antike, die Erich Auerbach (1958) anhand der Rezeptionsprobleme verdeutlicht, die christliche Texte einem an den Normen antiker Schulrhetorik orientierten und an Rednerwettstreite gewöhnten Publikum bereiteten. Die sophistischen Vorstellungen über die Wirkungsmöglichkeiten der Rhetorik[2] ließen sich letztlich nicht mit dem religiösen Wahrheitsanspruch – besonders in der Predigtsituation – vereinigen, der natürlich ungeachtet vorhandener oder nicht vorhandener Stilqualitäten des christlichen Diskurses stets unangetastet bleiben mußte.

Wenn wir im folgenden eher der Sicht Auerbachs folgen und vornehmlich mittelalterliche Rhetorik*konzepte* untersuchen, so geschieht dies zunächst aus heuristischen Gründen, um im Rahmen dieses Bandes auf spezifisch mittelalterliche Mentalitätsstrukturen hinweisen zu können. Vor dem Hintergrund dieses dominant auf Differenzen ausgerichteten Interesses an Antike und Mittelalter ist es weniger wichtig zu berücksichtigen, inwieweit die mittelalterlichen ›Gelehrten‹ die Antike im Rahmen der *translatio studii* ›richtig‹ verstanden und adäquat rezipiert hatten (vgl. Curtius, E.R., 1948, S.407-409). Es geht uns vielmehr darum, den Rezeptionsprozeß als Symptom für eine eigenständige Aufnahme antiker Traditionen- und Wissensbestände zu sehen und die *translatio studii* als ein ›ideologisches‹ – also von den Zeitgenossen nicht durchschautes – Konzept dieser Aneignung zu verstehen.

Die Betonung der Diskontinuitäten[3] in der Rezeption der antiken Rhetoriktradition wollen wir ergänzen durch eine Betrachtung der unterschiedlichen mittelalterlichen Kommunikationssituationen, in denen dieses Wissen relevant werden konnte. Damit und durch die Berücksichtigung des Ortes, der diesem Wissen in der Hierarchie des Bildungssystems zugewiesen wurde, soll seine Pragmatik auf einer möglichst breiten Basis in den Blick kommen. Für die lateinische Tradition sind hierfür zunächst zwei Überlieferungskontexte wichtig, die durch zwei Textgruppen repräsentiert werden; die *artes praedicandi* und die *artes dictaminis*. In diesem Kontext wollen wir die ab dem 11. Jahrhundert entstehenden *artes poeticae* einordnen; jene Texte, die aus neuzeitlicher Sicht meist als die ›eigentlichen‹ Gegenstände der Literaturwissenschaft in diesem Problemzusammenhang verstanden werden. Aus der volkssprachlichen Tradition soll hier auf die *arts de seconde rhétorique* eingegangen und ein kurzer Blick auf die durch Dante repräsentierte Diskussion um den *dolce stil novo* geworfen werden.

2. Subjektivität und Wahrheit

Im Rahmen dieses Bandes bedeutet dieses Vorgehen zum einen eine Vorsichtsmaßnahme. Von den Selektionsproblemen abgesehen, würde durch die Beschränkung auf ›literarisch wertvolle‹, weil im nachhinein für die Ausdifferenzierung einer eigenständigen Kommunikationssituation ›Literatur‹ für bedeutsam erkannte Texte, die Breite der Verwendung rhetorischen Wissens aus dem Blick geraten. Zum anderen bestände die Gefahr, ein Stilverständnis zum Wertmaßstab zu machen, das – wissentlich oder nicht – an die Vorstellungen der Renaissance anschließt und die dort vorgenommene Bewertung von Originalität und Subjektivität des Künstlers und seines Produkts metahistorisch hypostasiert. Es ist die Sicht, aus der die Antike und die Renaissance – wie differenziert und vermittelt auch immer – in kulturelle Kontinuität gerückt wurden, die durch das ›dunkle‹ Mittelalter unterbrochen wurde. Obwohl diese (Selbst-)Einschätzung der Renaissance mittlerweile einer wesentlich differenzierten Sicht gewichen ist, betrifft dies nicht im gleichen Maße unser Vorwissen über den dominanten Gegenstandsbereich dieses Bandes. Nicht nur die ›Zuständigkeit‹ der Kulturwissenschaften für das Phänomen Stil gehört zu diesem Vorwissen, sondern auch, daß Stil eine Eigenschaft eines Kunst*produkts*[4] ist, für die der Produzent letztlich allein verantwortlich ist. Diese Qualität eines erzeugten Gegenstands, eines Werks (vgl. Fuhrmann, M., 1973, S. 189) wird erfahren durch einen Rezipienten, der als Einzelner, als Individuum – also frei von pragmatischen Interessen – mit dem Werk in Kontakt tritt. Auch in den übertragenen Verwendungen des Stilbegriffs – Epochenstil, Rechtsstil – findet sich diese Individuierungskomponente wieder, etwa indem man die Zeitgenossen einer Epoche oder eine Institution als Kollektivsingular betrachtet und ihren verschiedenartigen Handlungsresultaten eine einheitliche Struktur zuschreibt, die für den Interpreten erkennbar ist. In diesem Sinne wird Stil als eine Totalisierungskategorie[5] angesehen, die Einsicht in verdeckte Strukturen der Realität erlaubt.

Dieses durch die Vorstellung der Autonomie von Kunstwerken dominierte Stilverständnis ist natürlich für das Mittelalter nicht zu verwenden. Jedoch auch die Konzepte der stilistischen Sprachqualität (*colores, ornatus facilis/dificilis* etc.), die ein wesentliches Element des Rhetorikwissens sind, sollen für uns nur insoweit von Bedeutung sein, als sie als Symptom für die durch Sprache vermittelte Wirklichkeitserfahrung dienen können. Unser Interesse ist hierbei doppelt perspektiviert; zum einen interessieren uns Symptome, die auf die Ausbildung von Subjektivität[6] verweisen, eine der Voraussetzungen für die Institutionalisierung eines selbständigen Kommunikationsbereichs Literatur, zum anderen erwarten wir damit Aufschluß über die Erfahrung der Funktionsmöglichkeiten von Sprache im Rahmen der christlichen Kosmologie. Einen Zugang zu dieser Fragestellung eröffnen die schon von Auerbach herausgestellten Schwierigkeiten, die Lehre der antiken Stilarten (*genera dicendi*) mit den christlichen Wertvorstellungen zu vereinbaren (vgl. Haug, W., 1985, S. 7-24).

3. Ausgangspunkte der mittelalterlichen Rhetoriklehren

Die lateinisch-mittelalterliche Rhetorik wird repräsentiert durch Texte aus dem 11. bis 13. Jahrhundert, und sie berief sich ihrerseits wiederum auf eine Vielzahl antiker Quellen (vgl. Klopsch, P., 1980, S. 40-44). Der seit der Renaissance und auch aus heutiger Sicht noch zentrale Text der antiken Tradition, die *ars poetica* des Aristoteles, zählte jedoch nicht zum Bestand des überlieferten Wissens. Erst im 13. Jahrhundert tauchen zwei Versionen dieses Textes in lateinischer Übersetzung auf. Die eine beruht auf einer arabischen Übersetzung aus dem 10. Jahrhundert, die ihrerseits in Toledo ins Lateinische übertragen wird und mit dem ursprünglichen Text nur noch wenig gemein hat. Die zweite Version wurde von Wilhelm von Moerbeke 1278 aus dem Griechischen übersetzt[7] und ist nur in zwei Manuskripten erhalten (vgl. Klopsch, P., 1980, S. 40 f.). Als Autoritäten für die mittelalterlichen Lehrbücher dienen vor allem Quintilians *Institutio oratoria* sowie Ciceros *De oratore, De inventione* und die ihm zugeschriebene *Rhetorica ad Herennium* (vgl. Caplan, H., 1970, S. 1-25). Berücksichtigung findet auch die *ars poetica* des Horaz, die häufig kommentiert und zusammen mit diesen Kommentaren tradiert wurde. Aufschlußreich für die mittelalterliche Rezeption ist, daß sie *nicht als spezielle Dichtungslehre* verstanden wurde, sondern daß bestimmte, in diesem Text enthaltene Konzepte wie etwa die Opposition von *natura* und *ars* sowie die Funktionskategorien *prodesse et delectare*, aufgegriffen wurden.

Damit stoßen wir auf ein spätantikes Phänomen der *Entdifferenzierung,* das sich bis ins Mittelalter erhalten hat und darin besteht, daß Prosa und Poesie nicht mehr unterschiedliche Funktionsbereiche und Kommunikationssituationen konnotieren, sondern als gleichberechtigte sprachliche Mittel – zu denen auch die Rhythmik gezählt wurde[8] – im Rahmen der Rhetorikausbildung gelehrt werden. »›Dichtung‹ war dort so wenig eine selbständige Größe, daß man zunächst einmal keine eigene Bezeichnung dafür besaß; erst im 12. Jahrhundert bürgerte sich neben *poesis* der Ausdruck *poetria* ein.« (Fuhrmann, M., 1973, S. 191) So war es durchaus üblich, Prosa- und Versversionen eines Stoffes zu erstellen. Die Vermischung von Prosa, Metrik und Rhythmus, in der Form des Prosimetrum und der rhythmischen Prosa, standen im Mittelalter in hohem Ansehen und belegen die Auffassung, daß die Addition bekannter sprachlicher Möglichkeiten die stilistische Qualität eines Textes erhöht.

4. Die *artes dictandi* und die Dominanz der Schrift

Als Beispiel für die diskontinuierliche *translatio* antiken Wissens ins Mittelalter können die *Etymologiae* des Isidor von Sevilla (ca. 570-636) stehen (vgl. Bloch, H.R., 1983). Bis heute konnte noch nicht gänzlich geklärt werden, welche Quellen Isidor für seine Summe des zeitgenössischen Wissens verarbeitet hat. Die ersten Bücher der *Etymologiae* beruhen auf der antiken Einteilung der sieben *artes liberales* (Grammatik, Rhetorik, Dialektik, Arithmetik, Musik, Geometrie und Medizin), wobei Isidor die letzteren vier unter dem Begriff der Mathematik zusammenfaßt. Die von ihm gegebene Definition der Rhetorik ist für uns besonders interessant als Kontrastfolie für die späteren Modifikationen der Kommunikationssituation, die für dieses Wissen charakteristisch ist.

Die Rhetorik ist die Lehre vom rechten Sprechen, die Angelegenheiten der Bürger betreffend; es ist der Strom der Eloquenz, der dem Zweck dient, den Menschen vom Richtigen und Guten zu überzeugen. ...Der Redner ist also ein rechtschaffener Mann, der die Fertigkeit des Redens besitzt. Der rechtschaffene Mann entsteht durch die Natur, durch Sitten und Taten. Die Fertigkeit des Sprechens entsteht durch erlernte Eloquenz, die aus fünf Teilen besteht: *inventio, dispositio, elocutio,* Gedächtnis und Aussprache; ihr Ziel ist jemanden zu überzeugen. Die Fertigkeit des Sprechens hängt von drei Dingen ab: Begabung *(natura),* Ausbildung und Übung. Die Natur sorgt für die Begabung, die Ausbildung für das Wissen und die Ausübung für die Erfahrung im Reden (Ety. ii, 1 und 3).

Isidor ordnet also die Rhetorik der politischen, moralischen und juristischen Entscheidungsfindung zu (vgl. Ety. ii, 4), deren Medium ausschließlich die *Mündlichkeit* ist. Indem diese Redefertigkeit – ganz in der Tradition Quintilians – an moralische Integrität des Redners gekoppelt wird, bereitet die Leistung der Rhetorik, das Überzeugen/Überreden *(persuadere)* keine Probleme, da bei einem solchen Redner keine Täuschungsabsicht befürchtet werden muß. Die schriftliche Fixierung der Rede ist in diesem Kontext nur Hilfsmittel zum Beherrschen der mündlichen Performanz.[9] Schon lange bevor Isidor diese antike Definition der Rhetorik weiter tradierte, hatte jedoch die sophistische Praxis der öffentlichen, politischen Rede ihre ursprüngliche Funktion verloren[10] und hatte sich statt dessen zu einer Art intellektuellem ›Profisport‹ gewandelt, dessen Akteure die technische Beherrschung der rhetorischen Artistik vor großem Publikum zur Schau stellten.

Es gehört nun zu den auffälligsten Diskontinuitäten der Tradierung des antiken Rhetorikwissens, welches dominant auf eine orale Kommunikationssituation ausgerichtet war, daß es im Mittelalter zur Fundierung einer Lehre über die Anfertigung von schriftlichen Rechtsdokumenten – wobei die Form des Briefes eindeutig im Vordergrund steht – verwandt wurde.[11] Obwohl die mit Beginn des 12. Jahrhunderts entstehenden *artes dictandi* sich gewiß zu Recht auf die antike Tradition beziehen, sind sie andererseits eine genuin mittelalterliche Entwicklung, die später auch Eingang in die Volkssprachen findet und noch bis ins 18. Jahrhundert fortwirkt. Man versteht unter diesen in großer Vielfalt von Manuskripten und später auch Drucken überlieferten Texten sowohl Sammlungen von Musterbriefen, anwendbar für

eine Vielzahl meist juristischer Problembereiche als auch mehr
oder weniger ausführliche Anweisungen über den Aufbau und
die Abfassung solcher Schriftstücke. Der Bedarf für solche Briefsteller ist unschwer in der Umstrukturierung der mittelalterlichen
Gesellschaft zu sehen, in der Schriftlichkeit in den verschiedensten, nicht mehr nur genuin klerikalen Kommunikationsbereichen eine wachsende Bedeutung erlangte. Die steigende Vielfalt
juristischer Dokumente, sowohl innerhalb der römischen Kurie
sowie in städtischen und fürstlichen Kanzleien des zweiten Feu-
dalzeitalters findet ihren Niederschlag in einigen Gliederungen
von Briefstellern (vgl. Rockinger, L., 1969, S. 526-531).

Der Strukturwandel der mittelalterlichen Kommunikationsformen manifestierte sich zuerst in den oberitalienischen Städten
und führte zur Ausbildung von juristischen Spezialisten in Bologna. An der Artistenfakultät wurde die *ars dictandi* systematisiert
und im 13. Jahrhundert zu einem Höhepunkt geführt. Einer der
erfolgreichsten Briefsteller, die *Summa dictaminis* des Guido
Faba (ca. 1190-1245), beruhte mit auf Berufserfahrungen des
Autors an dieser Universität (vgl. Faulhaber, Ch., 1978). Nicht
Originalität und theoretische Stringenz dominieren in diesen
Schriften, sondern die Ausrichtung auf die Bedürfnisse der Studenten, die sich mit dieser Fertigkeit ihr Geld verdienen müs-
sen.[12] Da die Berufsrollen von Kanzleisekretären und ›literari-
schen‹ Autoren oft aufeinander aufbauten – man denke etwa an
Juan de Mena, der als gehobener Schreiber am kastilischen Hof
arbeitete – und noch kaum ausdifferenziert waren, hatte die
Ausbildung in der *ars dictandi* natürlich auch Einfluß auf die
Form der Schriftlichkeit von Texten anderer Pragmatik.

Die Verschriftlichung von Rechtsbeziehungen und Rechtsakten
gewann durch die sich ausweitende Geldwirtschaft zusätzliche
Impulse, und die Einhaltung formaler Kriterien bei der Abfassung der Schriftstücke diente nun sowohl dazu, den sozialen
Rang des Stifters von Urkunden zu repräsentieren als auch der
Rechtssicherheit (vgl. den Beitrag von Strätz). Begründet wurde
die Tradition der *ars dictandi* durch die Schriften des Alberich
von Monte Cassino[13], der auch bereits die entscheidenden
Gleichsetzungen des Schreibens mit dem Sprechen und des Briefs
mit der Rede vornimmt. Die nachfolgenden Kompilatoren begnügen sich jedoch nicht damit diese Auffassungen zu tradieren,
sondern entwickeln, abgeleitet von rhetorischen Kategorien, eine

eigenständige Brieflehre. Die seit den *Rationes dictandi* festgeschriebene Struktur des Briefes umfaßt meist die folgenden Teile:
Salutio, captatio benevolentiae, narratio, petitio und *conclusio*
(vgl. Quadlbauer, F., 1962, S. 57-89). Die in Anlehnung an die
Einheiten der Rede verfaßte Gliederung berücksichtigt die unterschiedliche Appellstruktur von Rede und Brief, über die sich
Autoren der *ars dictandi* durchaus im klaren sind. Während die –
juristische – Rede eine der Sachlage angepaßte Beweisführung ins
Zentrum stellen mußte – *argumentatio* –, so war es Ziel des
Briefes in der *petitio*, möglichst erfolgreich zu bitten, zu fordern,
zu tadeln oder zu drohen.

Auf der Ebene der Stilfiguren sorgte die *ars dictandi* einerseits für
die allgemeine Verbreitung der Wortfigurenlehre der (pseudo-)
ciceronischen *Rhetorica ad Herennium,* während man andererseits die Lehre von der Adäquanz von Stoff und Sprachstil
(genera dicendi), auf die noch zurückzukommen ist, vertrat. Die
stilistischen Anweisungen zur Gestaltung der Schriftstücke
wurde jedoch nicht – wie aus neuzeitlicher Sicht erwartbar – als
die Möglichkeit der Entfaltung von Subjektivität angesehen. Das
bezeugen vor allem die zahlreichen Modellbriefe für die verschiedensten Situationsmuster. Da der *Dictator* immer im Auftrag
anderer arbeitete, ihm also Inhalt und Zielsetzung seiner Schreibhandlung eindeutig vorgegeben waren, stellte sich auch das Problem des Überzeugens/Überredens durch sprachliche Mittel in
anderer Weise. Weil das Subjekt der Aussage und der Ausfüh-
rende der Schreibhandlung nicht mehr, wie in der Redesituation,
ein und dieselbe Person sind, kann sich der Schreiber von den
ethischen Anforderungen, die die Rhetoriklehre an den Redner
stellt, entlastet fühlen. Schreiber und Autoren der *ars dictandi*
waren sich demnach ihrer Sinnbildungsleistungen bei der Verschriftlichung illokutionärer Akte durchaus bewußt. Die Ausübenden der *ars notaria* sehen dies jedoch als bloße Optimie-
rungsleistung im Dienste eines fremden Auftraggebers. Genau
diese Modernität einer zweckrationalen Berufsauffassung rief
selbstverständlich immer wieder das Mißtrauen der wertrational
argumentierenden Prediger hervor.

Einige Texte artikulieren ein Bewußtsein der Andersartigkeit der
ars dictandi. Wie sehr die Schriftlichkeit zum selbstverständlichen
Medium der Rhetorik geworden war, verdeutlicht eine weitere
Art von Modernitätserfahrung, die sich darin äußert, daß man

bestimmten lateinischen Autoritäten vorwirft, den Normen der Schriftlichkeit der *ars dictandi* nicht zu entsprechen.[14] In der *ars dictandi* dürfen wir einen der Faktoren erkennen, die zur Kolonisierung der Sprache durch die Schrift beigetragen haben (vgl. den Beitrag von Zumthor). Welche Möglichkeiten der Bewußtseinsdurchdringung, ja sogar der Substitution körperlicher Präsenz man dem schriftlichen Medium – und der einsamen Lektüre – gelegentlich beimaß, demonstriert eine Äußerung von Enea Silvio Piccolomini, die allerdings bereits aus dem Jahr 1453 stammt:

Jedem Gebildeten ist es gegeben, Plato, Aristoteles, Cicero, Seneca, Tertulian, Cyprian, Laktanz, Hieronymus, Gregor, Augustin, Ambrosius und die endlose Schar derer, die für die Nachwelt geschrieben haben, sprechen zu hören. Sieh, welch gewaltige Schar von Verstorbenen ist doch nicht tot! Nie habe ich euch mit leiblichen Augen gesehen, doch weiß ich aus Briefen eurer Freunde, wie die Gestalt, eure Augen, Hände, wie Fuß und Haar beschaffen sind. Durch eure eigenen Briefe aber rücke ich ins Innere vor und erblicke dort, was weder gemalt noch geformt werden kann (Wolkan, R., 1918, S. 318, zit. nach: Worstbrock, F. J., 1981, S. 189).

Im 14. Jahrhundert hatte sich die *ars dictandi* allgemein etabliert und war zum Synonym für Rhetorik geworden, was sich in den Titeln von verschiedenen Traktaten manifestierte (vgl. Worstbrock, F. J., 1981, Fn. 54). Die lateinische Schriftlichkeit hatte damit im Bereich der Justiz und der kirchlichen Verwaltung zu einer eigenständigen Form gefunden. Schon mehr im Sinne einer Totalisierungskategorie und völlig im Gegensatz zur antiken Rhetoriklehre, wird deshalb auch die Schreibweise, die die römische Kurie in ihren offiziellen Schriftstücken benutzt, als *stilus romanus* bezeichnet (vgl. etwa Rockinger, L., 1969, S. 260). Die Form des Briefstellers hatte eine so große Beliebtheit erlangt, daß sie auch für ›höhere Ziele‹ adaptiert wurde. So finden sich in einer Sammlung aus der Schule Bernard de Meungs Briefe des Priamus an Thisbe, der Seele an Gott und von Gott an den Körper[15].

5. Die *ars praedicandi* und die Dichotomisierung der Wirklichkeit

Die mittelalterliche *ars dictandi* ist die Fortführung der lateinischen Rhetoriktradition bezogen auf den *Praxisbereich* der Justiz, für den dieses Wissen hauptsächlich konzipiert war. Die *ars praedicandi* steht demgegenüber in derselben Tradition durch die Kontinuität der *Redesituation*. Die Predigt ist für das Christentum die zentrale Situation der mündlichen Unterweisung und der Vermittlung des Gotteswortes überhaupt. In der christlichen Spätantike, nachdem gerade auch gebildete Schichten gewonnen waren, mußte sich die Sprache der Predigt auf die rhetorischen Wertvorstellungen dieses Publikums einstellen. Neben der Auseinandersetzung mit der – letztlich nie ganz verdrängten – Rhetoriklehre war dabei die Frage nach der Verwendung auch von heidnischen Autoren ein stets wiederkehrender Streitpunkt. Eine der ersten Äußerungen dazu, auf die die mittelalterliche Predigtlehre immer wieder zurückgriff, stammt von Augustin. Nachdem er mitgeteilt hat, daß er über die Darstellung christlicher Lehren in diesem IV. Buch der *De doctrina christiana*[16] sprechen will, sieht er sich gleich genötigt, mögliche Erwartungen seines Publikums[17] zu dämpfen, wobei man gleichzeitig erfährt, daß er mit der Rhetoriklehre wohl vertraut war.

Zuerst weise ich daher die Hoffnung jener Leser, die vielleicht glauben, ich werde ihnen im folgenden die von mir in den weltlichen Schulen gelernten und gelehrten Unterweisungen in der Rhetorik bieten, durch diese Vorbemerkung in die gebührenden Schranken und bitte sie, doch so etwas von mir nicht zu erwarten. Ich tue das, nicht als ob diese Vorschriften keinen Nutzen hätten; ...
Die Rhetorik sieht ihre Kunst darin, jemandem eine feste Überzeugung nicht bloß vom Wahren, sondern sogar auch vom Falschen beizubringen: wer wagte demnach die Behauptung, die Wahrheit müsse in ihren Verteidigern gegen die Lüge unbewaffnet sein? So eine Forderung geschähe natürlich bloß zu dem Zweck, damit jene, die einem etwas Falsches beizubringen versuchen, schon von vorne herein das Wohlwollen, die Aufmerksamkeit und die Gelehrigkeit des Zuhörers zu erwecken verstehen, während die Verteidiger der Wahrheit dazu nicht imstande sein sollen. Jene sollen das Falsche kurz, klar und wahrscheinlich erzählen, diese aber das Wahre bloß so darlegen dürfen, daß das Anhören Ekel verursacht, das Verständnis erschwert und zuletzt Abneigung gegen den Glauben bewirkt wird! ... Wer ist so töricht, eine solche Forderung zu

ersinnen? Da also die Gabe der Rede an sich etwas Neutrales ist und zur Überredung sowohl zu guten als auch zu schlechten Dingen viel vermag, warum soll sie dann von dem Eifer der Guten nicht zu dem Zwecke erworben werden, um der Wahrheit Dienste zu leisten, während sie doch auf der anderen Seite schlechte Menschen zur Stütze verkehrter und nichtiger Dinge, zum Gebrauch der Ungerechtigkeit und des Irrtums mißbrauchen?[18]

Augustin formuliert hier die grundlegenden christlichen Einwände gegen ein sophistisches Rhetorikverständnis. Diese Argumente sind ihrerseits nicht erst von christlicher Seite, sondern bereits aus platonischer Sicht artikuliert worden. Für jede Kosmologie, die mit einem binären – richtig/falsch, Wahrheit/Lüge – Wirklichkeitsbegriff ausgestattet ist, und zudem menschlichem Erkenntnisvermögen die Fähigkeit zumißt, diese Wahrheit zu erkennen, muß die Erzeugung einer Pluralität von Sinnbildungsvarianten immer nur als Täuschung erscheinen. Anderseits konnte und wollte Augustin, der mit dem Rhetorikstudium seine einzige Möglichkeit zu gesellschaftlichem Aufstieg wahrgenommen hatte[19], die rhetorischen Wertungen der Zeitgenossen nicht radikal außer Kraft setzen. Die oft einfache Sprache der Verkündigung und vieler frühchristlicher Exegeten konnte nun allerdings nicht mehr identitätsstiftend für die immer größer werdende Glaubensgemeinschaft fungieren. In dem Maße, wie das Christentum den Anspruch erhob, die Religion der gesamten Gesellschaft zu sein, mußte es auch die Normen der rhetorisch gebildeten Oberschicht berücksichtigen, die gerade durch ihre Sprachkompetenz ihre kulturelle Identität erfuhr (vgl. Auerbach, E., 1958, S. 177-259). Dies galt auch für Augustin, der in seinen Schriften versuchte anhand von Beispielen nachzuweisen, daß entweder die christlichen Texte den Normen der Eloquenz durchaus entsprachen oder die Beherrschung rhetorischer Verfahren unter bestimmten Voraussetzungen für den Prediger nützlich sein konnte.
Das Kernstück dieser Strategie, die christliche Umwertung der ciceronischen Lehre der *genera dicendi* hat Auerbach (1958, S. 25-63) in seiner grundlegenden Untersuchung über den *Sermo humilis* rekonstruiert. Sehr verkürzt resümiert lautet die These Augustins, daß es aus christlicher Sicht keine absolute Werthierarchie der Redegegenstände geben kann, denen wiederum ein angemessener Sprachstil entspräche (vgl. Haug, W., 1985, S. 7-24). Poten-

tiell ist jeder Stoff, den ein christlicher Redner thematisiert, weil als Christ sein Tun dem Bereich der Wahrheit zugeordnet ist, erhaben, dennoch darf der Redner aus Gründen der Wirksamkeit nicht stets im erhabenen Stil sprechen.[20]

Dieser aus dem Konflikt von kultureller Identität und christlicher Wertethik geborene Kompromiß zwischen Rhetoriktradition und christlichem Wahrheitsmonopol konnte sich in der mittelalterlichen Predigtlehre nur bedingt durchsetzen, obwohl Augustins Legitimation zur Verwendung rhetorischer Verfahren immer wieder – etwa bei Rabanus Maurus in seiner Schrift *De clericorum institutione* – aufgegriffen wurde. Aus der Sicht des mittelalterlichen Symbolrealismus, dessen Sprachverständnis keinen Unterschied zwischen Gegenständen und ihrer Bezeichnung kennt (vgl. Bloch, H.R., 1983, S. 15 ff.), entspricht es nicht dem Stellenwert des offenbarten Gotteswortes, anzunehmen, daß die Wirkung der christlichen Verkündigung an stilistische Verfahren gebunden sein soll. Diese rigoristische Ansicht wird etwa von William d'Auvergne, Humbert de Romans oder Alain de Lille (vgl. Caplan, H., 1970, S. 81) vertreten. Wohl vertraut mit der Predigtpraxis verdammen jedoch auch diese Autoren lediglich den ausufernden Einsatz von Eloquenz in der Predigt. Bedingt durch die veränderten Kommunikationsbedingungen im Mittelalter wird die Debatte um die *genera dicendi* nicht fortgeführt. Stilistische Erörterungen beziehen sich dominant auf den Redeschmuck und die Tropenlehre, während meist der Aufbau der priesterlichen Rede im Vordergrund steht (vgl. Jennings, M., 1978, S. 112-126).

Die eindeutige Mehrheit der mittelalterlichen *artes praedicandi*, die in einer großen Zahl von Manuskripten überliefert sind und durch die Verbreitung der großen Predigerorden – Dominikaner und Franziskaner – einen weiteren Aufschwung erhielten, verstehen sich – ähnlich wie die *ars dictandi* – als Ausbildungshilfen. Deshalb wird auch immer wieder auf die Bedeutung der natürlichen Begabung des Schülers hingewiesen und auf die zu erbringende Gedächtnisleistung, die er nur durch frühen Beginn der Studien aufbringen kann. Rhetorik-›Theorie‹ ist also nur ein wenn auch wesentlicher Teil dieser Schriften. Sie präsentieren das übliche Verfahren der Schriftauslegung (*quis, quibus, ubi, quando, quomodo, quid*), das aus der juristischen Statuslehre entstammt, und in den komplexeren Traktaten wird die Lehre vom vierfachen Sinn der Heiligen Schrift thematisiert (vgl. Caplan, H., S. 93-104). Gleichzeitig manifestieren sie ein Konkurrenzbewußtsein gegenüber der zeitgenössischen juristischen Rhetorik. Da sie auf denselben lateinischen Quellen beruhen, gewinnen die *artes praedicandi* ihre Identität hauptsächlich durch eine Betonung der besonderen – höherwertigen – Kommunikationssituation (vgl. Caplan, H., 1970, S. 110).

In Übereinstimmung mit der christlichen Wertethik fordert man von den Predigern, um ihren Worten Überzeugungskraft zu verleihen, neben der Beherrschung der zu vermittelnden Inhalte einen vorbildlichen Lebenswandel. Nur dann können den Zuhörern etwa ihre Sünden vorgeworfen und die notwendige Reue erzielt werden. Daß sich diese durchaus in körperlichen Reaktionen wie Tränen und Zerknirschung – sie unterliegen im Gegensatz zur Eloquenz noch keinem Täuschungsverdacht – artikulieren soll, ist für das Mittelalter noch selbstverständlich, ja sogar notwendig, denn nur an ihnen kann der Prediger die Wirkung seiner Rede zweifelsfrei erkennen (vgl. Gumbrecht, H.U., 1987). Das Bestreben, die Wirksamkeit der Predigt zu gewährleisten, bestimmt auch die intensive Berücksichtigung der Zusammensetzung des Publikums, an das sich der Redner wendet. Hierzu soll er besonders die ›Spezial‹-Sünden kennen, für die seine Gemeinde vorrangig anfällig ist. Jacques de Vitry unterscheidet hierbei 120 Kategorien von Zuhörern. In einem anderen Traktat werden Juristen und Advokaten eindringlich ermahnt, ihre Fähigkeiten nicht zu anderem als zur Durchsetzung der Wahrheit zu verwenden (vgl. Miller, J. M. und andere., 1973, S. 238 f.).

Das Mißtrauen gegenüber einer ›falschen‹ Pragmatik der Rhetorik ist also stets wach geblieben, wobei man gleichzeitig um Eindeutigkeit der Wirkung der christlichen Rede durch die Berücksichtigung möglichst vieler Faktoren der Predigtsituation bemüht war, was ein gewisses Mißtrauen gegenüber einer ›übertrieben‹ durchgeformten Rhetorik zumindest in den Texten der *ars praedicandi* bewirkte. Rechnet man zu diesen Traktaten noch die kaum übersehbare Menge der volkssprachlichen Predigtsammlungen, Kommentare, Glossare und Legenden hinzu (vgl. Zink, M., 1976, S. 85-195), so unterstreicht dies nochmals die Dominanz dieser Kommunikationssituation. All dies waren Hilfsmittel, um die christliche Lehre zu verbreiten, und die Fertigkeit des – idealen – Redners, sie durch Taten und Wort einheitlich zu *verkörpern,* trat in Gegensatz zur Berufsrolle des Kanzleischreibers, der seinen trainierten Geist in den Dienst der Sache eines anderen stellte. Daß viele Geistliche weder in ihrem Wissen noch in ihrem Lebenswandel dieser Vorstellung entsprachen, ist gerade von Klerikern immer wieder kritisiert worden.

6. Die *ars poetica*: ein Differenzbewußtsein

Ein neues Interesse an speziellen Fertigkeiten des Dichters manifestiert sich ab dem 11. Jahrhundert und später auch in neuen Lehrbüchern, die sich speziell mit der poetischen Sprache beschäftigen. Große Bedeutung gewinnt die von Geoffroi de Vinsauf und Jean de Garlande festgeschriebene Lehre des *stilus materiae,* der für lange Zeit Geltung behält.[21] Damit hatte sich eine Auffassung des Sprachstils durchgesetzt, die die Stilarten nicht mehr als der Redesituation angepaßte Typen der *elocutio* verstand (vgl. Klopsch, P. 1980, S. 110), sondern als dem Stoff zugehörige Sprachebene. Sehr befördert wurde diese Auffassung durch einen vielgelesenen Vergilkommentar des Servius, der in der Einleitung zu den Eklogen anmerkte, daß sie »wegen der Beschaffenheit der Handlungen und Personen« auf der niedrigen Stilebene angesiedelt seien (vgl. Fuhrmann, M., 1973, S. 192).
In die Schultradition des Mittelalters eingegangen ist diese Konzeption unter dem Begriff der *rota Vergilii.* Entworfen von Jean de Garlande nimmt sie eine hierarchische Zuordnung von Stilarten *(gravis, mediocris, humilis),* Ständen (Herrscher und Krieger, Bauer, Schäfer), Tieren (Pferd, Rind, Schaf), Werkzeugen, Orten und Bäumen vor. Obwohl in der Form eines Rades konzipiert (vgl. Farral, E., 1923, S. 87), drückt diese Vorstellung doch eine Werthierarchie aus. Da sie von den Texten Vergils – Äneis, Georgika, Eklogen – abgeleitet ist, der in mittelalterlichen Texten oft zum Synonym wird für den Begriff *poeta,* entspricht die Ständehierarchie nur in der Dreiteilung mittelalterlichen Vorstellungen, was jedoch für die Verbreitung der *rota Vergilii* kein Hinderungsgrund war. An späterer Stelle verwendet Jean de Garlande zwar auch den Stilbegriff für vier Prosaschreibweisen – im Sinne von Individualstilen – einzelner Autoren *(stilus Gregorianus, Tullianus, Hilarianus, Isidorianus),* doch kann sich dieser Gebrauch im 13. Jahrhundert nicht durchsetzen.[22]

Die Eigenständigkeit der Reimsprache und der Sinnbildungsleistungen des Dichters betont Matthieu de Vendome in seiner mit
vielen Beispielen durchsetzten, teils in Prosa, teils in Versen
gehaltenen Schrift *Ars versificatoria* (um 1173), die als die erste
der neuen französischen Poetiken gilt. Er beabsichtigt eine neuartige Gliederung und Darstellung des tradierten Stoffes und definiert die Dichtung durch drei Teilgebiete: die kunstvolle Wahl
der Worte, die rhetorischen Figuren und drittens die in der
Abfolge der Gedanken liegende Schönheit eines Gedichts. Diese
drei Bereiche werden in Analogie zum Körper, zur tugendhaften
Lebensweise und zur geistigen Leistung eines Menschen gesetzt,
und zumindest die beiden letzteren erinnern stark an die *ars
praedicandi.* Einen großen Raum nimmt, wie auch in den anderen
Dichtungslehren, die Korrektur von stilistischen und auch grammatischen Fehlern ein. Das Selbstbewußtseins Matthieus zeigt
sich in der Kritik an überlieferten Texten der antiken Dichter –
Lucan, Vergil – denen Fehler nachgewiesen werden, die es in
Zukunft zu vermeiden gilt.[23] Dabei ist jedoch nur die Zielrich-
tung, nicht aber das Verfahren selbst neu.
Trotz solcher an eine neuzeitliche, normative Poetik erinnernder
Merkmale bleibt seine Schrift stets auf eine Lehrsituation bezogen. Der Terminus Poetik ist also nur insofern gerechtfertigt, als
es sich um eine Ausdifferenzierung eines Praxisbereichs von
Schriftlichkeit handelt, dem jedoch keine eigenständige Kommunikationssituation zugeordnet ist. Die Subjektivität des auszubil-
denden Dichters bezieht sich auf die neue – und bessere –
Bearbeitung überlieferter Stoffe, wozu ihm die rhetorischen Mittel an die Hand gegeben werden sollen, Mittel, deren Medium,
ganz wie in den anderen Praxisbereichen der *ars dictandi,* die
Schriftlichkeit ist.
Daß poetische Sprache als Bestandteil einer umfassenden Schrift-
kompetenz verstanden wird, die sich der angehende Kleriker
aneignen soll, geht auch aus der Gesamtkonzeption von zwei
anderen bedeutenden Poetiken, dem im Gegensatz zur Poetik des
Horaz *Poetria nova* genannten Text von Geoffroi de Vinsauf und
der *Parisiana poetria* von Jean de Garlande hervor.[24] Dafür
spricht einerseits, daß Geoffroi parallel zu seinem mit über 1200
Versen sehr umfangreich ausgefallenen Lehrgedicht den Stoff mit
wenigen Abweichungen nochmals in einer Prosaschrift, dem
Documentum de arte versificandi, abhandelt; und andererseits

der Hinweis, daß für metrische und prosaische Sprache viele rhetorische Normen und Verfahren gemeinsam gelten.

Dieser Teil gilt sowohl für die Prosa als auch für die Metrik / und eine Kunst beherrscht beide wenn auch in verschiedener Form (P. n., vv. 1856 f.)

Die Strukturierung seines Textes in drei Teile begründet Jean de Garlande durch die Bereiche – prosaische, metrische und rhythmische Sprache – der Schriftlichkeit.[25] Das vierte Kapitel, in dem die *partes dictaminis* dargelegt werden, beginnt dann auch mit einer Brieflehre (Kap. 4, 1-191), die im siebten durch einige Musterbriefe (Kap. 7, 154-466) ergänzt wird. Im fünften Kapitel behandelt er Stilfehler, die die Dichtung wie die Prosa betreffen.[26] Interessant ist außerdem, wie sehr der Autor das Medium der lateinischen Schriftlichkeit noch immer in die ›Aufführungssituation‹ einer – inszenierten – Mündlichkeit eingebettet sieht.

Die entscheidende Frage bei der Bewertung dieser neu entstandenen Poetiken, deren stilistische Strukturierung poetischer Schriftlichkeit wir hier bewußt in den Hindergrund gedrängt haben, weil sie sich letztlich auf Variationen der *Ornatus-* und *Colores-*Lehre zentriert, richtet sich darauf, ob man diese Form der Ausdifferenzierung als eigenständige Kommunikationssituation Literatur betrachten kann. Sicherlich belegen die Diskussionen des 12. Jahrhunderts, ob die Poesie als ein bloßer Teilbereich der *artes liberales* oder als autonomer Artikulationsbereich zu verstehen ist, die Wiederkehr eines Bewußtseins der Eigenständigkeit von poetischer Sprache. Doch die in der neuzeitlichen Forschung vollzogene Gleichsetzung dieser besonderen Form von Schriftlichkeit mit einer Kommunikationssituation wurde von den Zeitgenossen nicht vorgenommen. Die *ars poetica* ist vielmehr in den diskontinuierlichen – pragmatischen und situativen – Kontext von *ars dictandi* und *ars praedicandi* einzubetten. Alle drei verbindet wiederum der gemeinsame Traditionskontext der antiken Rhetoriklehren. Eine an der Vorgeschichte neuzeitlicher Poetik – begrenzt auf die strikte Bedeutung einer Dichtungslehre – interessierte Forschung wird diesen Textbereich sicherlich für sich reklamieren können; für den Beleg einer *metahistorischen*, also kontinuierlichen *Kommunikationssituation* ›Literatur‹ taugt die *ars poetica* jedoch nur bedingt.

7. Sprache und Musik:
L'Art de seconde rhétorique und die
Grands Rhétoriqueurs

Aus der ersten Hälfte des 14. Jahrhunderts stammen die ersten Texte der *arts de seconde rhétorique*. Der ›theoretische‹ Kontext, in den sich die *Art de Dicter* von Eustache Deschamps, der erste Text dieser Gruppe stellt, ist die Musik. Eingebettet in die Darstellungen der Sieben Freien Künste finden wir zunächst die ›erste‹ Rhetorik unter den – sehr kurz abgehandelten – Künsten des *trivium. Logique* wird beschrieben als die Kunst, bei schwierigen Sachverhalten ›wahr‹ und ›falsch‹ auseinanderzuhalten. Neben dieser Funktion hat die scholastische Argumentationskunst, denn diese ist wohl gemeint, noch den Effekt, den Menschen sprachmächtiger und außerdem allgemein gewandter werden zu lassen. Zur *Rhétorique* wird nur angemerkt, daß jeder Redner weise, kurz, inhaltsreich und mutig sprechen soll.

Der Musik, der letzten der freien Künste, wird ein erholsamer und sogar medizinischer Einfluß nachgesagt. Sie besteht aus der ›künstlichen‹ – Vokal- und Instrumentalmusik – und der ›natürlichen‹ Musik, dem Klang der Laute der Sprache. ›Natürlich‹ ist diese zweite Rhetorik deshalb, weil der Mensch sie ›von sich aus‹ hervorbringt und sie nicht erlernt werden muß noch kann. Für diese Variante der Musik spricht – man meint einen neuzeitlichen Befürworter technischer Medien sprechen zu hören –, daß sie stets verfügbar ist, daß sie stets reproduziert werden kann, auch durch einen Einzelnen, im lauten Vortrag oder in einsamer Lektüre oder am Bett eines Kranken.[27]

Im folgenden werden dann die einzelnen Laute vorgestellt und weiter fortschreitend Reim-, Versschemata sowie Gedichtsformen. Schon bei Jean de Garlande war die Unterscheidung von ›künstlicher‹ und ›natürlicher‹ Musik in dem Teil seiner Poetik vorgenommen worden, der sich mit der rhythmischen Sprache beschäftigt (vgl. Klopsch, P., 1980, S. 162); und Jean Molinet in seiner *Art de seconde rhétorique* wandelt diese Auffassung zu der Aussage ab, daß die Reimsprache eine Art der Musik sei, die Rhythmik genannt werde. Trotzdem bilden diese Musikkonzepte keine einfache Kontinuitätslinie, denn während Jean de Garlande die rhythmische Musik vor allem im *Gesang* der lateinischen religiösen Hymnik verwirklicht sieht, beziehen sich Deschamps und die *Grands Rhétoriqueurs* auf den Sprachklang der noch immer vorgelesenen, aber nicht mehr notwendigerweise gesungenen volkssprachlichen Verstexte. Die Verbindung zwischen den Musikauffassungen von Jean de Garlande und den *Grands Rhétoriqueurs* besteht nur mittelbar durch die auch im 14. Jahrhundert nicht vergessene philosophisch-musikalische Harmonielehre, deren Hauptaugenmerk auf den Nachweis von Ordnungsrelationen in Mikro- und Makrokosmos gerichtet ist (vgl. Zumthor, P., 1978, S. 200). Die Ausdifferenzierung von ›natürlicher‹ und ›artifizieller‹ Musik verweist eher auf die Kenntnisse der Rhetoriker – sie selbst bezeichnen sich kaum als Poeten – über die Entwicklung der musikalischen *ars nova* im 14. Jahrhundert, die sich auf Notationssysteme, Liedformen – Motette – und die Verwendung von Mehrstimmigkeit auswirkte. Oft war man in beiden Bereichen kompetent und tätig, wie etwa Philippe de Vitry und Guillaume de Machaut (vgl. Cerquiglini, J., 1985, S. 76-89 und S. 211-221), der seine Gedichte in gesonderten Manuskripten sammeln läßt und dessen vierstimmige Messe als erste dieser Art in die Musikgeschichte eingegangen ist (vgl. Chailley, J., 1960, S. 774-777).

Diskontinuität zur mittelalterlich-lateinischen *ars poetica* signalisiert auch die stets angegebene Begründung für die Bezeichnung ›zweite Rhetorik‹, denn als Erste wird die – lateinische – Prosa angesehen. Die antiken Quellen der Rhetorik und die umfangreiche Stillehre werden weder auf dem Niveau der Sprachstile noch auf dem der sprachlichen Ausschmückung berücksichtigt. Mentale Kontinuität könnte man allenfalls noch in der substantialistischen Bewertung von Gedichtformen und den dazugehörigen Stoffen erkennen. So eignet sich nach Molinet das *virelais* für ›ländliche Lieder‹ oder das *serventois* für Marienlieder (vgl. Langlois, M. E., 1902, S. 231, 245). Der Eindruck eines ›materiellen‹ Stils auch in der volkssprachlichen Dichtung drückt jedoch nicht eine normative Vorgabe, sondern die Beschreibung der Verwendungspraxis dieser Formen aus. Damit ist gleichzeitig die Intention bezeichnet, die mit den *Arts* verfolgt wird. Sie sind keine Lehrbücher für Schüler, sondern wurden meist im Auftrag von adeligen ›Amateuren‹ geschrieben, für die die Rhetoriker tätig waren (vgl. Poirion, D., 1965, S. 141-190). Sie sprechen deshalb auch nicht in der Lehrerrolle, sondern betonen, daß sie nur eine

Übersicht der volkssprachlichen Dichtungs*praxis* vermitteln wollen. Indem Molinet die poetischen Fertigkeiten seines Fürsten lobt, wertet er indirekt die Tätigkeit des volkssprachlichen Dichters auf, für den *Schriftlichkeit* ebenso selbstverständlich zur *Produktion* gehört wie die *Mündlichkeit* der *Vortragssituation*.

Wenn auch für den neuzeitlichen Leser die Werke der volkssprachlichen Rhetoriker von stilistisch-artistischen Merkmalen dominiert werden, so artikuliert sich diese Bemühung nur mittelbar in den *arts de seconde rhétorique*. Aus anderen Äußerungen wissen wir um die Mühe, die sie für die komplexen Formen aufwenden müssen. Die von ihnen angestrebte Kongruenz von Aussage, rhythmischer Harmonie, von Versmaß und Beherrschung der vorgegebenen Strukturmuster bedurfte sorgfältigster Ausarbeitung. Ein Publikum von ›Spezialisten‹ – sei es an den Höfen oder in den städtischen Dichtungsgesellschaften (*puys;* vgl. Peters, U., 1983, S. 169-224) – war an diesen Stil gewöhnt und genoß dessen Artistik. Auch hierin ist nochmals eine Parallele zur zeitgenössischen ›künstlichen‹ Musik zu sehen, die sich ebenfalls durch die Freude an der gelungenen Gestaltung von Komplexität auszeichnet.

Bei einem abschließenden Blick auf die Diskussion des *dolce stil novo,* bei dem wir uns auf die Position Dantes beschränken wollen, treten die Konvergenzen wie auch die Diskontinuitäten der Rhetoriklehre und ihrer verschiedenen Kommunikationssituationen hervor. Die volkssprachliche Poetologie findet über den Terminus des *dolce stil novo* den terminologischen und mit Dantes Schrift *De vulgari eloquentia* auch den theoretischen Anschluß an die lateinische Rhetoriklehre (vgl. Buck, A., 1952, S. 34). Das *Differenzbewußtsein* der volkssprachlichen Dichter und ihr weltlich ausgerichtetes Themenrepertoire, das nur mehr in subtiler – also mittelbarer – Weise an die religiös dominierten *Ordo*-Konzepte des Mittelalters anschließbar war, hatte sich nun auch in einer stilistischen Debatte manifestiert. Nichts anderes ist die vielschichtige und von der romanistischen Forschung in den vielfältigsten Verästelungen nachgezeichnete Debatte um Begriffe und Konzepte wie *trobar clus* und *trobar leu*[28], in der bezeichnenderweise der Terminus ›Stil‹ nicht benutzt wird. Daß die Volkssprache ein geeignetes Mittel poetischer Texte war, ist dabei vorausgesetzt, und Dante lieferte nun eine theoretische Begründung nach. Abgesehen vom Nachweis der Dignität des Italienischen als ›Nationalsprache‹ ist für ihn Volkssprachlichkeit nur insofern ein Problem, als er zeigen will, daß es keine natürliche Affinität des Provenzalischen oder der französischen Dialekte für die Themen des *dolce stil novo* gibt, sondern auch jene Sprachebene des Italienischen, die er *illustre vulgare* nennt, verwendbar ist. Der Ausdifferenzierung von bestimmten Kommunikationsbereichen, – nicht zufällig schreibt Dante diese ›theoretische‹ Schrift in Latein – bei gleichzeitiger Aufwertung der Muttersprache stehen damit unterschiedliche sprachliche Möglichkeiten zur Verfügung.

Für das Selbstbewußtsein, das die volkssprachlichen Dichter erreicht hatten, spricht auch, daß Dante der poetischen Sprache größeren Wert beimißt als der Prosa, weil die Poesie stets ein Vorbild für die Prosaschreiber gewesen sei (*De vulg.* II, 1). Die Originalität jeder herausragenden dichterischen Produktion ist für ihn verbunden mit der *Subjektivität* eines jeden Menschen; und mit ihr wird ein im Laufe der Geschichte der Ästhetik immer wiederkehrendes Thema angesprochen, das in der weiteren Stildiskussion und bei jeglicher Diskussion von Kunst als dem exemplarischen Bereich eines allgemein-menschlichen Modus der Artikulation subjektiver ›Wahrheit‹ zu immer neuen Umdrehungen der dialektischen Spirale führen wird.

Da den Menschen nicht sein natürlicher Instinkt, sondern seine Vernunft bewegt, und die Vernunft selbst entweder im Unterscheidungsvermögen oder im Urteil oder beim Wählen in den einzelnen Menschen abweicht, so sehr, daß es scheint, als freue sich jeder seiner eigenen Sondergattung: so denken wir, daß durch eigene Handlungen und Zustände, nach Art des unvernünftigen Tieres, niemand den anderen versteht.[29]

Anmerkungen

1 Sehr deutlich wird dieses Selbstverständnis in der Einleitung zum *Cligès* von Chrétien de Troyes artikuliert; vgl. die vv. 1-42 (Hg. A. Micha, *Classiques français du Moyen Age* 84, 1975, S. 1 f.).

2 Unter sophistischem Stilverständnis soll eine Summe von sprachlichen Mitteln verstanden werden, denen ein von Ethik und Wahrheitskonzepten abgekoppeltes, ›zweckrationales‹ Sprachverständnis zugrunde liegt; vgl. den Artikel von H. U. Gumbrecht in diesem Band, S. 724-786.

3 Im Sinne einer historisch spezifischen Distribution von Wissenselementen; jedoch kann kaum von einem einheitlichen Diskurs gesprochen werden; vgl. Foucault, M. (1969), *L'archéologie du savoir*. Paris.
Deutsch (1973), *Archäologie des Wissens*. Frankfurt/Main.

4 Diese Produktbezogenheit artikuliert sich auch in der ›handwerklichen‹ Bedeutung des Begriffs *maniera* in der bildenden Kunst; vgl.
den Beitrag von U. Link-Heer in diesem Band, S. 93-114.

5 Der Terminus Totalisierungskategorie soll andeuten, daß ›Stil‹ nicht
als eine abstrahierende Interpretationskategorie verstanden wird, sondern die damit beschriebene Struktur mit dem Realitätsprädikat versehen ist. In dieser Bedeutung wurde der Begriff in den Diskussionen in
Dubrovnik verwendet.

6 Im Gegensatz zur üblichen Sprachverwendung soll Subjektivität hier
eine Auswahl aus gesellschaftlich vorgegebenen und mit Wertungen
versehenen Sinnbildungskonventionen bezeichnen, bei deren Auswahl
und situativer Bewertung sich *das Subjekt als Instanz von Sinnbildung*
erfährt. Die eingrenzende Verwendung soll Subjektivität und Individualität differenzieren. Zum Zusammenhang von Subjektivität, Kör-
pererfahrung und früh-neuzeitlichen Kommunikationsbedingungen
vgl. Gumbrecht, H. U. (1985), S. 214 ff.

7 Kurz nach dem Bekanntwerden dieser Übersetzung entstand ein
Kommentar zu ihr, verfaßt von Aegidius Romanus, der sich mit den
Unterschieden von Ethik und Politik beschäftigt. Teilweise ediert und
übersetzt in: Miller, J. M. und andere (1973), S. 265-268.

8 Noch im 13. Jahrhundert nennt Jean de Garlande die Schrift, in der er
die *rota Vergilii* konzipiert: *Poetria de arte metrica et rhytmica*.

9 Schriftlichkeit als Mittel einer inszenierten Mündlichkeit wirft allerdings schon Plato den Sophisten vor. So tadelt Sokrates den Phaidros,
als dieser versucht, die Wirkung seiner Vortragskunst an Sokrates
auszuprobieren. Nachdem Phaidros die zunächst versteckt gehaltene
Schriftrolle vorlegt, wandelt sich sogleich die Kommunikationssituation. Es geht nicht mehr um die Wirkung von Sprechakten, sondern
um die Auseinandersetzung mit den Argumenten eines Textes. (Vgl.
Platon, *Phaidros oder vom Schönen*).

10 Vgl. Heldmann, K. (1982) und Th. Schleich in diesem Band, S. 497 ff.

11 Wenn nicht anders angegeben, folge ich bei der Darstellung der *ars
dictandi* der Übersicht von Worstbrock, F. J. (1981).

12 Das Studium an einer mittelalterlichen Universität kostete bis zur
Erlangung des Doktorgrades im 15. Jahrhunderts ungefähr den Ge-
genwert von fünf Häusern, weshalb fast alle Studenten nach dem ersten
Examen das Studium unterbrachen, um das Geld für dessen Fortsetzung und Abschluß zu verdienen; vgl. Chevalier, B. (1982), S. 138.

13 Teilweise ediert bei Rockinger, L. (1969), S. 1-46. Vgl. auch die
Anmerkung 14 in Worstbrock, F. J. (1981).

14 So bei Giovanni del Virgilio, Petrus de Vineis und Boncompagno. Vgl. Worstbrock, F. J. (1981), S. 193 f. und Rockinger, L. (1969), S. 117-174 und 210-212.

15 Nähere Hinweise bei Faulhaber, Ch. B. (1978), Fn. 20.

16 Die Wertschätzung, die diese Schrift genoß, wird auch darin deutlich, daß das vierte Kapitel unter dem Titel *De arte praedicandi* der erste Text des Kirchenvaters war, der durch das neue Medium des Buchdrucks 1465 in Straßburg herausgegeben wurde.

17 »Zur Zeit Augustins, also um 400, war die ungebildete oder halbgebildete, für antike Ohren peinlich ungriechische oder unlateinische Ausdrucksweise der urchristlichen Literatur längst nicht mehr herrschend. …Die christliche Predigt bediente sich der rhetorischen Überlieferung, die die antike Welt erfüllte; sie sprach in den Formen, die die Zuhörer gewöhnt waren; denn für fast alle war das Redenhören zunächst ein Genießen des Klanges; auch im punischen Afrika, wo die Zuhörer selbst durchaus kein reines Latein sprachen. Das tat der Freude am schönen Reden keinen Abbruch; sie war allgemein geworden« (Auerbach, E., 1958, S. 28).

18 Buch IV, cap. 1 und 2; zit. nach: Mitterer, P. S. (Hg.) (1925), *Des Heiligen Aurelius Augustinus ausgewählte praktische Schriften, homiletischen und katechetischen Inhalts. (Bibliothek der Kirchenväter* Bd. VIII. München, S. 161 f.).

19 Zur philosophischen Ausbildung des Augustin vgl. Flasch, K. (1980), S. 19-27.

20 Vgl. die Kap. 18 und 19 aus *De doctrina christiana.*

21 In einer Dianaübersetzung aus dem 17. Jahrhundert findet man etwa eine an die *rota Vergilii* angelehnte Zuordnung von Themenbereichen und Ständen (Fürsten, Bürger und Bauern) sowie eine – augenzwinkernde – Widmung »An die Löblichen Teutschen Hirten des Rheins/der Danau/und der Elbe« nebst einer Erläuterung, warum Vergil dem Schaf- und nicht dem Rinder-, Geiß- oder Schweinehirten die Bukolik zueignet. Vgl. Diana von H. J. De Monte-Major, in zweyen Theilen Spanisch beschrieben/und aus denselben geteutschet durch Weiland den wolgeborenen Herrn/Herrn Johann Ludwigen Freiherrn von Kueffstein… Nürnberg, 1646 (Nachdruck: Darmstadt, 1970).

22 Dieser ›Individualstil‹ findet sich außer bei Jean de Garlande auch in der *Poetria magistri Iohannis angelici de arte prosayca metrica et rithmica.* Teilweise hg. bei Rockinger, L., 1969, S. 501 f.

23 Vgl. Kap. IV, 5-13. Hier wird den *antiquis* auch vorgeworfen, sie hätten durch Ausschmückungen den Wahrheitsgehalt ihrer Texte vermindert. Vgl. die Edition bei: Faral, E. (1923). S. 106-193, hier: S. 181.

24 Neuerlich editiert von: Lawler, T. (1974), *The Parisiana Poetria of John of Garlande.* New Haven/London.

25 Einen Überblick der Ansätze der ›Gattungstheorie‹ der neuen Poetiken, auf den wir hier verzichten müssen, bietet Klopsch, P. (1980), S. 112-120.

26 Vgl. Eustache Deschamps, *L'Art de dicter*. In: Raynaud, G. (Hg.) (1891), *Oeuvres complètes d'Eustache Deschamps*. Bd. 7, Paris, S. 266-292, hier: 266-272.

27 Molinet drückt seine Untergebenheit aus, indem er sagt, daß sein fürstlicher Auftraggeber mündlich über mehr Eloquenz verfüge, als ihm, Molinet, schriftlich zur Verfügung stehe; vgl. Langlois, M. E. (1902), S. 214.

28 Aus der zahlreichen Forschungsliteratur sei stellvertretend erinnert an: Mölk, U. (1968), *Trobar clus – trobar leu. Studien zur Dichtungslehre der Trobadors.* München; Paterson, L. M. (1975), *Troubadours and Eloquence.* Oxford; Gruber, J. (1983), *Die Dialektik des Trobar. Untersuchungen zur Struktur und Entwicklung des occitanischen und französischen Minnesangs des 12. Jahrhunderts.* Tübingen.

29 *De Vulg.* I, 3 zitiert nach der deutschen Ausgabe von Dornseiff, F./ Balogh, J. (Hg.) (1966), *Über das Dichten in der Muttersprache.* Darmstadt. S. 21 f.

Literatur

Auerbach, E. (1958), *Literatursprache und Publikum in der lateinischen Spätantike und im Mittelalter.* Bern.

Bloch, H. R. (1983), *Etymologies and Genealogies. A Literary Anthropology of the French Middle Ages.* Chicago.

Buck, A. (1952), *Italienische Dichtungslehren vom Mittelalter bis zum Ausgang der Renaissance.* Tübingen.

Caplan, H. (1970), *Of Eloquence. Studies in Ancient and Mediaeval Rhetoric.* Ithaca/London (Gesammelte Aufsätze aus den Jahren 1924 bis 1964).

Cerquiglini, J. (1985), »*Un engin si soutil*«. *Guillaume de Machaut et l'écriture au* XIVe *siècle.* Paris.

Chailley, J. (1960), »La musique post-grégorienne.« In: Roland-Manuel (Hg.), *Histoire de la Musique* 1. *Des origines à Jean-Sébastien Bach.* Paris, S. 719-780.

Chevalier, B. (1982), *Les bonnes villes de France du* XIVe *au* XVIe *siècle.* Paris.

Curtius, E. R. (1948), *Europäische Literatur und lateinisches Mittelalter.* Bern/München.

Faral, E. (1923/1971), *Les arts poétiques du XIIe et du XIIIe siècle*. Paris.

Faulhaber, Ch. B. (1978), »The *Summa dictaminis* of Guido Faba«. In: Murphy, J. J. (Hg.), *Medieval Eloquence. Studies in Theory and Practice of Medieval Rhetoric*. Berkeley/Los Angeles/London.

Fuhrmann, M. (1973), *Einführung in die antike Dichtungstheorie*. Darmstadt.

Gumbrecht, H. U. (1985), »The Body versus the Printing Press: Media in the Early Modern Period, Mentalities in the Reign of Castile, and another History of Literary Forms«. *Poetics* 14 Nr. 3/4, S. 209-227.

Gumbrecht, H. U. (1987), »Beginn von ›Literatur‹ / Abschied vom Körper?« In: Smolka-Koerdt, G./Spangenberg. P.-M./Tillmann-Bartylla, D. (Hg.), *Der Ursprung von Literatur*. München.

Haug, W. (1985), *Literaturtheorien im deutschen Mittelalter. Von den Anfängen bis zum Ende des 13. Jahrhunderts*. Darmstadt.

Heldmann, K. (1982), *Antike Theorien über Entwicklung und Verfall der Redekunst*. München.

Ijsewijn, J. (1981), »Mittelalterliches Latein und Humanistenlatein«. In: Buck, A. (Hg.), *Die Rezeption der Antike. Zum Problem der Kontinuität zwischen Mittelalter und Renaissance*. Hamburg, S. 71-83.

Jauß, H. R. (⁴1974), »Literarische Tradition und gegenwärtiges Bewußtsein der Modernität«. In: Jauß, H. R., *Literaturgeschichte als Provokation*. Frankfurt/Main. S. 11-66. (Erstdruck in: Steffen, H., 1965, *Aspekte der Modernität*. Göttingen S. 150-197).

Jennings, M. (1978), »The *Ars componendi sermones* of Ranulph Higden.« In: Murphy, J. J. (Hg.), *Medieval Eloquence. Studies in the theory and Practice of Medieval Rhetoric*. Berkeley/Los Angeles/London. S. 112-126.

Klopsch, P. (1980), *Einführung in die Dichtungslehren des lateinischen Mittelalters*. Darmstadt.

Langlois, M. E. (1902), *Recueil d'arts de seconde rhétorique*. Paris.

Miller, J. M./Prosser, M. H./Benson, Th. W. (Hg.) (1973), *Readings in Medieval Rhetoric*. Bloomington/London.

Peters, U. (1983), *Literatur in der Stadt. Studien zu den sozialen Voraussetzungen und kulturellen Organisationsformen städtischer Literatur im 13. und 14. Jahrhundert*. München.

Poiron, D. (1965), *Le poète et le prince*. Paris.

Quadlbauer, F. (1962), »Die antike Theorie der genera dicendi im lateinischen Mittelalter«. *Sitzungsberichte der Österreichischen Akademie der Wissenschaften. Philosophisch-historische Klasse*. Band 241, 2. Abhandlung. Wien.

Rockinger, L. (1863/64-1969), *Briefsteller und Formelbücher des 11. bis 14. Jahrhunderts*. München/Aalen.

Wolkan, R. (1918), *Der Briefwechsel des Eneas Silvius Piccolomini. Fontes rerum austriacarum* 68, Wien. Nr. 177, S. 318 f.

Worstbrock, F.J. (1981), »Die Antikenrezeption in der mittelalterlichen und der humanistischen Ars Dictandi«. In: Buck, A. (Hg.), *Die Rezeption der Antike. Zum Problem der Kontinuität zwischen Mittelalter und Renaissance.* Hamburg, S. 187-207.

Zink, M. (1976), *La prédication en langue romane avant 1300.* Paris.

Ursula Link-Heer
Maniera
Überlegungen zur Konkurrenz von
Manier und Stil
(Vasari, Diderot, Goethe)

I

Warum ist die *maniera* in ihrem langen Konkurrenzkampf gegen den Stil am Ende unterlegen? Dieses Ergebnis stand keineswegs von Anfang an fest. Lexika und andere Geschichten der beiden Begriffe datieren den Beginn ihrer Konkurrenz ins späte Mittelalter. Die Antike hatte diese Konzepte noch nicht als rhetorische bzw. kritische Kategorien gekannt; doch immerhin entstammte *stilus* dem klassischen Latein, wo es manchmal (zum Beispiel bei Plinius) als Metonymie für die Schreibweise verwendet wurde, während *maniera* eine Bildung der Volkssprachen war. Seit der Spätantike automatisierte sich die Metonymie *stilus* im Latein der christlichen Rhetorik und Erudition, wo sie den Sinn der typischen und generischen Struktur einer Schreibweise annahm und vor allem zur Bezeichnung der drei *genera dicendi* diente. Mit dem *dolce stil novo* von Guido Cavalcanti, dann Dantes, wurde der lateinische Begriff in eben diesem Sinne eines generischen Typs in die Volkssprache eingeführt. *Stilo* oder *stile* war also zunächst strikt auf das Feld der Schreibweisen bezogen und transportierte die rhetorischen Gedanken des Modells, des Lernens und der Erlernbarkeit, der Imitation und der Regeln.
Erst etwa ein Jahrhundert nach Dante sehen wir den Begriff *maniera* seinerseits etabliert, namentlich im *Libro dell'arte* (um 1390) von Cennino Cennini (vgl. Treves, M., 1941; Dumont, C., 1966, S. 439 f.).[1] Es scheint, als herrschte um 1400 eine perfekte ›Aufteilung des Marktes‹ zwischen beiden Begriffen, die sie vor einer künftigen Konkurrenz schützen würde: Der Stil bezeichnete ausschließlich Phänomene der Sprache und Schrift, die *maniera* wurde lediglich für die bildenden Künste verwendet. Gleichzeitig wiesen allerdings sowohl Sinn wie Funktion beider

Begriffe entscheidende Parallelen und Analogien auf. Cennini beispielsweise rät den Künstlern, die Bilder eines großen Meisters zu kopieren, um seine *maniera* zu erlernen, und Lorenzo Ghiberti stellt die *maniera nuova* Giottos der alten byzantinischen Manier von Cimabue gegenüber. Diese beiden Verwendungsweisen von *maniera* sind denen des Stils völlig analog, etwa wenn die Rhetorik rät, den Stil Ciceros zu kopieren, oder wenn der *dolce stil novo* dem alten Stil der Troubadours entgegengesetzt wird. Nicht anders als der Stil erscheint auch die *maniera* in einem Kontext von generischen Typen, Modellen, Erlernbarkeit, Imitation und Regeln – sie taucht also gleichfalls am Gegenpol des zukünftigen Paradigmas von Originalität und »Individualstil« auf.

Diese enge Verwandtschaft des Sinns und der Funktion beider Begriffe mußte sie in dem Moment in Konkurrenz bringen, als die strikte Trennung zwischen den jeweiligen Territorien von *litterae* und bildenden Künsten in Frage gestellt werden würde, was in der Tat im Verlauf der italienischen Renaissance und ihrer Manierismus genannten Spätphase eintrat. Der Platonismus der Renaissance mit seiner ästhetischen Spekulation über die Ideen, die Schönheit und das Genie *(ingenio)* erhob die bildenden Künste weit über das korporative Handwerk auf das gleiche Niveau wie die Dichtung, wodurch der Austausch von Metaphern zwischen allen Künsten, einschließlich der des Schreibens, angeregt wurde. Auf diese Weise wurde ein einziges zusammenhängendes Territorium des Schönen etabliert, in dem die *maniera* zunächst sehr viel stärker als der Stil zu sein schien. Das hängt mit einer entscheidenden Ursache zusammen, von der noch zu sprechen ist: Die *maniera* war sehr viel besser als der Stil geeignet, Originalität zu bezeichnen, blieb doch ein ›Individualstil‹ noch lange Zeit eine contradictio in adiecto. Mit der französischen Klassik machte sich dann allerdings eine ganz andere Tendenz bemerkbar: Der Begriff *manière* wurde in zwei unterschiedliche, gar entgegengesetzte Verwendungsweisen aufgespalten (eine Teilung, die allen Lexikonartikeln des 18. Jahrhunderts zugrunde liegt (vgl. Knabe, P.-E., 1972, S. 374 ff.), deren eine deskriptiv (im Sinne der Bezeichnung eines Individual- oder Gruppenstils) war, das heißt also neutral oder positiv, deren andere dagegen deutlich pejorativ verwendet wurde, im Sinne von »manieriert« *(maniéré)*. Bevor diese Wende detaillierter diskutiert wird, sei an dieser Stelle nur einer der Gründe erwähnt, auf den ich nicht mehr zurückkommen werde. Wie Georg Weise gezeigt hat, diente der Plural *manières* im mittelalterlichen Französisch zur Bezeichnung des wichtigen Konzepts eines schönen aristokratischen Benehmens (Weise, G., 1950). Es scheint nun, daß dieses Konzept der *manières,* daß sich zunächst durchaus in diskursiver Distanz zu *maniera* befand (Singular versus Plural, Italienisch versus Französisch, Diskurs des bürgerlichen Künstlers versus aristokratischer Diskurs) im Verlauf des Manierismus mit den Verwendungsweisen von *maniera* interferierte.[2] Aus einer anderen (das heißt bürgerlichen) sozialen Perspektive gesehen, aber konnten die aristokratischen *belles manières* sehr leicht für *maniert* im negativen Sinne gehalten werden.

Im 17. Jahrhundert jedenfalls hatte die Konkurrenz zwischen Manier und Stil zu einer eher chaotischen Synchronie geführt: Der Stil hatte die Oberhand über die *maniera* gewonnen und war dabei auch in das Territorium der bildenden Künste eingedrungen; dabei blieb er eine positiv besetzte Kategorie, während die *maniera* – teilweise – pejorativ geworden war. Dennoch behauptete die *maniera* immer noch das wichtige Terrain der ästhetischen Originalität. Ist es verwunderlich, daß es Deutsche waren, die versuchten, Ordnung in dieses Chaos zu bringen? Goethe schlug in seinem berühmten kleinen Artikel von 1789 eine Ternäropposition vor: *einfache Nachahmung der Natur* versus *Manier* versus *Stil.* Diese Oppositionsbildung konnte selbstverständlich nur auf der Basis des ungeteilten ästhetischen Terrains funktionieren (auch wenn die Beispiele zunächst dem Bereich der bildenden Künste entnommen waren). Von nun an konnte das Kunstprodukt nicht mehr gleichzeitig sowohl eine (individuelle) Manier als auch einen (zum Beispiel »großen«) Stil haben. Die Manier blieb an das Originelle und das Individuelle gekoppelt, allerdings im Sinne eines Mangels an Stil. Die diesem Schema implizite Dialektik wurde von Kant, Hegel, Vischer und anderen weiter ausgearbeitet. Indem die Manier als ein Mangel an Stil durch einen Exzess von Individualität definiert wurde, konnte allererst ein ›Individualstil‹ gedacht werden. Dabei handelte es sich offensichtlich um einen Stil, der just einen hinreichenden Grad an individueller Originalität bewahrte, um sich der »einfachen Nachahmung der Natur« zu entziehen, und der gleichzeitig auch auf etwas Allgemeineres im Sinne eines idealen Modells bezogen war. Das erscheint logisch, vor allem in der von Vischer elaborierten Version, doch fragt man sich, ob der Preis einer solchen Logik nicht in einer gewissen Trivialität bestand, waren doch nunmehr die zur Debatte stehenden Begriffe rein ideologische (oder, wenn man es vorzieht, logozentrische) Konzepte geworden, die jede Komponente der künstlerischen Praxis verloren hatten. Am Ende dieses kurzen Überblicks darf dessen Pointe nicht fehlen: Nach dem endgültigen Sieg des Stils wurde nicht nur die *maniera* oder *Manier*, sondern auch das »Manierierte« selbst als ein Epochenstil angesehen, so daß wir seit langem nicht mehr nur den gotischen oder barocken, sondern auch den *manieristischen Stil* würdigen können...[3]

Kann man, ins Detail gehend, einige der zahlreichen Paradoxien dieser (Begriffs-)Geschichte erklären? Ich bin hier selbstverständlich gezwungen, mich auf einige wenige Aspekte zu beschränken. Im wesentlichen geht es mir, wenn ich im folgenden Texte von Vasari, von Diderot und Goethe kommentiere, um den symptomatischen Charakter, den die widersprüchliche und paradoxe Verwendung des Konzepts der *maniera* im Zusammenhang mit der Problematik der Produktion des Kunstwerks erfährt, die als eine Produktion zwischen Schöpfung und Fabrikation aufgefaßt wird. Das Paradox eines Übermaßes an Originalität, das in Automatismus umschlägt, erscheint dabei nur als Konsequenz aus dieser Produktionsproblematik.

II

Zu den wenigen in der Geschichte des Konzepts *maniera* solide etablierten Sachverhalten gehört die unbestritten zentrale Stellung Giorgio Vasaris. In seinen *Vite de' più eccellenti pittori scultori ed architettori* (1550; erweitert: 1568) machte Vasari die *maniera* zu einem Schlüsselkonzept, mit dessen Hilfe er auf intuitiv-systematische Weise alle irgend für die Produktion und Deskription des Kunstwerks relevanten Faktoren zu erfassen sucht. Was verstand er also im einzelnen unter *maniera*? Ein erster wichtiger Kontext, in dem *maniera* verwendet wird, ist der des Produzenten-Wissens und -Könnens (heute: »know how«). Dieser Kontext interferiert sehr offensichtlich mit dem Spezialdiskurs des mittelalterlichen korporativen Handwerks (vgl. dazu grundlegend die Darstellung bei Schlosser, J., 1924, 1964). Das Machen *(il fare)* sowie das Arbeiten *(il lavorare, il operare)* dienten diesem Diskurs dazu, ein Produkt der jeweiligen Werkstatt zuzuordnen, aus der es hervorgegangen war; diese Zuordnungsrelation wiederum erlaubte die Bestimmung von Qualität und Wert des Produkts. Entsprechend verwendet Vasari im *Proemio di tutta l'opera* eine doppelte Formel, um den Zweck seines Buches zu umschreiben. Er werde die Geschichte der »Arbeitsweisen« *(i modi dello operare)* der Künstler schreiben, damit man die Vollkommenheit oder Unvollkommenheit ihrer Produkte erkennen und die *maniera* von der *maniera* unterscheiden könne *(e discernere tra maniera e maniera)* (Vasari, G., 1568, 1906, Bd. 1, S. 105). Die *maniera* ist also zunächst die Produktionsweise in einem sehr konkreten Sinn, insofern – zum Beispiel – die »gotisch« genannte *maniera* der »deutschen Arbeitsweise« *(lavoro tedesco)* entspricht. Dabei handelt es sich stets um den technischen Aspekt der Kunst, das, was durch ein spezifisches Ensemble von Regeln und Handlungsanweisungen weitergegeben, was erlernt werden kann. In der *Introduzione alle tre arti del disegno* wird eine solche technische Propädeutik gegeben. Typisch dafür ist ein Kapitel wie das folgende über die Frage »wie die Grottesken auf den Stuck gearbeitet werden«, wenn Vasari schreibt: »Diese werden auf vier verschiedene Weisen *(maniere)* gearbeitet...« *(a.a.O.,* Bd. 1, S. 193), wobei die Beschreibung zugleich die Handlungsanweisung, das Rezept, darstellt. Würde man zu heuristischen Zwecken als aktuelle Metasprache über einen Diskurs wie den Vasaris das Modell der generativen Grammatik wählen, so ließe sich sagen, daß dieser Aspekt von *maniera* die Transformationsregeln zwischen einer ›mittleren Tiefe‹ und der ›Oberfläche‹ beträfe, wobei die ›mittlere Tiefe‹ des generativen Prozesses etwa durch den *disegno* repräsentiert wäre. Nach Vasari kommt eine schlechte *maniera* von einer schlechten Zeichnung *(disegno)* und perpetuiert sich durch eine schlechte Handhabung der Palette bis hin zum fertigen Bild. Es ist wichtig zu sehen, daß der hier beschriebene erste Aspekt der *maniera* alle Kunstobjekte einbezieht, einschließlich derjenigen, die für schlecht gehalten werden: Denn für sie alle gilt, daß sie sukzessiv und unter Verwendung von mehr oder weniger beschreibbaren Verfahren produziert werden (eben das gilt zur Zeit Vasaris nicht auch schon für den Stil; der

Stil kann einem Text fehlen, doch spricht man nicht von einem ›schlechten Stil‹. Kurz, der erste Aspekt von *maniera* meint ein Wissen *(sapere)*, das auf ein Ensemble bewußter Regeln reduzierbar ist, das heißt von Normen, die durch Studium gelernt werden können (ein charakteristisches Beispiel ist hier vor allem die Perspektive).

Vom Ensemble der Kollektivsymbolik und Metaphorik her betrachtet, wird dieser erste Aspekt der *maniera* in der Folgezeit vorzugsweise als *Maschine* gedacht, denn sobald ein Bündel von Regeln (im Sinne von Normen) gegeben ist, erscheint deren Anwendung letztlich durch einen automatischen Fabrikationsprozeß simulierbar. Wir werden sehen, daß Diderot in der Tat über dieses Paradox reflektiert; bei Vasari werden die Begriffe der Fabrikation wie auch der Maschine selbst noch gewissermaßen ›unschuldig‹ verwendet, wenn er beispielsweise von der »erstaunlichen Maschine« der Kuppel des Doms zu Florenz spricht *(a.a.O.,* Bd. 2, S. 4). Immerhin wird man annehmen dürfen, daß diese ›manieristische‹ Vorliebe für die Symbolik der Fabrikation im Prozeß der Entwertung der *maniera* eine Rolle gespielt hat.

Ich komme nun zum zweiten Aspekt der *maniera* bei Vasari. Es handelt sich dabei – um uns wieder unseres generativen Modells zu bedienen – um Regeln der Tiefenstruktur, die denjenigen Abschnitt des Produktionsprozesses umfassen würden, der zwischen dem *disegno* und dem Ursprung der Produktion des Kunstwerks (also dem ›tiefsten‹ Sektor innerhalb des transformationellen Realisierungsprozesses) läge. Vasaris Zentralbegriff für diesen Teil der ›Tiefe‹ ist der des *concetto,* das bekanntlich, zusammen mit *maniera* selbst, zu den Schlüsselbegriffen des Manierismus gehört. Und in der Tat erscheint es einleuchtend, daß man für ein Bild zunächst ein »Konzept« braucht, sozusagen ein inneres Bild, das in der Imagination oder im Geist des Malers produziert wird.[4] Doch wie funktioniert dieser Ursprung der Produktion? Vasari scheint zu glauben, daß es gleichsam zwei Lexika oder Reservoirs gibt, aus denen der Künstler seine *concetti* schöpfen kann: Das eine Reservoir wird durch die Natur konstituiert, das andere durch den Geist. Als Giotto die »plumpe Manier« *(maniera goffa)* aufgab, um eine ganz neue Manier zu erfinden, schöpfte er seine »Konzepte« direkt aus der Natur: »Und weil Giotto, abgesehen von seiner natürlichen Begabung, äußerst lerneifrig

war und beständig neue Dinge dachte und aus der Natur schöpfte, verdiente er es, ein Schüler der Natur genannt zu werden, und nicht ein Schüler anderer« (*a.a.O.*, Bd. 1, S. 378). Das ist also jener Aspekt der künstlerischen Produktion, den Goethe später »einfache Nachahmung der Natur« nennen wird. Die Idee der Mimesis, die offensichtlich die Grundlage dieser These Vasaris ist, würde es in letzter Instanz erlauben, sich den gesamten künstlerischen Produktionsprozeß als einen quasi automatisierbaren Prozeß vorzustellen (Diderot wird von dieser Möglichkeit entsprechend irritiert sein): Der Maler würde ein Konzept aus dem großen Lexikon der Natur auswählen, er transformierte es gemäß bestimmten Normen in eine Zeichnung, und transformierte die Zeichnung mittels eines Ensembles abschließender Regeln zum Bild. Bei Goethe, bei dem die Natur bekanntlich hohes Prestige genießt, wird ein solcher Typus künstlerischer Produktion zwar als unterlegen angesehen, doch bleibt er stets akzeptiert; von Hegel und Vischer aber wird er als ein Verfahren der bloßen Kopie, der Fabrikation, mithin der Maschine, ganz und gar verdammt werden. Es ist jedoch ganz offensichtlich, daß dieser Typus bei Vasari in dieser Form gar nicht existiert. Es existiert bei ihm vielmehr immer, auch dort, wo die Imitation der Natur eine große Rolle spielt, ein Anteil schöpferischen Geistes, der das »Konzept« beeinflußt, bevor es in eine Zeichnung transformiert werden kann. In den Biographien der Künstler der dritten Phase der *rinàscita*, der Phase der größten Vervollkommnung der Künste, stellt Vasari diese Interferenz zwischen den beiden Lexika der Natur und des Geistes sogar häufig als einen Konflikt dar, in dem der Geist die Natur »besiegt«. In bezug auf Raffael von Urbino heißt es: »die Natur wurde von seinen Farben besiegt« (*a.a.O.*, Bd. 4, S. 12), und von Michelangelo wird gesagt: »Dieser überbietet und besiegt nicht nur all jene, die schon über die Natur gesiegt haben, sondern sogar die berühmten Alten selbst« (*a.a.O.*, Bd. 4, S. 13).
Wie das Zitat zu Michelangelo zeigt, begreift die generierende Instanz des Geistes die antiken Modelle ein, ohne jedoch auf sie reduziert werden zu können. Diese Instanz, mehr oder weniger synonym mit dem *ingenio*, wird als eine Art von Teilhabe am Platonischen Ideenhimmel imaginiert; sie erhält folglich das Attribut des Göttlichen. Besonders in der dritten Phase der Renaissance (auch *terza maniera* genannt (*a.a.O.*, Bd. 4, S. 11), in der

Vasari über die Leonardo, Raffael und Michelangelo schreibt, ist das pathetische Lob des göttlichen Genies allgegenwärtig. »Und so kann man gewiß sagen, daß jene, die so seltene Gaben besitzen, wie man sie in Raffael von Urbino sieht, nicht einfach Menschen sind, sondern, wenn es zu sagen statthaft ist, sterbliche Götter« (*a.a.O.*, Bd. 4, S. 316). Im Falle Michelangelos erhält die Apotheose des künstlerischen Genies alle Attribute des Schöpfergottes: Er schafft *grandi e terribili concetti* und er herrscht *per il terrore dell'arte* (*a.a.O.*, Bd. 7, S. 270 und S. 214). Diese Göttlichkeit des Genies verkörpert sich in der *gran maniera* oder auch in »der schwierigen, mit leichtester Leichtigkeit gehandhabten *maniera*« (*a.a.O.*, Bd. 7 S. 210 und S. 150). So ist der Begriff der *maniera* im Verlaufe der *terza maniera* dabei, seine technischen und didaktischen Konnotationen zu verlieren, um zu einer Art von absolutem Wert überhöht zu werden. Beim Versuch zu begründen, warum die vorausgegangenen Künstler diese äußerste Vollendung oder *bella maniera* (*a.a.O.*, Bd. 4, S. 8) noch nicht erreichen konnten, argumentiert Vasari, daß das Studium nicht ein Ersatz sein könne für Mängel, die der »Zeitenqualität« selber innewohnten, und daß forcierte Studien im übrigen die *maniera* verderben würden: »Diese Vollendung und diese Sicherheit, die ihnen noch fehlte, konnten sie nicht so schnell ins Werk setzen, denn das Studium vertrocknet die *maniera*, wenn es dazu benutzt wird, das höchste Ziel auf diese Weise zu erreichen« (*a.a.O.*, Bd. 4, S. 10).

Der zweite Aspekt von *maniera* steht also in völligem Widerspruch zu dem ersten. Wenn das Modell des ersten Aspekts die materielle Fabrikation war, so ist das des zweiten letztlich die göttliche Schöpfung ›ex nihilo‹ und durch reinen Willensakt des Geistes – das heißt aber: das äußerste Wunder. Wir haben es also bei Vasari mit einem radikalen Dualismus zu tun, der an Descartes erinnert, dessen *res cogitans* auf wunderbare Weise die *res extensa* beeinflußt. Man muß sich allerdings fragen, warum auch der zweite Aspekt der Vasarischen *maniera* in den späteren Kritiken des Manierismus und des Concettismus abgewertet werden konnte. Dies scheint mit der Ambiguität des Begriffs *concetto* zu tun zu haben: Für Vasari war der Begriff im Sinne einer platonischen Idee zu verstehen, das heißt als eine in einer Art von visuellem Gedanken oder geistiger Vision perzipierbare Entität, deren quasi-visueller Charakter jedenfalls fundamental ist. Von

dieser Art sind die »großen und gewaltigen *concetti*« Michelangelos. Der andere Sinn von *concetto,* ebenfalls präsent bei Vasari,
überwog jedoch im Verlaufe des Manierismus: eine geistreiche
und paradoxe, im Normalfall sprachlich artikulierte Formel. Es
war dieser zweite Sinn, der das *concetto* verdächtig machte: Ein
solcher Manierismus schien die Malerei der Literatur unterzuord-
nen – daher auch die Kritiken gegen jede »allegorische« Malerei.
So scheint es, als habe der erste Aspekt der Vasarischen *maniera*
die Tendenz gehabt, den zweiten auf mehrfache Weise überzude-
terminieren. Der große Anteil, den Vasari der rationalen Simulation des Produktionsprozesses konzediert, führte dazu, daß auch
der Terminus *concetto* gleichermaßen auf rationalistische Weise
gelesen wurde.
Wie dem auch sei, erlaubte es jedenfalls das dualistische Konzept
der *maniera,* zum ersten Mal einen ›Individualstil‹ auf positive
und pluralistische Weise zu konzipieren. Solange man sich auf die
Kategorie der Mimesis eines idealen Modells (sei es der Natur, sei
es eines klassischen Modells) beschränkt hatte, mußte die Individualität sich auslöschen, indem sie das Modell, den Typ, das Ideal
erreichte; entsprechend mußte eine nicht ausgelöschte Individualität als ein Mangel angesehen werden (diese Logik wird mit dem
Klassizismus eines Goethe oder eines Hegel erneuert). Vasari
hingegen kennt mehrere Götter unter seinen bewunderten Künstlern; er führt, wenn man so will, einen ästhetischen Polytheismus
ein.
Doch scheint Vasari andererseits vor den Konsequenzen eines
radikalen Relativismus auf der Basis einer Vielzahl origineller
maniere zurückgescheut zu sein. Er steuert dem entgegen, indem
er gleichzeitig den Königsweg betritt, der die Versöhnung des
kulturellen Relativismus mit dem kulturellen Monolithismus erlaubt: die Entwicklungsgeschichte im Sinne des Fortschritts. In
dieser Sicht erscheinen die anderen Götter nur noch als die
Propheten des einzigen Gottes Michelangelo; die originellen
maniere werden der Ordnung einer zeitlichen Stufenleiter unterworfen, die zugleich eine Stufenleiter der fortschreitenden Vervollkommnung ist. Das ist Hegel ›avant la lettre‹, doch bleibt wie
bei diesem (und in wohl noch höherem Grade) der kulturelle
Relativismus dennoch wenigstens partiell gerettet...
Leicht ließe sich zeigen, daß sämtliche Themen, Probleme und
Widersprüche des modernen Denkens über den Stil sich bereits

bei Vasari finden. Im Zentrum dieser ›longue durée‹ der Stilproblematik steht der Antagonismus zwischen göttlicher Schöpfung ›ex nihilo‹ und der materiellen Produktion durch ein materiell-›maschinelles‹ Verfahren, der noch bei Heidegger als Opposition zwischen *Schöpfen des Werks* und *Machen des Zeugs* wiederkehrt. Wenn ich im Laufe dieser Überlegungen wiederholt das Modell einer generativen Poetik bzw. (allgemeiner) Ästhetik verwende, so in der heuristischen Absicht, einen Gesichtspunkt außerhalb der (mit Derrida gesprochen) »logozentrischen«, dualistischen Problematik zu gewinnen. Die Vorstellung eines (durch Chomskys generative Grammatik inspirierten) zusammenhängenden Produktionsprozesses, in dessen Verlauf ein Ensemble von im weitesten Sinne semiotischen Konzepten nach unbewußten und bewußten Transformationsregeln sich als Text bzw. Bild realisiert, ist dem Dualismus selbst nicht mehr verhaftet und erlaubt so, dessen Antinomien zu analysieren. Um den Dualismus zu überwinden, war insbesondere die Einsicht notwendig, daß außer den bewußten Produktionsregeln (d. h. den Normen) in viel höherem Maße unbewußte Produktionsregeln wirken, die dennoch nicht minder streng als Regeln funktionieren und sich daher auch nicht mehr *prinzipiell* einer künftigen Simulierbarkeit entziehen.

Vasaris Formulierungen umkreisen gewissermaßen diese Problematik. So unterstreicht er, wenn er von den Künstlern der *terza maniera* spricht, die Bedeutung der Abweichung von der Regel, um diese als eine ›der Regel untergeordnete Regellosigkeit‹ zu definieren:[5]

Denn wenn auch die zweiten (sc. die Künstler der zweiten Phase der Renaissance) für die Künste alle die oben genannten Qualitäten beträchtlich vermehrten, waren sie doch noch nicht so perfekt, daß sie das Ganze der Vollkommenheit erreichen konnten, denn es fehlte ihnen noch in der Regel eine Lizenz, die – ohne selber regelhaft zu sein – sich doch der Regel unterordnen ließ und stehen bleiben konnte, ohne Verwirrung zu stiften oder die Ordnung zu verderben.
(... mancandoci ancora nella regola una licenzia che, non essendo di regola, fosse ordinata nella regola, e potesse stare senza fare confusione o guastare l'ordine) (*a.a.O.*, Bd. 4, S. 9).

Aber die Tatsache, daß Vasari die Existenz ›unbewußter Regeln‹ zumindest anvisiert, macht deutlich, daß die Einführung einer Instanz des Unbewußten für sich allein noch nicht hinreichend wäre, um dem Dualismus zu entgehen (wie es im übrigen das Beispiel Kants beweist). Man müßte vielmehr auch noch die *concetti* als semiotische, prinzipiell simulierbare Signifikanten auffassen und den Geist als die Werkstatt des Gehirns, das sie nicht weniger materiell transformiert, als die Hand den Stein transformiert. Es genügt, sich das klar zu machen, um zu sehen, daß noch die große Mehrzahl der Ästhetiker unserer Tage in dieser Frage ohne zu zögern dem Dualismus Vasaris den Vorzug geben würde, der also nach mehr als vier Jahrhunderten immer noch aktuell geblieben zu sein scheint. Es war demnach nicht der Anteil, den Vasaris Begriff der *maniera* dem Genie zugesteht, sondern im Gegenteil der sehr wesentliche Anteil, den er dem Aspekt der Fabrikation konzediert, der die Kritik an der *maniera* provozierte und den Sieg des *Stils* erleichtert hat.

III

Zwei Jahrhunderte nach Vasari reflektiert Diderot in seinen für die Grimmsche Korrespondenz geschriebenen Kritiken der *Salons* über all die hier skizzierten Probleme, und das mit außerordentlicher Radikalität und Konsequenz. Er folgt, so könnte man sagen, der Methode einer ›wilden‹ Dialektik, die noch nicht durch die Verpflichtung gezähmt ist, ›Synthesen‹ der Widersprüche zu finden. Goethe wird ihm seine Widersprüche und Paradoxien vorwerfen, die er Sophismen nennt, doch für Diderot ist die Erfahrung der Widersprüche unvermeidlich:

Ich habe mich darüber früher etwas leichthin geäußert. In jedem Moment verfalle ich in den Irrtum, weil die Sprache mir den Ausdruck der Wahrheit nicht rechtzeitig liefert. Ich gebe eine These auf, weil mir die Worte fehlen, die meine Gründe wiedergeben könnten. In der Tiefe meines Herzens habe ich eine Sache und ich sage eine andere (Diderot, D., 1876, Bd. 11, S. 176).

Wenn er, im *Salon* von 1765, die Bilder von Chardin zu analysieren sucht, schreibt er beispielsweise: »Die Machart *(le faire)* von Chardin ist eine besondere. Sie hat mit der kontrastreichen Faktur *(la manière heurtée)* gemeinsam, daß man von nahem nicht weiß, was es ist . . .« *(a.a.O.,* Bd. 10, S. 303). Und weiter:

Er hat keine *manière:* ich täusche mich, er hat seine eigene. Aber da er eine eigene *manière* hat, müßte er bei bestimmten Gelegenheiten falsch sein, und er ist es nie. Versucht, mein Freund, mir das zu erklären. Kennt Ihr in der Literatur einen Stil, der für alles geeignet ist? (*a.a.O.*, Bd. 10, S. 304).

Im ersten Zitat verwendet Diderot den Begriff der *manière* im Sinne des ersten Aspekts bei Vasari. Die *manière* ist synonym mit der Machart, der Technik, dem Verfahren, wie auch in der folgenden Bemerkung über Casanove: »die Machart, das Handwerk, das Talent, die Technik« (*le faire, le métier, le talent, le technique*) (*a.a.O.*, Bd. 10, S. 329) – oder: »Ich habe gesagt, es handelte sich um zwei kleine Wouwermans; und das trifft zu für die Sujets, die *manière*, die Farbe und den Effekt. Ich hatte die Technik verloren geglaubt, Casanove fände sie wieder« (*a.a.O.*, Bd. 11, S. 185). Im zweiten der Zitate zu Chardin haben wir es hingegen mit der pejorativen Verwendung von *manière* zu tun: Diderot kann sich nicht erklären, daß es sich um eine *manière* handelt (*il a une manière sienne*), ohne daß die Produkte manieriert sind. Die *manière* ist also im Sinne einer spezifischen gleichbleibenden Malauffassung verstanden, die einem bestimmten Künstler eigentümlich ist. Diderot scheint zu glauben, daß diese Malauffassung sich je nach Sujet ändern müßte, so daß die *manière* im pejorativen Sinn das Resultat der Anwendung eines identischen allgemeinen Konzepts auf verschiedene Sujets wäre. Entsprechend kritisiert er scharf die Bilder von Le Prince:

»Seine Art zu malen (*sa manière de peindre*) ist weder durchgeführt noch bestimmt (...). In allen seinen Bildern herrscht eine Monotonie, die mißfällt. Man hat ihrer zwanzig gesehen, und man denkt, es sei immer dasselbe (*a.a.O.*, Bd. 11, S. 214).

In diesem Sinne wird *manière* für Diderot zum Äquivalent eines schlechen Stils: »Ich sage nicht, daß Taraval besser sei als Fragonard, noch Fragonard besser als Taraval; aber dieser erscheint mir näher an der Manier und am schlechten Stil (*plus voisin de la manière et du mauvais style*)« (*a.a.O.*, Bd. 11, S. 300). In seinem dem *Salon* von 1767 hinzugefügten Essai *De la manière* spricht Diderot von der *manière* in diesem negativen Sinn eines stereotypen und automatisierten pikturalen Konzepts und gibt dafür eine ›rousseauistische‹ soziohistorische Erklärung:

Die *manière* ist in den Künsten, was die Korruption der Sitten bei einem Volk ist. Es erscheint mir deshalb vorrangig, daß die *manière*, sei es in den Sitten, sei es im Diskurs, sei es in den Künsten, ein Laster der zivilisierten

Gesellschaft ist *(un vice de société policée)*. Am Ursprung der Gesellschaften findet man die Künste roh, den Diskurs barbarisch, die Sitten grob; doch diese Dinge tendieren im Gleichschritt zur Vervollkommnung, bis der große Geschmack *(le grand goût)* entsteht; doch dieser große Geschmack ist wie die Klinge eines Rasiermessers, auf der man sich nur schwer halten kann. Bald werden die Sitten zügellos; das Reich der Vernunft weitet sich aus; der Diskurs wird epigrammatisch, ingeniös, lakonisch, sententiös; die Künste verderben durch das Raffinement *(a.a.O.*, Bd. 11, S. 369).

Der *grand goût* ist offenbar nichts anderes als die *gran maniera* Vasaris, und auch wenn Diderot erwähnt, daß der Begriff »von seiner guten wie von seiner schlechten Seite genommen werden kann«, beschränkt er sich hier auf seine schlechte Seite. Er analysiert das Manierierte des Bildes in allen seinen generativen Subsystemen (wie wir heute sagen könnten), in der Zeichnung, dem Hell-Dunkel, der Farbe und dem Ausdruck. Daß *manière* ein stereotypisiertes Einheitskonzept meint, sieht man deutlich an Diderots Ausführungen zur manierierten Zeichnung: »Doch es gibt einige, die rund zeichnen; andere, die eckig zeichnen. Die einen machen ihre Figuren lang und schlank; andere machen sie kurz und schwer...« *(a.a.O.*, Bd. 11, S. 371).
Im *Essai sur la peinture,* der dem *Salon* von 1765 beigefügt ist und gegen den Goethe seine Polemik richten wird, scheint Diderot die »einfache Nachahmung der Natur« als Allheilmittel gegen die *manière* anzupreisen; doch im Essay *De la manière* sagt er fast wörtlich, was Goethe in seinem Essay von 1789 sagen wird:

Die rigorose Nachahmung der Natur macht die Kunst arm, klein, dürftig, aber niemals falsch oder *manieriert (maniéré)*. Es ist die, sei es übertriebene, sei es verschönerte Nachahmung der Natur, aus der das Schöne und das Wahre, das *Manierierte (le maniéré)* und das Falsche hervorgehen *(a.a.O.*, Bd. 11, S. 373).

Hier scheint er also gleichsam Goethe zu antworten: Mein Lieber, es ist verlorene Liebesmühe, mir zu widerspechen, ich habe es selber schon genug getan.
In der Tat hat Goethe nicht gesehen, daß die Widersprüche bei Diderot Symptome eines Denkens sind, das den generativen Weg eingeschlagen hat, ohne doch imstande zu sein, aus dem Vasarischen Dualismus herauszukommen. Sehen wir, wie Diderot sich – im *Salon* von 1767 – mit einem in den Ferien getroffenen Abbé über die Produktion des idealen Kunstschönen streitet:

– Jetzt die Anwendung, Abbé. Wenn ich hier einen Becher Würfel hätte, ich diesen Becher umwerfen würde, und sie sich alle auf den gleichen Punkt herumdrehen würden, würde dieses Phänomen Sie sehr erstaunen?
– Sehr.
– Und wenn all diese Würfel präpariert wären, würde das Phänomen Sie dann immer noch erstaunen?
– Nein.
– Jetzt die Anwendung, Abbé. Diese Welt ist nur eine Anhäufung von Molekülen, die auf unendlich verschiedene Weisen präpariert sind. Es gibt ein Gesetz der Notwendigkeit, das sich in allen Werken der Natur vollzieht, ohne Absicht, ohne Anstrengung, ohne Intelligenz, ohne Fortschritt, ohne Widerstand. Würde man eine Maschine erfinden, die Bilder produzierte wie diejenigen von Raffael, wären diese Bilder dann immer noch schön?
– Nein.
– Und die Maschine? Wenn sie gemein wäre, wäre sie so wenig schön wie die Bilder.
– Aber, nach Euren Prinzipien, ist da nicht Raffael selbst diese Bildermaschine?
– Das ist wahr. Aber die Maschine Raffael ist niemals eine gemeine gewesen; aber die Werke dieser Maschine sind nicht ebenso gemein wie die Blätter der Eiche; aber wir gehen aus einer natürlichen und fast unüberwindbaren Neigung davon aus, daß diese Maschine einen Willen, eine Absicht, eine Intelligenz, eine Freiheit hat. Stellen Sie sich Raffel ewig vor, unbeweglich vor der Leinwand, notwendig und unaufhörlich malend. Multiplizieren Sie diese Nachahmungsmaschinen allüberall. Lassen Sie die Bilder in der Natur entstehen wie die Pflanzen, die Bäume und die Früchte, welche ihnen als Modelle dienen würden; und sagen Sie mir, was aus Eurer Bewunderung würde.
Ich war dort angelangt, als ein Westwind über das Land fegte und uns in einen dichten Staubwirbel einhüllte. Der Abbé wurde davon vorübergehend blind; während er sich die Augen rieb, fügte ich hinzu: »Dieser Wirbel, der Ihnen nur als ein Chaos zufällig zerstreuter Moleküle erscheint, nun, lieber Abbé, dieser Wirbel ist ebenso vollkommen geordnet wie die Welt« (*a.a.O.*, Bd. 11, S. 104).

Hier haben wir den wirklich mephistophelischen Diderot, dem zu antworten die Mühe Goethes gelohnt hätte! Diderot versucht, der Logik des Vasarischen Dualismus über die *maniera* bis zum Ende zu folgen. Wenn der Abbé glaubt, daß die Natur einige Schönheiten inmitten von viel Häßlichkeit produziert, so weiß er nicht, was er sagt, denn alle Produkte der Natur sind gleichermaßen ›maschinell‹ und gemäß strikter Regeln produziert. Andererseits, wäre Raffael nicht selber auch eine Maschine? Paradoxerweise kehrt Diderot die Vasarische Logik um, um das Genie zu retten: Wenn Raffael *nur* Gott gleich wäre, wäre er nur eine Maschine. Die Überlegenheit Raffaels über Gott beruht darauf, daß er nicht ewig ist, freien Willen besitzt und von Kontingenzen abhängt. Diderot ist also nicht nur Mephistopheles, er ist gleichzeitig auch sein eigener Faust; wie Vasari behält er dem Genie im generativen Prozeß einen Raum der freien Kreativität vor. Aber ist das wirklich logisch? Diese Kreativität soll einerseits in der intentionalen Abweichung von den Regeln bestehen, andererseits in der nichtintentionalen Abweichung, das heißt also in der entweder unbewußten oder durch eine äußere Kontingenz provozierten Abweichung. Das moderne generative Denken sieht darin nicht einen hinreichenden Grund, um den Dualismus zu retten, und Diderot selbst scheint ebenfalls manchmal zu schwanken. So reflektiert er beispielsweise, nur wenige Seiten später, über die Rolle der Kontingenz in der künstlerischen Produktion:

Es ist die Sache des Augenblicks, des Körperzustands, des Seelenzustands; ein kleiner Familienstreit; (...) was weiß ich? ein zu kaltes oder zu warmes Bett, eine Bettdecke, die des Nachts herunterfällt, ein schlecht bezogenes Kopfkissen, ein zu viel getrunkenes halbes Glas Wein, eine Magenverstimmung, zerzauste Haare unter der Mütze; und schon ist die Verve dahin *(et adieu la verve)*. Es gibt Zufall beim Schach und allen anderen Spielen des Geistes. Und warum sollte es ihn nicht geben? Die großartige Idee, die sich präsentiert, wo war sie einen Moment zuvor? Woran liegt es, daß sie einem gekommen oder nicht gekommen ist? Nur eines weiß ich, daß sie dermaßen eng an die unabwendbare Ordnung des Lebens des Dichters und des Künstlers gebunden ist, daß sie weder früher noch später auftauchen konnte, und daß es absurd ist, wenn man sie in einem anderen Wesen, in einem anderen Leben, in einer anderen Ordnung der Dinge für genau die gleiche hielte *(a.a.O.,* Bd. 11, S. 142).

Die *Verve* ersetzt bei Diderot den Vasarischen Begriff des *concetto;* sie ist die Erstinstanz im generativen Modell. Es handelt sich um einen deutlich weniger spiritualistischen, eher sensualistischen Begriff, der den Akzent auf das Unbewußte legt. Der zitierten Stelle zufolge ist die Verve etwas strikt Individuelles, etwas, das nirgendwo sonst existieren kann als in dem individuellen Gehirn, und zu keiner anderen Zeit, als im Moment des Auftauchens in diesem.

Zitieren wir, um diesen Abschnitt abzuschließen, eine andere Reflexion Diderots, die sowohl die Beschäftigung seines Denkens mit generativen Problemen deutlich macht, wie auch zeigt, daß seine Verwendung des Begriffs *manière* eine polyvalente bleibt:

Ein hervorragender Autor, der in die Hände eines schlechten Übersetzers fällt (...), ist verloren. Ein mittelmäßiger Autor, der das Glück hat, einen guten Übersetzer zu finden (...), hat alles zu gewinnen. Ebenso verhält es sich mit dem Maler und dem Graveur, besonders wenn der erste keine Farbe hat. Die Gravur tötet den Maler, der nur Kolorist ist. Die Übersetzung tötet den Autor, der nur Stil hat *(l'auteur qui n'a que du style)*. In der Funktion des Übersetzers eines Malers muß der Graveur das Talent und den Stil seines Originals zeigen *(le talent et le style de son original)*. (...) Wenn der Graveur ein intelligenter Mensch gewesen ist, kann die *manière* des Malers beim ersten Blick auf dem Stich erkannt werden. (...) Auch die Skizze hat ihre *manière*, die nicht die des Entwurfs ist *(a.a.O., Bd. 10, S. 444)*.

Nicht zufällig erscheint die Übersetzungsmaschine im Zentrum des generativen Denkens. Das Problem der Übersetzung bleibt in der Tat der Stein des Anstoßes eines jeden spiritualistischen Individualismus. Deshalb wird die korrekte und banale Feststellung, daß die Poesie nicht übersetzbar sei, oft von solcher Emphase begleitet. Diese Emphase vergißt jedoch ganz einfach, daß das Nicht-Übersetzbare aus der Nicht-Äquivalenz der verschiedenen Kodes und ihrer verschiedenen Materialität resultiert, und daß sogar die beschränkte Möglichkeit einer Übersetzung keinesfalls beweist, daß der unübersetzbare Teil auf eine qualitativ andere Art generiert wäre als der übersetzbare Teil – im Gegenteil. Diderots Reflexion über die Bedingungen der Übersetzbarkeit eines Kunstwerks ist also symptomatisch für seine prägenerativistischen Fragestellungen. Im übrigen liefert der zitierte Text ein Beispiel für den positiven Gebrauch von *manière*, die hier ausdrücklich dem Stil entspricht.

Zusammenfassend ließe sich also sagen, daß das Diderotsche Denken über die Manier und den Stil gleichsam einem Dekonstruktivismus ›avant la lettre‹ ähnelt. Indem Diderot die verschiedenen widersprüchlichen Konnotationen der Begriffe so radikal wie möglich weiterdenkt, ohne sich um deren Verknüpfung zu kümmern (die ein solches Denken denn auch unmöglich macht), bringt er den Dualismus zur Explosion, der seit Vasari den zur Debatte stehenden Begriffen inhärent gewesen war.

Das hat Goethe herausfordern müssen, der sich in seiner Polemik
von 1799 gegen den *Essai sur la peinture* die Mühe machte,
Diderots »Paradoxe« fast Satz für Satz zu widerlegen, nicht ohne
zunächst die Sukzession des Diderotschen Diskurses auf eine
angeblich geordnetere Weise neu zu arrangieren. Die Kritik
Goethes reduziert sich im wesentlichen auf den Kummer, daß
Diderot stets dazu neige, »Natur und Kunst zu konfundieren«
(Goethe, J. W., 1962, S. 111). Und es ist wahr, daß Diderot, vor
allem im *Essai*, auf gleichsam experimentelle Weise den Weg eines
radikalen Naturalismus eingeschlagen hat; doch läßt sich sein
Denken, wie wir gesehen haben, keinesfalls auf diese Richtung
festlegen. Der tatsächliche Sinn der Polemik muß deshalb in den
Reflexionen Goethes über die Kategorien der *Regeln* und *Gesetze*, der *Manier* und der *richtigen Methode* gesehen werden,
und das heißt erneut, in Reflexionen, die das generative Problem
umkreisen. Goethe geht einerseits von seinem klassizistischen
Credo aus, welches lautet: »Die Natur organisiert ein lebendiges
gleichgültiges Wesen, der Künstler ein totes, aber bedeutendes,
die Natur ein wirkliches, der Künstler ein scheinbares« (*a.a.O.*,
S. 111). Goethe unterstreicht hier den semiotischen, das heißt
kulturellen Charakter, der das Kunstprodukt von dem der Natur
als solcher trennt. In der Folge unterscheidet er einerseits »die
Gesetze der organisierenden Natur«, die ohne Bedeutung für den
Künstler seien, und andererseits »die Regeln der Kunst« (*a.a.O.*,
S. 112). Was versteht Goethe genauer unter diesen Regeln? Hier
nun beginnt er selber die Dinge zu konfundieren. Zunächst
versteht er unter diesen Regeln bewußte Regeln, wenn er von
»Proportionen« spricht, von »echten Regeln«, von der »Symmetrie«, den »wahren Proportionen« und den »schönen Proportionen« (*a.a.O.*, S. 112-119). Er wäre jedoch nicht Goethe, wenn er
nicht genauestens wüßte, daß die Regeln der künstlerischen Produktion sich keinesfalls auf die bewußten Normen beschränken,
sondern – im Gegenteil – die unbewußten »Gesetze« von sehr viel
entscheidenderer Bedeutung sind: »...sie (sc. die Künstler) bilden zuletzt die Regeln aus sich selbst, nach Kunstgesetzen, die
ebenso wahr in der Natur des bildenden Genies liegen, als die
große allgemeine Natur die organischen Gesetze ewig tätig bewahrt« (*a.a.O.*, S. 113). Hier gibt es also eine »Natur« im Innern

des Künstlers, die »Gesetze« kennt, welche denen der äußeren Natur analog sind – das aber erscheint keinesfalls dermaßen weit vom Diderotschen Paradox der Maschine Raffael entfernt! Und in der Tat beobachten wir hier, wie Goethe sich nicht weniger als sein Kontrahent widerspricht:

»Die Kunst übernimmt nicht mit der Natur, in ihrer Breite und Tiefe, zu wetteifern, sie hält sich an die Oberfläche der natürlichen Erscheinung; aber sie hat ihre eigne Tiefe, ihre eigne Gewalt; sie fixiert die höchsten Momente dieser oberflächlichen Erscheinungen, indem sie das Gesetzliche darin anerkennt, die Vollkommenheit der zweckmäßigen Proportion, den Gipfel der Schönheit, die Würde der Bedeutung, die Höhe der Leidenschaft (*a.a.O.*, S. 114).

Das ist ein offensichtlicher Widerspruch zum strikten Dualismus des Anfangs.

Nun scheinen solche Widersprüche stets die Folge einer dualistischen Konzeption der künstlerischen Produktion zu sein. Schauen wir uns deshalb näher an, was Goethe über die *Manier* und den *Stil* sagt. Er wirft Diderot dessen Vergleich der »Ordnung des Regenbogens« für die Malerei mit dem »Grundbaß« für die Musik vor (Diderot, *a.a.O.*, Bd. 10, S. 472; Goethe, *a.a.O.*, S. 139 f.), doch muß er zugestehen, daß dieser Vergleich sehr wohl zeigt, daß Diderot mitunter Regeln anerkennt. Mehr noch, Diderot war von der Anerkennung der Regeln ausgegangen, um jedweden Automatismus in der Anwendung dieser Regeln zu kritisieren. Er hatte sich gegen »un petit technique facile et borné« (*a.a.O.*, Bd. 10, S. 472) ausgesprochen, was Goethe durch *»eine leichte und beschränkte kleine Manier«* übersetzt (*a.a.O.*, S. 140) – gemäß dem Kriterium: »Ist nun die Farbe des einen Eckes auf ihrem Gemälde gegeben, so weiß man alles übrige« (Diderot, *a.a.O.*, Bd. 10, S. 472; Goethe, *a.a.O.*, S. 140). Zweifellos entspricht diese Kritik einem impliziten Plädoyer für eine große Technik, das heißt eine große *manière* oder aber einen großen *Stil* – in den Worten Goethes:

Das Resultat einer echten Methode nennt man Stil, im Gegensatz der Manier. Der Stil erhebt das Individuum zum höchsten Punkt, den die Gattung zu erreichen fähig ist, deswegen nähern sich alle großen Künstler einander in ihren besten Werken. (...) Die Manier hingegen individualisiert, wenn man so sagen darf, noch das Individuum (*a.a.O.*, S. 142).

Diderot hätte diese ›monotheistische‹ These über die Uniformität des großen Stils wohl kaum uneingeschränkt akzeptieren können; er hatte sich – sehr viel mehr noch als Goethe – vom spiritualistischen Dualismus entfernt.

Doch wir müssen unser Gespräch zwischen Goethe und Diderot abbrechen, um zum Schluß zu kommen.

V

Diese kurze Problemskizze hat gezeigt, daß die zahlreichen strittigen Aspekte und Widersprüche des Konzepts der *maniera* letztlich durch den Dualismus beherrscht werden, der den Vorstellungen von der künstlerischen Produktion innewohnt. Zwischen dem ersten Aspekt der *maniera* im Sinne Vasaris, dem des technischen Verfahrens und der Fabrikation, und ihrem zweiten Aspekt, dem der genialen Schöpfung, scheint keine Versöhnung möglich. Wenn diese Hypothese nicht unsinnig ist, dann war allerdings damit zu rechnen, daß die Goethesche Synthese, die – grosso modo – synchronisch formuliert, was Vasari in die Linie der Diachronie gelegt hatte, keine definitive Lösung bleiben konnte. Lassen wir deshalb abschließend eine Stimme des 20. Jahrhunderts zu Worte kommen, die uns in ihrem Bemühen um eine Rehabilitierung der *maniera* symptomatisch erscheint. In seinem »*Manier* und *Stil* in der Kunst des 20. Jahrhunderts« betitelten Aufsatz geht es Werner Hofmann um die Apologie der modernen Kunst gegenüber dem Vorwurf eines extremen Stilpluralismus bzw. »der sich überstürzenden Stilchaotik« (Hofmann, W., 1955, S. 1). Dabei stützt er sich einerseits auf die Analogien zwischen Manierismus und Avantgarde, wie Gustav René Hocke sie gesehen hat, zum anderen beruft er sich auf Goethe: »In den von Goethe umrissenen Ausdruckskategorien (Einfache Nachahmung-Manier-Stil) spiegelt sich das künstlerische Streben heute wie ehedem« (*a.a.O.*, S. 2). Wie aber kann man ein Plädoyer für die moderne Kunst auf ein klassizistisches Axiom gründen? Grob resümiert, auf die folgende Weise: Hofmann positiviert die Manier und den Manierismus als »die Kunst des ›Möglichkeitssinnes‹ par excellence«, in der erstmals »die ›Idee‹ von der Ausführung getrennt und für selbständig erklärt« worden sei. »Alle Register künstlerischen Ausdrucks sind ihm (sc. dem Manierismus und der als analog aufgefaßten modernen Kunst) geläufig und in seinen äußersten Verzweigungen geht er bald in die Zone des ›Stils‹, bald in jene der ›einfachen Nachahmung der Natur‹ über« (*a.a.O.*, S. 11). Daraus – das heißt aus einer beliebig großen Potentialität, die gleichzeitig in die Goethesche Trias eingeschlossen wird – resultiert für Hofmann seine »tragische wie faszinierende Schwerpunktlosigkeit«. Wir haben es also mit nichts anderem als einer Reformulierung des alten (hier nun freilich als tragisch aufgefaßten) Dualismus zu tun, wie er der Vasarischen *maniera* innewohnte.

Es stellt sich jedoch die Frage, ob dieser kunst*theoretische* Diskurs, der Goethe und sogar Vasari so fundamental verpflichtet bleibt, nicht doch insuffizient geworden ist angesichts einer *Praxis* der Kunst, die so offensichtlich generativistisch ist wie beispielsweise die von Mondrian und Kandinsky. Sollten wir wirklich gezwungen sein, zu Lessing zurückzukehren bzw. zu seiner Figur des Malers Conti in der (mit Diderots *Salons* etwa gleichzeitigen) *Emilia Galotti*?

Ha! daß wir nicht unmittelbar mit den Augen malen! Auf dem langen Wege aus dem Auge durch den Arm in den Pinsel, wie viel geht da verloren! – Aber wie ich sage, daß ich es weiß, was hier verlorengegangen und wie es verlorengegangen und warum es verlorengehen müssen: darauf bin ich ebenso stolz und stolzer, als ich auf alles das bin, was ich nicht verlorengehen lassen. Denn aus jenem erkenne ich mehr als aus diesem, daß ich wirklich ein großer Maler bin; daß es aber meine Hand nur nicht immer ist. – Oder meinen Sie, Prinz, daß Raphael nicht das größte malerische Genie gewesen wäre, wenn er unglücklicherweise ohne Hände wäre geboren worden? (Erster Akt, vierte Szene).

Die Frage lautet also: Wie lange noch wird unsere Reflexion über Stil und Manier in der dualistischen Alternative zwischen der *Maschine Raffael* und der *Seele Raffael* gefangen sein?

Anmerkungen

1 Da ich hier nicht ins Detail der Forschungsgeschichte gehen kann, verweise ich auf die bibliographischen Hinweise bei Dumont, C. (1966), speziell S. 422 mit Anm. 2.
2 So hat Shearman, J. (1966) auf eine Reihe interessanter Interferenzen

und terminologischer Entlehnungen zwischen kunsttheoretischem Diskurs und Castigliones *Libro del cortegiano* aufmerksam gemacht.

3 Wolfgang Drost, der mit Gombrich das Problem dahingehend pointiert, »wo man die Trennungslinie zwischen klassischer Norm und unklassischer Komplexität ziehen soll«, zitiert weitere hybride Wendungen von seiner Auffassung nach »fataler Widersprüchlichkeit« wie »*maniera* of Renaissance style« oder »*maniera* of the Baroque« (Drost, W., 1977, S. 23 f.).

4 Schlosser, J. (1924) (1964), S. 442, entnehme ich, daß Zuccaro explizit von einem *disegno interno* (im Gegensatz zum *disegno esterno*) spricht.

5 Den – sehr viel deutlicheren – Generativismus der späteren *poetologischen Traktate* des manieristischen oder barocken Concettismus hat meines Wissens am konsequentesten Renate Lachmann gesehen, die – an den Beispielen Sarbiewskis, Graciáns, Pellegrinis und Tesauros – unter anderem den »Status der Regel« reflektiert, wobei sie betont: »Die Definition der concettistischen Gedanken- und Sprachformen schließt die Anweisung für ihre Bildung ein: Regeln für das Regelwidrige, das Regelüberschreitende werden formuliert. Die Idee des von Regeln nicht einholbaren *furor poeticus* (des Dichters als *creator*) und der präzeptorische Anspruch der Rhetorik werden im *acumen*-Traktat in der Ambivalenz von Begriffen wie *ingenium (ingegno)* oder *conceptus (concetto)* aufgehoben. Das *ingenium* erfindet ungekannte Ähnlichkeiten, doch es funktioniert nach Regeln.« Und: »Die Regel, die die Regel ihrer Deformation, Steigerung und letztlich ihrer Aufhebung umschließt, ist generativ und universal« (Lachmann, R., 1983, Zitate: S. 89 f.).

Literatur

Diderot, D. (1876), *Oeuvres complètes (Beaux-Arts)*. Hg. von Assézat, J. Paris (Bde. 9-12).

Drost, W. (1977), *Strukturen des Manierismus in Literatur und bildender Kunst*. Eine Studie zu den Trauerspielen Vicenzo Giustis (1532-1619). Heidelberg (Reihe Siegen 2).

Dumont, C. (1966), »Le Maniérisme (Etat de la question)«. In: *Bibliothèque d'Humanisme et Renaissance* 28. S. 439-457.

Goethe, J. W. (1962), »Einfache Nachahmung der Natur, Manier, Stil« (1789) und ders., »Diderots Versuch über die Malerei. Übersetzt und mit Anmerkungen begleitet« (1799). In: ders., *Schriften zur Kunst*, dtv-Gesamtausgabe, Bd. 33. München. S. 34-38 und S. 107-148.

Hofmann, W. (1955), »'Manier' und 'Stil' in der Kunst des 20. Jahrhunderts«. In: *Studium generale* 8. S. 1-11.

Klaniczay, T. (1977), *Renaissance und Manierismus. Zum Verhältnis von Gesellschaftsstruktur, Poetik und Stil.* Berlin (DDR).

Knabe, P.-E. (1972), *Schlüsselbegriffe des kunsttheoretischen Denkens in Frankreich von der Spätklassik bis zum Ende der Aufklärung.* Düsseldorf.

Lachmann, R. (1983), »Die 'problematische Ähnlichkeit'. Sarbiewskis Traktat 'De acuto et argudo' im Kontext concettistischer Theorien des 17. Jahrhunderts«, in: dies. (Hg.), *Slavische Barockliteratur* II. *Gedenkschrift für Dimitrij Tschizewskij.* München. S. 87-114.

Panofsky, E. (1924), *'Idea'. Ein Beitrag zur Begriffsgeschichte der älteren Kunsttheorie. (Studien der Bibliothek Warburg 5).* Leipzig/Berlin.

Schlosser, Julius (1924) (1964), *La Letteratura artistica. Manuale delle fonti della storia dell'arte moderna.* Terza edizione aggiornata da Otto Kurz. Firenze/Wien. (Erstausgabe: *Die Kunstliteratur.* Wien 1924).

Shearman, J. (1963), »Maniera as an Aesthetic Ideal«. In: Meiss M., und andere (Hgg.), *The Renaissance and Mannerism. Studies in Western Art (Acts of the Twentieth International Congress of the History of Art).* Bd. 2. Princeton, N.J., S. 200-221.

Treves, M. (1941), »Maniera, the History of a Word«. In: *Marsyas* 1.

Vasari, G. (1568) (1906), *Le Vite de' più eccellenti pittori scultori ed architettori scritte da Giorgio Vasari pittore aretino.* Hg. von Milanesi, G., Florenz (Nachdruck 1981).

Weise, G. (1950), »Maniera und pellegrino: zwei Lieblingswörter der italienischen Literatur der Zeit des Manierismus«. In: *Romanistisches Jahrbuch* 3. S. 321-403.

Helmut Pfeiffer
Stil und Differenz
Zur Poetik
der französischen Renaissance

Wenn die Renaissance als Epoche der Vervielfältigung von Stillagen und Stilmöglichkeiten gilt, die ihrerseits die Möglichkeit der Ausbildung von ›Individualstilen‹ eröffnet, so scheint sich dieser Sachverhalt in der Poetik der Zeit nur sehr abgeschwächt abzubilden. Im konzeptuellen Gerüst der französischen *arts poétiques* der Mitte des 16. Jahrhunderts, in denen sich Dichtungstheorie mit Sprachtheorie, das heißt vor allem der Verteidigung der Volkssprache gegenüber der Hegemonie des Lateinischen, verknüpft, spielt der Stilbegriff eine eher marginale Rolle, denn die Poetik als *art de seconde rhétorique* wird zunächst von den Normierungen und Akzentsetzungen der tradierten rhetorischen Begriffsbildung bestimmt. Während die Literatur der Renaissance der Textinterpretation den Stilbegriff geradezu aufzudrängen scheint, fällt er meist durch das Raster poetologischer Rekonstruktionen.[1] Zwischen den stilistischen Kategorien der Textinterpretation, die der Raffinierung der Stilmöglichkeiten Rechnung trägt, und der ihrer Begrifflichkeit nach weithin rhetorischen Orientierung der Poetiken liegt eine Kluft, die indes nicht nur die Obsoletheit der Poetologie dokumentiert, sondern zugleich in den flottierenden Verwendungsmöglichkeiten des Stilbegriffs eine Erosion von Abgrenzungen und Festlegungen sichtbar werden läßt, die Möglichkeiten einer Konjunktur des Stilbegriffs – wie zum Beispiel am Ende des Jahrhunderts bei Montaigne – eröffnet.

1. Stil als *élocution*

Erwartbarerweise rekurriert die Poetik des 16. Jahrhunderts auf das alte Theoriesyndrom der Stillagen und -höhen. Ist dieses auch nicht als kanonisierter begrifflicher Apparat präsent, so stellt es doch jene grundsätzliche Orientierung bereit, die den Stil auf der

Seite der *verba,* nicht der *res* verortet. Stil beschäftigt sich mit den Möglichkeiten alternativer oder normativer sprachlicher Darstellung eines vorgegebenen Gegenstandes. So setzt Th. Sebillet in seinem *Art poëtique françoys* von 1548 den poetischen Stil mit der *élocution* gleich: es handle sich um die »Wahl und Anordnung der Wörter... unter denen genauso wie unter den Dingen eine Wahl und Auslese zu treffen ist, um die unpassenden und ungeeigneten zu verwerfen und die richtigen und angemessenen zu verwenden.«[2] Wörter und Dinge sind wohlunterschieden und getrennt zu behandeln. Wenn Sebillet die Hervorbringung des literarischen Textes mit dem Bau eines Gebäudes analogisiert, dann erscheint in dieser architektonischen Metaphorik die *invention,* die Findung/Erfindung des Gegenstandes als Plan und Grundsteinlegung, die *élocution* (also der Stil) als Ausbau und Ausschmückung, die Wörter und sprachlichen Figuren als die den Bau erfüllenden Steine. Der zentrale Aspekt der Theoriekonstruktion ist die Selektion der sprachlichen ›Bausteine‹ im Hinblick auf die Angemessenheit an den in der *invention* konzipierten Gegenstand, ein Kriterium, das sich im zweiten Buch der Poetik Sebillets – wie auch in du Bellays *Deffence* oder Peletiers *Art poëtique* – in eine Stilhöhenbestimmung einzelner lyrischer Gattungen konkretisiert, deren wesentliche Dimension in der Angemessenheit *(bienséance)* von *res* und *verba* liegt.

Dieses stilistische Angemessenheitskriterium hat als traditionelles Moment zugleich ein neues Einsatzfeld. Es fungiert – wiederum wie bei du Bellay und Peletier – vor dem Hintergrund eines Spannungsverhältnisses zwischen der gegenstandsbezogenen *invention* und eines Sprache und Dichtung umfassenden Innovationsbedarfs und seiner Normierung. Sebillets Thema ist nicht nur die abstrakte, zeitlose Angemessenheit von Wörtern und Dingen, sondern die Frage des Einsatzes von Neologismen und Archaismen, insofern sich in der mangelnden ›Fülle‹ des Stils der Dichtung die noch nicht überwundene Armut der Volkssprache, die sich anschickt, mit dem Lateinischen zu konkurrieren, spiegelt. Man braucht sprachliche und poetische Innovation, die *illustration & augmentation de nostre Langue* und die *copie du futur Poëte* haben Hand in Hand zu gehen; andererseits müssen Normen der Verträglichkeit mit dem *naïf* der französischen Sprache und dem gewählten Gegenstand die geforderten Restriktionskriterien der Innovation liefern.[3]

Eine andere, auf Macrobius zurückgehende Tradition der antiken Rhetorik nimmt J. Peletier auf, wenn er – zunächst mit Blick auf den Redner – vier Stilarten *(copieux, bref, sec, floride)* unterscheidet. Es geht hier weniger um das Verhältnis von Gegenstand und Stilhöhe als um das von Thema und sprachlicher Fülle. Wiederum – und insofern operiert Peletier im gleichen Argumentationsraum wie Sebillet – wird aber der Gegenstand (das Produkt der *invention*) als eine wesentlich gegebene Voraussetzung genommen, der gewissermaßen im nachhinein sprachliche Formulierungen angemessen werden. Der Stil soll zwar zum Gegenstand passen, ist aber für ihn keineswegs konstitutiv und bleibt ihm daher letztlich äußerlich. Gleichwohl sind Peletiers normative Stilerwägungen deshalb aufschlußreich, weil sie das Prinzip der Hierarchie der Stile dem der stilistischen ›Fülle‹ unterordnen. Zunächst empfiehlt Peletier – und er erläutert dieses Stilideal am Beispiel der *Aeneis* – eine Verbindung der von ihm aufgeführten Stilarten, weil damit der Stil als Nachahmung der Produktivität der Natur selbst erscheinen könne. Die Kunst des Stils legitimiert sich am Beispiel und in der Nachahmung der Fülle der Natur.[4] Andererseits scheint Peletier bereits in seinem Vorwort zur Übersetzung der Horazischen *Ars poetica* von 1545 den Vorrang des *style copieux* nahezulegen, wenn er am Stil der modernen Autoren bemängelt, er besäße nicht die »kraftvolle Fülle und eigentümliche Anmut, die man in den antiken Autoren leuchten sieht« (Peletier, J., 1930, S. 227). Diese Ambivalenz ist nicht zufällig. Wird der Stil einerseits am Beispiel der *natura naturans* gemessen, so liegt sein Ideal andererseits in dem, was der Zustand der Volkssprache gerade noch nicht zureichend möglich macht, nämlich in der Fülle der Worte, die den Gegenstand ›illustrieren‹ (im Sinne von *illustratio*). Das Ungenügen des Stils, die mangelnde *copia* der *elocutio* und die unzureichende Variierbarkeit der Stillagen wird zurückgeführt auf die Vernachlässigung der eigenen, ›natürlichen‹ Sprache und ihres möglichen Bedeutungsreichtums. Für Peletier und andere Poetiken seiner Zeit spielen Gattungsfragen und die Korrelation von Gattung und Stilhöhe (zum Beispiel im Sinne der *rota Virgilii*) eine untergeordnete Rolle. So empfiehlt er neben dem (selbst stilkombinatorisch begriffenen) Epos gemäß der Stilnorm der *copia* vor allem die Ode, deren Hauptmerkmal für ihn ihre thematische und stilistische Offenheit ist, auch wenn dem einmal gewählten Gegenstand eine bestimmte Stilhöhe angemessener ist als andere und die Zuordnung von *argument* und *style* nicht beliebig sein kann.

Die Einführung der Ode in den Kanon der Gattungen der französischen Literatur hat sich bekanntlich Ronsard zugerechnet. Auch in seinen Stilreflexionen bleibt Dichtung und die ihr zugemutete Fülle an das vorgegebene Muster der Natur zurückgebunden: die *copieuse diversité*, die er bereits im Vorwort zu den Oden von 1550 fordert[5], hat explizit ihre Norm in deren Produktivität. Nicht zufällig indes verwendet Ronsard in seinen poetologischen Erörterungen und Normierungen den Stilbegriff selten. Im *Abbrégé de l'art poëtique françois* von 1565 folgt er der rhetorischen Schematisierung *invention, disposition* und *élocution* und vermeidet den Begriff des Stils. Das mag damit zu tun haben, daß es im *Abbrégé* um die Vermittlung von Regeln geht, während ›Stil‹ für ihn bereits Merkmale der Besonderheit, Abweichung und Regelüberschreitung zu besitzen scheint. So bringt das Vorwort zu den Oden von 1550 die Neuartigkeit seiner Dichtung und vor allem seines Stils mit der durch die Armut der eigenen Sprache begründeten Ablehnung der Nachahmung französischer Vorbilder zusammen.[6] Natürlich bleibt das Pathos des *sentier inconnu*, den Ronsard gegenüber der volkssprachlichen Tradition einschlagen will, eingeschränkt durch die Berufung auf die Alten, das »Beispiel aller griechischen und lateinischen Dichter«, meint poetische Innovation also, in einer Formulierung du Bellays, »eine neue, oder vielmehr erneuerte alte Dichtung« (Ronsard, P., 1950, S. 973; du Bellay, J., 1908, S. 12). Aber der Rückgriff auf die Alten erweist sich zugleich als eine Verteidigungsstrategie, die Legitimität beschaffen und zugleich für Freiraum sorgen soll; er involviert die Emanzipation des Überbietungs- und Authentizitätsanspruchs der Modernen gegenüber den antiken Vorbildern. Ronsards idealer Dichter ist der, der im *freien* Durchgang durch die »attischen und römischen Felder« (Ronsard, P., 1950, S. 971) seinen unbekannten neuen Weg findet, dessen Nachahmung mithin von einem Bewußtsein der Verfügbarkeit des Tradierten begleitet ist. Die Nachahmung schließt also eine Deformation ein, die du Bellay am Ende seiner *Deffence et illustration de la langue françoyse* in die Metaphorik der Plünderung und triumphalistischer Ausbeutung steigert. Intertextuelle Nachahmung wird ihm zur Versklavung der Vorbilder: »Franzosen, marschiert mutig auf das herrliche Rom zu und schmückt Eure Tempel und Altäre mit

seinen unterworfenen Überresten... Plündert bedenkenlos die
heiligen Schätze dieses delphischen Tempels...« (Du Bellay, J.,
1549/1948, S. 195 ff.).
Welche Bedeutung hat dieses Überbietungs- und Innovations-
konzept für den Stilbegriff? Im Sinne der rhetorischen Grundie-
rung der Poetik war gerade der Differenzaspekt, der in Ronsards
sentier inconnu generalisiert wird, zunächst im Bereich der *invention* und ihres Naturgrundes angesiedelt gewesen. Schon Sebillet
hatte in dem die *invention* behandelnden Abschnitt seiner Poetik
Scharfsinn und Unterscheidungsvermögen als gleichsam natur-
wüchsige erste Voraussetzung des Dichters genannt, ohne die
jede Mühe und Anstrengung umsonst sei. Ronsard führt die
invention, jenen Kernpunkt, der für die *conceptions hautes, grandes, belles* der Werke zu bürgen habe, sowohl auf die *bonne
nature* des Dichters als auch auf die *leçon des bons et anciens
auteurs* zurück. In dem der *invention* gewidmeten Abschnitt des
Abbrégé aber tritt der Vorrang der Natur als Garant der Differenzqualität der aus dem Dickicht der Vorbilder sich heraushe-
benden Dichtung noch sehr viel massiver hervor, wenn es heißt:
»Die Erfindung ist nichts anderes als das gute Naturell einer
Einbildungskraft, die die Ideen und Formen aller vorstellbaren,
himmlischen wie irdischen, belebten und unbelebten Dinge hervorbringt, um sie dann darzustellen, zu beschreiben oder nachzuahmen...« (Ronsard, P., 1950, S. 996, 999). Daß sich in diesem
Kontext ein durch Scaliger vermittelter aristotelischer Nachah-
mungsbegriff in der Poetik einbürgert, kann hier außer acht
bleiben. Für den vorliegenden Zusammenhang ist entscheidend,
daß die *invention*, insofern sie sich einer *gentille nature d'esprit*
verdankt und die Differenz eines Naturpotentials manifestiert,
keine Regel haben kann.
Anders steht es demgegenüber mit dem Stil, der *élocution*. Die
Leitmetaphorik, unter der Ronsard die *élocution* behandelt, verschärft geradezu die Sebilletsche Unterscheidung der *verba* und
der *res* zu einem Gegensatz von lebendigem, organischem Grund
der Kunst und sprachlicher, ornamentaler Oberfläche. »Die *élocution* ist nichts anderes als die Eigenart und der Glanz gutge-
wählter und mit kurzen, ernsten Sentenzen geschmückter Wörter, die den Vers leuchten lassen wie gut eingefaßte Edelsteine die
Finger eines Edelmannes« (Ronsard, P., 1950, S. 1000). Als
schmückende Hervorhebung des Gegenstandes (seine *illustra-*

tion) fällt der Stil deshalb auch sehr viel massiver unter die Kategorie der Nachahmung der Vorbilder – Ronsard nennt Vergil, vor allem aber Homer. Der Ornamentcharakter des Stils erscheint zugleich als jenes Redundanzpotential, das die Naturdifferenz der *invention* in den Verstehenshorizont der Tradition zurückbindet.

2. Stil und die Einheit des Textes

Das regelüberschreitende Moment der Dichtung scheint seinen Ort mithin in der *invention* zu haben, während der Stil als *élocution* einen Aspekt erlernbarer *ars* darstellt. So rekonstruiert, trägt die Opposition indes auch schon den Keim ihrer Auflösung in sich, steht sie quer zu der postulierten neuen Dignität des Dichters. So steht sie bei Ronsard unter der übergreifenden Einschränkung, Dichtung lasse sich nicht durch »Vorschriften begreifen oder lehren, weil sie mehr auf dem Geist als auf der Überlieferung beruhe« (Ronsard, P., 1950, S. 995). Auch Peletier bestreitet in einer Metaphorik, die die organische Einheit des Textes hervorhebt, die Möglichkeit der säuberlichen Trennung von *invention* und *élocution*, weil die Findung/Erfindung das Lebenselement des Werks insgesamt ausmache: »Sie (die *invention*, H. P.) ist im ganzen Gedicht verbreitet, wie das Blut im Körper des Tieres: deshalb kann man sie das Leben oder die Seele des Gedichts nennen« (Peletier, J., 1930, S. 88). Aber der oben skizzierte überzogene Gegensatz von Natur und Kunst, Gegenstands(er)findung und stilistischer Ausfüllung war bereits vorher ins Wanken geraten. Das zeigt sich nirgends deutlicher als am Begriff der Nachahmung selbst, der vor allem bei du Bellay das Zentrum einer poetologischen Reflexion bildet, die Traditionsbezug und Innovationsanspruch zu verklammern sucht. Die Orientierung des Nachahmungsbegriffs ist eine doppelte, denn sie umfaßt Nachahmung der Natur wie Nachahmung literarischer Modelle. Beiden Dimensionen des Konzepts mangelt es an Präzision. Die erstere gewinnt erst mit der durch Scaliger vermittelten Aristotelesrezeption nach 1560 vor allem bei Ronsard Tiefenschärfe durch die Unterscheidung von Wahrheit und Wahrscheinlichkeit. Die Theorie der Nachahmung der Vorbilder und Modelle erscheint zunächst im engen Horizont der Übersetzungstheorie: Sebillet, der im Anschluß an die Marotschule der literarischen Übersetzung einen wichtigen Platz im literarischen Kanon einräumt, sieht in der *version* nichts anderes als eine Form der Nachahmung, die die *invention* der Alten in der Sprache des Übersetzers auszuschmücken habe.

Die zentrale Position des Nachahmungskonzepts in du Bellays *Deffence et Illustration de la Langue françoyse* ist häufig – zum Teil auch im Hinblick auf du Bellays poetische Praxis – als Anleitung zu einer undifferenzierten Nachahmung antiker, zum Teil auch moderner (italienischer) Vorbilder verstanden worden. Dabei gewinnt du Bellays Nachahmungskonzept gerade deshalb, weil er es gegen das Nachahmungsparadigma der Übersetzung abhebt, eine Dimension, die die unauflösliche Verflochtenheit von Gegenstand und Stil sichtbar werden läßt. Wenn er das Terrain der Übersetzung auf den Bereich der *Encyclopédie* (der *arts et sciences*) einschränken will, so liegt das eben darin begründet, daß dort die sachliche Substanz unschwer von der sprachlichen Formulierung zu trennen ist. Jede Sprache ist – ein gewisser Reichtum semantischer Unterscheidung vorausgesetzt – in der Lage, theoretisches Wissen auszudrücken. Deshalb können sich die Volkssprachen durch Übersetzungen als Wissenschaftssprachen etablieren. Anders steht es demgegenüber mit dem poetischen Text, in den erstens sehr viel stärker die unverwechselbare Eigenart der jeweiligen Sprache (ihr *naïf*) sich einzeichnet, und der zweitens eine integrierte thematische und sprachliche Fülle besitzt, die in der Übersetzung aufgebrochen wird und deshalb verloren geht. Die *divinité d'invention* und die *grandeur de style* konstituieren für du Bellay jene eigentümliche *énergie* des Textes, die im Lateinischen mit dem Wort *genius* angedeutet worden sei. In die rhetorischen Termini der Poetik zurückübersetzt heißt das, daß sowohl *invention* und *élocution* – auch und gerade wegen ihrer Verklammerung – eine unübersetzbare Dimension besitzen. Der poetische Text zeichnet sich durch eine übergreifende ›Energie‹ aus, die sich in Erfindung und Stil aspekthaft darstellt und die seine organische Einheit begründet. Es ist diese Konstruktion, die du Bellay zwingt, seinen Begriff der Nachahmung mit dem des *naturel* zu vermitteln. Weil der Text als thematisch-stilistische Einheit konzipiert wird, verfehlen partielle Stilnachahmungen seine spezifische Qualität. Nachahmung meint deshalb für du Bellay nicht mehr eine selektive Nachahmung zeitloser Vorbilder, sondern die nie bis zur Identität reichende Assimilation zweier ›Naturen‹. Sie realisiert sich in einem Spiel der Differenzen und der Ähnlichkeiten. Wenn auch du Bellay in seiner Sprachtheorie uneingeschränkt und im Prinzip undifferenziert Nachahmung empfiehlt, so bezieht sich diese Forderung doch nur auf die Wirkung der Nachahmung auf den anonymen Sprachkörper insgesamt, das heißt auf die Kompensation sprachlicher Armut und die Anreicherung des *naïf* des Französischen mit dem semantischen Reichtum der alten Sprachen. Für den einzelnen Dichter aber gilt die Selektivitätsregel, nur unter der vorgängigen Perspektive des eigenen *naturel* nachzuahmen. Die Natur des Dichters bestimmt die Wahl seiner Vorbilder und den Modus der Nachahmung.

Berühmt, wenn auch keineswegs neu – das Motiv findet sich schon bei Quintilian, in der Renaissance kehrt es seit Erasmus immer wieder (vgl. Cave, T., 1979, S. 36 ff.) – ist die Metaphorik, in die du Bellay die Naturalisierung der Nachahmung und die Nachahmung des *naturel* kleidet: es ist die der Verdauung als einer spezifischen Form der Verwandlung von Fremdem in Eigenes. Der organischen Natur des Textes korrespondiert der organische Charakter seiner Rezeption. Dabei macht du Bellay in der Nuancierung der Metaphorik zugleich den Versuch, einerseits die Vorbildlichkeit und produktive Differenz des fremden Textes zu wahren, andererseits den ›Verdauungsprozeß‹ als weitestgehende Anverwandlung an das eigene *naturel* zu artikulieren. Zum einen ist die als Nachahmungsantrieb fungierende Differenz naturgegründet und letztlich unaufhebbar, zum andern ist der Prozeß organischer Verdauung eine Tendenz der Aufhebung dieser Differenz (vgl. du Bellay, J., 1549/1948, S. 42, 46). Die Nachahmung kreist um eine Differenz in der Ähnlichkeit der *naturels*, die letztlich nicht in Identität aufzuheben wäre, selbst wenn das das Ziel sein sollte. Sie bezieht sich gleichsam auf die Präsenz der ›Stimme‹ des Autors im Text, auf seine *vertuz*, die der Ursprung der Energie des Textes sei. Ausdrücklich polemisiert du Bellay deshalb gegen jenen Modus der Nachahmung, der sich nur an die äußere Schönheit der Worte halte und darüber die Kraft der Dinge verfehle.

Eine Nachahmung dessen, was Stil als *élocution* meinte, verfehlt die Fülle des nachzuahmenden Textes, seine *plus cachées & interieures parties,* die zugleich auch die besondere Qualität des

Stils bedingen. Stilnachahmung ist nur insofern legitim, als sie den Stil nicht künstlich isoliert. Andererseits wäre ein Stil, der sich nur auf das *naturel* und seine Differenzqualität gründen wollte, eine Überschreitung der Grenze der Dichtung ins Unverstehbare. Ein ›Stil‹, der nicht mehr an die komplementäre Instanz der Nachahmung in ihren generischen und naturhaften Aspekten zurückgebunden wäre, mithin ein Stil, der die spannungsvolle Balance von *naturel* und *imitation* zugunsten des ersteren tranchierte, erscheint in der Poetik der Renaissance als ein negativer Grenzwert, eine nicht in gelehrter Esoterik sondern im Dunkel der Natur gründende *obscurité*, die die Dichtung der Bestimmung ihrer gesellschaftlichen Zirkulation entzieht. Die natürliche, sozusagen radikale Dunkelheit erkennt man nach Peletier daran, daß der Dichter immer nur sich selbst gleich bleibt und deshalb in einem *stile non antandible* (Peletier, J., 1930, S. 139) verharrt. Wenn Peletier in diesem Zusammenhang Stil ausdrücklich auf Erfindungselemente wie *aprehansion* und *desseins* bezieht, so zeigt auch diese Bedeutungserweiterung die Hinfälligkeit der Trennung von *invention* und *élocution*. Im Spannungsverhältnis von *naturel* und Nachahmung entdeckt die Pléiade die Differenz der Natur und holt sie durch den Prozeß der Nachahmung in den Horizont tradierten Sinns zurück. Am Ursprung des Textes steht eine Differenz, die erst in der Anverwandlung von Modellen zum poetischen Stil wird.

3. Differenz und Selbst

Im Doppel von Natur und Nachahmung artikuliert die Poetik der Renaissance Dichtung in den Kategorien von Ähnlichkeit und Differenz. In diesem Horizont eröffnet sich der Raum der Möglichkeit, den Stil auf das Selbst zu beziehen. Montaigne hat ihn durchschritten. Wie sehr diese Ausmessung sich den Möglichkeiten des niedrigen Stils und der Aufhebung der geforderten Übereinstimmung von Stilhöhe und Gegenstand verdankt, ist seit längerem bekannt (vgl. zum Beispiel Friedrich, H., 1949, S. 445 ff.), weniger der zentrale Status des Gegensatzpaares Natürlichkeit und Nachahmung für seine Stilreflexionen. Mit ihm bewegt sich Montaigne im Rahmen der Renaissancepoetik und überschreitet ihn zugleich. Er betont auf der einen Seite immer wieder die Dimension der Natürlichkeit seines die Form des Selbst zur Darstellung bringenden Stils bis hin zu seiner Rückbindung an die organische Bewegung des Atems und der Stimme: nichts sei seinem Stil entgegengesetzter als eine ausgedehnte Erzählung, weil er sich aus Atemmangel immer wieder unterbrechen müsse, heißt es in einer der zahlreichen einschlägigen Bemerkungen (Montaigne, M., 1962, S. 105). Andererseits fungiert dieser natürliche Stil nur im Kontext von Nachahmung, *ars*, Künstlichkeit. Zum einen ist der Stil, insofern er sein Modell der Natürlichkeit im gesprochenen Wort hat und sich zugleich von den öffentlichen, rhetorischen Sprachformen abzuheben sucht, bereits durch das Schreiben unvermeidlich vom organisch zurückgebundenen Sprechen getrennt und produziert paradoxe Versuche der Restitution von Natürlichkeit im als künstlich-defizient erfahrenen Medium der Schrift. Zum andern schreibt sich Montaigne selbst eine »äffische und nachahmende Art« zu, die das Fremde bis zur Unkenntlichkeit und Ununterscheidbarkeit von Fremdem und Eigenem sich einverleibt und verdaut: »Was ich betrachte, nehme ich in mich auf.« Montaigne optiert für ein »einfaches und natürliches Sprechen« – aber zugleich ist er sich darüber im klaren, daß die »natürliche und beständige Kraft« des Stils (Montaigne, M., 1962, S. 853, 171, 850) ihr notwendiges Gegenstück in der semantischen Energie der verdauten Prätexte hat. Natur und Nachahmung werden zu den sich verschränkenden und ihre Grenzen verwischenden Territorien, auf denen das Selbst seine Spuren zur Gestalt zu versammeln sucht.

Anmerkungen

1 Vgl. zum Beispiel Castor, G., (1964), in dessen Aufarbeitung des Begriffsapparats der Poetik der Pléiade der Stilbegriff nicht erscheint.
2 Sebillet, Th., (1972), S. 10. Die Übersetzung der fremdsprachlichen Zitate stammt vom Vf. Die Orthographie nicht übersetzter Belege wurde – angesichts der orthographischen Eigenwilligkeiten mancher Renaissanceautoren – gelegentlich behutsam modernisiert.
3 Sebillet, Th., (1972), S. 11. Sebillet erläutert diesen Sachverhalt am Beispiel von M. Scèves Gedichtzyklus *Délie*, wo der aus der *riche invention* (ebd.) und der *energie des choses contenues* (S. 12) resultie-

rende erhöhte sprachlich-poetische Innovationsbedarf unvermeidbar die *rudesse* des Neologismus fordert und damit die stilistische Einheitlichkeit des Textes in Frage stellt. An dieser Stelle wird die Argumentation der Poetik explizit zeitorientiert: da eine reiche, im *naturel* des Dichters gründende *invention* noch die Möglichkeit der Volkssprache sprengt, bedarf es fortschreitender *illustration & augmentation* der Sprache, um das von der Antike vorgegebene Niveau der Angemessenheit von Worten und Dingen zu erreichen.

4 Peletier, J., (1930), S. 208: »...er (Vergil, H. P.) hat die große schaffende Mutter Natur nachgeahmt, indem er einen Zusammenhang so vieler Arten und Töne zustande gebracht hat.«

5 Ronsard, P., (1950), S. 973: »...keine Dichtung soll als gelungen gelobt werden, wenn sie nicht der Natur ähnelt, die von den Alten nur deshalb als schön angesehen wurde, weil sie in ihren Vollkommenheiten unbeständig und veränderlich ist.« Gegenbegriff ist die »triviale und gemeine Prosa... denn der prosaische Stil ist der Hauptfeind dichterischer Redekunst« (S. 1015). Peletiers und Ronsards Ideal eines der Naturproduktivität analogen Stils meint nicht die Vorgegebenheit des *naturel* einer bestimmten Sprache, sondern die Elaboriertheit einer poetischen Sprache, die in der Proliferation ihrer Ausdrucksmittel die Fülle und Wandelbarkeit der Natur selbst spiegelt.

6 Ebd., S. 972: »...die Nachahmung der unseren ist mir so verhaßt (um so mehr als die Sprache noch in ihrer Kindheit ist), daß ich mich deshalb von ihnen entfernt und einen eigenen Stil, einen eigenen Sinn, ein eigenes Werk gewählt habe.«

Literatur

Auerbach, E. (1946), (1971⁵), *Mimesis. Dargestellte Wirklichkeit in der abendländischen Literatur*. Bern.

Castor, G. (1964), *Pléiade Poetics: a Study in Sixteenth-century Thought and Terminology*. Cambridge.

Cave, T. (1979), *The Cornucopian Text. Problems of Writing in the French Renaissance*. Oxford.

Curtius, E. R. (1948). *Europäische Literatur und lateinisches Mittelalter*. Bern/München.

Du Bellay, J. (1908), *Œuvres poétiques* (t. 1, hg. H. Chamard). Paris.

Du Bellay, J. (1549), (1948), *La Deffence et illustration de la langue françoyse* (hg. H. Chamard). Paris.

Ferguson, M. W. (1983), *Trials of Desire. Renaissance Defenses of Poetry*. New Haven. London.

Friedrich, H. (1949), *Montaigne*. Bern.

Gmelin, H. (1932), »Das Prinzip der Imitatio in den Romanischen Literaturen der Renaissance«. In: *Romanische Forschungen* 46, S. 83-360.

Gordon, A. L. (1970), *Ronsard et la rhétorique*. Genève.

Montaigne, M. de (1962), *Œuvres complètes* (hgg. A. Thibaudet u. M. Rat). Paris.

Norton, G. P. (1975), »Translation Theory in Renaissance France: the Poetic Controversy«. In: *Renaissance and Reformation* 11, S. 30-44.

Ong, W. J. (1971), *Rhetoric, Romance, and Technology. Studies in the Interaction of Expression and Culture*. Ithaca, N. Y.

Peletier, J. (1555) (1930), *L'Art poëtique* (hg. A. Boulanger). Paris.

Regosin, R. L. (1977), *The Matter of my Book: Montaigne's ›Essais‹ as the Book of the Self*. Berkeley.

Rigolot, F. (1982), *Le texte de la Renaissance. Des Rhétoriqueurs à Montaigne*. Genf.

Ronsard, P. (1950), *Œuvres complètes* (t. 2, hg. G. Cohen). Paris.

Sebillet, Th. (1548) (1972), *Art poëtique françoys*. Genf.

Vasoli, C. (1968), *La dialettica e la retorica dell'umanesimo: ›invenzione‹ e ›metodo‹ nella cultura del* XV *e* XVI *secolo*. Mailand.

Aleida Assmann
»Opting in« und »opting out«
Konformität und Individualität
in den poetologischen Debatten
der englischen Aufklärung

> *Wir glauben eigentlich erst dann die Dinge zu*
> *verstehen, wenn wir sie auf dasjenige zurück-*
> *geführt haben, was wir nicht verstehen und*
> *nicht verstehen können – auf die Kausalität,*
> *auf Axiome, auf Gott, auf den Charakter.*
>
> *(Georg Simmel)*

Stil ist ein Mittel zur Steigerung sozialer Sichtbarkeit. Unter dieser Perspektive, die aus dem reichen Spektrum der Stil-Bedeutungen nur eine mögliche akzentuiert, soll im folgenden ein Kapitel neuzeitlicher Literaturgeschichte erzählt werden. Worum es dabei geht, ist die soziale Dimension des Stils unter kommunikativem Aspekt. Stil kann als Mitteilung, als bewußte Artikulation aufgefaßt werden. Mit dem Instrument Stil formulieren wir für andere eine erkennbare Identität.[1] Nicht jede Zeit, nicht jede soziale Situation ist in gleicher Weise disponiert für die Erzeugung dieses Stilphänomens. In einer Kultur, wo die Lebensform ihrer Träger bis ins Detail festgelegt ist, sieht man sich mit Kanon, nicht mit Stil konfrontiert. In einer Gesellschaft mit einer festen Standeshierarchie und geschlossenen Positionen, wo die Lebensformen in alternativenloser Selbstverständlichkeit bestehen, regiert Tradition, nicht Stil. Während Kanon bewußt und Tradition unbewußt auf die invariante Reproduktion vorgegebener Handlungsmuster und Sinnfiguren angelegt sind, scheint Stil auf die Möglichkeit einer Option angewiesen zu sein. Solche Bedingungen sind in einer Zeit sozialen Wandels und sozialer Mobilität gegeben; hier kann Stil zu einer Nachfolgeinstitution von Tradition werden. Eine Gesellschaft, die in die Dimension historischer Zeit und kultureller Evolution eintritt, muß ihren kollektiven Sinn dynamisieren. Diese Metamorphose der Tradition könnte Stil heißen.

Ein Beispiel: Im frühen 18. Jahrhundert erwirbt ein erfolgreicher Londoner Kaufmann ein Landhaus und legt sich dazu einen symmetrischen Park an. Indem er dieses tut, übernimmt er aristokratische Prestigewerte und Statussymbole als Stilelemente. Gewiß geht es dabei nicht um die Zur-Schaustellung eines individuellen Geschmacks, sondern um die Modellierung einer Gruppenidentität. Haben oder nicht haben ist die Frage. Es kann jedoch der Zeitpunkt kommen, wo dieser Aufwand seinen distinktiven Charakter wieder verliert. Dann nämlich, wenn allzu viele zu Geld gekommenen Bürger sich auf Landsitzen eingerichtet haben. Unter solchen Umständen droht der Informationswert dieses Verhaltens verloren zu gehen und Stil zur Schablone zu degenerieren. Um weiterhin Aufsehen zu erregen, könnte unser Londoner Geschäftsmann sich jetzt seinen Garten nach einem ganz neuartigen, unregelmäßigen Plan gestalten lassen. Aber auch diese Kraft zur Erneuerung im Rahmen einer Logik der Abweichung kann sich erschöpfen. Dann wird ein radikalerer Bruch erforderlich. Dann wird man etwa alle Parks verlassen und die Grenze in eine Natur hinein überschreiten, die von Menschenhand unberührt ist.

Dieses auf unsere Fragestellung ›stilisierte‹ Beispiel kann zwei Gesetzmäßigkeiten illustrieren, die das Phänomen Stil begleiten. Zum einen: soziale Sichtbarkeit läßt sich auf unterschiedlichen Wegen erreichen, sowohl durch Anschluß an eine Gruppe (›opting in‹) als auch durch Austritt aus einer Gruppe (›opting out‹).[2] Beides sind stilträchtige Strategien. Beim Anschluß bedeutet Stil einen Prestigewert, der eine soziale Identität profiliert, beim Austritt bedeutet Stil einen Persönlichkeitswert, der eine individuelle Identität profiliert. – Das andere ist, daß sich die Bedingungen der Sichtbarkeit ständig ändern. Wo wir uns auf dem Boden von Stil befinden, herrscht ein beständiger Zwang zur Erneuerung, Überbietung, Überholung. Die Dialektik von Stil und Schablone, aber auch von Kollektivität und Individualität führt zu immer neuem Ringen um soziale Sichtbarkeit.

Unser Beispiel ist nicht ganz ohne Grund ins England des 18. Jahrhunderts verlegt. Denn auch aus der Perspektive der Literatur läßt sich der Eindruck einer neuartigen Mobilisierung der Tradition bestätigen. Das hängt sicher auch damit zusammen, daß England mit diesem Jahrhundert in eine neue Phase der Literalität eintritt. Die Alphabetisierung schreitet fort, die Sprache wird ihres dialektalen Variantenreichtums entkleidet und auf dem Fundament einer obligatorischen Grammatik stabilisiert. Seit Abschaffung der Zensur im Jahre 1695 ist ein neuer literarischer Markt im Entstehen: die Masse des religiösen Schrifttums wird immer mehr durch ein neuartiges profanes Genre verdrängt. Dies sind die täglichen und wöchentlichen Journale, die sich mit der umfassenden Bildung des Bürgertums befassen. Es ist auch die Zeit, in der in Oxford der erste Lehrstuhl für Dichtung eingerichtet wird; das Geschäft der Literatur beginnt, reflexiv zu werden. In der Tat erlebt diese Epoche einen einzigartigen Aufschwung der Literaturkritik. Die englischen Theoretiker stehen dabei noch weitgehend unter dem Eindruck der Franzosen, die ihrerseits antike Poetiken elaboriert und systematisiert haben. Was uns aber besonders interessiert: im Laufe dieses Jahrhunderts spezialisiert und verselbständigt sich der Diskurs über Literatur und tritt gleichzeitig in den Sog einer evolutiven Dynamik ein. Besonders auffälliges Symptom dieser Entwicklung ist die vollständige Umformung des Stilbegriffs.

Die Stil-Revolution des 18. Jahrhunderts steht im übergeordneten Zusammenhang sozialgeschichtlichen Wandels und kultureller Evolution. In diesem weiten Feld wollen wir uns auf einen Aspekt konzentrieren, nämlich auf *Stil als Schnittpunkt zwischen Gesellschaft und Literatur*. Wir müssen deshalb die Stil-Debatte in beiden Dimensionen verfolgen. In der sozialgeschichtlichen Dimension stellt sich die Stil-Revolution als die Umwandlung von einer sozialen in eine personale Identität dar; in der poetologischen Dimension wird sie als Transformation eines rhetorisch-handwerklichen in ein werkbezogenes Konzept faßbar.

1. Das Stil-Paradox

Wenn wir nach einem locus classicus suchen, der die wesentlichen Punkte des traditionellen Stilbegriffs vereinigt, brauchen wir uns nur an den Abschnitt über Sprache in A. Popes berühmtem *Essay on Criticism* (1711) zu halten (Pope, A., 1711, Bd. 1, S. 274-276, vv. 305-336). Hier ist eine erstaunliche Masse von konzisen Vorschriften und gnomischer Weisheit zusammengetragen und in die gängige Münze sog. »heroic couplets« (paarweise gereimte iambische Pentameter) geprägt. Der scholastische Jargon der

Renaissance-Poetiken ist bei Pope in einen pointierten, urbanen Ton übersetzt, was nicht verhindert, daß die traditionellen Gemeinplätze sofort wiederzuerkennen sind. »Richtiger Ausdruck«, diese Sentenz läßt sich auf Pope zurückwenden, »vergoldet alles, doch verändert nichts«. Dichtung ist im traditionellen Verstand ein Kompositgebilde aus unterschiedlichen Elementen, die der Dichter zusammenfügt und der Kritiker wieder auseinandernimmt. Stil ist ein solches Element, und es erscheint stets im Verbund mit anderen; zum Beispiel in der Triade von ›Inhalt – Stil – Metrik‹ (thoughts – style – numbers) oder in der Tetrade von ›Handlung – Charaktere – Gefühle – Sprache‹, wobei dann Stil mit ›language‹, ›eloquence‹ oder ›diction‹ zusammenfällt. Stil ist also immer nur ein Element neben anderen. Dieses Element Stil wiederum existiert nur im Plural, als Repertoire, als eine neben anderen Möglichkeiten. Das in solchem Pluralismus angelegte Spiel der Möglichkeiten wird aber sofort durch entsprechende Regeln wieder begrenzt. Das ist mit dem Begriff »Dekorum« gemeint, der eine enge Funktionsbindung von Stilen an Themen und Gattungen vorschreibt. Charakteristisch für diesen traditionellen Stilbegriff ist zweierlei: seine *Isolierbarkeit* (auf der syntagmatischen wie auf der paradigmatischen Achse) und seine *Normativität*.

Pope selbst hat den normativen Charakter bereits leicht gemildert, als er in seinem *Essay* verbindliche Regeln in verbindlichem Tonfall artikulierte. Vielen war das aber nicht genug. Bereits im Jahre 1725 wurde er von L. Welsted scharf attackiert. Den störte vor allem der autoritative Ton, der normative Gestus, mit dem Pope die Probleme der Literatur abhandelt. Ihm erscheint ein solcher Zugang zur Dichtung doppelt illegitim. Erstens sind Alter und Hoheit für ihn kein unfehlbares Signal mehr für Wahrheit. Er mokiert sich über »all die erhabenen Wahrheiten, die von Generation zu Generation mit so viel Pomp, Autorität und Aufwand an Gelehrsamkeit weitergereicht worden sind« (Welsted, L., 1724, S. 331). Zweitens treffen die Regeln nur Äußerlichkeiten, ein Symptom dafür ist ihre inflationäre Wucherung. Hundert äußerliche Gesetze werden durch ein einziges inneres Prinzip aufgewogen. Deshalb ist der ganze Regelapparat überflüssig, denn nur diejenigen können davon profitieren, die ihn bereits kennen. Mit der Summe solch pedantischer und mechanischer Vorschriften bleibt man außerhalb; von hier führt kein Weg zu dem, was Welsted in wechselnden Umschreibungen den »Geist«, die »Tiefenschichten«, das »Geheimnis« und die »Seele« des Kunstwerks nennt.[3]

Welsted spricht in diesem Zusammenhang von »good writing«, und wir kommen seinen Intentionen wohl am nächsten, wenn wir dies mit ›Stil‹ wiedergeben. Ihm selbst hat sich die Möglichkeit freilich nicht geboten, sein neues Schreib-Ideal mit dem Terminus ›Stil‹ zu assoziieren, da dieser noch mit all den ›mechanischen‹ Konnotationen besetzt war, von denen loszukommen Welsted sich bemühte. Der neue Stilbegriff dämmert *unter strategischer Vermeidung* des Wortes ›Stil‹ in Paraphrasen und Umschreibungen herauf, und erst nachdem der Paradigmawechsel vollzogen, also die Ablösung vom traditionellen rhetorischen Stil-Schema erreicht ist, wird der obsolete Terminus frei, um sich mit der neuen Sache zu verbinden. Wenn wir darauf gefaßt sind, die Vorboten des neuen Stilbegriffs auch und gerade dort zu suchen, wo wir keinen Beleg für das Wort ›Stil‹ finden, wird sich unser Bild von den literargeschichtlichen Entwicklungen im England des 18. Jahrhunderts ändern. Man wird in der ersten Hälfte dieses Jahrhunderts Phänomene entdecken, die man – als romantisch eingestuft – dem Ende des Jahrhunderts vorbehalten glaubte.

Machen wir die Probe aufs Exempel gleich mit A. Pope, dem autoritativen Gewährsmann für traditionelles Stil-Denken. Ausgerechnet bei ihm finden wir die moderne Stil-Konzeption mit aller Klarheit und Eindringlichkeit formuliert. In den Vorworten zu seinen beiden großen Homer-Übersetzungen beispielsweise gibt es nur noch wenig, was an den magisterialen Ton des *Essay* gemahnt. An die Stelle der selbstgewissen Pose tritt wiederholt das Geständnis, er sei »gänzlich unfähig, Homer gerecht zu werden« (Pope, A., 1715, Bd. 7, S. 21). Diese Texte bieten einen interessanten Schauplatz für etwas, das man verkürzt das *Stil-Paradox* nennen könnte. Damit ist das unverbundene und unbewältigte Nebeneinander von Regelpoetik und Wirkungsästhetik gemeint, das unentschlossene Oszillieren der literarischen Kritik zwischen schulmeisterlichem Ethos und mystischem Pathos. Wenn der Schulmeister spricht, klingt das etwa so:

»Um in der vorliegenden Übersetzung den wahren Charakter von Homers Stil zu treffen, wurde große Mühe darangewendet, schlicht und natürlich zu erscheinen.« (Pope, A., 1726, Bd. 10, S. 391).

Wenn der Mystiker spricht, heißt es, es sei das dringendste Anliegen des Übersetzers gewesen, »den Geist und das Feuer am Leben zu erhalten, die Homers besonderen Charakter ausmachen« (Pope, A., 1715, Bd. 7, S. 22). An solchen Stellen entfernt sich die Beschreibungssprache von der kühlen Distanz technischer Präzision und entfacht in wechselnden Bildern ihr eigenes poetisches Feuer. Der mächtige Baum, der aus einem kraftvollen Samen gewachsen ist, das alles verzehrende Feuer, der strahlende Stern, die innere Seele – das sind Umschreibungen für die neue Idee einer organischen Werk-Einheit.

Diese Bilder sind Indiz für einen tiefgreifenden geschmacksgeschichtlichen Wandel, den man gemeinhin in ins spätere 18. Jahrhundert datiert. Unter besonderen Voraussetzungen, von denen noch zu sprechen sein wird, finden wir seine Symptomatik bereits in den ersten Jahrzehnten dieses Jahrhunderts bei Pope voll entfaltet. Es gibt viele Ansichten auf dieses Phänomen, einige davon wollen wir kurz hervorheben. Da ist die Wendung *vom Teil zum Ganzen*. Was bei Pope als Stil-Paradox, als ein Dilemma des betroffenen Lesers dramatisiert wird, finden wir säuberlich in Für und Wider zerlegt in Joseph Spences »Dialog über Popes *Odyssee*« (1726). Von beiden Dialogpartnern vertritt der eine die Position der Alten, der andere die der Modernen. Letzterer plädiert temperamentvoll für das Ganze und protestiert gegen alle Maßnahmen, die die Werke in ihre Bestandteile zerlegen:

Du raubst ihnen damit ihre Ordnung und ihren Zusammenhang, bis sie schließlich all die Schönheit verlieren, die sie als Ganzes besaßen!

Sein Widerpart bleibt kühl und distanziert. Er hält wenig von einer »beim Lesen erzeugten Wärme«, die den Leser »in falschen Genuß« hineinsteigert:

Und aus diesem Grunde bleibe ich bei der soliden Methode, mein Urteil auf Einzelheiten zu gründen, die ich der Reihe nach betrachte (Spence, J., 1726, S. 393 f.)

Die systematische Frage, ob das Werk mehr ist als die Summe seiner Teile, hat (wie man sieht) eine affektive Komponente, die Wendung *von der Norm zur Wirkung*. In Popes Vorwort zu seiner Ilias-Übersetzung (1715) finden wir ein authentisches Zeugnis für das Stil-Paradox; ihm gelingt es gerade nicht, traditionelles Wissen darüber, wie Dichtung zu komponieren sei, mit seinen persönlichen Erfahrungen, die er an einem bestimmten

Text gemacht hat, in ruhiger Ausgewogenheit zu balancieren. Pope schildert die Psychomachia des Lesers, in dessen Brust die kritische Vernunft und die berauschte Faszination einen ungleichen Kampf austragen. Von der poetischen Kraft Homers ist da die Rede, die nicht von vornherein voll entfaltet ist, sondern die

im Fortgang bei ihm selbst wie beim Leser wächst und Feuer fängt wie das Wagenrad durch seine eigene Geschwindigkeit. Säuberliche Disposition, rechte Gedanken, korrekte Sprache und poliertes Versmaß mag man bei Tausenden finden; doch dieses poetische Feuer, diese *vivida vis animi* ist eine Rarität. Selbst in Werken, wo alle jene Gesichtspunkte unvollkommen oder vernachlässigt sind, kann diese Kraft die Kritik überwältigen und uns dazu bringen, zu bewundern, was wir eigentlich mißbilligen. Ja, wo sie erscheint – und sie mag noch so sehr von Unsinn umgeben sein – da durchstrahlt sie allen Plunder, bis wir ganz von ihrem Glanz geblendet sind (Pope, A., 1715, Bd. 7, S. 4).

Diese dynamische Gewalt des Riesen Homer macht alle Schulweisheit der Literaten zunichte; sie sprengt den Rahmen aller Kompositionsgesetze, und wer in den Bannkreis ihrer Wirkung gerät, wird alles vergessen, was er über Dichtung gelernt hat. Aber sowenig Homer ein gewöhnlicher Dichter ist, sowenig ist Pope ein gewöhnlicher Leser. Ein Funken von der Einzigartigkeit springt auf den Leser über, denn wäre dessen Auge nicht sonnenhaft, die Sonne Homer könnte er niemals schauen. Dieser neue Sinn für eine besondere Rezeptionsfähigkeit läßt alles hinter sich, was bislang als lehr- und lernbar galt. Er macht sich in einem *neuen Geschmacksbegriff* geltend. Im Horizont des traditionellen Stil-Denkens bedeutete Geschmack eine diskriminierende Fähigkeit. Es galt gemeinhin, das Werk auf seine Qualitäten und Mängel hin zu untersuchen und »unter den vielen schlechten Stilen den wahren und natürlichen herauszufinden«. Dieser Geschmack war Ergebnis einer soliden Erziehung und Bildung; der neue dagegen ist eine rezeptive Fähigkeit und eine Gabe der Natur, die man hat oder nicht hat. Welsted erläutert, was neuerdings dazugehört, Geschmack zu haben: es erfordert »gewissermaßen einen neuen Sinn, der zu den gewöhnlichen Sinnen hinzukommen muß und das Privileg eines edlen Geistes ist« (Welsted, L., 1724, S. 327). Wo diese natürliche Anlage fehlt, wird auch der hartnäckigste pädagogische Eifer nichts fruchten.
Stil im traditionellen Sinne beruht auf Äußerlichkeit, Ablösbarkeit, Vielfalt, der moderne Stilbegriff bricht mit sämtlichen Impli-

kationen und setzt Innerlichkeit, Integration und Einheit an ihre Stelle. Traditionellerweise existierte Stil nur im Plural; der neue Stil ist singularisch: ehemals verfügte man über Stile, jetzt hat man Stil. Konnte sich der Dichter bisher die Natur zum Beispiel nehmen, »die das große Gedicht der Welt mit Frühling und Sommer variiert«,[4] so bleibt ihm jetzt nur noch das distinkt hörbare individuelle Idiom, die eigene Handschrift. Die Schichten des Werks ebenso wie die Schichten der Persönlichkeit wachsen zu neuen Einheiten zusammen. Der Autor wird zum einzig kontinuierlichen Bezugspunkt seines Textes und Stil im neuen Sinne zu dem Band, das einen bestimmten Menschen mit einem bestimmten Werk verknüpft. Diese emphatische und labile Liaison schneidet das Werk von seinen traditionellen Bezügen los; denn zuvor war es stets ein sichtbarer Ausschnitt aus einer unsichtbaren aber mitgehörten Tradition. Die Stillehre war einer von vielen Fäden, mit denen das einzelne Werk in die solide Kontinuität der Tradition eingebunden war. Mit dem neuen Stil dagegen wird das Werk aus der Serie künstlerischer Produktion herausgesprengt. Es steht für sich und umschließt eine eigene Totalität. Zum alten Stilbegriff gehört die Ablösbarkeit der Elemente als Voraussetzung für ihre Übertragbarkeit; hat aber ein Werk Stil im Sinne der komplexen Integration sämtlicher Aspekte, dann wird mit der mangelnden Ablösbarkeit auch die Übertragbarkeit zum Problem. »Wertsachen, die zu massiv sind, um einfach davongetragen zu werden, fallen keinem Dieb anheim.«[5] Mit dem neuen Stilbegriff wird das Werk zu einer solchen massiven Wertsache. Was nicht mehr übertragbar ist, muß ersetzt werden. Stil, vormals ein Prinzip der Kontinuität wird damit zu einem Prinzip der Diskontinuität künstlerischen Schaffens.

2. Stil als soziale Identität

Bisher hatten wir es mit der rein poetologischen Seite von Stil zu tun. Wollen wir den Anschluß an unsere Ausgangsthese wiedergewinnen, die Stil mit der Präsentation einer Identität verband, dann müssen wir den Problemhorizont jetzt in Richtung auf die sozialgeschichtliche Dimension erweitern. Als Einstieg bietet sich wiederum Popes *Essay on Criticism* an, besonders der Passus, der von der rechten Zuordnung von Ausdruck und Inhalt handelt.

Expression is the dress of thought, and still/Appears more decent, as more suitable;/A vile conceit in pompous words express'd,/Is like a clown in regal purple dress'd:/For diff'rent styles with diff'rent subjects sort,/As several garbs with country, town, and court.

Der Ausdruck ist das Kleid des Gedankens, und/ist je dezenter, desto passender./Ein gemeiner Inhalt in aufgeblasener Diktion/ist wie ein Bauerntölpel in einer Königsrobe./Zu verschiedenen Stilen gehören eben verschiedene Gegenstände,/wie zu Land, Stadt und Hof die entsprechenden Kostüme gehören.

Mit diesem sartorischen Bild hat Pope den traditionellen Stilbegriff berühmt gemacht. Dabei stellt er eine interessante Verbindung her zwischen Stil als äußerlichem Gewand des inneren Gedankens und Stil als sozialem Indikator. Bei der Transposition gelehrter poetologischer Normen in die soziale Sphäre wird aus *Dekorum*, jener altmodischen Vokabel für pedantische Regeltreue, *Dezenz*, ein neues Stichwort für gesellschaftliches Wohlverhalten. Zu diesem Wohlverhalten gehört offensichtlich die peinliche Beachtung der Standesgrenzen, die die ländliche von der städtischen Bevölkerung und beide vom Hof und der Aristokratie trennen. Der intime Zusammenhang von Stil, Kleidungs-Code und Standeshierarchie wird sofort evident, wenn wir einen Engländer des späten 18. Jahrhunderts und Zeitzeugen der französischen Revolution vernehmen. Es ist Edmund Burke, der 1790 beklagt, daß die Revolution »die ganze schmückende Umhüllung brutal weggerissen hat«[6] und nun die Vertreter des Ancien Régime nackt dastehen; »entehrt, degradiert und verwandelt, ungefiederte Zweibeiner, die wir nicht mehr wiedererkennen«. Ohne Kleidung und Stil gibt es keine sozialen Unterschiede mehr, es herrscht die totale Anarchie: »alle Stände, Ränge und Distinktionen sind über den Haufen geworfen«.

Der Bruch mit der Tradition, in Frankreich mit Gewalt und Vehemenz inszeniert, fand in England stillschweigend als ein schleichender Wandel statt. Auch dafür gibt Pope bereits einen Hinweis.

Einige Verse weiter heißt es bei ihm:

In words, as fashions, the same rule will hold;/Alike fantastic, if too new, or old:/Be not the first by whom the new are try'd,/Nor yet the last to lay the old aside.

In Worten wie in der Mode gilt dieselbe Regel:/Das zu Neue und das zu Alte sind gleichermaßen absurd./Sei nicht der Erste, der neue ausprobiert,/aber sei auch nicht der Letzte, der die alten beiseite legt.

Pope vollzieht hier den konsequenten Schritt von Stil zum Kleid zur Mode. Damit hat er aber zugleich einen folgenschweren Rahmenwechsel vorgenommen, denn Kleidung im Kontext *ständischer* Differenzierung ist etwas grundsätzlich anderes als Kleidung im Kontext *zeitlicher* Differenzierung. Der Stil, der auf einer festen Welt- und Sozialordnung gründete, erscheint jetzt als zeitanfällig und abhängig von einem sozialen Konsens. Damit sind die historischen Voraussetzungen geschaffen für Stil als ein Mittel zur Steigerung sozialer Sichtbarkeit. Stil ist das Prädikat dessen, der den richtigen Anschluß gefunden hat und sich im Schutze akkreditierter Normen und Konventionen aufhält (= opting in). Vor allem muß man Sorge tragen, daß man stets richtig im Mittelfeld liegt. Sei weder der Erste noch der Letzte! warnt Pope, denn an den Rändern ist man peinlich exponiert. Das Wahre ist zwar fortan zeitgebunden, aber es besteht noch als das Allgemeine; sein Gegenbild ist die Einmaligkeit. Wer statt des sozialen Konsenses sein einsames Selbst ausstellt, den trifft darum die Ächtung der Gesellschaft: er wird ausgelacht. Wer aus der Reihe tanzt, wird stigmatisiert. Wo Wahrheit mit Generalität gleichgesetzt wird, kann Stil zu einem Schild werden, der vor peinlichen und lächerlichen Bloßstellungen abschirmt.

Mit dem Konzept einer sozialen Identität hat sich ein Zeitgenosse Popes besonders beschäftigt, den man wohl den ersten großen Soziologen Englands nennen darf. Es handelt sich um den berühmten (dritten) Earl of Shaftesbury. Sein Thema ist – um es mit den Worten des zweihundert Jahre jüngeren G. H. Mead zu sagen: – »die Entstehung des Selbst und die soziale Kontrolle«; was in seiner eigenen Terminologie etwa heißen könnte: »die Modellierung des Gentleman«. Das Problem, das Shaftesbury bewegt, lautet: wie gelangt man als Mitglied der urbanen Gesellschaft zu einer verläßlichen Identität, so daß man »als dieselbe Person heute wie gestern, und morgen so wie heute gesichert ist?« (Shaftesbury, A. Earl of, 1710, S. 123). Seine Antwort auf dieses

Problem ist die Forderung nach einem gründlichen Sozialisationsprozeß. Sämtliche Züge der Besonderheit wie Leidenschaften und Träume, Launen und Ambitionen müssen sorgfältig abgeschliffen werden. Was übrig bleibt, ist der generalisierte Mensch, der die Forderungen der Gesellschaft umfassend internalisiert hat. Jeder, der dieses Ideal einer sozialen Identität erreichen will, muß in sich selbst einen Gerichtshof aufbauen, der nicht weniger streng als die Inquisition ist. Nur auf diesem Wege beständiger Selbst-Zensur kann er »Anspruch erheben auf jene Uniformität der Meinung, die nötig ist, um uns an einen Willen zu binden und in derselben Gesinnung von Tag zu Tag zu bewahren« (Shaftesbury, A., *a.a.O.*, S. 122). Generalität hat bei Shaftesbury ebenso wie bei Pope den Status einer Norm, von der aus gesehen alle Zeichen der Besonderung als exzentrisch geächtet werden. Beide propagieren als wirksamste Therapie gegen sämtliche Deformationen die Satire: sie stellt bloß, was sich selbst bloßgestellt hat, und schwört die Gesellschaft um so fester auf ihren Konsens ein. Mit dieser Verpflichtung auf soziale Normen, die keine transhistorische Legitimierung mehr haben, entsteht das neue Kulturphänomen, das wir ›Stil‹ nennen.

3. Stil als personale Identität

Von hier aus gesehen bedarf es schon eines umfassenden Wertwandels, bevor das Besondere sein Stigma verliert und die Konnotation der Einzigartigkeit annehmen kann. Diese Umwertung vom Kanon des Allgemeinen zum Kanon des Besonderen stellt sich uns dar als ein langfristiger und tentativer Prozeß. Wir wollen ihn wiederum auf zwei Ebenen rekonstruieren, in der Sprache der Dichtungstheorie einerseits und in der Sprache der Gesellschaftstheorie andererseits.

Eine mögliche Bedingung für den Kanon des Besonderen und die akklamierte Einzigartigkeit hat uns Pope vor Augen geführt. Seine rhapsodische Verklärung Homers steht quer zu seiner literarischen Vernunft; er preist den Dichter – wie wir gesehen haben – in einer Sprache, die er von den Mystikern entlehnt. Aber wir müssen uns darüber im klaren sein, es ist der Riese Homer, und nicht ein beliebiger Dichter, der das Privileg genießt, die Regeln der Poetik außer Kraft zu setzen. Der Sonderstatus des großen Dichters gründet auf der Negation der normativen Regelpoetik, das Exzeptionelle bleibt auf die Folie des Normalen angewiesen. Popes exaltierte Sprache sprengt nicht die traditionellen Begriffe und Gesetze, sie suspendiert sie nur. Der Rahmen, in dem bei Pope das Einmalige zur Einzigartigkeit gesteigert werden kann, ist der Klassizismus. Darunter dürfen wir die Disposition verstehen, bestimmte einzelne Werke in eine Aura der Heiligkeit zu stellen. In dieser Aura, die Gattungsnormen und soziale Konventionen zerstäubt, strahlen individuelle Werke, für deren Beschreibung man ein ganz anderes Register braucht. Wir konnten beobachten, wie in diesem Rahmen der neue Stilbegriff aufflackert, ohne noch einen allgemeinen Geschmacks- und Gesinnungswandel einzuleiten.

Es ist aufschlußreich, Popes Homer-Bild mit einem anderen Homer-Bild vor der Mitte des 18. Jahrhunderts zu vergleichen. Wenn Pope ›Homer‹ sagt, denkt er an den Komplizen der Natur und den ewigen Brunnen universaler Regeln (sic!); wenn Thomas Blackwell, Griechisch-Professor in Aberdeen, ›Homer‹ sagt, denkt er an den Dichter einer bestimmten barbarischen Epoche. Homer ist für ihn nicht die Bibel der klassizistischen Doktrin, sondern der Spiegel einer frühen Kultur, in dem sich eine spätere betrachten kann. An die Stelle des absoluten Maßstabs, von den Klassizisten ›Natur‹ genannt, tritt bei ihm eine komparatistische Würdigung der Kulturen und Epochen. Homers Welt ist reich an Wundern und Abenteuern, aber es fehlt die Disziplin; Blackwells Welt hat Ordnung und Frieden verwirklicht, aber die poetische Qualität ist ihr dabei abhanden gekommen. Mit Aufgabe der absolutistischen Norm wird der Blick frei für das Besondere in seiner Relativität und Historizität.

Hieraus ergibt sich für Blackwell zweierlei: die radikale Diskreditierung von Äußerlichkeiten, wozu der ganze Aufwand sozialer Distinktionen und Kostümierungen zählt:

Wir trachten danach, alles zu verkleiden, aber am liebsten uns selbst. All unsere Titel und Auszeichnungen sind Verhüllungen und Verklärungen des einen Grundstocks, den die Natur uns verliehen hat (Blackwell, Th., 1735, in: Elledge, S., 1961, S. 442).

Und umgekehrt die grundsätzliche Anerkennung der tiefen Prägekraft der Lebensumstände:

Der Umgang, den wir pflegen, unsere Erziehung, unsere Lebensumstände hinterlassen tiefe Spuren und prägen unseren Charakter, von dem wir uns später schwerlich lösen können. Nicht allein die Sitten unserer Zeit und Nation, auch die unserer Stadt und Familie bleiben uns treu und enthüllen unser wahres Selbst, wie sehr wir auch versuchen mögen, uns zu verstellen, und für etwas anderes zu gelten (*a.a.O.*, S. 446).

Unter solchen Voraussetzungen erscheint sozialer Konsens und die Norm der Generalität als eine oberflächliche Verkleidung, als unaufrichtige Absprache, weil er die eigentlichen Prägekräfte des Lebens negiert. Entsprechend schlecht kommt bei Blackwell Stil weg, eine Attitüde, die er als Fehlverhalten geißelt, weil sie den Geschmack der Heteronomie angenommen hat. Mit der Übernahme von Musterlösungen ist menschlich wie literarisch nichts mehr zu erreichen:

Wer seiner natürlichen Art treu bleibt, der hat weit bessere Aussicht auf Erfolg, als jener, der sich bemüht, die Art eines Anderen nachzuahmen, und mag sie seiner eigenen in Sprache und Gestik noch so überlegen sein (*a.a.O.*, S. 444).

Dies sind Zeugnisse, die auf eine Umwandlung des Wertsystems aufmerksam machen. Während das Konzept von Stil als sozialer Identität (im Sinne von Pope und Shaftesbury) immer mehr die Konnotationen der Heteronomie und Affektation annimmt, entsteht ein neues Konzept von Stil als personaler Identität mit Konnotationen der Autonomie und Authentizität. Erst wenn die Wertstruktur der Gesellschaft in dieser Richtung umgewandelt ist, gewinnt der neue Stilbegriff, der den Austritt aus der sozialen Gemeinschaft fordert (= opting out), die Dignität einer gesellschaftlich akkreditierten Verhaltensform.

Wir müssen etwa ein Jahrhundert vorausgreifen, bevor wir den Wertwandel vom Kanon des Allgemeinen zum Kanon des Individuellen in der Gesellschaftstheorie bestätigt finden. Um die Mitte des 19. Jahrhunderts ist es J. S. Mill, den »eine wachsende Ähnlichkeit unter den Menschen« beängstigt. Zu diesem Zeitpunkt hat sich das Institutionsgefüge der Gesellschaft erheblich verlagert, ein Prozeß, der abgekürzt als »Demokratisierung der Kultur« beschrieben wird. Bei Mill finden wir die alte Konfrontation zwischen Allgemeinem und Besonderem, Gesellschaft und Individuum, nur jetzt mit umgekehrten Vorzeichen. Aus dem sozialen Konsens (»common sense«) ist »die überwältigende Mehrheit der Mittelmäßigkeit« geworden, und was als Idiosynkrasie in Verruf war, wird jetzt als Genialität und Originalität gerühmt. »Zu viel«, so versichert uns Mill, »ist erreicht worden durch wachsende Verhaltensregulierung und Abbau von Übermaß«; mit dem Erfolg, daß »überall die öffentliche Meinung bloßer Durchschnittsbürger zur herrschenden Macht geworden ist«. Was not tut, ist ein neues Differenzprinzip, denn »Meinungseinheit ist nicht wünschenswert, und Unterscheidung ist kein Übel sondern heilsam.« Was Mill »das Rohmaterial menschlicher Natur« nennt, darf deshalb nicht gezähmt, es muß im Gegenteil stimuliert werden. Und er setzt hinzu: was heute »die menschliche Natur bedroht, ist nicht das Übermaß, es ist der Mangel persönlicher Impulse und Aspirationen.«

Dies ist der sozialgeschichtliche Rahmen, in dem der neue Stilbegriff seine gesellschaftliche Funktion und damit seine soziale Akzeptanz erhält. Gemeint sind die Prämissen der bürgerlichen Kultur: Liberalismus, Individualismus und Fortschrittsdenken. Es nimmt darum kaum wunder, daß wir bei Mill, dem brillanten Verfechter dieser Prämissen, die folgende pointierte Paraphrase des modernen Stilbegriffs finden:

Menschen, die es vermeiden, ihre Eigenheit in der allgemeinen Gleichförmigkeit einzuebnen, denen es vielmehr gelingt, diese Eigenheit zu kultivieren und zu steigern, solche Menschen werden zu edlen und schönen Gegenständen der Betrachtung, und [...] die Werke spiegeln den Charakter derer, die sie geschaffen haben.[7]

Die Manifestation von Eigenheit war in der Aura des Klassischen das Privileg der kanonischen Autoren. Mill dagegen erhebt diesen Sonderstatus zu einer neuen Norm, zu einem neuen Stilprinzip.

Ist aber nicht mit dieser Verknüpfung von Stil und Eigenheit ein Minimalkonsens unterschritten und der Stilbegriff selbst hinfällig geworden? Wenn Stil zum Prinzip der emphatischen Diskontinuität künstlerischer Produktion wird, was ist aus der entscheidenden Stil-Implikation, der Nachahmung, geworden? Mill gibt uns zwei aufschlußreiche Hinweise. Der Künstler kultiviert und steigert seine Eigenheit. Stil kommt dadurch zustande, daß sich der Mensch treu bleibt, durch Selbst-Imitation. Von dieser Minimaleinheit Stil, die die gesteigerte Eigenheit ist, führt ein Weg zurück zur gesellschaftlichen Verbreiterung. »Solche Menschen werden zu edlen und schönen Gegenständen der Betrachtung« sagt Mill. In der andachtsbezogenen Hinwendung, die eine neue Kunst der Betrachtung voraussetzt, werden auch neue Norm-Impulse erschlossen. Verehrung schließt Nachahmung ein, personaler Stil kann zum neuen Produktions- und Handlungsmuster werden. Die Engführung des Stilbegriffs, seine Reduktion aufs Individuum, markiert das Ende der alten und den Anfang einer neuen Stil-Geschichte.

Uns kam es darauf an, einige wichtige Stationen dieser Geschichte hervorzuheben. Dazu gehört – erste Station: Stil als Element der antiken Rhetorik, die eine hierarchische Gattungspoetik mit traditionellen ständischen Identitäten koppelt; zweite Station: Stil als soziale Identität, die nicht mehr vorgegeben, sondern bewußt auszubilden ist, wobei Stil mit seiner Zwillingsschwester, der Mode, in die Dimension der Zeit einrückt; sowie schließlich, dritte Station: Stil als personale Identität, als gesteigerte Eigenheit und damit in gewissem Sinne Stil als Negation von Stil. An diesen Stationen ist ablesbar, wie normative Residuen der Gesellschaft schrittweise aufgelöst werden. Nachdem der Boden einmal zu schwanken begonnen hat, vollzieht sich die Dynamik des Stilwandels von äußeren Faktoren unbehindert im Rhythmus von Ausbrechen und Nachziehen, von Alterität und Usurpation dieser Alterität, durch opting out und opting in. Im Horizont der Vielfalt und Beweglichkeit von Normen und Konventionen bleibt allerdings *eines* entscheidend: Stil ist angewiesen auf soziale Akzeptanz. Viele sprengen das lebensweltliche Normengefüge, ohne dadurch je mit Stil affiziert zu werden: Heilige und Charismatiker, Wilde und Wahnsinnige, Asoziale und Einsiedler. Stilrelevant werden solche Sonderwege erst durch Imitation, durch Übertragung des Kontingenten in neue soziale Kontexte. Wenn Werthers Schicksal kopiert wird, aber auch wenn abgetragene Arbeitskleidung in preziösen Boutiquen feilgeboten wird, haben wir es mit solchen nachahmenden Übergriffen und also mit Stilbildung zu tun. In Enklaven, Freiräumen und Gettos wird das Andere sequestriert und auf Distanz gehalten; in Imitationen wird es assimiliert und integriert. Stil ist der Modus dieser Assimilation von Fremdartigem und Neuem. Durch ihn werden in einer opaken Massenkultur immer neue Chancen der Sichtbarkeit eröffnet.

1 E. Goffman, der die dramaturgische Metapher des Als-Ob Handelns, des Theaterspielens zu einer primären Kategorie der Erforschung der Routinen sozialen Verkehrs gemacht hat, spricht in einem vergleichbaren Sinn von »expressive identifiability« (vgl. den Beitrag von A. Hahn in diesem Band). In dieser Wendung scheinen sich mir zwei Stil-Bedeutungen zu kreuzen, die ich als *Sichtbarkeit* und *Lesbarkeit* voneinander absetzen möchte. Sichtbarkeit deutet auf die expressive und kommunikative Stilfunktion, auf Stil als primäres Interaktionsinstrument; Lesbarkeit dagegen auf den metasprachlichen Status, den identifizierenden und klassifizierenden Bezug auf Kulturphänomene. In dieser Perspektive erscheint Stil als eine anthropologische Universalie; in der ersten Alternative dagegen als ein historisch höchst voraussetzungsreiches Unternehmen. Der folgende Beitrag bewegt sich ausschließlich auf dem Boden dieses emphatischen und eingeschränkten Stil-Prinzips.

2 Den Terminus ›opting‹ habe ich etwas eigenwillig einem klugen Vortrag entlehnt, den Edna Ullmann-Margalit unter dem Titel: »Opting – the Case of Big Decisions« im Frühjahr 1985 im Wissenschaftskolleg zu Berlin gehalten hat. Ihre handlungstheoretischen Überlegungen haben nachhaltig stimulierend gewirkt.

3 »Die Wahrheit ist, daß sie nur das Äußere oder die Form des Gegenstandes berühren, ohne in seinen Geist einzudringen; sie bewegen sich an der Oberfläche der Dichtung, tauchen aber nie in ihre Tiefen hinab; das Geheimnis, die Seele guten Schreibens ist mit solchen mechanischen Gesetzen nicht zu haben; Anmut und Schönheit dieser bezaubernden Kunst liegen zu tief im Schoße der Natur [...].« *A.a.O.*, S. 327.

4 Die Formulierung stammt von Joseph Trapp (jenem ersten Inhaber des Oxforder Lehrstuhls für Dichtung), der anhand dieses Beispiels das Prinzip der Stil-Variation empfiehlt: »It is impossible for a writer, from the nature of his subject, to be upon the sublime from one end to the other: some things must occur that require the common style.« In: Elledge, S. (1961), S. 239.

5 Das Bild stammt von E. Young: »Valuables too massy for easy carriage are not liable to the thief.« In: Elledge, S. (1961), S. 414.

6 Burke, E. (1967), S. 220, 74. Im Rahmen des chevalereskfeudalen Systems, so betont er, waren die manifesten Ungleichheiten harmonisch balanciert: »It obliged sovereigns to submit to the soft collar of social esteem, compelled stern authority to submit to elegance... But now all is to be changed. All the pleasing illusions which made power gentle and obedience liberal... are to be dissolved by this new conquering empire of light and reason«.

7 Mill, J. S. (1859), S. 266. Wir dürfen hier allerdings nicht den tiefgreifen-
den Funktionswandel der Literatur übersehen, der mit dem Wandel des
Stilbegriffs zusammenhängt. Mill präzisiert: »es ist zu wünschen, daß
Individualität besonders in solchen Bereichen zur Geltung kommt, die
andere nicht vorrangig angehen.« (a.a.O., S. 261) Hier haben wir ein
Signal für die Verlagerung vom Öffentlichen zum Privaten, für die
Koppelung von Individualität und Intimität. Die Literatur wird in dem
Maße frei und selbstherrlich, wie sie ihre unmittelbare gesellschaftliche
Funktion einbüßt. Für Pope und Shaftesbury war die Dichtung Vor-
schule der Gesellschaft; man konnte sie deshalb nicht sich selbst
überlassen, sondern mußte sie mit Vorschriften regulieren. Im Kontext
der bürgerlichen Kultur darf sie sich dagegen ihre eigenen und immer
neuen Gesetze geben, denn sie ist nicht mehr das Fundament, sie ist das
Wunsch- oder Ebenbild der Gesellschaft.

Literatur

Blackwell, Th. (1735), »An Inquiry into the Life and Writings of Homer«.
In: Elledge, S. (1961).

Burke, E. (1967), *Reflections on the Revolution in France*. (Everyman's
Library). Hg. von A. J. Grieve. London.

Elledge, S. (Hg.) (1961), *Eighteenth-Century Critical Essays*. 2 Bde.
Ithaca.

Mill, J. S. (1859), »On Liberty«. In: Robson, J. M. (Hg.) (1977), *John
Stuart Mill, Essays on Politics and Society*. Toronto.

Pope, A. (1711), »Essay on Criticism«. In: Audra, E./Williams, A. (Hgg.)
(1961), *The Poems of Alexander Pope*. Bd. 1. London/New Haven.

Pope, A. (1715), »Preface« (zu seiner Ilias-Übersetzung). In: Mack, M.
(Hg.) (1967), *The Poems of Alexander Pope*. Bd. 7. London/New
Haven.

Pope, A. (1726), »Postscript« (zu seiner Odyssee-Übersetzung). In:
Mack, M. (Hg.) (1967), *The Poems of Alexander Pope*. Bd. 10. London/
New Haven.

Shaftesbury, A. Earl of (1710), »Soliloquy or Advice to an Author«. In:
Robertson, J. M. (Hg.) (1900), *Anthony Earl of Shaftesbury, Characteristics of Men, Manners, Opinions, Times*. Bd. 2. London.

Spence, J. (1726), »A Dialogue on Popes Odyssey«. In: Elledge, S. (Hg.)
(1961).

Welsted, L. (1724), »A Dissertation Concerning the Perfection of the
English Language, the State of Poetry, etc.«. In: Elledge, S. (Hg.)
(1961).

Klaus Dirscherl
Stillosigkeit als Stil
Du Bos, Marivaux und Rousseau
auf dem Weg zu einer
empfindsamen Poetik

> *... diese Reden über den Stil sind nichts*
> *als Gerede*
>
> Marivaux

1. Die Krise des klassischen Stils

»Woher wollen Sie, daß ich einen Stil nehme?«, läßt Marivaux zu Beginn von *La Vie de Marianne* (S. 8) seine Protagonistin unschuldig provozierend fragen, »...vielleicht schreibe ich schlecht« (S. 57). Er selbst als Herausgeber ihrer Memoiren empfiehlt dem Leser: »Stellen Sie sich vor, daß sie nicht schreibt, sondern redet; unter diesem Gesichtspunkt erscheint Ihnen vielleicht ihre Art zu erzählen nicht ganz so störend« (S. 56). Die ›Stillosigkeit‹ der fiktiven Erzählerin hat in der Tat die zeitgenössischen Leser irritiert.[1] Für Marivaux geht es dabei jedoch um mehr als die Authentifizierung fiktiver Memoiren, die auf Glaubwürdigkeit beim Leser setzen. Es ist die generelle Infragestellung klassischer Stilvorstellungen, wie sie seit der Renaissance als Teil des literarisch-rhetorischen Gattungssystems durchgesetzt wurden und wie sie – als Lehrgegenstand institutionalisiert – zu einem festen Bestandteil des gesellschaftlich konsakrierten Sprachgebrauchs gemacht wurden. In die gleiche Kerbe schlägt Rousseau, wenn er im zweiten Vorwort zur *Nouvelle Héloïse* schreibt: »Ihre Beredsamkeit liegt in der Unordnung ihrer Rede« (1959-1969, Bd. II, S. 15). Die hämische Kritik Voltaires an seinem Stil nimmt Rousseau damit vorweg (vgl. Voltaire 1961, S. 395 ff.). Gleichzeitig formuliert er aber bereits das neue Redeideal, das vorgibt, ohne Stil, ohne Regeln der Rhetorik auszukommen.

Obwohl also die Zeitgenossen sehr genau wußten, was unter Stil oder besser unter den verschiedenen Stilarten des Literatursystems zu verstehen war, obwohl oder gerade weil bezüglich des herrschenden Stilbegriffs kaum Unklarheit herrschte, gerät in der ersten Hälfte des 18. Jahrhunderts eben dieser Stilbegriff in seine entscheidende Krise. Daran zweifelt heute niemand mehr. Zwar hat sich die demonstrative Stillosigkeit empfindsamen Schreibens, wie sie Rousseau, Marivaux und andere praktizierten, sehr rasch als eine neue Form der Stilisierung erwiesen. Doch der Stilbegriff selbst hat endgültig das bis dahin mühevoll gehaltene Gleichgewicht von normativer Konventionalität und signifikanter Singularität eingebüßt. Bis heute operieren wir mehr oder weniger bewußt mit einem Stilbegriff, der das Resultat der hier zu schildernden empfindsamen Dekonstruktion des klassischen Stilbegriffs ist.

Damit ist angedeutet, warum es gerade diese Epoche aus der langen Geschichte der Stile und Stilkrisen verdient, erzählt und kommentiert zu werden:

– Die radikale Infragestellung des Stilbegriffs und gleichzeitig der ihn fundierenden Rhetorik, insbesondere durch Rousseau, liefert über ihr spezielles historisches Ergebnis hinaus generelle Einsichten in die Implikationen des Begriffs, wie sie eben nur eine radikale Kritik offenbaren kann.

– Mit der Krise im 18. Jahrhundert weitet sich der Referenzbereich des Stilbegriffs endgültig vom sprachlich-literarisch-künstlerischen auf den lebensweltlichen Bereich aus.

– Mit der Ausweitung von typisierten Kommunikationssituationen, beispielsweise den Gattungen (ein paradigmatischer Stilbegriff), auf nicht typisierbare lebensweltliche Situationen mit Kommunikationscharakter wird Stil zum Reflex des je historischen Kontexts (syntagmatischer Stilbegriff), eine Systematisierung seiner Verwendung also unmöglich, seine Verwendbarkeit in variierenden Kontexten aber unendlich. Das Fundament für die heute endlos scheinende Begriffsverwendung in heterogensten Bereichen ist damit gelegt, der paradigmatisch-systematische vom syntagmatisch-historischen Stilbegriff verdrängt.

Als der Abbé Du Bos 1719 seine *Réflexions critiques sur la poésie et sur la peinture* veröffentlichte, ahnte er sicher nicht, daß er mit dieser Theorie der Empfindsamkeit in der Kunst die Grundlage für die Revolutionierung des Gattungssystems und in seiner

Folge auch des Stilbegriffs geschaffen hat. Auch die Académie française, seit fast einem Jahrhundert Richter über Sprach- und Stilfragen, bemerkte davon nichts, machte sie doch den eloquenten, aber keinesfalls missionarischen Fürsprecher des Pathetischen in der Kunst ein Jahr darauf zu ihrem Mitglied. »Die Kunst der Dichtung und die der Malerei finden den größten Beifall, wenn sie uns zu erschüttern vermögen« (Du Bos, 1, S. 1). Daß diese Gleichsetzung von Pathos und künstlerischer Qualität und zwar gültig für alle Gattungen, ja für Dichtung und Malerei gleichermaßen, letztendlich das hierarchisch konstruierte Gebäude der Literatur in den Grundfesten erschüttern würde, fiel wohl deshalb nicht auf, weil Du Bos stets unter Verweis auf Aristoteles und Horaz argumentieren konnte. An der Mimesis als Grundprinzip der Kunst läßt sich nämlich auch in einer Ästhetik der Rührung festhalten. Wie wenig Du Bos die Konsequenzen seiner Dominantsetzung des pathetischen Charakters der Kunst bedacht hat, geht letztlich daraus hervor, daß er das gattungsbezogene und damit wirkungsdifferenzierende Stil- und Literaturkonzept der Klassik prinzipiell nicht antastet. So unterscheidet er den Stil der Tragödie von dem der Komödie, den Stil der Ode von dem der Elegie und des Epigramms, kritisiert Regelverstöße gegen diese Hierarchien, denn – so sein Argument – man kann nicht ungestraft einen tragischen Gegenstand in einer kleinen Gattung behandeln. Gleichzeitig aber – und hier wird sein argumentatives Finassieren für uns interessant – bereitet es ihm begriffliche Schwierigkeiten, jene Regelverstöße in der Literatur plausibel zu beschreiben, die einerseits klassische Normen verletzen, andererseits aber offensichtlich dem Publikum und auch ihm Vergnügen bereiten:

Wir kennen zwei Tragödien des großen Corneille, in denen der Aufbau und eine Vielzahl von Figuren fehlerhaft sind, den »Cid« und den »Tod des Pompeius«. Letzterem könnte man gar die Bezeichnung Tragödie absprechen. Gleichwohl wird das Publikum, das von der Poesie des Stils dieser Stücke entzückt ist, nicht müde, sie zu bestaunen; man schätzt sie weit mehr als eine Reihe anderer, die in der Darstellung der Sitten besser sind und deren Aufbau regelmäßig ist (Du Bos, 1982, Bd. 1, S. 300 f.).

Eine nicht näher definierte »Poesie des Stils« soll also plötzlich Defizienzen zu Qualitäten machen. Die Unmittelbarkeit der Wirkung einzelner Szenen, der Überraschungseffekt unerwarteter Wortverbindungen und vieles mehr, was man unter dem

Etikett der geheimen, aber nicht erklärbaren Faszination zusammenfassen könnte, werden gepriesen und lassen die eigentlich vorliegende Fehlerhaftigkeit der Stücke vergessen.

Hier taucht mit einem Male neben dem klassischen Stilbegriff ein neuer auf, der nicht mehr gattungs-, sondern wirkungs-, ja, pathosgebunden definiert wird. Stil ist nicht mehr nur erwartbarer Vollzug von Regeln, eine Frage des guten Geschmacks also, sondern überraschende, da regelwidrige Rührung. Damit gewinnt der Stilbegriff eine psychische Komponente wieder zurück, die er als Teil der Affektlehre eigentlich immer schon hatte, während er zuvor dominant technisch bestimmt war. Stil wird wenigstens ansatzweise wieder etwas nur latent Verspürbares, beinahe eine unfreiwillige Qualität, die gerade aufgrund ihrer Nichtintendiertheit überzeugt. Die Krise der klassischen Stilreglementierung wird deutlich spürbar, aber sie ist noch nicht akut. Rührung als Maßstab aller Kunst wird später die Relation von Künstler, Werk und Publikum gründlich verändern.

2. Marivaux – die Kontingenz – ›natürlichen‹ Schreibens

Akut wird die Krise des klassischen Stils bei Marivaux, der von Anfang an in der Pose des Provokateurs auftritt. Er und seine auktorialen Stellvertreterfiguren, die Memoirenschreiber in *La Vie de Marianne* und im *Paysan parvenu* oder der »bedürftige Philosoph« (Titel einer seiner moralistischen Schriften), verweigern explizit die Anpassung an das herrschende Stilideal. Sie bekennen sich zur »Buntscheckigkeit« ihrer Texte, charakterisieren sie selbstironisch als »rapsodie«[2] und thematisieren damit nicht selten die kritischen Einwände, denen Marivaux' Prosa zu begegnen hat. Mit seinen Romanen, aber auch mit der moralistischen Prosa begibt sich Marivaux natürlich außerhalb des Bereichs der traditionell kanonisierten Gattungen. Trotzdem ist in seinem Widerstand gegen die Zwänge klassischer Stiluniformität mehr als nur ein Plädoyer für eine Erweiterung des literarischen Kanons zu sehen. Sein wiederholtes Bekenntnis zur Stillosigkeit ist ein Angriff auf das klassische Konzept von Literatur selbst. Schließlich gehört er zu jenen bürgerlichen Autoren, die auf dem veränderten Schreib- und Lesemarkt des 18. Jahrhunderts ein neues Publikum finden und dabei natürlich dessen nicht ausschließlich vom klassischen Geschmack vereinnahmten Normen artikulieren. Das Idealbild eines Autors neuer Art stellt uns Marivaux zu Beginn des *Cabinet du philosophe* (1733) vor:

Hier, geneigter Leser, ist also das, was man Euch als Dichtwerk vorlegt. Ein Mann von Geist hat bei seinem Tod ein Behältnis voll mit beschriebenen Blättern hinterlassen... Wiewohl er wegen seiner Bildung sehr geachtet war, vermutete niemand, daß er insgeheim schrieb. Diese Kassette enthält alle seine Werke... Keines davon ist von größerem Umfang. Es handelt sich hier nicht um ein wohlkomponiertes Œuvre: Zumeist sind es Texte ohne größeren Rahmen, Gedankensplitter über eine Unmenge von Gegenständen und in vielfältigen Redeweisen: Reflexionen heiterer, ernster, moralischer, christlicher Art, von den beiden letzteren insbesondern; manchmal sind es Abenteuergeschichten, Dialoge, Briefe, Memoiren, Meinungen über verschiedene Dichter, und stets mit dem Witz des Philosophen verfaßt; ... Genau das ist das Auffallende am Stil eines Mannes, der seine Gedanken niederschrieb, wie sie ihm kamen... ohne etwas an ihrer spröden und naiven Einfachheit zu ändern.
Bis jetzt habt Ihr fast nur Dichter gelesen, die an Euch denken, wenn sie schreiben, und die, um Euretwillen, sich um einen gewissen Stil bemühen (1969, S. 335).

Die kleine Fiktion, die uns Marivaux hier vorführt, ist aufschlußreich. Sein Wunschautor schreibt gleichsam zum eigenen Vergnügen. Er denkt nicht an sein Publikum. Daher seine neue Aufrichtigkeit. Die Zufälle des Lebens, nicht spezifische Persuasionszwänge diktieren ihm seine Themen. Daher seine neue Wirklichkeitstreue. Fragmentarisches, Gemischtes, sowohl was die Gegenstände als auch die Ausdrucksweise anlangt, charakterisieren diesen ›philosophischen‹ Schreiber und Denker. Trotz der Unterschiedlichkeit der Schreibweisen sind all seine Texte von jener »spröden und naiven Einfachheit«, die den Autoren eben fehlt, welche in allzu großer Abhängigkeit von ihrem Publikum schreiben und sich deshalb bemühen, »einen gewissen Stil« zu haben. Marivaux' Musterautor hingegen hat sich dem Zwang zur stilistischen »Verrenkung« entzogen (*a.a.O.*, S. 145). Nicht der imitative Nachvollzug bestimmter Autoren oder die sklavische Einhaltung von Gattungsregeln, sondern das natürliche Schreiben, »le geste naturel« (*a.a.O.*, S. 148) zeichnen ihn aus. Seine Überzeugungskraft speist sich gleichsam aus seinem Mangel an Prämeditation – ein rhetorisches Paradoxon, das Rousseau noch zuspitzen wird.

Heute wissen wir, daß Marivaux' Stilverweigerung zu neuer Stilbildung führte. Schon zu seinen Lebzeiten wurde dies übrigens durch die etwas zähneknirschend vollzogene Aufnahme in die Académie française konsakriert. Der Begriff *marivaudage* ist sicher ein korrekturbedürftiges Klischee (vgl. Deloffre, F., 1955). Ursprünglich als stilistische Disqualifikationsformel geprägt, wird er später zum Signum des Individualstils eines auf »singularité d'esprit« (*a.a.O.*, S. 149) erpichten Autors. Die Epoche der ahistorischen und gattungsgebundenen Stildifferenzierungen geht damit zu Ende. Das Konzept der Originalität, mit dem später Diderot geistige Innovation und sprachliche Einmaligkeit zu benennen versucht, wird im nachhinein lobend auf Marivaux angewendet, während es in der ersten Hälfte des Jahrhunderts ein noch weitgehend negativ besetzter Begriff war (vgl. Mortier, R., 1982, S. 35).

Wichtiger als seine Rolle in der Geschichte der Stile ist für uns Marivaux' Beitrag zur Debatte des Stilbegriffs selbst. Seine Kritik am klassischen Stil verdeutlicht die Sterilität eines Stilkonzepts, das bis zum Exzeß den semiotischen Faktor Normativität gegenüber dem der Partikularität favorisiert. Stil, klassizistisch verstanden, drohte zu einer Art kommunikativem Perpetuum mobile zu werden, das die eigentlichen Bedürfnisse der Sprachbenützer nicht mehr zu befriedigen vermochte. Marivaux' Forderung nach autorspezifischer Wahrhaftigkeit und Natürlichkeit, nach Objektorientiertheit des Schreibens, zielt folgerichtig auf eine Ausweitung des Stilbegriffs auf alle Faktoren des Kommunikationsgeschehens ab, nachdem Stil sich zuvor in der kunstvollen Handhabung des Mediums zu erschöpfen drohte. Mit dem Plädoyer für den Menschen im Autor, für das Aufscheinen der Dinglichkeit des Sprechens, der Kontingenz des Wirklichen im Diskurs werden Rousseau und Diderot am Horizont der Stilgeschichte sichtbar. Montaigne wird von Marivaux selbst als Vorbild beschworen. Marivaux' *geste naturel* ist nicht mehr nur, was man – nach Regeln – *schreibt,* sondern auch, was man *tut* und *ist.* Damit aber erweist sich sein Stilbegriff als Äquivalent zur *noblesse de cœur* seiner Romanhelden. Die gesellschaftliche Relevanz dieser Ausweitung des Stilbegriffs ist damit angedeutet.

3. Rousseau – Stilverweigerung als Zivilisationskritik

Auch Rousseaus Bekenntnisse zur Stillosigkeit enthalten das Programm für einen neuen Stil. Betrachten wir dazu einen Ausschnitt aus dem zweiten Vorwort zur *Nouvelle Héloïse,* in dem Rousseau auf die kritische Frage: »Ist Ausdrucksschwäche ein Beweis für die Kraft der Empfindung?« folgendermaßen antwortet:

...der Brief eines wirklich und leidenschaftlich Liebenden ist formlos, diffus, voller Längen und Wiederholungen, ohne Ordnung. Sein empfindungsreiches, überfließendes Herz sagt das Gleiche immer wieder und hört nie auf, es zu sagen; wie eine lebendige Quelle, die unaufhörlich fließt und sich nie erschöpft. Nichts Hervorstechendes, nichts Bemerkenswertes; weder Wörter, noch Wendungen, noch Sätze bleiben im Gedächtnis; nichts erheischt Bewunderung, nichts fällt auf. Trotzdem verspürt man, wie die Seele mitfühlt; man bemerkt die Rührung, doch nicht ihren Anlaß. Wenn die Kraft des Gefühls nicht beeindruckt, so zumindest die Wahrheit, die uns rührt; und auf diese Weise lernt das Herz, sich dem Herzen mitzuteilen. Aber jene, die nichts fühlen, die bloß den gezierten Jargon der Leidenschaften sprechen, ignorieren diese Art von Schönheit und verachten sie (1959-1969, Bd. II, S. 15).

Brillanz, Prägnanz, pointenhafte Zuspitzung, das sind einige der Stilqualitäten, die hier gleichsam in einer Negativfolie hinter der Stilverweigerung des Autors der *Nouvelle Héloïse* sichtbar werden. Seine eigene Schreibweise oder die seiner Helden vermag er zunächst nur durch Defizite zu charakterisieren: »Nichts Hervorstechendes, nichts Bemerkenswertes, ...«. Doch bereits die Vielfältigkeit dieser Mängel macht den Rousseau-Kenner hellhörig. Die Differenziertheit stilistischer Verfahren ist es nämlich, die Rousseau als Indiz der Krankhaftigkeit des klassischen Stil- und Rhetoriksystems erkennt. Ihnen setzt er die Wahrhaftigkeit und Einfachheit des Gefühls seiner Schreiber und seiner selbst entgegen. Nicht der *bel esprit,* sondern Menschen mit Herz sind die Träger einer neuen Rhetorik.

Stärker als bei Marivaux gerät Rousseaus Stilkritik zu einer Kritik der Sprache und weitergehend der Zivilisation selbst. Schon im *Discours sur les Sciences et les Arts* wird Rhetorik als Frucht von Ehrgeiz, Haß, Schmeichelei und Lüge gebrandmarkt und im *Discours sur l'inégalité* als Quelle der gesellschaftlichen Ungleichheit erkannt: »Wer die anderen an Geschick und Beredsamkeit übertrifft, wird am höchsten geachtet, und genau das war der erste Schritt zur Ungleichheit und gleichzeitig zum Laster.« (*a.a.O.*, Bd. III, S. 169). Dabei sind es vor allem Formen der ›Uneigentlichkeit‹, die Rousseau als das Übel rhetorisierter Rede anprangert.[3] Gesellschaftliche Usancen erzwingen eine ähnliche Entfernung von der Wahrheit gefühlsgeprägter Rede wie das philosophische Räsonieren oder das schulmäßige Einüben rhetorischer Strukturen. Im *Essai sur l'origine des langues* schließlich wird selbst die Verschriftlichung als eine Entfremdung vom Ursprung der Sprache, als eine Form der Uneigentlichkeit angesehen. Der Supplementcharakter der Schrift gegenüber der Rede (*a.a.O.*, Bd. II, S. 1249), ja der sprachlichen gegenüber der gestischen Ausdrucksweise wird als Grundübel zivilisierten, das heißt für ihn rhetorisierten Sprachgebrauchs erkannt. Es verwundert deshalb nicht, daß Rousseau das Ideal empfindsamer Rede an den Ursprüngen der Menschheit sucht. Weder der Zwang zur Klarheit, wie ihn Grammatik und Philosophie ausüben, noch die heuchlerische Brillanz, wie sie Rhetorik und Stilistik lehren, haben das Miteinander der ersten Menschen korrumpiert. Die erste Sprache, so spekuliert er im *Essai*, bestand nur aus *images*, *sentiments* und *figures* (Rousseau, J.-J., 1968, S. 51). Und möglicherweise war bereits diese erste Sprache ein Supplement noch primitiverer Kommunikation mittels gestischer Zeichen.

In seinen Entwürfen idealer Kommunikationsgemeinschaften, wie etwa der von Clarens in der *Nouvelle Héloïse*, führt er uns vor, wie eine von Empfindsamkeit und Unmittelbarkeit geprägte Verständigung, frei von Rhetorik und Stil, aussehen müßte. Die die Rhetorik eigentlich begründende Trennung von Sprecher, Sprache, Stil, Mitteilung und Adressat ist hier beinahe aufgehoben. »Ich stelle fest, daß sich in einer sehr intimen Gesellschaft die Stile ebenso wie die Charaktere einander annähern und daß gute Freunde, die sich in der Seele vereinen, auch ihre Denkungsart, ihr Fühlen und ihre Redeweisen vereinen« (*a.a.O.*, Bd. II, S. 28). Der Begriff der Kommunikation wird damit von Grund auf neu bestimmt. Es geht nicht mehr um den Austausch von Informationen, um Situationsveränderung, wie sie die traditionelle Rhetorik anstrebte. Kommunikation in diesem ursprünglichen und, wir müssen sagen, utopischen Sinn ist vielmehr bloß Bestätigung des schon Gewußten, des gemeinsam Erfüllten. Sie zielt auf die Festigung schon bestehender Gemeinschaften Gleichgesinnter ab.

Sie sucht nicht den Transfer von Neuem, nicht die Inszenierung von Alterität. Gesten, der Austausch von Erkenntniszeichen, gemeinsames Tun sind die ›Verfahrensweisen‹ einer neuen »stummen Beredsamkeit«, die zwischen Sprecher und Angesprochenem, zwischen Stil und Sprache, zwischen Botschaft und Wirklichkeit nicht mehr zu unterscheiden braucht. Eine neue Einheit unter den Menschen, eine verlorengegangene Totalität des Seins, wenn man so will, wird hier sichtbar. Rousseaus neue Rhetorik verlangt also eigentlich mehr als die Erneuerung der Kommunikationsgewohnheiten. Es bedürfte einer Veränderung, ja Neubegründung des gesamten Gemeinwesens, um der »stummen Beredsamkeit« zu jener Wirkung zu verhelfen, die Rousseau in der *Nouvelle Héloïse*, ansatzweise aber auch im *Emile* und im *Contrat social* entwirft.[4]

Daß eine Realisierung solch idealer Kommunikationsgemeinschaften nach der landläufigen Korruption durch die Zivilisation nicht mehr möglich ist, weiß auch Rousseau. Deshalb schlägt er das vor, was Starobinski mit einer glücklichen Formulierung »das Übel als Heilmittel« (vgl. Starobinski, J., 1978) genannt hat: »Die gleichen Ursachen, die die Völker verdorben haben, dienen manchmal dazu, noch größere Verderbnis zu vermeiden... deshalb brauchen wir Künste und Wissenschaften, nachdem sie einmal die Laster haben entstehen lassen, um zu verhindern, daß letztere auch zu Verbrechen werden« (*a.a.O.*, Bd. II, S. 972). Realistisches Ziel der Rousseauschen Stilkritik ist also die Entwicklung einer Rhetorik, die sich um die Wiedergewinnung jener Qualitäten primitiver Kommunikation bemüht, wie sie im *Essai sur l'origine des langues* gepriesen werden. Der prinzipielle Supplementcharakter der Sprache läßt sich nicht mehr tilgen. Um verständlich zu bleiben, muß sich der aufgeklärte Philosoph seiner sogar bedienen, sollte aber in der Lage sein, die diffuse Energie und Leidenschaft ursprünglicher Kommunikation mit der unheilbaren, aber nicht ganz unnützlichen Transparenz heutigen Sprechens zu verbinden.

Rousseaus Stilkritik ist zweifelsohne radikaler als die Marivaux'. Sie trifft nicht nur die klassische Literatur und Rhetorik, sondern Stil und Sprache als Medium menschlicher Kommunikation schlechthin, und darüber hinaus den ›Stil‹ unseres Zusammenlebens. Rousseau selbst verwendet den Begriff natürlich nicht in diesem ausgeweiteten Sinn, denn für ihn sind Stil und Rhetorik

Synonyma für jene Zivilisation, die er in allen seinen Schriften als Grundübel seiner (unserer?) Epoche erkennt. Gleichwohl hat sein utopischer Entwurf einer in Eintracht und Sprachuniformität lebenden Gemeinde (sei es jene von Clarens oder jene, die im *Contral social* beschrieben wird) jener Sehnsucht nach Einheit von Sprache, Verhalten und Bedürfnissen ästhetisch faszinierenden Ausdruck verliehen, die auch die moderne Faszination am Stilbegriff noch prägt. Seit Rousseaus Stilverweigerung (mit konsequent darauffolgender neuer Stilbildung) wurde Stil zu einem Begriff, dem man zutraut, die Vielfältigkeit der Determinanten sozialen Lebens und damit gesellschaftlicher Kommunikation in einem einheitlichen, gleichsam natürliche Gewachsenheit versprechenden Zugriff zu erfassen: Stil als Begriff, der organische Zusammenhänge dort stiftet, wo sie (seit der Herrschaft des abendländischen Logozentrismus?) verlorengegangen schienen. Erst damit aber konnte der Stilbegriff mit jenem Totalisierungsanspruch verwendet werden, der für Du Bos, den sanften Fürsprecher der Empfindsamkeit in der Kunst, noch undenkbar und der auch für Marivaux – trotz seiner Ausweitung des Begriffs im Namen einer neuen Natürlichkeit – in den radikalen Konsequenzen, beispielsweise einer unterschiedsfreien Gesellschaft, nicht akzeptabel gewesen wäre.

Anmerkungen

1 Vgl. dazu die zahlreichen kritischen Reaktionen, die F. Deloffre in seiner Edition des Romans, S. LXV ff., aufführt.

2 Unter *rapsodie* verstand man im Französischen des 18. Jahrhunderts ein »übles Durcheinander von Versen oder Prosa«. Auch Diderot sprach selbstironisch-selbstbewußt verschiedentlich von der »Buntscheckigkeit«, der »Rhapsodie« seiner Schriften.

3 »In der Gesellschaft... muß man stets *anderes* und besseres sagen als die anderen, und als Folge des ständigen Zwangs zu behaupten, woran man nicht glaubt, und Gefühle zu äußern, die man nicht hat, versucht man seiner Rede einen persuasiven Stil zu geben, der sich an die Stelle innerer Überzeugungskraft setzt« (1959-1969, Bd. II, S. 14).

4 Vgl. J. Starobinski, »Rousseau et l'éloquence«, in: Leigh, R. A. (Hg.) (1982), S. 185-205.

Literatur

Du Bos (1770), (1982), *Réflexions sur la poésie et sur la peinture*. Genf.

Deloffre, F. (1955), *Une préciosité nouvelle: Marivaux et la marivaudage; étude de langue et de style*. Paris.

Leigh, R. A. (Hg.) (1982), *Rousseau after 200 years*. Cambridge.

Marivaux, P. de (1969), *Journaux et Œuvres diverses*. Hg. von F. Deloffre/u. M. Gilot. Paris.

Marivaux, P. de (1963), *La Vie de Marianne*. Hg. von F. Deloffre. Paris.

Mortier, R. (1982), *L'Originalité. Une nouvelle catégorie esthétique au Siècle des Lumières*. Paris.

Rousseau, J.-J. (1959-1969), *Œuvres complètes*, Bd. I-IV. Hg. von B. Gagnebin/M. Raymond. Paris.

Rousseau, J.-J. (1968), *Essai sur l'origine des langues*. Hg. von Ch. Porset. Bordeaux.

Starobinski, J. (1978), »Le remède dans le mal«. In: *Nouvelle Revue de psychanalyse* 17, S. 251-274.

Voltaire (1961), *Mélange*. Hg. von J. van den Heuvel. Paris.

Brigitte Schlieben-Lange
»Athènes éloquente«/»Sparte silencieuse«
Die Dichotomie der Stile
in der Französischen Revolution

Der institutionelle Ort des Diskurses
über den Stil

Zu Beginn unserer kurzen Ausführungen über die spezifische
Ausprägung des Stilbegriffs in der Französischen Revolution und
seine Instrumentalisierung im politischen Diskurs wollen wir uns
vergewissern, an welcher Stelle im System der Wissenschaften
und Lehrdisziplinen im Frankreich des 18. Jahrhunderts das Reden vom Stil seinen Ort hat.[1] Traditionellerweise ist von den
Stilen in der Rhetorik die Rede. In Condillacs Lehrwerk für den
Prinzen von Parma finden wir keine Rhetorik mehr, dagegen ein
>De l'Art d'Ecrire<, ein Werk, das man in gewisser Hinsicht als
erste französische >Stilistik< bezeichnen könnte. Wiewohl der
Stilbegriff von Anfang an mit dem Schreiben (>stylus<) verbunden
war, zeigt sich doch an dieser auffälligen Änderung des klassischen Lehrsystems die Bedeutung der Abwertung der immer
auch den mündlichen Vortrag implizierenden Rhetorik für die
Entwicklung eines autonomen, auf Schriftlichkeit begrenzten
Stilbegriffs. Wieder anders sieht die Systematik in den >Elémens
d'Idéologie< von Destutt de Tracy aus, der in diesem Werk das
Programm der >Ideologie< als Systematisierung der Aufklärungsphilosophie sensualistischer Prägung entwickelt. Wir halten hier
vergebens Ausschau nach einer Rhetorik oder auch nach einer
Stilistik im Sinne Condillacs. Die Logik allein ist maßgeblich für
die Prinzipien des Schreibens. Die Rhetorik hat ihren systematischen und institutionellen Ort verloren (vgl. Sermain, J.-P., 1986).
Wir fassen die Veränderungen der Lehrsystematik zusammen:

Trivium		Grammatik	Logik	Rhetorik
Condillac		Grammatik	Logik	Art d'Écrire
Destutt de Tracy	Ideologie	Grammatik	Logik	–

1. Der Stilbegriff im französischen 18. Jahrhundert vor der Revolution

Neben der Tradierung traditioneller Stilvorstellungen können wir im 18. Jahrhundert verschiedene Formen der kritischen Beschäftigung mit dem Stilbegriff feststellen, von der Neudefinition von Stil als Organisationsprinzip bis zur radikalen Kritik des Stilbegriffs und der Proklamation des Stilideals der Stillosigkeit durch Marivaux und Rousseau (vgl. den Beitrag von Dirscherl).

Die *Encyclopédie* überliefert in dem Artikel ›Style‹ eine Klassifikation und Bewertungskriterien traditionellen Typs.[2] In dieser Konzeption gibt es eine endliche Anzahl von Stilen, die in einer Typologie klassifiziert werden können:

	épique
	dramatique
vers	lyrique
	bucolique
	de l'apologue
	périodique
	coupé
prose	oratoire
	historique
	épistolaire

Auch die Bewertungskriterien können in Form endlicher Listen aufgezählt werden:

	clarté
	noblesse
Guter Stil	ornemens ménagés avec adresse, conforme à la situation
	naiveté
	obscur
	affecté
Schlechter Stil	bas
	ampoulé
	froid
	uniforme

Condillac verändert diese Stilkonzeption in seinem ›Art d'Ecrire‹

unter Beibehaltung traditioneller Elemente vollständig. Aus dem Bewertungssystem wird ein Produktionssystem; an die Stelle der endlichen Anzahl von Stilen tritt die prinzipielle Unzählbarkeit der Stile:

> Der Stil variiert also in gewisser Hinsicht ins Unendliche, und gelegentlich variiert er durch so unmerkliche Nuancen, daß man den Übergang von einem zum anderen Stil nicht festlegen kann (S. 601).

Die beiden Extrempunkte, zwischen denen sich die unzählbar vielen Stile bewegen, sind *image* und *analyse*.

> Die gegensätzlichsten Genres sind einerseits die Analysen und andererseits die Bilder *(images);* und wenn man diese beiden Genres beobachtet, bemerkt man den größten Unterschied im Stil der Schriftsteller (S. 601).

In dem Augenblick, in dem die Stile nicht mehr zählbar und klassifizierbar sind, gewinnt der Stilbegriff eine neue Dimension. Der ›Stil‹ ist nun das einheitliche Organisationsprinzip, das jedem einzelnen Werk zugrunde liegt und sich aus dem ›sujet‹ und den ›sentimens de l'écrivain‹ ergibt. Auch die Bewertungskriterien verändern sich: sie sind nicht mehr unveränderlich, sondern an die historische Situation und die Subjekte des Autors und des Kritikers gebunden. Der wichtigste Bezugspunkt der Bewertung wird das je selbstgewählte Organisationsprinzip und seine Einhaltung. Die Entbindung des geschriebenen Textes aus der Endlichkeit zählbarer Finalitäten führt zu einer radikalen Umdefinition des Stilbegriffs und zu einer Entkollektivierung und Historisierung der Bewertungskriterien.

2. Der Stilbegriff in der Französischen Revolution

Gegenüber den verschiedenen Versuchen des 18. Jahrhunderts, den klassischen Stilbegriff zu kritisieren und aufzulösen (siehe Kapitel 1, Beiträge von Dirscherl und A. Assmann) stellt die lebhafte Stildiskussion der Revolution einen Rückgriff auf dieses Modell, ja sogar eine Radikalisierung der Systematisierung zählbarer Stile dar.[3] Sie ist gekennzeichnet durch eine starre Dichotomisierung (2.1.) von *zwei* Stilen, die gleichzeitig auf die Zeitachse projiziert werden, das heißt als charakteristisch für *ancien régime* und *ère française* angesehen werden. Andererseits gibt es auch Versuche der Harmonisierung der Überwindung der Dichotomie

(2.2.). Beiden Tendenzen, der zur Dichotomisierung und der zur Harmonisierung ist gemeinsam, daß ›Stil‹ als Vermittlungskategorie zwischen Ausdruck und Inhalt aufgefaßt wird, und daß mithin dem Stil eine bedeutende instrumentelle Rolle bei der Erzeugung von Ideen zugewiesen wird.[4]

2.1. Die Dichotomie *image/analyse*

Wir hatten gesehen, daß Condillac den *style d'images* und den *style d'analyse* als Endpunkte einer prinzipiell unbegrenzten Anzahl von Stilen angesehen hatte.[5] Diese beiden Endpunkte einer Skala werden nun als Stile verabsolutiert und in ihrer Unvereinbarkeit dichotomisch gegenübergestellt. Der *style d'analyse* ist der Stil des neuen Zeitalters. Dies entspricht einerseits dem Wissenschaftsideal der Ideologen, die die Zerlegung in *éléments* als Grundaktivität jeder Wissenschaft und jeder Pädagogik ansehen, die *synthèse*, wie sie eine Eigenschaft der *images* ist, dagegen strikt ablehnen.[6] Andererseits fließt hier auch die Idealisierung des *style laconique* durch die Montagne ein, in dem es darum geht »de dire les choses telles qu'elles sont.«[7] Beide Strömungen vereinigen sich zur Rhetorik-Kritik, zur polemischen Gegenüberstellung von Logik und Rhetorik. »Guerre à la rhétorique et paix à la syntaxe!« ist das Motto, das gewichtig daherkommt als Kontrafaktur des »Guerre aux palais et paix aux cabanes!« Hören wir die Apologeten des neuen Stils:

Man lehrt die Menschen zu sprechen; man sollte sie lehren zu schweigen: die Rede zerstreut den Gedanken, die Meditation sammelt ihn; aus Stumpfsinn geborene Schwatzhaftigkeit schafft Zwietracht; das Schweigen das Kind der Weisheit, ist der Freund des Friedens. Das beredsame Athen *(Athènes éloquente)* war ein Volk von Wirrköpfen; das schweigsame Sparta *(Sparte silencieuse)* war ein Volk von gesetzten und ernsten Männern; zweifellos erhielt Pythagoras von allen Griechen den Ehrentitel des Weisen, weil er die Schweigsamkeit zur Tugend erhoben hatte (Volney S. 577).

Zu all diesen Maßnahmen, die ihre Klarheit (= der Sprache), Exaktheit und leichte Erlernbarkeit ohne Regelverletzungen gewährleisten sollen, füge ich noch hinzu, daß man in ihr niemals verschiedene Redeweisen für die gleiche Idee noch auch unregelmäßige Redensarten, idiomatische Wendungen, wie sie in unserer Alltagssprache vorkommen, zulassen sollte; daß man daraus skrupulös alle Hyperbeln, Anspielungen, Halbheiten, falsche Rücksichtnahmen, Tropen, Mehrfachbedeutungen des gleichen Worts verbannen müsse; daß immer ein Zeichen darauf hinweise, ob ein Wort im eigentlichen Sinne *(sens propre)* oder bildlich *(sens figuré)* verwendet wird; schließlich, daß man in den Stil den gleichen Geist der Exaktheit einführen müsse, der die Wortbildung und die Regeln der Syntax geleitet hatte (Destutt de Tracy, II, S. 415).

Diese Sprache ist nicht dazu da, dem Ohr zu schmeicheln und die Einbildungskraft *(imagination)* durch brillante und neue Konstruktionen anzuregen, sondern dazu, sorgfältig alle Objekte zu beschreiben und präzise die Ideen aller Art zu analysieren. Infolgedessen wäre sie ernst, methodisch und einheitlich *(uniforme)*, weshalb sie wenig für poetische und literarische Werke geeignet wäre: und das wäre meiner Ansicht nur ein geringfügiger Nachteil; der Geometer, der Physiker, der Chemiker, der Analytiker also muß eine Sprache haben, die von der des Dichters, des Romanschriftstellers und des Redners völlig verschieden ist; er muß nicht wie jene die Leidenschaften abbilden *(peindre)* oder hervorrufen: als Diener der Vernunft muß er sich darauf beschränken, dem Geist klar die Sachen so vorzustellen, wie sie sind, die Fakten und die Wahrheiten kalt darzulegen, daraus rigorose Konsequenzen zu ziehen usw. (Lancelin, S. 315).

Stellen wir die Attribute der beiden Stile systematisch gegenüber[8]:

Athènes éloquente	Sparte silencieuse
	laconisme
éloquence	raisonnement
image	analyse
synthèse	
peindre	analyser
émouvoir	éclairer
chaleur	précision
mensonge	vérité
passion	utilité
imagination	besoin
plaisir	
surchargé	pur, clair, simple
trivial	sévère, méthodique
ampoulé	uniforme

Als Merkmale der in den beiden Stilen verfaßten Texte und der in ihnen verwandten Verfahren werden angegeben:

tropes, hyperboles	sens propre[9]
sens figuré	
inversion	ordre direct[10]

Die beiden Stile entsprechen unterschiedlichen Wertungen von gesellschaftlich wünschenswerten Berufsorientierungen:

| poète | géomètre |
| orateur | chimiste |

2.2. Versuch zur Überwindung der Dichotomie

Neben der pointierten Dichotomisierung finden wir in der gleichen Zeit auch Versuche, auf der Basis der gleichen Charakterisierung die Dichotomie aufzuheben und eine Synthese der widersprüchlichen Stilelemente vorzuschlagen. Als Versuch einer ›positiven‹ Synthese sei der Vorschlag des ›Règlement‹ de l'Ecole Normale‹ (zitiert nach Chevalier, J.-C., 1982) erwähnt:

Der Stil *(style)* hat mehr als die Rede *(parole)* von der exakten Präzision, ohne die es keine Wahrheit gibt; und die Rede hat mehr als der Stil von der befruchtenden Wärme, ohne die es nur wenige Wahrheiten gibt. Die Organisation des Unterrichts in den Ecoles Normales wird vielleicht die Mittel bereitstellen, die Rede durch den Stil zu korrigieren und den Stil durch die Rede zu beleben [...] (Règlement de l'Ecole Normale. Zit. nach Chevalier, 1982, S. 94 f.).

Besonders interessant ist dieser Vorschlag, weil hier *style* eindeutig als Schrift der lebendigen Rede, *parole,* gegenübergestellt wird. Die Dichotomie, die überwunden werden soll, ist die von Rede und Schrift. Das ist ein interessanter Hinweis auf die Art, wie die Problematik von Rhetorik und Logik, *image* und *analyse,* Ende des 18. Jahrhunderts wahrgenommen wurde (siehe 3.1.).
Interessanter aber noch ist Merciers Vorschlag einer ›negativen‹ Synthese (vgl. Schlieben-Lange, B., 1986b). Zur Schilderung der unerhörten Begebenheiten, die sich in dieser historischen Situation mehr und mehr in schriftliche Medien verlagert, ist ein gänzlich neuer Stil erforderlich: der *style féroce.* Er braucht weder *images* noch *analyse.* Er gewinnt seine Besonderheit gerade daraus, daß er sowohl auf die Stimme der Rhetorik als auch auf die Syntax der Logiker verzichtet.

Wenn zu meinen Lebzeiten jener Tacitus, jener Shakespeare erschiene, würde ich zu ihm sagen: Mach Dir Deine Sprache *(idiôme)*, denn Du mußt das abbilden, was nie gesehen worden ist, den Menschen, der im selben Augenblick die beiden Extreme Wildheit und Größe berührt. Wenn Dein Stil bei der Darstellung von so vielen barbarischen Szenen wild *(féroce)* ist, ist er nur um so wahrer, um so bildlicher: Schüttle das Joch der Syntax ab, wenn es nötig ist, um Dich besser verständlich zu machen, zwinge uns, Dich zu übersetzen, erlege uns nicht das Vergnügen, sondern die Last auf, Dich zu lesen (Mercier, L.-S., 1800, 1, S. 21 f.).

Der *style féroce* ist freilich kein Stilideal, das imitiert werden könnte. Jeder einzelne muß sich seinen Stil schaffen. Die Negation der Dichotomie führt zurück zur Unzählbarkeit der Stile, wie sie bereits Condillac proklamiert hatte:

So habt Ihr mit dem einfachen *Wort*, ohne *Syntax* und ohne *Grammatik* eine knappe und treue Darstellung *(tableau)* von allen Bildern *(images)* der Natur; Ihr selbst werdet sie verbinden und vereinigen; Ihr werdet selbst den Stil erfinden und Grammatiker sein, ohne es zu wissen. Die Néologie widmet sich der absoluten Bedeutung *(sens absolu)*, der Stammform *(forme radicale)*, denn die Wörter sind das Rohmaterial der Syntaxen. Rauh und wild *(rudes et sauvages)* beherrschen sie die Grammatik; einen Gegenstand schwarz, rot, grün zu malen bedeutet immer, sein Bild malen und übermitteln zu wollen: der Satz kommt später [...] (Mercier, L.-S., 1802, S. XVIII f.).

3. Annäherung an eine Interpretation

Wir hatten im ersten Kapitel gezeigt, daß in der Mitte des 18. Jahrhunderts die klassische Theorie der zählbaren Stile bereits überwunden war. Die Ästhetik der Romantik kann in dieser Hinsicht an die Ästhetik der Empfindsamkeit anschließen. Weshalb also in der Französischen Revolution die Rückkehr zur Stilnormierung und Stilklassifikation, noch dazu in dieser rigiden Form?

3.1. Mündlichkeit und Schriftlichkeit

Viele Dokumente, darunter einige der hier zitierten wie das ›Règlement de l'Ecole Normale‹ weisen darauf hin, daß die Stil-Dichotomie mit dem Gegensatz von Mündlichkeit und Schriftlichkeit identifiziert oder zumindest in Zusammenhang damit diskutiert wurde. Die zweite Hälfte des 18. Jahrhunderts ist zweifellos durch eine tiefgreifende Veränderung der Lesekultur[11] und den vielfach beklagten Verlust der *voix vivante*[12] gekennzeichnet. In diesem Kontext müssen Condillacs Etablierung der ›Stilistik‹, das heißt einer Rhetorik im Medium der Schriftlichkeit (siehe oben), aber auch Rousseaus radikale Schriftkritik in dem ›*Essai sur l'origine des langues*‹ gesehen werden. Die Französische Revolution bedeutet in diesem Kontext eine Wiederaufwertung der Mündlichkeit: die Reden in den Versammlungen werden allgemein auch als Wiederbelebung der Tradition der Eloquenz wahrgenommen. Ambivalent ist die Bewertung: Rückfall in überwundene rhetorische Verdunkelungen oder Restituierung der Stimme als ursprüngliche Ausdrucksform des Menschen (vgl. Sermain, J.-P. 1986)? Andererseits muß man sehen, daß im revolutionären Geschehen illiterate oder halb-literate Schichten zu Subjekten der Geschichte avancierten, die paternalistische pädagogische Bemühungen etwa in Form dialogischer, narrativer, kurz: mündlichkeitsnaher Traktate auf den Plan riefen (dazu Schlieben-Lange, B., 1983).

Nach Thermidor häufen sich die Stimmen, die den *style analytique* als schriftnahe Ausdrucksweise empfehlen und den *style d'images* als Anachronismus ablehnen. In dieser Ablehnung mischen sich die vorrevolutionäre Rhetorikkritik und die Kritik an der revolutionären Wiederbelebung und dem Mißbrauch der Rhetorik. Andererseits gehen in die Charakterisierung des *style analytique* auch Elemente des revolutionären *laconisme* ein, der darin besteht »de dire les choses telles qu'elles sont.« In dieser Situation ist die Entscheidung für den *style analytique* eine Entscheidung für die Schrift (dazu Schlieben-Lange, B., 1985b), die durch die Projektion auf die Zeitachse *(ancien régime/ère française)* auch als historische interpretiert wird. Die Ausschließlichkeit der Dichotomisierung hat sicher auch mit der pädagogischen Zielsetzung der ›Ideologen‹-Schule zu tun, die sich in elementarisierender (vgl. Auroux, S., 1985) Weise an neue Adressaten wendet. Die Versuche, die Dichotomie zu überwinden (2.2.), sind Antworten auf die Probleme, die sich in dieser Phase der kulturellen Entwicklung stellen: die *Ecole Normale* will Elemente der schwindenden Mündlichkeit aufbewahren; Mercier stellt sich die radikalere Frage nach der Konstitution einer emotionalen *écriture*.

Man hat hinsichtlich der Geschichte des Stilbegriffs (vgl. besonders die Beiträge von A. Assmann und L. Dirscherl) den Eindruck, daß zwei Definitionsrichtungen, die sich wechselseitig auszuschließen scheinen, einander ablösen. Einmal werden Stile als zählbare klassifiziert. In diesem Verständnis ist die Distinktivität (sozial und ästhetisch) und die Möglichkeit der Auswahl entscheidend. Dagegen steht die Auffassung von Stil als einheitsstiftendem Organisationsprinzip. So hatten wir gesehen, daß die Encyclopédie eine Klassifikation zählbarer Stile anbietet, der Condillac die infinite Anzahl von Stilen, die jeweils ein Einzelwerk organisieren, gegenüberstellt. In dem Augenblick, in der die Zählbarkeit der Stile als Möglichkeit der Auswahl und Distinktion aufgegeben wird, tritt die Bestimmung als inneres, einheitsstiftendes Organisationsprinzip in den Vordergrund.

In der von uns skizzierten Epoche erfolgt nun ein Rückgriff zur Zählbarkeit der Stile, allerdings mit dem entscheidenden Unterschied, daß keine Auswahl möglich ist. In der *nation une et indivisible* ist keine Distinktion über Stile möglich.[13] Die *uniformité*[14] ist an der Tagesordnung, die den einheitlichen schriftnahen *style analytique* zur einzig möglichen Ausdrucksform der jungen Republik proklamiert. Die innere Einheit des Stils der Demokratie wird durch die Gesetze der Logik und der Schrift gestiftet. Die beiden Versuche der Synthese stehen einander in dieser Hinsicht diametral gegenüber: Das Règlement der Ecole Normale zielt auf Einheitlichkeit unter Bewahrung mündlichkeitsnaher Elemente; Mercier setzt die Unzählbarkeit der Stile wieder in Kraft, die je durch das *Sujet créateur* organisiert werden. Schematisch wäre dieses Wechselspiel der Stildefinitionen zwischen Auswahl und einheitsstiftendem Prinzip folgendermaßen darzustellen:

Auswahl ⟶ *Einheit*

Encyclopédie   *begrenzte Auswahl* (je nach gewähltem Stil)
Condillac   (unbegrenzt)   *Organisationsprinzip*
Ideologen   *Stildichotomie* (Logik/Schrift)
               aber keine Auswahl
               möglich: *uniformité*

| Ecole Normale | *uniformité* | (Mündlichkeit und Schriftlichkeit) |
| Mercier | (unbegrenzt) | *Sujet créateur* als stilstiftendes Prinzip |

In der zuletzt entwickelten Perspektive eignet sich der Stilbegriff besonders gut dazu, gleichzeitig bestehende Möglichkeiten der Wahl zu beschreiben, sozusagen die Synchronie der Möglichkeiten, die, wie wir wissen, ja verschiedenen historischen Entwicklungsstufen entsprechen können, also eine Synchronie des Ungleichzeitigen. Auf der Achse der Diachronie würden sich Epochen mit vielen Stil-Möglichkeiten und solchen, in denen eine hohe Ko-Exerzivität *eines* Stils herrscht, eines ›Epochenstils‹ also, ablösen. In unserem Falle sähe das so aus:

Mitte 18. Jahrhundert	zählbare Stile	unzählbare Stile
	↓	
Revolution	ein Stil = Epochenstil	
	↓	
Anfang 19. Jahrhundert		Unzählbarkeit der Stile

4. Schlußbemerkungen

Eine Pointe des Stilbegriffs scheint mir zu sein, daß er es erlaubt, die Selbstinterpretation eines Autors oder einer Epoche und die ›Stil‹analyse aus heutiger Perspektive gegeneinander zu wenden. H.-J. Neuschäfers Beitrag über die Kritik Leo Spitzers zeigt besonders deutlich, wie sehr die Untersuchung des ›Stils‹ als organisatorisches Prinzip die Selbstinterpretation zu relativieren vermag. Im Hinblick auf die von mir skizzierte Epoche würde ich vermuten, daß die umgekehrte Blickrichtung fruchtbare Ergebnisse zeitigen könnte. Das heißt: die Selbstinterpretation der Revolutionsepoche als Epoche des ›style analytique‹ sollte produktiv gegen gängige Wahrnehmungen der Revolutionsepoche gewendet werden. Ich vermute, daß sich hier viele Phänomene, die bisher bei der Betrachtung der Revolutionsepoche marginal geblieben waren, zu dem Bild einer absichtsvollen Neuordnung – aufgrund von Analyse und Elementarisierung – in Zeit und Raum zusammenfügen würden (vgl. Schlieben-Lange, B., 1986d).

Anmerkungen

1 Es sei ausdrücklich darauf verwiesen, daß in dieser Hinsicht bedeutende Unterschiede zwischen einzelnen Nationen vorliegen (vgl. zum Beispiel die Tradition der Unterscheidung von ›lingua e stile‹ in Italien, besonders im 18. Jahrhundert die Arbeiten von Muratori, Beccaria und Genovesi, in Spanien die Arbeiten von Mayans y Siscar, Capmany y Palau und andere) und daß ich mich hier auf das französische 18. Jahrhundert beschränke. Für zahlreiche Anregungen möchte ich Irmela Neu-Altenheimer, Jean-Paul Sermain und Jacques Guilhaumou danken.

2 Das gilt jedoch nicht für die *Encyclopédie* in ihrer Gesamtheit. Im Artikel ›Eloquence‹ wird dagegen ein stilkritischer, der ›sensibilité‹ verpflichteter Ansatz vertreten.

3 Ich beschränke mich in dieser Skizze auf die Zeit nach Thermidor. Die Arbeit für die Zeit von 1789 bis 1794 bleibt noch zu tun. Besonders interessant ist hier sicher die Herausbildung des Ideals des ›laconisme‹ im jakobinischen Milieu (Hinweis von J. Guilhaumou). Vgl. Sermain (1986) und Chevalier (1982). Die Außenwahrnehmung unterscheidet sich von der ›lakonischen‹ Stillehre. So feiert Jenisch 1796 die Französische Revolution als Wiederkehr der Beredsamkeit: »Die Revolution hat den Franzosen ein neues Feld für die Beredsamkeit eröffnet; und die Reden eines Mirabeau, Barnave, Mounier, Vergniaud, Brissot, Sieyes, Robespierre, die uns der Moniteur lesen läßt, erinnern, durch viele und sehr glänzende Züge, an die schöne Blüthe der Beredsamkeit in Athen und Rom. Aber auch die Sammlungen der Schriften rhetorischer Gattung von Pateau, d'Agesseau, Thomas und anderen vor der Revolution, waren für die Cultur dieser Gattung unter den Neuern höchst schätzbar. Wohl wünschte ich, daß wir Deutsche, die wir mit der verachtenden Benennung »Declamation!« so verschwenderisch sind, einige *solcher* Declamationen, als die Eloges de Thomas sind, in unserer rhetorischen Litteratur aufzuzeigen hätten.« (Jenisch, D. 1796, S. 195)

4 So bildet Destutt de Tracy die Reihe composition des mots-syntaxe-style als Ebenen der sprachlichen Gestaltung, die zur Klarheit der Ideen beitragen können.

5 Zum Begriff ›*analyse*‹ und seiner Entwicklung vom Terminus zum politischen Schlüsselwort, Auroux (1985). Zum Gegensatz ›*signe*‹ vs ›*image*‹ bei Condillac und Humboldt Trabant (1986).

6 In diesem Zusammenhang ist auch die Kant-Polemik der Ideologen zu sehen. Wichtig für die Hochschätzung der *analyse* dürften auch die Modellwissenschaften der Zeit, insbesondere die Chemie (vgl. insbesondere Schlieben-Lange (1986b), und die pädagogische Orientierung der Ideologen sein.

7 Hinweis von J. Guilhaumou. Zu den daraus sich ergebenden unterschiedlichen bedeutungstheoretischen Positionen Guilhaumou (1986).

8 Ich beziehe mich hier auf die unter ›Quellen‹ angegebenen Texte, sowie diejenigen, die Chevalier (1982) und Sermain (1986) erschließen.

9 Zur Auseinandersetzung um den ›abus des mots‹ und die ›propriété des mots‹ Guilhaumou (1986), Reichardt (1985), Schlieben-Lange (1985).

10 Die Auseinandersetzung um die Wortstellung beherrscht die sprachtheoretische Diskussion des 18. Jahrhunderts. Vgl. Ricken (1982). Diese Diskussion müßte wohl noch stärker auf die involvierten Stellungnahmen zu Rhetorik, éloquence, Stilistik befragt werden.

11 Vgl. *LiLi* 57/58 (1986) zur Problematik einer Geschichte des Lesens.

12 In diesem Zusammenhang müßten auch die Äußerungen zum Gegensatz von Okzitanisch, dem zum Beispiel von Beauzée noch ein musikalischer Akzent zugesprochen wird, und Französisch in der 2. Hälfte des 18. Jahrhunderts untersucht werden.

13 »Es gibt in unserer Sprache, sagte ein Royalist, eine Hierarchie des Stils, weil die Wörter wie die Untertanen einer Monarchie geordnet sind.‹ Dieses Geständnis ist sehr erhellend für jeden, der nachdenkt. Wenn man die Ungleichheit der Stile mit jener der gesellschaftlichen Situation in Beziehung setzt, kann man daraus Konsequenzen ziehen, die die Wichtigkeit meines Projekts in einer Demokratie beweisen« (Grégoire, zit. nach de Certeau und andere, S. 316).

14 »Die Chemie hat sich durch die Reform und Korrektur der alten Fachsprache vollständig verändert und gewinnt von Tag zu Tag mehr Ansehen. Dies scheint mir eine sichere Garantie für den Erfolg zu sein, der die Bemühungen der Gelehrten krönen wird, die unsere Ideen nach dem Modell der Chemie analysieren: die einheitliche (*uniforme*) Aufteilung des französischen Territoriums, die Einheitlichkeit (*uniformité*) von Gesetzgebung und Verwaltung in allen Départements, schließlich die Festlegung und Einführung eines einheitlichen (*uniforme*) Systems der Maße und Gewichte für die gesamte Republik, all dies sind neue Schritte in Richtung auf unser Ziel. Aber um es zu erreichen, müssen wir in jeder Wissenschaft die Einheitlichkeit (*uniformité*) der komplexen und allgemeinen Begriffe festlegen, eine Art von Einheit, die nicht weniger notwendig ist, wenn man sich über die Prinzipien der Erziehung, der Moral und der Gesetzgebung verständigt, als jene andere, die unerläßlich ist, wenn man exakt und einheitlich das Gewicht und das Volumen von Körpern bestimmen oder ihre Ausdehnung und Oberfläche berechnen will« (Lancelin, S. 312 f.).

Literatur

Quellen

Condillac, Etienne Bonnot de (1947-1951), *Œuvres philosophiques*. Bd.I-III. Paris.

Destutt de Tracy (1801-1815) (1977), *Eléments d'Idéologie*. Bd. 1-5. Paris, Stuttgart.

Encyclopédie (1782), Berne et Lausanne.

Grégoire, Abbé (1794) (1976), »Rapport sur la nécessité et les moyens d'anéantir les patois et d'universaliser l'usage de la langue française.« In: de Certeau, M. und andere, *Une politique de la langue*. Paris.

Jenisch, D. (1796), *Philosophisch-kritische Vergleichung und Würdigung von 14 ältern und neuern Sprachen Europas*. Berlin.

Lancelin, P.F. (1802), *Introduction à l'analyse des sciences*. Paris.

Mercier, L.-S. (1800), *Le Nouveau Paris 1*. Brunswick.

Mercier, L.-S. (1802), *Néologie ou vocabulaire des mots nouveaux*. Paris.

Volney, Constantin François Chasseboeuf Comte de (1852), *Oeuvres*, darin: *Leçons d'histoire*. Paris.

Sekundärliteratur

Auroux, S. (1985), »Analyse et expérience«. Erscheint in: *Handbuch politisch-sozialer Grundbegriffe in Frankreich 1680-1820*. München.

Busse/Trabant, J. (1986), *Les Idéologues. Sémiotique, théories et politiques linguistiques pendant la Révolution Française*. Amsterdam.

Chevalier, J.-C. (1982), »Les Idéologues et le style«. In: *Histoire, Epistémologie, Langage*, 4. S. 93-97.

Guilhaumou, J. (1986), »L'élite modérée et la propriété des mots (1791). Propagation et usage des mots dans l'opinion publique«, in: Busse/Trabant (Hg.) (1986), S. 323-341.

Reichardt, R. (1985), *Einleitung zum Handbuch politisch-sozialer Grundbegriffe in Frankreich 1680-1820*. München. S. 39-148.

Ricken, U. (1978), *Grammaire et philosophie au siècle des lumières*. Lille.

Schlieben-Lange, B. (1983), »Schriftlichkeit und Mündlichkeit in der Französischen Revolution«. In: Assmann, A. und J., Hardmeier, Chr. (Hg.) *Schrift und Gedächtnis*. München, S. 194-211.

Schlieben-Lange, B. (1985), »Die Wörterbücher der Französischen Revolution (1789-1804)«. In: Reichardt, R. (Hg.) (1985), S. 149-196.

Schlieben-Lange, B. (1986a), »Les Idéologues et l'écriture«. In: Busse/Trabant, J. (Hg.) (1986). S. 181-206.

Schlieben-Lange, B. (1986b), »Néologie, terminologie, lexicologie. A la recherche du morphème«. In: Schmidt-Radefeldt, J. (Hg.) *Festschrift für Herculano Carvalho*, im Druck.

Schlieben-Lange, B. (1986c), »Le style feroce de Louis-Sébastien Mercier: l'écriture de l'inovï«, im Druck.

Schlieben-Lange, B. (1986d), »Grégoire neu gelesen«. In: Koselleck, R./ Reichardt, R. (Hg.), *Die Französische Revolution als Bruch des gesellschaftlichen Bewußtseins*. München, im Druck.

Sermain, J.-P. (1986), »Raison et Révolution: le problème de l'éloquence politique«. In: Busse/Trabant, J. (Hg.) (1986), S. 147-165.

Trabant, J. (1986), »La critique de l'arbitraire du signe chez Condillac et Humboldt«. In: Busse/Trabant, J. (Hg.) (1986), S. 73-96.

Jürgen Trabant
Der Totaleindruck
Stil der Texte und
Charakter der Sprachen

1. Stilistik und Sprachwissenschaft

Seit der Mitte des 19. Jahrhunderts wird der Ausdruck »Stilistik« in der Sprachwissenschaft systematisch zur Bezeichnung einer linguistischen Teildisziplin verwendet: In K. W. L. Heyses *System der Sprachwissenschaft* (1856, S. 252-258) bezeichnet »Stilistik« die Untersuchung der Sprache als »Organ des individuellen Geistes« (Sprache in der Sphäre der Einzelheit). Als dritter Teil der Sprachwissenschaft – neben der Untersuchung der Sprache als »Organ des Menschengeistes überhaupt« (Sprache in der Sphäre der Allgemeinheit) und der Untersuchung der Sprache als »Organ des Volksgeistes« (Sprache in der Sphäre der Besonderheit) – hat die Stilistik als »Theorie des subjectiven Stils« (*a.a.O.*, S. 258) die »individuelle Sprachform oder eigenthümliche Ausdrucksweise des Individuums« zum Gegenstand (*a.a.O.*, S. 252). Heymann Steinthal übernimmt diese (hegelsche) Dreiteilung der Sprachwissenschaft, wenn er in seiner Systematik allgemeine Sprachwissenschaft (oder Sprachphilosophie), besondere Sprachlehre (oder Grammatik) und schließlich Stilistik unterscheidet (Steinthal, H., 1881). An diese Verwendung des Ausdrucks »Stilistik« schließen auch Vossler und Spitzer an, wenn sie sich zu Beginn dieses Jahrhunderts vornehmen, die Sprachwissenschaft von der Stilistik her zu reformieren.

Wenn heute in der Sprachwissenschaft von »Stilistik« die Rede ist, so ist damit aufgrund dieser Tradition – zumindest in Deutschland – immer noch hauptsächlich die Thematisierung der »eigenthümlichen Ausdrucksweise des Individuums« gemeint, Sprache in der Sphäre der Einzelheit.

Die Sprachwissenschaft liebt allerdings die Stilistik nicht. »Richtige« Sprachwissenschaft hatte schon immer und hat immer noch Schwierigkeiten, diese Art von Sprachbetrachtung als genuin sprachwissenschaftliche Bemühung anzuerkennen. »Echte« Sprachwissenschaft beschäftigt sich nämlich nicht mit der »eigenthümlichen Ausdrucksweise des *Individuums*«. Die Äußerungen des Individuums sind bestenfalls das Material, das Ausgangsobjekt der Sprachwissenschaft, die traditionellerweise ihren legitimen Ort allein auf der Ebene der Besonderheit (in der modernen Sprachwissenschaft in zunehmendem Maße auch auf der Ebene der Allgemeinheit) zu haben glaubt. Die Sphäre der Einzelheit betrachtet die Sprachwissenschaft als Domäne der Literaturwissenschaft.[1] Für die Unbeliebtheit der Stilistik in der Sprachwissenschaft ist aber wohl vor allem die Tatsache verantwortlich, daß Stilistik mit der Vossler-Spitzerschen Stilistik gleichgesetzt wird. Diese verstand sich ja selbst als Opposition gegen die Sprachwissenschaft, das heißt gegen das dominante naturwissenschaftlich-»materialistische« Paradigma der Sprachwissenschaft des 19. Jahrhunderts. Und in gewisser Hinsicht verschärft sich dieser Gegensatz noch im Verhältnis zur modernen – strukturellen – Sprachwissenschaft, obwohl diese ebenfalls, allerdings mit einer anderen Stoßrichtung, gegen das alte Paradigma revoltierte.[2] In zweierlei Hinsicht ist der stilistische Ansatz mit dem der modernen Linguistik unvereinbar: Erstens lehnt die moderne Linguistik die besondere Verbindung mit der *Literatur*, den Ästhetizismus der Stilistik, ab. Daß, wie die idealistische Stilistik glaubte, als Kunst verwendete Sprache ein besonders geeignetes sprachwissenschaftliches Material ausmache, widerspricht dem Credo fast aller Richtungen der modernen Sprachwissenschaft: Das sprachliche Untersuchungsmaterial der modernen Linguistik hat so »natürlich« wie möglich zu sein. Es wird damit in der modernen Linguistik (wenn sie nicht wie die liberale, offene Prager Schule jegliche Art von Sprache – also auch die als Kunst verwendete – für untersuchenswert hält) gerade unvorbereitete, spontane, gesprochene (»natürliche«) Sprache besonders ausgezeichnet (was die Linguistik auch noch hinsichtlich der weitgehenden *Schriftlichkeit* von Literatur in Gegensatz zur Stilistik setzt). Die zweite, vielleicht noch wichtigere Unvereinbarkeit zwischen Stilistik und

Linguistik betrifft die Logik der Forschung: Die idealistische Stilistik war eine ganz explizit *hermeneutisch* vorgehende Disziplin, während die moderne Linguistik doch – jedenfalls in den dominanten Richtungen – ebenso entschieden der analytischen Wissenschaftstheorie verbunden ist. Diese drei Gründe – vor allem aber der letztere – sind es, die die Stilistik geradezu als eine Anti-Linguistik erscheinen lassen, über die der »echte« Linguist besser schweigt und die er auf keinen Fall als seine Tradition in Anspruch nehmen, sondern höchstens als kuriosen »vorwissenschaftlichen« Irrweg betrachten wird.

Abhilfe vom »vorwissenschaftlichen« hermeneutischen Treiben der alten Stilistik versprechen die unter der Überschrift »linguistische Stilistik« figurierenden Bemühungen. Diese wenden sich zwar den Äußerungen von Individuen – der Sphäre der Einzelheit –, insbesondere literarischen Äußerungen zu, tun dies aber ausdrücklich in der Absicht, die Instrumente »richtiger« Linguistik, die (gegenüber der alten, subjektiven Stilistik) »objektiven« Verfahren, auf dieses Gebiet *anzuwenden*.[3] Das heißt, die von der modernen Linguistik reformierte Stilistik wird nicht mehr als ein großer Teilbereich des Gesamtsystems der Sprachwissenschaft gesehen (oder gar wie bei Spitzer als das Fundament, auf dem die Sprachwissenschaft insgesamt basieren sollte), sondern nur noch als einer von vielen möglichen Anwendungsbereichen »richtiger« Linguistik. Wo in der aktuellen Sprachwissenschaft überhaupt noch von »Stilistik« die Rede ist, da ist mit diesem Ausdruck gemeint: »the application of linguistics to the study of literature«, wie der Herausgeber eines einschlägigen Sammelbandes in aller Deutlichkeit sagt (Freeman, D. D., Hg., 1981, S. 3).[4] Die Stilistik wird also, mit guten linguistischen Ratschlägen versehen, aus der Sprachwissenschaft hinauskomplimentiert.

Zu diesen bisher hervorgehobenen Schwierigkeiten des Verhältnisses der Stilistik zur (traditionellen oder modernen) Linguistik, die auf tiefgehenden sprach- und wissenschaftstheoretischen Gegensätzen beruhen, kommt noch eine eher terminologische Schwierigkeit hinzu, die gleichzeitig aber auch über die Sphäre der Einzelheit hinausweist, auf die in der bis jetzt angesprochenen Tradition Stilistik beschränkt blieb. Die bei Heyse vorgenommene terminologische Festlegung von »Stil« auf »eigenthümliche Ausdrucksweise des Individuums« impliziert, daß das »Individuum« ein *einzelner* Mensch (oder Text) ist. Andere Verwendungsweisen von »Stil« und »Stilistik« beziehen sich aber auf andere Arten von »Individuen«, auf »kollektive« Individuen, Gruppen von Menschen, und deren »eigenthümliche Ausdrucksweisen«. In diesem Sinne ist es durchaus üblich, von »Stil« und »Stilistik« zu sprechen, wo man sich auf Textsorten, auf situationsspezifische Varianten einer Sprache, auf Sektorialsprachen[5], auf sog. Sprachebenen, auf emotive Ausdrucksmittel einer Sprache oder ähnliches bezieht. Wie legitim diese verschiedenen Verwendungsweisen von »Stil« (und »Stilistik«) auch sind – sie bezeichnen meines Erachtens alle »die charakteristische Art und Weise historischer Individuen, sprachlich zu handeln«[6] –, sie tragen nicht gerade dazu bei, Klarheit darüber zu schaffen, was Stilistik ist: Durch die mögliche Referenz auf so verschiedene sprachliche Objektbereiche, ist nicht einmal mehr die eindeutige Beziehung auf literarische Texte gewährleistet. Das Bild von »Stilistik« wird völlig diffus. Die Sprachwissenschaft hat auf diese Unklarheit dadurch reagiert, daß sie den Ausdruck zunehmend vermeidet. Statt die entsprechenden Bemühungen einer diffusen »Stilistik« – bzw. mehreren sehr verschiedenen Stilistiken – zuzuordnen, handelt sie die genannten Fragen zum Beispiel in der Textlinguistik (Textsorten), in der Soziolinguistik (situationelle Varietäten einer Sprache, »Register«, Sektorialsprachen), in der Pragmatik (Kundgabe- und Appellfunktion der Sprache) ab.

Diese durch die Offenheit des Ausdrucks »Stil« bedingte Unklarheit hinsichtlich des Gegenstandsbereichs von »Stilistik« war es vermutlich, die selbst jene »neotraditionalistische« Richtung der modernen Sprachwissenschaft auf den Ausdruck »Stilistik« Verzicht leisten ließ, die die Thematisierung der Sprache auf der Ebene des Individuellen als einen großen Teilbereich der Sprachwissenschaft so beibehält, wie es von der Heyse-Steinthalschen Tradition vorgezeichnet worden ist: Coseriu nennt die alte Stilistik, die Untersuchung des Sprechens auf der individuellen Ebene, die er theoretisch und praktisch erneuert, »Linguistik des Textes« (Coseriu, E., 1975, S. 259, und Coseriu, E., 1980).[7]

Als Fazit dieses kurzen Einblicks in die Situation von »Stilistik« in der aktuellen Linguistik ergibt sich also, daß dort, wo der Terminus »Stilistik« beibehalten wird, er eigentlich keine Domäne der Sprachwissenschaft bezeichnet, sondern eine linguistisch geleitete (»objektive«) Literaturwissenschaft, und daß umgekehrt dort, wo die Aufgabe der alten Stilistik (sei es die

Linguistik der individuellen Ebene des Sprechens, sei es die Beschreibung anderer »individueller« Sprechweisen) als genuine Aufgabe der Sprachwissenschaft aufrechterhalten wird, auf den Ausdruck »Stilistik« verzichtet wird. Damit scheint letztlich der Ausdruck *in* der Sprachwissenschaft keine systematische Verwendung mehr zu finden.

1.2. Stil und Charakter

Angesichts der Vieldeutigkeiten (und offensichtlich unangenehmen Konnotationen) ist dieser Verzicht auf den Ausdruck »Stilistik« in der Linguistik einerseits eine begrüßenswerte (nicht nur terminologische) Entscheidung, die Klarheit schafft. Andererseits kann nicht übergangen werden, was mit diesem Verzicht verlorengeht: Erstens wird damit der in dem Ausdruck »Stil« enthaltene »totalisierende« Anspruch aufgegeben bzw. nicht mehr explizit erhoben, der Anspruch nämlich, daß »Stilistik« das Individuelle des Individuums einfangen soll, daß sie dasjenige zu erfassen versucht, was ein individuelles sprachliches Handeln als *dieses* charakterisiert, seine individuelle Form (oder eben seinen »Stil«). Zweitens geht damit natürlich die Reminiszenz an die Spitzersche Stilistik verloren, die Überzeugung, daß diese individuelle Form nicht anders als »verstehend«, hermeneutisch erfaßt werden kann. Selbstverständlich zielt etwa die Text-Linguistik Coserius in der Nachfolge der Spitzerschen Stilistik ausdrücklich nach wie vor auf das hermeneutische Erfassen der individuellen Form.[8] Auch die soziolinguistischen Beschreibungen von Sprachregistern (oder sogenannten diaphasischen Varietäten einer Sprache) zum Beispiel versuchen, wenn auch nicht unbedingt explizit hermeneutisch, gerade das Charakteristische dieser Register zu erfassen. Diese Absicht (und dieses Vorgehen) wird aber nicht mehr an einem entsprechenden Terminus festgemacht. Um nun dieses faktisch ja nach wie vor vorhandene »totalisierende« (und manchmal auch »hermeneutische«) Moment in den sprachthematisierenden Disziplinen weiterhin deutlich zu machen, plädiere ich dafür, zwar von einer Disziplin namens »Stilistik«[9] Abschied zu nehmen, wohl aber den Ausdruck »Stil« im Rahmen wissenschaftlichen Sprechens über sprachliches Handeln beizubehalten. Er scheint mir nämlich ein nützliches terminologisches Instrument zur Bezeichnung von Totalisierungsversuchen in der Beschreibung sprachlichen Handelns, die wohl nicht ohne hermeneutische Wagnisse zustande kommen können.

Die Frage, die sich an dieser Stelle natürlich stellt, ist die, ob solche (hermeneutischen) Totalisierungsversuche in bezug auf sprachliches Handeln überhaupt wünschenswert sind, welchen Sinn sie haben sollen und ob sie einen Ort in der Sprachwissenschaft haben können. Ich möchte diese Frage hier nicht direkt in bezug auf den Ausdruck »Stil« und die Handlung »den Stil eines bestimmten sprachlichen Handelns bestimmen« beantworten[10], sondern indirekt durch die Präsentation des Humboldtschen sprachwissenschaftlichen Programms. In diesem ist nämlich die Problematik der wissenschaftlichen Bewältigung des – wie Humboldt es nennt – *Totaleindrucks* die zentrale Frage, von deren Beantwortung im Grunde Aufgabe und Gegenstand der Sprachforschung abhängen. Es ist das Problem des wissenschaftlichen Erfassens der »individuellen Form«. Dieses wird bei Humboldt allerdings nicht in bezug auf *Texte*, auf die »eigenthümliche Ausdrucksweise« des *einzelnen* Individuums, behandelt, sondern in bezug auf die *Sprachen*, auf die eigentümlichen Ausdrucksweisen von Nationen also, die bei Humboldt ausdrücklich als historische Individuen aufgefaßt sind. Humboldt formuliert das Problem folgendermaßen: »Denn wenn auch der *Totaleindruck* jeder [Sprache] leicht aufzufassen ist, so verliert man sich, wie man den Ursachen desselben nachzuforschen strebt, in einer zahllosen Menge scheinbar unbedeutender Einzelheiten, und sieht bald, dass die Wirkung der Sprachen nicht sowohl von gewissen grossen und entschiednen Eigenthümlichkeiten abhängt, als auf dem *gleichmässigen*, einzeln kaum bemerkbaren *Eindruck* der Beschaffenheit ihrer Elemente beruht« (IV, S. 1, Hervorhebung von mir).[11] Der »totalisierende« Terminus, mit dem Humboldt jenen »gleichmäßigen Eindruck« der als Individuen aufgefaßten Einzelsprachen bezeichnet, ist dabei der Ausdruck *Charakter*.[12] Die Humboldtschen Überlegungen zum »Charakter« scheinen mir nun deswegen von besonderem Gewicht für den sprachwissenschaftlichen Kontext, in dem ich argumentiere, weil in ihnen eine Totalisierungsabsicht in bezug auf die *Sprachen*, also auf den Kernbereich der Sprachwissenschaft, auf die »Sphäre der Besonderheit«, artikuliert wird. Damit sind sie für die Linguisten nicht so leicht vom Tisch zu wischen wie die entsprechenden Vorschläge aus der Stilistik, die sich mit dem »marginalen« oder zumindest umstrittenen Bereich individueller Texte abgibt.

2. Der Charakter der Sprachen

Sinn und Funktion des Ausdrucks »Charakter« und der ihm entsprechenden Handlung »den Charakter von etwas Bestimmen« ergeben sich aus dem Gesamtzusammenhang des Humboldtschen Forschungsprogramms, der nun skizziert werden soll. Friedrich Schlegel hatte 1808 das Programm der historisch vergleichenden Grammatik formuliert: Er forderte eine »*vergleichende Grammatik*, welche uns ganz neue Aufschlüsse über die *Genealogie* der Sprachen auf ähnliche Weise geben wird, wie die *vergleichende Anatomie* über die höhere *Naturgeschichte* Licht verbreitet hat« (Schlegel, F., 1808, S. 28, Hervorhebung von mir). Von Franz Bopp, Jacob Grimm und August Wilhelm Schlegel werden glanzvoll die ersten wegweisenden Realisierungen dieses Entwurfs geliefert. Seit seinem – verspäteten – Erscheinen auf der sprachwissenschaftlichen Bühne hat Humboldt seinerseits das Programm einer vergleichenden Sprachwissenschaft vorgelegt, das in mancher Hinsicht dem Schlegelschen widerspricht. Zwar behält Humboldt die Schlegelsche Idee bei, daß der Sprachvergleich auf dem »inneren Bau«, also auf der Grammatik, beruhen muß (und nicht auf dem Vergleich einiger für wichtig gehaltener Lexeme). Humboldts Programm ist aber bedeutend umfangreicher und setzt innerhalb dieses größeren Ensembles von Sprachforschungen die Akzente anders: Es enthält zwar auch die für Schlegel und den gesamten Komparatismus zentrale Idee einer Genealogie der Sprachen, weist ihr aber im Gesamt der sprachwissenschaftlichen Forschungen doch eine deutlich nachgeordnete Stellung zu. Außerdem zeigen sich, gegenüber bestimmten Tendenzen der neuen Sprachwissenschaft, deutliche Differenzen hinsichtlich der sprach- und wissenschaftstheoretischen Basis der Forschung: Dem in der Entwicklung der Sprachwissenschaft immer stärker werdenden *Naturalismus* und der Reduktion von Geschichte auf die Zeitdimension, also auf *Diachronie*, stellt Humboldt seine Auffassung von Geschichte entgegen, die auf der *Individualität* der handelnden Subjekte und der *Finalität* menschlicher Handlungen beruht (und die im wesentlichen durch *hermeneutische* Arbeit zu begreifen ist). Die beiden Texte, in denen das Humboldtsche Projekt am klarsten dargestellt ist, sind seine beiden ersten Reden vor der Berliner Akademie der Wissenschaften: »Über das vergleichende Sprachstudium in Beziehung auf die verschiedenen Epochen der Sprachentwicklung«, 1820, und »Über die Aufgabe des Geschichtschreibers«, 1821.

Die Sprachforschung gliedert sich aufgrund der Unterscheidung zweier Epochen der Sprachentwicklung in zwei große Teilbereiche: Die erste Phase der Sprachentwicklung, die »Organisationsperiode« verläuft vom Ursprung der Sprache – an dem die Sprache »auf einmal« als Ganze da ist (IV, S. 3) – bis zu einem Punkt der Vollendung der Ausformung des *Baus* oder des *Organismus* der Sprachen, dem »Crystallisationspunkt«, »Culminationspunkt« oder »Congelationspunkt«. Nach der Vollendung ihrer Organisation können die Sprachen weiter ausgebildet werden durch ihren literarischen Gebrauch in der zweiten Periode, die Humboldt die »Ausbildungsperiode« nennt. Es ist unmöglich, den Prozeß der Konstruktion des Baus während der Organisationsperiode »empirisch« oder »historisch« (diese beiden Ausdrücke sind synonym) zu beobachten; alle Sprachen, die wir kennen – auch die Sprachen der sogenannten Wilden, von denen sich Europa Aufschluß über »primitive« Sprachzustände erhofft hatte –, präsentieren sich fertig, vollendet in ihrem »organischen Bau«. Es lassen sich daher keine wissenschaftlichen Aussagen über diese erste Epoche der Sprachentwicklung machen. Die Konjekturen über die Organisationsperiode, die die Philosophen des 18. Jahrhunderts durch eine Projektion der Grammatik auf die Zeitebene entworfen hatten, entbehren jeder empirischen Überprüfbarkeit; sie haben nichts mit dem zu tun, was Humboldt modern »Geschichte« nennt. Die geschichtliche Sprachforschung oder das »Erfahrungsstudium« der Sprachen, kann sich also nur auf die schon fertigen »Organismen« beziehen. Je nachdem nun, ob eine Sprache sich in einer Literatur weiter »ausgebildet« hat oder nicht, kann sich die Sprachforschung entweder nur auf den »Bau« der Sprachen beziehen oder darüber hinaus auch noch auf das, was die Sprachen in ihrer »Ausbildungsperiode« ausgebildet haben, den *Charakter*. Das vergleichende Sprachstudium hat daher zwei Teile, die Erforschung des »Organismus« oder des »Baus« einerseits und die Erforschung des »Charakters« der Sprachen andererseits.

2.1. Linguistik des Baus

Die Linguistik des Baus der Sprachen besteht vor allem aus zwei Arten von Untersuchungen, aus den »Monographien der ganzen Sprachen« und aus den Monographien »einzelner Theile des Sprachbaues durch alle Sprachen hindurch« (IV, S. 11). Was Humboldt bei den ersteren vorschwebt, sind im Grunde strukturelle Skizzen aller Sprachen der Menschheit. Humboldt entwickelt bezüglich der »Monographien der ganzen Sprachen« die Grundgedanken des sprachwissenschaftlichen Strukturalismus: Die Sprachbeschreibung muß sich emanzipieren vom Vorbild der Grammatik der alten europäischen Sprachen, das nur zu einer in die Sprachen »hineinerklärten Grammatik« führt (V, S. 311). Sie muß die »wirklich in der Sprache selbst«, die »in ihr natürlich liegende« Grammatik *(ebd.)* zu erfassen versuchen, kurz das, was wir heute die »Struktur« einer Sprache nennen (auch Humboldt spricht manchmal statt von »Bau« von »Struktur«). Die zweite Art von Untersuchungen des »Organismus« der Sprachen sind vergleichende Untersuchungen von »Teilen« des Sprachbaus durch alle Sprachen der Welt hindurch, das heißt etwas, was wir heute vergleichende onomasiologische Studien nennen würden. Humboldts Abhandlung über den Dualis ist ein Beispiel für eine solche Monographie. Diese beiden Untersuchungstypen machen den Kern der Humboldtschen Linguistik des Baus aus. Schon allein dadurch unterscheidet sich Humboldts vergleichendes Sprachstudium zutiefst von der historisch-vergleichenden Sprachwissenschaft, für die gemäß dem Schlegelschen Programm die Frage der *Genealogie* und – in geringerem Maße – der *Klassifikation* der Sprachen Priorität hatte. Bei Humboldt stehen dagegen die *strukturellen* (synchronischen) Untersuchungen eindeutig im Vordergrund, ja er macht mit aller Bestimmtheit deutlich, daß die beiden Fragestellungen des Komparatismus überhaupt erst auf der Basis struktureller Beschreibungen seriös angegangen werden können (IV, S. 11).

Exkurs: Typologie (Klassifikation) vs. Charakter

Während aber die genealogische Fragestellung unter dem Eindruck der Forschungen von Bopp, Grimm und A. W. Schlegel für Humboldt im Laufe seiner sprachwissenschaftlichen Arbeiten immer wichtiger wird (auch wenn er immer wieder davor warnt, die Sprachwissenschaft auf diese Art der Forschung zu reduzieren), so wird ihm umgekehrt die klassifikatorische immer problematischer. Dies hervorzuheben ist um so wichtiger, als Humboldt ja immer als Begründer einer Sprach*typologie* (im Sinne einer Klassifikation) angesehen wird. Zu den Gemeinplätzen über Humboldt gehört die Behauptung, daß er vier Klassen oder Typen von Sprachen unterschieden habe, die flektierenden, die isolierenden, die agglutinierenden und die einverleibenden. Es ist hier nicht der Ort, ausführlich auf das Problem der »Typologie« bei Humboldt einzugehen.[13] Um aber klarzustellen, daß Humboldt seine Totalisierungsabsicht bezüglich der Sprachen gerade nicht unter dem Begriff der »Klasse« oder des »Typs«[14] realisiert hat, soll angedeutet werden, wie kritisch, ja geradezu ablehnend Humboldt dem Unternehmen einer Klassifikation von Sprachen gegenüberstand. Schon in seinem ersten Akademievortrag, in dem er die Frage »ob und wie sich die Sprachen, ihrem inneren Bau nach, in Classen, wie etwa die Familien der Pflanzen, abtheilen lassen« (IV, S. 11) noch als »wichtig« bezeichnet, äußert Humboldt sich sehr kritisch über die bisher gemachten Klassifikationsversuche (er meint vor allem die Schlegelschen): »Das bisher darüber Gesagte bleibt, wie scharfsinnig es geahndet seyn möchte, ohne strengere factische Prüfung dennoch nur Muthmassung« *(ebd.)*. In einem späteren Text aber lehnt er die Klassifikation der Sprache nach dem Modell der Naturgeschichte als ein der »tiefer erörterten Natur der Sprache selbst« widerstrebendes Vorgehen überhaupt ab (VI, S. 150). Die Sprachen seien nämlich *Individuen*, die als solche jeweils eine Klasse für sich einnähmen: »Aus zwei, die ganze Frage abschneidenden Gründen ist daher die so oft angeregte Eintheilung der Sprachen nach Art der Eintheilung der Naturgegenstände ein für allemal und für immer zurückzuweisen. Die Naturkunde hat es nie mit Geistigem und nie mit Individuellem zu thun, und eine Sprache ist eine geistige Individualität« (VI, S. 150 f.). Als Gegenbegriff zum Begriff der »Gattung« oder der »Klasse« (dies ist im wesentlichen unter »Typ« in der modernen Sprachtypologie gemeint) taucht dann der spezifisch Humboldtsche totalisierende Ausdruck auf, eben der des »Charakters«. Bei den Sprachen ist es, im Gegensatz zu den Naturgegenständen, »nur ein mehr und ein weniger, ein theilweis ähnlich und verschieden seyn, was die einzelnen unterscheidet, und es sind nicht diese Eigenschaften, einzeln herausgehoben, sondern ihre Masse, ihre Verbindung, die Art dieser, worin ihr *Charakter* besteht, und zwar alle diese Dinge nur auf die *individuelle Weise, die sich vollständig gar nicht in Begriffe fassen lässt*« (VI, S. 150, Hervorhebung von mir). Die eigentlich Humboldtsche »Typologie« – oder besser: Totalisierung –, die in der Tat das Herzstück der Humboldtschen Linguistik ist, ist eine Charakteristik von Individuen, keine Bündelung von Individuen zu Klassen. Ihr wissenschaftstheoretisches Hauptproblem ist die Frage, wie sie mit der »individuellen Weise, die sich vollständig gar nicht in Begriffe fassen läßt«, verfährt.

2.2. Linguistik des Charakters

Das riesige und umfassende Feld der Linguistik des Baus, das heißt im Grunde alles das, was die Linguistik des 19. und des 20. Jahrhunderts als die Linguistik schlechthin angesehen hat, ist für Humboldt nur Vorarbeit, Propädeutik zu der wichtigsten Fragestellung des vergleichenden Sprachstudiums, zur Untersuchung der Sprachen in ihrer »Ausbildungsperiode«, zur Erforschung des in dieser Periode ausgebildeten »Charakters«: »Hierin also liegt der *Schlussstein der Sprachkunde*, ihr Vereinigungspunkt mit Wissenschaft und Kunst« (IV, S. 13, Hervorh. von mir). Der »Charakter« einer Sprache bildet sich durch die Art und Weise, wie sprachgewaltige Individuen im Gebrauch über die Struktur, den Bau der Sprache verfügen. Er ist »gleichsam der Geist, der sich in der Sprache einheimisch macht und sie, wie einen aus ihm herausgebildeten Körper beseelt« (VII, S. 172). Der Charakter der Sprachen wird also im Sprechen, in den *Texten* faßbar.

Die Texte, in denen der »Geist« weht, sind allerdings nicht irgendwelche Texte, sondern diejenigen, die wir Literatur im weiteren Sinne nennen können, das heißt nicht nur Dichtung, sondern auch Philosophie, Wissenschaft und Geschichtsschreibung gehören hierzu.[15] Durch diese Textbasis für die Erforschung des Charakters, berührt sich im übrigen das Thema des Charakters mit dem des Stils. »Styl« ist bei Humboldt, wenn ich die Texte richtig lese, immer etwas, das der »veredelten Rede«, nicht der »gewöhnlichen Rede« zukommt (VII, S. 195). Dieses traditionelle wertende Bedeutungselement von »Stil« (als besonders exzellente und prestigereiche Art zu handeln)[16] scheint mit

den ebenso traditionellen Verwendungsweisen als »Gattungsstil«
(VII, S. 186f.) und »Personenstil« (VII, S. 195) verbunden zu sein.
Da sich der Charakter einer Sprache in den literarischen Texten
zeigt, ist es wohl nicht falsch zu sagen, daß er in den Texten sich
ausbildet, die »Styl« haben. Das Textsubstrat der Linguistik des
Charakters ist also gerade nicht »ordinary language«, nicht ein
sprachlicher Alltag, in dem die Sprache einseitig im praktischen
oder rein rationalen Hantieren als Zeichen, als Werkzeug gebraucht wird, sondern ein »Feiertag« der Sprache, an dem sich im
sogenannten rednerischen Gebrauch die »ungetheilten Kräfte des
Menschen« (IV, S. 30) entfalten. Diese Auszeichnung des »rednerischen« Gebrauchs der Sprache als des dem Wesen der Sprache
überhaupt erst entsprechenden Gebrauchs findet sich in der
charakteristischen Verengung auf »Kunst« später in der modernen Stilistik wieder.[17]

2.2.1. Empfinden und Erahnden

Um die zentrale Stellung der Linguistik des Charakters als des
»Schlusssteins« des Gebäudes des vergleichenden Sprachstudiums
zu rechtfertigen, muß Humboldt die oben schon angedeutete
Frage nach der Bewältigung der nicht in Begriffe zu fassenden
individuellen Form beantworten. Dies ist die grundsätzliche me-
thodische Frage jeder historischen Forschung. In seiner zweiten
Akademierede, der Rede über die Aufgabe des Geschichtschreibers, seinem »discours de la méthode« (Caussat, P., 1974, S. 34),
entwickelt Humboldt die Grundsätze des geschichtlichen Verstehens, die er ausdrücklich als auch für die Sprachforschung als
einer historischen Disziplin gültig erklärt. Der wissenschaftstheoretische Kernsatz dieser Rede ist eine klassische Formulierung des
Grundprinzips der Hermeneutik: »Jedes Begreifen einer Sache
setzt, als Bedingung seiner Möglichkeit, in dem Begreifenden
schon ein Analogon des nachher wirklich Begriffenen voraus,
eine vorhergängige, ursprüngliche Uebereinstimmung zwischen
dem Subject und Object. Das Begreifen ist keineswegs ein blosses
Entwickeln aus dem ersteren, aber auch kein blosses Entnehmen
vom letzteren, sondern beides zugleich. Denn es besteht allemal
in der Anwendung eines früher vorhandenen Allgemeinen auf ein
neues Besondres. Wo zwei Wesen durch gänzliche Kluft getrennt

sind, führt keine Brücke der Verständigung von einem zum andren, und um sich zu verstehen, muss man sich in einem andren Sinn schon verstanden haben« (IV, S. 47).

Um diesen Dialog zwischen dem historischen (oder sprachlichen) Gegenstand und dem Forscher, die »Assimilation der forschenden Kraft und des zu erforschenden Gegenstandes« (IV, S. 38), zu ermöglichen, bedarf der Forscher einer bestimmten Art von Phantasie, die Humboldt »Sinn für die Wirklichkeit« nennt. Diese schöpferische Begabung des Forschers, die wir im Falle des Sprachwissenschaftlers »linguistische Phantasie« nennen könnten, vermittelt zwischen den sogenannten Fakten und den Ideen, zwischen der Kenntnis des Sprachmaterials und philosophischer Sprachreflexion. Durch »Freiheit der Ansicht« und »schonende Zartheit« gegenüber den Fakten (IV, S. 56) ermöglicht die linguistische Phantasie eine Annäherung an die individuelle Form, an den Charakter der historischen Gestalt Sprache. Da die erschöpfende Beschreibung eines Individuums unmöglich ist, kann es hierbei nur darum gehen, in einer auf Faktenkenntnis basierenden schöpferischen Handlung den ersten intuitiven *Totaleindruck* durch eine Auswahl von Zügen, die das Individuum hinreichend als dieses darstellen, nachzuschaffen.

Die Schwierigkeit des Erfassens des Totaleindrucks macht Humboldts Wolken-Paradox deutlich, das im obigen Zitat (IV, S. 1, siehe oben 1.2.) schon anklang: Intuitiv erfaßt man – wie bei einer Wolke, die man von weitem sieht – die Form des Gegenstandes sehr wohl. Es geht aber darum, den Ursachen dieses Totaleindrucks nachzuforschen. Dazu müssen wir uns der Wolke annähern. In der Annäherung aber verschwindet die Form, wir tauchen ein in den formlosen Nebel der Fakten. Es gilt daher, wieder aus der Wolke herauszutreten, um nunmehr auf der Basis gründlicher Detailkenntnis den Totaleindruck erneut zu erfassen. Obwohl es, auch auf der Basis ordentlicher Detailkenntnisse, letztlich unmöglich bleibt, die Form des Individuums zu beschreiben, muß der Forscher es wagen, die Form wenigstens zu *empfinden* und zu *erahnden*: »Man kann aber dem Umriss, dessen Linien wahrhaft zu beschreiben allerdings unmöglich bleibt, so nahe kommen, so viele Punkte bemerken, die seine Richtung bestimmen, dass sich dasjenige, was der genauen Schilderung widerstrebt, dennoch bis auf einen gewissen Grad empfinden und erahnden lässt« (IV, S. 423). Wie unwissenschaftlich dies auch immer sein mag, der Forscher »kann umso weniger *der Begierde widerstehen*, wenigstens den Versuch zu wagen, als das ermüdende Sammeln der unzähligen Einzelheiten, welches die Erforschung jeder Sprache voraussetzt, *erst durch diese höheren Betrachtungen wirklich belohnt wird*« (*ebd.*, Hervorhebung von mir).

Es ist unmittelbar einsichtig, daß ein solches »unwissenschaftliches« Unternehmen, das Humboldt hier den Linguisten zumutet, keinen Erfolg haben konnte in einer Wissenschaft, die auf dem Weg zur Naturwissenschaft war. Je (natur)wissenschaftlicher die Sprachwissenschaft im 19. Jahrhundert wurde, desto weiter entfernte sie sich daher auch von Humboldt. Aber auch die moderne Linguistik, die sich in ihrem strukturellen Ansatz ja ausdrücklich wieder auf Humboldt bezieht, hat bei ihrer Rezeption diesen Teil des Humboldtschen Sprachdenkens als literarisierende Abweichung vom rechten sprachwissenschaftlichen Weg einfach nicht zur Kenntnis genommen.[18] Humboldt selbst scheint im übrigen in der Begründung seiner Unterscheidung von Untersuchung des Baus und Untersuchung des Charakters der Sprachen eine so scharfe Abtrennung der beiden Bereiche vorzunehmen, daß eine solche Loslösung der Linguistik des Charakters von den wissenschaftlichen Bemühungen im engeren Sinne naheliegt: Die Linguistik des Baus beschäftigt sich nach Humboldts Formulierung nämlich mit den Sprachen als »naturhistorischer Erscheinung«, während die Linguistik des Charakters die Sprachen als »intellectuell-teleologische Erscheinung« oder »geschichtliche Entwickelung« faßt (IV, S. 7 f.). Das heißt, Humboldt scheint im Sinne der modernen wissenschaftstheoretischen Opposition von »Erklären« und »Verstehen« zwischen einer »harten« *science* und einer zu den *humanities* gehörenden hermeneutischen Sprachforschung zu unterscheiden, also eine tiefe epistemologische Kluft mitten in der Sprachwissenschaft zu eröffnen. Dies ist aber gerade nicht der Fall. Nicht umsonst verwendet Humboldt die Metapher des Schlußsteins in bezug auf die Linguistik des Charakters: Diese hält – wie prekär sie als wissenschaftliches Unternehmen auch immer sein mag – das ganze Gebäude des vergleichenden Sprachstudiums zusammen, das ein *einziges* – nicht zwei verschiedene – Gebäude ist.

2.2.2. Der Schlußstein der Sprachkunde

Die wissenschaftstheoretische Basis des Zusammenhangs der beiden Teilbereiche ist ein *epistemologischer Monismus*: Es gibt für Humboldt keinen Abgrund zwischen Naturgeschichte und Geschichte, zwischen dem »Physiologischen« und dem »Intellektuell-Teleologischen« (oder »Dynamischen«), keinen modernen wissenschaftstheoretischen Dualismus. Humboldt basiert nämlich in dieser Hinsicht auf einer (durch die Leibnizsche Philosophie vorbereitete) Lektüre der *Kritik der Urteilskraft*, von der aus Naturwissenschaft, »Naturgeschichte«, keine mechanistische, kausalistische Wissenschaft ist, sondern als Wissenschaft des *Lebens* oder des *Organismus* gerade eine *teleologische*. Auch die Physiologie, das »naturhistorische« Modell der Linguistik des Baus (ein Gegenmodell zu der bei Schlegel als *science pilote* angeführten, »todte Gerippe« untersuchenden Anatomie), muß als teleologische Wissenschaft aufgefaßt werden. Humboldts epistemologischer Monismus steht damit auch im Gegensatz zum »naturalistischen« Monismus, wie ihn die moderne »unified science« vertreten hat.

Notwendig ist für Humboldt der Zusammenhang zwischen den beiden Teilen der Sprachforschung aber deswegen, weil nur die Linguistik des Charakters die *Autonomie* des ganzen Forschungsgebäudes garantiert, »es zu einem eignen, seinen Nutzen und Zweck in sich selbst tragenden Studium macht« (IV, S. 1). Solange die Sprachwissenschaft die Sprachen nur in ihrem Bau untersucht, untersucht sie sie als Werkzeuge, als *Mittel* zu noch nicht bestimmten Zwecken; ihr Gegenstand ist offen für fremde Gesetzgebungen, sie selber damit letztlich auch nur eine Hilfswissenschaft z. B. für die Praxis der Spracherlernung oder für die Textwissenschaft Philologie. Erst wenn die Sprache *in ihrer Zweckmäßigkeit* – und der Zweck der Sprache ist ihr Gebrauch in der Rede (in der »gehobenen«, »stilvollen« Rede, versteht sich, siehe oben 2.2.) – untersucht wird, kann sie als »Zweck in sich selbst«, als autonomer Gegenstand betrachtet werden.[19] Da nun aber auch die Linguistik des Baus auf die übergeordnete autonome Betrachtung der Sprache in ihrer Zweckmäßigkeit hin orientiert ist, sich also keinen fremden, außerlinguistischen Zwecken mehr zu unterwerfen braucht, wird die linguistische Forschung insgesamt zu einer autonomen Disziplin.

Umgekehrt hängt die Linguistik des Charakters ebenso von der Linguistik des Baus ab. Die »höhere« Sprachbetrachtung, auch wenn sie erst dem ganzen sprachwissenschaftlichen Geschäft Sinn gibt, bedarf notwendigerweise der sachlichen Information der Linguistik des Baus. Es kann also gar nicht genug betont werden, daß Humboldt immer die Verknüpfung der beiden sprachwissenschaftlichen Teilbereiche propagiert, da nur durch sie das Ziel der Sprachforschung erreicht werden kann, nur so Humboldts zentrale Frage beantwortet werden kann: Welches ist der Einfluß der Sprachen auf die Sprecher, welche »*Macht*« hat die Sprache gegenüber dem Individuum, bzw. umgekehrt welche »*Gewalt*« kann das sprechende Individuum dieser Macht entgegensetzen (VII, S. 65). Die Texte sind der Ort des Kampfes zwischen der traditionellen Macht der Sprache und der innovativen Gewalt des Sprechers. Wenn die Humboldtsche Linguistik ihr Zentrum auf diesem Kampfplatz hat, so deswegen, weil sie letztlich nur eine Form der fundamentalen philosophischen Suche Humboldts ist, seiner Suche nach den Bedingungen der Möglichkeit des Menschen, Neues zu schaffen, das heißt eine Form seiner lebenslangen Auseinandersetzung mit dem Problem der Einbildungskraft oder des Genies.[20]

3. Der Begierde widerstehen?

Wir haben am Beispiel des Humboldtschen Ausdrucks »Charakter« zu zeigen versucht, welche Funktion ein »totalisierendes« begriffliches Instrument im Rahmen eines linguistischen Gesamtzusammenhangs haben kann. Für Humboldt, dies hoffe ich deutlich gemacht zu haben, gibt der prekäre Versuch, den »Totaleindruck« des Individuums Sprache zu erfassen, der Sprachwissenschaft überhaupt erst Sinn. Er ist sich dabei der Tatsache durchaus bewußt, daß man die Handlung »den Charakter eines Individuums Beschreiben«, jenes »Empfinden« und »Erahnden« der Umrisse des Individuums, wohl kaum »Wissenschaft« wird nennen können, »und es fragt sich daher, ob nicht alle Betrachtung derselben [der Individualität] von dem Kreise des wissenschaftlichen Sprachstudiums ausgeschlossen bleiben sollte?« (IV, S. 421). Nur läßt sich Humboldt durch die Frage nach der Wissenschaftlichkeit des Erahndens des Totaleindrucks nicht aus der Fassung bringen, er läßt sich nicht vor lauter methodischer Vorsicht die interessanteste Fragestellung verbieten, sondern besteht auf der Legitimität seiner Totalisierungsabsicht. Er kann und will daher der *Begierde nicht widerstehen*, den Versuch einer Beschreibung des Individuums – sei es auch nur annäherungsweise – in einem schöpferischen Akt der forschenden Phantasie zu wagen (IV, S. 423).

Entsprechenden (sinnstiftenden) Begierden nach – wie immer tentativen und vorläufigen – Totalisierungen nicht widerstehen zu können (vor allem bezüglich literarischer Texte und anderer Arten menschlicher Werke und menschlichen Handelns) scheint das Movens der Redeweise vom »Stil« – und dementsprechend einer immer noch sinnvollen Diskussion über den »Stil« – zu sein.

Anmerkungen

1 In gewisser Hinsicht hat sie damit auch recht, sofern nämlich die Sphäre der Einzelheit nicht ausschließlich die Domäne der Sprachwissenschaft sein kann, sondern zum Beispiel auch Domäne der Literaturwissenschaft oder anderer Disziplinen ist, die sich mit einzelnen Texten beschäftigen; es ist ein Bereich, der gewissermaßen *vor* der Trennung in Sprach- und Literaturwissenschaft liegt; vgl. hierzu Trabant, J. (1981), S. 249, und Trabant, J. (1982), S. 352.

2 Die Tatsache, daß nicht nur die strukturelle Linguistik, sondern auch die Stilistik eine Richtung jener breiten Opposition gegen das alte sprachwissenschaftliche Paradigma war, wird oft übersehen. Beide berufen sich dabei im übrigen – völlig zurecht – auf Humboldt, übersehen in ihrem Gegensatz aber, daß echt humboldtisch gerade die Verbindung des strukturellen und des »stilistischen« Ansatzes gewesen wäre; siehe unten, 2.2.2.

3 Epochal war für diese Entwicklung die erste amerikanische Stil-Konferenz von 1958 (vgl. Sebeok, T. A., Hg., 1960), die den Punkt der Entdeckung der Literatur durch die amerikanische Linguistik markiert. Vgl. auch Chatman, S., Hg. (1971); Freeman, D. D., Hg. (1981); einen Überblick über die Bemühungen der »linguistischen Stilistik« (auch in Deutschland) gibt Püschel, U. (1980).

4 Bezeichnend für diese Stellung der Stilistik innerhalb der aktuellen sprachthematisierenden Disziplinen ist zum Beispiel, daß zwar die Gesellschaft für *angewandte* Linguistik einen Arbeitsbereich »Stilistik« kennt, die Gesellschaft für Sprachwissenschaft aber keinerlei Aktivitäten auf diesem Gebiet vorgesehen hat.

5 »Linguaggi settoriali« werden – mit einem Ausdruck, der meines Erachtens weitere Verbreitung verdiente – in der italienischen Sprachwissenschaft die Redeweisen bestimmter Lebensbereiche wie des Sports, der Presse, der Wissenschaft und ähnliches genannt.

6 Zur Normierung des Ausdrucks »Stil« auf »charakteristische Art und Weise des sprachlichen Handelns historischer Individuen (verschiedenster Art)«, vgl. Trabant, J. (1979).

7 Diese Festlegung des Ausdrucks »Textlinguistik« auf die Untersuchung der individuellen Ebene des Sprechens macht gerade die Besonderheit des Coseriuschen Sprachgebrauchs aus. Für Coseriu ist dies die »eigentliche« Textlinguistik. Das, was mit »Textlinguistik« ansonsten hauptsächlich gemeint ist, die Untersuchung einzelsprachlicher transphrastischer Verfahren, hält er für ein legitimes Kapitel der einzelsprachlichen Forschung, also der Untersuchung der Sprache auf der historischen Ebene. Ablehnend steht Coseriu jener Textlinguistik gegenüber, die die ganze Linguistik von den Textfunktionen her neu aufbauen möchte.

8 Vgl. Coseriu, E. (1980), S. 112 ff.

9 Es wäre durchaus klärend, wenn auch die Bemühungen der Applikation »richtiger« Linguistik auf die Literatur den Ausdruck »Stilistik« aufgeben würden und etwa einen Terminus wie »Literaro-Linguistik« wählen würden.

10 In meinem Aufsatz Trabant, J. (1979), habe ich versucht, mich der Beantwortung dieser Frage anzunähern.

11 Die Seitenangaben beziehen sich auf die Akademieausgabe der Humboldtschen Schriften (Humboldt, W. v., 1903-36).

12 Auch in bezug auf Sprachen von »Stil« zu sprechen – wie etwa in Strohmeyers Buch *Der Stil der französischen Sprache* (1910) –, scheint erst eine spätere Neuerung zu sein. Von der Gabelentz spricht von »nationalem Stil« (von der Gabelentz, G. (1901), S. 106 und 475 f.), womit er die in einer Sprachgemeinschaft geläufigen und üblichen Präferenzen bei der Gestaltung der Texte jenseits der Vorschriften der Grammatik meint: »Nicht darauf allein kommt es an, was eine Sprache ausdrücken kann und ausdrücken muss, sondern auch darauf, wie sie sich innerhalb der ihr gesteckten Grenzen auszudrücken liebt, also auf das, was ich den nationalen Stil genannt habe« (von der Gabelentz, G. (1901), S. 475).

13 Vgl. Coseriu, E. (1972).

14 Ich bin mir nicht sicher, ob Humboldt überhaupt jemals den Ausdruck »Typ« in diesem modernen Sinn von »Klasse« verwendet. Wenn Humboldt vom »Typus« der Sprache spricht (zum Beispiel IV, S. 14), meint er jedenfalls, im Sinne der Goetheschen Verwendung dieses Ausdrucks, »Urbild«, »Grundstruktur des *Sprechens* überhaupt« und nicht »Klasse oder Gattung von Sprachen«.

15 Vgl. IV, S. 29 ff. und den Abschnitt 33 über Poesie und Prosa der Kawi-Einleitung.

16 Vgl. Trabant (1979), S. 576.

17 Vgl. »Sprache als Kunst verwendet, heißt Stil« (Spitzer, L. (1961), Bd. 2, S. 4).

18 Hierfür ist die Tatsache bezeichnend, daß moderne Anthologien Humboldtscher Werke gerade gern die als »literarisch« angesehenen – und damit für das moderne Sprachdenken kuriosen – Passagen über den Charakter auslassen.

19 Die Abhängigkeit der Konzeption der Autonomie der Wissenschaft von der Kantschen Autonomie des Schönen ist bei Humboldt besonders evident.

20 Vgl. Trabant, J. (1985).

Literatur

Caussat, P. (1974) (siehe Humboldt, W. von, 1974).

Chatman, S. (Hg.) (1971), *Literary Style: A Symposium*. London/New York.

Coseriu, E. (1972), »Über die Sprachtypologie Wilhelm von Humboldts. Ein Beitrag zur Kritik der sprachwissenschaftlichen Überlieferung«. In: *Beiträge zur vergleichenden Literaturgeschichte* (Festschrift K. Wais). Tübingen. S. 107-135.

Coseriu, E. (1975), *Sprachtheorie und allgemeine Sprachwissenschaft*. München.

Coseriu, E. (1980), *Textlinguistik. Eine Einführung*. Tübingen.

Freeman, D. D. (Hg.) (1981), *Essays in Modern Stylistics*. London/New York.

Gabelentz, G. von der (1901), *Die Sprachwissenschaft, ihre Aufgaben, Methoden und bisherigen Ergebnisse*. 2. Aufl. Leipzig (Nachdruck Tübingen 1969).

Heyse, K. W. L. (1856), *System der Sprachwissenschaft*. Hg. H. Steinthal. Berlin (Nachdruck Hildesheim/New York 1973).

Humboldt, W. von (1903-1936), *Gesammelte Schriften*. Hg. A. Leitzmann und andere. 17 Bde. Berlin.

Humboldt, W. von (1974), *Introduction à l'oeuvre sur le kavi*. Hg. P. Caussat. Paris.

Humboldt, W. von (1985), *Über die Sprache*. Hg. J. Trabant. München.

Püschel, U. (1980), »Linguistische Stilistik«. In: Althaus, H. P./Henne, H./Wiegand, H. E. (Hg.), *Lexikon der Germanistischen Linguistik*. 2. Aufl. Tübingen. S. 304-313.

Schlegel, F. (1808), *Über die Sprache und Weisheit der Indier*. Heidelberg (Nachdruck Amsterdam 1977).

Sebeok, T. A. (Hg.) (1960), *Style in Language*. Cambridge, Mass.

Spitzer, L. (1961), *Stilstudien*. 2 Bde. 2. Aufl. Darmstadt.

Steinthal, H. (1881), *Abriß der Sprachwissenschaft*. Bd. 1: *Einleitung in die Psychologie und Sprachwissenschaft*. 2. Aufl. Berlin (Nachdruck Hildesheim/New York 1972).

Strohmeyer, F. (1910), *Der Stil der französischen Sprache*. Berlin.

Trabant, J. (1979), »Vorüberlegungen zu einem wissenschaftlichen Sprechen über den Stil sprachlichen Handelns«. In: Kloepfer, R. (Hg.): *Bildung und Ausbildung in der Romania*. Bd. 1. München. S. 569-593.

Trabant, J. (1981), »›... und die Seele leuchtet aus dem Style hervor.‹ Zur Stiltheorie im 19. Jahrhundert: Heymann Steinthal«. In: *Logos semantikos* (Festschrift E. Coseriu). Bd. 1. Berlin/New York/Madrid. S. 245-258.

Trabant, J. (1982), »Zur Topographie und Historiographie der Textlinguistik«. In: *Kodikas/Code* 4/5. S. 347-358.

Trabant, J. (1985), »Nachwort«. In: Humboldt, W. von (1985), S. 159-174.

Vossler, K. (²1929), *Frankreichs Kultur und Sprache*. Heidelberg.

Ulrich Schulz-Buschhaus
Taine und die Historizität des Stils

Hippolyte Taine, einer der großen Literarhistoriker und Philosophen des 19. Jahrhunderts, ein Autor, dessen Name im Fin-de-Siècle geradezu den Rang eines Kultursymbols erlangt hatte[1], genießt seit langem keine sonderliche Reputation mehr. Wie schlecht es heute um seinen Ruf bestellt ist, zeigt eine 1981 erschienene Nummer der Zeitschrift *Romantisme*, die sich – offenbar als Würdigung geplant – bald in eine Abrechnung verwandelt, bei welcher man Taine neben seiner »bürgerlichen« Sicht der Französischen Revolution oder seiner »restriktiven Hegel-Rezeption« vor allem die »Ärmlichkeit seiner Kunstauffassung« zur Last legt (Kremer-Marietti, A., 1981, S. 27). Indessen bildet diese Kritik kein Novum, sondern galt bereits den antipositivistischen Exponenten der ›Idealistischen Neuphilologie‹ als Selbstverständlichkeit. So verwarf Karl Voßler prononciert herablassend »das beliebte und oberflächliche Buch des Hippolyte Taine« über La Fontaines Fabeln (zitiert nach Grimm, J., 1976, S. 49 f.), während Benedetto Croce einmal mit charakteristischer Selbstzufriedenheit bemerkte, dank der eigenen Schriften hätten die »naturalistischen und deterministischen Theorien à la Taine« in Frankreich nur geringe Wirkung gezeitigt und seien »nunmehr fast vergessen« (Croce, B., 1936, 1966, S. 132).

In der Tat scheint Taines literarhistorisches Werk lediglich durch die Formel von den produktionsästhetischen Grundkräften der »race«, des »milieu« und des »moment« fortzuleben. Auf diese Trias pflegt man vorzugsweise dann zu rekurrieren, wenn bezeichnet werden soll, wie kunst- und literaturfern das »positivistische« Denken mit seinen rohen Systematisierungsansprüchen bleiben mußte. Wenden wir uns dagegen den erstmals 1858 in einem Band vereinten *Essais de critique et d'histoire* zu, entsteht ein völlig anderer Eindruck. Im scharfen Gegensatz zur landläufigen Meinung, nach der die literaturwissenschaftliche Stilanalyse zu den wichtigsten Errungenschaften der ›Idealistischen Neuphilologie‹ und der Kritik am Positivismus gehört, zeichnen sich die *Essais* eben durch die überraschend intensive Aufmerksamkeit aus, welche sie – auf verschiedenen Ebenen – dem »Stil« zukommen lassen: dem Stil der Texte, der Autoren, der historischen Epochen oder der sozialen Formationen. Insgesamt erreicht der Diskurs über den Stil in diesen Aufsätzen eine Frequenz, Dichte und Qualität, wie sie die Disziplin der Literaturgeschichtsschreibung bis dahin nicht gekannt hatte.[2] Daher verdient die Neuartigkeit von Taines Stilanalysen, daß man genauer zu charakterisieren versucht, welche Momente ihnen um die Mitte des Dix-Neuvième die idealtypische Funktion einer ›nouvelle critique‹ verleihen. Den Inbegriff solcher ›nouvelle critique‹ ergeben sie nämlich durchaus, da sie für den Bereich der Literarhistorie erstmals jenen Schritt geschichtlicher Relativierung entschieden nachvollziehen und bestärken, der in der Literatur selbst schon etwa ein Jahrhundert früher unternommen worden war.

Das erste und wesentliche Moment, das hier eine Rolle spielt, ist die Entdeckung des »Stils« als eines Textniveaus, welches nicht mehr mit dem übereinstimmt, was die herkömmliche Rhetorik als ›elocutio‹ definierte. In der rhetorisch-poetologischen Tradition hatte sich bekanntlich ein Ensemble von Kompatibilitätsregeln eingespielt, die jedem Genus und jeder Kommunikationssituation ein jeweils optimal entsprechendes Stilrepertoire vorschrieben. Aus diesen Regeln entstand eine Stilkritik, die ihre primäre Aufgabe in der Einschätzung der ›Vorzüge‹ und der ›Mängel‹ eines Schriftstellers erblickte: dem Autor wurden ›Qualitäten‹ zugestanden, wenn er das von einem bestimmten Argument verlangte Sprachregister vorschriftsmäßig, das heißt: »natürlich«, getroffen hatte; verfehlte er es dagegen, pflegten Kritik und Historiographie verschiedene »unnatürliche« ›Defekte‹ zu beklagen. Dabei reicht die Geltung solcher normativen Vorstellungen vom Stil und von den Stilarten weiter, als man gemeinhin annimmt. In Frankreich haben sie jedenfalls noch die Literaturgeschichtsschreibung eines Nisard, ja eines Brunetière geprägt, und nichts erscheint symptomatischer als die Sicherheit, mit der Nisard beispielsweise bestimmt, wo die »qualités« und die »défauts« Montaignes liegen oder wo die ›Gewinne‹ (»gains«) und die ›Verluste‹ (»pertes«) der französischen Prosa im Dix-Huitième auszumachen sind (vgl. Nisard, D., 1844a und 1861).

Gegen diese Tradition einer literarhistorischen Fehler- und Verlust-Stilistik wird nun während des 19. Jahrhunderts auch bei Literarhistorikern allenthalben Widerspruch laut, und bezeichnenderweise verbindet sich das Plädoyer für eine ›neue Kritik‹ bzw. ›neue Literaturgeschichte‹ immer wieder mit dem Postulat eines veränderten Stilbegriffs, der nicht mehr in erster Linie normativ-taxonomische, sondern vorwiegend hermeneutische Funktionen erfüllen soll. Ein solches Postulat muß nicht unbedingt an bestimmte philosophische oder ideologische Positionen gebunden sein. Tatsächlich wird es unter sonst durchaus unterschiedlichen Perspektiven geäußert. So ist sein entschiedenster Fürsprecher neben Taine vielleicht der große italienische Literarhistoriker Francesco De Sanctis, der im allgemeinen kaum als idealtypischer Exponent positivistischen Denkens gilt. Besonders aufschlußreich wirkt bei ihm die (pointiert kritische) Rezension, welche er 1865 über die *Geschichte der italienischen Literatur* von Cesare Cantù veröffentlicht hat, ein Werk, das für ihn der Inbegriff der historisch nunmehr überholten »vecchia critica« bildet (De Sanctis, F., 1865, 1979, S. 213).

Als überholt verworfen wird diese »Kompilation« indes nicht zuletzt wegen ihres – laut De Sanctis – unzulänglichen Stilbegriffs. »Bei der Lektüre ist uns der Verdacht gekommen, daß der Autor keine klare Vorstellung vom Gegenstand besitzt, den er behandelt«, schreibt der Rezensent, um dann hervorzuheben: »Er verwechselt den Stil bald mit der ›Manier‹ [...], bald mit der ›elocutio‹« (*a.a.O.*, S. 201 f.). Aus dieser ›Verwechslung‹ und zumal aus der Übernahme von Kategorien der »obsoleten Rhetorik« (*a.a.O.*, S. 213) resultiert nach De Sanctis eine falsche, »pedantische« Trennung von »Form« und »Gehalt«, bei der den Gehalt die gesammelten Meinungen eines Schriftstellers ergeben, während die Form und mit ihr der Stil für eine Art Einkleidung der Meinungen und Gedanken gehalten wird.[3] Demnach beurteilt Cantù etwa in Ariosts *Orlando furioso* auf jeweils abstrakte Weise ›Mängel‹ und ›Vorzüge‹ des Gehalts sowie – mit anderer Akzentuierung – ›Vorzüge‹ und ›Mängel‹ des Stils, ohne die Gestalt der Dichtung als eines ›organischen Ganzen‹ (»un tutto organico«) erfassen zu können (*a.a.O.*, S. 213). Eben die Erfassung der »dichterischen Welt in ihrer lebendigen organischen Gesamtheit« soll aber die Aufgabe der »neuen Kritik« darstellen, dergegenüber Cantù noch das ältere (Gegen)Bild des besserwisserischen und maßregelnden Kunstrichters vertritt, welcher Ariost weniger zu interpretieren, als vielmehr stil- und ideologiekritisch zu korrigieren trachtet (*a.a.O.*, S. 211). Gegen die Dogmatik solcher literarhistorischen Korrekturen und Maßregelungen wendet sich De Sanctis' Einspruch mit der Maxime: »Der Kritiker (Literarhistoriker) ist gegenüber dem Künstler, was der Künstler gegenüber der Natur ist« (*a.a.O.*, S. 214).

Die gleiche Tendenz verfolgen jedoch auch schon die *Essais* des »Positivisten« Taine, der gerade in seinen frühsten literarhistorischen Arbeiten die Rolle eines – seinerzeit ›avantgardistischen‹ – Opponenten der klassizistisch moralisierenden Literaturgeschichte Désiré Nisards spielt. Charakteristisch erscheinen unter diesem Aspekt vor allem die drei langen Artikel über Michelet aus den Jahren 1855-56. Auf den ersten Blick scheinen sie sich, was die Stilanalyse betrifft, noch an das traditionelle Schema einer Aufreihung von stilistischen ›Fehlern‹ und Mißgriffen zu halten. Jedenfalls wird grundsätzlich bemängelt, daß Michelets Stil »aus Übertreibungen bestehe« und daß die »Sensibilität bei diesem Autor krankhaft« zu werden drohe (Taine, H., 1858, 1904, S. 109), worauf dann eine Blütenlese von Stellen folgt, an denen Michelet »ins Rhetorische oder sogar ins Lächerliche verfalle«. Nach dieser Anthologie ›lächerlicher‹ Entgleisungen nimmt die Argumentation jedoch eine Wendung, die bei Nisard (oder Cantù) noch nicht denkbar wäre. Taine stellt sich nämlich die Frage: »Konnte Michelet diese Mängel vermeiden?«, und er beantwortet sie mit jenem eigentümlichen Nachdruck, den das Bewußtsein eines neuen epistemologischen Prinzips verleiht: »Nein; denn leider hängt sein Talent von seinen Mängeln ab« (*a.a.O.*, S. 110). Das heißt: bei einem großen Schriftsteller sind die ›Mängel‹ und die ›Vorzüge‹ nicht wirklich zu trennen; vielmehr bilden die einen mit den anderen – um die Worte De Sanctis' zu gebrauchen – ein ›organisches Ganzes‹. Daraus ergibt sich, daß es nicht mehr – im Sinne einer auf dem ›guten Geschmack‹ basierenden Kritik – darum gehen kann, Stärken und Schwächen eines Stils zu scheiden. Zum neuen Programm einer historischen Stilkritik wird vielmehr die Aufgabe, für Stärken und Schwächen gemeinsame Ursprünge oder – moderner formuliert – Generatoren zu finden.

So möchte Taine im Falle Michelets bewußt auf Lob und Tadel verzichten und stattdessen feststellen, was der Faszination und der Brüchigkeit des Micheletschen Stils gewissermaßen als dessen Tiefenstruktur zugrunde liegt. Nachdem dies generative Prinzip, gemäß Taines Terminologie der »moteur tout-puissant«, in den psychologischen Begriffen einer »exaltierten Sensibilität« und einer »Imagination des Herzens« definiert ist, lehnt Taine weitere Geschmacksurteile strikt ab: »Soll man solche Überschwenglichkeiten tadeln? Die Schönheiten kompensieren sie; ja ohne sie gäbe es auch die Schönheiten nicht; seine (Michelets) Leidenschaftlichkeit macht erst sein Genie aus« (a.a.O., S. 127). Dabei erscheint die Ablehnung jeglicher unmittelbaren Geschmackskritik um so legitimer, als die Eigentümlichkeit des Micheletschen Stils einem bestimmten Typus zugewiesen wird. Ästhetische Typen nämlich – so Taines Überzeugung – tragen ihre raison d'être in sich selbst und müssen nicht eigens legitimiert werden. Deshalb verhält sich der Stilkritiker angesichts der Typologie nicht mehr wie der Rhetoriklehrer vor einem (gelungenen oder mißratenen) Übungsstück, sondern wie der Biologe (»naturaliste«) vor der Natur. Verlangt De Sanctis vom Kritiker, »gegenüber dem Künstler zu sein, was der Künstler gegenüber der Natur ist«, postuliert Taine mit ähnlicher Absicht: »Der Kritiker ist der Biologe (›naturaliste‹) der Seele. Er akzeptiert ihre verschiedenen Formen, von denen er keine verdammt und alle beschreibt« (a.a.O., S. 127). Und so schätzt der Kritiker Taine bei Michelet den Typus der ›leidenschaftlichen Imagination‹ ebenso wie bei anderen Autoren jenen der ›metaphysischen Tiefe‹ oder jenen der ›rhetorischen Kraft‹: »statt ihn verächtlich zurückzuweisen, wird er ihn aufmerksam sezieren [...], und bei seinem Anblick erfreut er sich an der Verschiedenartigkeit der Natur« (a.a.O., S. 128).

Was um die Mitte des 19. Jahrhunderts das Specificum der ›neuen Kritik‹ ausmacht, ist also der anti-normative Bruch mit einer aus der rhetorischen Tradition entstandenen Stilkritik, welche ihr Hauptaugenmerk auf die Entdeckung von Regelverstößen richtete.[4] An die Stelle einer essentiell normativen tritt eine vorwiegend hermeneutische Kritik, die nicht mehr an der Oberfläche der Werke nach Vorzügen und Mängeln, sondern in der Tiefenstruktur der Texte und der Mentalitäten nach der Identität bestimmter Typen sucht. Damit ist nun in der allgemeinsten Form ein Wandel bezeichnet, der im einzelnen von den verschiedensten Ideologien und Erkenntnisinteressen motiviert sein kann. So wird die Typologie der Stile, welche diesem Wandel als wesentliche Folge entspringt, gern zu einer Typologie psychologischer Dispositionen ausgearbeitet; doch artikuliert sie sich nicht weniger häufig in einer Typologie sozialer Formationen; das heißt: als ein

Repertoire von Gruppen- oder Klassenstilen. Beispielsweise sind bei Taine selbst immer wieder Passagen zu finden, in denen er die Eigenart eines Stils durch die Wirkung einer schichtspezifischen Mentalität beschreibt. Ein besonders charakteristischer Beleg dafür ist etwa das Porträt Fléchiers, bei dem das später von Leo Spitzer als »klassische Dämpfung« erfaßte Prinzip stilistischer Diskretion (vgl. Spitzer, L., 1931, S. 135 ff.) aus den Konventionen der »Politesse mondaine« erklärt wird, wie sie die Salonkultur des 17. Jahrhunderts entwickelt hatte. Denn: »Diese ›Politesse‹ prägte den Stil; man war verpflichtet, beim Sprechen immer angenehm und nie grob zu wirken; statt – wie es heute geschieht – die Empfindung zu übertreiben, dämpfte man sie; statt Originalität und Kraft suchte man Anmut und Gefälligkeit; statt Kontraste hervorzutreiben, erging man sich in Nuancen« (a.a.O., S. 241 f.).

Von einem solchen Stil des Salons mit seinen gesellschaftlich begründeten Dämpfungs- und Diskretionsstrategien unterscheidet Taine dann treffend den forciert ungebundenen Stil eines Grand Seigneur, der wie Saint-Simon sozusagen über den Zwängen der »Politesse mondaine« posiert. Dabei scheint mir das Kapitel über Saint-Simon als Schriftsteller, das einen großen Teil von Saint-Simons literarischem Nachruhm einleitet[5], noch heute ein exemplarisches Modell der Stilanalyse darzustellen. Das gilt sowohl für die Genauigkeit der Detailbeobachtungen wie für den Mut zur Synthese, die scharfsichtig auf Saint-Simons sprachlichen Archaismen insistiert, auf seiner Gleichgültigkeit gegenüber den lexikalischen und semantischen Konventionen, der rücksichtslosen Expressivität seiner Syntax oder dem harten Kontrast zwischen trockenen Berichten und unvorhersehbar üppiger Bildlichkeit (vgl. a.a.O., S. 228). Natürlich läuft diese Stilphänomenologie wie im Fall Michelets in erster Linie wieder auf einen psychologischen Diskurs hinaus, der die Denk- und Ausdrucksweise eines »leidenschaftlichen Künstlers« betont; doch werden in ihr mit kaum geringerer Aufmerksamkeit erneut auch die sozialen Instanzen wahrgenommen, zumal bei der Charakteristik des eklatant unklassischen Vokabulars der *Mémoires*. Hier schließt Taine eine bestimmte sprachliche Praxis explizit an eine bestimmte gesellschaftliche Position an, indem er mit der Distinktion des regelorientierten Stils der Bourgeoisie und des extravagierenden Stils der Hocharistokratie eine Unterscheidung trifft, welche nach wie vor zu den opiniones communes aller ›sociocritique‹ des 17. Jahrhunderts zählt[6]: »Obwohl er (Saint-Simon) immer ein Grand Seigneur bleibt, ist er doch zugleich auch Volk; sein Hochmut vereint alles. Mögen die Bürger als gehorsame Schüler der Akademie beflissen ihren Stil reinigen; er zieht den seinen durch die Gosse, wie jemand, dem sein Anzug gleichgültig ist und der sich über die Flecken erhaben fühlt« (a.a.O., S. 221).

Die bisher angeführten Beispiele dürften genügen, um das außerordentliche Interesse begreiflich zu machen, das Taine gerade als Literar- und Kulturhistoriker dem Phänomen des Stils entgegengebracht hat. Offenkundig ist der Stil für ihn jener privilegierte Ort, an dem sich die aufschlußreichsten Beziehungen, ja mitunter Homologien, zwischen einer Typologie der Schreibweisen und dem Repertoire der psychologischen oder sozialen Typen ergeben können. Damit das Konzept Stil zu einem solchen Ort der Begegnung wird, an dem sich verschiedene Typologien kreuzen, muß es freilich eine unerläßliche Bedingung erfüllen: es darf weder auf Einheit noch auf Unendlichkeit hin ausgerichtet sein, sondern muß als seinen idealen Status die Vielheit implizieren. Nur wenn die vorgestellten Stile weder eins noch unendlich, sondern viele sind, bietet ihre Analyse nämlich die Möglichkeit, von den zahllosen Texten zu einer begrenzten Zahl von Text-Generatoren zurückzugehen. Das heißt: Nur unter dieser Bedingung eines Status typologischer Vielheit wäre die Stilistik als eine wirklich historische Wissenschaft oder – bescheidener gesagt – Disziplin zu begründen.

Daher hat es seinen systematischen Sinn, wenn Taines *Essais* von einem Pathos, ja stellenweise einer Emphase, der Vielfalt und der Verschiedenartigkeit durchzogen werden. Wie gesagt, referiert dies Pathos der Diversität mit Vorliebe auf die biologische Vielfalt der Natur, an welcher sich der Kritiker gleichsam wie ein »naturaliste« erfreut. Zugleich bedeutet die »diversité de la nature« bei Taine jedoch stets auch eine Metapher für die – von der zeitgenössischen Leitwissenschaft Biologie lediglich verdeckte und nicht verdrängte – Diversität der Geschichte: wenn Taine einen bestimmten Typus wie Michelets ›leidenschaftliche Imagination‹ einerseits – als »naturaliste« – »aufmerksam sezieren« will, versetzt er ihn andererseits – als Historiker – »ins gleiche Museum und in den gleichen Rang wie die anderen (Geistesformen)« (a.a.O., S. 128).

Demnach enthält das Postulat einer Vielfalt der Stile als seine wichtigste Prämisse die Entdeckung der Historizität des Stils. Von ihr läßt sich – wie in Taines berühmtem historistischen Credo am Ende des Aufsatzes über Mme de La Fayette (vgl. *a.a.O.*, S. 255 f.) – im Sinne der Diachronie, aber auch, was weniger selbstverständlich wirkt, im Sinne der Synchronie sprechen. Dabei tritt die letztere Dimension vorzugsweise dann hervor, wenn der Kritiker in einer Epoche verschiedene Gesellschaftsstile oder -perspektiven kontrastiert, etwa im Jahrhundert des Sonnenkönigs so konträre Schreibweisen wie jene der *Princesse de Clèves* und jene Saint-Simons: »Die Memoiren von Saint-Simon bilden einen großen, geheimen Raum, in dem unter einer gnadenlosen Beleuchtung in ihrem Schmutz und in ihrer Verlogenheit die abgelegten Gewänder zu sehen sind, in die sich die (höfisch) servile Aristokratie hüllte. Das kleine Buch der Mme de La Fayette bildet einen Goldschrein, in dem die reinen Diamanten glänzen, mit denen sich die (höfisch) kultivierte Aristokratie schmückte« (*a.a.O.*, S. 246).

Auf jeden Fall wird durch diese Betonung der historischen Diversität der Stile eine bestimmte epistemologische Konfiguration offenbar, welche Taine als Literaturwissenschaftler etwa mit Erich Auerbach verbindet. Dagegen trennt sie ihn scharf von einer anderen Konfiguration, die zu einem essentiell a-historischen Status – und folglich zu einem Postulat der letztlichen Einheit – des Stils tendiert. Diese andere Konfiguration ist geschichtlich sowohl vor als auch nach den Taineschen *Essais* zu beobachten. Vor Taine manifestiert sie sich in der von den Klassikern übernommenen Forderung nach einer stilistischen ›Perfektion‹, die für jedes Ausdrucks- und Formulierungsproblem nur je eine optimale Lösung kennt (eine Forderung übrigens, die noch im Werk des Kunsthistorikers Ernst Gombrich und dessen Versuch, »Form« und »Norm« zu versöhnen, ein fernes Echo gefunden hat). So lehnt Nisard es beispielsweise ab, die Individualität oder – allgemeiner gesagt – die Spezifizität des Stils von La Bruyère anzuerkennen, welche am Ende des 18. Jahrhunderts bereits Jean-Baptiste Suard bemerkt hatte; denn eben als »klassischer« Autor muß La Bruyère für Nisard notwendigermaßen an einer Norm des »richtigen« Stils und des »richtigen« Denkens partizipieren: »Überall wo seine Gedanken richtig und bedeutend sind, ähnelt der Stil La Bruyères dem Stil der großen Autoren, von dem M. Suard ihn unterschieden hat. Es ist ja gerade diese notwendige Ähnlichkeit der Stile trotz aller Verschiedenheit der Gegenstände und der besonderen Begabungen bei den großen Autoren, welche die Schönheit unserer Literatur ausmacht: es ist die Einheit der Sprache in der Verschiedenheit der Schriften« (Nisard, D., 1849, S. 246 f.).

Nach Taines *Essais* findet sich die gleiche Ablehnung des Konzepts einer Diversität der Stile bei Benedetto Croce wieder, diesmal auf die idealistische Metaphysik der »Poesia« (Dichtung) gegründet, welche sich als Domäne zeitloser Schönheit kategorial von dem weiteren Bereich zeitgebundener »Letteratura« (Literatur) unterscheiden soll. Und auch hier rekurriert die Negation der Historizität des Stils wiederum auf das anscheinend unvermeidliche Argument, daß die Stile niemals begrenzt viel an Zahl sind, sondern immer zugleich eins und unendlich. »In der Literatur«, schreibt Croce, »gibt es soviel Stile wie Individuen und Dinge [...]; in der Dichtung dagegen ist bei aller unendlichen Vielfalt ihrer Erscheinungen der Stil ein und derselbe: der ewige unverwechselbare Akzent der Dichtung, der in den verschiedensten Zeiten und Orten und in den verschiedensten Gegenständen widerhallt« (Croce, B., 1936, 1966, S. 36). Nun mag man von dieser zeit- und raumentrückten Einheit des Dichtungsstils halten, was man will: unverkennbar ist jedenfalls, daß sich bei ihrem ideologischen Postulat eine verblüffende (und keineswegs zeitentrückte) Einheit, oder besser: Ähnlichkeit des Denkstils zwischen Croce und Nisard ergibt. Und im Grunde bestätigt diese Affinität ein weiteres Mal Taine und die Produktivität seiner historisch-typologischen Sicht; denn offenkundig gehört die überraschende Nähe ja zu einem (durchaus kompakten) Typus literaturwissenschaftlicher Auffassungen und könnte uns anregen, über den untergründigen Klassizismus nachzudenken, der nicht nur Croces a-historische »critica« bestimmt, sondern gleichfalls noch die Stilforschung all jener Nachfolger, die sich – von Voßler bis zum New Criticism – im gemeinsamen Kampf gegen den »positivistischen« Historismus an Croce (und Nisard) inspiriert haben.

Anmerkungen

1 In welchem Ausmaß und mit welcher Intensität das Werk Taines damals mythisiert wurde, belegen eindrucksvoll Romane wie Paul Bourgets *Le Disciple* (1889) oder Maurice Barrès' *Les Déracinés* (1897).

2 Bezeichnend ist, daß Taine sich noch in *La Fontaine et ses fables* vor seinem Publikum wiederholt für die »minuties« stilistischer Detailbeschreibung entschuldigen zu müssen glaubt (vgl. Taine, H., 1861, 1911, S. 312 oder 316).

3 Zur Tradition dieser klassizistischen Vorstellung vom »style as dress« vgl. Müller, W. G. (1981), S. 1 ff. und passim.

4 Ich würde deshalb dafür plädieren, die Aufhebung normativer Betrachtungsweisen von Kunst, die P. Bürger (1974), S. 122 (und passim) erst den »historischen Avantgardebewegungen« zuschreibt, zumindest in den Umkreis Taines und seiner Generation vorzuverlegen. Das gilt im übrigen besonders für den Aspekt der Rezeption, bei der die Taine dem klassischen Ideal – etwa angesichts der Raffaelstanzen – jede unmittelbare Verbindlichkeit abspricht, um es stattdessen in seiner Alterität als eine Aufgabe für die ›Arbeit‹ historisch-hermeneutischer Aneignung zu entdecken (vgl. Taine, H., 1866, 1965, Bd. 1, S. 153 ff.).

5 In diesem Zusammenhang hat Taine überhaupt eine beträchtliche Rolle bei der Ausbildung eines neuen und tendenziell anti-klassischen Bildes von der Literatur des 17. Jahrhunderts gespielt. In ihm treten etwa die drei »artistes« Saint-Simon, Pascal und La Fontaine an die Stelle des alten klassizistischen Kanons der Bossuet, Boileau und Racine (vgl. Taine, H., 1858, 1904, S. 228 und 191, sowie Schulz-Buschhaus, U., 1974, S. 69).

6 Vgl. dazu etwa Floeck, W. (1979), S. 282 ff.

Literatur

Brunetière, F. (1892) (1922), *L'évolution des genres dans l'histoire de la littérature*. Paris.

Brunetière, F. (1898), *Manuel de l'histoire de la littérature française*. Paris.

Bürger, P. (1974), *Theorie der Avantgarde*. Frankfurt/Main.

Croce, B. (1936) (1966), *La poesia*. Bari.

De Sanctis, F. (1865), »Una ›Storia della letteratura italiana‹«. In: ders. (1979) *Saggi critici*, Bd. 2. Bari.

Floeck, W. (1979), *Die Literarästhetik des französischen Barock*. Berlin.

Gombrich, E. H. (1966), *Norm and Form – Studies in the Art of the Renaissance*. London.

Grimm, J. (1976), *La Fontaines Fabeln*. Darmstadt.

Hoeges, D. (1980), *Literatur und Evolution – Studien zur französischen Literaturkritik im 19. Jahrhundert*. Heidelberg.

Kremer-Marietti, A. (1981), »Sur l'esthétique de Taine«. In: *Romantisme* 32 (1981). S. 23 ff.

Müller, W. G. (1981), *Topik des Stilbegriffs – Zur Geschichte des Stilverständnisses von der Antike bis zur Gegenwart*. Darmstadt.

Nisard, D. (1844 a, b), *Histoire de la littérature française*, Bd. 1, 2. Paris.

Nisard,D. (1849), *Histoire de la littérature française*, Bd. 3. Paris.

Nisard, D. (1861), *Histoire de la littérature française*, Bd. 4. Paris.

Schulz-Buschhaus, U. (1974), »Modernität und Opposition: Aspekte eines avantgardistischen Literaturkanons im ›Journal‹ der Goncourt«. In: *Germanisch-Romanische Monatsschrift* 25 (1974). S. 56 ff.

Schulz-Buschhaus, U. (1983), »Benedetto Croce und die Krise der Literaturgeschichte«. In: Cerquiglini, B./Gumbrecht, H. U. (Hgg.), *Der Diskurs der Literatur- und Sprachhistorie – Wissenschaftsgeschichte als Innovationsvorgabe*. Frankfurt/Main. S. 280 ff.

Spitzer, L. (1931), »Die klassische Dämpfung in Racines Stil«. In: ders. (1931), *Romanische Stil- und Literaturstudien*, Bd. 1. Marburg. S. 135 ff.

Taine, H. (1858) (1904), *Essais de critique et d'histoire*. Paris.

Taine, H. (1861) (1911), *La Fontaine et ses fables*. Paris.

Taine, H. (1866) (1965), *Voyage en Italie*. 2 Bde. Paris.

Wellek, R. (1966), *A History of Modern Criticism*. Bd. 4: *The Later Nineteenth Century*. London.

Wolfzettel, F. (1982), *Einführung in die französische Literaturgeschichtsschreibung*. Darmstadt.

Hans-Martin Gauger
Nietzsches Auffassung vom Stil

Unbestreitbar ist die literarische Faszination. Kaum je wird sie auch bestritten. Dies gilt selbst für den *Zarathustra*, der eine Sonderstellung im Werk Nietzsches hat: Man mag ihn literarisch als nicht »geglückt« betrachten (was immer dies heißen mag), als irritierend oder peinlich, faszinierend ist auch er. Der Fall ist einfach: Nietzsche ist unter den Philosophen der größte Schriftsteller. Selbst Schopenhauer oder – unter den neueren – Ortega reichen an ihn nicht heran. Zweifel wären allenfalls im Blick auf Kierkegaard angemessen. Abgesehen davon ist Nietzsche, dem viele das Prädikat ›Philosoph‹ absprechen, ja auch wirklich Dichter. Unter diesen Voraussetzungen ist es überraschend, daß Nietzsches Stil noch nicht ausreichend untersucht wurde. Auch zu Nietzsches Auffassung vom Stil findet sich wenig.

In der Arbeit »Nietzsches Stil am Beispiel von ›Ecce Homo‹« (1984) habe ich versucht, diesen Stil mit folgenden Kennzeichen zu umreißen: Lebendigkeit, Sinnlichkeit, Klarheit, Sachlichkeit, Sprachbewußtheit. Es sind dies bewußt schlichte, bewußt impressionistische Ausdrücke. In der Tat denke ich, daß es hierbei auf beides ankommt, auf eine gewisse unfachliche Schlichtheit, die keineswegs mit Naivität zusammenzufallen braucht, und auf die Impression. Eine Stiluntersuchung ist abwegig, ja, absurd, wenn sie sich vom Erleben des Lesers trennt, sich zu solchem Erleben nicht mehr in Beziehung setzen läßt. Das Ideal ist hier dies: In der Stiluntersuchung muß explizit, auseinandergefaltet, wiedergefunden werden können, was beim Lesen implizit erfahren wurde, und (oder) es muß, umgekehrt, beim Lesen wieder auffindbar sein, was die Stiluntersuchung herauszustellen sich mühte. Jener Aufsatz soll auf diesen Seiten ergänzt werden durch eine – zumindest ansatzweise – Untersuchung von Nietzsches Auffassung vom Stil. Ich beziehe mich dabei auf die bedeutsame, bisher, soweit ich sehe, nicht beachtete Äußerung »Zur Lehre vom Stil«.

Sie findet sich unter den »Nachgelassenen Fragmenten«, ist aber kein Fragment. Sie gehört zu den »Tautenburger Aufzeichnungen für Lou von Salomé«. Der biographische Hintergrund ist dieser: Am 20. April 1882 trifft Nietzsche, damals siebenunddreißigjährig, in Rom, übrigens im Petersdom, die einundzwanzigjährige Lou von Salomé; die Begegnung mit der schönen und intelligenten Russin aus Petersburg, Tochter eines hugenottischen deutschbaltischen Generals im Dienst des Zaren, kam über Nietzsches Freund Paul Rée zustande, der seinerseits Lou im römischen Salon der Malwida von Meysenbug kennengelernt hatte; zuvor schon hatte es Briefe Malwidas und Rées an Nietzsche gegeben über die ›junge Russin‹, die er unbedingt kennenlernen müsse; eine eigentümliche Erwartungshaltung hatte sich bei Nietzsche kristallisiert; Hingerissenheit, nachdem er Lou kennengelernt hatte; Rée und Nietzsche werben um Lou; Lou weist zwei Heiratsanträge Nietzsches zurück; vom 25. Juni bis zum 27. August 1882 ist Nietzsche in Tautenburg bei Jena (zuvor die erotische Episode mit Lou am Orta-See); vom 7. bis 26. August weilt auch Lou in Tautenburg, begleitet, des Anstandes wegen, von Nietzsches Schwester Elisabeth; in den knapp drei Wochen in Tautenburg wirbt Nietzsche, gegen Rée Stimmung machend, um Lou.

Dieser Hintergrund ist nicht unwichtig. Er verdeutlicht, daß »Zur Lehre vom Stil«, direkt an Lou gerichtet, keine beiläufige Äußerung ist. Sie ist zu sehen innerhalb eines intensiven Werbens, wobei zu beachten ist, daß Nietzsche in Lou nicht allein die schöne Frau, sondern auch den ersehnten intellektuellen Partner sah. Lou selbst scheint das Gewicht der Äußerung nicht gesehen zu haben. Während jener Wochen führte sie eine Art Brieftagebuch für Rée; hier heißt es:

Eure oben erwähnte Verschiedenheit spricht sich auch sehr deutlich in kleinen Zügen aus. Zum Beispiel in Euren Stilansichten. Dein Stil will den Kopf des Lesenden überzeugen und ist darum wissenschaftlich klar und streng, mit Vermeidung aller Empfindungen. Nietzsche will den ganzen Menschen überzeugen, er will mit seinem Wort einen Griff in das Gemüt tun und das Innerste umwenden, er will nicht belehren, sondern bekehren [...] (Zum biographischen Hintergrund: Janz, C.P., 1978/79).

Unser Text liegt in zwei Fassungen vor. Die zweite wurde sicher in den drei Wochen geschrieben, als Lou mit Nietzsche in Tautenburg weilte. Die erste dürfte kurz zuvor, vermutlich im Juli, entstanden sein. Ich halte mich an die zweite Fassung, die sich von der ersten vor allem darin unterscheidet, daß sie in zehn

Abschnitte gegliedert ist, die meist nur aus einem Satz bestehen. Wir haben hier also ohne Zweifel, der Intention nach, so etwas wie einen ›Dekalog‹ zum Stil. Die erste Fassung besteht aus fünf nicht numerierten Abschnitten; sie ist nur mit »Stil« überschrieben. Die zweite Fassung ist insgesamt straffer. Charakteristische Kürzungen wurden vorgenommen. Zum Beispiel: »Schreiben soll nur eine Nachahmung sein«, zweite Fassung: »Schreiben muß eine Nachahmung sein«. Oder: »Der Stil soll jedes Mal *dir* angemessen sein ...«. Zweite Fassung: »Der Stil soll *dir* angemessen sein ...«. Aber die Unterschiede zwischen beiden Fassungen sind gering. Die zweite hat am Schluß den Zusatz: »F. N. Einen guten Morgen, meine liebe Lou!« (die Texte finden sich in: Friedrich Nietzsche, *Sämtliche Werke. Kritische Studienausgabe*, herausgegeben von Giorgio Colli und Mazzino Montinari, Band 10, 22-23 und 38-39).

Zur Lehre vom Stil.

1.

Das Erste, was noth thut, ist Leben: der Stil soll *leben*.

2.

Der Stil soll *dir* angemessen sein in Hinsicht auf eine ganz bestimmte Person, der du dich mitteilen willst. (Gesetz der *doppelten Relation*.)

3.

Man muß erst genau wissen: »so und so würde ich dies sprechen und *vortragen*« – bevor man schreiben darf. Schreiben muß eine Nachahmung sein.

4.

Weil dem Schreibenden viele Mittel des Vortragenden *fehlen*, so muß er im Allgemeinen eine *sehr ausdrucksvolle* Art von Vortrage zum Vorbild haben: das Abbild davon, das Geschriebene, wird schon nothwendig viel blässer ausfallen.

5.

Der Reichthum an Leben verräth sich durch *Reichthum an Gebärden*. Man muß Alles, Länge und Kürze der Sätze, die Interpunktionen, die Wahl der Worte, die Pausen, die Reihenfolge der Argumente – als Gebärden empfinden *lernen*.

6.

Vorsicht vor der Periode! Zur Periode haben nur die Menschen ein Recht, die einen langen Athem auch im Sprechen haben. Bei den Meisten ist die Periode eine Affektation.

7.

Der Stil soll beweisen, daß man an seine Gedanken *glaubt*, und sie nicht nur denkt, sondern *empfindet*.

8.

Je abstrakter die Wahrheit ist, die man lehren will, um so mehr muß man die *Sinne* zu ihr verführen.

9.

Der Takt des guten Prosaikers in der Wahl seiner Mittel besteht darin, *dicht* an die Poesie heranzutreten, aber *niemals* zu ihr überzutreten.

10.

Es ist nicht artig und klug, seinem Leser die leichteren Einwände vorwegzunehmen. Es ist sehr artig und *sehr klug*, seinem Leser zu überlassen, die letzte Quintessenz unsrer Weisheit *selber auszusprechen*.

Der Titel dieses Textes besagt (gerade auch im Vergleich zu dem weniger genauen der ersten Fassung), daß er nicht alles enthält, was Nietzsche zu sagen hätte zum Stil; insofern ist die sich aufdrängende Analogie zum Dekalog doch auch wieder trügerisch. Diese Äußerung enthält, was Nietzsche *zunächst* zu sagen hat. Sodann: der dritte Abschnitt zeigt klar, daß es Nietzsche hier allein um das Schreiben geht, Stil heißt hier – dem Etymon entsprechend – Schreibweise.

Das Leitwort ist »Leben«. In den Abschnitten 1 bis 8 steht es entweder explizit im Zentrum, oder aber die Aussagen stehen zu ihm in mittelbarem Zusammenhang. Eine Schreibweise muß, um gut genannt werden zu können, das Prädikat »Leben« verdienen. Sie muß die Merkmale dessen an sich haben, das lebt. Nietzsche spricht hier von einer Eigenschaft oder einem Komplex von Eigenschaften, die einer Schreibweise zukommen können und, wenn sie gut sein soll, zukommen *müssen*. Leben also, auf jeden Fall, als *notwendige* Bedingung guten Stils. Auch schon als hinreichende Bedingung? Fast will es so scheinen. Faktisch jedoch sagt Nietzsche nur, daß »Leben« als erstes, als Wichtigstes notwendig ist. Ist dies eine Metapher? Kann eine Schreibweise leben? Natürlich kann sie nicht leben wie ein Organismus. Es geht ja, wie herausgestellt, um eine Eigenschaft, um die Übertragung der Eigenschaft »Leben«, die dem zukommt, der schreibt, auf das von ihm Geschriebene. Es ist dies somit eine Metapher im strengen Sinn: Übertragung. Aber der Satz meint gewiß nicht nur eine Metapher im Sinne des ›bloß‹ Übertragenen, des Indirekten. Die Eigenschaft »Leben« soll dem Stil direkt zukommen: er selbst »soll leben«. Sodann ist hier »leben« in einem durchaus physiologischen, organischen Sinn zu nehmen, als Gegenteil von Tod. Der Zug ins Physiologische kennzeichnet das Denken des späten Nietzsche insgesamt.

Der zweite Abschnitt ist eine Konkretisierung des ersten. Die Eigenschaft »Leben«, die einer Schreibweise zukommen kann, hat mit ›Angemessenheit‹ zu tun. Die Schreibweise soll dem Schreibenden angemessen sein, insofern er kommunikativ auf einen anderen gerichtet ist. Die ›Angemessenheit‹ bezieht sich auf die kommunikative Intentionalität dessen, der schreibt: *dir* angemessen, insofern du dich kommunikativ an ein *Du* richtest. Die ›Angemessenheit‹ gilt einer Situation, der kommunikativen Grundsituation: Jemand teilt sich jemandem mit. Diese Situation soll die Schreibweise abbilden. Hierbei ist zu beachten, daß Nietzsche nicht von einem unbestimmten Adressaten redet; er spricht von »einer ganz bestimmten Person, der du dich mittheilen willst«. Natürlich ist dies im Sinne einer Fiktion zu verstehen: Die Situation, von der beim Schreiben ausgegangen werden sollte, im Sinne eines Als-ob, ist die der Mitteilung an ›eine ganz bestimmte Person‹. Nietzsche stellt sich hierbei nicht einen Dialog vor, freilich auch nicht einen Monolog, sondern einen *Vortrag*, und zwar einen solchen, der den Angeredeten äußerst genau im Auge behält. Der Ausdruck ›Angemessenheit‹ läßt an den Begriff des ›aptum‹ denken, dem die Rhetorik als ›virtus‹ die zentrale Stellung zuweist (neben- oder über- ›puritas‹, ›perspicuitas‹ und ›ornatus‹). Die Rhetorik, und zwar bereits die antike, meint hiermit, was wir mit ›Erwartungshorizont‹ bezeichnen, ein Sich-Einfügen in das innerhalb einer bestimmten Situation Geforderte. Stil, also, als Anpassung, als ein ›opting in‹. Diese Auffassung wich Ende des 18. Jahrhunderts, mit dem Absterben einer normativen Ästhetik (und damit der Rhetorik), einem anderen Ideal. Unter dem Stichwort ›Natur‹ geht es nunmehr – grob gesprochen: mit dem Beginn der Goethe-Zeit – um möglichst unmittelbaren, ›Schwulst‹ vermeidenden, durch Kunst unverstellten Ausdruck eines Inneren. Bei Nietzsche ist gleichsam *beides* beieinander: Stil als Ausdruck dessen, der schreibt, aber dann auch als Widerspiegelung und Realisierung einer kommunikativen, durchaus ›rhetorischen‹ Intention. Hierauf, keineswegs primär auf bloßen ›Ausdruck‹, bezieht sich die Kennzeichnung »Leben«.

Daß es Nietzsche hier nicht um Ausdruck im Sinne purer Spontaneität geht, zeigt der dritte Abschnitt, der eine weitere und bedeutsame Konkretisierung bringt. Es geht um ein ›Vortragen‹. Gemeint ist nicht ein sich gleichsam ungeordnetes verströmendes Sprechen, sondern gerade ein gegliedertes, auf ein Ziel hin organisiertes Sprechen. Zunächst einmal muß, diesem Abschnitt zufolge, was man sagen will, in einen Vortrag – und zwar für »eine ganz bestimmte Person« – verwandelt werden. Im übrigen affirmiert dieser dritte Abschnitt den Primat des Gesprochenen, der ›viva vox‹, was dann der folgende Abschnitt weiterführt. Das Schreiben muß ›Nachahmung‹ des Sprechens sein; es darf sich nicht lösen vom Gesprochenen, jedenfalls nicht allzu weit. Nietzsche spricht sich hier also implizit gegen jene Art von Verselbständigung der geschriebenen Sprache aus, wie sie vielfach zu beobachten ist.

Das ›Leben‹ des Stils hängt somit ab erstens von der Lebendigkeit des nachgeahmten Vortrags, zweitens vom Grad des Gelingens der Nachahmung. Es geht folglich um zwei Vorgänge: einmal um die Verwandlung dessen, was man sagen will, in ein ›Vortragen‹, fiktive Mündlichkeit im Sinne eines Vortrags für ein ganz bestimmtes Gegenüber, zum anderen um die Verwandlung dieses ›Vortragens‹ in Geschriebenes. Die Verwandlung steht unter dem Zeichen der Nachahmung: ein Verhältnis von Abbild und Vorbild. Das Gesprochene/Vorgetragene ist Vorbild, das Geschriebene Abbild. Beide Ausdrücke erscheinen ja im vierten Abschnitt. Interessant, daß Nietzsche im Blick auf die erste Verwandlung klar trennt zwischen dem Inhalt des Gesagten und der Art und Weise, dem ›So und so‹ der Darstellung. In einer viel zitierten Äußerung nämlich (Ludwig Reiners stellt sie als Motto seiner ›Stilkunst‹ voran) aus *Menschliches, Allzu Menschliches* sagt Nietzsche:

Den Stil verbessern – das heißt den Gedanken verbessern, und gar Nichts weiter! – wer dies nicht sofort zugiebt, ist auch nie davon zu überzeugen (II, 610; der Satz findet sich auch, ohne den Zusatz, in den »Nachgelassenen Fragmenten«, Sommer 1883, 10, 398).

Nietzsche stößt hier auf das Dilemma, auf das man beim Stil unausweichlich stößt: Einerseits Trennbarkeit von Inhalt und Form, andererseits doch nicht Trennbarkeit in jeder Hinsicht. Halten wir fest, daß Nietzsche, der in jener berühmten Stelle Untrennbarkeit postuliert, hier, in unserem Text, doch ausgeht, ausgehen *muß* von einer gewissen Trennbarkeit des ›quid‹ und des ›quomodo‹ einer Äußerung.

Der vierte Abschnitt weist darauf hin, daß dem Medium Schrift Mittel fehlen, die im Medium des Mündlichen, des Akustischen, gegeben sind und also dem »Vortragenden« zur Verfügung stehen. Daher müsse Gegenstand der Nachahmung eine »sehr ausdrucksvolle Art von Vortrage« sein. Die Nachahmung falle, allein wegen jener fehlenden Mittel, schwächer aus. Hier hat Nietzsche in der zweiten Fassung eine Klammeranmerkung der ersten weggelassen: »Das Geschriebene wird nothwendig schon viel blässer (und dir natürlicher) ausfallen«. An sich ist dieser Klammerzusatz verständlich: Du mußt im mündlichen Vortrag, den du nachahmst, etwas ausdrucksvoller, lebendiger sein als dir dies möglicherweise natürlich ist; das Medium des Schreibens selbst bringt dann die Lebhaftigkeit wieder auf das dir natürliche Maß. Andererseits ist es leicht nachvollziehbar, weshalb Nietzsche die Anmerkung gestrichen hat: Es geht ihm ja nicht um Natürlichkeit. Im übrigen zeigt dieser vierte Abschnitt, wie konkret Nietzsche sieht, um was es geht. Nietzsche hat recht: Die Schriftlichkeit ist gegenüber der Mündlichkeit gekennzeichnet durch Defizienzen. Diese Defizienzen sind durch die Verschiedenheit der Medien bedingt. Sie sind von zweierlei Art. Zunächst sind materielle Defizienzen zu verzeichnen: Bestimmte Elemente des Gesprochenen werden graphisch nicht reproduziert, dies gilt für die sogenannten suprasegmentellen Elemente, die, wie man weiß, von großer Wichtigkeit sind. Materiell, auf der Seite der Signifikanten, haben wir ja zu unterscheiden zwischen den segmentellen Elementen, den sogenannten Phonemen, welche unsere Schrift – mit von Sprache zu Sprache wechselnder Genauigkeit – abbildet, und den suprasegmentellen Elementen, welche vor allem im Wechsel der Tonhöhe (Intonation) und im Wechsel der Stärke des Atemdrucks (dynamischer Akzent) bestehen. Aber es gibt noch weitere suprasegmentelle Elemente, die das Gesagte *ebenfalls* bestimmen und dem Geschriebenen *fehlen*: Pausen, Unterschiede in der Lautstärke, Unterschiede in der Geschwindigkeit der Abfolge der Artikulationsbewegungen (Tempo, Tempo-schwankungen), das komplexe Phänomen, das wir Rhythmus nennen (gemeint ist hierbei der individuelle, okkasionell sich einstellende Sprechrhythmus, nicht der durch die Sprache selbst vorgeschriebene), schließlich noch schwerer zu fassende Elemente wie etwa der Unterschied zwischen Staccato- und Legato-sprechen, auch das Geschlechts- und Altersspezifische, dann die Individualität des Klangs der Stimme, das persönliche, in aller Regel unverwechselbare Timbre mit all dem, was habituell oder okkasionell darin liegen mag (Wärme oder Kühle oder Trocken-heit usw.). Zweitens gibt es inhaltliche Defizienzen der Schrift-lichkeit: Fehlen eines dem Produzenten und dem Rezipienten gemeinsamen Kontexts, Fehlen einer Rückkoppelung vom Rezi-pienten zum Produzenten. Diese Defizienzen müssen auf irgend-eine Weise ausgeglichen werden. Es ist Aufgabe der Sprachwis-senschaft – diese Aufgabe ist noch keinesfalls gelöst –, die Substi-tute herauszuarbeiten, welche die Schriftlichkeit schaffen muß zum Ausgleich jener Defizienzen. Wir finden bei Nietzsche natürlich keine sprachwissenschaftlich angemessenen Äußerun-gen, aber doch eine präzise Intuition. In einem Fragment aus dem Herbst desselben Jahres heißt es:

Das Verständlichste an der Sprache ist nicht das Wort selber, sondern Ton, Stärke, Modulation, Tempo, mit denen eine Reihe von Worten gesprochen werden – kurz die Musik hinter den Worten, die Leidenschaft hinter dieser Musik, die Person hinter dieser Leidenschaft: alles das also, was nicht *geschrieben* werden kann. Deshalb ist es nichts mit Schriftstelle-rei (Bd. x, S. 89).

Der fünfte Abschnitt zeigt, wie konkret, wie geradezu körperlich Nietzsche dies empfindet, zu empfinden sucht. Es geht ihm um die Gebärde, also um etwas, das das Sprechen begleitet, wobei zu beachten ist, daß selbst noch die Abwesenheit von Gebärden etwas wie Gebärde ist oder jedenfalls sein kann. Wieder verbindet Nietzsche dies mit der Erscheinung ›Leben‹: Leben zeigt sich – »verrät sich« – durch Gebärden, und *reiches* Leben, denn Leben ist nicht gleich Leben, manifestiert sich durch »Reichthum an Gebärden«. Man muß lernen, alles Sprachliche als Gebärde zu empfinden, sowohl das von fremder als auch das von eigener Hand Geschriebene. Exemplarisch nennt Nietzsche die Satzlänge, die Interpunktion, die Wortwahl, die Pausen, die Reihenfolge der Argumente.

Der sechste Abschnitt verdeutlicht erneut den engsten Zusammenhang zwischen dem Schreiben und dem konkreten, physiologischen Substrat des Sprechens: Eine Periode darf nur schreiben, wer sie auch sprechen kann, wer über den dafür notwendigen »langen Athem« verfügt. Sonst ist die Periode, was sie bei den meisten ist: Affektation.

Der besonders kurze siebte Abschnitt impliziert, daß man *glauben* soll an seine Gedanken. Man soll sie sinnlich empfinden, und der Stil sollte so sein, daß er den Glauben des Schreibenden an seine Gedanken, daß er das Empfinden dieser Gedanken durch den Schreibenden den Lesenden glauben macht. Auch hier also wieder Leben: Existentielle Assimilation des Gedachten, Aneignung des Gedankens so, daß er Empfindung wird. Es geht Nietzsche nicht allein um das Denken, sondern um den Menschen, der denkt, dieser soll in seiner Schreibweise hervortreten und ihr so Glaubhaftigkeit verleihen. Die kommunikative Kraft des Geschriebenen ist um so stärker, je stärker die Schreibweise den Eindruck vermittelt, daß hinter dem Gesagten der Mensch steht: der ganze Mensch.

Der achte Abschnitt insistiert auf dem im siebten Gesagten: Man muß die Sinne des Rezipienten zur Wahrheit »verführen«, und je abstrakter die Wahrheit ist, die nahegebracht werden soll, desto notwendiger ist jene Verführung. »Verführung« erinnert gewiß an die Rhetorik. Diese ist, nach einer der ältesten, allerfrühesten Bestimmungen »die Erzeugerin von Überredung« (»peithous demiourgós«). Das Verb »peithein« ist zweideutig: es meint sowohl das Überreden als auch das Überzeugen, und es meint gerade auch das Mittel der Sinnlichkeit der Sprache, von der es heißt, Gorgias, der erste greifbare Rhetoriklehrer und Schöpfer der Kunstprosa, habe sie entdeckt.

Nietzsche hat sich mit der Rhetorik vielfach beschäftigt. Es gibt von ihm eine Rhetorik-Vorlesung aus dem Sommersemester 1874. Für Nietzsche ist, wie es hier heißt, »Rhetorik eine Fortbildung der in der Sprache gelegenen Kunstmittel am hellen Lichte des Verstandes«. Nietzsche geht hier soweit, die Rhetorik mit dem »Wesen der Sprache« gleichzusetzen: »Die Kraft, die Aristoteles Rhetorik nennt, an jedem Dinge das herauszufinden und geltend zu machen, was wirkt und was Eindruck macht, ist zugleich das Wesen der Sprache«. Und schließlich: »Die Sprache ist Rhetorik, denn sie will nur eine doxa, keine episteme übertragen« (hierzu Löw, R., 1984, S. 41). Natürlich wäre dies breiter auszuführen. Es geht mir hier lediglich darum, den Zusammenhang zu benennen, in welchen die Aussage des achten Abschnittes hineingehört. Im übrigen ist auch dieser Abschnitt, in dem es um die Verführung – über die Sinne – zu einer abstrakten Wahrheit geht, mit dem Leitwort ›Leben‹ verbunden.

Der neunte Abschnitt betrifft, etwas überraschend, das Verhältnis der Prosa zur Poesie. Der »gute Prosaiker« geht an die Poesie »dicht heran«, aber er geht nicht zu ihr über. Darin besteht sein »Takt«. Der Stil der darlegenden Prosa, der in diesen zehn Abschnitten einzig in Rede steht, ist gekennzeichnet durch die kommunikative Situation, wie sie der zweite Abschnitt herausstellt: »sich mitteilen«. Der Übergang zur Poesie – so deute ich diesen Abschnitt – wäre nun aber ein Verfehlen dieser Situation, denn das Poetische impliziert doch wohl etwas wie ein Vergessen des Angeredeten oder sogar die Abwesenheit eines Partners, monologische Vereinzelung. Dies gilt jedenfalls für das im engeren Sinne Lyrische. Daher muß die Trennungslinie zwischen Prosa und Poesie eingehalten werden bei gleichzeitiger Bemühung, dicht an diese Linie heranzukommen. Der Abschnitt erinnert an die schöne Äußerung Sainte-Beuves zur Sprache Racines, die ein Herantreten an diese Linie von der anderen Seite her evoziert: »un style qui rase la prose, mais avec des ailes«.

Der zehnte Abschnitt ist der einzige, der auf Inhaltliches zielt. Es geht hier erstens um Einwände, die gegen einen Text gemacht werden können, zweitens um die »Quintessenz« dessen, was in einem Text gesagt werden soll. Insofern aber der Abschnitt sich in so allgemeiner Form zum Inhaltlichen äußert, bleibt er doch formal. Er bezieht sich gleichsam in formaler Weise auf das Inhaltliche eines Texts. Die »leichteren Einwände«, die gegenüber dem, was wir schreiben, zu machen wären, sollen, sagt Nietzsche, übergangen, sie sollen nicht einmal formuliert werden; der Leser soll sie selbst finden und selbst beiseite schaffen. Tut der Autor dies für den Leser, greift er ein in etwas, was Nietzsche als dessen Privileg zu betrachten scheint: er schnürt ihn ein, nimmt ihm Beweglichkeit. Nur bei den schweren Einwänden, die vorzubringen sind, soll der Autor dem Leser an die Hand gehen. Sie sollen benannt und aufgelöst werden. Der zweite Punkt, der die »letzte

Quintessenz unserer Weisheit« betrifft, ist vom ersten nicht weit entfernt: Auch hier gilt es, dem Leser Freiheit zu lassen; er soll das Eigentliche des Gesagten selbst finden, der Text soll ihn nur nahe genug an dies Eigentliche heranführen. Also insgesamt ein doppeltes Verschweigen: sowohl die »leichteren Einwände« als auch die »Quintessenz« sollen unbenannt bleiben. Bemerkenswert sind die beiden Adjektive, die Nietzsche zweimal, erst negativ, dann positiv verwendet: »artig« und »klug«. Es sind Adjektive, die nicht aus der Studierstube oder aus akademischen Veranstaltungen stammen; sie spielen dort kaum eine Rolle. Es sind eher mondäne Bewertungen, die an Begriffe der französischen Gesellschaftskultur des siebzehnten und achtzehnten Jahrhunderts erinnern: »la politesse« und »la finesse« (hierüber Wandruszka, M., S. 81-98, 118-124). Der spezifisch rhetorische Zug, das Element »Verführung«, tritt hier wieder hervor: Dem Leser, so kommt es heraus, soll durch jenes »artige« und »kluge« Verschweigen nicht wirkliche Freiheit, sondern nur das Gefühl von ihr gewährt werden. Die Distanz zum Text, die dem Leser dadurch geschaffen werden soll, daß ihm Raum belassen wird für *eigenes* Überlegen, ist nicht wirkliche Distanz. Aber es ist dies nur eine, die negative, von *zwei* möglichen Deutungen. Die positive wäre, daß es auch hier um Leben geht: Der Angeredete, der Leser, soll auf diese Weise partizipieren an dem, was der Autor klarzulegen sucht. Natürlich enthält dieser letzte Abschnitt auch das didaktisch fundamentale Wissen, daß die Befriedigung des Lesers größer ist, wenn er den Eindruck hat (zu Unrecht oder zu Recht), *selbst* gefunden zu haben, was der Text *eigentlich*, in seiner »Quintessenz«, meint.

»Der Stil soll leben«. Die Lebendigkeit, das Leben der Schreibweise soll bewirkt werden durch Sprechnähe. Die stilistische Anweisung an den Schreibenden, die Nietzsche erteilt, lautet: Imitierte Mündlichkeit, fingiere schreibend ein mündliches, an eine bestimmte Person gerichtetes Vortragen dessen, was du sagen willst! Die Abschnitte 1 bis 6 beziehen sich direkt hierauf, die übrigen lassen sich damit verbinden. Was Nietzsche hier ausführt, scheint auf den ersten Blick wenig sensationell. Der Primat des Gesprochenen ist für die Sprachwissenschaft seit Hermann Paul, Ferdinand de Saussure und Leonard Bloomfield ein mit Selbstverständlichkeit festgehaltenes Axiom, und in diesem Punkt unterscheiden sich die beiden Väter des Strukturalismus keineswegs von Hermann Paul, von dem sie sich im übrigen abzusetzen suchen (faktisch jedoch sind Saussure und Bloomfield insgesamt viel näher bei Paul, als sie dies selbst meinen).

Die Sprachwissenschaft meint aber mit jenem Primat etwas anderes, nämlich dies: Sprache ist etwas Gesprochenes, Sprache ist Schall, das Geschriebene ist nur sekundär, ein Epiphänomen. Dies findet sich beispielsweise (aber hier wären viele Beispiele zu nennen) ausgedrückt in dem vorzüglichen Handbuch von Francis P. Dinneen. Der Verfasser stellt hier eine Reihe von Charakteristika der Sprache zusammen und stellt an die Spitze den Satz: »Language is sound«. Dieser Satz wird *so* erläutert:

Die Feststellung, daß Sprache Schall ist, mag offensichtlich erscheinen, denn die gewöhnlichste Erfahrung der Sprache, die alle Menschen haben, besteht in Sprechen und Zuhören. Aber die Feststellung soll betonen, daß die Laute der Sprache Priorität über ihre schriftliche Darstellung genießen. Die Schriftsysteme der Sprachen haben ihre systematischen Aspekte; aber der Sprachwissenschaftler hält die Schrift und andere Darstellungsmethoden dem Grundphänomen des Sprechens für nachgeordnet (*An introduction to general linguistics*, 1967).

Nietzsche meint aber gar nicht dies. Was er meint, wäre sprachwissenschaftlich anders zu kennzeichnen. Der durch Schrift und Schreiben bedingte höhere Planungsaufwand bewirkt unvermeidlich, daß in der Sprache gleichsam eine zweite Sprache entsteht. Die Eigendynamik, die das Schreiben, die Schriftlichkeit überhaupt, entwickelt, führt zu einer schrittweisen, natürlich nie vollständigen Emanzipation der Sprache des Schreibens von der des Sprechens. Es kommt zu einem überschüssigen, das heißt nicht mehr allein durch das Medium der Schrift und dessen spezifischen Bedingungen herbeigeführten Auseinanderfallen von Geschriebenem und Gesprochenem. Es kommt zu einer spezifischen Schreibsprache neben der Sprechsprache. Im Verein damit ergibt sich ein weiteres Phänomen: die Schreibsprache beginnt, auf die Sprechsprache einzuwirken bis hin zu dem Punkt, an dem es schließlich reine Schreibsprache – ein Sprechen ohne irgendwelche Züge von Schriftlichkeit – kaum mehr gibt. Also: erstens Emanzipation des Geschriebenen vom Gesprochenen, Tendenz zur Verselbständigung der geschriebenen Sprache, Sprechferne des Geschriebenen; zweitens Einwirkung der geschriebenen Sprache auf die gesprochene bedingt vor allem – aber keineswegs ausschließlich – durch den hohen Prestigewert des Geschriebenen. Das zweite Phänomen interessiert uns hier nicht. Das erste jedoch bezeichnet genau den systematischen Zusammenhang, in welchen Nietzsches »Zur Lehre vom Stil« hineingehört: Restituierung von Mündlichkeit in der Schriftlichkeit mit den Mitteln der Schriftlichkeit selbst. Es ist der Versuch einer Rückkehr zur Mündlichkeit in der Schriftlichkeit, ein Versuch der Überbrückung der Distanz, die sich zwischen Schreibsprache und Sprechsprache aufgetan hat. Mit diesem möglichen Aspekt des ›Primats des Gesprochenen‹ hat sich die Sprachwissenschaft so gut wie gar nicht befaßt. Die Sprachwissenschaft sieht hierin nicht einmal ein Problem.

Zwei Aufgaben zumindest wären ihr in diesem Zusammenhang gestellt. Erstens müßte die Filiation jener Anweisung Nietzsches aufgedeckt werden. Zweitens wäre systematische – und dies heißt in diesem Fall auch historisch begründete – Reflexion über diese Problematik erforderlich. Reflexion, also, über das Verhältnis der geschriebenen Sprache zur gesprochenen, über die Differenzen zwischen beiden: die notwendigen, unvermeidlichen, die nicht notwendigen (überschüssigen) und die Möglichkeiten einer Überbrückung dieser Differenzen durch Schaffung von Substituten, über die Möglichkeiten somit einer Durchbrechung, im Sinne von ›Leben‹ und ›Lebendigkeit‹, der monologischen Situation des Schreibens und des Lesens, leserbezogene Verlebendigung. Was die Filiation angeht, abschließend ein Hinweis.

Jene Anweisung findet sich – bisher ist mir aus dem Deutschen kein älterer Beleg begegnet – in einem Brief Lessings aus dem Jahr 1743. Der Brief ist an die Schwester gerichtet, der damals knapp fünfzehnjährige Schüler der Fürstenschule St. Afra in Meissen schreibt nach Hause:

Ich habe zwar an Dich geschrieben, allein du hast nicht geantwortet. Ich muß also denken, entweder Du kannst nicht schreiben, oder Du willst nicht schreiben. Und fast wollte ich das erste behaupten. Jedoch will ich auch das andere glauben; Du willst nicht schreiben. Beides ist strafbar. Ich kann zwar nicht einsehen, wie dies beisammen stehen kann: ein vernünftiger Mensch zu sein; vernünftig reden können, und gleichwohl nicht wissen, wie man einen Brief aufsetzen soll. Schreibe wie Du redest, so schreibst Du schön.

Gewiß war der junge Schüler nicht Urheber dieser Anweisung. Sie dürfte Produkt des Unterrichts sein, den er erfuhr. Wie alt ist diese Anweisung? War sie in den ersten Jahrzehnten des achtzehnten Jahrhunderts in Deutschland schon üblich? Jedenfalls wird eine entsprechende Auffassung in Deutschland um die Mitte des achtzehnten Jahrhunderts und dann später vertreten.

In Frankreich findet sich die Anweisung früher. Zum Beispiel nennt sie Vaugelas, sich auf andere berufend. Auch geht ja Vaugelas' sprachkritisches Projekt insgesamt in diese Richtung. Bei seiner Bemühung um die Etablierung einer sprachlichen Norm orientiert er sich primär nicht an »les bons auteurs«, sondern an einer gesprochenen Sprache, nämlich der des »Hofs und der Stadt«. Freilich: Hier geht es erstens um sprachliche Norm allgemein, nicht um Stil; zweitens geht es hier nicht (ebensowenig wie bei Nietzsche) um Imitation eines als *spontan* vorgestellten Sprechens, vielmehr ist die Mündlichkeit, die hier zum Vorbild wird, durchaus ›elaboriert‹ und ›produziert‹; sie ist ein unspontanes Sprechen im Sinne der Gesprächskultur am Hofe und in den Salons. Gleichwohl bleibt bestehen, daß sich dieser äußerst einflußreiche Grammatiker in der Alternative ›Autoren‹ – ›Hof‹ entscheidet für den Hof, also für eine gesprochene Sprache. Ein um hundert Jahre früheres Zeugnis für die Anweisung »Schreibe wie du redest« findet sich bei dem Spanier Juan de Valdés: »el estilo que tengo me es natural y sin afetación ninguna escrivo como hablo« (»Mein Stil ist mir natürlich, und ich schreibe, ohne jede Affektation, wie ich rede«; zitiert bei Lapesa, R., 1981, S. 309).

Geht man weiter, hinter den Barock zurück, finden sich auch in Deutschland analoge – freilich nur analoge – Äußerungen. Man darf an die berühmte Stelle aus Luthers »Sendbrief vom Dolmetschen« (1530) erinnern:

Denn man muss nicht die Buchstaben in der lateinischen Sprache fragen, wie man soll Deutsch reden, wie diese Esel tun, sondern man muss die Mutter im Hause, die Kinder auf den Gassen, den gemeinen Mann auf dem Markt drum fragen, und denselben auf das Maul sehen, wie sie reden, und danach dolmetschen, so verstehen sie es denn, und merken, daß man Deutsch mit ihnen redet.

Es gibt auch andere Äußerungen Luthers in diese Richtung, zum Beispiel:

Es lernt jedermann sehr viel besser Deutsch oder andere Sprachen aus der mündlichen Rede, im Hause, auf dem Markt und in der Predigt, als aus den Büchern. Die Buchstaben sind tote Wörter, die mündliche Rede sind lebendige Wörter, die geben sich nicht so eigentlich und gut in die Schrift, als sie der Geist oder die Seele der Menschen durch den Mund gibt. (»Von den letzten Worten Davids«, 1543).

Auch hier, jedenfalls, ein Höherstellen des gesprochenen Worts, der ›viva vox‹, gegenüber dem Geschriebenen und die Aufforderung zur Imitation des Sprechens im Schreiben. Luther, »dies Verhängnis von Mönch« (so Nietzsche in *Ecce homo*) ging also bereits – sprachlich stilistisch – in Nietzsches Richtung. Auch er wollte Leben, ›lebendige Wörter‹.

Literatur

Albrecht, J. (1979), »Friedrich Nietzsche und das ›sprachliche Relativitätsprinzip‹«. In: *Nietzsche-Studien* 8 (1979). S. 225-244.

Dinneen, F. P. (1967), *An Introduction to General Linguistics*. New York/Chicago/San Francisco/Toronto/London.

Fuhrmann, M. (1984), *Die antike Rhetorik*. München/Zürich.

Gauger, H.-M. (1984), »Nietzsches Stil am Beispiel von ›Ecce homo‹«. In: *Grundfragen der Nietzsche-Forschung. Nietzsche-Studien* 13 (1984). S. 332-355.

Janz, C. P. (1978/79), *Friedrich Nietzsche. Biographie*. 3 Bde. München.

Lapesa, R. (⁸1981), *Historia de la lengua española*. Madrid.

Löw, R. (1984), *Nietzsche, Sophist und Erzieher. Philosophische Untersuchungen zum systematischen Ort von Friedrich Nietzsches Denken*. Weinheim.

Luther, M. (1983), *Aus rechter Muttersprache. Insel Almanach auf das Jahr 1983*. Hg. von Sparn, W. Frankfurt.

Nietzsche, F. (1967) (1980), *Sämtliche Werke. Kritische Studienausgabe*. Hg. von Colli, G. und Montinari, M. Berlin.

Reiners, L. (1961), *Stilkunst. Ein Lehrbuch deutscher Prosa*. München.

Sonderegger, S. (1973), »Friedrich Nietzsche und die Sprache. Eine sprachwissenschaftliche Skizze«. In: *Nietzsche-Studien* 4 (1973). S. 1-29.

Wandruszka, M. (1959), *Der Geist der französischen Sprache*. Hamburg.

Georg Bollenbeck
Stilinflation und Einheitsstil

Zur Funktion des Stilbegriffs
in den Bemühungen um eine
industrielle Ästhetik

I

1895 vermerkt der Brockhaus unter dem Stichwort »Möbel«
lapidar:

Neuerdings machen sich auf dem Gebiete der Kunsttischlerei die verschiedenen Stilarten nebeneinander geltend (...) in Deutschland kämpft
die sogenannte deutsche Renaissance mit Versuchen in Rokoko, während
man in Österreich zu ital. Mustern hinneigt, England aber seine eigenen
Manieren hat und daneben überaus feine und kostbare Marqueten im
Empire-Stil arbeitet.

Diese eher nüchternen Feststellungen vermögen die zeitgenössischen vollgestopften und übermöblierten Zimmer nicht zu veranschaulichen. Einprägsamer wirkt da ein Blick in verschiedene
kunstgewerbliche Zeitschriften. So zeigt das Titelblatt der Zeitschrift *Innen-Dekoration* im Jahre 1893 in wirrem Durcheinander Säulen, Spiegel, Gobelins, Statuen, Vasen nebst Tisch, Sofa,
Schemel und Teppich in den unterschiedlichsten Stilen. Und in
den Anzeigen bieten die Möbel-, Kunstschmiede- und Posamen-
tenfabriken ihre Produkte mit dem Lockruf »in allen Stilen« an!
Der Mischmasch imitierter Stile, die Vorliebe, ob nun echt oder
unecht, für Goldstuck und Glanzleder, für Seide und Satin und
der Drang zu Repräsentation sind oft beschrieben worden (exemplarisch dafür: Friedell, E. (o. J.), Bd. 3, S. 358 f.). Da findet man
Rokoko-Spiegel, chinesische Lampen, orientalische Mohren,
Schlafzimmer in Gotisch, Wohnzimmer in Altdeutsch, türkische
Dolche und Ritterschwerter, Pappalmen und getünchtes Blech.
Die Atmosphäre im Innern ist voller »Glut und Schimmer«. In
den Räumen herrscht ein diffuses Zwielicht, das Butzenscheiben,
Rouleaus und schwere Gardinen herstellen. Üppigkeit und Sinn-
lichkeit, Intimität und Schutz sollen somit wahrnehmbar werden
(Sternberger, D., 1974, S. 149 ff.).

Wenige Jahre später scheint das wirre Durcheinander der verschiedenen Stile überwunden. Nicht, daß die deutsche Renaissance »die Versuche« in Rokoko »niedergekämpft« hätte. Schon ein Blick auf das Titelblatt der *Innen-Dekoration* aus dem Jahre 1896 läßt markante Veränderungen erkennen. Es präsentiert eine reformbekleidete Jugendschöne als allegorisierte Kunst, umrankt von blühenden Blumen. Die mandeläugige Jugendschöne und ihre blühende Umgebung kommen ohne historische Kostümierung aus. Von den Pflanzen geht eine dekorative Wirkung aus. Kein Zweifel, das Titelblatt verweist auf einen neuen Stil, den Jugendstil, der ohne historische Stilanleihen auskommt und seine Muster in der Natur sucht. Auch in den Anzeigen läßt sich ein ›Stilwandel‹ beobachten. Zwar werden weiterhin Möbel »in allen Stilrichtungen« angeboten, doch nun tritt auch häufiger das Attribut ›modern‹ auf. Einrichtungsgegenstände, die historische Stile oder Stildetails vergegenständlichen, erlauben eine solche Kennzeichnung nicht. Sie sollen Dauer und geschichtliche Kontinuität verkörpern. Der neue Stil hingegen versteht sich als ›modern‹ im Sinne von gegenwärtig und als Gegenbegriff zu vorherig.[1]

Der angedeutete Wandel kann als Neuansatz unter verschiedenen Aspekten untersucht werden. Eine engere kunstgeschichtliche Betrachtung, die mit Blick auf ›große‹ Kunst die Ablösung einzelner Richtungen festhalten will, wird der Bedeutung des Wandels nicht gerecht. Dies gründet auch in der spezifischen Gestalt und Funktion praktischer Gegenstände, die gehandhabt und wahrgenommen werden, die ›bekunstet‹ sein können, aber im Gegensatz zum Kunsthandwerk als dem menschlichen Körper angepaßte Gegenstände einen unmittelbaren Gebrauchswert haben müssen (zum Gesamtkomplex vgl. Hamann, R./Hermand, J., 1977). Innerhalb der materiellen Alltagskultur markiert bei diesen Gegenständen die Ablösung der Stilinflation, der überladenen gründerzeitlichen Parvenükultur einen grundlegenden, bisher immer noch unterschätzten Bruch in der Geschichte des ästhetischen Denkens wie in der gestalterischen Konzeption. Dies äußert sich zunächst in den Schriften und weniger radikal auch in den Produkten einer konzeptiven Avantgarde, die das historische Kopieren als stilentwertend ablehnt und einen sachgerechten Einheitsstil anstrebt. Die Folgen lassen sich wahrnehmen und handhaben: Während 1877 anläßlich der Weltausstellung in Philadelphia Franz Reuleaux, ein früher Mitarbeiter von Gottfried

Semper, die deutschen Produkte als »billig und scheußlich« bezeichnet, beurteilt Max Weber 1904 die deutsche Abteilung der Weltausstellung in St. Louis, die durch Bruno Mehring vom Jugendstil geprägt war, anerkennend:

Alle kunstgewerblichen Arbeiten der Deutschen sind schön und dabei so wundervoll zu einem Gesamtgebilde vereint, daß jede andere Nation weit dahinter zurücksteht, was auch von allen Seiten anerkannt wird.

Einige Jahre später urteilt Charles Edouard Jeanneret, später nennt er sich Le Corbusier:

Im Brennpunkt der Kräfte spielt Deutschland auf dem Gebiet der angewandten Kunst die entscheidend aktive Rolle (...) Deutschland ist ein Aktualitätenbuch. Wenn Paris der Brennpunkt der Kunst ist, so ist Deutschland die große Produktionsstätte. (Die Gegenüberstellungen und Zitate sind entnommen: Meurer, B./Vincon, H., 1983, S. 90).

II

Die materielle Alltagskultur des wilhelminischen Deutschland erscheint als ein widersprüchliches Nebeneinander von industriell produzierten Gegenständen in historisch kostümierter, geschmückter oder sachlicher Gestalt. Insofern ist das Nebeneinander von ›Stilmöbeln‹ und um Sachlichkeit bemühten Möbeln für den Versuch repräsentativ, die Herkunft der Industrieprodukte zu verschleiern oder funktional auszuweisen. Die verbreitete Kritik an der ›Pseudo- und Attrappenkunst‹ und deren unterschiedlichen Stilelementen schwillt jedoch am Ende des Jahrhunderts so sehr an, daß neue, nicht der Vergangenheit geborgte Formen angestrebt werden.

Man sah plötzlich ein, daß ein Stil nicht nur eine ästhetische Angelegenheit ist, die sich auf rein künstlerischem Wege regeln läßt, sondern daß dazu eine Weltanschauung gehört, die alle Bereiche des Lebens in sich einzuschließen versucht. (Hamann, R./Hermand, J., 1977, S. 212 f.)

Stil soll umfassender Bestandteil der Lebensauffassung und Lebensanschauung sein – was immer man auch darunter verstand. So heißt es in Peter Behrens' Manifest *Feste des Lebens und der Kunst* (1900):

Der Stil einer Zeit bedeutet nicht besondere Formen an irgendeiner besonderen Kunst (...) jede Kunst hat nur Teil am Stil. Der Stil aber ist das Symbol des Gesamtbefindens, der ganzen Lebensauffassung einer Zeit und zeigt sich im Universum aller Künste.

Das verbreitete Bemühen um einen ›Einheitsstil‹, der alle Lebensbereiche erfassen soll, kann nicht vordergründig als Gegenströmung zur vorhergehenden Stilinflation erklärt werden. Die zeittypische »Sehnsucht nach Stil«, die Samuel Lublinski in seiner *Bilanz der Moderne* (1904) konstatiert (Lublinski, 1904, S. 350) und das Ideal der Vereinheitlichung drücken offensichtlich ein kollektives Ideologem aus, das in Literatur, Kunstgewerbe, Architektur und Kunstwissenschaft wirkt. Literatur und Kunst wenden sich gegen die unverbindliche »Reizsamkeit« des Impressionismus, Kunstgewerbe und Architektur gegen den historisierenden Stilmischmasch und die Kunstgeschichte gegen einen faktographischen wie theorieskeptischen Positivismus (so wendet sich 1898 Heinrich Wölfflin gegen »die biographische Anekdote« und die »positivistische Schilderung der Zeitumstände«. Wölfflin, H., 1898). In allen diesen Fällen erhält ›Stil‹ ein erweitertes semantisches Feld. Er soll – so vage dies auch häufig formuliert wird – über einzelne Stilelemente hinausgehend eine neue ›Lebensauffassung‹ ausdrücken. Dies richtet sich präzise gegen eklektizistische Stilmischung und bleibt außerhalb der Kunstwissenschaft definitorisch unbestimmt. Die Vorstellung vom Einheitsstil ist Teil einer Ganzheitsmentalität, für die der *Ablauf des Lebens* (1906), so der Titel eines Buches von Wilhelm Fliess, zum Problem wird. Das neuartige ›Weltanschauungsbedürfnis‹ der deutschen Bourgeoisie kann nicht einmal skizziert werden. Für unsere Aufgabenstellung bleibt festzuhalten, daß im Übergang zum Imperialismus ein ökonomischer Modernisierungsschub und eine latente Krisenstimmung korrespondieren. Bekanntlich wird für die Entwicklung der deutschen Industrie aus dem Nachteil des Zuspätkommens ein Vorteil, weil damit die modernsten Produktivkräfte auch in modernen Branchen wie Elektro- und Chemieindustrie eingesetzt werden. Nicht ohne Grund zählen Firmen wie AEG oder Siemens bald zum Kreis der weltbeherrschenden Monopole. Angesichts einer bedrohlich anwachsenden Arbeiterbewegung, zunehmender Arbeitsteilung und Versachlichung wird Fortschritt, der Leitbegriff des 19. Jahrhunderts, problematisch. Während zuvor im liberalen Vertrauen auf Wachstum und Marktregulierung Weltanschauungsfragen auf die akademische Philosophie beschränkt waren, kommen nun die entstehende Lebensphilosophie und der Haeckelsche Monismus einem verbreiteten Weltanschauungsbedürfnis entgegen. Was hat dies mit Möbeln oder mit veränderten Stilkonzeptionen zu tun? Der angedeutete Modernisierungsschub und die latente Krisenstimmung bilden einen Bedingungszusammenhang, mit dem sich ein für die internationale Industriekultur folgenreicher Neuansatz im ästhetischen Denken wie in der gestalterischen Konzeption entfalten kann. Es geht um eine ›Stildiskussion‹, die sich auf die Gestaltung industriell produzierter Gegenstände und auf eine Reform der Industriegesellschaft bezieht. Deren Teilnehmer beziehen ihre Erwartungen aus dem angesprochenen allgemeinen Erfahrungshaushalt »Modernisierungsschub und latente Krisenstimmung« und sie geben ihnen doch eine besondere zukunftsweisende Richtung, weil sie im Gegensatz zur zeitgenössischen Kulturkritik nicht dem Handwerk nachtrauern, sondern ein Bündnis mit der Industrie suchen. Der gewandelte Stilbegriff dient dabei als wichtiger Indikator für die neuen Absichten. Einer bestimmten Gruppe wohlgemerkt, denn der Hinweis auf den sozialen Ort des Wortbedeutungswandels soll eine mögliche Hypergeneralisierung des temporalen Aspekts wie der synchronen Repräsentanz vermeiden (vgl. dazu Lukács, G., 1974, S. 88 ff.). Schließlich verweist in der Alltagssprache Stil weiterhin auf einzelne, kompatible Gestalteigenschaften, erfährt der Begriff hingegen in der Wissenschaftssprache gerade um die Jahrhundertwende eine markante Aufwertung. Bei Peter Behrens, Herman Muthesius oder Friedrich Naumann dient der Begriff zur Charakterisierung gestaltkonzeptioneller und ideologischer Absichten (Meurer, B./Vincon, H., 1983, S. 92). Dabei reicht sein Bedeutungsraum von einem funktionellen Design bis zu diffusen sozialreformerischen Absichten. Darauf beschränken sich die folgenden Ausführungen.

III

Für unsere Argumentation bleibt zunächst festzuhalten: das eklektische Nebeneinander ist nur noch formell historisierend. Es drückt gegenüber den unterschiedlichen Stilen eine selektive Beliebigkeit aus, mit der die einzelnen Stilelemente zu kombinierbaren Zierelementen schrumpfen. Hingegen suchte der Historismus – man denke an die Verbindung von Gotik und Sozialreform bei Ruskin oder an den einheitlich konzipierten Klassizismus – »durch die Benutzung historischer Formsprachen Assoziationen zu ideal konzipierten gesellschaftlichen Zuständen zu erwecken« (Kühne, L., 1981, S. 147). Zugespitzt formuliert: das eklektizistische Nebeneinander der Hausfassaden oder Wohnungseinrichtungen nimmt den einzelnen Stilen gerade durch den massenhaften Einsatz ihrer einzelnen Stilelemente ihre Verhältniseigenschaft, die im Historismus durch das Mitdenken gesellschaftlicher Zustände noch gegeben war. Bezeichnend dafür die Position von Georg Hirth, dem Verfasser von *Das deutsche Zimmer in der Gothik und Renaissance, des Barock-, Roccoco- und Zopfstils* (³1886), einer beachteten Anregung »zur häuslichen Kunstpflege«, die Originale und Reproduktionen unterschiedlichster Stilformen präsentiert. Auch Hirth wendet sich gegen »Geschmacksmischmasch« und fordert »das richtige Stilgefühl« (Hirth, G., 1886, S. 13). Für den schlechten Geschmack macht er die massenhafte, »unvernünftig drängende Nachfrage« infolge des Gründerzeit-Booms verantwortlich (a.a.O.). Bei ihm wird die Beziehung zwischen Traditionsbezug und Geschichtsverlust anschaulich. Dabei wird die Ausrichtung auf Stilformen der Vergangenheit durch die künstlerische Stagnation der Gegenwart legitimiert:

Dadurch, daß wir uns an die besten Kunstweisen der Vergangenheit anlehnen, füllen wir gewissermaßen die Leere in unserer künstlerischen Produktion aus und lenken die aufbauenden neuen Kräfte in gedeihliche Bahnen (a.a.O., S. 21).

Im Gegensatz zum Historismus geht es nicht um die Reaktivierung eines Stils, sondern – und darin zeigt sich die zerstörte Verhältniseigenschaft – um einzelne heterogene Stilelemente:

Es gibt kaum irgendeinen historischen Stil, welcher als Ganzes in unser heutiges Schaffen übernommen werden könnte, und andererseits gibt es kaum einen Stil, der uns neben dem allgemein künstlerischen Interesse nicht auch praktische Anregungen darböte (a.a.O., S. 70).

Hirth erkennt, daß industrielle Produktion und das »Magazinwesen« eine neue Verfügbarkeit schaffen (»noch nie dagewesene Universalität«), er lehnt den »Fabrikbetrieb« ab.
Damit ist auf einen charakteristischen Widerspruch verwiesen:

die sogenannten Stilmöbel gelangen massenhaft nur mit der großen Industrie in die Wohnungen, und sie versuchen zugleich, in ihrer Gestalt handwerkliche Herkunft vorzutäuschen. Das ist mehr als eine zufällige Parallele, sondern konkreter Ausdruck des Zusammenhangs von vergegenständlichtem Stil und Mentalität der Subjekte, Ausdruck dessen, daß die Käufer und Benutzer dieser Möbel Wohlstand und gesellschaftliche Stellung der Industrie ›verdanken‹ und zugleich versuchen, jede gestalterische Erinnerung an sie von ihren Wohnungen fernzuhalten. Ja, selbst Bauten der Produktion wie Mühlen, Speicherhäuser oder Fabrikgebäude werden mit historizistischen Fassaden versehen. (Als bekanntestes Beispiel sei die Zollhalle des Kölner Rheinhafens, erbaut 1898, angeführt.) So versucht die nachrevolutionäre Bourgeoisie mit Formen der Vergangenheit die Klassengesellschaft der Gegenwart zu verschleiern. Aus Sicht des *Neuen Bauens* bemerkt dazu in den zwanziger Jahren Bruno Traut:

Wenn in der früheren historischen Architektur die einzelne Sache, wie das Fenster oder die Tür oder das Dach, der Schornstein usw., also die Sache, die einen rein praktischen Zweck zu erfüllen hatte, dies nicht ohne Umkleidung mit dekorativen Zutaten, also in mehr oder minderem Maße unter Verkleidung und Verschleierung des Zwecks selbst tun durfte, so ist dies ein deutlicher Spiegel damaliger sozialer Zustände. Der Arbeiter existierte in diesem Kulturgebilde nicht; ohne die weitgehendste Unterwerfung unter die ›herrschaftlichen‹ Formen durfte er nicht in Erscheinung treten (Traut, B., 1929, S. 57).

Hinzu kommt: Das Verschleiern der industriellen Herkunft durch vorindustrielle Stilelemente wird auch durch eine herrschende ästhetische Konvention gestützt, die Kunst und Industrie scharf trennt. Kunst gilt, besonders in der deutschen Tradition, als Bereich des Geistes und der Originalität, der Freiheit und Autonomie, der Schönheit und Ganzheit (vgl. dazu Fontius, M., 1957). Ästhetisches Denken bleibt – von wenigen Ausnahmen wie Gottfried Semper abgesehen – vorindustriell. Während bei den technischen Gegenständen die Funktionalität dominiert[2] und die künstlerischen als autonom gelten, befinden sich die praktischen Gegenstände in einem Zwischenbereich. Ihnen fehlt die Aura der ›zweckfreien‹ Kunst und ihnen soll, jedenfalls soweit es sich um Architektur und Inneneinrichtung handelt, das Stigma der Fabrik durch die handwerkliche Gestalt genommen werden. In diesem Zwischenbereich ist auch der semantische Ort von

Kunsthandwerk und Kunstgewerbe. Praktische Gegenstände sind auf körperliche Handhabung bezogen. Die angehefteten isolierten Stilelemente dienen der Wahrnehmung und sind disfunktional, wenn sie dem Nützlichen übergeordnet werden. Auch das unpraktischste Stilmöbel muß eine Funktion erfüllen. Seine Stilelemente sind einstellungsadäquat im Sinne der angedeuteten bourgeoisen Mentalität und nur bedingt gegenstandsadäquat im Sinne einer dominanten praktischen Funktion. Jeder, der längere Zeit auf einem Stuhl der Neurenaissance sitzen muß, kann dies bestätigen. Die überladenen Stilmöbel lassen sich so – über deren sozialreputative Funktion hinaus – als Ausdruck einer spezifischen Mentalität lesen. Sie sind Teil eines (meist familiären) Innenraumes, der von der Außenwelt und ihren sozialen Widersprüchen abgegrenzt wird (vgl. Weber-Kellermann, I., 1974, S. 97 ff.). Deshalb auch das Bemühen, die Fenster zu verhängen oder mit Butzenscheiben eine intime Atmosphäre herzustellen.

IV

Gegen Ende des Jahrhunderts – dies sollte die einleitende Gegenüberstellung veranschaulichen – wird der Stileklektizismus problematisch, und in der anschwellenden Kritik äußert sich der Widerspruch zwischen handwerklichen Gestalteigenschaften und einer industriell produzierten Gestaltwirklichkeit. Maschinelle Methoden der Holzverarbeitung wie Säge-, Hobel-, Fräse-, Stemm-, Furnierschneide- oder Sandpapiermaschinen[3] erlauben eine neue massenhafte Vergegenständlichung der einzelnen Stilelemente und lassen den Widerspruch ins ›Auge fallen‹.
Eklektizistische Stilelemente werden in allen industriellen Ländern praktischen Gegenständen angeheftet. Aber in Deutschland erreicht die Stilinflation ihren Höhepunkt, und hier entstehen konzeptive Gegenentwürfe von wirkungsmächtiger Radikalität. Die Freude an der historischen Kostümierung gründet auch in den Spannungen zwischen einer verspäteten, sich aber ungemein rasch vollziehenden Industrialisierung und einer vorindustriell geprägten psychischen Disposition. In wenigen Jahren entwickelt sich Deutschland von einem rückständigen Agrarstaat in einen modernen Industriestaat, dessen Produktionsmittel auf höchstem technischen Niveau stehen und dessen Bürger mit gebotener

kapitalistischer Zweckrationalität ihre Geschäfte betreiben, aber zugleich wehmutsvoll an vergoldete vorindustrielle Zeiten zurückdenken. Nirgendwo ist die Arbeiterklasse so bedrohlich organisiert wie im Wilhelminischen Reich. Sie läßt sich am Ende des Jahrhunderts nicht mehr ignorieren oder per Verwaltungsakt unterdrücken. Vom Modernisierungsschub gehen so auch Versuche aus, die Lebensverhältnisse der Arbeiter zu reformieren. Mit lichten Fabriken und heimeligen Arbeiterwohnungen will man die Arbeitsleistung heben und zugleich die umstürzlerischen Sozialdemokraten bekämpfen. So heißt es in einer Rede von Walter Gropius 1911:

Weitsichtige Organisatoren haben es längst erkannt, daß mit der Zufriedenheit des einzelnen Arbeiters aber auch der Arbeitsgeist wächst und folglich die Leistungsfähigkeit des Betriebes. Der subtil rechnende Herr der Fabrik wird sich alle Mittel zunutze machen, die die ertötende Eintönigkeit der Fabrik beleben und den Zwang der Arbeiter mildern könnten. Das heißt, er wird nicht nur für Licht, Luft und Sauberkeit sorgen, sondern in der Gestaltung seiner Arbeitsgebäude und Räume auch auf das ursprüngliche Schönheitsempfinden, das auch der ungebildete Arbeiter besitzt, gebührend Rücksicht nehmen (zit. nach Meurer, B./ Vincon, H., 1983, S. 92).

Die Einbeziehung der industriellen Produktion in den ästhetischen Diskurs und die Ausrichtung künstlerischer Gestaltung auf Siedlungen und Fabriken, Möbel und Haushaltsgeräte ist so, entsprechend den umfassenden sozialreformerischen Absichten, auch von der Kritik am Jugendstil begleitet. So polemisiert Hermann Muthesius, einer der einflußreichsten Vertreter sachlicher Gestaltung, nicht nur gegen den Stileklektizismus der Gründerzeit:

Wie äußerlich das ganze Treiben der Architektur des neunzehnten Jahrhunderts in dieser Hinsicht war, das zeigt schon deutlich die Bedeutung, die das Wort Stil in ihm annahm. Früher gab es keine Stile, sondern nur eine gerade herrschende Kunstrichtung, der sich mit völliger Selbstverständlichkeit alles unterordnete. Erst im 19. Jahrhundert wurde die Menschheit aus diesem künstlerischen Paradies vertrieben, nachdem sie vom Baume der historischen Erkenntnis gepflückt hatte [...] Die Welt liegt im Banne des Wahngebildes einer ›Stilarchitektur‹ [...] Ja, wie im Laufe der letzten Jahrhunderts die Architektur überhaupt nur aus dem Stilgesichtswinkel betrachten gelernt hatte, so konnte auch die in ihm wiederholt gehörte Forderung neben den historischen Stilen einen neuen Stil, den Stil der Gegenwart, zu erfinden, nur auf reine Äußerlichkeiten abzielen. Zu solchen Versuchen müssen auch diejenigen allerneuesten Leistungen gezählt werden, die das Wesen eines modernen Stils darin suchen, daß sie auf den alten Organismus moderne Pflanzenformen und Bäumchenmotive leimen (Muthesius, H., 1907, S. 155 f.).

Statt dessen fordert Muthesius unter Anerkennung maschineller Produktion

wissenschaftliche Sachlichkeit, eine Enthaltung von allen äußeren Schmuckformen, eine Gestaltung, die genau nach dem Zweck, dem das Werk dienen soll, getroffen ist (*a.a.O.*, S. 25).

Daß damit der Stilbegriff nicht grundsätzlich verworfen ist, belegt die Schrift *Vom neuen Stil* (1907), in der Muthesius fordert:

Du sollst die Form und die Konstruktion aller Gegenstände nur im Sinne ihrer elementaren strengsten Logik und Daseinsberechtigung erfassen (Velde, H. van de, 1907, S. 27).

Das Bündnis zwischen Kunst und Industrie bleibt nicht auf die theoretischen Entwürfe beschränkt. Unter den besonderen deutschen Verhältnissen werden die Theoretiker einer sachlichen Gestaltung auch zu Praktikern der gestalteten Sachen. Peter Behrens, W. Gropius, H. Muthesius oder R. Riemerschmid entwerfen Häuser, Fabriken, praktische Gegenstände, die auch hergestellt bzw. produziert werden, weil die geforderte Sachlichkeit den Erfordernissen industrieller Produktion nach Typisierung und gestalterischer Konkurrenzverbesserung entspricht. Im neuen, sachgerechten Stilbemühen äußern sich so unterschiedliche, aber auch partiell vereinbare Motive. Die Wirkung des angesprochenen Wirkungszusammenhanges ›Modernisierungsschub und Krisenbewußtsein‹ ermöglicht ein Bündnis von Künstlern, Sozialreformern und Industriellen, die, mit unterschiedlicher Gewichtung, die Lebenslage der Produzenten und die Marktchance der Produkte verbessern wollen. Wie kein anderer verkörpert der Sozialreformer und liberale Politiker Friedrich Naumann die folgenreiche Mischung von ästhetischen, sozialen und ökonomischen Motiven innerhalb dieser ›Stildiskussion‹. Er reagiert mit eigenen Reformkonzepten auf die bedrohlich wachsende Sozialdemokratie und will »den deutschen Arbeiter aus der Schlinge des marxistischen Dogmas« (Campbell, J., 1981, S. 25) lösen. Dies ist ein Bruch mit der älteren liberalen Tradition, die den Arbeiter kulturell aus der bürgerlichen Öffentlichkeit verdrängte und ihn ökonomisch dem freien Spiel der Kräfte zu überlassen gedachte. Demgegenüber fordert Naumann einen kapitalistischen Sozialstaat, ein einheitliches Industrievolk, das den Weltmarkt beherrschen soll.

In diesem umfassenden Konzept erhält auch Stil sozial-integrierende und zugleich verkaufsfördernde Funktion. So heißt es in dem Vortrag *Die Kunst im Zeitalter der Maschine* (1904):

> Wir aber kehren zu dem deutschen Zukunftsideal zurück, ein künstlerisch durchgebildetes Maschinenvolk zu werden, und besprechen es von seiner technisch-ästhetischen Seite aus. Unser ganzes gewerbliches Schaffen braucht einen neuen deutschen Stil, um sich in seiner Eigenart in der Menschheit durchzusetzen (Naumann, F., 1964, S. 192).

Naumann preist die Nützlichkeit der großen Industrie und die Schönheit der Industrie in dem Bewußtsein, daß sozialer Fortschritt und wirtschaftliches Wachstum miteinander vereinbar seien. Dazu bedarf es der Gegenstände im »neuen deutschen Stil«, die das Lebensgefühl heben und den Weltmarkt erobern.

Die »Dritte allgemeine Kunstgewerbeausstellung« (1906) in Dresden dokumentiert die Erfolge der geforderten Sachlichkeit, denn neben kunstgewerblichen Einzelstücken werden hier auch industriell produzierte Serienmodelle ausgestellt. Institutionelle Stabilität erhält das Bündnis von ästhetischer Theorie und industrieller Produktion durch die Vereinigung der Münchener und der Dresdener Werkstätten zu den »Deutschen Werkstätten« (1907) und besonders durch die Gründung des »Deutschen Werkbundes« (1907), einer privaten Vereinigung von Künstlern, Publizisten, Verlegern, Sozialwissenschaftlern und Industriellen mit dem Ziel, Daseinsgefühl, Leistungskraft und Produktqualität zu steigern.

V

Offensichtlich erfüllt die Verwendung des Stilbegriffs innerhalb der Diskussionen um eine industrielle Ästhetik bipolare Funktionen. Zum einen wird Stil als eklektizistisch abgelehnt. Zum anderen soll ein neuer Einheitsstil, der Kunst auf industrielle Produktion bezieht, den dekorativen und beliebigen Einsatz eklektizistischer Stilelemente überwinden und nicht nur die sinnlich-technische Seite der Gegenstände im Sinne von Zweckmäßigkeit und Materialgerechtigkeit versachlichen, sondern auch die sozialen Verhältniseigenschaften für die Benutzer und für die gesamte Gesellschaft bilden. Deshalb beschäftigt sich der Werkbund nicht nur mit Fragen der Produkt-, sondern auch der Gesellschaftsgestaltung. Ihm geht es – so vage dies auch klingen mag – um die ›Steigerung des Daseinsgefühls‹ und soziale Reformen. Ob nun als »deutscher Stil« oder »Werkbundstil« (vgl. die entsprechenden Stichworte bei Campbell, 1981, zit. Anm. 15, S. 246) bezeichnet, wichtig ist, daß der Begriff auch als soziale Verhältniseigenschaft gedacht wird.

In der Theoriediskussion wird Stil nicht als festumrissener Zentralbegriff gebraucht, sondern eher als ein Zeichen, das von weiterer Präzisierung entlastet. Die weite Stilvorstellung läßt markante Disproportionen zwischen gegenständlicher Beschreibung und politisch-sozialen Absichten erkennen. Zugespitzt formuliert: Die Avantgarde einer industriellen Ästhetik bleibt politisch-weltanschaulich im Hauptfeld der herrschenden Ideologie. Die politische und ideologische Machtbasis des imperialistischen Deutschlands wird nicht in Frage gestellt, und den ideologischen Diskurs bestimmen gängige Oppositionen wie Volk statt Klasse, Idealismus statt Materialismus, Kultur statt Zivilisation. (Die einzelnen Oppositionen untersuchen Hamann, R./Hermand, J., 1977, S. 26 ff.) Im Vergleich zur Avantgarde der zwanziger Jahre ist der Werkbund politisch eher konform, aber gestaltkonzeptionell ebenso revolutionär.

Die angesprochene Diskrepanz gründet in den Widersprüchen kapitalistischer Versachlichung unter spezifisch deutschen Bedingungen. Dies heißt zum einen, daß der Modernisierungsschub durch hohe Naturbeherrschung einen neuartigen Reichtum an Gegenständen sichert, gerade weil sich gesellschaftliche Arbeit auf hohem Organisationsniveau in sachlicher Abhängigkeit vollzieht. Diese Versachlichung drücken schon die Namen großer Firmen aus. Sie sind nicht mehr nach ihrem Besitzer oder Gründer benannt, sondern erscheinen, wie etwa bei der AEG, der BASF, der HAPAG oder den Deutschen Linoleumwerken, als anonyme Gesellschaften mit allgemeinen Aufgaben. Über den Zusammenhang zwischen ökonomischer Versachlichung und gestaltkonzeptioneller Sachlichkeit schreibt H. Muthesius:

In der angedeuteten allgemeinen Entwicklung auf das Schmucklose, Sachliche, Knappe äußert sich der Geist der Zeit, der Wissenschaftlichkeit, der Forschung, des Denkens im Großen, der Einordnung ganzer

Massen zur einheitlichen Wirkung. Und das eben ist der Geist unserer Zeit. Es tritt gewissermaßen eine Vergesellschaftung auch der Dinge ein, die wir anfertigen, ähnlich der Vergesellschaftung, die der Mensch selbst eingegangen ist (zit. nach Meurer, B./Vincon, H., 1983, Anm. 7, S. 113 f.).

Vergesellschaftung erhält hier einen ausschließlich positiven Akzent, wird nicht als kapitalistische Sachlichkeit analysiert. Das mag spitzfindig klingen. Es verweist aber auf den Tatbestand, daß die ästhetische Aufwertung der industriellen Produktion sozialreformerische Illusionen enthält, weil sie in der Anerkennung der herrschenden Machtverhältnisse gründet. Die negativen Seiten kapitalistischer Versachlichung werden nicht analysiert, aber immerhin wahrgenommen. Man sieht die sozialen Probleme, will »die Veredelung der gewerblichen Arbeit«, entwirft für die Arbeiter Häuschen, Möbel und Teekessel, ignoriert aber den Widerspruch zwischen Kapital und Arbeit. Tauschwert und Warenfunktion werden anerkannt und es überrascht nicht, daß gerade exportorientierte Teile von Industrie und Handel (AEG, BASF, Deutsche Linoleumwerke, Farbenfabriken Bayer, Hapag, Deutscher Handelstag) im Werkbund engagiert sind.

Der Deutsche Werkbund ist aber mehr als »ein Instrument der deutschen wirtschaftlichen Weltherrschaft«. Die Diskussionen um die Verbindung von Kunst und industrieller Produktion lassen sich als Einleitung einer industriellen Ästhetik lesen. Aktuell bleibt auch bis heute die in der Stilvorstellung verpuppte Diskrepanz und Einheit zwischen dinglich-technischen und sozialen Eigenschaften.

Anmerkungen

1 Zum Begriff ›Moderne‹ und zum Modernitätsbewußtsein um die Jahrhundertwende vgl. Gumbrecht, H.-U. (1978), S. 93-131.
2 Es sei hier nur an die Bauten des frühen englischen Funktionalismus erinnert. Zur Situation in Frankreich vgl. Giedion, S., 1982, S. 465 ff.
3 Vgl. dazu das Stichwort »Möbelfabrikation« im Brockhaus von 1895. Auch Möbel, die von einem Schreinerbetrieb hergestellt werden, sind von großer Maschinerie und Arbeitsteilung beeinflußt. Dazu ein zeitgenössisches Schreinerhandbuch: »Die Arbeitsteilung in unserer Zeit weit mehr entwickelt als ehedem (...) Eine Menge von Dingen kann er

(der Schreiner G. B.) fertig beziehen und eine Reihe andere fertigen und ihm auf Bestellung und nach Angabe die Spezialgeschäfte für Holzbildhauerei, Intarsienarbeit etc.« (vgl. Kraut, Th./Mexer, F. S., ⁴1902, S. 39).

Die Krise des Drechselhandwerks und das Aufkommen einer Holzwarenfabrik behandelt einer der wichtigsten deutschsprachigen naturalistischen Romane: Max Kretzers *Meister Timpe* (1888).

Literatur

Campbell, J. (1981), *Der Deutsche Werkbund 1907 bis 1934.* Stuttgart.

Fontius, M. (1957), »Ästhetik kontra Technologie – Eine Voraussetzung bürgerlicher Literaturauffassung«. In: *Funktion der Literatur.* Berlin. S. 123-132.

Friedell, E. (1950) (1963), *Kulturgeschichte der Neuzeit. Die Krisis der europäischen Seele von der schwarzen Pest bis zum 1. Weltkrieg.* Bd. 3. München.

Giedion, S. (1928), *Bauen in Frankreich. Eisen, Eisenbeton.* Leipzig.

Giedion, S. (1948) (1982), *Die Herrschaft der Mechanisierung. Ein Beitrag zur anonymen Geschichte.* Frankfurt.

Gumbrecht, H. U. (1978), »Modern, Modernität, Moderne«. In: Brunner, O./Conze, W./Kosellek, R., (Hgg.), *Geschichtliche Grundbegriffe.* Historisches Lexikon der politisch-sozialen Sprache in Deutschland. Bd. 4. Stuttgart, S. 93-131.

Hamann, R./Hermand, J. (1977), *Epochen deutscher Kultur von 1870 bis zur Gegenwart.* Bd. 4. Frankfurt.

Hirth, G. (1886), *Das deutsche Zimmer der Gotik und Renaissance, des Barock-, Roccoco- und Zopfstils. Anregungen zu häuslicher Kunstpflege.* München/Leipzig.

Kühne, L, (1981), *Gegenstand und Raum. Über die Historizität des Ästhetischen.* Dresden.

Kraut, T./Meyer, F. S. (⁴1902), *Die gesamte Möbelschreinerei. Mit besonderer Berücksichtigung der kunstgewerblichen Form.* Erster Band. Leipzig.

Lublinski, S. (1904), *Bilanz der Moderne.* Dresden.

Lukács, G. (1955) (1974), *Die Zerstörung der Vernunft.* Bd. III. Darmstadt/Neuwied.

Meurer, B./Vincon, H. (1983), *Industrielle Ästhetik. Zur Geschichte und Theorie der Gestaltung.* Werkbund-Archiv Bd. 9. Gießen.

Muthesius, H. (1907), »Stilarchitektur und Baukunst«. In: Posener, J.

(1964), *Anfänge des Funktionalismus. Von Arts and Craft zum Deutschen Werkbund.* Berlin/Frankfurt/Wien.

Naumann, F. (1964), »Berliner Gewerbekunst«. In: ders., *Werke.* Bd. 6. Ästhetische Schriften. Opladen.

Sternberger, D. (1938) (1964), *Panorama oder Ansichten vom 19. Jahrhundert.* Frankfurt.

Traut, B. (1929), *Die neue Baukunst in Europa und Amerika.* Stuttgart.

Velde, H. van de (1907), *Vom neuen Stil.* Leipzig.

Weber-Kellermann, I. (1974), *Die deutsche Familie. Versuch einer Sozialgeschichte.*

Roberto Ventura
»Tropischer Stil«
Selbst-Exotisierung, Nationalliteratur
und Geschichtsschreibung in Brasilien*

> *Die neuen Weiten und der Urwald Amerikas laden ein zu einer reichen Ernte, wie sie das schon ganz durchforschte Territorium des Alten Europa nicht mehr bieten kann, weil es so unendlich oft analysiert ist, daß es keine Geheimnisse mehr enthält.*
>
> (Araripe Jr.)

Im Jahr 1888 schrieb Araripe Jr. eine Abhandlung mit dem Titel »Tropischer Stil: die Formel des brasilianischen Naturalismus«. Dort diskutiert er die Möglichkeit einer Anpassung des naturalistischen Romans an die brasilianischen Gegebenheiten durch Anwendung einer *Naturtheorie* auf die nationale Literaturproduktion. Indem er auf das Konzept des ›Tropischen‹ rekurriert, erklärt Araripe die Originalität der brasilianischen Literatur und ihrer naturalistischen Autoren – wie etwa Aluísio de Azevedo – als Ergebnis des besonderen Milieu-Einflusses auf die übernommenen Formeln und Modelle:

Als der Naturalismus nach Brasilien auswanderte, mußte er notwendig eine tiefgreifende Wandlung durchmachen. Im hiesigen Klima und angesichts der hiesigen Natur hätte ein Zola viele seiner Methoden zu verändern, um sich an unser Wirklichkeits-Gefühl anzupassen ... Entweder ordnet sich der Naturalismus diesem Sachverhalt unter oder er wird zu einer exotischen Pflanze – die nur noch deshalb, weil sie eigenartig ist, Interesse beanspruchen kann. Die neue literarische Schule hingegen muß sich an der Tropik des Steinbocks orientieren, sie muß all die fieberhaften Träume aufnehmen, die im Blut unserer Nation existieren, die ganze Sinnlichkeit, welche in den Nerven des Kreolen brennt (Araripe Jr., 1888a/1960, S. 71 f.).

Zuvor schon hatte er sich zu den besonderen klimatischen Bedingungen geäußert, denen ein Autor in tropischen Ländern ausgesetzt sein sollte: »kann es einen Stil geben, der diesen Einflüssen widersteht, eine Norm, die sich hier aufrechterhalten ließe? Das Tropische kann nie an einer Norm ausgerichtet sein. Die Norm ist die Frucht der Geduld und des Lebens in den kalten Ländern; in den warmen Ländern läßt sich die für sie notwendige Aufmerksamkeit nie durchhalten« (S. 70). Nach der Meinung von Araripe Jr. mußten also die tropische Natur und das warme Klima den literarischen Autor zu einer Umformung des europäischen ›Stils‹ verpflichten, er sollte die ›Norm‹ brechen und eine von Gefühl, Nervosität und Sinnlichkeit erfüllte Form des Schreibens entwickeln.

Mit dem Konzept des ›Tropischen‹ wollte Araripe eine der vordringlichen Fragen der brasilianischen und lateinamerikanischen Literaturgeschichtsschreibung des 19. Jahrhunderts lösen, nämlich die Frage nach dem Bestehen oder nach dem Fehlen eines *nationalen Stils*. Diese Frage war aus der Diskussion zwischen Vertretern der These von der nationalen Besonderheit und ihren Kontrahenten entstanden, welche sich für eine Nachahmung (oder sogar für eine Reproduktion) ausländischer Modelle einsetzten. Mit dieser Diskussion gelangen wir innerhalb der Untersuchungen zur Begriffsgeschichte von ›Stil‹ zu einem Problemhorizont, der sich auftut, wo bestimmte Individuen, Texte und Gesellschaften als durch einen ›*Mangel an Stil gekennzeichnet*‹ angesehen werden. Dann tritt an die Stelle des Stilbegriffs, der sich auf die verschiedenen Denk-, Schreib- und Lebensformen innerhalb einer Gesellschaft oder Kultur bezieht, als negative Konstruktion das Konzept des ›Nicht-Stils‹, das auf Individuen, Texte und Gruppen projiziert wird, welche man im Verhältnis zu der Norm der Kulturnationen als ›randständig‹ ansieht. Bevor ich nun näher auf den Begriff des ›tropischen Stils‹ eingehe, werde ich mich mit Überlegungen von Montesquieu und Buffon beschäftigen, weil sie die Brauchbarkeit von Begriffen wie ›Stil‹ und ›Kultur‹ im Hinblick auf Handlungs- und Kommunikationsformen untersuchten, die unter – nach ihrer Meinung – dem gesellschaftlichen Fortschritt abträglichen Bedingungen der Natur und des Klimas entstehen.

Die Neue Welt als Gegenstand
der Aufklärungsphilosophie

In seinem Werk *De l'esprit des lois* entwarf Montesquieu eine allgemeine Klimatheorie, mit der er die Verschiedenheit der Sitten und Gesetze erklären wollte. Ihr zufolge soll die Wärme in den heißen Klimazonen eine Lockerung der ›Nervenfibern‹ bedingen, die ihrerseits zur Apathie, zur Abgespanntheit des Geistes, zur Schwächung des Mutes führe. Deshalb sind für ihn Sklaverei, Polygamie und Despotismus Phänomene des ›Südens‹, denn dort gebreche es an Gleichgewicht zwischen menschlichem Charakter und politischen Institutionen: »Es ist also nicht verwunderlich, daß die konstitutive Schwäche der Völker in den heißen Klimazonen diese fast immer zu Sklaven gemacht hat, während der Mut der Völker in den kalten Klimazonen ihnen die Freiheit erhielt« (Montesquieu, C.-L., 1748/1958, S. 523). Diese ›materialistische‹ Erklärung der Verschiedenheiten zwischen den Völkern führt zu einer Bestätigung der Überlegenheit Europas über die anderen Kulturregionen der Welt; solche Überlegenheit ist begründet im ›gemäßigten Klima‹ Europas, und sie rechtfertigt die Beibehaltung von Sklaverei und kolonialer Herrschaft, womit aus den Implikationen der klimatologischen Argumente einer der zentralen Widersprüche der Aufklärungs-Anthropologie entstand (Kohl, K.-H., 1981, S. 117).

Im *Discours sur le style* identifiziert Buffon ›Stil‹ mit ›Mensch‹, wenn er sagt: »le style est l'homme même«. Freilich darf das Wort ›Mensch‹ hier nicht mit ›Individuum‹ gleichgesetzt werden, denn Buffon vollzieht seine Reflexion auf der Ebene einer *allgemeinen* Anthropologie. ›Stil‹ ist für ihn ein Attribut des Menschseins, und deshalb wird ›Stil‹ in seiner Kulturtheorie als Charakteristikum der ›gebildeten Nationen‹ verstanden, als ein Charakteristikum, das sich aus den Fähigkeiten des ›Denkens‹, der ›Sprache‹ und der ›Vernunft‹ ergibt. Als Kunst des richtigen Schreibens und Denkens soll sich ›Stil‹ nach Buffon erst im Zeitalter der Aufklärung vollendet haben: »Erst in den aufgeklärten Jahrhunderten hat man wirklich geschrieben und gesprochen« (Buffon, G.L.L., 1753/1978, S. IV). In der *Histoire naturelle de l'homme* übernimmt Buffon Montesquieus Klimatheorie und ordnet die Menschen anhand der Norm vom ›gemäßigten europäischen Klima‹ in eine hierarchische Ordnung ein:

Das wirklich gemäßigte Klima findet man zwischen dem vierzigsten und dem fünfzigsten Breitengrad: In dieser Zone leben auch die schönsten und gesündesten Menschen ... Hier muß man jenes Maß finden, auf das alle anderen Abstufungen der Farbe und der Schönheit zu beziehen sind (Buffon, G. L. L., 1749/1824, S. 298).

Diese Zone entspricht Europa und einem Teil des asiatischen Kontinents, jenen Regionen also, die von »Kulturvölkern« mit institutionalisiertem und ruhigem Leben bewohnt werden, und sie unterscheidet sich grundlegend von den anderen beiden Klimazonen, der kalten und der heißen, welche als *negative Derivate idealtypischer Natur* angesehen werden (vgl. S. 221). Nach Buffons Spekulation liegen also die bewohnten Gebiete der Neuen Welt hauptsächlich in der »heißen Zone«, und daraus folgt, daß die Natur dort weniger aktiv (›agissante‹) sein soll als in der Alten Welt. Wegen der dort aber herrschenden Feuchtigkeit und Wärme sollen die Tiere in Amerika weniger zahlreich und von schwächerem Wuchs sein; die Menschen lebten noch im Status der ›Wildheit‹, da sie, zerstreut und stets auf Wanderschaft lebend, nicht im Stande seien, die Natur zu besiegen und sich weiterzubilden.

Wenn man diese Überlegungen auf den Stilbegriff Buffons bezieht, kann man sich fragen, ob die Bevölkerung des amerikanischen Kontinents, die außerhalb des ›gemäßigten Klimas‹ in einem Zustand der ›Wildheit‹ (oder höchstens am Rand eines Kulturzustands) lebte, in seinen Augen einen eigenen ›Stil‹ aufwies. Nicht zuletzt wegen seiner Geschichte, wie sie die alten Kulturen von Peru und Mexiko bezeugen, stellte der Mensch des amerikanischen Kontinents so etwas wie ein ›epistemologisches Problem‹ dar, das man mit der Klimatheorie eines Buffon oder eines Montesquieu kaum lösen konnte. Dieses Problem des ›amerikanischen Wilden‹ und der ›amerikanischen Natur‹ manifestierte sich in einem eigenartig ambivalenten Status, den diese beiden Begriffe im Diskurs der europäischen Gelehrten einnahmen, in einem Status, der zwischen dem Ideal-Bild des Glücks im Naturzustand (einer wahren Paradieses-Vision) und der Verurteilung der barbarischen Lebensformen jener Völker oszillierte, die man am Rande des Menschheits-Begriffs verortet hatte. Mit Buffons *Histoire naturelle* – sowie den *Recherches philosophiques sur les Américains* (1768) von De Pauw und der *Histoire des Deux Indes* (1783) von Raynal – behielt schließlich im europäischen

Denken die Option für die ›Unterlegenheit‹ des amerikanischen Natur-Milieus, für die ›Schwäche‹ seiner Tier- und Menschenarten die Oberhand. Deshalb kehrte die Aufklärungsphilosophie immer dann, wenn sie die wirtschaftliche Expansion Europas thematisierte, das Paradiesesbild von Amerika um, und dabei entstand ein neuer Diskurs über die Menschen und die Natur des amerikanischen Kontinents, der durch *negative Perspektiven* gekennzeichnet war, durch den Bruch mit der Projektion des Bildes von Eden auf die Neue Welt (Duchet, M., 1971, S. 207; Holanda, S. B. de, 1959/1977, S. xxv).

Als in der zweiten Hälfte des 18. Jahrhunderts immer häufiger Entdeckungsreisen unternommen wurden und sich folglich das empirische Wissen über die Lebensformen auf den verschiedenen Kontinenten erheblich vermehrte, kam es zu einer ›Wachstumskrise‹ der Naturgeschichte, weil es nicht gelang, ihre Klassifikationsverfahren an dieses neue Wissen anzupassen. Zu den einschlägigen Symptomen gehörte die Debatte über die Neue Welt, welche deutlich macht, daß die Naturforscher ihr Wissen erweiterten, noch bevor sie wahrnahmen, daß ihre Wissensform für die systematische Erfassung der neuen Wirklichkeit nicht mehr zureichend war (Lepenies, W., 1976, S. 55 ff.). Hier vollzog sich der Schritt zu einem neuen Verständnis der Geschichte, das fundiert war in einer Distanznahme von der naturalen Zeit und im Aufkommen des Fortschrittbegriffs, schließlich in der *Temporalisierung* der Wissensstrukturen des 19. Jahrhunderts. Damit gelangte jenes Denken an sein Ende, welches die Zeit noch nicht auf die Entwicklung von Organisationsstrukturen verschiedener Lebewesen bezogen hatte; die Untersuchung morphologischer ›Verschiedenheiten‹ bei Menschen, Tieren und Pflanzen in der Alten und der Neuen Welt, wie sie noch Buffon betrieb, wird nun ersetzt durch eine Untersuchung der *evolutiven* Unterschiede zwischen den Spezies, welche als Ergebnis der Milieueinwirkung (Lamarck) oder spontaner Mutationen (Darwin) angesehen werden (vgl. Koselleck, R., 1977/1979; Foucault, 1966). Hinzu kommt die Tatsache, daß jene Themen, die etwa Buffon diskutiert hatte, mit der Unabhängigkeit der ehemaligen europäischen Kolonien in Amerika ihr Interesse verloren. Das ›Ende der Naturgeschichte‹ ließ das Prestige von Buffon als Naturwissenschaftler rapide absinken und machte ihn zu einem Stil-Spezialisten, zu einem klassischen Autor (wodurch sich – wenigstens teilweise – die erstaunliche Popularität seines *Discours sur le style* erklärt).

Gemeinsam führen das Ende der Naturgeschichte und das Aufkommen des Fortschrittsbegriffs zu einer ›Mutation‹ in der okzidentalen Kultur: es beginnt das ›Zeitalter der Geschichte‹, wie es Foucault in *Les mots et les choses* darstellt (vgl. S. 378 ff.). In der Folge dieser ›Mutation‹ vollzieht sich eine »Teilung des Wissens« *(partage des savoirs)*, aus der am Rande des historiographischen Diskurses eine Wissenschaft mit dem Namen ›*Ethnologie*‹ hervorgeht, die sich auf die Erforschung von Gesellschaften ohne Geschichte und Schrift konzentrieren soll. Durch diese Unterteilung zwischen ›Geschichte‹ und ›Ethnologie‹ werden die ›wilden‹ Völker aus dem Objektbereich des Historikers eliminiert, und erst dadurch entsteht die Möglichkeit zur Ausbildung einer ›allgemeinen Wissenschaft vom Menschen‹, von Disziplinen wie Ethnologie und Anthropologie, welche die Gesellschaften außerhalb des okzidentalen Kulturkreises thematisieren. Mit dem Ende der klassischen Episteme kommt man also zu einer Unterscheidung zwischen *historischen* und *ethnographischen* Gesellschaften, zwischen der Geschichte der (um ihre überseeischen Besitzungen angereicherten) ›Kulturwelt‹ und der anthropologischen Beschreibung jener Gesellschaften, die im Diskurs auf das Wilde und eben den Mangel an Geschichte und Schrift reduziert werden (Duchet, M., 1985, S. 18 f.).

Der europäische Forscher als Reisender in den Tropen

Das Konzept des ›tropischen Stils‹ entsteht aus einer Wiederentdeckung der amerikanischen Kultur als Inspirationsquelle für neue Inhalte und Formen der Schrift, aus einer Rolle, zu deren Entstehen die Ambivalenz des europäischen Diskurses in seiner Konfrontation mit der exotischen Wirklichkeit beiträgt. Diese Ambivalenz schlägt sich in einem Begriff der Imagination nieder, den Montesquieu in seiner Schrift *Contradictions dans les charactères de certains peuples du Midi* (einem Kapitel des *Esprit des Lois*) entwickelt. Er stellt die ›Schwäche‹, ›Scheu‹ und ›Apathie‹ der Bewohner heißer Klimazonen einem hyperbolischen Lob ihrer Imaginationskräfte gegenüber: »Die Natur, welche diesen Völkern eine physische Schwäche gegeben hat, die sie scheu werden läßt, hat ihnen auch eine so lebhafte Imagination gegeben, daß jeder Eindruck sie im Übermaß anregt« (Montesquieu, C.-L., 1748/1958, S. 478). Dieser überschwengliche Begriff von der Vorstellungskraft und der Sinnlichkeit wird zum Topos der europäischen Reflexion über die tropischen Länder. Selbst Mme de Staël spricht in *De la littérature* von der »Sonne des Südens«, welche »die Vorstellungskraft beflügelt«; damit will sie ihren Eindruck erklären, daß die arabische Erzählkunst vielfältiger und fruchtbarer gewesen sei als die Ritterromanzen (Staël, Mme de, 1800/1820, S. 223 f.).

Ferdinand Denis legt wenig später mit zwei Schriften die Grundlage für die Betrachtung der brasilianischen Literatur: mit dem *Résumé de l'histoire littéraire du Brésil* (1826) und den *Scènes de la nature sous les tropiques* (1824). Beide Texte gehen aus von Beobachtungen, die Denis während seines Aufenthalts in Brasilien zwischen 1816 und 1820 machen konnte. Es ist seine Meinung, daß die tropische Natur dem Menschen einen Rückzug aus der ›ungerechten Gesellschaft‹, wo die Sklaverei mit all ihren Schrecken herrsche, in die ›absolute Einsamkeit‹ ermögliche (Denis, F., 1824, S. 106). So soll die Natur auch für den europäischen Reisenden als ein Raum der Selbstreflexion fungieren, der es ihm erlaubt, sich von der tropischen Gesellschaft und ihren Unannehmlichkeiten zu entfernen, um sich an das Land seiner Herkunft zu erinnern: »inmitten jener Wälder, unter einem Himmel, dessen günstiger Einfluß ewig zu währen scheint, kann man sehr oft erleben, wie der Europäer *sich nach seiner Heimat sehnt*« (Denis, F., 1824, S. 55). Weil er glaubt, daß ein freies Land auch notwendig eine unabhängige Literatur hervorbringen müsse, schlägt Denis vor, das Milieu der Tropen und die Sitten der Eingeborenen als Quelle poetischer Inspiration zu nutzen. Unter dem Einfluß von Humboldts Amerikabild, von Bernardin de Saint-Pierres Naturbegeisterung und Mme de Staëls Applikation der Klimatheorie auf die Literatur verbindet er das Theorem von der ›exuberanten Imagination‹ mit Montesquieus Thema vom ›lähmenden Einfluß der Tropen‹: »Das Klima der Tropen lädt zur Trägheit ein und regt doch zugleich auch zur Meditation an« (Denis, F., *a.a.O.*, S. 3). Vom Einfluß der tropischen Natur und der Eingeborenen-Sitten auf die Poesie ist nur im Blick auf thematische Zusammenhänge die Rede, denn Denis' Literaturbegriff spricht den literarischen Texten dokumentarische Funktion zu und beschäftigt sich deswegen nicht mit der Veränderung von Ausdrucksformen unter jeweiligen Milieubedingungen (Candido, A., 1959/1975, Bd. 2, S. 323).

Zwischen 1817 und 1820 führten J. B. von Spix und C. F. P. von Martius, zwei Naturforscher von der Königlich Bayerischen Akademie der Wissenschaften, Expeditionen nach Brasilien durch, von denen sie in dem Buch *Reise in Brasilien* berichten. Neben F. Denis und F. Wolf (dessen *Le Brésil Littéraire* 1863 in Berlin mit finanzieller Unterstützung des Kaisers von Brasilien, Don Pedro II., erschien) geht die Einführung von ›Milieu‹ und ›Rasse‹ als Analysebegriffen in die Literatur- und Sozialgeschichte Brasiliens auf die Dissertation von Martius zurück, die er 1845 dem Instituto Histórico e Geográfico Brasileiro vorlegte (Martius, C. F. P. v., 1845). Erst 1888 sollte S. Romero in seiner *História da literatura brasileira* unter systematisierender Perspektive auf diese Kriterien wieder zurückkommen. Von Spix und Martius schilderten in ihrem Reisebericht die Überschreitung des Äquators und das Vordringen in die südliche Hemisphäre als einen Moment exaltierter Freude, als Vorgriff auf die von ihnen erwarteten Naturwunder: »Ja, dieser Moment gehört zu den feierlichsten und heiligsten unseres Lebens. In ihm sahen wir die Sehnsucht früherer Jahre gestillt, und gaben uns, in seliger Freude und ahnender Begeisterung, dem Vorgenusse einer fremden, an Wundern so reichen Natur hin« (Spix, J. B. v./Martius, C. F. P. v., 1823-1831/1966, Bd. 1, S. 81). Die Betrachtung jenes fremden und für sie wunderbaren Milieus weckte die Erinnerung an die europäische Heimat, solange die tropische Natur selbst noch nicht zu einem »zweiten Heimatland« der Forscher geworden war. So schreiben sie im Angesicht der Vegetation von Rio de Janeiro: »Im Genusse solcher friedlichen, zauberhaft wirkenden Nächte gedenkt der vor kurzem eingewanderte Europäer seiner Heimath mit Sehnsucht, bis ihm endlich die reiche Natur der Tropen ein zweites Vaterland geworden ist« (S. 109).

Seit Alexander von Humboldt erscheint das tropische Milieu in dieser Weise als Anlaß für Begeisterung und Bewunderung, aber auch gleichzeitig als Ausgangspunkt der Erinnerung an die Besonderheiten europäischer Gesellschaft und Kultur; es soll zu einer inneren Sammlung führen, durch die – auf der anderen Seite des Ozeans – die Heimat gegenwärtig wird. In solcher Doppelfunktion wird die tropische Natur (und die Welt der Wildnis) *als eine exotische Wirklichkeit ästhetisiert*, und sie kompensiert so die Enttäuschung, welche die Gesellschaft der Neuen Welt bei den Forschungsreisenden hervorruft. K.-H. Kohl hat die Logik jener Enttäuschung als Ergebnis einer spezifischen Spannung beschrieben, die sich zwischen den aus utopischen Wünschen entstandenen Idealbildern und der wissenschaftlichen Pflicht zur taxonomischen Inventarisierung von Menschen und Natur der Neuen Welt auftat. Solche Spannung führt zum ›Bruch ihres Zaubers‹ und mithin zu einer Ästhetisierung der Landschaft, der Flora und der Bevölkerung (offenbar drückt sich hier ein Bedürfnis aus, wieder zur ›Magie des ersten Eindrucks‹ zurückzukehren). Wir werden nun am Beispiel von Araripe Jr. verfolgen, wie sich der Diskurs der Brasilianer zum Thema ihres eigenen Milieus und ihrer eigenen Rasse von jener Ambivalenz der Europäer emanzipierte, welche das Urteil über die *tristes tropiques* bis heute zwischen *Idealisierung* und *Enttäuschung* hält.

Exotik als Selbstdarstellung

Im Prozeß der Ausbildung eines nationalen Bewußtseins bei den ehemaligen lateinamerikanischen Kolonien kam während des 19. Jahrhunderts der Diskussion einschlägiger Schriften von Montesquieu, Buffon und De Pauw besondere Bedeutung zu. Zum Beleg nennen W. Krauss und A. Gerbi die *Observaciones sobre el clima de Lima* (1806) von Unánue de Pauro und den *Semanario del Nuevo Reino de Granada*, der unter der Leitung des Naturforschers J. Francisco de Caldas ab 1808 in Quito erschien (Krauss, W., 1973, S. 232; Gerbi, A., 1955, S. 345). Auch in Brasilien wird diese Debatte vor dem Hintergrund der Klimatheorie von Montesquieu und der von Buffon anhand der amerikanischen Kultur gebildeten Konzepte weitergeführt, und solcher Einfluß schlägt sich nieder in den wesentlichen Texten der Literaturgeschichtsschreibung des 19. Jahrhunderts – wie im *Discurso sobre a História da Literatura do Brasil* (1836) von G. de Magalhães, in *Da nacionalidade da literatura brasileira* (1843) von S. N. Ribeiro, aber auch in den monumentalen Werken von S. Romero und Araripe Jr. (Costa Lima, L., 1985). Für Magalhães zum Beispiel hängt die Möglichkeit einer autonomen Literatur direkt vom Einfluß des Milieus auf die Einwohner eines Landes ab, wie ihn – so glaubt Magalhães – Buffon und Montesquieu aufgewiesen haben. Er empfiehlt den brasilianischen Dichtern daher dringend die *imitatio* der amerikanischen Natur, und er ruft als vermeintlich ›neutralen‹ Zeugen die ausländischen Forscher an, welche die »Schönheit« des Vaterlandes empfunden hätten:

Noch stehen dem Herz des Brasilianers wenig Hervorbringungen menschlichen Bemühens zur Verfügung, an denen es sich erfreuen kann, denn diese bedürfen der Zeit zu ihrer Entstehung; aber das Herz des Brasilianers füllt sich doch mit Freude und schlägt hoch vor Stolz, wenn es die großartigen Darstellungen eines Langsdorff, Neuwied, Spix und Martius, eines Saint-Hilaire, Debret und anderer Entdeckungsreisender liest, welche den Europäern die Schönheiten unseres Vaterlandes enthüllten (Magalhães, G. de, 1836/1974, S. 23 f.).

Während die europäischen Forscher in der amerikanischen Natur einen Raum der Besinnung sahen, der es ihnen ermöglichte, Geschichte und Gesellschaft zu vergessen, artikulierten die brasilianischen Autoren – ausgehend von derselben Natur – das *historische Projekt* zur Ausbildung einer Nationalkultur (»Hervorbringungen menschlichen Bemühens«). Bei Magalhães findet dieses Projekt in bezug auf die Diskurse der Europäer (durch die Klimatheorie der Aufklärung und die Berichte der naturwissenschaftlichen Expeditionen) seine Legitimation und wird zugleich Ort der Entdeckung einer *Alterität*, von der ausgehend das Programm einer Nationalliteratur mit vorwiegend dokumentarischen Aufgaben entwickelt wird.

Erst bei Araripe Jr. stoßen wir auf eine Verschiebung des Interessenschwerpunkts vom Inhalt zur Form der Schrift – und mithin zum *Stil*. Gewiß rührt diese Interessenverlagerung von der Sonderstellung her, die Araripe Jr. überhaupt dem Stilbegriff einräumt. Er definiert ihn als »weitgehend unvorhersehbare Resultante aus der Spannung zwischen dem Temperament jedes einzelnen Schriftstellers und der Mechanik der literarischen Formen, wie sie in jedem Volk, jeder Gruppe oder jeder Schule ausgebildet werden« (Araripe Jr., 1888b/1960, S. 127). Daher kommt es, daß Araripe Jr. im Rahmen seiner Charakterisierung der brasilianischen Literatur durch bestimmte Stilformen – und nicht dort, wo er auf die besonderen von ihr thematisierten Eingeborenen-Sitten und tropischen Landschaften eingeht – seine Theorie der *obnubilação tropical* (der ›tropischen Verblendung‹) entwickelt. Araripe definiert die *obnubilação* als Prozeß einer psychischen, stilistischen und literarischen Ausdifferenzierung, wie sie sich unter dem Einfluß des tropischen Milieus auf die europäische Mentalität ergeben haben soll:

Dieses Phänomen besteht in der Umbildung der Auswanderer, die über den Atlantik kamen, und in ihrer Anpassung an das physische Milieu und die primitiven Lebensformen ... Unter der Herrschaft dieses wahrhaft rauhen Milieus, trunken von der tropischen Natur, befangen in der Umarmung der Erde wurden sie alle gleichsam zu Wilden (Araripe Jr., 1894/1960, S. 407).

Obwohl man den Eindruck haben kann, daß es sich hier um eine Art ›psychischer Regression‹ handelt, durch die der Auswanderer zum Halbwilden wird, hält Araripe die *obnubilação* doch für einen evolutiven Vorteil, da sie ja als ein Prozeß der Akklimatisierung gleichsam die ›Transplantation‹ der europäischen Kultur in die Tropen gewesen sein soll: »In dem Maße, wie sich die Ergebnisse dieser Verblendung konkretisierten, wurde auch die Übertragung von Kultur-Elementen möglich« (Araripe Jr., *a.a.O.*, S. 478 f.).

Für Araripe Jr. entsteht der nationale Stil also als Resultante aus universalen Merkmalen und einer relativ weitgehenden Umprägung des europäischen Typs von Literatur und Kultur, einer Umprägung, die sich aufgrund der Integration besonderer Elemente (wie zum Beispiel des ›Tropischen‹ oder der ›Mischrasse‹) vollziehen soll. Trotz der damit vollzogenen semantischen Umkehrung der aufklärerischen Klimatheorie bleiben auch bei Araripe gewisse negative Aspekte hinsichtlich der südamerikanischen Natur bestehen, welche *Spuren* des europäischen Ursprungs seines Denkens sind. In diesem Sinn etwa äußert er sich zu den Gefahren für intellektuelle Arbeit, welche das tropische Milieu in sich berge:

Hier ist alles kurzlebig. Die Natur selbst zeigt uns das ... In diesem Land kann man nicht ungestraft mit dem Hirn arbeiten. In einer Zone, wo es beständig in Brand steht, ist es selbstmörderisch, eine allzu große Überhitzung des Gehirns zu riskieren ... Und nur so kann man das Ungenügen, den Rumpfcharakter erklären, der sich an den meisten unserer literarischen Werke absehen läßt (Araripe Jr., 1882/1958, S. 261 f.).

Wenn auf der einen Seite aus dem Verhältnis der europäischen Diskurse zur Welt der ursprünglichen und exotischen Natur eine ›doppelbödige Erfahrung‹ erwächst, die zwischen Positivierung und Negativierung schwankt, so kann man auf der anderen Seite sehen, wie die brasilianischen und lateinamerikanischen Intellektuellen von dieser Ambivalenz zu einer wahren Idealisierung der europäischen Kulturmuster geführt werden: »Die Bewohner der Alten Welt haben es leichter als wir: sie können nach dem Ruhm in der Literatur streben, ohne sich zugleich dem Abgrund zu nähern« (S. 262).

Dazu paßt genau die Beurteilung des Einflusses von F. Denis auf die brasilianische Literatur, wie sie Antonio Candido analysiert hat: ihm zufolge ist Denis einer der Verantwortlichen »für den hartnäckig exotischen Blick, der bis heute unser Bild von uns selbst verzerrt hat, ja dazu führte, daß wir uns selbst genau so sahen, wie uns die Ausländer sehen wollten. In den Künsten und Geisteswissenschaften wurde daraus die Konzentration auf das Pittoreske – im europäischen Sinn –, so als ob wir dazu verurteilt wären, auch noch auf der Ebene der Kultur beständig Tropisches zu exportieren« (Candido, A., 1959/1975, Bd. 2, S. 324). Daraus erklärt sich eine *Selbst-Exotisierung*, welche die Intellektuellen ›periphärer Kulturgebiete‹ dazu bringt, die sie umgebende Wirklichkeit als exotische Wirklichkeit wahrzunehmen: auf der einen Seite ermöglicht solche *Selbst-Exotisierung* eine Distanz zu den Institutionen der eigenen Gesellschaft, durch die der selbstreflexive Blick zu einem ›anthropologischen Blick‹ wird. Aber auf der anderen Seite dringen hier doch auch negative Perspektiven in die Selbstdarstellung ein, welche einen ethnozentrischen Blick auf die aus Afrika, von den Eingeborenen oder den Mestizen stammenden Kulturelemente fallen lassen.

Kulturessayismus als synkretistische Geschichtsschreibung

Die Theorie der *obnubilação* konnte sich in der brasilianischen Literaturkritik und Literaturgeschichte auch nach dem Ende des Naturalismus und dem Obsoletwerden der von ihm konnotierten Klimatheorien halten. So übernahm Afranio Coutinho, von dem eines der heute dominierenden Modelle zur Darstellung der brasilianischen Literaturgeschichte stammt, zwar einerseits das in Stilbeobachtungen fundierte Epochenschema von R. Wellek, aber er verband es doch andererseits auch mit der Tropen-Theorie von Araripe Jr. In Afranio Coutinhos Buch *A literatura no Brasil* heißt es:

Der Einfluß des neuen Milieus machte aus ihm (sc.: aus dem europäischen Siedler) einen neuen Menschen; und dabei hat es sich gewiß um einen sehr tiefgreifenden Umformungsprozeß gehandelt, denn er dauerte nicht weniger als drei Jahrhunderte. Von einem solchen neuen Menschen aber, der (in seinem Blut oder in seiner Kultur) *jedenfalls* ein Mestize war – mußte notwendig eine neue Literatur ausgehen, so wie auch in der Hauptstadt ein neuer Sprach*stil* entstand, eine ›neue Art‹ der Rede (Coutinho, A., 1955/1968, S. 28).

Wenn man dieser Überlegung Glauben schenkt, dann wäre brasilianische Literatur – als Nationalliteratur – aus jener *obnubilação* entstanden, welche ihrerseits die »ästhetischen Stilformen« an das spezielle örtliche Milieu angepaßt haben soll (Coutinho, A., 1968, S. 163).

›Tropischer Stil‹ war also ein *synkretistischer* Begriff, durch den eine eigentlich aus der Geographie stammende Bezeichnung für Natur und Milieu (nämlich die Bezeichnung ›tropisch‹ mit ihrer Referenz in der Beziehung zwischen ›Zentrum‹ und ›Peripherie‹) in die Theorie der Nationalstilarten integriert wurde. Immerhin ließ er noch die Möglichkeit der Entstehung einer Gesellschaft und einer Kultur ›am Rand‹ eines eurozentrischen Begriffs von Natur und Geschichte offen. Man kann diese Argumentationsstruktur der frühen Literarhistoriker und Sozialwissenschaftler in Brasilien durchaus mit dem *religiösen Synkretismus* der afrobrasilianischen Kulte vergleichen, die zuerst von N. Rodrigues und R. Bastide untersucht worden sind. Hier entstand über die Assimilation katholischer Heiliger an die Gottheiten afrikanischen Ursprungs ein Äquivalenz-System zwischen den Religionen (Bastide, R., 1960, S. 389; Rodrigues, N., 1900). So wie die Gläubigen des *candomblé* bei der Auswahl und Funktionalisierung von Elementen des Katholizismus vor allem unter dem Einfluß der afrikanischen Kultur stehen, wählen die brasilianischen Intellektuellen unter den verschiedenen europäischen Theorien solche aus, die mit dem Problem des *Nationalen* verbunden sind, weil für diese Führungsschicht der Aufbau eines Staats und ihre eigene Identitätssuche beinahe identische Aufgaben geworden sind (Ortiz, R., 1985, S. 32 ff.). Diese Ähnlichkeit zwischen den afro-amerikanischen Religionen und der frühen brasilianischen Geschichtswissenschaft (wie der Soziologie) sollte uns allerdings einen Grundunterschied zwischen beiden nicht vergessen machen: in jenen Religionen wird der Katholizismus nur fragmentarisch, jedenfalls immer als etwas Exotisches an die aus Afrika stammenden Kulturmuster assimiliert; hingegen geht die sozialhistorische Reflexion von europäischen Modellen (und den ihnen inhärenten Kulturbegriffen) aus – und an diese Modelle kann man die von der europäischen Kultur verschiedenen Volkskulturen kaum assimilieren.

Modelle wie jenes des ›tropischen Stils‹ oder der ›Mestizen-Poesie‹ (S. Romero) sind symptomatisch für zwei Muster *historiographischen Stils*, die in Lateinamerika ausgehend von einem Theorie-Synkretismus, von der Verfremdung europäischer Begriffe gegenüber ihrem Entstehungskontext entstanden, und dessen wichtigste Objektivierung der Kulturessayismus ist. Solch synkretistische Geschichtsschreibung macht die gesellschaftlichen und kulturellen Wandlungsprozesse zu Funktionen von ›Umweltfaktoren‹ wie dem ›Klima‹, dem ›Milieu‹, der ›Natur‹, der ›Mestizen-Kultur‹ und des ›Charakters‹. Vielleicht haben es gerade diese Begriffe verhindert, daß eine *sozialhistorische* Blickrichtung und eine Theorie des ›*kulturellen Konflikts*‹ entstanden sind.

In Brasilien und in Lateinamerika entstand also in der zweiten Hälfte des 19. Jahrhunderts ein historiographischer Diskurs, der von wechselseitiger Durchdringung der ethnologischen, der naturalistischen und der (hier zu neuem Leben erweckten) naturhistorischen Perspektive gekennzeichnet war und zu einem Ideal von der ›Einheit des Wissens‹ führte, das jegliche Spezialisierung ausschloß. Mindestens bis 1930 befand sich dort die Sozial- und Literaturgeschichte unter der Vorherrschaft der Konzepte ›*Rasse*‹ und ›*Natur*‹, und dieser Sachverhalt erklärt die bevorzugte Rezeption von Denkformen wie dem Positivismus, der Evolutionstheorie oder dem Rassismus, welche dann auch tatsächlich bis ins frühe 20. Jahrhundert im Denken und in der Politik Südamerikas eine Vorrangstellung einnahmen. Ein wachsendes Bewußtsein von der politischen und wirtschaftlichen ›Phasenverschiebung‹ zwischen Nordamerika (das man teils als Verbündeten, teils als bedrohliche Hegemonialmacht sah) und seinem südlichen Gegenüber führte zur Frage nach den geographischen und rassischen Ursachen, welche den ›Rückstand‹ Lateinamerikas gegenüber Europa und den Vereinigten Staaten erklären sollten.

Die alte Debatte über die Neue Welt konnte über das 19. Jahrhundert hinweg in Südamerika deshalb eine Fortsetzung finden, weil die ›ethnographische Perspektive‹ und die Fremdheit alles

Nicht-Okzidentalen integrale Elemente der dortigen Kultur waren, statt als ›Fremdkörper‹ empfunden zu werden. Daher erlangte die Ethnologie in ihrer Konvergenz mit der Reflexion über den pittoresken Charakter der eigenen Natur, Literatur und Gesellschaft hier einen Sonderstatus. Erst in den dreißiger Jahren des 20. Jahrhunderts vollzog sich in Brasilien die Abscheidung der Geschichte von der Ethnologie im Kontext einer Ausdifferenzierung der Sozialwissenschaften als akademischen Disziplinen; doch selbst dieser Prozeß hatte seine besonderen Bedingungen, weil jene besonderen Elemente im Alltagsgewissen bestehen blieben.

Die Faszination, welche gewisse Aspekte der europäischen Kultur – wie etwa die Klimatheorie oder die Expeditionsberichte – weiterhin auf die brasilianischen Intellektuellen ausübten, läßt deutlich werden, wie weit – innerhalb eines imaginären ›Dialogs‹ mit den europäischen Gesprächspartnern – die Identifikation mit dem fremden Blick auf die eigene Gesellschaft ging. Die Entstehung des Programms für eine nationale Literatur und einen nationalen Stil ist nichts anderes als die Übernahme der Möglichkeit, die amerikanische Natur dadurch *historisch* werden zu lassen, daß man ihr als ›Vaterland‹ oder ›Nation‹ den Aufbau einer an den Modellen europäischer Schriftkultur orientierten Gesellschaft zumutete. Unter dieser Perspektive wird man nun verstehen können, warum sich der brasilianische Kaiser Don Pedro II. so sehr bemühte, Brasilien zu einer ›modernen‹ Kultur zu verhelfen, indem er die Rolle des Mäzens für die Generation der brasilianischen Romantiker und für das Instituto Histórico e Geográfico Brasileiro übernahm (wo von Martius seine Abhandlung *Como se deve escrever a História do Brasil* vorlegte), oder auch die Finanzierung der Publikation von Werken wie dem Buch *Le Brésil Littéraire* (1863) aus der Feder von F. Wolf von der Kaiserlichen Bibliothek in Wien trug.

In seiner Abhandlung über die Probleme einer Historiographie Brasiliens stellt von Martius nun tatsächlich den Prozeß der ›Mischung‹, der ›Vereinigung‹ und des ›Kontakts‹ zwischen den Rassen heraus, in dem nach seiner Meinung die Grundlage für die Herausbildung des brasilianischen Volks liegt. Ausgehend von »Grundlagen einer pragmatischen Geschichtsschreibung«, kommt er zu der Meinung, daß die Geschichte Brasiliens sich »nach einem besonderen Gesetz der diagonalen Kräfte entwickelte«, demzufolge »der Portugiese das stärkste Element, die eigentliche Zugkraft, die vorherrschende Rasse« darstellen soll, auf die »Eingeborene« und »Negersklaven« nur reagieren konnten (Martius, C. F. P. v., 1845, S. 87). Wer die brasilianische Geschichte schreiben wolle, müsse sich deshalb mit dem Zusammenwirken dieser rassischen Momente befassen, aber er müsse auch auf die »örtlichen Besonderheiten in der Natur« eingehen, deren »zauberhafte Bilder ... dem jeweiligen Werk eine besondere Anziehungskraft« verliehen, wodurch es »an Interesse für den *europäischen Leser*« gewänne (S. 106). Im »brasilianischen Leser« aber solle der Geschichtsschreiber Bürgersinn und Nationalbewußtsein wachrufen:

Ein Geschichtswerk über Brasilien muß ... aber auch dahin streben, bei seinem *brasilianischen Leser* Vaterlandsliebe, Mut, Ausdauer, Fleiß, Treue, Umsicht – mit einem Wort: alle Bürgertugenden – zu wecken und zu beleben ... Wer ein solches Werk schreibt, darf also niemals vergessen, daß er, um dem Vaterland einen wahren Dienst zu erweisen, auf der Seite der konstitutionellen Monarchie stehen muß, die einheitsstiftend im wahrsten Sinne des Wortes ist (S. 106 f.).

In diesem historiographischen Programm, wie es von Martius entwarf, aber auch in den kulturfördernden Akten eines Don Pedro II. erweist sich die politische und strategische Bedeutung, die man der Ausbildung einer Nationalliteratur und einer Nationalgeschichtsschreibung zuwies. Sie sollten Embleme für die Originalität und Kreativität der tropischen Kultur und für die Souveränität des Nationalstaats sein.

Aus dem Brasilianischen von Hans Ulrich Gumbrecht

Anmerkung

* Diese Arbeit wurde mit Unterstützung des Conselho Nacional de Desenvolvimento Científico e Tecnológico (CNPq/Brasilien) geschrieben. Für Kritik und Vorschläge danke ich T. Bremer, U. Fleischmann, H. U. Gumbrecht, R. Lachmann, U. Link-Heer, H.-J. Lüsebrink und K. L. Pfeiffer.

Literatur

Araripe Jr., T. A. (1869) (1958), »Carta sobre a literatura brasílica«. In: ders. (1958), *Obra crítica*. Bd. 1. Rio de Janeiro. Hg. von A. Coutinho.

Araripe Jr., T. A. (1882) (1958), »Sem Oriente«. In: ders. (1958), *Obra crítica*. Bd. 1. Rio de Janeiro.

Araripe Jr., T. A. (1888a) (1960), »Estilo tropical. A fórmula do naturalismo brasileiro«. In: ders. (1960), *Obra crítica*. Bd. 2. Rio de Janeiro.

Araripe Jr., T. A. (1888b) (1960), «Raul Pompéia: *O Ateneu* e o romance psicológico«. In: ders. (1960), *Obra crítica*. Bd. 2. Rio de Janeiro.

Araripe Jr., T. A. (1894) (1960), *Gregório de Matos*. In: ders. (1960), *Obra crítica*. Bd. 2. Rio de Janeiro.

Bastide, R. (1960), *Les religions africaines au Brésil. Vers une sociologie des interpénétrations de civilisations*. Paris.

Buffon, G. L. L., Comte de (1753) (1978), *Discours sur le style*. Hg. von C. E. Pickford. Hull.

Buffon, G. L. L., Comte de (1749) (1824), *Histoire naturelle*. In: ders. (1824), *Oeuvres choisies*. Bd. 3. Paris.

Candido, A. (1959) (1975), *Formação da literatura brasileira. Momentos decisivos*. São Paulo/Belo Horizonte.

Costa Lima, L. (1985), »Die Akklimatisierung des Sinnhorizonts der Romantik in Brasilien«. In: Gumbrecht, H. U./Link-Heer, U. (Hgg.). *Epochenschwellen und Epochenstrukturen im Diskurs der Literatur- und Sprachhistorie*. Frankfurt/M.

Coutinho, A. (1955) (1968), »Introdução geral«. In: ders. (Hg.), *A literatura no Brasil*. Bd. 1. Rio de Janeiro.

Coutinho, A. (1968), *A tradição afortunada. O espírito de nacionalidade na crítica brasileira*. Rio de Janeiro/São Paulo.

Denis, F. (1824), *Scènes de la nature sous les tropiques, et de leur influence sur la poésie*. Paris.

Denis, F. (1826), *Résumé de l'Histoire Littéraire du Portugal, suivi du Résumé de l'Histoire Littéraire du Brésil*. Paris.

Duchet, M. (1971), *Anthropologie et histoire au siècle des Lumières. Buffon, Voltaire, Rousseau, Helvétius, Diderot*. Paris.

Duchet, M. (1985), *Le partage des savoirs. Discours historique, discours ethnologique*. Paris.

Foucault, M. (1966), *Les mots et les choses. Une archéologie des sciences humaines*. Paris.

Gerbi, A. (1955), *La disputa del Nuovo Mondo. Storia di una polemica 1750-1900*. Milano/Napoli.

Holanda, S. B. de (1959) (1977), *Visão do paraíso. Os motivos edênicos no descobrimento e colonização do Brasil*. São Paulo.

Kohl, K.-H. (1981), *Entzauberter Blick. Das Bild vom Guten Wilden und die Erfahrung der Zivilisation*. Berlin/Frankfurt.

Koselleck, R. (1977) (1979), »»Neuzeit«. Zur Semantik moderner Bewegungsbegriffe«. In: ders. (1979), *Vergangene Zukunft, Zur Semantik geschichtlicher Zeiten.* Frankfurt/M.

Krauss, W. (1973), *Die Aufklärung in Spanien, Portugal und Lateinamerika.* München.

Lepenies, W. (1976), *Das Ende der Naturgeschichte. Wandel kultureller Selbstverständlichkeiten in den Wissenschaften des 18. und 19. Jahrhunderts.* Frankfurt/M.

Magalhães, G. de, (1836) (1974), »Discurso sobre a História da Brasil«. In: Coutinho, A. (Hg.) (1974), *Caminhos do pensamento crítico.* Bd. 1. Rio de Janeiro.

Martius, C. F. P. v. (1845), »Como se deve escrever a História do Brasil«. In: *Jornal do Instituto Histórico e Geográfico Brasileiro 24.* (1845). Zit. Ausgabe: ders. (1982), *O estado do direito entre os autóctones do Brasil.* Belo Horizonte/São Paulo.

Montesquieu, C.-L. (1748) (1958), *De l'esprit des lois.* In: ders. (1958), *Oeuvres complètes.* Paris. Bd. 2. Hg. v. R. Callois.

Ortiz, R. (1985), *Cultura brasileira e identidade nacional.* São Paulo.

Ribeiro, S. N. (1834) (1974), »Da nacionalidade da literatura brasileira«. In: Coutinho, A. (Hg.), *Caminhos do pensamento crítico.* Rio de Janeiro. Bd. 1.

Rodrigues, N. (1900), *L'animisme fetichiste des nègres de Bahia.* Paris.

Romero, S. (1888) (1902), *História da literatura brasileira.* Rio de Janeiro.

Spix, J. B. v./Martius, C. F. P. v. (1823-1831) (1966), *Reise in Brasilien, in den Jahren 1817-1820.* Stuttgart.

Staël, Mme de (1800) (1820), *De la littérature considérée dans ses rapports avec les institutions sociales.* In: dies., *Oeuvres complètes.* Bd. 4. Paris.

White, H. (1973), *Metahistory. The historical imagination in nineteenth-century.* Baltimore/London.

Wolf, F. (1863), *Le Brésil littéraire. Histoire de la littérature brésilienne.* Berlin.

Karlheinz Barck
Stildiskurs und Stilkritik in der Perspektive des französischen Surrealismus

> *Die Vorstellung vom Stil als bloß ästhetischer Gesetzmäßigkeit ist eine romantische Rückphantasie.*
>
> (T. W. Adorno/M. Horkheimer)

> *Die Stileitelkeit findet vertieften Ausdruck in einer anderen, ergreifenderen Eitelkeit: dem Perfektionswahn.*
>
> (J. L. Borges)

> *Mon style est comme la nature ou plutôt réciproquement.*
>
> (L. Aragon)

Stilparodien

René Crevel (1900-1935), Surrealist der ersten Stunde, veröffentlichte 1929 in Deutschland einen Text, der *Die Ästheten von 1929* (so der Titel) in einem Stilportrait parodiert:

Ein schmelzendes Stück Zucker wird von dieser liebenswürdigen Bande unbedingt dazu verurteilt, das Ende einer Welt vorzustellen, in der andrerseits ein schlichtes Quarzstaubkörnchen im gegebenen Augenblick erloschene Sonne wiederbeleben muß. Strohhalme, Pfropfenzieher, Schlüssel, nichts läßt sich der Ästhetizismus von 1929 entgehen. Natürlich trägt er keine Orchideen im Knopfloch und auch keine Azalee an den Fingern – lächerlicher Stil 1900, aus dem Rauch einer Zigarette geboren –, und er spuckt auf die Hortensien. Und dieser Freigeist kann nicht umhin, nur in esoterischen Sesseln sitzen, nur auf synthetischen Polstern der Liebe frönen zu wollen. [...] Jede Epoche wußte das Wort zu finden, das ihren künstlerischen, intellektuellen und moralischen Mißbrauch autorisierte. So hat die zweite Hälfte des 19. Jahrhunderts den ›Realismus‹ heraufbeschworen, heute führen die Vermittler alles Modernen wo sie gehen und stehen das Wort ›Abstrakt‹ im Munde. Und inzwischen weiß man mit Komplimenten nichts mehr anzufangen, denn schön sein heißt: schön wie nichts, wie niemand. Der Ästhetizismus sucht Rezepte, sucht Formeln. Die gefühlsmäßige Ergriffenheit, die allein schöpferisch ist, will nichts davon wissen. Man sollte statt ›Affichieren verboten!‹ jetzt an die Mauern schreiben: ›Der Gebrauch des Wortes *wie* ist verboten!‹ Und damit würden wir ein für allemal der Folter der ›gotischen Grammophone‹, der ›Lifts à la Louis XVI‹ und der zu einem griechischen Tempel erniedrigten Börsenpaläste entgehen. Stil ist Schicksal. Stil ist gebieterische Forderung. Stil läßt sich nicht mit Vorbedacht erfinden. Wer über Großstadtwesen schreibt, tut es immer auf seine Kosten. Die Häuser, die dem Boden entsprungen sind, haben dem Boden die Kräfte entzogen. Wie landwirtschaftlicher Grund, so verlangt städtischer Baugrund seine Brachzeit. Untergegangene Wälder, tote Häuser bilden die Wüsten im Herzen aller Metropolen.

Ästheten von 1929, ihr könnt unser Paris nicht lächerlich machen, Paris rührende alte Stadt, köstliches Paris, ›Paris mein Dorf‹, wie es das Vorstadtlied nennt. Paris mit den für die Ungeheuer von Autobussen zu engen Straßen und in dem seit dem ersten Kaiserreich der einzige Stil, der sich durchsetzen konnte und dem es gelungen ist, den Straßen, Boulevards und Avenuen eine Familienähnlichkeit zu geben, der Stil der *aedicula*, des Kleinhauses, Einfamilienhauses war, und den erfunden zu haben die Unsterblichkeit des Kaisers Vespasian rechtfertigt (Crevel, R., 1929, S. 35-37).

Was diese Parodie stilisierter ›Vermittlungen alles Modernen‹, vom Jugendstil über den Art Déco bis zu den Funktionalismen der 20er Jahre anzeigt, das könnte man eine ironische Postmoderne-Kritik ›avant la lettre‹ nennen. Ist doch der ironisierende Historismus der Postmoderne vor allem ›the end for example of style in the sense of the unique and the personal, the end of the distinctive individual brushstroke‹ (Jameson, F., 1983, S. 10). Der Wechsel zwischen Dekorativ-Ornamentalem und Abstraktem wird jeweils akzentuiert durch eine historisierende Nostalgie die, je nachdem, ›Ornament als Verbrechen‹ (Adolf Loos) verwirft oder den ›Stil der aedicula‹ gegen moderne Urbanität verklärt. Crevels Parodie ist symptomatisch, weil sie die Krise (wenn nicht gleich das Ende) des Stils als historischer Kategorie signalisiert, dessen moderne Ursprünge im 19. Jahrhundert H. G. Gadamer gerade im Geltungsanspruch des Dekorativen gegenüber dem Schönen diagnostiziert hat (³1965, S. 65, 466-469). Dieser von den sogenannten nicht-autonomen Künsten des *art social* und des *art industriel* (Maag, G., 1986) gespeiste Geltungsanspruch, der die klassische ›Metaphysik des Schönen‹ (Valéry) durch Kategorien der Nützlichkeit zersetzte, wurde vorübergehend stilbildend in der europäischen Ära bürgerlicher Gründerzeiten, deren urbane und künstlerische Kultur die Widersprüche zwischen technischem und sozialem Fortschritt maskierte. Tatsächlich war ja jener ›lächerliche Stil 1900‹ in der Gestalt des Jugendstils, des Art Nouveau, des De Stijl und des Modern Style, für dessen spanische Variante Ramón Gómez de la Serna den unvergleichbaren Begriff des *cursi*, des barock Gefälligen, erfand (1934, S. 9-38), vor allem ornamentale Stilisierung technischer Motive in einer modernen und urbanen Gegenstandswelt. Ein am Niveau der technischen und sozialen Vergesellschaftung gemessen reaktionärer Vorgang, insofern (wie W. Benjamin es zutreffend charakterisiert hat) im Jugendstil »technisch bedingte Formen aus ihrem funktionalen Zusammenhange« herausgelöst und zu »natürlichen Konstanten« gemacht, das heißt stilisiert werden (Benjamin, W., 1982, S. 693).

Wurde der Stilbegriff historisch erst mit dem Bewußtsein von der Krise des klassischen Schönheitsbegriffs und der ihn repräsentierenden Darstellungsformen, so brachte das ›Stilwollen‹ der ›Stilkunst um 1900‹ seine Verallgemeinerung im Rahmen kultureller Repräsentationsbedürfnisse bürgerlicher und kleinbürgerlicher Schichten. Besonders im Deutschland der Bismarckzeit wurde die Forderung nach einem Einheitsstil mit nationalistischen Weltanschauungsideen verknüpft, die im Stil das Überindividuelle unter der von Arthur Bonns ausgegebenen Losung ›Los von der Mode, hin zum Stil!‹ betonte oder, wie Moeller van den Bruck in seinem Buch *Nationalkunst für Deutschland* (1909) einen ›Stil des Reiches‹ als nationales Identitätsmerkmal verlangte. »Man wollte endlich einen genuin ›bürgerlichen‹ Stil herausbilden, um so über dem ›Trümmerfeld literarischer Moden‹ eine ins Großgeistige tendierende Kultur zu errichten« (Hamann, R./Hermand, J., 1967, S. 208).

Die Ablösung der historistischen Stilmanie der Jahrhundertwende, wie sie sich in den Interieurs der bürgerlichen Wohnungen und in der Architektur der Bahnhofsgotik, des Bankbarock und der Brückenromantik vergegenständlicht hatte, erfolgte auf der einen Seite durch einen zweckorientierten Funktionalismus in Architektur und Formgestaltung[1] und auf der anderen Seite durch die gegen jeden Stilzwang gerichtete Bewegung der historischen Avantgarden. Apollinaire sah 1912, zwischen den beiden Tendenzen vermittelnd, im Eiffelturm das Symbol eines kommenden »Stil des 20. Jahrhunderts«.

Es hat den Anschein, als gäbe es keinen modernen Stil. Ich glaube, man täuscht sich und ich denke, daß der moderne Stil existiert. Was aber den heutigen Stil auszeichnet, bemerkt man weniger an den Häuserfassaden oder an den Möbeln als vielmehr an den Eisenkonstruktionen, an den Maschinen, Automobilen, Fahrrädern, Flugzeugen. Auf dem Pont d'Iéna hörte ich einmal dieses Gespräch zwischen zwei Malern:
– Wie häßlich dieser Eiffelturm ist, das hat keinen Stil!
– Pardon, er ist im Stil Louis xiv.
Ganz richtig. Der Eiffelturm ist keineswegs stillos. Vielleicht ist er sogar im Stil Louis xiv. Vor allem aber ist er ganz moderner Stil so wie die auf der Nachahmung der Antike gegründeten Kunstwerke der Renaissance doch nicht weniger und vor allem Renaissance sind. Die Meisterwerke des modernen Stils sind aus Gußeisen, aus Stahl, aus Blech. Die Erfindung des Flugzeugs gab den Handwerkern Gelegenheit, sich am Holz zu üben und diese Bemühungen werden nicht ohne Einfluß auf den kommenden häuslichen Geschmack bleiben, den man den Stil des 20. Jahrhunderts nennen wird. Unterdessen haben mehrere Stile seit 20 Jahren einander abgelöst, ohne daß es ihnen gelungen wäre, den Geschmack des Publikums definitiv aufzuhalten. Wir hatten den ›modern style‹, auf den der Stil der Weltausstellung folgte. Jüngst haben wir eine Renaissance der Teppichweberkunst erlebt, die noch weiterentwickelt wird und die auf einer Imitation des Louis-Philippe-Mobiliars zu beruhen scheint, ebenso wie der ›modern style‹ aus dem japanischen Kunstgewerbe hervorgegangen zu sein scheint.
In Wahrheit hat jedoch jede Epoche ihren Stil, aber man bemerkt es erst lange nachdem sie vorbei ist (Apollinaire, G., 1965, S. 262).

Mit der Betonung stilbildender Funktionen technischer Erfindungen hatte sich das Verhältnis von Technik und Ästhetik umgekehrt. Es sind die Technik und das Material (Gußeisen, Stahl-Blech), die den Geschmack bilden. Damit hat sich zugleich Stil von Ideen und vorgegebenen ästhetischen Mustern und rhetorischen Regeln der Darstellung und Gestaltung emanzipiert. Die Repräsentationsfunktion des Stils verschiebt sich ins Funktionale. Das ist der Punkt, an dem der Begriff des Stils in seinen bisherigen Bestimmungen problematisch geworden war und in Frage gestellt wurde.

Stil als Ausdruck

Für die meisten Künstler der historischen Avantgarden bedeutet Stil vorab Fesselung der Kreativität, Bindung ans Gewesene. Die

Negation des Stils richtet sich vor allem gegen die romantische Tradition der Ausdrucksästhetik, die eine Trennung zwischen Technik und Ausdruck im Bereich der Künste mit einem subjektzentrierten, personalistischen Stilbegriff durch das ganze 19. Jahrhundert hindurch legitimiert hatte. Diesen ausdrucksästhetischen Stildiskurs kennzeichnet eine Korrelation von Stilmittel und Weltanschauung, von Inhalt und Form, Bild und Bedeutung, die der subjektiven Seite den Vorrang einräumt. Stil als »Formierungsmodus« (Eco, U., 1972, S. 13) ist nicht mehr als der Widerschein von gedanklichen Vorstellungen, ornamental-sinnlicher Schein der Idee wie schon in Hegels Ästhetik. In diesem dominanten Stildiskurs des 19. Jahrhunderts ist die Idee des Stils immer an einen »Humanismus der Person gebunden« (Barthes, R., 1982, S. 183). Auf Literatur bezogen, gründet er sich auf die Vorstellung von einer Transparenz der Sprache für Ideen, auf der Annahme evidenter Wortbedeutungen, die der Materialität der Worte und Aussagen keinerlei Eigenwert zuerkennt (Pêcheux, M., 1975).

Die Konstituierung eines subjektzentrierten Stilbegriffs im Diskurs der Ausdrucksästhetik, dessen Geschichte noch zu schreiben wäre, wird von der Funktion bestimmt, den Wahrheitsanspruch und die Identität von Autoren durch den ›geregelten‹ Gebrauch und die Einhaltung von Stilmitteln zu verbürgen. Ein dominant wahrheitsorientierter Stildiskurs löst die wirkungsorientierte Funktion der rhetorischen Regelpoetik ab (vgl. Steinwachs, B., 1985) und legt den Spielraum der Autor-Individualität in den Grenzen eines normsetzenden Stildiskurses fest. Am Stil der Werke wie an der Signatur (dem *Stylus*) der Bilder soll die Identität des Autors erkennbar sein. »Der Stil ist der Ausdruck des Denkens und des Gefühls«, definiert H. Taine in einem frühen Text *Du style* den Grundsatz des ausdrucksästhetischen Stildiskurses (zit. n. Paulhan, J., 1966, S. 122). Der ›perfekte Stil‹ ist immer der dem (richtigen) Denken angemessene:

Stil und Denken sind wie Körper und Seele: immer wenn sie nicht übereinstimmen, leidet der Leser; ist der Stil schwächer als der Gedanke, klagt er den Autor als machtlos an; ist er besser, zeiht er ihn der Lüge. Eine schöne Falschheit schockiert immer; mehr Wert hat eine häßliche Wahrheit. Darum muß man auch wie eine Pest vermeiden, was man den *style orné*, den Schmuck-Stil nennt.

Darin sieht Taine den Krebsschaden von Rousseaus Stil, der die Wahrheit verraten habe, weil er vergaß, »daß der Ausdruck das Portrait des Gedankens« sein muß (zit. nach Paulhan, J., 1966, S. 123).

Der idealistische Grundzug in diesem personalistischen Stildiskurs, der den locus classicus aus Buffons berühmter Akademierede von 1753, dem *Discours sur le style* – (»le style c'est l'homme même«) – immer neu variiert, ergibt sich aus einem dualistischen Denkmodell, das die Unterscheidungskriterien zwischen verschiedenen Stilen nach moralischen und philosophischen Wertmaßstäben bemißt: wahr (schön) vs. falsch (häßlich); korrekt vs. inkorrekt; echt vs. unecht. So definiert etwa der Hegelianer Karl Rosenkranz in seiner *Ästhetik des Häßlichen* (1853) den »korrekten« Stil von Kunstwerken als:

die allgemeine Norm, die die Kunst an der Idee der Natur und Geschichte hat. Allein sie erzeugt sich auch durch ihre eigene Notwendigkeit Normen, denen sie sich für die Verwirklichung ihrer Werke unterwerfen muß. Wir nennen die besondere Form ihres typischen Verfahrens Styl. Ein Kunstwerk ist nur dann correct, wenn es die Eigenthümlichkeit eines besonderen Styls durchführt. Eine Vernachlässigung dieser Identität wird incorrect (Rosenkranz, K., 1968, S. 138).

Eugène Véron, Autor der Standard-Ästhetik des französischen Symbolismus (*L'Esthétique*, 1878) steigert den anti-technischen Affekt dieses Stildiskurses – (»Geschicklichkeit macht keinen Stil! Eine Photographie ist bar jeden Stils«, *a.a.O.*, S. 154) – zur Mystifizierung des Stils. Ein »*je ne sais quoi*« ist die fundamentale Bedingung des Stils ... Die ganze Theorie des Stils besteht darin, daß der Stil als einfache Spiegelung der Persönlichkeit des Künstlers sich auch ganz natürlich in seinem Werk findet, wenn der Künstler eine Persönlichkeit hat« (*a.a.O.*, S. 177). Diese Bedingung gilt absolut. »Jenseits dieser Grenze gibt es keinen Stil und ein mittelmäßiger Künstler hat keinen Stil, er ist nur banal, weil sein Denken und Fühlen banal ist« (*a.a.O.*, S. 164).

Der ausdrucksästhetische Stildiskurs impliziert immer auch soziale Grenzmarkierungen und tendiert zu einem elitären Ästhetizismus. In B. Croces Ästhetik und sprachabsolutistischer Theorie von der grundsätzlichen Immanenz aller Kunst, die dieser jeden »Hinweischarakter« (Werner Krauss) abspricht, ist er an eine letzte geschichtliche Grenze geraten. Die Praxis der modernen Kunst hat diesen Stildiskurs dementiert. Das kritische Urteil, das

Pierre Boulez aus der Sicht der Musiktheorie gefällt hat, hat darum generelle Bedeutung.

Der Glaube, daß die Inspiration automatisch die künstlerische Qualität der Sprache verbürge, verdankt sich einem zählebigen romantischen Vorurteil. Es ist ein zu korrigierender Irrtum, mit dem Wort Stil eine Dichotomie zwischen Form und Inhalt, Technik und Ausdruck zu legitimieren; dieser einer traditionellen Pädagogik teure Gegensatz entbehrt jeder Grundlage und hat vor allem keinerlei Bezug zur Realität der musikalischen Sprache: es ist eine rein akademische Trennung, die verbissen von leblosen Sergeanten gefordert wird (Boulez, P., 1981, S. 18).

Stil und Gedanke stehen Boulez zufolge in einer dialektischen Beziehung, die durch den künstlerischen Arbeitsprozeß vermittelt ist.

Der Stil ist keine Eigenschaft [kein Wesen?], die man um ihrer selbst willen aufsuchen kann oder soll; ich sehe ihn als eine unausweichliche Konsequenz der Sprache, wenn diese so weit gekommen ist, ihre verschiedenen Bestandteile zusammenzufügen – auf der elementaren Ebene des Vokabulars wie im ausgefüllten Bereich der Form (a.a.O., S. 318).

Es gehört darum zu den merkwürdigen Paradoxien einer Geschichte des Stilbegriffs, daß er in der idealistischen Stilforschung und formalistischen Abweichungsstilistik (vgl. Stierle, K., 1975, S. 183-185) der 20er Jahre im Bereich der Literaturwissenschaft ebenso wie in der Kunstwissenschaft in der Folge von Wölfflins *Kunstgeschichtlichen Grundbegriffen* zu einem Grundbegriff akademischer Disziplinen avanciert, als *dieser* Stilbegriff und Stildiskurs durch die historischen Avantgarden ebenso wie (auf andere Weise) durch die Phänomene der Kulturindustrie seine Stunde der Wahrheit erlebte.

Zerrbild des Stils oder Stil und Stinnes

In der *Dialektik der Aufklärung* wird der skizzierte Stildiskurs selbst in seiner geschichtlichen Funktion erkennbar. Sie eröffnet gegenüber aller Stilistik zugleich einen anderen Diskurs über Stilfragen. Die Kulturindustrie ist der Ort, an dem sich mit dem Phänomen auch die Bedeutung des Begriffs verschiebt. Sie habe »die kulturkonservative Unterscheidung von echtem und künstlerischem Stil satanisch überholt« (Adorno, T. W./Horkheimer,

M., 1947, 1984, S. 116). Der Stil der Kulturindustrie, heißt es an zentraler Stelle,

der an keinem widerstrebenden Material mehr sich zu erproben hat, [ist] zugleich die Negation des Stils ... Dennoch aber macht das Zerrbild des Stils etwas über den vergangenen echten aus. Der Begriff des echten Stils wird in der Kulturindustrie als ästhetisches Äquivalent der Herrschaft durchsichtig. Die Vorstellung vom Stil als bloß ästhetischer Gesetzmäßigkeit ist eine romantische Rückphantasie. In der Einheit des Stils nicht nur des christlichen Mittelalters, sondern auch der Renaissance drückt die je verschiedene Struktur der sozialen Gewalt sich aus, nicht die dunkle Erfahrung der Beherrschten, in der das Allgemeine verschlossen war (*a.a.O.*, S. 116-117).

Diese illusionslose Bestimmung läßt sich erweitern. Das kulturindustrielle »Zerrbild des Stils« ist als Massenbetrug nur wirksam, weil es mit ›dunklen‹ Erwartungen rechnet. Die Glorifizierung der Interessen der Herrschenden als Bedürfnisse der Allgemeinheit verwirklicht sich auch über einen Stildiskurs, der die zerfallenden Elemente künstlerischer Stile zu einem ›neuen Lebensstil‹ versammelt und verwandelt, zum Beispiel in Gestalt des *American Way of Life*.

Eines der bemerkenswerten frühen Zeugnisse dafür ist Eugen Ortners sozialfaschistisches Pamphlet *Gott Stinnes. Ein Pamphlet gegen den vollkommenen Menschen*, das 1922 bei Paul Steegemann in Hannover erschien. Darin wird im Geist futuristischer Maschinenästhetik mit rücksichtsloser Offenheit die in Hugo Stinnes symbolisierte Herrschaft der deutschen Monopolbourgeoisie als idealer Handlungsraum des »Spezialmenschen taylorschen Musters« stilisiert. Als dessen Gegenbild erscheint der durch d'Annunzio repräsentierte Totalmensch, der als Inbegriff künstlerischen Lebensstils, als »der letzte Totalitätsmensch einer sterbenden, großen Kultur« vernichtet wird: Hugo Stinnes und d'Annunzio als Inbegriffe zweier gegensätzlicher Lebensstile:

Stinnes vernichtet d'Annunzio, Stinnes vernichtet die Künstler. [...] In einer solchen Zeit gibt es keine individuelle Vollkommenheit mehr. Nur aus der Stillung der Bedürfnisse ergibt sich zugleich neuer Lebensstil. Fragen der Schönheit, des Geschmacks und aller ideellen Werte sind einer rücksichtslosen Diskussion ausgesetzt, die große Kunst wird von der großen Arbeit getötet, und nur ein Narr kann dem aus dem Betrieb heimkehrenden Arbeiter ein Buch d'Annunzios auf den Tisch legen (Ortner, E., 1922, S. 48, 50).

Bemerkenswert ist Ortners Pamphlet auch darin, daß es die Besetzung der Dunkelzonen alltäglicher Erfahrung der Beherrschten durch ein Stil-Ideal anschaulich vorführt. Jener Dunkelzonen, die von bürgerlichen Ästheten und Theoretikern der Kulturindustrie immer wieder ignoriert oder mit Verachtung als banausisch angesehen wurden (und werden). Ein kulturkritischer Rationalismus, der wesentliche Triebkräfte in der Geschichte, die vor allem für die Massenbewegungen wichtig sind, sozusagen mit ästhetizistisch verhülltem Haupt der Rechten überläßt.

Fußballspiele, Radrennen, Boxkämpfe, Kinosensationen und all die gewalttätigen Amüsements moderner Massen sind ihnen [den Ästheten] verhaßt. Sie haben einen prinzipiellen Geschmack und schwärmen für intime Genüsse des Geistes und harmlose Freuden des Fleisches ... Wer sich im heutigen Deutschland der Industrie nicht angliedern kann, wird einfach von ihr erdrückt. Auf all diese Schwärmer wartet das Ungeheuer mit der Jobbermütze, der Stummelpfeife im bartlosen Mund, den eckigen Schultern, den breiten, von Öl und Schmiere triefenden Händen. Unser Schicksal hat keine Guitarre und blonden Mädchen im Arm, seine Wangen sind von Staub und Ruß gepudert. Der Spezialmensch taylorschen Musters mit seinem Fünfstundenarbeitstag, seinem Kino, seinem Fußballplatz, seinem Kriminalroman und seiner Bar wünscht uns Glückauf! (Ortner, E., 1922, S. 43, 45).

Ortner hat mit diesem Pamphlet aus der futuristischen Idolatrie technischen Fortschritts und aus expressionistischem Sprachgestus einen metaphorischen Stil des Vergleichs gebildet, der die »Schönheit der Maschine« in phallokratischen Bildern beschreibt, die die Kettung des Arbeiters an die Maschinenwelt der Industrie als erotische körperliche Beziehung dämonisch sublimieren.

Spät am Abend trifft unser Dichter wieder zu uns. Er hat halb wahnsinnig alle diese Betriebe doch noch durchrast, ein Fremdling, der sich in der Welt verirrt, und seine angstvolle Phantasie, die ihn zu erwürgen drohte, findet plötzlich eine abscheuliche Gestaltungskraft.

Da recken sie sich empor gegen den Abendhimmel, Schlöte einer am andern wie wollustverlangende Arme oder gespreizte Schenkel, Hochofen glüht an Hochofen, wie Phallus an Phallus, zitterige, bleiche Krane, in die dicke Luft gespreizt wie gierige Finger, fahren in die offenen Schöße der Gruben, der Schiffe, der Wagen und Hunde. In den Betrieben herrscht satanische Fröhlichkeit. Gurgelnde, blökende Laute perverser Leidenschaft werden wach, Gerüche der Wollust, scharf beizend oder teerig gemein oder zart wie ein französisches Parfüm oder ekelhaft wie verbranntes Fleisch, reizen das Gehirn. Dazwischen glüht die Bessemerbirne wie ein großer weiblicher Geschlechtsteil und ergießt ihre blutige Flüssigkeit und die hydraulischen Pressen quetschen die runden glühenden Eisen, wie die geilen Fäuste von Amazonen ihre schwächeren Opfer. Von den Decken hängen Haken und Krallen wie tückische Fangarme von Hexen, sisyphushaft steigen endlos an langen Ketten gefüllte Becher in die Lüfte wie zu einem Wahnsinnsbachanal. Da rasen wir, rasen immer schneller von Betrieb zu Betrieb dem Ausgang zu, hinter uns, vor uns, neben uns johlt es, gellt es, geifert es, gröhlt es, donnert es, spritzt Glut, stößt eiskalte Luft vorbei. Dort unter der Walzmaschine lockt wie das Marterbett eines Lüstlings eine glühende Platte, hier stoßen wir mit dem Kopf an meterlange, frech vorgestreckte Bohrer. Überall starren die großen Scheiben der Kraftmesser, Druckmesser wie unheimliche Uhren der Ewigkeit.

Die fruchtbare Erde gebärt stumm und stier Kohle und Eisen und der alte Vater Rhein schleppt trächtige Kähne fort in die Welt.

Wie fliehen noch immer, aber wie wir den Betrieb verlassen, kommen uns aus allen Gassen, Wegen, Stegen wieder Tausende entgegen, die neue Menschenschicht, die ihre Wollust in die Arme der Maschine treibt (*a.a.O.*, S. 61 f.).

Der von René Crevel am ästhetischen Historismus kritisierte Vergleich als Stilfigur wird hier zum geschichtslosen Bildraum gewalttätiger Instinkte, ›Stil‹ wird als ästhetisches Äquivalent der Herrschaft durchsichtig.

Das Beispiel ist trivial, zeigt aber im Blick auf die »Ästhetisierung der Politik«, die den Stil des Faschismus prägte, die Transformation eines Kunststils individueller Repräsentation und Identität in einen kollektiven Stil der Bedrohung und Beschwörung maximaler Identifikation des »Spezialmenschen« mit seiner eigenen Entfremdung. Der rhetorische Vergleich, »Friedhof menschlicher Wirklichkeiten« (Ortega y Gasset), signalisiert eine Verbindung von Stil und Terror, die im Werk von Ernst Jünger ›ästhetisches Niveau‹ erreicht hat und als andere Seite des Stilbegriffs der Stilistik beachtet sein will. Stil als im Ritual erstarrte Maske – das wäre die eigentliche falsche Aufhebung der Kunst ins Leben.

Der Parallelismus von Psychischem und wirtschaftlichem Geschehen bedarf keines historischen Materialismus zur Erklärung. Die Wirtschaft der neuesten Zeit ist in ihrer Gesetzlichkeit nicht im Bedürfnis gegründet; sondern sie hat es zur Aufgabe, Bedürfnisse zu schaffen. Sie ist genau so autonom geworden und unabhängig von der Menschheit, wie die Seele vom Menschen und seinem Lebensstil (Krauss, W., Notiz von 1932 aus dem unveröffentlichten Tagebuch).

Stilwende im französischen Surrealismus

Sieht man die Geschichte des Stilbegriffs seit der Romantik nicht nur im abgegrenzten Bereich einer immanenten Theorie- und Methodengeschichte literatur- und kunstwissenschaftlicher Disziplinen, sondern auch aus der Perspektive der Theorie und Praxis der Künste in ihrem Verhältnis untereinander wie zu anderen Bereichen des Wissens und der Erfahrung, dann kann man zum Beispiel in der Bewegung des französischen Surrealismus einen wesentlichen Einschnitt in dieser Geschichte erkennen. Der surrealistische Diskurs eines *style renversé* (M. Foucault), einer Umkehrung des in dem skizzierten Stildiskurs überlieferten Stilbegriffs, hat darum generelle epochengeschichtliche Bedeutung für eine Geschichte des Stilbegriffs als Diskursformation.

Der springende Punkt solcher Verschiebung des Stilproblems ist nicht einfach die Ablösung des Stilbegriffs durch Begriffe des ›Verfahrens‹, des *procédé*, der ›Methode‹ oder der ›Erfindung‹, sondern die tendenzielle Überwindung einer kunst- und subjektzentrierten Stilauffassung. Deren Kritik bezieht sich in erster Linie auf Funktionen der Kunst in der bürgerlichen »Ära des individualistischen Kunstwerks« (Brecht), die »Stil« als einen »künstlerischen Tauschwert« (Breton) realisieren. Die zunächst vehemente Negation dieses Stilproblems als einer Frage nach der Funktion von Darstellungsmitteln hat in der Theorie des Surrealismus ihre positive Seite in dem Bemühen um Ausdrucksformen, die in der Lage wären, stilistisch und ideologisch verstellte oder maskierte Realitäten sozusagen ›unverfälscht‹ und ›unwillkürlich‹ zur Sprache zu bringen. Dieses in den verschiedenen surrealistischen Manifesten dargestellte Grundkonzept einer Transgression künstlerischer Sonderbereiche, einer sogenannten Verbindung von Kunst und Leben, kann darum in seinem originären Ansatz nicht als die geheime Forderung nach einer Ästhetisierung des Lebens aufgefaßt werden (vgl. unter anderem die einschlägigen Publikationen von P. Bürger, H. R. Jauß und J. Habermas). Vielmehr handelt es sich um die Etablierung eines anderen Begriffs von künstlerischer Praxis, der die durch eine lange Tradition idealistischer Ästhetik (von Hegel bis zu Lukács und Adorno) legitimierte Autonomie klassischer oder avantgardistischer Kunst und die entsprechende Diskriminierung nicht-autonomer Kunst aufzuheben sucht.

Für die gegenüber der kanonisierten bürgerlichen Kunst und Literatur und ihren Funktionen *marginale Position des Surrealismus* hatte darum der Gegensatz zwischen Kunst und Leben jede Bedeutung verloren, dem jene Kritiker noch anhängen, die das ›Scheitern‹ surrealistischer Bestrebungen vor allem an diesem Gegensatz bemessen. »Einen Gegensatz zwischen Leben und Schreiben, zwischen Kunst und Leben gibt es nur aus der Sicht einer großen Literatur« (Deleuze, G./Guattari, F., 1976, S. 58). Die surrealistische Kritik am Stil als einer Trennwand zwischen Kunst und Leben steht im Kontext einer breiten Debatte über den Status und die Funktion der Kunst in der bürgerlichen Gesellschaft. Sie bringt den geschichtlichen Vorgang der Ablösung der Rhetorik durch die Stilistik – (»Das 19. Jahrhundert beginnt mit einem ›Stil‹ ohne Rhetorik«, Kahnweiler, D.-H., 1949, S. 37.) – in die entscheidende Krise, die in Aragons *Traité du style* (1928), einem klassischen Dokument surrealistischer Poetik, ihre positive Auflösung in dem Versuch einer Materialisierung des Stilkonzepts erfährt. Im Verlaufe der surrealistischen Bewegung wurde die Funktion des Stils als einer »Vermittlungsebene zwischen Kunst und Gesellschaft« (N. Luhmann), wie sie seit dem 19. Jahrhundert überliefert worden war, in Frage gestellt.

Das mit dieser Funktionsbestimmung überlieferte Problem war in seiner modernen Gestalt eine Folge des im 18. Jahrhundert einsetzenden Vorgangs einer Singularisierung der Künste zur einen (autonomen) Kunst (vgl. Jauß, H.R., 1986). Wie (wenn überhaupt) konnte die damit gesetzte Einheit der Künste, die in der ästhetischen Theorie des deutschen Idealismus begründet worden war, angesichts ihrer Differenzierung und angesichts der durch technische und soziale Vergesellschaftung entstandenen nicht-autonomen Künste und Funktionen neu bestimmt und verwirklicht werden? Die vor allem vom deutschen Idealismus begründete Trennung von Ästhetik und Technik (eine Folge des Scheidungsprozesses zwischen schönen und mechanischen Künsten) eröffnete nicht nur zwei gegensätzliche Linien ästhetischer Theorie; sie führte auch dazu, diese Trennung im Interesse einer neuen Einheit der Künste zu überwinden. Dabei wurde der Stilbegriff als eine entscheidende und integrierende ›Vermittlungsebene‹ zwischen Kunst und Gesellschaft, Kunst und Sprache, Kunst und Form – zwischen ästhetischer Theorie und Praxis konstituiert.

So bemerkte etwa H. Hettner in seiner anti-hegelianischen Schrift *Gegen die spekulative Ästhetik* (1845), daß die Ästhetik

im Gegensatz gegen die bloß technische Seite der Kunst vom tieferen Bedürfnis des philosophischen Geistes erzeugt [wird], und dieser Gegensatz ist noch immer nicht getilgt worden. Allein in der Kunst, wo der Gedanke nur insoweit da ist, als er sich klar zur in sich geschlossenen Gestalt herausgerundet hat, ist die Technik und ihre stilistischen Gesetze ein Teil der künstlerischen Schöpfung selber. Sie bestimmt geradezu den Charakter derselben (Hettner, H., 1845, 1959, S. 41).

In dieser Richtung wird Stil als ein unterschiedlich akzentuiertes Modell der Vermittlung in zwei Hauptrichtungen entwickelt. Als Modell der Beschreibung und Erklärung von *Stilformationen* in der zuerst von G. Semper in seinen Entwürfen einer *praktischen Ästhetik* eingeschlagenen Richtung (Semper, G., 1878/79). Als ein produktionsästhetisches *Modell der Übersetzung* von *inneren* Visionen in *äußere* Formgestalten, wobei über die Revalorisierung romantischer Offenbarungsästhetik ›Stil‹ als unverwechselbares Moment künstlerischer Originalität, als deren ›Milieu‹ wieder in einen Gegensatz zu den Formen künstlerischer Technik gebracht wurde.

Im Anschluß an Flauberts Definition des Stils als »absoluter Weise, die Dinge zu sehen«[2] ist für Proust »Stil keine Frage der Technik, sondern der Vision« (Proust, M., 1963, Bd. 3, S. 895), ist »Stil die Bedingung selbst der Kunst … und die einzige Schule der Kunst ist die Kunst und nicht das Leben«.[3]

Dieses ›visionäre‹ Stilkonzept ist anti-technisch vor allem insofern es antirhetorisch ist. Stil ist kein verfügbares Mittel oder Muster, sondern Brechung (réfraction) einer »enthusiastischen Vision« durch ein »besonderes Temperament«. Im Vorwort zu Flauberts *Bouvard et Pécuchet* (1885) hatte Maupassant von Flauberts Stil gesagt,

daß er sich keine ›Stile‹ wie eine Reihe besonderer Gußformen vorstellte, deren jede das Erkennungszeichen eines Schriftstellers trägt und in die man seine ganzen Gedanken gießt. Flaubert glaubte vielmehr an den *Stil* als einzigartiger und absoluter Weise, eine Sache in ihrer ganzen Farbigkeit und Intensität auszudrücken (zit. n. Henry, A., 1983, S. 235 f.).

In dieser durch Flauberts Stilbestimmung eröffneten Richtung hatte in Frankreich Gabriel Séailles, ein Schellingianer und Vertreter eines ›ästhetischen Sozialismus‹, bei dem Proust die Ästhetikvorlesungen hörte[4], in einem *Essai sur le génie dans l'art* (1883) ein visionäres Stilkonzept als Entäußerung des Unbewußten begründet. »Der Stil eines Künstlers ist gegenüber der Bewegung seines Geistes wie die Kurve, die der Kardiograph von den Herzschlägen aufzeichnet.« Um den Stil eines Künstlers zu verstehen, müsse man »mit intelligenter *Sympathie* seine Weise zu sehen und zu fühlen nachahmen« (Séailles, G., 1883, S. 217).

Etwa zur selben Zeit vertrat in England Walter Pater in seinem *Essay on Style* (1888) in ähnlicher Weise eine Milieutheorie des Stils: »Stil ist das Milieu, durch das der Künstler seine Innenansicht der Wirklichkeit entfalten kann; er wacht über die Reinheit dieses Milieus, über seine Gesetze und die Spiele der sich in ihm brechenden Strahlungen« (Pater, W., 1927, S. 36).

Dieser Begriff des Stils als Vision und Milieu, als Vermittlungsebene zwischen innerer Erfahrung und äußerer Wirklichkeit, kann diskursgeschichtlich als formästhetische Konkretisierung der Kunstbegriffe der klassischen und romantischen Ästhetik interpretiert werden. So definiert dann auch ganz auf dieser Linie Pierre Reverdy, der die surrealistische Konzeption des poetischen Bildes *(image)* entscheidend anregte, Stil als »die Form des ausgedrückten Gedankens und nicht als die Form des Satzes. Wer die Form des Satzes sucht, verliert den Stil. Die Liebe zu den Wörtern ist der Tod des Stils. Stil ist der richtige Ausdruck des Gedankens, sein Bild« (Reverdy, P., 1927, S. 71).

Damit ist (grob skizziert) in der Geschichte des Stilbegriffs der Punkt bezeichnet, von dem aus diese Erweiterung der Genieästhetik zu einer Stilästhetik, die später durch André Malraux noch einmal souverän aktualisiert wird (vgl. Malraux, A., 1947, 1957), durch den Surrealismus ihre radikale Kritik erfährt. André Bretons Konzept der *écriture automatique* als einer »Technik der Unvermitteltheit« (Barthes, R., 1969, S. 75) ist der Gegenentwurf zu einem Konzept des Stils als Vermittlungsebene, sei's zwischen Kunst und Gesellschaft, sei's zwischen subjektiver und objektiver Wirklichkeit!

Der Grundsatz *les mots font l'amour* (Breton, A., 1974, S. 139), der das poetische Wort von der »Pflicht zu bedeuten« befreien soll, ist als eine Kritik visionärer Kunstkonzeptionen der weitreichende Versuch, den Status des Künstlers als eines Repräsentanten aufzuheben und die Kunst als eine spezialisierte Tätigkeit zu demokratisieren, in der Annahme »völliger Gleichheit aller normalen Menschen vor der sublimalen Botschaft« (Breton, A., 1970, S. 182) der *surréalité*. Das ist das vorrangige Ziel einer »Säuberung des literarischen Reitstalles« (Breton):

Es ist die wesentliche Entdeckung des Surrealismus, daß ohne vorgefaßte Absicht der Lauf der schreibenden Feder oder des zeichnenden Stifts eine unendlich kostbare Substanz spinnt, woran vielleicht nicht alles Wechselstoff ist, aber doch wenigstens mit allem aufgeladen, was der Poet oder Maler an Emotionalem in sich trägt [...] Der Künstler ist nicht mehr jener, der als Mensch darauf bedacht ist, sich aus dem Spiel herauszuhalten; er ist selbst in dem Drama befangen. ›Der Schrecken kam‹, sagte Rimbaud, als er seine eigene Erfahrung analysierte (Breton, A., 1941, S. 68, 75).

In der »visionären Macht des Poeten«, die sich im Stil darstellt, kritisiert Breton nicht nur den latenten Platonismus, sondern vor allem die Verstellung der primären *parole intérieure* durch stilisierte sekundäre Wahrnehmungen. »Ich habe mich gegen die so leichtfertige Qualifizierung des Poeten als *visionär* gewandt. Die großen Dichter waren ›auditive‹, keine Visionäre. Die Vision, die ›Erleuchtung‹, ist bei ihnen nicht Ursache, sondern Effekt« (Breton, A., 1944, S. 123).

Dieser »Phonozentrismus« (vgl. Lapacherie, J.-G., 1985, S. 219-224) des Bretonschen Konzepts der *écriture automatique*, die Privilegierung eines *automatisme verbo-auditif* gegenüber einem *automatisme verbo-visuel* (Breton, A., 1933, 1970, S. 186) ist gewissermaßen die rousseauistisch inspirierte Ablösung jeden Stils in seiner repräsentativen Funktion als eines Mittels der Darstellung durch die in der Stimme als dem »Organ der Seele« (Rousseau) fundierte, der Unmittelbarkeit der Erfahrung angemessenere *écriture automatique*. Jeder Stil geht Breton zufolge von einem a priori des Gesehenen und Sichtbaren aus und mündet zwangsläufig in Beschreibung. Darum ist die *écriture inspirée* Überwindung jeder stilisierten *littérature de calcul* (Breton, A., 1933, 1970, S. 181). Man kann in dem kulturkritischen Akzent von Bretons Konzept der *écriture automatique*, in dem Versuch direkter Kommunikation von Erfahrungen mittels »außerhalb jeder ästhetischen Erwägungen« (*a.a.O.*, S. 169) gewonnener *images exaltantes* einen über die Grenzen der Theorie des Surrealismus hinausweisenden Ansatz sehen, die geschichtlichen Formen einer literarischen Kultur zu relativieren. Freilich bleibt die Visualisierung der Stimme als »innerer Rede« durch deren schriftliche Fixierung und »Aufzeichnung«, in der Erwartung, die originale »Stimme« des Unbewußten hinter der Zone ideologischer Verstellungen und psychischer Verdrängungen zu entdekken, Illusion. Die Bestimmung der *écriture automatique* als »echter Fotografie des Denkens« (*a.a.O.*, S. 86), der Traumerzählungen als »stenographischer« Protokolle einer *dictée magique* (*a.a.O.*, S. 125) reproduziert mit der zugrundeliegenden idealistischen Vorstellung von einem identischen Subjekt, einem Wesen des allgemein Menschlichen zugleich ein dualistisches Ausdrucksmodell: die *écriture automatique* als sichtbare Transkription unsichtbarer »Tiefen«.

Bretons Konzept »poetischer Analogie«, das die ursprüngliche Bestimmung des Bildes *(image)* in der Folge Pierre Reverdys als Inbegriff surrealistischer Poesie erweitert und auf Metapher und Vergleich ausdehnt, ist als ein dualistisches Erkenntnismodell darauf gerichtet, über die Wesensbestimmung rhetorischer Stilfiguren den Ursprung (und den Mechanismus) poetischer Inspiration als »nicht-arbeitsteiliger Tätigkeit« (Breton, A., 1932, 1974) freizulegen.

Nach dem aktuellen Stand poetischer Forschungen kommt der rein formellen Unterscheidung zwischen Metapher und Vergleich keine große Bedeutung zu. Beide sind auswechselbare Vehikel des analogischen Denkens und wenn die erste eine Quelle von Gedankenblitzen ist, so bietet die zweite [man denke an die *schön-wie-Vergleiche* Lautréamonts] beträchtliche Vorteile der *Suspension*. Die anderen von der Rhetorik immerfort klassifizierten *Figuren* sind demgegenüber absolut ohne Interesse. Nur der analogische Denksprung [*déclic*] begeistert uns: nur durch ihn können wir auf den Motor der Welt einwirken. Das erregendste Wort, über das wir verfügen, ist das Wort WIE [COMME], sei es ausgesprochen oder verschwiegen (Breton, A., 1947, 1967, S. 175 f.).

Nach der Ausschaltung aller Stil-Vermittlungen sieht Breton in dieser Resubstantialisierung der Metapher als einer Denkfigur einen möglichen Weg zur Auflösung der das Leben »außerhalb der ökonomischen Ebene« (Breton, A., 1937, 1967, S. 25 f.) bestimmenden Zwänge, die schon vor der »sozialen Ordnung, unter der wir leben«, bestanden haben.

In der Folge eines die marxistische Kultur Bretons bestimmenden hegelianischen Modells der Dialektik verbindet er die ›poetische Analogie‹ mit der Forderung nach einer ›ethischen Ordnung‹, in der die Antinomien zwischen »Wachen und Schlafen, Vernunft und Wahn, Objektivem und Subjektivem, Wahrnehmung und

Repräsentation, Vergangenheit und Zukunft, kollektivem Sinn und Liebe, Leben und Tod« (a.a.O., S. 25 f.) überwunden sind.

Stilgestus

In der utopischen Perspektive solcher »ethischen Ordnung« war der Surrealismus auch ein (marginaler) Lebensstil, der die sozial-revolutionären Impulse der Bewegung zu paralysieren drohte. Aragon, der die revolutionären Intellektuellen als »Verräter ihrer Ursprungsklasse« charakterisiert hatte, sah darum in einer »Ethik des Schreibens« eine andere Alternative. In deren Zentrum steht der Begriff des Stils nicht als ›Comeback‹ traditioneller Stilkonzepte, sondern als *Stilgestus aus dem Geist des Surrealismus.*

Der *Traité du style* (1928)[5], verfaßt auf dem Höhepunkt der inneren Krise der surrealistischen Bewegung in der Absicht, diese Krise zuzuspitzen, konzentriert Grundmotive des Surrealismus (*Subversion, Humor* »als negative Bedingung der Poesie«, *Traum*) in einer »kohärenten Stilkonzeption« (a.a.O., S. 139). Deren wesentliches Merkmal wäre die Überwindung der Trennung von Sprache und Gestus und damit die Ablösung eines mimetischen Prinzips durch ein gestisches.

Die satirische und parodistische Kritik aller zeitgenössischen literarisch-künstlerischen Stile der bürgerlichen Kultur und der Verwandlung einer »Serie kleiner bürgerlicher Nostalgien« (a.a.O., S. 80) – Reisen, Ferienmachen, Abenteuerlust, Weltflucht, Selbstmord – in Lebensstile erweitert sich zu einer Selbstkritik des Surrealismus. Die surrealistische »Technik der Unvermitteltheit« (R. Barthes), die Bestimmung des Schreibens als eines Übersetzungsvorgangs, die Willkürlichkeit poetischer Bilder, haben die Distanz zwischen Leben und Schreiben lediglich sublimiert. Sie müßte aber Aragon zufolge als ein widersprüchliches Bewegungsmoment des Schreibens und der Sprache aufgefaßt und inszeniert werden. »Das Leben ist eine Sprache, das Schreiben eine ganz andere. Ihre Grammatiken sind nicht austauschbar. Unregelmäßige Verben« (a.a.O., S. 228).

Als eine *faculté qui s'exerce* (a.a.O., S. 187) ist der Surrealismus darum auch kein Gegensatz zum ›Stil‹. Inspiration und Stil schließen einander nicht aus (a.a.O., S. 181), wenn man Stil nicht als »Rezept« (a.a.O., S. 193) oder metrischen Regelzwang versteht, sondern als einen Modus syntaktischer Markierung oder Akzentuierung von »Sinn«, der aus der Spannung und Differenz zwischen gesprochener und geschriebener Sprache resultiert. (»Die gruppierten Worte bedeuten am Ende irgend etwas ... Der Sinn der Worte wird freilich nicht durch einfache Wörterbuch-definitionen verbürgt. Man sollte wissen, daß sie in jeder Silbe, in jedem Buchstaben Sinn tragen und daß es evident ist, daß das Buchstabieren von Worten, welches vom gesprochenen zum geschriebenen Wort führt, eine besondere Denkmöglichkeit ist, deren Analyse fruchtbar wäre«; *a.a.O.*, S. 191 f.).

Im Unterschied zu Breton betont Aragon mit diesem »Anti-Phonozentrismus« auch die Kontrolle über das »Spiel der Signifi-kanten« (zum Beispiel in den surrealistischen Traumerzählungen, die er zum puren Trick und *pastiche* entarten sieht) durch eine Stil und moralische Aktion verbindende Schreibweise: »Gut schrei-ben ist wie aufrechter Gang. Darum ist Surrealismus kein Refu-gium vor dem Stil« (*a.a.O.*, S. 189).

Der richtigen Einsicht folgend, daß es keine unverstellte automa-tische Beziehung zwischen Unbewußtem und Sprache gibt, ist der *Traité du style* auch Praktizierung einer inkohärenten Schreibweise, die sich durch den gestischen Stil cartesianischer Logik und dem Gesetz der Widerspruchsfreiheit entzieht (vgl. Babilas, W., 1972, S. 260). Der Text dementiert jede Darstellung eines identischen Subjekts. Stil ist nicht Stilisierung in literari-scher Absicht – (»Die Vorstellung von einer surrealistischen Literatur ist absurd«, Aragon, L., 1932, 1974, S. 274) –, durch die immer etwas »bedeutet« wird, sondern Stil ist der Gestus, der bestimmte Haltungen des Schreibenden gegenüber der Realität anzeigt. Dieser gestische Stil wird geprägt durch die ganz körper-liche Präsenz des Autors im Text – (»Ich werde jetzt den Men-schen, der schreibt, auf ganz physische Art betrachten«, Aragon, L., 1928, 1980, S. 30) –, dessen Sprache die Präsenz der angespro-chenen Wirklichkeit stilistisch *akzentuiert*. Stil als Akzentuierung von Realitäten außerhalb jeder Totalitätsvorstellung beruht auf einem sozialen Gestus der Differenzierung und Unterscheidung. Die Ästhetik des Schönen wird abgelöst durch die *Vénus utile* (*a.a.O.*, S. 179), der Vergleich durch eine Poetik dialektischer Bilder (»Man verwechsle nicht Vergleich und Bild«, *a.a.O.*, S. 151), der Narzißmus individueller Stile (*a.a.O.*, S. 153) durch einen Stil der Solidarisierung mit geschichtlichen Subjekten. In diesem Sinn kann Aragon von seinem Stil sagen, er sei wie die Natur (*a.a.O.*, S. 168), da ja Stil und Natur keine absoluten Gegensätze sind.[6] Das resümiert an zentraler Stelle und mit Bezug auf den »Stil von Lautréamont« als einer verkannten Tradition die entscheidende Definition: »Ich nenne Stil den Akzent, mit dem ein gegebener Mensch die Flut versieht, die der symbolische Ozean in ihm auslöste, der die ganze Erde metaphorisch unterminiert« (*a.a.O.*, S. 210).

Der *Traité du style* wollte dem Surrealismus als einer wissenschaftlichen Erkenntnis analogen Weise poetischer Erkenntnis, als einer »Dialektik der Erfindung« (Aragon), einen Weg zum Verständnis der sozialen Mechanismen poetischer Inspiration weisen. Relativ unabhängig von den dabei in der weiteren Auseinandersetzung mit dem Surrealismus erzielten Ergebnisse, bleibt der Text durch Aragons Einsichten in Stilfragen nicht nur von historischem Interesse. Als einer der ersten Texte des 20. Jahrhunderts, der im Rahmen der surrealistischen Transgression kunstzentrierter Ästhetik das Stilproblem auf einer anderen als der durch die Abweichungsstilistik etablierten Ebene erörtert (und praktiziert), berührt er mit der Verbindung von Stil und Moral, mit einer von sozialem Gestus gelenkten »Ethik des Schreibens« Fragen, die heute wieder (und anders) im Zentrum einer in ihrem Begriff durch die elektronische Revolution in den Medien veränderten Kultur und Kunst stehen.

Anmerkungen

1 Vgl. unter anderem die Berichte des Zentralorgans des Pariser Konstruktivismus *L'Esprit Nouveau* über die Pariser Art-Déco-Ausstellung von 1925, die Aragon in dem Text »Au bout des quais, les arts décoratifs« (in: Aragon, L., 1925, 1974, S. 315-317) kritisierte.

2 G. Flaubert an Louise Colet vom 16. 1. 1852. In: ders., 1894, S. 342 f.

3 M. Proust, *Contre Saint-Beuve*, zitiert nach Henry, A. (1983), S. 249.

4 Vgl. die gründliche Darstellung dieser Zusammenhänge bei Henry, A. (1983).

5 Ich benutze die Neuausgabe von Gallimard, Paris 1980. Die Zitate im Text verweisen mit Seitenangaben in Klammern auf diese Edition. Das Kapitel über die Syntax und die Rede der allegorischen Figur des Federhalters finden sich deutsch bei Metken, G. (1979).

6 Brecht, B. (1964), Bd. 4, S. 55, merkt an einer Stelle in ähnlicher Weise an: »Es ist natürlich ein Unsinn, *Stil* und *Natur* als absolute Gegensätze zu behandeln. Die Natur tritt in Nachbildungen immer stilisiert auf. Das *Künstliche* freilich ist der *Kunst* unnatürlich.«

Literatur

Adorno, T. W./Horkheimer, M. (1947) (1984), *Dialektik der Aufklärung*. Frankfurt/Main.

Apollinaire, G. (1965), *Œuvres Complètes*. Bd. 4. Paris.

Aragon, L. (1925) (1974), *Œuvre Poétique*. Bd. 2. Paris.

Aragon, L. (1928) (1980), *Traité du style*. Paris.

Aragon, L. (1932) (1974), »Le surréalisme et le devenir révolutionnaire«. In: ders., *Œuvre Poétique*. Bd. 5. Paris.

Babilas, W. (1972), »P. Bürger. Der französische Surrealismus« (Rezension). In: *Romanistisches Jahrbuch* 23, S. 256-261.

Barthes, R. (1969), *Literatur oder Geschichte*. Frankfurt/Main.

Barthes, R. (1982), *L'obvie et l'obtus. Essais critiques*. Bd. 3. Paris.

Benjamin, W. (1982), *Gesammelte Schriften*. Bd. 5,2. *Das Passagen-Werk*. Frankfurt/Main.

Boulez, P. (1981), »Style ou idée?« In: ders., *Points de repère*. Paris. S. 312-323.

Brecht, B. (1964), *Schriften zum Theater*. Berlin/Weimar.

Breton, A. (1932) (1974), *Die kommunizierenden Röhren*. München.

Breton, A. (1933) (1970), »Le message automatique«. In: ders. (1970), *Point du jour*. Paris. S. 172-198.

Breton, A. (1937) (1967), »Limites non-frontières du surréalisme«. In: ders. (1967), *La clé des champs*. Paris

Breton, A. (1941)(1965), »Genèse et perspective artistiques du surréalisme«. In: ders. (1965), *Le surréalisme et la peinture*. Paris. S. 49-82.

Breton, A. (1944) (1967), »Silence d'Or«. In: ders. (1967), *La clé des champs*. Paris.

Breton, A. (1947) (1967), »Signe ascendant«. In: ders. (1967), *La clé des champs*. Paris.

Breton, A. (1970), *Point du jour*. Paris.

Breton, A. (1974), »Les mots sans rides«. In: ders., *Les pas perdus*. Paris.

Crevel, R. (1929), »Die Ästheten von 1929«. In: *Der Querschnitt* 9. Berlin. S. 617-620.

Deleuze, G./Guattari, F. (1976), *Kafka. Für eine kleine Literatur*. Frankfurt/Main.

Eco, U. (1972), *La definizione dell'arte*. Mailand.

Flaubert, G. (1894), *Correspondance*. Bd. 2. Paris.

Gadamer, H. G. (³1965), *Wahrheit und Methode*. Tübingen.

Gómez de la Serna, R. (1934), »Ensayo sobre lo cursi«. In: *Cruz y Raya* 2, Nr. 16. Madrid. S. 9-38.

Hamann, R./Hermand, J. (1967), *Stilkunst um 1900*. Berlin.

Henry, A. (1983), *Marcel Proust. Théories pour une esthétique*. Paris.

Hettner, H. (1845) (1959), *Schriften zur Literatur*. Berlin.

Jameson, F. (1983), *Post-Modernism and Consumer Society*. Unveröffentlichtes Manuskript.

Jauß, H. R. (1986), »Schlußbetrachtung zum deutsch-französischen Kolloquium ›Art social/Art industriel‹. In: Gaillard, F./Jauß, H. R./Pfeiffer, H. (Hg.), *Art social et art industriel. Funktionen der Kunst im Zeitalter des Industrialismus*. München.

Kahnweiler, D.-H. (1949), »Rhétorique et style dans l'art d'aujourd'hui«. In: *Cahiers du Sud* 36. Marseille.

Lapacherie, J.-G. (1985), »Un ›topos‹ de la pensée du XVIIIe siècle dans les textes ›théoriques‹ d'André Breton«. In: *Mélusine 7 (L'Age d'Or, L'Age d'Homme). Cahiers du Centre de Recherches sur le Surréalisme*. Paris.

Maag, G. (1986), *Kunst und Industrie im Zeitalter der ersten Weltausstellungen. Synchrone Analyse einer Epochenschwelle*. München.

Malraux, A. (1947) (1957), *Psychologie der Kunst. Das imaginäre Museum*. Reinbek.

Metken, G. (1976), *Als die Surrealisten noch recht hatten*. Stuttgart.

Ortner, E. (1922), *Gott Stinnes. Ein Pamphlet gegen den vollkommenen Menschen*. Hannover/Leipzig.

Pater, W. (1927), *Essay on Style*. (Library Edition Bd. 5). London.

Pêcheux, M. (1975), *Les vérités de la Palice*. Paris.

Paulhan, J. (1966), »Taine, juge de Jean-Jacques«. In: ders., *Œuvres Complètes*. Bd. 2. *Les fleurs de Tarbes*. Paris.

Proust, M. (1963), *A la recherche du temps perdu*. (Bibliothèque de la Pléiade). Bd. 3. Paris.

Reverdy, P. (1927), *Le gant de crin*. Paris.

Rosenkranz, K. (1853) (1968), *Ästhetik des Häßlichen*. Darmstadt.

Séailles, G. (1883), *Le génie dans l'art*. Paris.

Semper, G. (1878/79), *Der Stil in den technischen und tektonischen Künsten oder praktische Ästhetik*. 2 Bde. München.

Steinwachs, B. (1985), *Epochenbewußtsein und Kunsterfahrung. Studien zur geschichtsphilosophischen Ästhetik an der Wende vom 18. zum 19. Jahrhundert in Frankreich und Deutschland*. München.

Stierle, K. (1975), »Aspekte der Metapher«. In: ders., *Text als Handlung*. München. S. 152-185.

Véron, E. (1878), *L'Esthétique*. Paris.

Rainer Rosenberg
»Wechselseitige Erhellung der Künste«?
Zu Oskar Walzels stiltypologischem Ansatz
der Literaturwissenschaft

Wer heute über Stil redet, hat zu bedenken, daß ein breiterer Konsens darüber, welche Merkmale, Besonderheiten oder Abweichungen für die Begriffsbildung ausschlaggebend sein sollen, in der Literaturwissenschaft nie zustandegekommen ist. Ein definitorischer Konsens muß zwar auch bei anderen Begriffen von Fall zu Fall hergestellt werden, wenn man sich über literaturwissenschaftliche Gegenstände verständigen will. Die besondere Schwierigkeit der Verständigung über den Stilbegriff besteht aber darin, daß er seine entscheidende Prägung durch das typologische Denken der deutschen Geistesgeschichte erhielt und daß er in dem formalistische, phänomenologische oder strukturalistische und semiotische Ansätze entwickelnden literaturtheoretischen Denken ebenso wenig einen Platz hatte wie in der marxistischen Literaturtheorie. Man beschrieb Verfahren, Grammatiken, Strukturen, Systeme oder Methoden, hielt sich frei von den ideologischen Implikationen des Stilbegriffs und beanspruchte, die Beschreibung des Phänomens, für das der Stilbegriff verwendet worden war, überhaupt erst auf das Niveau objektivierbarer wissenschaftlicher Aussagen gebracht zu haben. Diese Verfahrensbeschreibungen, Grammatiken, Strukturanalysen usw. blieben allerdings in der Regel unterhalb der Abstraktionsebene des geistesgeschichtlichen Stilbegriffs, das heißt, das Phänomen, von dem die Geistesgeschichte gesprochen hatte, transzendierte die beschriebenen Sachverhalte. Man hat daher ein solches Phänomen als wissenschaftlich nicht objektivierbar in den Bereich der subjektiven Anschauung verwiesen oder auch seine Existenz negiert.

In den letzten Jahren sind nun von verschiedenen Seiten Überlegungen zur Wiedereinführung des Stilbegriffs gemacht worden und die Attraktion solcher Überlegungen nimmt offenbar immer noch zu (vgl. Möbius, F., 1984). Soweit man erkennen kann, spielt dabei das Wieder-Attraktiv-Werden bestimmter Positionen der Geistesgeschichte nicht die entscheidende Rolle. Es scheint vielmehr, daß sich ein Begriff auf der Abstraktionshöhe von ›Stil‹ von ganz unterschiedlichen Ausgangspositionen her und in ganz verschiedener Verstehensabsicht als nützlich für den wissenschaftlichen Diskurs über Literatur und Literaturgeschichte erweist. Und in diesem Zusammenhang ist auch der stiltypologische Ansatz wieder ins Gespräch gekommen, den Oskar Walzel der Literaturwissenschaft in den 20er Jahren angeboten hat.

Über Oskar Walzel haben einige seiner Zeitgenossen sehr unfreundliche Urteile abgegeben. Bekannt ist Walter Benjamins Kritik seines Buches *Das Wortkunstwerk*: »Solche Kritik wird immer durch die ›Weite‹ ihrer Gegenstände, durch das ›synthetische‹ Gebaren sich verraten. Der geile Drang aufs ›Große Ganze‹ ist ihr Unglück« (Benjamin, W., 1972, S. 51). Überblickt man die unrühmliche Geschichte der deutschen Germanistik der ersten Jahrhunderthälfte, kommt man leicht zu dem Schluß, daß Walzel im Andenken der Nachwelt eine freundlichere Behandlung verdient. Nicht nur, weil er als praktizierender Katholik den Faschismus ablehnte und also zu den wenigen deutschen Germanisten gehört, die sich nicht kompromittiert haben. Er wurde 1933 sofort seines Bonner Lehrstuhls enthoben. Dem Achtzigjährigen wurde noch 1944 seine jüdische Frau weggenommen und nach Theresienstadt deportiert, wo sie starb. Walzel selbst kam kurz darauf bei einem Bombenangriff ums Leben. Man hat Oskar Walzel auch zugute zu halten, daß er zu einer Zeit, da der Horizont der akademischen Literaturwissenschaft bestenfalls noch den bürgerlichen Realismus des 19. Jahrhunderts einschloß und die Entwicklung der modernen Literatur von ihr gar nicht mehr erfaßt wurde, sich leidenschaftlich für den deutschen Expressionismus einsetzte. Und man sollte bedenken, daß er einer der wenigen deutschen Germanisten war, die sich damals, als die Literaturwissenschaft – im Zeichen der deutschen Geistesgeschichte – sich ganz ihrer weltanschauungs- und wertbildenden Funktion verschrieben hatte, die Aufmerksamkeit auf die künstlerische Form lenkte und nach Mitteln und Wegen ihrer Erforschung suchte.

Gewiß, auch Walzel war ein Ideologe. Auch für ihn war die Beschäftigung mit den Texten letzten Endes nur ein Durchgangsstadium zu Einsichten in die Gesamtverfassung des geistigen

Lebens ihrer Entstehungszeit, zu der Erkenntnis des »Zeitgeists«. Aber Walzel insistierte darauf, daß auch literarische Kunstwerke von der Form her aufgeschlossen werden müssen. Damit irritierte er die Mehrzahl der deutschen Germanisten, die ihn in die Rolle eines Außenseiters drängten. Er seinerseits warf den Germanisten vor, daß sie selbst kein zureichendes methodologisches Instrumentarium ausgebildet hatten, um die »Gestaltqualitäten« künstlerischer Literatur zu erfassen und gab die Schuld daran der Tradition der philosophischen Ästhetik:

Die Ästhetik des deutschen Idealismus neigte dazu, die Gebiete des Philosophen, des Religiösen und des Künstlers ineinander übergehen zu lassen. Noch immer ist wie damals … zu beobachten, daß an der ganzen Leistung des Künstlers neben deren Stoff nur beachtet wird, was auch der Philosoph oder der Religiöse mit ihren besonderen Ausdrucksmitteln hätten erbringen können. Wenn Hegel das Schöne mit der Wendung umschrieb, es sei das sinnliche Scheinen der Idee, so lag ihm an der Idee mehr als an deren sinnlichem Scheinen. Künstler empfinden solche Betrachtungsweise schmerzlich (Walzel, O., 1924, S. 146-147).

Die Literaturwissenschaft verfügte damals noch nicht über ein eigenes technisches Instrumentarium der Textanalyse. Durch Wölfflins *Kunstgeschichtliche Grundbegriffe* war Walzel der Vorsprung deutlich geworden, »den auf der Suche nach den wesentlichen künstlerischen Merkmalen eines Kunstwerks die neuere Erforschung der bildenden Kunst« vor der Literaturwissenschaft erzielt hatte (Walzel, O., 1926, S. IX). Walzel hatte sich zunächst darum bemüht, die Diltheyschen Weltanschauungstypen auf die Literatur anzuwenden. Schon dabei wollte er nicht nur nachweisen, daß Diltheys Typologie sich auch für die Unterscheidung der Lebensauffassungen von Dichtern verwerten läßt; er versuchte auch, anhand von zahlreichen Textanalysen, »Gestalt«-Qualitäten auszumachen, die sich den einzelnen Weltanschauungstypen zuordnen ließen. Wölfflin bot – im Unterschied zu den diversen philosophischen, psychologischen und psychophysiologischen Typologien, deren Bindung an feste formalästhetische Kriterien stets mißlang – eine Typologie, die von formalästhetischen Kriterien ausging, also eine echte, an kunstgeschichtlichem Material entwickelte Kunsttypologie.

Mit einer solchen Typologie war kurz vor Wölfflin schon Walzels einstiger Schüler Worringer (*Abstraktion und Einfühlung*, 1908) aufgetreten. Worringer unterschied zwei einander entgegengesetzte künstlerische Formprinzipien – »Gotisch« und »Klassisch« – und versuchte deren Gegensatz an dem am wenigsten inhaltlich bestimmten Zweig der bildenden Kunst, am Vergleich von altgermanischer und klassisch-antiker Ornamentik zu veranschaulichen: Mit den Begriffen »Abstraktion« und »Einfühlung«, auf die Worringer die beiden Formprinzipien gebracht hatte, konnte der typologische Wert seiner Gesichtspunkte voll ausgeschöpft werden, ohne daß man auf die Diskussion über den Ursprung des gotischen Kunststils eingehen mußte. »Abstraktion« und »Einfühlung« wurden zu Schlagworten bei der Durchsetzung des deutschen Expressionismus. Für die detaillierte Analyse einzelner Texte/Werke bot Worringers Typologie in Walzels Sicht jedoch zu wenig praktische Handhabe. »Abstraktion« und »Einfühlung« waren in ihr zu unbedingt und zu starr einander entgegengesetzt, die für die konkrete Analyse nötigen Abschattierungen und Übergänge aus ihr nicht abzuleiten. Eben diesen Vorzug hatten Wölfflins »Grundbegriffe«, obwohl sie – zusammengenommen – gleichfalls zwei einander entgegengesetzte Methoden künstlerischen Formierens ergaben, die sich in ihrer – von Wölfflin selbst allerdings nur angedeuteten – typologischen Verallgemeinerung mit der von Worringer gesehenen Polarität von »gotischem« und »klassischem« Stil berühren.

Wölfflin hatte zuerst 1912 in den Sitzungsberichten der Preußischen Akademie der Wissenschaften die Ansicht vorgetragen, der Darstellungstypus der europäischen bildenden Kunst des 16. Jahrhunderts unterscheide sich von der des 17. Jahrhunderts durch Merkmale, die sich auf fünf Begriffspaare zurückführen lassen. Und zwar gehe die Entwicklung vom Linearen zum Malerischen, vom Flächenhaften zum Tiefenhaften, von der geschlossenen zur offenen Form, vom Vielheitlichen zum Einheitlichen und von der absoluten zur relativen Klarheit der dargestellten Gegenstände. In der 1915 erschienenen Studie *Kunstgeschichtliche Grundbegriffe. Das Problem der Stilentwicklung in der neueren Kunst* legte er diese These ausführlicher dar. Wölfflin wollte mit diesen fünf Begriffspaaren die unterschiedlichen »Darstellungsformen« oder »Anschauungsformen« erfassen, in denen im 16. und 17. Jahrhundert die Natur gesehen wurde und in denen die Kunst dieser beiden Jahrhunderte ihre Inhalte zur Darstellung brachte. Denn er hatte sowohl erkannt, daß der Formenentwicklung eine relative Autonomie zukommt (formalästhetische Innovationen nicht lediglich als Ausdruck neuer Inhalte erklärt werden können) als auch, daß alle Kunstproduktion im Rahmen dieser Entwicklung steht. Auch in der Geschichte der Malerei sei

die Wirkung von Bild auf Bild als Stilfaktor viel wichtiger als das, was unmittelbar aus der Naturbeobachtung kommt. Es ist eine dilettantische Vorstellung, daß ein Künstler jemals voraussetzungslos sich der Natur habe gegenüberstellen können. Was er aber als Darstellungsbegriff übernommen hat und wie dieser Begriff in ihm weiter arbeitet, ist von größerer Bedeutung als alles, was er der unmittelbaren Beobachtung entnimmt [...] Naturbeobachtung ist ein leerer Begriff, solange man nicht weiß, unter welchen Formen beobachtet wird (Wölfflin, H., 1923, S. 246).

Walzel glaubte nun, in Wölfflins *Grundbegriffen* die Methode gefunden zu haben, die es auch der Literaturwissenschaft ermöglichte, von der formalästhetischen Analyse, das heißt von der künstlerischen Eigenart der Werke auszugehen, mit denen sie es zu tun hatte. Er versuchte, die Grundbegriffe systematisch auf die Literatur zu übertragen. Dabei konzentrierte er sich auf die Strukturanalyse Shakespearescher Dramen, hatte er sich zum Ziel gesetzt, deren mit der bildenden Kunst des 17. Jahrhunderts übereinstimmenden »barocken« Charakter nachzuweisen. So wandte er die Gegensatzpaare des Vielheitlichen und des Einheitlichen und der absoluten und der relativen Klarheit auf die Analyse der Figurenensembles an – in dem Sinn, daß die Dramatiker des französischen Klassizismus, aber auch Goethe in der *Iphigenie* oder dem *Tasso*, wie die Renaissance-Maler, wenige, mit der gleichen Sorgfalt ausgeführte Figuren annähernd gleichberechtigt agieren lassen, während in Shakespeares Tragödien die Fülle flüchtig gezeichneter Nebenfiguren den Helden nur um so wirkungsvoller heraushebe. Dieser Unterschied ließ sich nach Walzel allerdings auch mit dem Gegensatzpaar des Flächenhaften und des Tiefenhaften erfassen, das darüber hinaus das Maß, in dem die »Umwelt« etwa in Goethes *Werther* oder *Wahlverwandschaften*, verglichen mit einer Renaissance-Erzählung, ins Spiel kommt, bestimmen sollte. Die größte Bedeutung für die Literaturwissenschaft maß Walzel der Polarität von geschlossener und offener Form, von »tektonischer« und »atektonischer« Bauweise zu. Wölfflins Beobachtung, daß die Renaissance-Malerei eine Mittelachse oder mindestens ein volles Gleichgewicht der beiden Bildhälften erkennen läßt, während die Blickrichtung des Barock die Diagonale ist und den Schwerpunkt der Bildkomposition auf eine Seite verlagert, erhellte seiner Auffassung nach auch die unterschiedlichen Bauformen der klassischen französischen und der Shakespeareschen Dramatik. Er fand zum Beispiel, daß Shakespeares *König Lear*, der den Helden in der zweiten Hälfte kaum auf die Bühne bringt, ganz übereinstimme mit einem Barock-Gemälde wie Guido Renis *Büßender Magdalena*, deren Gestalt sich fast ganz in der linken unteren Bildhälfte befindet (Walzel, O., 1924, S. 285-296; Walzel, O., 1926, S. 302-325).

Die praktischen Ergebnisse, zu denen Walzel kam, indem er etwa die Struktur Shakespearescher Dramen mit den Wölfflinschen Darstellungsformen der barocken Malerei zu erfassen versuchte, sind zwar nicht einfach von der Hand zu weisen, haben aber doch – wie Peter Salm sicher mit Recht sagt – eher metaphorischen Wert (Salm, P., 1970, S. 66). Walzels These, daß die für eine Kunst verwendete Begrifflichkeit auch für andere Künste taugen müsse, bestätigen sie nicht. Die auf phänomenologischer Basis entwickelten spezifisch literaturwissenschaftlichen Analyseverfahren haben mit dem ihnen eigenen Begriffsapparat die Struktur kunstliterarischer Texte bislang immer noch präziser gefaßt. Diesem Bemühen mußte aber schon deswegen der Erfolg versagt bleiben, weil Walzel der formalen Struktur literarischer Texte und der Technik literarisch-künstlerischen Formierens ebenfalls kein selbständiges Interesse zubilligte. Der Weg, der zu den heute angewandten Verfahren der Textanalyse führte, war von seinem ästhetisch-philosophischen Standpunkt aus nicht zu beschreiten.

Walzel war, obwohl die russischen Formalisten sich auf ihn beriefen, sowohl ein formalistisches wie ein technologisches Herangehen zutiefst fremd. Er dachte in den Bahnen einer »organischen Ästhetik«, wie er sie aus den bei Goethe und den deutschen Frühromantikern vorgefundenen ästhetischen Anschauungen ableitete, deren Wurzeln er wiederum über Herder und Shaftesbury auf die neuplatonische Kunstauffassung Plotins zurückführte. Dieser »organischen Ästhetik«, mit deren Propagierung er die Hegelsche Tradition der »Gehaltsästhetik« überwinden wollte, galt das »Kunstwerk« als:

ein Organismus von innerer Gesetzlichkeit, der ebenso wie die Organismen der Natur nicht von außen bestimmt, nicht heteronom, sondern autonom ist. Das Kunstwerk kann daher keinem allgemeinen Regelkanon angepaßt werden, der für Kunstwerke gleicher Art oder Gattung ein für allemal aufgestellt wird. Das künstlerische Gesetz, das im Innern eines Kunstwerks waltet, bestimmt das Ganze wie die Teile. Eine wechselseitige Abhängigkeit, eine gegenseitige Bestimmung besteht zwischen dem Ganzen und den Teilen. Wie die einzelnen Teile zu einem einheitlichen Ganzen sich zusammenschließen, so sind auch sie selbst wieder von dem Ganzen bestimmt und abhängig. Beziehungen von gesetzlicher Kraft walten zwischen ihnen und dem Ganzen. Kein Aggregat, sondern eine einheitliche Organisation entsteht auf solche Weise im Kunstwerk. Seine äußere Form ist nicht Zufallssache und nicht das Ergebnis einer willkürlich bestimmbaren Auswahl; vielmehr wird sie von innen aus bestimmt, durch eine Gesetzlichkeit, die dem Ganzen des Kunstwerks entspricht. In der äußeren Gestalt kommt nur eine innere Form zur Erscheinung. Hat der Künstler diese innere Form einmal erfaßt, so ergibt sich ihm die äußere Form als deren notwendige Folge (Walzel, O., 1926, S. 51).

Walzel hat, um sein dieser »organischen Ästhetik« entsprechendes Formverständnis von einem technologischen Formverständnis klar abzugrenzen, den Begriff der Form durch den der Gestalt ersetzt, wie ihn Goethe verwendete: Gestalt (»äußere Form«), aufgefaßt als Erscheinungsbild einer »inneren Form« (wie Herder, Goethe und W. v. Humboldt im Anschluß an Shaftesburys »inward form« das Plotinische »endon eidos« übersetzten). Diese »organische« oder »Gestaltästhetik«, in der ja – wie das angeführte Zitat erkennen läßt – eine Struktur- und Systemauffassung vorgebildet war, bewahrte Walzel vor der Einseitigkeit und den Überspitzungen, die die formalistischen, strukturalistischen und technologischen Kunsttheorien hervortrieben. Sie gab jedoch der Entwicklung des formalästhetischen Denkens (die über diese Extreme ging) keinen genügenden Spielraum, weil sie es keinen Augenblick »bei der Sache« bleiben ließ, sondern ständig auf die »innere Form« ablenkte, deren Begriff die Tendenz hatte, mit dem der »künstlerischen Idee« zusammenzufallen. (Dementsprechend verschwimmen – trotz Walzels definitorischer Anstrengungen – auch die Konturen seines Gestalt-Begriffs: Er geht ständig in »Gehalt« über.).

Aus dieser »organischen« oder »Gestaltästhetik« aber entstand in Deutschland der Begriff des Stils. Seiner Herkunft verdankt er die Eigenschaft, sich an formalen Kriterien – Strukturmerkmalen – des Textes/Werkes festzumachen, von ihnen jedoch auf einen Inhalt überzuleiten, der in seiner formalen Gestaltung als intellektueller, emotionaler und voluntativer Ausdruck einer Künstlerpersönlichkeit zu verstehen ist, der seinerseits die geistige Verfassung einer relevanten Gruppe seiner Zeitgenossen repräsentiert. Erst in dieser *Repräsentationsfunktion* erhält ›Stil‹ eine kategoriale Bedeutung im literatur- und kunstgeschichtlichen Diskurs. Die Geschichte des Begriffs zeigt, daß über ›Stil‹ vor allem immer dann reflektiert wurde, wenn das Individuell-Einmalige, Unwiederholbare und historisch nicht zu Überholende an den Kunsterscheinungen in das Blickfeld der Wissenschaft kam. Stilfragen wurden daher von Anfang an meist verknüpft mit psychologischen Fragen, leiteten zur Kunstpsychologie über, oder sie leiteten sich von ihr ab. Genauer gesagt: Wenn die Reflexion über die formale Struktur von Kunstwerken unter den Begriff des Stils gestellt wurde, dann verlagerte sich der Schwerpunkt des Interesses meist auf die Struktur der Persönlichkeit des Künstlers, auf die spezifische psychische Verfassung des Künstlerindividuums und/oder des Soziums, worin es sich bewegte.

Daß das Interesse am ›Stil‹ in der Vergangenheit gewöhnlich Indikator für ein psychologisches Interesse an den Kunsterscheinungen gewesen ist, besagt natürlich noch lange nicht, daß der Stilbegriff nur in der Überleitung von der formalästhetischen Untersuchung, heute also zum Beispiel von der Strukturanalyse, zur Kunstpsychologie sinnvoll zu verwenden sei. Mit anderen Worten: Der Stilbegriff läßt sich zweifellos auch in einer von der geistesgeschichtlichen vollständig abgelösten Verstehensabsicht entwickeln. Andererseits ist nicht zu bestreiten, daß er eben in dieser Verwendung eine Relation erfaßt, in der jede menschliche Tätigkeit objektiv steht, die aber für die Betätigung der Phantasie, also auch für die Kunstproduktion, besonders signifikant ist.

Die Leistungsfähigkeit des Stilbegriffs an der von der Geistesgeschichte bezeichneten Stelle – in der Überleitung von der Formanalyse zur Kunstpsychologie, genauer: im Schnittpunkt beider Forschungsperspektiven – ist jedoch nicht allein mit Blick auf Oskar Walzel zu beurteilen. Jedenfalls nicht, wenn die psychologische Perspektive auf das Sozium gerichtet wurde, in dem die Kunstkommunikation stattfindet. Das war der Fall bei Aby Warburg und seinen Schülern, die eben aus dieser Perspektive um dieselbe Zeit wie Walzel einen Umgang mit dem Stilbegriff vorführten, der von zahlreichen Kunstwissenschaftlern bis heute gepflogen wird (Warburg, A. M., 1979; vgl. auch Gombrich, E. H., 1970).

Von Warburg konnte man lernen, daß die Konstruktion von Stilen, die eine Kunstart, also zum Beispiel die Malerei, einer ganzen geschichtlichen Periode charakterisieren sollen, selbst für das vorindustrielle Zeitalter nur als eine sehr oberflächliche Orientierung dienen kann, die nicht sehr nahe an die Kunst heranführt. Dominanzen, das zeitweilige Vorherrschen bestimmter künstlerischer Normen und Modelle werden nicht geleugnet. Aber gerade aus der Perspektive der Sozialpsychologie kann man mit solchen homogenisierenden Konstruktionen wenig anfangen. Der geistesgeschichtliche Schematismus, dem sie entstammen, erscheint nur mehr als Pendant zu einer schematischen Kunstsoziologie, seitdem Warburg an der Florentiner Malerei des Quattrocento gezeigt hat, wie dieselbe soziale Gruppe/Schicht zur gleichen Zeit offensichtlich mit den Werken zweier Maler sich identifizierte, deren künstlerische Formierungsweisen so weit differieren, daß man sie traditionell verschiedenen »Stilepochen« zuordnete (Warburg, A. M., 1902 u. 1907; vgl. auch Olbrich, H., 1984).

Die Chancen für den Einsatz des Stilbegriffs werden von Kunsthistorikern, die sich auf Warburg berufen, also darin gesehen, daß man den Begriff – im Unterschied zu den Ambitionen der Geistesgeschichte – auf jener mittleren Abstraktionshöhe konstruiert, von der aus die Vielfalt der wirklichen Erscheinungen sich nicht dem Blick entzieht, so daß nur noch etwas »Vorherrschendes« sichtbar bleibt, – auf jener mittleren Abstraktionshöhe also, die es aber doch ermöglicht, innerhalb der Vielfalt der Erscheinungen Gruppierungen, Tendenzen, Strömungen auszumachen. Für das Periodisierungsproblem der Literatur-(Kunst-) geschichte hat ein solcher Stilbegriff natürlich keine Lösung (vgl. Schmoll, J. A., 1970, S. 77-95). Aber Warburg hat ja auch nachzuweisen versucht, daß eine stilgeschichtliche Periodisierung jedenfalls der modernen Kunst nicht zu rechtfertigen ist. Stattdessen sollte ein so konstruierter Begriff, in dem er die »Gleichzeitigkeit des Ungleichzeitigen«, das jeweilige Nebeneinander und Gegeneinander unterschiedlicher Normen und Modelle vorstellte, der Kunstgeschichtsschreibung zu einer differenzierteren Darstellung der Brüche, Verwerfungen, Transformationen und Übergänge verhelfen, die eine geschichtliche Reihe aufeinanderfolgender Werke in den ihnen zugrundeliegenden Normen, in den in ihnen verkörperten künstlerischen Formierungsprinzipien erfährt.

Im Gegensatz zur Warburg-Schule hat Walzel mit der Idee der »wechselseitigen Erhellung der Künste« seinen stiltypologischen Ansatz letzten Endes zur Geistesgeschichte zurückgelenkt. Den ersten Begründungsversuch für dieses Verfahren machte Walzel 1917 in seiner Schrift *Wechselseitige Erhellung der Künste*. Man muß Salm zustimmen, daß die darin vorgebrachten Argumente für die Übernahme der Wölfflinschen Terminologie nicht überzeugen (vgl. Salm, P., 1970, S. 61). Schon der Titel dieser Schrift bringt jedoch ein Anliegen zum Ausdruck, formuliert ein Programm, das weit über die Rechtfertigung der Begriffsübertragung hinausgeht. Und man wird annehmen dürfen, daß letzten Endes die Idee der »wechselseitigen Erhellung der Künste« und nicht die verwendete Terminologie für Walzel das Wesentliche war. Walzels Idee basierte auf der Überzeugung, daß die Produktionen der verschiedenen Künste, soweit sie von demselben »Zeitgeist« inspiriert, einer ähnlichen Geisteshaltung ihrer Urheber entsprungen waren, sich auch auf ein einheitliches Formprinzip zurückführen lassen müßten. Walzel berief sich dabei auf immer wieder beobachtete strukturelle Analogien in den verschiedenen Künsten. Er wußte natürlich sehr genau über die Versuche Bescheid, die seit der Antike unternommen worden waren, die Künste zueinander in Beziehung zu setzen und insbesondere die Poesie mit den Begriffen für die bildende Kunst zu beschreiben. Er konnte sich auf die romantische Idee der Synästhesie berufen, und er mußte sich mit der bis zu Lessings *Laokoon* zurückreichenden Kritik an diesem Verfahren auseinandersetzen, die zu seiner Zeit vor allem von den Psychologen geübt wurde. Salm erinnert daran, daß Walzels Schrift in einem Diskussionszusammenhang stand, in dem namentlich von Wundt und seiner Leipziger Schule Begriffsübertragungen wie etwa die Transposition des Rhythmus-Begriffs auf die bildende Kunst als unwissenschaftlich abgelehnt wurden. Walzels Argumente für die wechselseitige Erhellung der Künste halten alle schon den kunstpsychologischen Einwänden Wundts und Meumanns nicht stand (Salm, P., 1970, S. 55-56; vgl. Meumann, E., 1984, S. 260). Sicher wäre es falsch, Walzel zu unterstellen, daß er die »wechselseitige Erhellung« gar nicht mit dem Ziel betrieben habe, auch zu tieferen Einsichten in die Struktur kunstliterarischer Texte zu gelangen. Richtig aber ist, daß sein Interesse an weitgespannten historischen Synthesen, an der Zusammenführung von Literatur- und Philosophiegeschichte, von Literaturgeschichte und Geschichte der bildenden Kunst diesem Ziel übergeordnet war. Eben deswegen wurde der Begriff der »wechselseitigen Erhellung« zum Synonym für jene Totalisation sämtlicher Erscheinungen des geistig-kulturellen Lebens einer Zeit in einem »Epochenstil«, die Benjamin als »geilen Drang aufs Große Ganze« ironisiert hat.

Die Erfolglosigkeit von Walzels Bemühen um formalästhetische Kriterien und damit überhaupt die Unfähigkeit einer auf »organische« Ästhetik gegründeten Literaturwissenschaft, formalästhetische Kriterien zu extrapolieren, die einen praktikablen Begriff literarischen Stils konstituieren könnten, erweist sich zuletzt an den von ihm abgegebenen Werturteilen. Der Kunstcharakter, die Poetizität eines Textes, auf die es ihm ankam, wird schließlich doch wieder der Wertung vorausgesetzt. Die für die Wertung selbst angebotenen Kriterien liegen eindeutig auf der Ebene des »Gehalts« und lassen sich letzten Endes auf die einfache Devise zurückführen: Das »große Kunstwerk« ist echter Ausdruck seiner Zeit, »es ist ihr höchster Ausdruck« (Walzel, O., 1924, S. 133). Walzel setzt also – im Einklang mit der gesamten Geistesgeschichte – als höchsten Maßstab der Kunst einen »Zeitgeist« ein, den er praktisch vor allem aus den »großen Kunstwerken« zu rekonstruieren versuchte. Dem von ihm mit aller Entschiedenheit bekämpften Wertrelativismus konnte er damit nicht völlig entgehen, weil alle Kunstprodukte, die den »höchsten Ausdruck« ihrer jeweiligen Epoche darstellten, als untereinander gleichwertig angenommen werden mußten. Abstufungen waren nur im Rahmen der einzelnen Nationalliteraturen möglich, indem durch deren Vergleich festgestellt werden konnte, daß zum Beispiel auch die hervorragendsten Leistungen der deutschen Literatur des 17. Jahrhunderts nicht an Shakespeare heranreichten. Mit der Einsetzung des »Zeitgeists« als höchstes Wertkriterium kehrt Walzel zu der geistesgeschichtlichen Grundrichtung seiner Arbeit zurück, wie er sie in dem frühen Aufsatz über »Analytische und synthetische Literaturforschung« (1910) angegeben hatte. Die Problematik des gesamten geistesgeschichtlichen Synthetisierens, die sich im Begriff des »Zeitgeists« niederschlägt, erweist sich damit auch als die Grundproblematik von Walzels Konzeption der Literaturgeschichte.

Literatur

Benjamin, W. (1926) (1972), »Oskar Walzel. Das Wortkunstwerk. Mittel seiner Erforschung«. Leipzig. In: ders. (1972), *Gesammelte Schriften. Bd. 3: Kritiken und Rezensionen*. Frankfurt/Main.

Gombrich, E. H. (1970), *Aby Warburg. An Intellectual Biography*. London. Deutsch: *Aby Warburg. Eine intellektuelle Biographie*. Frankfurt/Main 1981.

Meumann, E. (1894), »Untersuchungen zur Psychologie und Ästhetik des Rhythmus«. In: *Philosophische Studien* 10 (1894), S. 249-322.

Möbius, F. (Hg.) (1984), *Stil und Gesellschaft. Ein Problemaufriß*. Dresden.

Olbrich, H. (1984), »Gotik im Quattrocento oder: Der ausgebliebene Dialog zwischen Frederick Antal und Aby Warburg«. In: Möbius, F. (Hg.), *Stil und Gesellschaft. Ein Problemaufriß*. Dresden. S. 199-225.

Salm, P. (1970), *Drei Richtungen der Literaturwissenschaft. Scherer – Walzel – Staiger*. Aus dem Englischen übertragen von Marlene Lohner. Tübingen.

Schmoll, gen. Eisenwerth, J. A. (1970), »Stilpluralismus statt Einheitszwang – Zur Kritik der Stilepochen-Kunstgeschichte«. In: *Argo. Festschrift für Kurt Badt*. Köln. S. 77-95.

Walzel, O. (1910), »Analytische und synthetische Literaturforschung«. In: *Germanisch-Romanische Monatsschrift* 2. S. 257-274, 321-341. Wiederabgedruckt in: ders. (1926), *Das Wortkunstwerk. Mittel seiner Erforschung*. Leipzig. S. 3-35.

Walzel, O. (1917), *Wechselseitige Erhellung der Künste. Ein Beitrag zur Würdigung kunstgeschichtlicher Grundbegriffe (Vorträge der Kant-Gesellschaft* 15). Berlin.

Walzel, O. (1924), *Gehalt und Gestalt im Kunstwerk des Dichters*. Berlin.

Walzel, O. (1926), *Das Wortkunstwerk. Mittel zu seiner Erforschung*. Leipzig.

Warburg, A. M. (1979), *Ausgewählte Schriften und Würdigungen*. Hg. v. D. Wuttke in Verbindung mit C. G. Heise. Baden-Baden.

Warburg, A. M. (1902), »Bildniskunst und florentinisches Bürgertum«. In: ders. (1979), *Ausgewählte Schriften und Würdigungen*. Baden-Baden. S. 65-102.

Warburg, A. M. (1907), »Francesco Sassettis letztwillige Verfügung«. In: ders. (1979), *Ausgewählte Schriften und Würdigungen*. Baden-Baden. S. 137-164.

Wölfflin, H. ([6]1923), *Kunstgeschichtliche Grundbegriffe. Das Problem der Stilentwicklung in der neueren Kunst*. München.

Worringer, W. (1908), *Abstraktion und Einfühlung*. München.

Hans-Jörg Neuschäfer
Über das Konzept des Stils
bei Leo Spitzer

»Es ist unmöglich, von Leo Spitzer nicht gefesselt zu sein«, möchte man, in Abwandlung des Werbespruchs über einen bekannten Kriminalautor, auch fünfundzwanzig Jahre nach dem Tod des großen Gelehrten sagen. In der Tat sind Spitzers Textinterpretationen noch immer spannend zu lesen, und der Vergleich mit der Kriminalistik ist gar nicht weit hergeholt, bestand das Wesen seiner Methode doch darin, aus scheinbar absichtslos hinterlassenen Spuren auf die ›Handschrift‹ des Urhebers zu schließen. Wie eng die kultursemiotische und die kriminalistische Spurensicherung miteinander verwandt sind, hat Umberto Eco mit *Der Name der Rose* inzwischen ja auch einem größeren Publikum vor Augen geführt.

Der Reiz, der noch immer von Spitzers Schriften ausgeht, liegt aber nicht allein in der Methode, aus äußeren Anzeichen innere Zusammenhänge zu erschließen, sondern auch in dem ihm eigenen Diskurs: Spitzer hat nicht nur zeitlebens über Fragen des Stils gearbeitet; er hat – was in der Philologie selten geworden ist – auch einen originellen Stil praktiziert. Daß er dem Leser seinen Gedankengang offenlegt, daß er ihn auch an Zweifeln und Unzulänglichkeiten teilnehmen läßt, wobei er die Selbstreflexion bis in die Anmerkungen und bis in Anmerkungen zu den Anmerkungen weiterführt; daß sein Schreiben stets ein Element direkter Kommunikation enthält (sei es in Form der Ansprache an den Leser, den er an seinen Erfahrungen teilnehmen läßt, sei es in Form der Auseinandersetzung mit einem Kontrahenten); daß Spitzer auch über die Gefühle spricht, die der Text in ihm hervorruft; ja daß er ein ausgesprochen sinnliches, manchmal ein erotisches Verhältnis zu seinem Gegenstand hat (man denke etwa an den Beginn seiner Diderot-Interpretation (1969, S. 144 ff.)): dies alles wirkt auf den Leser von 1985, der durch den strukturalistischen und poststrukturalistischen Szientismus *sinnlich* ganz sicher nicht angeregt wurde, wie eine Befreiung. Und so wird man heute auch den Satz (wieder) unterschreiben können, den

Spitzer am Ende des Einleitungskapitels zu den *Romanischen Stil- und Literaturstudien* 1931 geschrieben hat, wohlbemerkt in einer jener Anmerkungen, in denen so oft das Persönliche von ihm verborgen ist:

Wenn eine wissenschaftliche Betrachtungsweise sich so weit von der ›naiven‹ entfernt hat, wird es wohl erlaubt sein, das Steuer herumzureißen und an die ›naive‹ Betrachtungsweise des Phänomens auch die wissenschaftliche anzunähern (1931, Bd. 1, S. 31).

Das Steuer, das er einst tatsächlich mitgeholfen hatte ›herumzureißen‹, und zwar schon seit seinen 1918 erschienenen *Aufsätzen zur romanischen Syntax und Stilistik*, lief damals bekanntlich im Kurs des Positivismus, der in der Sprachentwicklung lediglich das Wirken der physikalischen Lautgesetze anerkannte, und der Geistesgeschichte, die den literarischen Text nur als einen Reflex vorgegebener gedanklicher Strukturen gelten ließ. Spitzer war es, der in der Nachfolge von Croce und Vossler die relative Eigenständigkeit des literarischen Textes nicht nur behauptete, sondern auch in zahlreichen Einzelstudien immer wieder nachwies. Da die Autonomie der Literatur nur zu begründen war, wenn man sie einer besonderen Leistung des Sprachstils zuschrieb, wurde Spitzer geradezu mit Notwendigkeit auf den Weg einer Zusammenarbeit von Sprach- und Literaturwissenschaft geführt, die sich vor ihm (und leider auch wieder danach) auseinanderzuentwickeln drohten.

Wenn man sich nach diesen wenigen Bemerkungen zu Spitzers historischer und aktueller Bedeutung (siehe dazu des weiteren Klotz, V., 1964, S. 992-1000) die Frage stellt, welches denn nun eigentlich der theoretische Rahmen ist, in dem seine Stilkonzeption steht, kommt man allerdings in einige Verlegenheit. Denn so hinreißend die Spitzersche Interpretationspraxis oft ist, so unbestimmt bleiben doch auch die Konzepte, die ihr zugrundeliegen. Bekanntlich hat Spitzer sich nie theoretisch darüber geäußert, wie er sich die Funktion des Stils und darüber hinaus des literarischen Textes oder der Literatur überhaupt vorstellte. Die Schwierigkeit einer Konzeptualisierung wird dadurch noch größer, daß er immer nur Einzeltexte, nie Textreihen oder Textsysteme untersucht und sich auch explizit geweigert hat, Funktionen literarischer Texte unter irgendwelche Gesetzmäßigkeiten zu stellen oder sie gar auf außerliterarische Ursachen zurückzuführen.

Wenn es überhaupt eine allgemeine Aussage Spitzers über die Literatur gibt, so ist es gerade die, daß sie sich einer generalisierenden Beschreibung entzieht bzw. daß jeder Einzeltext seine eigene Gesetzmäßigkeit hat. Gleichwohl lassen sich aus der Praxis seiner *explication de texte* gewisse Grundprinzipien erschließen, die für Spitzers Arbeit bestimmend gewesen sind. Zwei dieser Grundprinzipien möchte ich im folgenden umreißen.

Zum einen ist es für Spitzer, wie übrigens für die ganze werkimmanente Richtung, charakteristisch, daß er zwar nomothetische Abstinenz übt, sobald mehr als der individuelle Einzeltext in Frage steht, daß er dem Einzeltext selbst aber alle Merkmale eines perfekt organisierten und in sich geschlossenen Systems zuerkennt. Nur weil stillschweigend vorausgesetzt wird, daß im literarischen Text eine prästabilierte Harmonie zwischen Innen und Außen, zwischen den Teilen und dem Ganzen und zwischen Materie und Geist herrscht, kann die Spitzersche Methode überhaupt greifen und sich darauf verlassen, daß beim scheinbar unbefangenen ›Drauflosslesen‹ sogleich die relevanten Details auffallen, die nichts anderes als die äußeren Zeichen eines inneren Sinns sind. Es bedarf dann nur noch der Anwendung des hermeneutischen Zirkels, der »Hin- und Rückreise von bestimmten äußeren Einzelheiten zum inneren Zentrum und wieder zurück« (Spitzer, L., 1969, S. 25), um der vollkommenen Harmonie einer selbstgenügsamen Schöpfung ansichtig zu werden.

Dahinter steht natürlich – wiederum unausgesprochen – eine quasi religiöse Auffassung von Literatur, bei der die Kontemplation des ›Kunstwerks‹ an die Stelle der Verehrung der Gottesschöpfung getreten ist. Spitzer selbst macht auf die Geburt der Philologie aus dem Geist der Theologie aufmerksam:

Der Philologe muß an das Vorhandensein eines Lichts von oben glauben, an einen *post nubile Phoebus*. Wenn er nicht wüßte, daß ihn am Ende seiner Reise der lebensspendende Trank aus einer *dive bouteille* erwartet, hätte er diese Reise nicht begonnen. ›Tu ne me chercherais pas si tu ne m'avais pas déjà trouvé«, sagt Pascals Gott. Demnach ist die Denkweise des Geisteswissenschaftlers trotz der Unterschiede in der Methode vom Denken des Theologen nicht so weit entfernt, wie man oft annimmt. Es ist kein Zufall, daß der hermeneutische Zirkel von einem Theologen entdeckt worden ist, der es gewohnt war, das Widerstrebende zu harmonisieren und die Schönheit Gottes in dieser Welt aufzuspüren (Spitzer, L., 1969, S. 29).

Von daher erklärt sich dann auch Spitzers erotisches Verhältnis zu den Texten teilweise als ein mystisches: die »Andacht zum Text (²1961, S. XI), die »Hingabe« an ihn, die »inneren Erleuchtungen« (1969, S. 33) des sinnsuchenden Interpreten, der seiner Intuition mehr vertrauen muß als seinem Verstand und der sich damit abzufinden hat, daß seine Einsichten »nicht einer streng rationalen Betrachtung unterzogen« werden können (1969, S. 31) – dies alles deutet darauf hin, daß Spitzer im literarischen Text Form und Inhalt, Geist und Sinne zu einer höheren Einheit verschmolzen sieht, als dies im Leben je der Fall sein kann.

Insofern ist der literarische Text bei Spitzer also ein in sich geschlossenes System, das in erster Linie auf sich selbst und nicht auf etwas Äußeres (Geschichte, Lebensumstände, gesellschaftliche Bedingungen) verweist und das seinen Sinn mehr aus sich selbst generiert, als daß es äußere Anstöße und Vorgaben verarbeitet. Aus dieser Text-Autonomie, ja -Souveränität ergibt sich eine weitgehende Losgelöstheit der Literatur von der Geschichte. Dies ist zugleich der Punkt, in dem Spitzer sich am stärksten von Auerbach unterscheidet, der eine ähnliche Methode der Stilanalyse – ein Textausschnitt wird zum Paradigma des Textganzen – in den Rahmen einer historischen Theorie stellte. Zwar ist nach Spitzer jeder Text vom anderen verschieden und hat sein eigenes Profil. Aber diese Eigenheit ist nicht in erster Linie historisch bedingt, sondern eine Folge des künstlerischen Temperaments. Jeder Text steht insofern ›gleich unmittelbar zu Gott‹ und ist, je für sich, ein Zeichen für die unendliche Vielfalt des schöpferischen Genies, das sich in den einzelnen Werken der großen Autoren immer wieder neu aktualisiert. Nur wenn man eine solche überhistorische und – fast möchte man auch sagen – pantheistische Vision der Literatur zugrundelegt, kann man verstehen, warum Spitzer immer wieder fordern konnte, daß man sich von allem historischen Vorwissen freizuhalten habe, wenn man einen Text wirklich ›rein‹ erleben wolle. Und erst wenn man diese – wie gesagt, unausgesprochenen – literaturtheoretischen Voraussetzungen rekonstruiert hat (ich habe dies vor allem mit Hilfe der Eröffnungsaufsätze aus den *Romanischen Stil- und Literaturstudien* und aus *Linguistics and Literary History* getan (Spitzer, L., 1931 und 1948), kann man auch eine erste Folgerung im Hinblick auf das ziehen, was Spitzer unter *Stil* versteht. Stil wäre dann zu definieren als die bei jedem Text neu zu erfahrende

Einheit von Ausdruck und Sinn, genauer gesagt: als die *unverwechselbare* Einheit von Ausdruck und Sinn. Dabei bleibt offen, ob mit Stil mehr die sprachliche *Form* des Ausdrucks gemeint ist, oder aber das *Verfahren*, mit der die Ausdrucksformen zum Sinnganzen verflochten werden.

Dies ist aber erst die eine Seite von Spitzers Literatur- und Stilkonzeption. Die andere stimmt damit nicht unbedingt überein, hat zumindest eine andere Perspektive. Das hängt zum einen damit zusammen, daß Spitzer sich nie hat festlegen lassen, auch nicht durch sich selbst. Diese Ungezwungenheit bewahrt ihn nicht nur vorm kunstreligiösen Dogmatismus eines Emil Staiger, sondern auch vor der formalistischen Überspanntheit des New Criticism. »Ich bin leider nicht fanatisch veranlagt, ich bin eher eklektisch, was mir viele Vorwürfe zuzog« (1961, S. 6) – erklärte er zu Beginn seiner Heidelberger Vorlesung von 1958, die ich selbst als Student gehört habe. So hat er zum Teil ganz bewußt, und am Ende seines Lebens stärker als am Anfang, die textimmanente Betrachtungsweise durch eine historische ergänzt, wenn damit der Einzeltext – der allerdings stets sein Bezugspunkt blieb – besser erklärt werden konnte. Zum anderen kommt bei all seinen Einzelinterpretationen historisches und systematisches Wissen aber auch unwillkürlich zum Zuge, einfach deshalb, weil Spitzer seine außerordentliche Belesenheit und seine Vertrautheit mit der literarischen und geistesgeschichtlichen Tradition nicht einfach ›verdrängen‹ konnte. Wie stark seine angeblich so voraussetzungslosen Texterklärungen in Wahrheit von Anfang an durch das Vorwissen über bestehende sprachliche Normen und literarische Systeme geprägt sind, beweist schon die immer wieder beschworene Erfahrung, er habe beim »Draufloslesen« zunächst auf »Auffälligkeiten« und »Abweichungen« geachtet, denn die seien die Wegweiser, die ins Innere des Textes, das heißt zu seiner stilistischen Eigenart führten. Wie aber können Abweichungen überhaupt auffallen, wenn man nicht weiß, was die Norm ist? Spitzer wußte es, und seine Interpretationen sind nicht zuletzt deshalb so faszinierend, weil er die Eigenart des Textes stets auch im Widerspruch und in der Spannung zwischen Norm und Abweichung suchte. Dabei gehört zur Norm natürlich nicht nur das, was die Konventionen zu einem gegebenen Zeitpunkt vorschreiben, sondern auch das, was der Autor an Überliefertem vorfindet und in seinem Text verarbeitet.

Ich greife zwei Beispiele aus Spitzers Studien heraus. In dem Aufsatz »Die klassische Dämpfung in Racines Stil« (Spitzer, L., 1931, Bd. 1, S. 135 ff.) wird *einerseits* die Formelhaftigkeit, die Unpersönlichkeit und die »Verstandeskühle« der Racineschen Sprache beschrieben, eben jene Unterdrückung der Gefühle, durch die sie dem herrschenden Gebrauch sich fügt. *Andererseits* aber wird gezeigt, daß gerade die ›Dämpfung‹ die anarchischen Passionen überhaupt erst richtig zur Geltung bringt: Gerade *weil* ein sprachlicher Damm gegen sie errichtet werden muß, kann man ermessen, wie weit der Rationalismus durch die Flut der Gefühle bereits unterspült ist. Hier ist die neuere Einsicht, daß bei Racine das klassische Paradigma der Affektenlehre ›im Begriff ist‹, von einem neuen abgelöst zu werden (siehe Neuschäfer, H.J., 1984), zwar noch nicht historisch begründet, aber als Stileigentümlichkeit im Spannungsfeld zwischen Norm und Abweichung schon aufgespürt.

Oder: In dem Aufsatz »Sprachlicher Perspektivismus im Don Quijote« (1969, S. 54 ff.) beschreibt Spitzer zunächst Cervantes' auffallende Vorliebe für das gerade in Spanien traditionelle Spiel mit Namensetymologien, durch das flüchtige Erscheinungen auf ihr eindeutiges Wesen zurückgeführt werden sollten. Daran anschließend zeigt er aber, wie just dieses Spiel vom Autor umfunktioniert und in den Dienst einer neuen Vieldeutigkeit gestellt wird, aus der nur noch die Moral ausgenommen ist. Und diese Vieldeutigkeit ist dann Bestandteil jenes erzählerischen Perspektivismus, der für den Roman nach Cervantes seinerseits wieder normgebend geworden ist.

Hier wird nun ein zweites Konzept von Stil greifbar, das sich zu dem vorher herausgearbeiteten in etwa wie die Dynamik zur Statik verhält. Stil wäre nach Spitzer demnach *auch* zu verstehen als Vermittlung zwischen Norm und Abweichung, wobei die durch den Stil herbeigeführte Kompromißbildung selbst wieder normgebend werden kann. In dieser Hinsicht ist der Stil jedenfalls nicht mehr nur *Ausdruck* eines Sinns, sondern in erster Linie ein *Verfahren*, das den Sinn überhaupt erst ermöglicht. Dabei fällt auch eine gewisse Nähe zu Freud auf, der in der *Traumdeutung* die Kompromißbildung zwischen gesellschaftlicher Norm und individueller Wunschabweichung als die eigentliche ›Arbeit‹ des Traumes bezeichnet (Freud, S., 1972, Bd. 2, S. 141 ff., S. 280 ff.). Der ›Stil‹ in der Literatur hätte demnach eine ähnliche Funktion wie sie die ›Traumarbeit‹ hat, nämlich die, die verschwiegensten Gedanken so zu verschleiern und zu verschlüsseln, daß sie sich in der Öffentlichkeit sehen lassen können.

Zweifellos eröffnet dieser zweite Ansatz die Möglichkeit, Spitzers Stilistik auch in eine mentalitäts- und sozialgeschichtliche Perspektive zu stellen. Man muß sich aber darüber im klaren sein, daß Spitzer selbst einer solchen Möglichkeit bis an sein Lebensende skeptisch gegenüberstand. Das zeigen gerade die späten Aufsätze über amerikanische Werbung (1949) und über Lope de Vegas *Fuenteovejuna* (1955) (Spitzer, L., 1949, 1966, S. 79 ff.). In beiden Fällen haben außerliterarische Anlässe unmittelbar auf die Machart des jeweiligen Textes eingewirkt: Im Fall der Reklame das Verkaufsinteresse; im Fall des Lope-Dramas die populistische Absolutismus-Propaganda des Madrider Hofes (Spitzer, L., 1959, S. 760 ff.; siehe meine Kritik in Neuschäfer, H. J., 1973, S. 338). In beiden Fällen hat Leo Spitzer seine Interpretation aber gerade so angelegt, daß sie den Text weitgehend entaktualisiert. Hier lag wohl die eigentliche Grenze seines Literaturverständnisses: mit dem Alltag, mit seinen Sorgen und Hoffnungen, mit seinen unvermittelten Widersprüchen durfte die Literatur nichts zu tun haben. Vor ihm war sie in Schutz zu nehmen; gegen ihn war sie abzuschirmen. Nur solche Einflüsse durften in Betracht gezogen und literarischer Verarbeitung für würdig befunden werden, die ihrerseits wieder literaturgeschichtlicher oder geistesgeschichtlicher Provenienz waren. Deshalb hat selbst die Erklärung einer Apfelsinensaftreklame für Spitzer erst dann ihre Aufgabe erfüllt, wenn dem Public-Relations-Mann nachgewiesen ist, daß auch er noch biblische Motive verwendet und auf die Wirkungsweise antiker Mythen vertraut.

Literatur

Freud, S. (1972), *Die Traumdeutung*. Studienausgabe. Bd. 2. Frankfurt/ Main.

Klotz, V. (1964), »Leo Spitzers Stilanalysen«. In: *Sprache im technischen Zeitalter*. S. 992-1000.

Neuschäfer, H. J. (1973), »Lope de Vega und der Vulgo«. In: *Spanische Literatur im Goldenen Zeitalter. Festschrift für Fritz Schalk*. Frankfurt. S. 338-356.

Neuschäfer, H. J. (1984), »Revendications des sens et limites de la morale. Le paradigme anthropologique de la doctrine des passions et sa crise dans le drame classique espagnol et français«. In: *Estudios de literatura española y francesa. Homenaje a Horst Baader.* Hg. von F. Gewecke. Frankfurt.

Spitzer, L. (1918), *Aufsätze zur romanischen Syntax und Stilistik.* Halle.

Spitzer, L. (1931), *Romanische Stil- und Literaturstudien.* 2 Bde. Marburg.

Spitzer, L. (1948), *Linguistics and Literary History.* Princeton.

Spitzer, L. (1961), *Interpretationen zur Geschichte der französischen Lyrik.* Heidelberg.

Spitzer, L. (²1961), *Stilstudien.* 2 Bde. München.

Spitzer, L. (1949) (1966), *A Method of Interpreting Literature.* Northampton. Deutsch: *Eine Methode Literatur zu interpretieren.* München.

Spitzer, L. (1969), *Texterklärungen. Aufsätze zur europäischen Literatur.* München.

Luiz Costa Lima
Historie und metahistorische Kategorien bei Erich Auerbach

> *Wir müssen, unter veränderten Umständen, zurückkehren zu dem, was die vornationale mittelalterliche Bildung schon besaß: zu der Erkenntnis, daß der Geist nicht national ist.*
> (Erich Auerbach)

In diesem Aufsatz soll es um die Grundlagen von Auerbachs Literaturbegriff gehen. Obwohl *Mimesis* der Titel von Auerbachs erfolgreichstem Buch war, galt sein Hauptinteresse – wie wir sehen werden – *nicht* dem Mimesis-Problem. Auch wenn man Auerbach gewöhnlich in eine Linie mit *Stilforschern* wie Vossler und Spitzer (aber auch mit Curtius) setzt, das Stilproblem beschäftigte ihn eigentlich wenig. Begriffe wie ›Mimesis‹ oder ›Stil‹ waren für ihn Instrumente, um zu erforschen, wie Autoren durch ihr Schreiben an der Geschichte teilhatten, genauer: sie ermöglichten es ihm zu verstehen, wie Individuen zur Erhaltung und zugleich zur beständigen Umformung der literarischen Tradition beitrugen. Wenn man sehen will, welche Bedeutung diese Konzepte nun tatsächlich für Auerbach hatten, dann muß man seine Texte neu lesen und analysieren. Wir schlagen vor, das ausgehend von Vicos Einfluß auf Auerbachs Denken zu tun.

Vicos Lehre ex negativo

Vico war einer der ersten Philosophen, die den jungen Berliner Auerbach wirklich begeisterten. 1924 übersetzte er *La Scienza nuova*, und seitdem waren Vicos Reflexionen ein beständiger Gegenstand seiner Arbeiten. Aber bevor wir uns mit der Frage nach der Affinität von Vicos und Auerbachs Denken beschäftigen, sollten wir an ganz manifeste Unterschiede erinnern. Auerbachs und Vicos Umgang mit der Sprache weist nämlich ganz erhebliche Unterschiede auf. Bei der Vico-Lektüre merkt man schnell, daß dieser oft mehrere Fragen zugleich verfolgte, – und tatsächlich brachte ihm seine Leidenschaft für solche Simultanität viele Niederlagen ein. Oft war sein Argumentieren allzu dicht, manchmal füllte er es mit eigenwilligen, ja sogar absurden Beweisen an (so zum Beispiel bei seiner Analyse der Gottes-Namen und ihrer Ableitungen). Darüber hinaus verwendete er oft ein und dasselbe Wort im alltagssprachlichen und im philosophisch-speziellen Sinn, und so erklärt sich der Eindruck, daß er in die Fallen seiner eigenen Syntax geriet. Nicht selten wird sein Diskurs opak, weist dunkle Stellen auf, deren Lektüre auf den guten Willen des Vico-Forschers angewiesen ist. So gelangt man zu dem Eindruck, daß Vico auf der einen Seite seiner Zeit unendlich voraus war (was aber eigentlich erst in der zweiten Hälfte des vergangenen Jahrhunderts gesehen wurde); daß aber auf der anderen Seite Vicos Umgang mit der Sprache sein Denken geradezu behinderte.

Sollte man also vermuten, daß gerade dieser eigenartige Sprachgebrauch Anlaß zu der ersten Lehre gab, die Auerbach aus Vicos Schriften zog? Es geht mir beileibe nicht darum, den Gedanken durch das eine oder andere Zitat zu stützen. Man kann jedenfalls, so glaube ich, zeigen, daß dies kein absurder Gedanke ist. Vor 1924 hatte Auerbach einige Gedichte von Dante und Petrarca übersetzt. Und zwischen der wohlreflektierten und konstruierten Sprache dieser Dichter und Vicos unausgewogener Ausdrucksweise besteht nun wirklich ein auffälliger Kontrast. Ich halte es für ein Symptom von Auerbachs intellektueller Flexibilität, daß er imstande war, die je besonderen Verdienste jener drei Italiener – aber auch die besonderen Grenzen ihres Denkens – zu erfassen. Jedenfalls entfaltet sich Auerbachs Stil – ganz anders als der Stil Vicos – in beherrschter Leidenschaftlichkeit; ich sage ›beherrscht‹, weil Auerbachs Prosa einer Strategie folgt und deshalb in Distanz zu Stil-Individualität steht. Auerbachs beherrschte Leidenschaftlichkeit ist eine beständige Leidenschaftlichkeit, aber sie kann auch ironisch werden und bis zur Selbstironie gehen. Er setzt sich in Distanz zu ihr, aber er geht doch nie soweit, sich selbst, seinen Standpunkt und seine Argumente zu verbergen.

Wir wollen deshalb behaupten, daß Vicos Schriften für Auerbachs Geschichtskonstruktion zunächst so etwas wie eine ›Lehre ex negativo‹ abgaben: denn zum Angriff auf die Geradlinigkeit cartesianischen Denkens und die Faktenbesessenheit der positivistischen Philologen reichte es nicht, einfach Ideen zu haben oder weitreichende Beobachtungen zu machen. Es war für Auerbach darüber hinaus nötig zu lernen, wie man seine eigene Leidenschaft unter sprachliche Kontrolle nehmen konnte. Was die Dichter sagen – nämlich daß ein Gedicht nicht mit Gedanken, sondern mit Worten gemacht wird –, das gilt wohl für jeden Text, der auf *Poiesis*, auf schöpferische Spannung also, zielt. Wir wollen aber auch gleich festhalten, daß daraus für Auerbach nicht etwa der Schluß folgte, der Text des Literaturwissenschaftlers müsse dem Kunstwerk gleich werden, obwohl man ihm gerade diese Meinung unterschoben hat: »... mit dem sicheren Gefühl eines Künstlers verfügt Auerbach über seine Materialien, und auch seine Beobachtungen, seine persönliche Vorstellungswelt sind differenziert und reich wie die der Künstler. Dennoch kann ein wissenschaftliches Werk niemals wirklich ein Kunstwerk sein« (Wellek, R., 1954, S. 305).

Nur ein falsches Verständnis von Wissenschaft kann zur Verwischung des Unterschieds zwischen *Poiesis* und Poesie führen. Aber diese Wissenschaftskonzeption ist heute so weit verbreitet, daß jeder Wissenschaftler, der eine Arbeit nicht mit dem Ritual der Definition seiner zentralen Termini beginnt, Gefahr läuft, einer Verwechslung der Anforderungen einer gelehrten Abhandlung und eines Kunstwerks bezichtigt zu werden. Das genau taten die ersten Rezensenten von *Mimesis*. Eigentlich sind wir erst in den letzten Jahren auf jene Probleme gestoßen, um die es Auerbach ging; doch es wäre wahrhaft absurd, darin ein Symptom für substantielle Fortschritte der Literaturwissenschaft zu sehen. Es ist wohl einfach so, daß sich die heute vorherrschenden Problemlagen als *passender* erweisen. So warf etwa René Wellek in den fünfziger Jahren – ausgehend von dem Paradigma einer absoluten Trennung zwischen wissenschaftlichem und poetischem Schreiben – Auerbach vor, daß er über die Grenzen der Wissenschaft hinausgegangen sei. Hingegen hat in jüngerer Zeit Wolfgang Holdheim gerade die ästhetische Seite an Auerbachs Geschichtskonstruktion herausgearbeitet: »Wir stoßen auf komplexe Verfahren thematischer Kontrastierung und Variation, auf die vielfache Perspektivierung und Fortführung von Problemen. Soll man darin nun ausschließlich ein ›ästhetisches Verfahren‹ sehen, oder gar so etwas wie eine rhetorische Überredungsstrate-

gie, die uns mit Lese-Freude und Lese-Interesse verführen soll?«
(Holdheim, W. H., 1981, S. 146).

Im Rahmen der heute etablierten ›normalen Wissenschaft‹ müßte
Holdheim entweder Welleks Forderungen nach Restriktion des
Künstlerischen unterstützen, oder Roland Barthes' elegante Position einnehmen und das ›fiktionale Element‹ in Auerbachs Diskurs bewundern, es als eine besondere Stärke herausstellen, welche die Grenzen des Philologischen sprengt. Aber das ist nun
wirklich eine unerträglich grobe Alternative, die impliziert, daß
ästhetische Erfahrung nichts mit kognitiven Funktionen zu tun
hat. Wenn einmal klar ist, daß man *Poiesis* nicht mit Poesie
verwechseln darf, dann kann die Ästhetik von Auerbachs Geschichtskonstruktion allerdings zu einer ganz anderen Frage,
nämlich zu einer Frage über den Status der Historiographie
führen: »Soll Geschichte nach einem analytischen, ›wissenschaftlichen‹ Ideal der Erkenntnis streben, soll sie universell gültige
›allgemeine Gesetze‹ suchen oder abstrakte Strukturen, auf die
man den Reichtum der Phänomene reduzieren kann? Oder ist sie
nicht eigentlich hermeneutisches Verstehen, muß sie nicht Züge
einer Ästhetik des Verstehens aufweisen – genauer gesagt: *narrative* Züge?« (Holdheim, *a.a.O.*, S. 149).

Wenn Auerbachs Werke in diesem Sinn ›ästhetische‹ Reaktionen
stimulieren, dann sind sie deshalb noch nicht selbst Literatur –
und man sollte auch nicht dem Irrtum verfallen, Literaturtheorie
und Literaturgeschichte als literarische Gattungen anzusehen. Zu
diesem Schluß können doch eigentlich nur diejenigen gelangen,
die Geschichte für eine ›richtige Wiedergabe des Geschehenen‹
halten, die sich exakt an das Geschehene hält. Wenn wir nun
gerade diese positivistische Voraussetzung hinter uns lassen, dann
erst können wir wirklich das Problem der Grenzen zwischen
zwei *Diskursen* erfassen, das Problem der Grenzen zwischen
zwei verschiedenen Formen von Aneignung und Wirklichkeits-
konstruktion: das Problem der Grenzen zwischen historiographischen und fiktionalen Diskursen.

Wir werden diese Reflexionen hier nicht zu Ende führen (vgl.
Costa Lima, L., 1984, S. 165-239). Jedenfalls muß jede weiterfüh-
rende Analyse von Auerbachs Werk sich zunächst auf seinen
Sprachgebrauch konzentrieren. Und deshalb – so können wir
jetzt wiederholen – ist mit Vicos Präsenz in Auerbachs Werk
selbst da noch zu rechnen, wo wir sie am wenigsten erwarten

würden: als Wirkung von Vicos Lehre *ex negativo* in Auerbachs Denk-Strategie und Geschichts-Konstruktion. *Poiesis* ist nämlich nicht das Privileg eines – in welchem Sinn auch immer – ›höheren‹ Diskurses. Nicht Wissenschaft ist das Gegenteil von *Poiesis*, sondern die Routine – und zwar die Routine in jeder Form von Praxis. Wo immer Auerbach in seinen Ergebnissen von Vico abwich, da geschah das nicht allein deshalb, weil er die Welt der Antike besser verstand und also Vicos flagrante Irrtümer vermeiden konnte, sondern vor allem, weil er Vico folgend den Vorsatz faßte, Intuition, Sprache und Leidenschaft in anderer Weise miteinander zu verbinden. Damit haben wir eine Fragestellung entwickelt, die es uns erlaubt zu verfolgen, wie sich Vicos *Scienza* in ihrer Übernahme durch Auerbach veränderte.

Vico und Auerbach

Wir brauchen nicht die gesamte Argumentation von Vicos *Scienza nuova* zu wiederholen, denn bedeutend für den Romanisten Auerbach wurde nur der erste Teil, der *Libro primo*. Aber wir müssen doch jene Denkprinzipien herausarbeiten, die der deutsche Philologe für besonders wichtig hielt, und wir orientieren uns dabei an seinem 1936 erschienenen Essay »Giambattista Vico und die Idee der Philologie«. Auerbach wurde auf Vico aufmerksam, weil er einen Ausgangspunkt des Denkens außerhalb des cartesianischen Gestus bot. Dabei galt Auerbachs Ablehnung Descartes *und* gewissen Strömungen seiner eigenen Zeit, die sich auf Descartes beriefen: dem Empirizismus der Fakten, dem wissenschaftlichen Evolutionismus und dem Positivismus – die allesamt in die philologische Praxis des 19. Jahrhunderts eingedrungen waren. Darüber hinaus beeindruckte Vicos Sprachbegriff, die von diesem Sprachbegriff der Dichtung eingeräumte Rolle den jungen Auerbach: »Seine Sprachtheorie beruht auf der Einsicht, daß die Sprache der Urmenschen die Dinge selbst darstellt und im Ausdruck zu besitzen meint (*una lingua che naturalmente significasse*, oder auch ein *parlare fantastico per sostanze animate*)« (Auerbach, E., 1936/1967, S. 236). Der neapolitanische Denker trat also für den deutschen Romanisten aus der historischen Ferne heraus, weil er ihm eine Geschichtskonzeption anbot, die den Szientismus überwand, eine Sprachkonzeption, die das Wort nicht bloß als Instrument der Vernunft ansah, sondern im Gegenteil die Bedeutsamkeit des Poetischen herauskehrte. Freilich hatte man Vico schon einige Jahrzehnte vor Auerbachs Lektüre neu entdeckt. Ohnehin war es für einen Denker, der mit der deutschen Tradition so vertraut war wie Auerbach, beinahe ausgeschlossen, die Nähe zwischen Vico auf der einen Seite und Herder, den Schlegels, der Verstehens-Philosophie und dem Historismus auf der anderen Seite zu übersehen. Könnte man also vielleicht sagen, daß Auerbach, der Berliner Philologe, in Vicos Werk den Ursprung seiner eigenen *Bildung* entdeckte? Das wäre wohl doch nur die halbe Wahrheit. Gewiß, die deutsche Kultur spielte eine sehr wesentliche Rolle als Voraussetzung für Auerbachs Vico-Rezeption, aber es mußten wohl noch eher persönliche Überlegungen hinzukommen.

Auerbach hatte sein erstes Studium, das Studium der Rechte, 1913 an der Universität Heidelberg abgeschlossen. Kurz danach wurde er zum Militärdienst eingezogen und nahm am Ersten Weltkrieg teil. Nach Kriegsende verzichtete Auerbach auf eine Laufbahn als Jurist, die ihm als Mitglied einer hoch angesehenen Familie gewiß blendende Chancen geboten hätte. Vielmehr nahm er das Studium der Romanischen Philologie auf und promovierte im Jahr 1921. Gerade die Tatsache, daß Auerbach seinen zweiten Beruf nicht mehr im Jugendalter ergriff, macht es plausibel, daß er nun eine wirklich sichere erkenntnistheoretische Basis suchte. Während Spitzer gegen die positivistische Arbeitsform rebellierte, die ihm Meyer-Lübke vermittelt hatte, gegen den *Comment* der Philologen durch seine Beschäftigung mit Gegenwartsdichtung verstieß – und noch mehr durch die Einbeziehung von Freuds Analysen in seine Schriften –, handelt es sich bei Auerbach weniger um eine bewußte Herausforderung der ›guten Gesellschaft‹, als um einen wirklich radikalen Entschluß: um den Entschluß nämlich, die Grundlagen jener Wissenschaft zu erforschen, für die er sich entschieden hatte. Vico bot genau die Antwort, nach der Auerbach suchte: in seiner Theorie der Geschichte und der Sprache ebenso wie in seiner Theorie der Beziehungen zwischen Geschichte, Sprache und Dichtung. Diese Phänomene sind Vico zufolge nicht der Suche nach dem *verum* zuzuordnen, sondern der nach dem *certum*, nicht der Philosophie, sondern der Philologie. Wir werden später sehen, daß die Suche nach dem *verum* von der Vernunft abhängt, weil es hier darum geht, die Natur der Dinge zu erfassen, und daß im Gegensatz dazu das *certum* die bescheidenere Kategorie ist: hier geht es um gesellschaftliche Normen, Werte und Traditionen. Deshalb wird das *certum* nicht von der Reflexionskraft der Vernunft hervorgebracht, sondern von einer eigenen Quelle, die Vico *sensus communis generis humani* nannte. Weil Vico also die Philologie im *certum* begründete, weil sich philologische Praxis für ihn auf die Gegenstände der Anthropologie und der Geschichte bezog, und weil er sie als von der Philosophie (und auch von den Naturwissenschaften) abgeschieden sah, bot er eine Rechtfertigung für die Begrenzung des Universalitätsanspruchs der Vernunft, aber auch für die besondere Beziehung zwischen Geschichte und Dichtung. Vico hatte also Auerbach das entscheidende Argument gegeben, um zu zeigen, warum eine Beschäftigung mit Dichtung nicht auf eine Beschäftigung mit Geschichte verzichten konnte.

Aber hinsichtlich des durch sie erschlossenen Analyse-Gegenstands haben all die bisher angestellten Überlegungen nur sehr begrenzte Gültigkeit. Man muß etwa hinzufügen, daß die Unterordnung des *certum* unter den *sensus communis* allen Themen und Epochen in der Geschichte gleiche Bedeutsamkeit verleiht. Das liegt vor allem daran, daß das zu verstehende Andere nicht kategorial vom Ich des Verstehenden abgesetzt wird. Vielmehr sollen sie sich in einem und demselben Sinnbezirk begegnen. Wenn man also insgesamt sagen kann, daß Auerbach bei Vico so etwas wie die erkenntnistheoretische Basis für die von ihm gewählte Disziplin fand, dann sollte man allerdings nicht vergessen, daß diese Basis nicht nur für methodologische Probleme genutzt werden konnte, sondern sich auch auf eine ethische Dimension hin öffnete. Denn Dichtung aus einem historischen Blickwinkel betrachten, hieß hier nicht – wie es oft der Fall war und immer noch ist –, sie ›von außen‹, also unter dem Interesse bestimmter gesellschaftlicher Institutionen erfahren; ebensowenig ging es um eine ›reine Innensicht‹, ohne Beziehung zur Welt außerhalb der Dichtung, so als handele es sich bei ihr um ein bloßes Zeugnis individueller Idiosynkrasie und individuellen Sprachgeschicks. Vielmehr wurde bei Auerbach die historische Betrachtung der Dichtung zu einem Weg längs jenem verschlungenen Pfad, auf dem die Stimme des Dichters als Teil des gesellschaftlich und kulturell Anderen hörbar wird und zugleich zeigt, wie das Andere in ihr Gestalt annimmt.

La nuova arte critica

Noch bevor er 1744 die endgültige Version der *Scienza nuova* veröffentlichte, hatte Vico auf den unaufhebbaren Dualismus zwischen zwei Klassen von Gegenständen verwiesen: es gab vom Menschen geschaffene Gegenstände (seine Städte, seine Institutionen, seine eigene Sprache) und von Gott geschaffene Gegenstände (zu denen die Welt im Gegensatz zum ›Menschen selbst‹ gehört). Obwohl Vico zu jenem Zeitpunkt noch längst nicht den für sein Meisterwerk so wesentlichen Gegensatz von *verum* und *certum* ausspielte, hatte er doch schon »den Bannkreis des Cartesianismus durchbrochen, mit dem er begonnen hatte« (Berlin, 1., 1969, S. 373). Und er vollzog diesen Schritt mit dem Argument, daß das geometrische Denken ein inadäquates Instrument für die Beschreibung menschlicher Leistungen sei. Wir sehen also, daß sich Vicos Interesse für die Philologie nicht auf wenige Seiten in seinem berühmten Buch beschränken läßt. Doch wir sollten uns fragen, was er genau unter ›Philologie‹ verstand; denn die Grenzen des Begriffs waren bei ihm weiter, als das dann im 19. Jahrhundert der Fall sein sollte.

Vico beginnt seine einschlägige Reflexion mit der Feststellung, daß die Philosophie »beinahe davor zurückschreckt«, sich mit der Philologie zu beschäftigen, »wo die Ursachen leider dunkel bleiben und die Wirkungen unüberschaubar werden« (Vico, G., 1744/1966, S. 6). Doch trotz dieser Verachtung durch die Philosophen sah Vico die Philologie als einen ›Kernbereich‹ an, in dem all die verschiedenartigen Bemühungen, menschliche Artefakte zu verstehen, zusammenlaufen mußten. Weil nun die Philosophen vor der Philologie zurückschreckten (oder zumindest doch ungeeignete Untersuchungsverfahren auf dieses Gebiet anwandten), mußte man die Disziplin tatsächlich neu konzipieren. Buch (1) geht unter der Kapitelüberschrift ›Darstellung der Grundprinzipien‹ diese Aufgabe an. Aber wie kommt es, daß Vico den Gegensatz zwischen göttlicher Schöpfung und menschlichen Artefakten weiter betont, statt sich im Rahmen einer neuen Philosophie um ihre Vereinigung zu bemühen? Mußte die Philosophie wirklich so eng bleiben? Eine implizite Antwort auf solche Fragen ist Vicos berühmter zehnter Paragraph: »Philosophie betrifft die Vernunft und bringt deshalb das Wissen des Wahren hervor; Philologie hingegen beschäftigt sich mit den Ergebnissen menschlicher Wahl, und ist daher geschärftes Bewußtsein für das Gewisse« (*a.a.O.*, S. 63). Darüber hinaus zeigt nun das Ende desselben Paragraphen, daß der Autor die Bereiche der göttlichen Schöpfung und der menschlichen Artefakte durchaus nicht für immer getrennt sehen wollte:

Hier sehen wir auch, wie die Philosophen – zur Hälfte – scheiterten, weil sie mit ihren Argumentationen nicht die Bestätigung durch die Philologen-Autorität suchten, und wie ebenso auch die Philologen – zur Hälfte – scheiterten, weil sie sich nicht darum bemühten, ihre eigene Autorität durch Wahrheit im Sinn philosophischer Vernunftschlüsse absichern zu lassen (*a.a.O.*).

Wir sehen, daß es bei Vico nicht nur auf beiden Seiten eine Autonomie der Methoden gibt, sondern daß Philosophie und Philologie auch zu wechselseitiger Unterstützung verpflichtet sind. Die Idee einer solchen Verbindung freilich konnte den grundlegenden Unterschied zwischen ihren jeweiligen Gegenständen und Zielen nicht aufheben. Wir dürfen also zusammenfassend sagen, daß Vico eine Vereinigung von Philosophie und Philologie deshalb apriori ausschloß, weil a) die Philosophie auf ihr wichtigstes Werkzeug, nämlich auf die Vernunft, nicht verzichten konnte; weil b) die Vernunft ihrerseits nicht ausreichte, um die Bedeutung menschlicher Artefakte – von der Sprache über politisches Handeln bis hin zu wirtschaftlichen Unternehmungen – zu verstehen. Vernunft und menschliche Hervorbringungen treffen sich in einer Zone des Schattens. Nun hatten freilich die Philosophen nach ihrem ersten Anlauf, das Problem der Schatten zu durchdenken (nämlich in Platos *Sophistes*), diese Frage zurückgewiesen und die Schatten mit den veränderlichen und vielgestaltigen Phänomenen assoziiert. Deshalb glaubte die Philosophie später, daß die Schatten ihrer geschätzten Aufmerksamkeit nicht würdig wären.

Was wir ›Schatten‹ nennen und als einen für philosophische Reflexion illegitimen Raum ansehen, das sollte bei Vico eigentlich ›Affekt‹, ›Leidenschaft‹, ›Machtgebrauch‹ heißen (vgl. etwa § 111). Wenn wir die dort entfaltete Argumentation verstehen wollen, dann müssen wir berücksichtigen, daß Vico, wenn immer er von *leggi* spricht, an deren Totalität denkt. Mit anderen Worten: er bezieht sich nicht nur auf die eines ›vernünftigen Zeitalters‹ würdigen Gesetze, sondern auf alle Gesetze, die seit den frühesten Epochen der Menschheitsgeschichte hervorgebracht worden sind. Um welche Gesetze es sich dabei nun immer handelt – sie machen es schwer, zu echtem Wissen zu gelangen. Denn man kann sie nicht als Ergebnisse einer universalen Ursache erklären, vielmehr werden sie nur durch die Macht jener Autorität gestützt, welche sie erlassen hat und/oder erhält. Sie sind also immer nur für spezifische Bereiche geeignet. Deshalb stehen die Gesetze unter dem Horizont des *certum* und nicht unter jenem allgemeineren des *verum*. Hier kann man nun überraschende Parallelen zwischen Platos und Vicos Denken feststellen. Für den griechischen Philosophen ist die Verurteilung der Schatten zugleich Anlaß für eine Verurteilung der Mimesis. Sobald Vico den Sachverhalt anerkennt, daß Gesetze in Macht und Leidenschaft gegründet sind – in Macht und Leidenschaft, welche die Vernunft nicht recht zu fassen vermag, – kann er auch an die gesellschaftliche Rolle der Dichtung glauben. Wahrheit muß dann für ihn nicht mehr ein Begriff im Singular bleiben, sondern vollzieht die unvermeidliche Spaltung des Wissens mit.

Wir haben bereits gesehen, daß Vicos Reflexion über das *certum* die Bedeutung der Geschichte steigert und darüber hinaus auch eine eigene Konzeption von Geschichte hervorbringt; dies ist eine relativistische Konzeption der Geschichte. Mehrere von Vicos ›Fragmenten‹ kann man in diesem Sinn lesen. So läßt sich zum Beispiel der Sinn gesellschaftlicher Institutionen nicht ohne die Zeit, in der sie entstanden, begreifen. Menschliche Institutionen sind für ihn nicht Hervorbringungen *der Vernunft*, sondern Ergebnisse *historischer* Taten. Aber wie konnten sie dann zu einer im Konzept des *verum* fundierten Forschung führen? Lassen wir einen der bedeutendsten Vico-Interpreten die Antwort geben:

… Eine seiner kühnsten Leistungen ist die Vision der ›Philologie‹, im Sinne eines anthropologischen Historismus, der Gedanke, daß eine Wissenschaft vom menschlichen Geist möglich ist, welche zu einer Geschichte seiner Entwicklung führt; die Einsicht, daß die Ideen in Bewegung sind, daß das Wissen nicht den Charakter einer Struktur aus ewigen, universalen, klar ersichtlichen Wahrheiten hat – ob es nun platonische oder cartesianische Wahrheiten sind –, sondern ein Prozeß ist, der sich seinerseits in der Entwicklung von Symbolen – von Wörtern, Gesten, Bildern und ihren stets in Bewegung befindlichen Strukturen, Funktionen, Gebräuchen – vollzieht. Diese Vision ist selbst eine der größten Entdeckungen der Geistesgeschichte (Berlin, 1., 1969, S. 372 f.).

Doch wir müssen verstehen lernen, daß all dies nur die *eine* Seite von Vicos Konzeption ist. Wir haben ja schon daran erinnert, daß Vico eine Harmonisierung von Philosophie und Philologie forderte, so sehr auch die Autonomie ihrer jeweiligen Gegenstände für ihn als ausgemacht galt. Wenn aber die gesellschaftlichen Institutionen eben *nicht* außerhalb ihrer historischen Rahmenbedingungen verstanden werden sollten, wenn es also galt, voreingenommenes Lob und apriorische Urteile zu meiden, wie konnte man dann überhaupt zu metahistorischen Kriterien kommen? Mit anderen Worten: wie sollte sich konkret eine solche Harmonisierung von Philologie und den im Begriff der Vernunftnotwendigkeit fundierten philosophischen Argumentationen vollziehen? Hier gelangt Vico zu *dem* zentralen Problem des späteren Relativismus, das auch in Auerbachs Werk einen zentralen Ort einnehmen sollte.

Zu fragen bleibt, ob Vico überhaupt diese metahistorische Ebene brauchte, ob er es nötig hatte, sie zu einem so ernsthaften Problem zu machen. Um eine Antwort auf diese Frage zu finden, müssen wir zunächst verstehen, wie und warum Vico über den Zirkel des Relativismus hinaus gelangte. Wir finden zwei Formen des Argumentierens, mit denen Vico eben diesem Zirkel zu entgehen suchte: a) Reflexionen im Kontext seines Denkens über die Menschheitsgeschichte, b) Reflexionen, die vom Eingreifen der göttlichen Vorsehung ausgehen. Vor dem Zeitalter der Vernunft, auf die sich die Philosophen bis hin in die Epoche Vicos festgelegt hatten, seien die Menschen wilde, grobe und gierige Geschöpfe gewesen. In diesem Zustand wäre die *umana generazione* gewiß von der Erdoberfläche verschwunden. Doch auf solche Anlagen sollte – so Vico – die Gesetzgebung gewirkt haben, welche aus Lastern Tugenden machte. Die von ihr bewirkten Metamorphosen »zeigen, daß es eine göttliche Vorsehung gibt und darüber hinaus einen göttlichen Geist der Gesetze«. Der göttliche Funke geht in die menschliche Ordnung ein, und er nutzt die Bewegungen der menschlichen Psyche, um aus ihrem Mangel an Rationalität eine Grundlage der Gesetzgebung zu machen. So gesehen führen alle Gesetze – in ihrer ganz unvermeidlichen Verschiedenheit – auf einen gemeinsamen Impuls zurück.

Wenn Vico in Paragraph 7 den göttlichen Ursprung des Geistes der Gesetze hervorhob, so geht Paragraph 12 auf die Reaktionen der Menschen ein: »der gesunde Menschenverstand ist ein Urteil ohne vorausgehende Reflexion, dem eine ganze Klasse, ein ganzes Volk, eine ganze Nation – ja manchmal sogar das ganze Menschengeschlecht – folgt« (Vico, G., 1744/1966, S. 63). Da Vico den »gesunden Menschenverstand« als Urteil ohne vorausgehende Reflexion« definiert, an dem »das ganze Menschengeschlecht« teilhat, heißt das, daß er dem Stadium bewußter Reflexion vorausging und daß der »gesunde Menschenverstand« bereits im Ozean der Jahrhunderte vor den Dichtern der »natürlichen Theogonie« bestand (vgl. *Libro secondo*, § 6).

Bedeutend ist hier vor allem Vicos Gedanke, daß jener »gesunde Menschenverstand« sich gegen Brutalität und Egoismus gerichtet haben soll. Woher könnte er gekommen sein, wenn nicht von der göttlichen Vorsehung? Vico läßt an dieser Stelle seiner Argumentation keinen Zweifel. Deshalb kann er dann auch behaupten, daß er die Grundlage des Urteils in seiner *arte critica* von der »göttlichen Vorsehung« ableitet, die »alle Nationen berücksichtigt«; »daß es sich dabei um den gesunden Verstand des gesamten Menschengeschlechts handelt« (*Libro primo/Del metodo*). So wird aus dem engen Zirkel, welcher die Deutung der historischen Materialien im Bann des Relativismus zu halten schien, nun der Ort einer Konvergenz solcher Materialien in einem allgemein menschlichen Prinzip. Erst wenn wir diese Reflexion verstanden haben, erkennen wir die doppelte Denkbewegung der *Scienza nuova*. Was spezifizierendes Verstehen bedeutet, haben wir bereits erklärt. Und nun können wir – wie übrigens auch Vico selbst – daraus die den Relativismus überwindende Denkbewegung ableiten.

Für Vico besteht zwischen der Sphäre des Göttlichen und der Sphäre des Menschlichen eine Kontinuität. Historisches Erzählen schließt also immer das Partikulare *und* das Ewige ein. Das Gottesprinzip ist für Vico nicht etwa eine überlegene Kraft, die als etwas Fremdes in die Sphäre der Menschen eingreift. Die menschliche Fähigkeit zur Darstellung des *certum* erwächst aus der Annahme, daß die jeweiligen Besonderheiten von Institutionen nichts anderes seien als »die verschiedenen Konkretisierungen jenes menschlichen Geistes, dessen alle Menschen teilhaft sind«. Dieser Gedanke wird mit anderen Worten im folgenden Satz umschrieben: »nie ist die Gewißheit der Geschichtserzählung größer als dann, wenn derjenige, der die Dinge erschafft, sie

auch erzählt«. Wer Geschichte erzählt, der erschafft also auch
Geschichte, und da alle Menschen dies auf der Grundlage derselben geistigen Fähigkeiten tun, findet derjenige, der Geschichte
erzählt, in den menschlichen Institutionen eine spezifizierende
Grundlage. Unter historischer Perspektive ist der Mensch deshalb durch seine *Virtualität* gekennzeichnet, er ist es, der die
Vielfalt in der Geschichte bewirkt; das Eingreifen des Göttlichen
wird in Varianten und Konkretisierungen bewußt, die *nicht*
unmotiviert oder beliebig sind. Eben aus solcher Präsenz des
Göttlichen im menschlichen Leben entstehen der »allgemeine
Menschenverstand« und »die allen Nationen gemeinsame Sprache
des Geistes«.[1] Wenn man Vico folgt, dann verfügt der Mensch in
der historischen Dimension einerseits über den freien Willen,
aber er ist andererseits doch auch vom göttlichen Willen abhängig. Über den zyklischen Charakter dieser ewigen Geschichte
nachzudenken, die bei Vico bezeichnenderweise auch eine »von
der göttlichen Vorsehung ersonnene Zivilreligion« heißt, wäre
eine gewiß müßige Aufgabe.
Denn für Vico läge darin der Versuch, das unfaßliche göttliche
verum zu durchdringen – und das wäre für ihn gewiß eine
prekäre Versuchung. Wir wollen nun freilich Vicos Gedanken
von der Harmonie zwischen dem geschichtlich Spezifischen und
der unendlichen Vielfalt seiner Substitutionen problematisieren.
Denn wir wollen ja die Beziehungen zwischen diesen beiden
Ebenen nur verstehen lernen, um uns den intellektuellen Hintergrund des Denkens von Auerbach zu vergegenwärtigen. Übrigens ist es für uns ebenso wichtig, die von Vico den mythopoetischen Gegenständen eingeräumte Bedeutung zu erfassen. Daß die
erste aus der *Scienza nuova* erwachsende Folge in der Erweiterung des Rahmens historischer Forschung lag, ist wohl bekannt.
Noch ohne über den Begriff der »Prähistorie« zu verfügen, ging
Vico doch davon aus, daß die menschliche Geschichte nicht etwa
mit einer Epoche der Vernunft begann (die er übrigens mit einer
Epoche der Prosa identifizierte). Er glaubte, daß vor dem Zeitalter der Vernunft bereits mehrere Jahrhunderte verstrichen waren.
Und ein Wissen über diese Zeit war für ihn nur unter der
Bedingung möglich, daß das Verstehen der Dichtersprache gelänge. Vico ging davon aus, daß die ersten Menschen noch nicht
imstande waren, konsequent vernünftig zu denken. Aber gerade
aufgrund ihres noch geringen Wissens hatten sie sich die Mög-

lichkeit bewahrt, über Phänomene zu staunen, denen ihr Intellekt nicht gewachsen war. Als Ausdruck solch bescheidenen Wissens brachten das Staunen und die Neugierde gerade den Willen zum Wissen hervor. Gerade weil sie noch nicht der Vernunft verpflichtet waren, wollten die Menschen erfahren, was die Phänomene bedeuteten. Dieses Bedürfnis konnte allein ihre Imagination befriedigen, die nach Vico »um so stärker ist, desto schwächer die Fähigkeiten der Vernunft ausgebildet sind« (§ 36).

Aus solchen Kräften am Beginn der Menschheitsgeschichte sieht Vico die Dichtung entstehen. Wie Magma drängt sie nach oben und gerinnt in der Gestalt der ersten Mythen. Im Rahmen dieser Reflexion war es ausgeschlossen, die Mythologie als Fremdkörper, als Diskurs der Ignoranz oder als bloßen Drang zur Verschönerung der Welt zu identifizieren. Im Gegenteil, Vico will uns lehren, daß sie »die Geschichte der ersten Völker« ist. Solange die Menschen am Beginn ihrer Geschichte noch nicht philosophieren konnten, waren sie Dichter. Nun kann man natürlich fragen, welche Art von Wahrheit ihre Fabeln enthalten. Vico sah hier dieselbe Wahrheit am Werk wie im kindlichen Spiel der Nachahmung: obwohl die Menschen am Anfang der Geschichte zum Denken in Konzepten noch nicht fähig sind, haben sie eine überlegene Gabe der Wirklichkeits-Simulation. Nun erst können wir die Behauptung verstehen, daß die Mythologie ›wahr‹ sei, obwohl sie kein referentiell ›richtiges‹ Bild jener Institutionen bietet, die sie thematisiert. Die Wahrheit der Dichtung liegt darin begründet, daß ihre Vorstellungen meist universale Vorstellungen sind, daß sie alles Besondere in die Sphäre des Modellhaften und Idealen transponieren. Ursprünglich dichterische *imitatio* ist deswegen ein für den Philologen so überragend wichtiger Gegenstand, weil diejenigen, die sie hervorbrachten, in ihrer Unfähigkeit zur Lüge oder zur Täuschung gerade die kindliche Fähigkeit bewahrt hatten, das, was sie interessierte, nachzuahmen. Nach diesem – spezifisch perspektivierten – Resümee von Vicos Reflexionen zur Dichtung wollen wir versuchen nachzuvollziehen, wie Auerbach mit diesen Gedanken umging.

Auerbachs direkter Weg

Wenn wir Auerbachs 1929 veröffentlichtes Buch *Dante als Dichter der irdischen Welt* mit *Mimesis* (1946) und *Literatursprache und Publikum* (1958) vergleichen, können wir eine interessante Entwicklung verfolgen: mit zunehmendem Alter verliert Auerbach das Vertrauen in die wissenschaftlich-konzeptuellen Instrumente und verläßt sich immer mehr auf den Erkenntniswert von Analysen einzelner Texte. In einer Replik an die Adresse der Rezensenten von *Mimesis* ging er so weit zu sagen, daß er – wäre es ihm möglich gewesen – ganz auf abstrakte Begriffe verzichtet und sich darauf beschränkt hätte, seinem Leser bestimmte Einsichten bloß durch die Präsentation einer Reihe einzelner Texte zu suggerieren (vgl. Auerbach, E., 1953, S. 16). Diese Position war für seine Kritiker schwer zu akzeptieren, denn sie glaubten, bei Auerbach eine gegenläufige Tendenz entdeckt zu haben.

Gerade ein Kollege, der Auerbach besonders nahestand, nämlich Leo Spitzer, nahm eine durchaus kritische Haltung zu dieser Position ein. In seinem folgenden Kommentar bezieht sich Spitzer zwar nicht auf *Mimesis* (das Buch war damals noch gar nicht publiziert), aber er läßt doch eine deutliche Distanz gegenüber der Arbeitsweise von Auerbach erkennen. Es ging Spitzer darum, das Verfahren von A. Lovejoy zu kritisieren, der einige Charakteristika der deutschen Romantik von ihrem historischen Kontext ablöste, um sie anschließend als Teil des Nazi-Denkens zu identifizieren. Dazu Spitzer: »Natürlich liegt etwas Gewaltsames darin, eine Epoche als Einheit im Fluß der Zeit zu konstituieren, und dieser Einheit dann einen Namen zu geben. *Aber das ergibt sich einfach aus der Ordnungs- und Benennungsfunktion der Sprache*« (Spitzer, L., 1944, S. 192). Tatsächlich haben wir hier eine wissenschaftsgeschichtlich bedeutsame Spannung ausgemacht. Denn auch Auerbach, der nie vergaß hervorzuheben, wieviel er Spitzer verdankte, betonte doch die Verschiedenheit ihrer Arbeitsweisen, die sich, wie er glaubte, aus der Verschiedenheit ihrer Ziele ergab: »Spitzer ist es in seinen Interpretationen immer wieder um das genaue Verständnis der einzelnen Sprachform, des einzelnen Werkes oder des einzelnen Dichters zu tun ... Dagegen ist es mir um etwas Allgemeines zu tun, was später noch genauer beschrieben werden soll. Immer wieder habe ich die Absicht, Geschichte zu schreiben« (Auerbach, E., 1958, S. 20).

So verteidigt also gerade Spitzer bei all seiner Konzentration auf individuelle Formen die Nützlichkeit allgemeiner Begriffe (wie zum Beispiel ›Romantik‹), immer vorausgesetzt, daß sie aus der Perspektive ihrer vergangenen Gegenwart gesehen werden. Und auf der anderen Seite mißtraut gerade der an kollektiven Sinngestalten interessierte Philologe Auerbach dem allzu »abstrakten Ausdruck«. Angesichts dieser Diskussion fühlt man sich fast einem Verwirrspiel ausgesetzt. Doch wenn wir die notwendige Geduld aufbringen, um Auerbachs Abhandlungen nachzuvollziehen und wenn wir – vor allem – die von Vico herausgearbeitete Beziehung zwischen Relativität und Konstruktvität in der Geschichte nicht aus dem Gedächtnis verlieren, dann können wir das Rätsel wohl lösen.

Ganz gewiß hatte Auerbach kein spezifisches Interesse an dem, was wir die ›diachronische Dimension‹ im Werk Vicos nennen können. Für ihn waren die wesentlichen Passagen der *Scienza nuova* diejenigen, in denen es um das Verhältnis zwischen dem Besonderen und dem Zeitübergreifenden in der Geschichte geht. Schon in seinem früheren Dante-Buch hatte er sich mit diesem Problemhorizont beschäftigt: da es in der Epoche Dantes so etwas wie ein ›historisches Bewußtsein‹ noch nicht gab, beschäftigte Dantes Zeitgenossen – unter ihnen Petrarca – das Problem der kulturellen Alterität, das sie vom Augusteischen Zeitalter trennte, noch nicht. Wenn aber unser Verhältnis zu Dante ein ganz anderes ist als sein Verhältnis zu Vergil – wie können wir ihn dann überhaupt verstehen? Auerbachs Antwort führt beileibe nicht in die Aporie. Da wir mit Einfühlung auf das Fremde und Befremdliche reagieren können, haben wir, die am Historismus geschulten Relativisten, eigentlich bessere Voraussetzungen, um uns Dante mit Empathie zu nähern, als sie Dante im Bezug auf das Zeitalter Vergils hatte. Doch bald schon verwirft Auerbach diese erste Antwort als unzureichend; und in der Tat hätte eine solche Lösung ja auch die seiner Frage impliziten Erkenntnischancen verspielt.

Natürlich konzediert Auerbach, daß alle bedeutenden Werke im Prozeß ihrer Rezeption tiefgreifende Bedeutungsänderungen erfahren. Aber diese Bedeutungsveränderungen können nicht beliebig weit gehen, denn Auerbach glaubt, daß solche Werke *selbst* bestimmte Deutungen widerlegen, wenn sie allzu arbiträr werden. Folgerichtig stellt Auerbach fest, daß die Dante-Verehrung dann die Arbitrarität fördert, wo sie den spezifischen historischen Hintergrund der zeitgenössischen Theologie ausblendet und mit der *Divina commedia* so umgeht, als handele es sich um ein Werk autonomer Kunst. Dennoch wäre es Auerbach nie in den Sinn gekommen, Spezialkenntnisse auf dem Gebiet der Scholastik als notwendige Lektüre-Voraussetzung zu fordern. Vielmehr ging er davon aus, daß eine angemessene Berücksichtigung der historischen Relativität von Werten die beste Voraussetzung für das Verständnis jener Probleme sei, die Dante bewegten. Auerbach bestreitet also nicht, daß es Kontinuität in der historischen Dimension gebe, aber er glaubt auch *nicht*, daß solche Kontinuität aus Empathie erwachsen könne. Es ist uns nicht möglich, so zu ›reagieren‹, als seien wir Dantes Zeitgenossen. An solch geradezu mystische ›Geistes-Wanderungen‹ glaubt Auerbach keinesfalls. Er hielt es für ganz ausgeschlossen, daß irgendjemand die historische Sphäre seiner eigenen Zeit verlassen könnte. Eben deshalb stellt er sich die Frage, ob angesichts solch unübersehbarer Verschiedenheit der mentalen Horizonte – etwa zwischen Dantes Epoche und seiner eigenen – überhaupt noch Gemeinsamkeiten verblieben. Auerbach hält dafür, daß wir ›eine Brücke‹ zu jener uns so fremden Zeit schlagen können, wenn wir von unserem eigenen Vergangenheitshorizont ausgehen und uns zugleich auf das Echo konzentrieren, das die Vergangenheit in uns anklingen läßt. Weder eine ›falsche‹ Darstellung Dantes noch den Versuch, den ›wahren Dante‹ zu erfassen, sind Alternativen gegenüber einer unhistorischen Dante-Rezeption. ›Historische Wahrheit‹ ist keine Rückkehr zu einer großartigen Substanz, welche durch unsere Rekonstruktion ›erlöst würde‹. Die Wahrheit, so Auerbach, verändert sich mit dem Wandel der Werte und Kriterien. Sie ist also gerade nicht jene feste Einheit, an der Plato so sehr gelegen war; vielmehr hat sie teil an einer *mouvance*, welche durchaus an die Vagheit der Schatten erinnert.[2]

Im Kontext dieser Überlegungen sind die Fragen wichtiger, als die auf sie gegebenen Antworten. Denn sie beweisen, wie genau Auerbach sah, daß die von Vico herausgestellten Beziehungen – auch wenn wir sie nicht mehr mit denselben Worten beschreiben würden – ein höchst aktuelles Problem thematisieren. Gerade weil wir nicht mehr an die Vorsehung glauben, müssen uns Vicos Fragen beunruhigen. Und eben deshalb konnte sich Auerbach auch nicht mehr mit jenem Empathie-Begriff zufriedengeben, der aus Schleiermachers Hermeneutik hervorgegangen war. So wird verständlich, warum er eben dieses Problem mit Vicos Worten formulierte, als es sich für ihn in der Einleitung zu seinem letzten Buch erneut stellte. Unsere Verstehens- und Urteilsfähigkeit wird durch die Anerkennung scharfer Epochengrenzen und durch die Anerkennung der Relativität epochenspezifischer Werte (sowie der Werte des Interpreten) nicht aufs Spiel gesetzt, denn – so Auerbach – diese Werte sind nur historische Varianten des überhistorischen menschlichen Geistes. Er sieht also den menschlichen Geist als Quelle einer Ausdrucksfähigkeit, die sich in verschiedenen, epochenspezifischen Formen artikuliert. All diesen verschiedenen Formen unterliegt eine *lingua mentale commune*. Nun können wir vielleicht auch besser nachvollziehen, warum Auerbach immer mehr den ›allgemeinen Ausdrücken‹ mißtraute und ihnen die intensive Analyse der einzelnen Texte vorzog. Er hielt die Intuition des Interpreten, der die Texte auswählt und liest, zusammen mit seinem historischen Wissen für eine hinreichende Voraussetzung, um sowohl der jeweiligen Besonderheit der Texte als auch der Kontinuität im historischen Wandel gerecht zu werden. Genau diese Überzeugung konkretisierte sich im Projekt des Buchs *Mimesis*, in der Untersuchung der Metamorphosen des Realismus. Es wäre Auerbach nicht eingefallen, ein metahistorisches Konzept des ›Realismus‹ festzulegen, um es durch die Geschichte zu verfolgen. Freilich braucht man *eine* feste Variable, um überhaupt von *Metamorphosen* reden zu können. Um diese ›feste Variable‹ in Auerbachs Realismus-Konzeption verstehen zu können, müssen wir uns näher mit seiner Vorstellung vom Mimesis-Prinzip beschäftigen.

Der Mimesis-Begriff
in Auerbachs frühem Werk

Der längste uns vorliegende Theorie-Text von Auerbach ist das erste Kapitel aus seinem 1929 erschienenen Buch ›*Dante als Dichter der irdischen Welt*‹. Ausgehend vom ›Bild des Menschen in der Literatur‹ entwickelt er hier eine weitreichende Reflexion über die europäische Dichtungstradition. Noch im vollen Vertrauen auf die Macht der Begriffe bemüht sich Auerbach, in Auseinandersetzung mit der klassischen Antike eine Kategorie zu entwickeln, anhand derer die Einheit des Menschenbildes in der Literatur faßbar werden soll. Diese Kategorie wird der Mimesis-Begriff im Sinn des folgenden Heraklit-Fragments sein: »der Charakter eines Menschen ist sein Schicksal«. In Auerbachs Deutung heißt das, daß das Schicksal des Menschen nicht Ergebnis des Zufalls ist; vielmehr ergeben sich Elend, Glanz oder *mediocritas* aus seinem Charakter. Auerbach schließt daraus, daß die mimetische Praxis nicht in der Anpassung der Fiktion an die äußere Welt liegt, daß sie nicht dann am besten gelingt, wenn die fiktionalen Ereignisse wahrscheinlich oder glaubhaft aussehen; die Kunst der Mimesis liegt vielmehr in der Form des Erzählens.

Demzufolge wäre die Literatur in westlicher Tradition – und zwar schon seit ihren Anfängen in der griechischen Antike – eine Art der Nachahmung, die nicht um Ähnlichkeit mit einer schon zuvor bekannten und überprüfbaren Wirklichkeit bemüht ist, sondern vom Erzählen lebt, von einer in Sprache vollzogenen Konstruktion, in der die Einheit eines je besonderen Charakters im für ihn erwartbaren Schicksal konkret – und überzeugend – werden kann. Wo das der Fall ist, dürfen wir von ›Literatur‹ sprechen. Nun können wir weiter fragen, ob Auerbach die aus dieser Funktion entstehenden Verfahren als metahistorische Verfahren ansieht. Dafür scheint immerhin Homer als das erste Beispiel, auf das er eingeht, zu sprechen: keine Epoche, die Homers Epen kannte, verweigerte ihm ihre Rezeption. Man könnte also annehmen, daß in solch beständiger Rezeption die ruhmreiche Bestimmung großer literarischer Werke – oder doch wenigstens die Bestimmung des ersten großen ›Dichters‹ – liege. Aber schon auf den nächsten Seiten seines Buches zeigt Auerbach, daß diese naive Position nicht die seine ist.

Denn er stellt fest, daß spätestens in der Zeit der Sophisten eine ursprüngliche Einheit des Individual-Charakters verloren gegangen war. Vor dem Goldenen Zeitalter der griechischen Kultur sieht er einen Bruch. Aber wie kann er dann trotzdem am Mimesis-Konzept festhalten? Auerbach tut das um Platos Vermächtnis willen. Denn er glaubt, daß gerade die von Plato vorgeschlagene Verbannung der Dichter aus der *polis* zeigt, wie gut Plato die Dichter verstanden hatte. Auerbach geht so weit, daß er den Versuch des Aristoteles, die Mimesis gegen ihre Verurteilung durch Plato in Schutz zu nehmen, als ein Zeichen unzureichenden Verstehens deutet. Das Mimesis-Konzept jedenfalls ließ sich nicht verdrängen. Selbst der späte Rationalismus der römischen Kultur konnte letztlich Vergil und Tacitus nicht tangieren, die mit ihrer schöpferischen Vorstellungskraft die Schicksalslosigkeit der zeitgenössischen Philosophie besiegten. Damit will Auerbach nicht behaupten, daß die alte, apriorische Einheit des Individualcharakters unverändert erhalten geblieben sei – so als hätte ihr die Geschichte nichts anhaben können; und er will auch nicht behaupten, daß der Gedanke an eine in diesem Sinn unauflösbare Einheit verdrängt (bei den Sophisten) oder verborgen (unter der Vorherrschaft des Rationalismus) weiterbestanden hätte. Vielmehr glaubt Auerbach, daß diese Einheit des Charakters einen Strukturwandel durchmachte und doch ihr wesentliches Charakteristikum beibehielt: nämlich die Wechselbeziehung zwischen den schicksalshaften Ereignissen und der Bezugnahme der Individuen auf sie.

Im Gegensatz zu Vicos Konzeption denkt Auerbach aber nicht, daß Mimesis als Akt der Darstellung individuellen Lebens in diesem Wandlungsprozeß qualitative Einbußen erleide. Vielmehr zeigt er in seinem späteren Buch – eben unter dem Titel ›Mimesis‹ – daß durch die Lebensgeschichte Christi und sein Vermächtnis die Unterscheidung zwischen dem sublimen Stil und den niederen Stilebenen aufgehoben, und mithin eine statische Mimesis-Konzeption durchbrochen wird. Daraus ergibt sich ein vertieftes Interesse an allen Aspekten der Individualität. Das Verhalten der Menschen kann seither nicht mehr aus dem gesellschaftlichen Rang abgeleitet werden, wie wir es noch bei Tacitus beobachten. Nun vermischen sich Erniedrigungen und Grausamkeit mit dem Begriff des tragischen Schicksals; Gottes Sohn leidet mit Verbrechern und Dieben, und seine geliebten Jünger stammen aus den niedrigsten gesellschaftlichen Schichten. Christliche Sublimität bricht mit jeder Stil- und Gattungsunterscheidung der antiken Kultur, weil das Christentum eine neue Schau der menschlichen Existenz eröffnet. Weder die Stilmischung noch die Aufhebung der gesellschaftlichen Hierarchien, wie sie das Christentum anregte, blieben unverändert erhalten. Auerbach sieht im Neuplatonismus und in verschiedenen Häresie-Bewegungen Strömungen, welche die Simultanität des Interesses am Schicksal des Individuums und an der Alltags-Welt, in der sich dieses Schicksal vollzieht, aufheben. Dem Augustinus jedoch weist Auerbach eine historische Rolle zu, welche der Bedeutung von Vergil und Tacitus in der antiken Kultur nahekommt.

Freilich wird diese Einheit, an der Auerbach so viel lag, von der Geschichte ständig bedroht. In der Zeit zwischen dem Ende des römischen Reichs und dem frühen Mittelalter tritt die didaktisch beflissene Allegorie an die Stelle der Wirklichkeitsdarstellung. Doch schon am Ende des ersten Jahrtausends wurde das Alltägliche wieder zur eigentlichen Wirklichkeit (vgl. Auerbach, E., 1929, S. 19). Die Allegorien, die Kontemplation und der Welthaß wurden erneut von der direkten Darstellung des Konkreten verdrängt. Hier befinden wir uns dann schon in historischer Nähe zum provenzalischen Minnesang und zu Dante. Und Dante markierte für Auerbach den Höhepunkt auf dem Weg von der Antike zur Frühen Neuzeit.

Was können wir nun in bezug auf unser spezifisches Frageninteresse mit dieser breit angelegten Skizze anfangen? Sie zeigt uns jedenfalls, daß es Auerbach in der frühen Phase seines Werks vor allem um die Identifikation eines bestimmten Kernbereichs ging, der – wie er glaubte – gerade in seinen Metamorphosen die Einheit der abendländischen Kultur evident machte. ›Mimesis‹ wurde zum Leitbegriff der so motivierten Forschung. Auerbach war am Mimesis-Begriff nicht um seiner selbst willen gelegen. Denn wenn das der Fall gewesen wäre, dann hätte sich Auerbach den immer neuen Rekurs auf die literarischen Werke sparen können. Erinnern wir uns daran, daß bei Vico die Vorstellungskraft, welche *imitatio* hervorbrachte, nicht Dichtung im ganz allgemeinen Sinn, sondern – spezifischer – den mythopoetischen Gegenstand konstituierte. Wenn dieser Begriff des ›Mythopoetischen‹ kein redundanter Begriff ist, dann heißt das, daß sich Auerbachs Projekt komplizierter gestaltet als Vicos Vorhaben. Denn für Auerbach wäre ›Mimesis‹ dann erst ein Ausgangspunkt, aus dem sich die eigentlich *literarische* Dichtung entwickeln sollte.

Es ist also zu vermuten, daß es gar nicht möglich war – wie Auerbach zunächst gehofft hatte –, ausgehend von der Analyse des mimetischen Akts die Einheit der Literatur zu erfassen. Aber können wir dann nicht wenigstens heute genauer verstehen, worin jene ›Einheit der Literatur‹ begründet ist? Können wir nicht bessere Argumente für den immer neuen Umgang mit ihr entwickeln? Seit Homer ist die abendländische Kultur durch ihre beständige Reflexion über das Individuelle gekennzeichnet. Dabei geht es natürlich nicht um einen in Autonomie begründeten Begriff des Individuellen, sondern um das Individuum als Zentrum der erlebten Welt, der Welt der Ereignisse und der diesseitsbezogenen Erwartungen. Vor dem Hintergrund dieser Voraussetzung wird uns deutlich, daß die von Vico beschriebene Vermittlung zwischen historischem Relativismus und historischer Kontinuität von Auerbach durchaus beibehalten wird; er läßt lediglich das Individuum an die Stelle des Plans der Vorsehung treten. Mit anderen Worten: Auerbach schafft den Gottesbegriff nicht ab, sondern er säkularisiert ihn. Die Kontinuität in der Geschichte beruht jetzt auf einem neuen Prinzip, und dieses Prinzip ist die Individualität als ruhendes Zentrum. Die Identität der abendländischen Kultur wird so lange bestehen, als wir am Individuum festhalten – genau diese Schlußfolgerung müssen wir nun in Verbindung mit einer schon früher gezogenen Schlußfolgerung setzen, welche sich auf den Stellenwert des Mimesisbegriffs in Auerbachs Werk bezog. Wir hatten gesehen, daß Auerbach dem Mimesis-Begriff deshalb einen so zentralen Stellenwert zuwies, weil er glaubte, daß in ihm die unteilbare Einheit von Charakter und Schicksal erfahrbar würde. Mimesis ist also für ihn ein Attribut im Dienst individuellen Ausdrucks. *Individuelle Ausdrucksfähigkeit* ist die zentrale Kategorie. Ihr ist Auerbachs Reflexion über das Mimesis-Problem untergeordnet, von ihr geht diese Reflexion aus.

Wir können deshalb sagen, daß an die Stelle von Vicos religiösem Denk-Impuls bei Auerbach ein romantischer Denk-Impuls tritt. Die Romantiker haben das Mimesis-Prinzip mit einem Tabu belegt, weil sie es mit einem normativen Begriff der *imitatio* verwechselten. Der Berliner Philologe Auerbach griff es wieder auf – es war für ihn nicht mehr als ein Sockel, der die Fähigkeiten des Individuums und damit letztlich die Möglichkeiten der Menschheit ins Licht rückte. Dieser Konzeption zufolge hängt das Verstehen und die Erlösung des Menschseins vom Heiligen Individuum ab. Das Verhältnis zwischen romantischem Denken und Auerbachs Theorie ist also durch eine unbedeutende Divergenz (Mimesis-Tabu im Gegensatz zu Mimesis-Hypostase) und durch eine bedeutende Konvergenz gekennzeichnet: auf der einen wie auf der anderen Seite steht der Begriff des Individuums im Zentrum. Die Romantiker hatten das Mimesis-Prinzip verstoßen, weil sie überzeugt waren, daß es zur Unterdrückung individueller Ausdrucksfähigkeit führe; Auerbach kam auf das Mimesis-Prinzip zurück, weil er glaubte, daß sich in ihm die Ausdrucksfähigkeit des in der Welt stehenden Menschen konkretisierte. Es ist richtig, daß die Romantiker Individualität als ein psychologisches Konzept sahen, während Auerbach gerade das Sein des Individuums *in der Welt* hervorhob. Aber ich halte das nicht für einen entscheidenden Gegensatz. Wir bewegen uns jedenfalls beide Male im Rahmen desselben Reflexions-Paradigmas.

Epilog?

In seinen späten Lebensjahren, nach dem Zweiten Weltkrieg, sah Auerbach eine weltgeschichtliche Epoche zu ihrem Ende kommen. Anhaltspunkte für seine Ahnung nahm er teils außerhalb des Gebiets seiner wissenschaftlichen Reflexion wahr – er glaubte, daß die Grundlagen der nationalen Existenzform zerfielen –, teils aber auch im inneren Bereich der Kultur – »die Fülle des Materials führt zu immer genauerer Spezialisierung; es ergeben sich Spezialmethoden, so daß auf jedem Einzelgebiete, ja sogar für jede der vielen Auffassungsweisen eine Art Geheimsprache entsteht ... Wie kann man, unter solchen Umständen, an eine wissenschaftlich-synthetische Philologie der Weltliteratur denken?« (vgl. Auerbach, E., 1967, S. 305). Für ihn, dessen Jugend von der Agonie einer Kultur erfüllt war und der dann selbst den Zenit einer Disziplin des Wissens erreicht hatte, war es unmöglich geworden, die drängenden Probleme seiner Nachfolger vorauszusehen; ja er war sich nicht einmal mehr sicher, ob er überhaupt noch Nachfolger haben würde. Nur eine Gewißheit verblieb ihm: »Was frühere Epochen wagten, nämlich im Universum den Ort des Menschen zu bestimmen, das scheint nun ferne« (S. 310).

Sicher rührte diese Stimmung aus der Tatsache, daß der Philologe die Nation als seine geistige Heimat verloren hatte. Doch so sehr Auerbach es bedauern mochte, daß die Menschen nicht mehr wagten, über ihren Ort im Universum nachzudenken, so sehr erfüllte ihn die Auflösung des Bezugsrahmens der ›Nation‹ mit Genugtuung. Daß das eine ohne das andere nicht bestehen

konnte, war ihm noch nicht deutlich. Aber haben wir das heute –
dreißig Jahre nach Auerbachs Tod – überhaupt begriffen? Verwechseln wir nicht immer noch unseren wissenschaftlichen Umgang mit der Literatur mit der Einrichtung nationaler Grenzen?
Können wir heute wirklich das Lob des Menschen unterscheiden
vom Lob der Individualität? Verwechseln wir nicht immer noch
metahistorische Reflexionen mit der Absenz von Zeitlichkeit, um
sie dann entweder im Namen der historischen Dimensionen
unserer Gegenstände pathetisch von uns zu weisen, oder aber ihr
zu verfallen, weil wir tiefer in die sogenannte *condition humaine*
eindringen wollen?
Diese Fragen scheinen *en passant* bei einer geistigen Reise durch
Auerbachs Werk auf und sie zeigen, daß außergewöhnliche Gestalten in dieser Welt wirklich überflüssig sind – wenn es denn
überhaupt etwas wirklich Überflüssiges geben sollte. Aber möglicherweise ist gerade das ein sehr persönlicher Eindruck.

Aus dem Amerikanischen von Hans Ulrich Gumbrecht

Anmerkungen

1 Es wäre gewiß besonders interessant, einmal die Vico-Rezeption von
  Auerbach und von Lévi-Strauss miteinander zu vergleichen. Zur letzteren liegt mit Leach, E. (1969) bereits eine ausgezeichnete Studie vor.
2 Zum Stellenwert der ›Schatten‹ in Platos Kunstrezeption – und auch
  zur Begründung meines eigenen Umgangs mit diesem Konzept – vgl.
  Costa Lima, L. (1980), S. 39 ff.

Literatur

Auerbach, E. (1929), *Dante als Dichter der irdischen Welt*. Heidelberg.
Auerbach, E. (1936) (1967), »Giambattista Vico und die Idee der Philologie«. In: ders. (1967), *Gesammelte Aufsätze zur romanischen Philologie*. Bern/München. S. 233-241.
Auerbach, E. (1953), »Epilegomena zu *Mimesis*«. In: *Romanische Forschungen* 65.

Auerbach, E. (1958), *Literatursprache und Publikum in der lateinischen Spätantike und im Mittelalter*. Bern/München.

Auerbach, E. (1967), »Philologie der Weltliteratur«. In: ders., *Gesammelte Aufsätze zur romanischen Philologie*. Hg. v. F. Schalk. Bern. S. 301-310.

Berlin, I. (1969), »A Note on Vico's concept of knowledge«. In: Tagliacozzo G./White, H. (Hg.), *Giambattista Vico. An International Symposium*. Baltimore.

Costa Lima, L. (1980), *Mimesis e modernidade*. Rio de Janeiro.

Costa Lima, L. (1984), *O controle do imaginário*. São Paulo.

Holdheim, W. W. (1981), »Auerbach's *Mimesis*: Aesthetics as Historical Understanding«. In: *Clio* 10/2.

Leach, E. (1969), »Vico and Lévi-Strauss on the Origins of Humanity«. In: Tagliacozzo, G./White, H. (Hg.), *Giambattista Vico. An International Symposium*. Baltimore. S. 309-318.

Spitzer, L. (1944), »Geistesgeschichte vs. History of Ideas as Applied to Hitlerism«. In: *Journal of the History of Ideas* 5/2.

Vico, G. (1744) (1966), *La Scienza nuova e opere scelte*. Hg. v. N. Abbagnano. Turin.

Wellek, R. (1954), »Auerbach's Special Realism«. In: *Kenyon Review* 16.

III
Stil – soziale Repräsentation / kulturhistorische Rekonstruktion

Hans-Georg Soeffner
Stil und Stilisierung
Punk oder die Überhöhung des Alltags

Max Weber hielt die »religiöse Stereotypenbildung der Produkte
der bildenden Künste« für die »älteste Form der Stilbildung«
(Weber, M., ⁵1972, S. 249). Er hat damit, unabhängig von der in
dieser Formulierung anklingenden, eher traditionellen Verwendung des Wortes ›Stil‹, auf die enge Verbindung von Typen- bzw.
Stereotypen-bildung, bildender Kunst bzw. Ästhetik und religiösem Ausdruck hingewiesen. Ich knüpfe im folgenden an diesen
Hinweis an. Ich sehe darin mehr als eine Bemerkung über historische Anfänge der Stilbildung: Ich nehme ihn als Anregung,
Techniken und Handlungen der ästhetischen Überhöhung des
Alltags ganz allgemein daraufhin zu beobachten, inwieweit sie
bereits in konkreter alltäglicher Interaktion auftreten und möglicherweise schon dort Elemente des Ausdrucks religiöser Erfahrungen oder religiöser Anschauungen erhalten.

Daß ich mich bei diesen Beobachtungen zunächst einer sehr
auffälligen Gruppe, den Punks, zuwende, hat vor allem zwei
Gründe: Stilisierung, Typenbildung, ästhetisierendes Zitieren alltäglicher Gegenstände (wie zum Beispiel Sicherheitsnadeln oder
Kronenkorken) sind hier einerseits kaum zu übersehen; andererseits deutet – zumindest auf den ersten Blick – kaum etwas darauf
hin, daß die Stilisierungsmittel im Dienst des Ausdrucks religiöser Erfahrungen stehen. Die Beobachtung des Phänomens ›Punk‹
kann also auch zur Überprüfung der oben genannten Annahme
dienen.

Ich gliedere mein – innerhalb dieses begrenzten Rahmens zugege-
benermaßen waghalsiges – Unternehmen in drei Schritte:

1. Ich werde zunächst versuchen, ein Konzept für die Ausdrücke
   ›Stil‹ und ›Stilisierung‹ zu entwickeln, das sich als Arbeitsin-
   strument für empirische Beobachtungen einsetzen und zugleich als Analysekonzept verwenden läßt;
2. beschreibe ich einige, wenn nicht nachweisbar zentrale, so
   doch auffällige Stilmittel und Stilisierungspraktiken deutscher
   Punks, wobei ich diese Beschreibungen ergänzen werde um die

– hier nur skizzenhafte – Nachzeichnung einiger Verbindungslinien heute verwendeter Stilmittel oder Symbole zu ihren
historischen Vorläufern;
3. werde ich einige Hypothesen formulieren, die zwar aus der
   Analyse der Beobachtungen genommen wurden, deren Tragfähigkeit aber durch die Beobachtung anderer Gruppen und
   anderer Stilisierungsphänomene noch überprüft werden muß.
Die im folgenden vorgestellten Beobachtungen und Überlegungen stehen in engem Zusammenhang mit anderen Fallstudien, an
denen meine Forschungsgruppe arbeitet. Wir verfolgen mit diesen Studien das Ziel, anhand empirischer Untersuchungen Aufschlüsse über Ausdrucksformen und Inhalte kollektiver Selbst-,
Fremd- und Wirklichkeitsentwürfe zu erhalten (vgl. Soeffner,
H.-G., 1984), die die Gegenwart unseres gesellschaftlichen Zusammenlebens bestimmen. In allen diesen Studien geht es somit
um die symbolischen und emblematischen Strukturen und Struk-
turierungen sozialer Ordnung(en) und um die Beschreibung und
Interpretation gegenwärtig beobachtbarer Erscheinungsweisen
sozialer Darstellungsformen im Hinblick auf die wechselseitige
Orientierung gesellschaftlicher Gruppen.

1. Stil und Stilisierungshandlungen

Aus interaktionstheoretischer Sicht verstehe ich unter einem bestimmten historischen Stil zunächst eine beobachtbare (Selbst-)
Präsentation von Personen, Gruppen oder Gesellschaften. Stil als
eine spezifische Präsentation kennzeichnet und manifestiert die
Zugehörigkeit eines Individuums nicht nur zu einer Gruppe oder
Gemeinschaft, sondern auch zu einem bestimmten Habitus und
einer Lebensform, denen sich diese Gruppen oder Gemeinschaften verpflichtet fühlen. Ein Stil ist Teil eines umfassenden Systems von Zeichen, Symbolen und Verweisungen für soziale
Orientierung: Er ist Ausdruck, Instrument und Ergebnis sozialer
Orientierung. Dementsprechend zeigt der Stil eines Individuums
nicht nur an, wer ›wer‹ oder ›was‹ ist, sondern auch wer ›wer‹ für
wen in welcher Situation ist. Und der Stil von Texten, Gebäuden,
Kleidung, Kunstwerken zeigt nicht nur an, was etwas ist oder
wohin es zugeordnet werden kann, sondern auch, was etwas für
wen und zu welcher Zeit ist und ›sein will‹.

So ist ›Stil‹ – nicht nur bezogen auf soziale Interaktion, sondern auch *in* ihr – vor allem anderen eine Beobachtungsleistung und Beobachtungskategorie. Innerhalb der menschlichen Gesellschaft, die immer schon eine Gesellschaft von Beobachtern ist, wird Stil produziert, um beobachtet zu werden. Stil repräsentiert und präsentiert in sozialer Interaktion die Einheit von Präsentation und Beobachtung. In dieser Hinsicht kann ›Stilisierung‹, das ›Styling‹, begriffen werden als Bündelung beobachtbarer Handlungen, die ausgeführt werden, um eine einheitlich abgestimmte Präsentation zu erzielen. Die Elemente eines ausgearbeiteten Stils sind somit die gefrorenen Stilisierungs- oder Stil anzeigenden Handlungen (vgl. Soeffner, H.-G., 1986).

Da jedoch Menschen in ihren Handlungen neben und in allen Tätigkeiten oder Plänen immer schon Zeichen produzieren, durch die sie anzeigen, was sie tun, denken oder wollen und wer sie sind, wäre es eine sinnlose Verallgemeinerung, jede zeichenhafte und typisierende Präsentation von Handlungen oder Haltungen ›Stil‹ zu nennen. Das alltägliche Leben ist geordnet und ordnet sich durch *typisierte* Handlungen, Wahrnehmungen, Dinge und Personen und ebenso durch *typisierende* Wahrnehmungen und Handlungen (vgl. Schütz, A., Luckmann, Th., 1979, Bd. 1, bes. S. 277 ff., Bd. 2, 1984, S. 178 ff.). Wir leben – als Typen für andere – in einer typisierten Welt. In dieser alltäglichen Welt sich typisch zu bewegen, zu verhalten oder zu handeln ist nicht schon ein ausgezeichneter (Lebens-)Stil. Im Gegenteil: im Gegensatz zu alltäglicher Typenbildung enthält jeder Stil zusätzlich eine ästhetische Komponente – eine ästhetisierende Überhöhung – des Alltäglichen.

›Stil zu haben‹ ist also das Ergebnis gezielter Handlungen in Richtung auf eine ›kulturelle Überhöhung‹ des Alltäglichen. Es ist eine sichtbare, einheitsstiftende Präsentation, in die jede Einzelhandlung und jedes Detail mit dem Ziel eingearbeitet ist, eine homogene Figuration oder ›Gestalt‹ – den Stil – zu bilden und darzustellen. ›Stil zu haben‹ – in diesem Sinne – bedeutet fähig zu sein, bewußt für andere und auch für das eigene Selbstbild eine einheitliche Interpretation anzubieten und zu inszenieren. Für das Mitglied einer ›signifikanten‹ Gruppe heißt dies, fähig zu sein, die Interpretation und Präsentation der eigenen Gruppe exemplarisch am Einzelfall (den man selbst zu inszenieren hat) darzustellen.

In diesem Zusammenhang betone ich ausdrücklich, daß es für den ›Träger‹ eines Stils nicht nötig ist, einen *expliziten*, diskursiv mitteilbaren Begriff oder eine explizite Vorschrift und Begründung für den dargebotenen Stil zu haben. Es ist lediglich notwendig, daß der Träger eines Stils – als Designer seiner selbst – diejenigen signifikanten Selektionen kennt und handelnd einführt, durch die ein bestimmter Stil hervorgebracht und in Szene gesetzt wird. – Nebenbei: ein Individuum kann die Zugehörigkeit zu einer bestimmten Gruppe einerseits stilisiert dadurch anzeigen, daß es gruppenkonforme Handlungen, Einstellungen, Glaubenspostulate, Sitten, Kleidung etc. zu einer signifikanten Inszenierung zusammenstellt. In diesem Fall weiß das Individuum in aller Regel darum, daß es sich ›konform‹ verhält. Andererseits können sich Individuen – so wie wir dies gegenwärtig in unserer eigenen Gesellschaft vorgeführt bekommen – mit großem Eifer darum bemühen, ›einzigartig‹ oder, im Vokabular der Aktualität, ›authentisch‹ zu sein und zu erscheinen. Dann sind sie – im Kreise der vielen, die sich der Einzigartigkeit verpflichtet fühlen – für einen Außenbeobachter die gruppenkonformen Mitglieder einer Gruppe von Nonkonformisten.

Der Stil einer Person, einer Gruppe, eines Kunst- oder Gebrauchsgegenstandes, eines Textes bindet alle wahrnehmbaren Details seines jeweiligen Trägers zu einer darstellbaren Sinnfigur zusammen. Und ›Stil‹ – in der Bedeutung, die ich diesem Ausdruck nun gebe – ist gleichzeitig zu verstehen als eine für das Publikum inszenierte Interpretationsanleitung: als Präsentation von etwas und Ausdruck für etwas, das – sonst auch alltäglichen – Handlungen oder Gegenständen einen ästhetisierenden, außeralltäglichen Akzent verleiht. In jedes Detail des Stils und der stilisierenden Aktionen ist für einen konkreten oder möglichen Beobachter (auch für den Designer des Stils als Beobachter seiner selbst) ein Interpretationshinweis auf die Sinnfigur als ganze eingearbeitet. So verkörpert jede einzelne stilisierte Aktion und jedes Stilelement gleichzeitig einerseits jeweils aktual-konkrete Zwecke und andererseits Hinweise auf eine diese Aktualität umgreifende und legitimierende ›höhere‹ Sinneinheit: den Stil.

Elemente eines Stils enthalten dementsprechend nicht nur Hinweise und Anknüpfungspunkte zum Stil als solchem, sondern auch zu anderen Elementen, Zeichen, Szenen, mit denen sie verbunden sind. – In sozialer Interaktion wird ein bestimmter Stil kontinuierlich produziert und reproduziert durch stilisierende Einzelhandlungen und Details, die auf vorangegangene, stilisierte Details und Szenen verweisen, und an nachfolgende geknüpft. Dieser sich in Einzelhandlungen fortwährend definierende Prozeß kann im Gefüge wechselseitiger sozialer Aktionen und Reaktionen nicht ausschließlich auf Bekanntes zurückgreifen und dieses wiederholen oder zitieren. Es muß vielmehr – was den darzustellenden Sinn angeht – *strukturell (relativ) geschlossen* und gleichzeitig *material (fast unbegrenzt) offen* sein. Letzteres vor allem in Hinblick auf neue Situationen und neue Materialien, die durch Stilisierungsaktivitäten in die Sinnstruktur des Stils eingearbeitet und an den Stil angepaßt werden können.

Ich wies bereits darauf hin, daß ›Stil‹ innerhalb einer Gesellschaft von Beobachtern und Beobachteten, von Deutenden und Gedeuteten, von Interpreten und Interpretiertem eine Beobachtungs- *und* Interpretationskategorie ist. Dementsprechend meint ›Stil‹ nicht die *Qualität* einer Person, eines Gebrauchs- oder Kunstgegenstandes, eines Textes etc. Er ist vielmehr ein *Produkt* sozialer Interaktion, Beobachtung und Interpretation. Ein Stil wird nicht nur von einem sich selbst oder bestimmte Produkte stilisierenden Handelnden hervorgebracht, sondern ebenso von bestätigenden oder ergänzenden Interpretationen der Beobachter und Interpreten (vgl. Strauss, A., 1968).

Daran werden die Wirkung und das Ziel von ›Stil‹ und ›Stilisierung‹ deutlich: Eine Person, die einen Stil produziert, zeigt damit an, daß sie sich in Distanz zu sich selbst und ihrer sozialen Umgebung setzt, das heißt, daß sie auch sich selbst beobachtend und interpretierend gegenübertritt. – ›Stil‹ wird so zu einem Ausdrucksmittel und zu einer Darstellungsform sozialer *Abgrenzung*. Er veranschaulicht ›Mitgliedschaft in ...‹ und ›Abgrenzung von ...‹ durch bewußte Präsentation und Stilisierung eines Selbst für interpretierende andere (Beobachter).

Die bekannte These – soviel ist nun gut erkennbar –, daß erst das historische Auftreten eines sogenannten ›persönlichen‹ oder ›privaten‹ Stils ein ›individuelles‹ Subjekt konstituiert oder hervorgebracht habe, hat nichts für sich. Die bewußt stilisierte Kontrastierung eines ›autonomen‹ Selbst gegen andere ist vielmehr eine kollektiv weithin geteilte Antwort auf eine Situation, in der die Individuen ihre von anderen Individuen mitgewußte, daher bekannte und sichtbare soziale Position innerhalb einer festgefügten

Gesellschaft verloren haben (vgl. Luckmann, T., 1980; Soeffner, H.-G., 1983; Beck, U., 1982; Beck, U., 1984). In solchen historischen Situationen suchen Individuen das zu sichern, was sie bereits verloren haben: All die – oft verzweifelten Bemühungen und Ideologien, die darauf abzielen, ein autonomes, ›authentisches‹ Subjekt zu konstituieren und das Streben nach Subjektivität zu legitimieren, zeigen vor allem anderen – als wie tiefgehend schmerzlich der Verlust positional gesicherter Subjektivität empfunden wird. Pointiert ausgedrückt: Der moderne Traum vom selbstversorgten Subjekt, errichtet – auf den Trümmern historisch vorangegangener Ordnungen und der in ihnen geleisteten positionalen Eingliederung und Absicherung von Individualität – die illusionäre Konstruktion vom autonomen Subjekt. Diese Illusion der Selbstversorgtheit verlangt vom Menschen als *animal sociale* etwas, was er weder ist noch leisten kann. Zudem bedeutete die perfekte Erfüllung der Norm von ›Selbstversorgtheit‹ und ›Autonomie‹ nichts anderes als eine – zwar euphemistisch umschriebene, aber objektiv praktizierte – Form von Asozialität.

Unabhängig von dieser später noch einmal aufzugreifenden These mag für den vorliegenden Zusammenhang die kurze Skizzierung des von mir verwendeten Stilkonzepts genügen. Es ist ein an der empirischen Beobachtung orientiertes Konzept und enthält sowohl die umgangssprachliche Wendung ›Stil haben‹, gibt aber auch Kriterien dafür an, wie es als Beobachtungskategorie verwendet werden kann. Außerdem hoffe ich, deutlich gemacht zu haben, daß die Interpretation eines bestimmten Stils auf der Basis dieser Vorbemerkungen nicht darauf aus ist, eine Antwort auf die Frage zu geben, »*warum* ein bestimmter Stil historisch hervorgebracht wurde«. Statt dessen halte ich es für sinnvoll, folgende Frage zu stellen und für sie nach Antworten zu suchen: »Was repräsentiert und bedeutet ein bestimmter beobachtbarer Stil?« Möglicherweise gelingt es mir, Frage- und Antwortrichtung in der folgenden Kurzbeschreibung und Charakterisierung des ›Punk-Stils‹ zu konkretisieren.

2. Stil und Haltung

Ebenso wie viele andere gegenwärtig beobachtbare Gruppen, die sich selbst für ›Außenseiter‹ halten oder von anderen als solche definiert werden – vgl. etwa ›die Alternativen‹, ›die Grünen‹, ›die autonomen Gruppen‹, ›die Sannyasin‹ – haben auch die ›Punks‹ eine Darstellungsform entwickelt, die durch eine auffällige Dominanz ›symbolischer Aktionen‹, durch eine ausgearbeitete Emblematik und durch hochgradig ritualisiertes Handeln in der Öffentlichkeit gekennzeichnet ist. Spezifische Erscheinungsform und Inszenierungspraxis von ›Punk‹ als Stil und von ›Punks‹ als Gruppenmitgliedern und Designern dieses Stils sind, so meine These, Ergebnis einer bewußten Stilisierung und eines impliziten, kollektiv geteilten Wissens der Punks darum, welche Details und Elemente eines Symbolsystems ausgewählt und realisiert werden müssen, um die richtige ›performance‹ von ›Punk‹ zu inszenieren.

Die Daten, auf die ich mich im folgenden beziehe, bestehen aus offenen Interviews, Videoaufzeichnungen, Feldbeobachtungen, Photographien, Punk-Zeitschriften, Plattencovern von Punk-Bands und Briefen, die an Thomas Lau geschrieben wurden, einen Mitarbeiter meines Teams, der die gesamte Feldarbeit – Sammeln, Pflanzen, Jagen – des Punkprojekts leistet.[1] Innerhalb des hier sehr begrenzten Rahmens kann dieses Datenmaterial nicht einmal annäherungsweise so beschrieben werden, wie dies für eine Feldstudie nötig wäre. Ich beschränke mich daher auf die – bereits zusammenfassende und typisierende – Charakterisierung einiger zentraler Elemente des Punk-Stils: mit dem Ziel, die Rohform des ›Idealtypus‹ (Weber, M., *a.a.O.*, 1, S. 1 ff.) und dessen, was ich die ›Sinnfigur‹ (Soeffner, H.-G., 1982) des Phänomens ›Punk‹ nenne, herauszuarbeiten. Mein Ansatzpunkt (vgl. Teil 1): Ich versuche diejenigen Interpretationen zu leisten, zu der die Punks mich und andere auffordern, indem sie mir die Inszenierung ihres spezifischen Stils präsentieren.

Jedem, der schon einmal Punks gesehen hat, prägt sich die eigenartige und charakteristische Komposition von ›Irokesen-Look‹ – einer Anspielung auf ein spezifisches ›Naturvolk‹ – einerseits und der – zumindest in der Entstehungsphase von Punk – überwiegend schwarzen, nietenbesetzten und bemalten Kleidung andererseits ein. – Nebenbei, die Betonung der schwarzen Farbe in der Kleidung wechselte eine Zeitlang mehr und mehr in ein grellbuntes Styling über und kehrt im Augenblick wieder mehr zur Farbe ›Schwarz‹ zurück: was die offizielle Mode aus dem Design des Punks zitiert, wird von diesem sofort in einer

Gegenbewegung abgelegt und im Sinne einer Gegenmode neu formuliert. – Aber unabhängig davon formte und formt der Kontrast zwischen auffällig stilisierter und gefärbter Haartracht einerseits und überwiegend dunkler Kleidung andererseits strukturell das Punk-Erscheinungsbild.

Für einen unaufmerksamen Beobachter scheint ein scharfer Kontrast zwischen dem mühevollen Arrangement von Haartracht (oft einschließlich Gesichtskosmetik) und einer in besonderer Weise scheinbar vernachlässigten, schmutzigen, abgetragenen und oft geflickten Kleidung zu bestehen. Wer genauer hinsieht, erkennt, daß dieser erste Eindruck täuscht: Die scheinbar ärmliche und schäbige Kleidung ist sorgfältig hergerichtet und arrangiert. Vieles an ihr ist – in einem nicht eben an Modezeitschriften orientierten Sinn – Handarbeit: Nietenmuster, Aufnäher, angeklebte Buttons, emblematische Bemalung (Anarchistenemblem) und Schriftzeichen – provokante Sprüche oder Namen von Bands.

Anstelle eines Gürtels benutz(t)en einige Punks eine Kordel und viele von ihnen ›dekorieren‹ Jacken und Hosen mit Flicken. Die Gesichtskosmetik zielt entweder auf augenfällige Blässe, bleichfahle Gesichtsfarbe oder auf ornamentale Bemalung – mit einer unübersehbaren Anspielung auf indianische Jagd- oder Kriegsbemalung. Narben werden zu Ornamenten des Schmerzes oder ästhetischen Stigmas: Die berühmten Sicherheitsnadeln in Ohrläppchen oder Wangen weisen symbolisch in dieselbe Richtung. Dabei ist es bezeichnend, daß eine stilisierte Selbstverletzung, die beim Betrachter Assoziationen von Schmerz und Unbehagen auslöst, durch die pointierte Zweckentfremdung ausgerechnet eines ›Sicherheits‹-Instrumentes demonstriert wird.

Kurz: Es kostet viel Mühe, Zeit und mindestens Unbequemlichkeit, den hohen Standard der Punkkosmetik, Körperdarstellung und Bekleidungskultur zu erfüllen; mehr wahrscheinlich, als die Kosmetik einer deutschen ›*Brigitte*-Frau‹ oder der ›Dame de *Vogue*‹ in Anspruch nimmt. Mögen die Mühen vergleichbar sein, das Ziel ist ein anderes: ›Punk‹ ist die Ausarbeitung einer spezifischen Ästhetik des Häßlichen – und anklangsweise der Armut und ›Schäbigkeit‹. Diese Ästhetik zielt auf das genaue Gegenteil üblicher Kosmetik – auf die Demonstration einer strikten Feindseligkeit gegen Luxus, Massenkonsum und seriell reproduzierbare Verschönerung.

Nimmt man – bezogen auf den Irokesen-Look – alle Mühen

zusammen, die es für einen mitteleuropäischen Jugendlichen braucht, das ›Image‹ eines ›child of nature‹ (nicht etwa des modischen Naturburschen oder Dschungeldressman, vgl. den Camel-Typ) zu inszenieren, so erhält man ein treffendes Beispiel und einen konkret-historischen Ausdruck für die Stilisierung und expressive Überhöhung einer ›künstlichen Natürlichkeit‹ (Plessner, H., 1975, S. 309 ff.). Der Punk-Stil ist, so gesehen, die bewußt arrangierte und – was das ästhetische Vergnügen dabei angeht – spielerische Verkehrung jener *conditio humana*, die Plessner als »natürliche Künstlichkeit« bezeichnet hat.

Jeder aufmerksame Beobachter wird feststellen, daß die Punks wissen, was sie tun und für welchen symbolischen Ausdruck sie ihren antithetischen Stil einsetzen: Der Irokesen-Look repräsentiert nicht den Indianer als ›Naturkind‹. Im Gegenteil: indem Punks sich als ›Stadtindianer‹ bezeichnen, geben sie in diesem Ausdruck einen weiteren Beleg für das formale Prinzip ihres Stils – für dessen *antithetische Struktur* und für das auch *innerhalb* des Stils geltende Prinzip der Konstruktion und Expression von Widersprüchen. Anders als bei ›Grünen‹, ›Alternativen‹ und/ oder ›ökologischen‹ Bewegungen findet sich bei den Punks weder eine späte Wiederbelebung des Rousseauismus noch die Suche nach einem Weg zurück zur Natur. Sie zitieren lediglich den Mythos von der ›ursprünglichen, natürlichen Ordnung‹, um darauf hinzuweisen, daß diese unwiederbringlich zerstört ist. *Die antithetische Struktur des Punk-Stils richtet sich nach innen und nach außen.* Sie bezieht sich auf das interne Prinzip der Verknüpfung von Emblemen, Symbolen und Hinweiszeichen genauso wie auf die nach ›außen‹ gerichtete provokative und bissige Verkehrung der ›aktuellen‹ Mode.

Das selbst symbolisch verfahrende Zitieren symbolischer Traditionen, die antithetische Verknüpfung der symbolischen Zitate und die in ständiger Gegenbewegung gegen die herrschende, auch den Punk-Stil adaptierende Mode können exemplarisch veranschaulicht werden an der Verwendung der Farbe ›Schwarz‹ in Kleidung und Kosmetik der Punks. Schwarze, emblembesetzte Kleidung war eines der tragenden Elemente des Punk-Stils am Anfang der ›Bewegung‹.[2] Als die Mode dazu überging, dies zu zitieren, wurde Punk bunt, und als auch dies modisch konsumiert zu werden begann, kehrte Punk zurück zu ›Schwarz‹.

Schwarz als dominante Kleiderfarbe in Mitteleuropa – und nur auf diese Tradition will ich hier kurz eingehen – hat eine lange, aus widersprüchlichen Strömungen gespeiste Tradition. Auf ihr wiederum gründet unser implizites Wissen um den ambivalenten Symbolgehalt dieser Kleiderfarbe. ›Black is‹ not so much ›beautiful‹, es affiziert vielmehr unsere Wahrnehmung in einer ganz spezifischen Weise: es setzt den schwarz gekleideten oder bemalten Körper in der klarsten Weise in Kontrast zu einer farbigen und hellen Umgebung. Es ist und war die Farbe der Meditation und Konzentration, sichtbares Zeichen der Ablehnung von sinnlicher Weltzugewandtheit und sinnlichem Genuß. Es war daher nicht nur die Farbe bestimmter zeitlich begrenzter, rituell überformter Erfahrungen, Anlässe oder ›Lebenspassagen‹ (Trauerfarbe, Witwen- bzw. Alterstracht), sondern auch eine der tragenden Farben religiöser Orden. Die Traditionen des formalen, des weltanschaulichen und des sozialen Kontrasts ergänzen einander.

Wenn Philip der Gute von Burgund (1419-1467) innerhalb seines farbig gekleideten Hofstaates als einziger in vollständig schwarzer Kleidung erschien, fand darin seine sozial hervorgehobene Stellung ihren repräsentativen Ausdruck. Wenn hingegen in der Renaissance ganz allgemein schwarze Kleidung empfohlen wurde, weil sich von ihr das menschliche Gesicht am besten abhebt, so setzte diese Empfehlung einen neuen Akzent auf Darstellung und Beobachtung menschlichen Ausdrucksverhaltens. Das ›kleine Schwarze‹ ist ein Restbestand dieser Tradition. Die spanische Hoftracht des 16. und 17. Jahrhunderts schließlich stilisiert die Ausdrucksfähigkeit des blassen und gleichzeitig ›leuchtenden‹ menschlichen Gesichts um in die maskenhafte Starre reiner höfischer Repräsentation: in der Hofmalerei wird über dem schwarz gekleideten Körper das maskenhaft weiße Gesicht auf einer großen weißen Halskrause wie auf einem Tablett serviert.

Die offizielle lutherische Amtstracht sowie die Amtstracht anderer protestantischer Kirchen war bzw. ist schwarz, ebenso die ›weltliche‹ Kleidung der protestantischen Laien: sichtbares Zeichen der Weltabgewandtheit und des ›Auf-sich-selbst‹- (auf die Selbsterforschung) ›bezogen-Seins‹. Schwarz als Farbe der Weltabgewandtheit und zugleich als Farbe des Protestes gegen die Welt ergänzen sich in dieser Traditionsrichtung. So kleidete sich auch der weltanschaulich und zugleich stil-sichere deutsche Romantiker des beginnenden 19. Jahrhunderts mit einer schwarzen statt einer weißen Krawatte, um so zumindest im kleinen der ›Nachtseite des Lebens‹ symbolisch zu ihrem Recht zu verhelfen. In eben dieser Tradition steht Schwarz als Farbe der Anarchisten und auch – wer erinnert sich nicht an den langen schwarzen Pullover Juliette Grécos? – als Kennzeichen der Verknüpfung von Anarchismus und Existenzialismus.

Noch ein weiterer symbolischer Kontext – eine weitere Traditionslinie – in der Verwendung der Farbe ›schwarz‹ als Kleiderfarbe ist zu nennen: Schwarz als Farbe militärischer ›Eliten‹ (vgl. hierzu Nixdorf, H./Müller, H., 1983). Von der ›Schwarzen Reiterei‹ des Grafen Günther von Schwarzburg (14. Jahrhundert) über das ›Schwarze Heer‹ des Matthias Corvinus, die ›sächsisch schwarze Garde‹, Florian Geyers ›Schwarze Haufen‹ (bei dieser Truppe waren auch die Gesichter schwarz gefärbt), die ›schwarze Bande‹ Kaiser Maximilians, die ›Totenkopfhusaren‹ Friedrichs ›des Großen‹ und des Herzogs von Braunschweig bis hin zu Mussolinis ›Schwarzhemden‹ und Hitlers Waffen-SS zieht sich diese schwarze Kette oft zweifelhafter Eliten durch die Jahrhunderte.

Im Zusammenhang mit der symbolischen Verwendung der Farbe ›schwarz‹ wäre noch vieles zu nennen. Für den vorliegenden Rahmen muß es jedoch reichen, wenn einige der Hauptlinien jener Traditionen sichtbar geworden sind, in denen die Selbstpräsentation von Individuen, Gruppen, Kollektiven und die Darstellung von Empfindungen, Statuspassagen und Weltanschauungen mit Hilfe der symbolischen Verwendung der Farbe ›schwarz‹ ihren Ausdruck finden: in einem ›äußeren‹ Zeichen als Hinweis auf eine ›innere‹ Haltung, Anschauung oder Zugehörigkeit.

Es ist ganz offensichtlich, daß die Punker bei ihrer spezifischen Verwendung der Farbe Schwarz nicht alle der oben erwähnten Traditionen, Bedeutungszusammenhänge und symbolischen Kontexte explizit kennen. Aber sie kennen einige dieser Kontexte durch Lektüre, Comics, Massenmedien und bildende Kunst. Symbolische Kontexte dieser Art werden ohnehin nicht durch das Studium des *Emblematum liber* (Andreas Alciatus, 1531) oder der Symbollexika tradiert und am bzw. im Leben gehalten. Sie erhalten sich selbst in sozialen Handlungsketten[3], deren Elemente und Formprinzipien sie sind. Sie werden erlernt durch den Gebrauch, und man braucht sie, ohne explizit zu wissen, daß man sie gelernt hat. Sie formen unser implizites Wissen mit, und sie sind inhaltlicher Teil unseres impliziten Wissens.

Ich nenne noch einmal die Grundzüge – die zeichenhaften Repräsentationen sozialer Haltungen – der in den unterschiedlichen Typen schwarzer Kleidung zum Ausdruck kommenden, in sich äußerst ambivalenten Symbolgestalt, wobei ich darauf aufmerksam mache, daß im Punk-Stil (siehe oben) nahezu alle symbolischen und emblematischen Haltungen in besonderer Weise miteinander verknüpft werden. Es sind: soziale Distanz, Kontrastierung und Entgegensetzung; Frömmigkeit, Religiosität, Weltabgewandtheit, Meditation, Entsagung; Protest und Kampf.

Alle diese Haltungen weisen *strukturell* das Merkmal des Abgesondert- und/oder Herausgehobenseins auf. *Inhaltlich* ist dieses Merkmal nahezu durchgehend geprägt durch das Bewußtsein der Zugehörigkeit zu einer Elite – pointiert ausgedrückt: zu einer Entsagungselite.

Damit wird unter Putz und Verputz eine Struktur erkennbar und eine Richtung deutlich, in die man bei der Suche nach Vorläufern der ›Bewegung‹ Punk gehen kann; ich betone: »Vorläufer«, nicht »Modelle«; Repräsentanten historisch gelebter und symbolisch dargestellter Haltungen, nicht tendenziell ahistorische Gußformen. Punk – nicht als Stil, sondern als Haltung – weist unübersehbare Parallelen zu laizistischen Bettelorden des Mittelalters auf, insbesondere zum Lebensstil der Franziskaner *vor* deren kirchlicher Legalisierung und damit vor der Unterstellung unter die Grundregeln und das allgemeinverbindliche Symbolsystem klösterlicher Ordnungen (vgl. hierzu: Foreville, R., 1970, S. 354 f.).

Die für laizistische Orden bezeichnende Struktur bewußt herausgekehrter stilisierter Armut und demonstrativer Feindschaft gegen Luxus, verbunden mit der Betonung »einfachen Lebens«, der Hinwendung zu einer ›bedrohten Natur‹, der bewußten Rückkehr zu einfachen Tugenden, einem Vagantenleben, einem Leben mit Spott und Indignation der übrigen Gesellschaft – all dies kommt den impliziten Normen des Lebensstils ›Punk‹ ziemlich nahe.

Emblematische Anspielungen auf Ordenstrachten in der Kleidung von Punks werden durch die Interviews als bewußt gesetzt erkennbar. Die schon erwähnte Ersetzung des Gürtels durch eine Kordel zum Beispiel – so einer der Punks – habe er den »Kuttenvögeln« entlehnt. Der Vergleich der flickenbesetzten Kutten von Bettelmönchen auf alten Stichen, insbesondere die Darstellung des Franciscus von Assisi, mit der stilisiert geflickten Punkkleidung weist in die gleiche Richtung. Aber all diese Anspielungen könnten als rein ästhetisches Spiel mit historischen Kostümen, als Parodie kirchlicher und anderer Kleidungstraditionen verstanden werden, wenn sich der Nachweis dieses spezifischen ›religiösen‹ Musters nicht noch durch andere Belege verdichten ließe. Diese Belege fanden wir in den Interviews und durch die Beobachtung gelebter Normen im Punk-Alltag.

Der oberflächliche Beobachter der Punk-Szene in den Städten, des oft rüden Verhaltens der Punkgruppen und der provozierenden Kleidungsaufnäher oder T-Shirt-Inschriften (»Ich fick wie ein Biest«) wird die antithetisch zu diesem Erscheinungsbild und zur Inszenierung von Provokationen gesetzten Normen, wie sie in den Interviews und der Feldbeobachtung zum Ausdruck kommen, nicht für möglich halten. Ich fasse diese Normen kurz zusammen:

(1) Eine nicht primär an Einzelpersonen gebundene, also eher *unpersönliche Freundschaft* zu tendenziell jedem Mitglied der Gruppierung – wer auch immer er sei und wo auch immer er herkomme: Dabei ist zu beachten, daß Punk die einzige der sogenannten jugendlichen Subkulturen ist, die nicht nur alle sozialen Schichten vom Arbeiterkind bis zum Mittel- und Oberschichtgymnasiasten umfaßt, sondern auch – die ›Irokesenlocke‹ deutet auch dies bereits symbolisch an[4] – beide Geschlechter zahlenmäßig etwa gleichverteilt enthält.

(2) *Gastfreundschaft* gegenüber Gruppenmitgliedern. Punk ist eine Wander- bzw. Vagantenbewegung. Punks ›reisen‹ durch *ganz* Europa und zunehmend auch durch Nord- und Südamerika. Wer erkennbar zur Gruppe zählt, findet Unterkunft bei anderen Punks, ohne zu bezahlen, ohne sich auf irgendwen oder irgendwas sonst als seinen Lebensstil berufen zu müssen.

(3) *Feindschaft gegen Luxus* und, gemessen am Lebensstil der übrigen Gesellschaft, ostentativ dargestellte *Besitzlosigkeit*. Alles was man braucht, ist die entsprechende Musik – Konzerte und »geile Scheiben«, die Anwesenheit Gleichgesinnter und Gleichgestylter.

(4) *Die intakte Gemeinschaft* ›echter‹ Gruppenmitglieder (»wo Punk is, stimmt die Welt. Da kannse dich auf alle verlassen. Muß'

nur aufpassen, dat da nich son Feierabendpunk dazwischen ist«). Diese Gemeinschaft ist eine des ›gleichen Geistes‹ und der gleichen Lebensführung.

(5) *Internationalismus:* Punk kennt weder regionale oder nationale noch rassische Grenzen – eine Leistung, die kaum von einer anderen jugendlichen ›Subkultur‹ erreicht werden dürfte.

(6) Eine spezifische *Unschuld* und ›*Reinheit*‹, die sich darin ausdrückt, daß man sich nicht durch ein »flaches«, »beknackt verlogenes« Leben verführen läßt, sondern sich »sauber hält«.

Der genuine Lebensstil von Punk bewegt sich innerhalb dieser einfachen Normen und Werte, deren religiöse Abkunft unübersehbar ist und deren Fortleben bis in die Gegenwart durch bestimmte Gruppen, durch die Nachfahren jener im Mittelalter entstandenen Orden, gewährleistet war: Durch Gruppen, die – wie Halbwachs es ausdrückte – »zum Teil noch in den Trümmern der Vergangenheit leben« (Halbwachs, M., 1925, 1985, S. 249). Die Wendung zu diesen einfachen Normen und Werten folgt ebenfalls einem übernommenen Verhaltensmuster: dem der radikalen mit dem Austritt aus dem ›normalen‹ Leben verbundenen Konversion. Wer die Wendung zum Lebensstil ›Punk‹ vollzieht, wird nicht nur neu ›eingekleidet‹ – er (sie) bekommt auch einen neuen Namen[5] und wird eingeübt in eine neue Sprache – in ein neues System sozialer Typisierungen. Ist die Wendung vollzogen, so kennt das Leben, dem Konversionsmuster folgend, keine Entwicklung mehr – zumindest so lange nicht, wie die Zugehörigkeit zur Gruppe und ihrem Lebensstil das alltägliche Leben prägt.

Wer in seinen Beobachtungen so weit gekommen ist, den wundert es auch nicht mehr, daß es für die Auftritte von Punks neben dem *Provokationsmilieu* (Bahnhöfe, öffentliche Anlagen, Einkaufszentren etc.), dem *engeren Gruppenmilieu* (Konzert- bzw. Pogotreffen in wechselnden ›Lokalen‹) auch ein gruppenübergreifendes, eher ›*zeremonielles Milieu*‹ gibt: Friedensmärsche, Friedensdemonstrationen und Kirchentage beider Konfessionen. Hier sind sie, die Provokateure der ›schweigenden Mehrheit‹, regelmäßig anzutreffen, aber nicht als Gegner, sondern als Teilnehmer oder, wie vor allem in der protestantischen Kirche der DDR, als Teilnehmer *und* Schutzsuchende vor Staatsgewalt und Staatsmoral. Auch hier hindert allerdings ihr distanziert antithetischer Stil die Punks daran, aus distanzierten Teilnehmern der neuen Massenzeremonien zu Mitgliedern einer Gesinnungs- und Emotionsgemeinschaft zu werden. Das kollektive Zeremoniell, kirchliche oder weltliche Choräle, Gesinnungsinszenierungen und Glaubensdemonstrationen wehren sie ab oder parodieren sie: Das vom Vorsinger Belafonte intonierte Hoffnungslullaby »We shall overcome« ist ihnen zum Beispiel gerade einen Pogo wert.[6] ›Punk‹ als Stil und Haltung lebt nicht von periodisch inszenierter, aber eher punktueller kollektiver Emotion oder von ritualisierten Glaubensbekenntnissen, sondern von der Dauer alltäglicher Lebensführung. Gegenüber kollektiven Gesinnungs- und Überzeugungsbewegungen präsentieren sich Punks als Haltungs- und Stilvirtuosen.

Die unverkennbar starken religiösen Elemente von ›Punk‹ als Lebensstil enthalten jedoch eine auffällige Eigenart: Die europäische Gewohnheit, Religiosität grundsätzlich im Zusammenhang mit einer Gottesvorstellung zu sehen und zu definieren, wird durch die Punks nicht gestützt. Dies müßte dazu führen, einen scharfen Schnitt zwischen Punks und anderen religiösen Gruppen zu machen. Denn – ob als Name, ›Person‹ oder Idee – der Ausdruck ›Gott‹ wird nicht erwähnt. Punk repräsentiert eine Religiosität ohne Gott und damit eine Erscheinungsform jener für die meisten Angehörigen unserer Kultur ›unsichtbaren Religion‹ (vgl. hierzu Luckmann, Th., 1963, insbes. S. 14 ff. und 32 ff.). Diese Religion ist nicht nur ›nicht-kirchlich‹ (Luckmann, Th., *a.a.O.*), sie hat auch die traditionellen Gottesvorstellungen nur *ersetzt*, nicht getötet. Denn letztlich stirbt ›Gott‹ nie, er wechselt lediglich sein gesellschaftlich hervorgebrachtes Erscheinungsbild. Gespeist wird diese ›ursprüngliche‹ Religiosität aus lebensweltlich fundierten Transzendenzerfahrungen, die jeder ›ausgearbeiteten‹ Religion vorausgehen.[7]

Es ist offenkundig: Gott wird durch die Gruppe selbst ersetzt – die intakte Natur ist für sie zerstört, ein Jenseits nicht erfahrbar, vergangene Paradiese sind verloren und zukünftige Heilswelten nicht zu erhoffen. Die Transzendenz vollzieht sich *im* – der Erlösungswunsch bezieht sich *auf das* – Diesseits: Punk ist *eine* der gegenwärtigen konkreten Erscheinungsformen der von Plessner analysierten »Weltfrömmigkeit« und des in ihr sich artikulierenden innerweltlichen Erlösungswunsches (Plessner, H., 1982). Im Stil und Symbolsystem der Punks, aber auch, wenn auch in anderer Weise, in öffentlichen Darstellungsformen der Friedens-

und Ökologiebewegungen, verschafft sich eine nun wahrhaft post-lutherische und post-liberal-katholische innerweltliche Religiosität ihren weltanschaulichen Ausdruck.

Gott ist, wie gesagt, daraus verschwunden, nicht aber die zuvor mit ihm verbundenen Vorstellungswelten, die darin auftretenden Heiligen und Sünder, Helden und Schurken, die Bilder von goldener Vorzeit, schlechter Gegenwart und entweder düster-apokalyptischer oder utopischer Endzeit. Plattencover, Buttons, Kleider, Pseudonyme (»Papst Pest«) sind voll von überwiegend apokalyptischen Motiven und Anspielungen. Unschuldige, leidende Heilige und Helden haben darin ihre gute – hoffnungslose – Position.[8] Hier geht einerseits erkennbar der formale, ästhetisch-antithetische Stil der Punks über in eine Lebenshaltung, andererseits aber tut man sich schwer, inhaltlich klar artikulierte ›Botschaften‹ zu entdecken, die mit dieser Haltung verbunden oder gezielt darauf aus sind, Proselyten zu machen und missionarisch eingesetzt zu werden.

3. Die Überhöhung des Alltags und des Individuums

Ein Stil muß *dargestellt* – eine Haltung *gelebt* werden. Zumindest dem Anspruch nach. Das heißt, Repräsentanten einer Haltung, die sich in Stilisierungen ausdrückt, müssen den Stil so inszenieren, daß dieser über sich selbst hinausweist auf einen auch ihn selbst legitimierenden Hintergrund. Der jeweilige Stil wird so zu einem System von Hinweisen und die jeweilige Inszenierung zu einer Andeutung. Die Darsteller verstehen sich dementsprechend als Animateure für Beobachter und Interpreten.

Ein Beispiel: Im Provokationsmilieu der öffentlichen Plätze, Bahnhöfe und Parks inszenieren Punks regelmäßig ein Stück, das den Titel »Jugendalkoholismus« oder »Dauergelage« tragen könnte. Bierflaschen rollen den Vorübergehenden vor die Füße. Es wird laut gerülpst. Hin und wieder bespritzt man sich oder die Passanten mit Bier.[9] Unsere (öffentlichen) Interviews mußten, so der ausdrückliche Wunsch der Punks, mit Bier ›bezahlt‹ werden. Aber trotz der permanent zur Schau gestellten Saufinszenierung sahen wir bisher kaum einen völlig betrunkenen Punk. Öffentliche Darstellungen dieses Zustands bleiben ›normalen‹ kleinbürgerlichen Freitagssäufern, Reservistengruppen der Bundeswehr etc. vorbehalten. Punks verlassen nach ihrer ›Darbietung‹ in aller Regel aufrecht und unauffällig die Bühne. Sie nutzen für ihre Provokation ein bekanntes Muster: das der ›Penner‹ oder ›Berber‹, die in ähnlichen öffentlichen Milieus anzutreffen und gleichzeitig Empfänger milder Gaben und öffentlichen Ekels sind. Punks inszenieren mit der Übernahme dieses Musters durchaus kein sozialkritisches Stück zum Thema ›öffentliche Armut‹, ihr Hinweis gilt nicht einer Gruppe der ›Erniedrigten und Beleidigten‹ dieser Gesellschaft, sondern letzterer selbst: der öffentlich dargestellte Alkoholismus zielt auf eine Gesellschaft »heimlicher Säufer« (Zitat), die weniger das ›Saufen‹ an sich als vielmehr das wortwörtliche öffentliche ›Ruchbar‹-Werden der Fahne fürchten. Sie bringen damit Henscheids provokatives Motto wieder in Erinnerung: »Lieber ein stadtbekannter Säufer als ein anonymer Alkoholiker!«

Die gezielte Provokation durch ›obszöne‹ Aufnäher auf der Kleidung (siehe oben) nutzt das gleiche Verfahren. Wer in diese Aufnäher und Hinweiszeichen Promiskuität, wilde Exzesse, »schädliche Neigungen« und »Verfallserscheinungen«[10] bei einer jugendlichen Randgruppe hineinphantasiert, hat, was seine Beobachtungsgabe angeht, erhebliche Sehschäden. Anders als die seriell hergestellten und ausgestellten tierischen Playmates: die Playboyhasen, die koitierenden Karnickel als Autoaufkleber etc. sind die sehr klaren und personal formulierten Punksprüche (»Willi Wucher hat mich gefickt«; »Ich fick wie ein Biest«) reine Provokation – und nicht Ausdruck jener an illustrierte Fabeltiere angeklebten kollektiven Wünsche, auf die sie sich beziehen.

Auch die Provozierung öffentlicher Gewalt folgt dem gleichen Muster. Man fällt auf durch Rüpelei und ›schlechtes Benehmen‹ – ›Delikte‹, für die eigentlich Erzieher zuständig wären. Diese, von der Familie über die Schule bis zur Kirche, reagieren nicht oder besser: mit diffusem und daher nichtssagendem Verständnis. Das gewünschte und notwendige Gegenüber entzieht sich jeder Wertediskussion. Ein material-normativer Gegner ist nicht in Sicht: Säufer beschimpfen Säufer als Säufer, Libertins beklagen die Libertinage, politische Opportunisten und Lobbyisten warnen vor dem moralischen Verfall und fordern die ›Wende‹. Die Punks haben, nicht nur aus ihrer Sicht,[11] nach einem alten Konversionsmuster diese Wende in einem gewissen Sinn vollzogen. Es bleibt ihnen nun zu zeigen, welche ›Stützen‹ der Gesellschaft noch bleiben, worauf die soziale Ordnung beruht.

Diese ›Stützen‹ der Gesellschaft sowie die Ordnung, als deren Garanten sie auftreten, sind – so die in den Interviews erkennbare Hypothese der Punks – lediglich als Hülsen auszumachen: das gesellschaftliche Ordnungssystem stellt sich dar als formales Regelwerk, nicht als Wertesystem. Dementsprechend werden die Sachwalter dieses Regelwerks als nicht nur entpersonalisierte, sondern auch ›entwertete‹ Funktionäre einer nur noch formalen Ordnung begriffen, hinter deren vordergründigem Funktionieren ein mit allen Mitteln geführter Kampf um Macht und Pfründe geführt wird. Die Konsequenz dieser Hypothese ist, daß man den für eine Normenentwicklung notwendigen Gegner, der sich in Elternhaus, Schule und Kirche der Auseinandersetzung entzieht und in eine inhaltlich nebelhafte, dafür aber formal antrainierte ›Kommunikations‹-Mechanik flüchtet, an einer Stelle sucht, wo man sicher sein kann, Reaktionen zu erhalten: Beim gesellschaftlichen Sachwalter formaler Ordnung – bei der Polizei.

Wer die Tendenz beobachtet hat, in der sich in vielen Familien die notwendige normative Auseinandersetzung zwischen Eltern und Kindern verflüchtigt hat – nicht zuletzt durch den Einfluß von Handbüchern, in denen ›Do-it-yourself-Wissen‹ für die Familientherapie vermittelt und das seiner Natur nach intime Familienleben in eine kommunikations- und sozialtechnologische »Familien*konferenz*«[12] verwandelt wird –, der wird sich über das von den Punks entwickelte Provokationsmuster und die Wahl des stellvertretenden Gegners nicht sonderlich wundern. Es ist *eines* der möglichen Reaktionsmuster auf eine Normendiffusion, die – angefangen bei der Familie über die vorwiegend nur noch unterrichtstechnologisch orientierte Schule bis hin zur Kirche – die ›klassischen‹ sozialisatorischen und normenbildenden Instanzen ergriffen hat. Besonders deutlich wird diese Tendenz bei den Kirchen: die Einrichtung psychotherapeutischer Beratungsstellen zunächst durch die protestantische und nun auch bei der katholischen Kirche und die Angliederung dieser Beratungsstellen an die jeweiligen Gemeinden gaben Anlaß zu der Frage, welchen religiösen und theologischen Inhalt Kirchen vertreten, die Seelsorge durch Therapie und, ohne weiter nachzudenken, traditionelle Glaubensinhalte und Formen kirchlicher Religiosität durch neue Institutionen innerweltlich orientierter Religiosität ersetzen.

Diese nur kurz skizzierte Tendenz der traditionellen Sozialisationsinstanzen zur inhaltlich leeren oder wattierten, dafür aber oft formal gut ausgearbeiteten Technologie ›kommunikativen‹ Verhaltens läßt die ›Punks‹ ein Gegenüber suchen und finden, das keine Sozialisationsinstanz sein kann, an dem sich aber symbolisch der vermutete, rein formale und als defizitär empfundene Charakter der eigenen Gesellschaftsordnung veranschaulichen läßt. Eine Normendiskussion ist entsprechend der oben genannten Hypothese nicht möglich; also geht es darum, Regeln zu brechen, und zwar solche, die einerseits relativ belanglos, andererseits aber von ›öffentlichem‹ Interesse sind. Was ist also zu tun? Die klassische Antwort der Avantgarde und auch der Punks: sich kollektiv in der Öffentlichkeit ›schlecht benehmen‹.

So sitzen Punks biertrinkend und pöbelnd in den öffentlichen Parks, an Bahnhöfen und in den Fußgängerzonen der Städte. Sie vergreifen sich nicht etwa an den großen Symbolen der Gesellschaft – Regierungsgebäuden, Fahnen, Denkmälern, Kirchen etc. –, sie treten lediglich auf die Spitzendeckchen der Nation. Die herausgeforderte formale Ordnungsmacht erscheint erwartungsgemäß, und ebenso erwartungsgemäß kommt es zu Scharmützeln. Die mit diesen Scharmützeln verbundenen Schlägereien sind zumindest auf seiten der Punks weit entfernt von der Brutalität üblicher Kneipen- oder Jahrmarktsraufereien einerseits oder ›politisch‹ motivierter Massenkeilereien (zum Beispiel mit Skinheads) andererseits. Anfangs ließ man sich mehr schlagen, als daß man zurückschlug. Ziel dieses im Ablauf einem festen, ›rituell‹ geregelten Muster folgenden Scharmützels und eines in den provozierten Treibjagden erkennbar werdenden ›Räuber-und-Gendarm‹-Spiels ist es, die eigene Hypothese über die Gesellschaft für alle sichtbar zu verifizieren: zu zeigen, was bisher nur andeutungsweise sichtbar war. In dieser Gesellschaft geht es um nichts als um die Erhaltung des schönen Scheins.

Gerade im Hinblick auf die Zerstörung des ›schönen Scheins‹ ist nicht nur der antithetische Charakter des Punk-Stils besonders gut erkennbar, seine Wirkung geht auch besonders tief. Hier spielt eine ›Jugendbewegung‹ mit der Ideologie und dem Werbedesign der Gegenwart, mit den Bildern der ›Jugendlichkeit‹, ›Attraktivität‹, ›Dynamik‹, ›Schönheit‹, Unverfälschbarkeit‹ und einer Zukunft mit ›Packen-wir's-an!-Mentalität‹. Dieser von der Werbung mitgetragenen und gestylten Jugendlichkeit setzen die jugendlichen Punks stilisierte Häßlichkeit, Schäbigkeit und Zynismus entgegen: eine andere Form der Jugendlichkeit, die das Werbebild karikiert. Nirgendwo sonst wird das Spiel der Punks mit der Mehrdeutigkeit und der semantischen Palette des englischen Ausdrucks ›punk‹ so deutlich wie hier: Im Stil der Provokation ist Punk (1) »Zunder« für die Öffentlichkeit, die man eben dadurch provoziert, daß man (2) »Mist« und »Quatsch« macht und sich als (3) »Schund« und Auswurf der Gesellschaft darstellt: als die (4) ›nouveaux misérables‹. Das Ganze findet statt in Form einer ›Jugendbewegung‹, die ihre eigenen romantischen oder romantisierenden Vorformen, den Wandervogel zum Beispiel, gleich mitparodiert.

So beeindruckend der antithetische Stil, die ästhetisierte Schäbigkeit, der distanziert-parodistische, moralische Protest und das Zitieren religiöser Traditionen im Sinne einer innerweltlichen Frömmigkeit auch sein mögen: Expressivität, ästhetisches Spiel und Provokation der Punks erscheinen nahezu allen ihren Interpreten als defizitär. Der Grund: man ist bei sozialen Bewegungen zumal in unserer Zeit an ›Botschaften‹ gewöhnt. Hier findet man keine. Außer einer – wie es scheint – Provokation an sich. Es fehlen die gewohnte Predigt, der Appell. Mehr noch: es fehlen die Sprecher, die Wortführer, Führerfiguren ganz allgemein. Was bleibt, ist eine Gruppe von Jüngern ohne Meister: eine hierarchische Ordnung innerhalb der Gruppe ist ebensowenig auszumachen wie ›Zentralorgane‹ oder autorisierte Verlautbarungen. Und dennoch erhalten sich die Gruppe und ihr Stil seit acht Jahren, gelingt es, Proselyten zu machen und Kontinuität zu sichern. Wo – oder was – also ist die Botschaft?

Die Antwort ist einfach: Punk *hat* keine Botschaft, Punk als Lebenshaltung und gelebter Stil *ist* die Botschaft. Die Gruppe ›missioniert‹ nicht durch Lehren, Appelle oder Botschaften, sondern durch die Demonstration einer in sich geschlossenen, moralisch aufwendigen und riskanten, weil ständig sanktionierten Lebenshaltung. Die Gruppe hat keinen charismatischen Führer: sie lebt von der *Selbstcharismatisierung* der Gruppe und ihres Lebensstils. Ihre Ausdrucks- und Missionierungsmittel sind Stil und Haltung statt Lehre. Es geht um ›Nachfolge‹, nicht um Dogmen. Die Gruppe ist Bewährungsfeld, Bewährungsinstanz und Ziel in einem. Sie transzendiert sowohl den Alltag als solchen als auch jedes einzelne Individuum. Kollektive Darstellung und

Orientierung werden gesichert durch die Medien des Stils – Emblematik, antithetische Ästhetik, Musik und durch den gezielten Einsatz des Stils in der Öffentlichkeit: die öffentliche Bühne und ihre Reaktion garantieren so im Gesamtarrangement den Zusammenhalt der Gruppe.

Der Alltag der Gruppe wird, indem er bewußt auf die öffentliche Bühne gebracht wird, zum Ungewöhnlichen und Außeralltäglichen, und solange die Öffentlichkeit im Parkett mit den erwarteten Sanktionen reagiert, ist Punk vor der »Veralltäglichung« (vgl. Weber, M., 1976, S. 142 ff.) sicher.

Was diese Gruppe mit ihren Darstellungsmitteln, vor allem aber mit ihrer Selbstcharismatisierung vorführt, einem Darstellungstyp, den sie *strukturell* mit der ebenfalls ›führerlosen‹, jedoch im Gegensatz zu Punk auf die Masse als Ornament und Träger angewiesenen Friedensbewegung teilt, ist nicht nur der Wunsch nach ›innerweltlicher Erlösung‹, sondern tendenziell auch dessen Erfüllung: Das ›schlechte Diesseits‹ wird nicht durch die Hoffnung auf ein ›besseres Jenseits‹, sondern aus der Gruppenperspektive durch ein gelebtes ›besseres‹ Diesseits überwunden.

Die Überhöhung des Alltags und des Individuums durch eine charismatische Gruppe ist jedoch mehr als die Reaktion auf bestimmte vorfindbare Strukturen und Lebensstile der gegenwärtigen Gesellschaft: Sie ist auch Reaktion auf den ihr historisch vorausgehenden Wertekanon von ›Emanzipation‹, ›Selbsterfüllung‹, ›Kreativität‹ und ›Autonomie‹ bzw. selbstversorgter Subjektivität, wie ihn der bürgerliche Teil der historisch vorausgehenden Generation vertrat, jener Generation, die heute zum Teil die Elterngeneration der Punks darstellt: Dem subjektorientierten Antiritualismus der sich in der Tradition der Aufklärung darstellenden sogenannten ›Achtundsechziger‹-Generation stehen heute mit den Punks – und nicht nur mit ihnen – gesellschaftliche Erscheinungsformen eines gemeinschaftsorientierten Ritualismus gegenüber.

Beide Erscheinungsformen, subjektorientierter Antiritualismus und gemeinschaftsorientierter Ritualismus, stehen in einer langen europäischen Tradition religiöser Darstellungsmuster. Die Ziele der Subjektorientierung: Kreativität, Selbsterfüllung und Autonomie (Selbstversorgtheit) sind leicht erkennbar als diejenigen Eigenschaften, die im Mittelalter nur einem zukamen, dem einzigen, der der Qualität nach ›Subjekt‹ war: Gott. Die zumeist unbewußte Übertragung der Attribute des göttlichen Subjekts auf einen innerweltlich konstituierten menschlichen Subjektbegriff (vgl. Soeffner, H.-G., 1983, S. 38 f.), die damit verbundenen Omnipotenzphantasien, Illusionen und Enttäuschungen und der durch die Egozentrik der subjektiven Perspektive fundierte Antiritualismus kennzeichnen einen gemeinhin als ›aufklärerisch‹ gekennzeichneten Traditionsstrang. Der andere, die Selbstcharismatisierung der Gruppe, geht zurück auf die ›urchristliche‹ Gemeinde, auf die erweiterte Gruppe der Jünger, die ihren ›Herrn‹ verloren hatten und als *Gruppe* ihr Pfingsterlebnis, allerdings in einer Stellvertreterfunktion, erfuhr. Wenngleich es sich also hier gewissermaßen um ein geliehenes Charisma handelt, so ist der Typus der charismatisierten Gruppe doch gut erkennbar als historische Zwischenstufe zwischen der ›realen‹ Führerschaft Jesu, seiner später folgenden jenseitigen und der ›in der Welt‹ dann noch später folgenden stellvertretenden Führerschaft. Auch für jene legendäre urchristliche Gemeinde galt der Grundsatz, daß die beste Predigt die sichtbar gelebte Haltung und damit *die durchgehende Sakralisierung* des alltäglichen Lebens sei.

Beide Erscheinungsformen jedoch, und das ist das soziologisch Bemerkenswerte, zeigen an, was in ihnen fehlt und was durch sie weiterhin bedroht ist: Das Wertesystem, bestehend aus den Idealen der ›außeralltäglichen Gemeinschaft‹, ›Solidarität‹ und ›überpersönlichen, gemeinschaftserzeugten Freundschaft‹ *überschreitet* und gefährdet dadurch die primären alltäglichen Lebensgemeinschaften: Familien, persönliche Freundschaften und nachbarschaftliche Nahgruppen. Hier gilt mehr noch für die ›universalistisch‹ orientierten Massenbewegungen unserer Zeit als für Punk nach wie vor Hegels Erkenntnis:

Die Menschenliebe, die sich auf alle erstrecken soll, von denen man auch nichts weiß, die man nicht kennt, mit denen man in keiner Beziehung steht, diese allgemeine Menschlichkeit ist eine schale, aber charakteristische Empfindung der Zeiten, welche nicht umhin können, idealistische Forderungen, Tugenden gegen ein Gedankending aufzustellen, um in solchen gedachten Objekten recht prächtig zu erscheinen, da ihre Wirklichkeit so arm ist. (Hegel, G. W. F., 1971, S. 362).

Das konkurrierende Wertesystem mit den Idealen ›Emanzipation‹, ›Selbstverwirklichung‹, ›Autonomie‹, ›selbstversorgte Subjektivität‹ *unterschreitet* dagegen die primären alltäglichen Lebensgemeinschaften und gefährdet sie dadurch ebenfalls.

Beide Entwicklungen gehen auf Kosten der ›Nahgruppen‹ – in einem Fall zugunsten der illusionären Abstraktheit alltäglich unerfüllbarer subjektiver Autonomie, im anderen zugunsten der ebenso illusionären Abstraktheit einer vom Alltag losgelösten, sich selbst tragenden und charismatisierten ›höheren‹ Gemeinschaft. Im einen wie im anderen Fall haben die alten Götter neue Kleider übergezogen, ihren Platz im alltäglichen Leben aber (noch) nicht gefunden.

Anmerkungen

1 Feldbeobachtungen, Interviews, Videoaufnahmen wurden im wesentlichen im Ruhrgebiet gemacht. Th. Lau ergänzte diese Daten um Feldbeobachtungen in England, umfangreiche Sammlungen von ›Fanzines‹ aus ganz Europa und Übersee. Die Korrespondenz, von einzelnen Punks initiiert und kontinuierlich fortgesetzt, kommt aus dem gesamten Bundesgebiet, aber auch aus England, den USA und Brasilien. Dennoch wissen wir, daß der uns am besten bekannte Teil des Feldes (Ruhrgebietspunk) nur bedingt repräsentativ für ein internationales Phänomen wie ›Punk‹ ist. Insbesondere die USA-Punks – so zeigen meine eigenen Beobachtungen und meine Diskussionen mit Anselm Strauss – scheinen sich von dem im folgenden herausgearbeiteten Idealtypus zu unterscheiden.

2 Ebenso bei ›Rockern‹, ›Teds‹ etc., bei denen allerdings kein deutlich gesetzter Kontrast zwischen Kleidung und ›Kosmetik‹ und ebenso wenig eine ›interne‹ Antithetik der Stilmittel festzustellen ist. Erkennbar ist hier lediglich eine eher simple Drohgebärde und eine ganz und gar nicht ironische Provokation der ›übrigen‹ Gesellschaft.

3 Vgl. hierzu insbesondere Maurice Halbwachs' Überlegungen zum »Kollektivgedächtnis«. Halbwachs, M. (1925) (1985), unter anderem S. 249.

4 Wie Irene Woll-Schumacher gezeigt hat, weisen die Irokesen im Unterschied zu anderen Indianerstämmen Nordamerikas eine Gesellschaftsstruktur auf, die in größeren Bereichen des gesellschaftlichen Lebens durch eine Art ›Gleichberechtigung der Geschlechter‹ gekennzeichnet ist. Woll-Schumacher, I. (1972).

5 Für Thomas Lau, den Interviewer, war es zunächst schwer, den Kontakt zu einzelnen Punkern aufrechtzuerhalten (zum Beispiel durch Korrespondenz oder Telefonate), weil die Gruppenmitglieder untereinander weder ihre Familien- noch ihre Taufnamen, sondern

nur den durch die Gruppe eingesetzten und in ihr verwendeten
Namen kannten. Die Namengebung selbst folgte dem Muster der
Typisierung von Merkmalen, ohne auf Spitznamen zu zielen (zum
Beispiel ›Klotz‹ = bezogen auf den Körperbau, ›Säge‹ = Merkmal:
Hasenscharte, ›Pony‹ = Pferdeliebhaberin etc.).

6 Beobachtet auf der ›großen Bonner Friedensdemonstration‹ 1984.

7 Vgl. hierzu: Schütz, A./Luckmann, T. (1979) (1982). Zum Problem
der Transzendenz im Alltag – S. 139 ff.; Halbwachs, M. (1925) (1985),
S. 256 ff.

8 Vgl. die von Thomas Lau zusammengestellte umfangreiche Dokumentation.

9 ›Härtere‹ Getränke spielen kaum eine Rolle, ebensowenig ›harte‹
Drogen – nimmt man die Einnahme von ›Wachmachern‹ (Captagon,
Preludin) aus.

10 Äußerungen von Staatsanwälten und Richtern in Jugendgerichtsver-
handlungen.

11 Vgl. »So sieht die Wende aus« oder »Weil die Wende eine geile Aktion
werden soll«. Titel der Flugblätter zum Deutschlandtreffen der Punks
in Hannover 1983.

12 Vgl. den gleichnamigen Bestseller.

Literatur

Alciatus, A. (1531), *Emblematum Liber.*

Beck, U. (1982), »Jenseits von Stand und Klasse?«. In: Kreckel, R. (Hg.),
Soziale Ungleichheiten, Göttingen, S. 35-74.

Beck, U. (1984), »Perspektiven einer kulturellen Evolution der Arbeit«.
In: *MitAB* 1/1984, S. 52-62.

Foreville, R. (1970), *Lateran I-IV. Geschichte der ökumenischen Konzi-
lien.* Hg. von Duneige, G. und Bacht, H. Bd. VI. Mainz.

Halbwachs, M. (1925) (1985), *Das Gedächtnis und seine sozialen Bedingungen.* Frankfurt/Main.

Hegel, G. W. F. (1971), »Der Geist des Christentums«. In: *Werke in
zwanzig Bänden*, Bd. 1. Frankfurt/Main.

Luckmann, T. (1963), »Unterscheidung von Religiosität und Kirchlich-
keit«. In: ders., *Das Problem der Religion in der modernen Gesellschaft.* Freiburg.

Luckmann, T. (1980), *Lebenswelt und Gesellschaft. Grundstrukturen und
geschichtliche Wandlungen.* Paderborn.

Nixdorf, H./Müller, H. (1983), *Weiße Westen – Rote Roben.* Katalog zur
Sonderausstellung der Staatlichen Museen Preußischer Kulturbesitz,

Museum für Völkerkunde, Abt. Europa und Museum für deutsche Volkskunde. Berlin.

Plessner, H. (1975), *Die Stufen des Organischen und der Mensch*. Berlin/ New York.

Plessner, H. (1982), *Die verspätete Nation*. In: Plessner, H., *Gesammelte Schriften* VI, hg. von Dux, G. und anderen. Frankfurt/Main.

Schütz, A./Luckmann, T. (1979) (1982), *Strukturen der Lebenswelt*. 2 Bde. Frankfurt/Main.

Soeffner, H.-G. (1982), »Prämissen der sozialwissenschaftlichen Hermeneutik«. In: Soeffner, H.-G. (Hg.), *Beiträge zu einer empirischen Sprachsoziologie*. Tübingen.

Soeffner, H.-G. (1983), »›Typus und Individualität‹ oder ›Typen der Individualität‹?« In: Wenzel, H. (Hg.), *Typen und Individualität im Mittelalter*. München.

Soeffner, H.-G. (1984), »Emblematische und symbolische Formen der Orientierung«. In: *Hagener Universitätsreden* 6/1984. S. 103-127.

Soeffner, H.-G. (1986), »Handlung, Szene, Inszenierung. Zur Problematik des ›Rahmen‹-Konzeptes bei der Analyse von Interaktionsprozessen«. In: Kallmeyer, W. (Hg.), *Kommunikationstypologie. Handlungsmuster, Textsorten, Situationstypen*. Jahrbuch 1985 des Instituts für deutsche Sprache. Düsseldorf.

Strauss, A. (1968), *Spiegel und Masken. Die Suche nach Identität*. Frankfurt/Main.

Weber, M. (⁵1972), *Wirtschaft und Gesellschaft. Grundriß der verstehenden Soziologie*. Hg. von Winkelmann, J. Tübingen.

Woll-Schumacher, I. (1972), *Gesellschaftsstruktur und Rolle der Frau. Das Beispiel der Irokesen*. Berlin.

Burkhart Steinwachs
Stilisieren ohne Stil?
Bemerkungen zu ›Design‹ und ›Styling‹

> *less is more.*
> (Mies van der Rohe)
>
> *less is a bore.*
> (Robert Venturi)

›Stil‹, ›Stilistik‹, ›Stilkritik‹ haben als Begriffe aus der Rhetorik vergleichsweise spät – mit der Ästhetisierung der Kunst – in die nicht-sprachlichen Künste Eingang gefunden. Fast gleichzeitig, spätestens seit Buffon, wird der Stilbegriff auch für die Beschreibung sozialen Verhaltens in Anspruch genommen. Schließlich kam dem Stilbegriff als historiographische, besonders kunsthistorische Kategorie eine Schlüsselstellung zu, sei es bei der Ausbildung des historischen Bewußtseins (von Vasari bis Winckelmann), sei es für eine – nach dem Geltungsverlust der geschichtsphilosophischen Systeme des Idealismus – historistische Ordnung des (kunst-)historischen Wissens (etwa von Ruskin bis Wölfflin).

Aus heutiger Sicht scheint der Stilbegriff nach dem Durchgang durch den Funktionalismus, nach Ablösung der philosophischen Ästhetik durch moderne Kunsttheorien, nach dem Aufschwung von Kommunikationstheorie, Wissenssoziologie und Theorie der Geschichte auf allen drei Bedeutungsfeldern seine diskurspraktische Bedeutung eingebüßt zu haben. Die epochalen Schlüsselbegriffe lauten nunmehr: Funktion, Struktur, Kommunikation (hierzu: Iser, W., 1979) oder: Habitus, Attitüde, Verfahren, Einstellung, Lebensform, Mentalität. Was also verleitet und berechtigt dazu, den Stilbegriff wieder zum Thema zu machen, es sei denn als Gegenstand historischen, das heißt aber häufig zugleich: historisierenden Interesses?

Von der Funktion her betrachtet, beschreiben Stile Modalitäten des Bezuges von Form und Horizont, wobei die stärkere Formabhängigkeit den Begriff des Stils gegenüber dem des Geschmacks kennzeichnet. Ist dieser, zumindest tendenziell, primär handlungsorientierend, so ist jener vor allem wahrnehmungsorientierend. Die gegenüber der Situationsbezogenheit des Geschmacksbegriffs stärkere Gestaltabhängigkeit wird deutlich an den Grenzen des Stilbegriffs, welche sich zeigen etwa an den Forderungen der Kommunikationstheorie gegenüber der Stilistik, den ästhetischen Gegenstand nicht nur in seinen Merkmalen und strukturellen Zusammenhängen – wie subtil und differenziert auch immer – zu beschreiben, sondern vor allem die an ihm konkretisierbaren ästhetischen Erfahrungsprozesse zu erfassen und zu beurteilen. Die Grenzen des Stilbegriffs werden ferner deutlich an den historistischen Konzepten des Epochenstils, die entstanden sind aus der Kritik an fortschritts- oder entwicklungsbestimmten Geschichtsvorstellungen und die das jeweilige Selbstverständnis zum alleinigen Maßstab geschichtlicher Beurteilung erhoben (hierzu im einzelnen Steinwachs, B., 1985). Mit der Übertragung der für den Stilbegriff konstitutiven Konsensunterstellung auf den Epochenbegriff wurde dieser weit überfordert und geriet in der Folge unter den Verdacht des Objektivismus, wie die späteren Debatten um den Historismus und die Geltung des Stilbegriffs als Epochenbegriff gezeigt haben.

1. Umwelt aus der Fabrik

Wird der Stilbegriff von seinen Überforderungen befreit, so gewinnen seine Formabhängigkeit und vor allem die ihm einkomponierten konsensualen Elemente gegenwärtig eine unerwartete Aktualität, nicht so sehr für den Bereich der Kunst und Literatur als für jenen, noch näher zu bestimmenden der industriekulturellen Gestaltung. Gerade dieser Bereich spielt für das ästhetische Alltagsurteil, für Massengeschmack, für Formen des Konsumverhaltens oder für soziale und kulturelle Verhaltensmuster eine gegenwärtig kaum zu überschätzende Rolle. Bewertungen von Ergebnissen gestalterischen Handelns sind primär spontane Präferenzbekundungen aus der Sicherheit des Schon-Vermittelt-Seins, Artikulationen von Vorlieben, von Imitationsverhalten, Vorbewußtem, Ab- und Zuneigungen, Wünschen, sozialen Differenzierungsabsichten oder von Faszination durch Technik oder Material. Will man den Stilbegriff mit der ihm eigenen konsensualen Vermittlungsleistung auf den Bereich der industriellen Gestaltung der Alltagswelt übertragen, so könnte seine Bedeutung darin liegen, Modalitäten von Präferenzverhalten auszudifferenzieren, gleichsam unterschiedliche ›Entscheidungsstile‹ auszubilden.

Gestalterische Prozesse gewinnen im Zeitalter der Massenproduktion nicht nur für die Herstellung einzelner Produkte Bedeutung, sondern zunehmend für sekundäre Prozesse des Umgestaltens, der Selektion oder der Applikation, die von bereits industriell gefertigten Produkten ausgehen. Vorgeschlagen wird, den Begriff ›Gestaltung‹ entgegen seiner traditionellen Bestimmung nicht nur auf die Formgestaltung (Design) von Einzelprodukten zu beschränken, sondern ihn in erster Linie auf die uns heute vorgegebene industrialisierte Alltagswelt zu erweitern. Konjunktur haben gegenwärtig das ›corporate image‹, das ›environmental design‹, Entwürfe von übergreifenden Gestaltungs- und Umweltsystemen. Im engeren Bereich der Produktgestaltung ist eine ähnliche Hinwendung zur Gestaltung struktureller Beziehungen (Wohnlandschaften, Baukastensysteme oder ›Set-Denken‹) zu beobachten.

Mit fortschreitender Entwicklung der industriellen Produktionsweise ist eine zunehmende Indifferenz industrieller Produkte im Hinblick auf ihren Nutzen und meist auch ihren Preis zu bemerken mit der Folge, daß sich die Bedeutung gestalterischer Prozesse in historisch beispielloser Weise gesteigert hat. *Herstellungs*handeln wird im Zuge der stürmischen Entwicklung der Automation und der elektronischen Steuerung in steigendem Maße für *gestalterisches* Handeln mit der Absicht freigesetzt, die Macht der Vereinheitlichung, Uniformität und Eindimensionalität industrieller Massenproduktion zu brechen, das heißt das Massenprodukt ›post industriam‹ etwa durch Veränderung der Farb- oder Formgebung, durch Accessoires, Arrangements, Kombinationen oder symbolische Besetzungen zu individualisieren, ohne aber zugleich dessen zweckrationale Funktionen in Frage zu stellen. Insofern setzt dieser umfassende Begriff von Gestaltung die Einsicht in die Naivität voraus, es gäbe einen Weg aus der industriellen Produktionsweise zurück zur ganzheitlichen Handarbeit, so nachhaltig Teile der gegenwärtigen Ökologiebewegung diese Sehnsüchte auch schüren mögen.

Es scheint deshalb um so mehr geboten, den Begriff der Gestaltung aus der Begrenzung aufs einzelne Produkt zu lösen und auf sekundäre Gestaltungsprozesse, auch auf soziale Beziehungen und Räume auszuweiten. Kaum ein Gegenstand, kaum ein Innen- oder Außenraum, der nicht gestaltet wäre: ob nun eine Fußgängerzone ›möbliert‹, genormte Fassaden aufgelockert, ›beerkert‹ oder begrünt, Autos ›getunt‹, Badewannen ›gestylt‹ oder Produkte zum zigsten Male ›redesigned‹ werden – immer sind Gestalter am Werk.

Dies gilt letztlich auch für Phänomene wie Mode, der sich scheinbar niemand entziehen kann. Nicht nur bei sogenannten Jugendkulturen ist zu beobachten, daß Moden, trotz gesteigertem Werbepotential und Medieneinsatz, sich nicht mehr einfach ›machen‹ lassen. Dabei ist nicht nur das Entstehen von Anti-Moden zu bemerken, die zu allen Zeiten sich zum Beispiel in Subkulturen bildeten und dann selbst zur Mode wurden. Vielmehr heißt anscheinend ›modisch sein‹ heute, sich mit Attributen, die, von der Kleidung bis zum Make-up, ganz unterschiedlichen Kontexten entstammen, aufzuputzen. Das Individualisierungs- und Selbstdarstellungsmoment liegt hier im Modus des Arrangements, der Zusammenstellung, wobei die Frage nach der Produktionsweise, ob also etwa Kleidung ›von der Stange‹ oder ›Haute Couture‹, als weitgehend unerheblich erscheint. Entscheidend ist, sich den eigenen, charakteristischen Schliff, den individuellen ›look‹, das ›Ich-finish‹ zu geben.

Diese verschiedenen Gestaltungs- und Selbstdarstellungsinteressen antworten auf Bedürfnisse nach ›Entindustrialisierung‹, nach Individualisierung oder – um es auf eine Formel zu bringen: nach Stilisierung ohne Stil. Gestaltung in diesem Sinne bildet gleichsam die zweite Natur der industriellen Produktionsweise, also den Versuch, die Zwecke, die sich in den industriellen Produkten vergegenständlichen, zu individualisieren. Gestalterisches Handeln soll das wieder für die Erfahrung zurückholen, was der Verfügung des Subjektes im Zuge fortschreitender Partialisierung des Herstellungshandelns entglitt. Gestalten heißt aber auch: Kontingenz bewältigen, Wahrnehmung lenken, Ordnung (oder auch Unordnung) stiften, Zusammenhänge transparent machen durch – auch im konkreten Sinne des Wortes – verblenden oder aber »die Ware auf sentimentale Art zu vermenschlichen« (Benjamin, W., 1961, S. 226).

Historisch gesehen wurde das weite semantische Feld, das der

Gestaltungsbegriff gegenwärtig abdeckt, seit der Trennung der schönen von den nützlichen Künsten und seit der Entwicklung der industriellen Produktionsweise im 19. Jahrhundert von den verschiedenen Versuchen erschlossen, Kunst und Industrie zu versöhnen. Sie fanden ihren Ausdruck in Begriffen wie ›Industriekunst‹, ›angewandte‹, ›nützliche‹, ›dekorative‹ oder ›ingeniöse‹ Künste. Letztere wurden immer als Derivate von Kunst beurteilt und hatten sich nicht von ihrer dienenden Funktion und ihrem widersprüchlichen Status zwischen wahrer Kunst und Kunst als Ware befreien können. Als Künste unterlagen sie entweder den verschiedenen Autonomie-Theoremen der ästhetischen Kunstauffassung, denen sie *per se* niemals genügen konnten, oder aber sie gründeten ihren Kunstcharakter auf ihre materiale Seite, ihren Warenkörper. Die Vorstellungen von Industriekunst bzw. von Art Industriel reflektierten nicht, daß »stets nur die materiale Seite des Kunstgegenstandes dem Warenkörper vergleichbar ist. Das *tertium comparationis* von Kunst und Ware entfällt jedoch, wenn Ware nicht als Sache, sondern als Vergegenständlichung gesellschaftlicher Beziehungen gedacht wird« (Schlaffer, H., 1974, S. 267).

In den Anfängen der Industriekultur ist immer wieder versucht worden, den ›anhängenden‹ Künsten einen selbständigen Gegenstandsbereich zu schaffen. Sei es, daß das Bürgertum des 19. Jahrhunderts die Renaissance und deren Werkstättentradition als Urgeschichte der sich formierenden Industriekultur entdeckte und daß es in der Handarbeit gegenüber der entfremdeten und sozial deklassierenden Maschinenarbeit die verlorene Einheit von Entwurf und Ausführung auratisierte; sei es, daß am Ende des Jahrhunderts im ›art nouveau‹ und Jugendstil Kunst und Alltagswelt arabeskenhaft in der Universalisierung des Ornamentalen ineinander überführt werden sollten – alle diese Bewegungen und Programme, die häufig mit politischen und sozialen Forderungen korrelierten, endeten im luxuriösen Raum des Unikats oder der limitierten Auflage.

Erst die Kritik des Funktionalismus am historistischen Stilpluralismus deckte die Nutzlosigkeit der ›nützlichen‹ Künste auf, zwischen Kunst und industrieller Produktionsweise vermitteln, also die Künste zum Organon der Industrie machen zu wollen. In ihrer Radikalität ist die funktionalistische Kritik nur vergleichbar mit dem Angriff der nachhegelischen Ästhetik auf die idealistische Überforderung der Kunst, Organon der Philosophie zu sein. Von den nützlichen Künsten ist nach dem Durchgang durch den Funktionalismus nur noch historisch die Rede. Deren Produkte und Leistungen sind inzwischen museal und ausstellungswürdig geworden, wie etwa die Jubiläumsausstellung des VDI und deren umfangreicher Katalog bezeugen (Buddensieg, T./Rogge, H., Hgg., 1981).

2. Design und Styling

Der hier skizzierte selbständige Bereich ›Gestaltung‹ soll an zwei Begriffen erläutert werden, Anglizismen, die zu unserem Sprachgebrauch zählen: Design und Styling. *Design* bezieht sich im allgemeinen auf die Gestaltung eines einzelnen Objektes oder Produktes. *Styling* hingegen ist als neuerer Begriff in beispielhafter Weise Ausdruck des hier beschriebenen umfassenden postindustriellen Gestaltungsbegriffs und ist deshalb von Design zu unterscheiden. Beiden gemeinsam ist, daß sie teilweise Funktionen übernehmen, die bislang vor allem vom Stilbegriff, aber auch vom Ornament, dem Dekorativen oder – wie oben erläutert – von den angewandten Künsten erfüllt worden sind.

Die Frage, welche Funktionen des alten Stilbegriffs der Design-Begriff übernommen hat, in welchem Verhältnis die Produktgestaltung zum traditionellen Stilbegriff steht, ist bislang noch weitgehend ungeklärt. Es kann nur versucht werden, auf einige historische Zusammenhänge zu verweisen, die einen solchen Funktionswandel plausibel machen.

Nicht zufällig entzündet sich das Problem des Stils in den bildenden Künsten an der Architektur. Vielleicht läßt sich sogar vertreten, daß seit der Nobilitierung der bildenden Künste in der Renaissance und seit ihrer Emanzipation aus dem Handwerk die Malerei als die führende Kunst galt, auf deren Prinzip der Naturnachahmung sich der Kanon der fünf schönen Künste gründen ließ. Dieser Kanon zerfällt bekanntlich im 19. Jahrhundert: während die Poesie nach Hegel zur spirituellsten Kunst, der Musik, neigt, wird Architektur zum Paradigma der bildenden Künste. Sie ist zum einen keine nachahmende, wenngleich stark materialgebundene Kunst und zum anderen die am wenigsten autonome Kunst. An ihr lassen sich deshalb Probleme des Verhältnisses einerseits von Kunst und Technik, andererseits von kreativem Entwurf und industrieller Realisierung besonders deutlich zeigen.

Der Streit um das Verhältnis von Kunst und Technik liegt dem Streit zwischen Architekten und Ingenieuren im 19. Jahrhundert zugrunde. Die ästhetische Kunst hatte einen Keil zwischen Künste und Technik getrieben; die Aktivitäten des Künstlers und des Ingenieurs, die Paul Valéry (1927) in Leonardo da Vincis Methode des ›construire‹ noch vereint sah, entzweien sich. Die Theorie des kreativen, nicht-nachahmenden Entwurfs – entsprechend dem ›disegno‹-Begriff der Renaissance – geht in der Reformbewegung der Architektur des 19. Jahrhunderts einher mit der Vorstellung des handwerklichen Herstellens und verfehlt mit der Berufung auf die Werkstättentradition die spezifische Produktionsweise der industriellen Moderne. Das ›arts-and-crafts-movement‹, der ›art décoratif‹, der ›art nouveau‹ oder der Jugendstil sind Teile der technikfeindlichen Kunstgewerbebewegung, die die feudale Idee der Dekoration zu restaurieren versuchte. Die Kunstgewerbebewegung hielt fest an der Idee des Gesamtkunstwerkes, für das die Architektur programmatisch steht, und an der Idee der künstlerischen Produktion, in der Entwurf und Realisierung in einer Hand lagen. Insofern kann sie nicht – entgegen der These von Nikolaus Pevsner (1935/36) als Wegbereiter des modernen ›industrial design‹ gelten, sondern als Versuch der Restauration des alten Handwerks. Produktgestaltung war für das 19. Jahrhundert kein prinzipiell neues Phänomen (hierzu vor allem: Waentig, H., 1909; Read, H., 1934; Selle, G., 1978; Denvir, B., 1983). Da jeder von Menschen gefertigte Gebrauchsgegenstand stets sowohl instrumentelle als auch symbolische Bedeutung hat, manifestiert sich das Verhältnis von Funktion und Darstellung in der Geschichte der Formgebung mit unterschiedlicher Gewichtung. Aus der Anonymität entlassen, dominant und zum zentralen Problem wurde Design erst mit der Entfaltung der industriellen Produktionsweise, die mit der maschinellen Serienfertigung etwa Mitte des 19. Jahrhunderts einsetzte.

Das historisierende Erscheinungsbild vieler industrieller Produkte war eine deutsche Eigentümlichkeit, zumindest waren die Produkte aus dem anglo-amerikanischen Raum in der Formgebung wesentlich nüchterner und bereits funktional. Der amerikanische Bildhauer Horatio Greenough schrieb bereits 1852 über die Ästhetik der industriell hergestellten Gebrauchsgüter: »Ihre Schönheit liegt in der Verheißung ihrer Funktion« (zit. nach Mumford, L., 1959, S. 47). Die Gründe für die avancierte Entwicklung der amerikanischen Formgestaltung sind unter anderem in der fehlenden Stiltradition einerseits und in dem offenbar geringeren Bedürfnis der amerikanischen Gesellschaft mit ihrer neuen demokratischen Verfassung nach sozialer Differenzierung zu suchen. Mit dem ökonomischen Erfolg der amerikanischen und englischen Produkte in Deutschland begann sich eine neue Sensibilität für stärker funktionale Gestaltung herauszubilden, und zwar zunächst in Technikerkreisen.

Conrad Matschoß, einer der Wortführer dieser Bewegung, vor allem bekannt durch seine erste Technikgeschichte der Dampfmaschine (2 Bde., 1908), brachte seine Kritik an der Verwendung historischer Stilelemente auf den funktionalistischen Nenner: »Die Schönheit muß aus der Sache selbst herauswachsen. Die beste Maschine wird zugleich auch die schönste sein!« (Bd. 2, S. 679). Mit dieser Position des »form follows function« (Sullivan, L. H., 1892) setzte Design auf die Priorität der Funktion, während Styling umgekehrt das Eigenrecht der Form beansprucht.

Die Folgen der technischen Reproduzierbarkeit zeigen sich nicht wie in der ästhetischen Kunst als Zerstörung der Aura, sondern in der Dissoziierung von Entwurf (›disegno‹) und maschineller Realisierung, die sich vor allem in der Professionalisierung des Designers niederschlägt. Design unterstellt die Angemessenheit eines Produktes gegenüber seinem Zweck, etwa die Angemessenheit von Form und Material gegenüber Funktion und Herstellungsverfahren. Sofern das ästhetische Kriterium der Gelungenheit auf Design-Objekte angewandt wird, bezieht es sich nicht auf die materielle Erfüllung eines konkreten Gebrauchszwecks, sondern allein auf die konstruktive Idee im Sinne Valérys.

Die industrielle Produktgestaltung trennt nicht Technologie und Ökonomie, also die materielle Sphäre des Nutzens, von Ästhetik, also der immateriellen Sphäre der Gelungenheit; sie zielt – im Gegensatz zu emblematischer oder symbolischer Besetzung der Objekte durch Styling – vielmehr auf *Integration* von Form und Funktion. Design verallgemeinert ›Stil‹ unter dem Gesichtspunkt gebrauchsgerechten Funktionierens und kann mit der Vorstellung eines einheitlichen Stils nicht kompatibel sein, da die Gegenstände sehr verschiedenen Zwecken dienen und ihre Formen diesen angemessen sein müssen: so wie die Funktionen plural sind, so müssen die Formen plural sein. Einzelne Formen können also nicht als Stilelemente isoliert werden. Dagegen ließe sich eine ›Semiotik des Designs‹ möglicherweise auf Merkmale wie Transparenz der Funktion oder Materialgerechtigkeit gründen.

Die Übergänge von Design zu Styling sind fließend; sie sind abhängig von der fortschreitenden Entfaltung der industriellen Produktionsweise und von der Distributionsfrequenz unserer dinglichen Umwelt. Sie zeigten sich besonders am Automobil, wie etwa Roland Barthes mit der inzwischen schon ›klassisch‹ gewordenen Beschreibung der ›Déesse‹ (»Der neue Citroën«) bezeugt:

In den Hallen wird der Ausstellungswagen mit liebevollem, intensivem Eifer besichtigt. Es ist die große Phase der tastenden Entdeckung, der Augenblick, da das wunderbare Visuelle den prüfenden Ansturm des Tastsinns erleidet (…); das Blech, die Verbindungsstellen werden berührt, die Polster befühlt, die Sitze ausprobiert, die Türen werden gestrichelt, die Lehnen beklopft. Das Objekt wird vollkommen prostituiert und in Besitz genommen (1964, hier S. 78).

Das Stromlinienförmige der Karosserie läßt sich noch als designtypische Funktion-Form-Integration interpretieren. In der Hingabe des Betrachters an das Haptische des Technisch-Funktionalen zeigen sich bereits Formen des Styling. Die ›reine‹ Funktionsform läßt sich nicht anthropomorphisieren, das heißt streicheln, berühren, befühlen.

Auf der letzten Design-Börse in Essen formierten sich einige Gruppen von Gestaltern wie ›Kunstflug‹, ›Memphis‹ oder ›Meuble perdu‹, zu Anti-Designern, die sich aber zugleich als ›Stylisten‹ bezeichneten, was die partielle Überschneidung und Widersprüchlichkeit beider Begriffe belegt. Sie weigerten sich, zum einhundertsten Mal Details von Türklinken oder Kaffeemaschinen zu ›redesignen‹. Dem Terror der Funktion meint man nun durch den Slogan ›form follows fantasy‹ zu entkommen.

Aus der Sicht der gemeinsamen Etymologie stellt sich zwischen, Styling und ›Stilisieren‹ – dem Wort, mit dem es im Deutschen, *faute de mieux*, wohl am besten wiederzugeben ist – eine unmittelbare Beziehung her. Styling als eine wesentliche Modalität postindustriellen Gestaltens zielt im Gegensatz zu Design nicht auf eine Optimierung der Funktion durch die Form, sondern folgt der gegenteiligen Absicht, über vielschichtige Verweisungssysteme oder Codes dem Produkt produktfremde Zeichen oder Symbole zu inkorporieren oder zu applizieren, die meistens auf nicht-funktionale Erwartungen und Wünsche der Benutzer/Betrachter antworten, ohne dabei die Funktion selbst in Frage zu stellen.

So werden Produkte mit Formelementen etwa aus dem Bereich des ›Jet-Set‹ oder der Raumfahrt belegt mit der Absicht, bestimmte gesellschaftliche Attraktivitätsvorstellungen wie Chic, Jugendlichkeit, Optimismus, Sportlichkeit oder schlechthin Modernität zu symbolisieren. Oder aber Produkte werden stilisiert, um angesichts des raschen wissenschaftlich-technischen und sozialen Wandels Bedürfnisse nach kultureller Identität, etwa durch Verweis auf Vertrautes in Geschichte, Natur und inzwischen vergangener Technik zu befriedigen. Oder aber Styling muß ein technisches Produkt kaschieren, das in seiner Funktionsweise nicht oder nur rudimentär anschaulich werden kann, zum Beispiel im Falle einer eleganten und schnittigen Autokarosserie. Ähnliches läßt sich zunehmend an elektronischen Geräten beobachten: Computer-Gehäuse stellen zwischen der elektronischen Funktionsweise der Apparatur und deren Gestaltung keine Beziehung mehr her: die Funktion kann – und zwar nicht allein und vor allem aus Gründen der Manipulation von Käuferinteressen, sondern aus technologieimmanenten Gründen – nicht mehr transparent werden; die Wirkung bleibt unsichtbar, so daß die Form beliebig, bestenfalls nach ergonomischen, allenfalls nach ökonomischen Prinzipien gestaltet wird.

Das inzwischen in kommerzieller Hinsicht offenbar außerordentlich lukrative ›Tuning‹ – um nur eine Spielart des Styling aus der Automobilbranche zu nennen – zielt darauf ab, Serienprodukte durch technische oder ausstattungsbezogene Details zu individualisieren. Das Interesse an Differenzierungen wird – anders als in der Kunstgewerbebewegung – nicht mehr in handwerklicher Herstellung oder erlesenem Material gesucht, sondern in der Absicht, das Objekt zu entindustrialisieren; dabei wird das Technologische der Technik akzeptiert, häufig gar überdeterminiert. Konzipiert als Anti-Serie, zielt Styling auf Individualisierung durch Variation industrieller Massenware, nicht nur auf soziale Differenzierung, zum Beispiel über Rollensignalisierungen oder Statussymbole, die in allen Gesellschaften mit Anbeginn der Zivilisation zu beobachten ist.

Die Wirkung des Styling ist nicht identisch mit dem gestylten Produkt, der Produktgruppe oder dem Environment. Styling ist zwar nicht ohne Bezugsprodukt denkbar, kann aber von diesem und dessen Gebrauchszwecken abstrahiert werden. Ist Design strikt bezogen auf die Herstellungs- oder Gebrauchsweisen des Gegenstandes, so treten im Styling dysfunktionale Elemente, Symbole, Embleme zum Produkt hinzu und verdeutlichen, überlagern oder verblenden dieses.

Diese Beobachtungen zeigen, daß Styling an bestimmte, im Funktionalismus verworfene oder verdrängte Formen des Ornaments anzuschließen versucht. Geht man von dem Wortsinn aus, so handelt es sich um Formen, die »nicht mit der Gegenstandsstruktur identisch sind, sondern ihr appliziert werden. (...) Die Grundbedeutung von ornare – ausstatten, ausrüsten, dann auch auszeichnen – läßt unzweifelhaft erkennen, daß ein ornatum etwas Vorhandenes mit einer zusätzlichen Qualität versieht« (Holz, H.H., 1972, S. 143). Styling in diesem Sinne wäre vergleichbar mit dem Prinzip der sogenannten angegipsten Fassaden, die zur Struktur des Baukörpers keine konstruktive Beziehung haben müssen, sondern sie beispielsweise auch dementieren können.

Die Tradition des Ornamentalen ist älter und komplexer als die des Industrial Design. Sie ist nur insoweit mit der Entwicklung der industriellen Produktionsweise in Verbindung zu bringen, als Styling Folgen der uniformen Massenproduktion und arbeitsteiligen industriellen Produktionsweise kompensieren soll, die unter dem »Diktat der Produktion« (Adorno) im Namen eines ökonomisch restringierten Funktionsbegriffs mit der Verdrängung des Ornaments Spuren menschlichen Lebens ausmerzt und geschichtliche Phantasie unterdrückt. Entgegen der »Suche nach dem verlorenen Stil« (Sedlmayr, H., 1947, S. 60-78) und auch der Suche nach einer ›zeitgemäßen‹ Form im Design wird im Styling zitathaft die Unversöhnlichkeit von Technik und Ästhetik, von Funktion und Form, betont und wachgehalten.

Das Gestaltungsprinzip des Design ist der Funktionalismus. Daß er nicht geeignet ist, die Stileinheit der industriellen Moderne zu verbürgen, daß Design nicht den gesuchten neuen Stil bedeutet, sondern allenfalls den einen Pol einer Ästhetik der Technik, dem die Dysfunktionalität des Styling als anderer Pol gegenübersteht, zeigt die seit den siebziger Jahren wieder geführte Debatte um die

Verdrängung des Ornaments (hierzu besonders: Müller, M., 1977).

Sinnfällig wird der Streit um das Verhältnis von Konstruktion und Ornament wiederum zunächst an der Geschichte der Architektur im 19. Jahrhundert, weil hier traditionelle Stilformen und neue Techniken zusammenstoßen, zugleich aber der Primat der Funktion – anders als in der ästhetischen Kunst – unstrittig war. Daß etwa der historische Stilpluralismus nicht nur als epigonales Stilzitat verstanden, sondern funktional begründet werden konnte, zeigt das Selbstverständnis der Zeitgenossen, etwa bei Heinrich Hübsch (1828) oder Gottfried Semper (1851): jeder Bauaufgabe entspreche ein bestimmter historischer Stil am besten, etwa der Klassizismus säkularen Gebäuden, die Neogotik dem Kirchbau, die Neorenaissance dem Theater und anderen Repräsentativbauten. Konflikte zwischen Konstruktion und Ornament traten weniger bei öffentlichen Repräsentativbauten mit traditioneller Funktion auf als bei neuen ›industriellen‹ Nutzbauten, deren konstruktive Erfordernisse mit neuen Materialien erfüllt wurden, zum Beispiel die Glas- und Eisenarchitektur der Bahnhöfe, Brücken, Gewächshäuser, Fabrikhallen. Sofern sich solche Architektur traditioneller Stilformen bediente, fiel das Ornamentale als von der Konstruktion her gesehen Entbehrliches aus der sentimentalischen Perspektive der Stileinheit unter das Verdikt der »Stilmaske« (Sedlmayr).

Adolf Loos' Prognose (1908, S. 278) hat sich angesichts der gegenwärtigen Bedeutung gestalterischen Handelns nicht erfüllt: »Die größe unserer zeit ist, daß sie nicht imstande ist, ein neues ornament hervorzubringen. Wir haben das ornament überwunden, wir haben uns zur ornamentlosigkeit durchgerungen.« Loos' Verdikt über das Ornament ist verbunden mit dem Glauben an einen bislang ungekannten technologischen Fortschritt. Zweifel an der Industriekultur, die Ungeklärtheit ihrer Ziele und die bewußt gewordene Distanz zwischen technischer Logik der Produktion und menschlichen Möglichkeiten und Bedürfnissen stellen Loos' Junktim zwischen Aufhebung des Ornaments und technologischem Fortschritt grundsätzlich in Frage und erschließen damit neue Spielräume für Modalitäten des Ornamentalen. Styling ist Indiz dieses Prozesses.

3. Gebrauchsästhetik und Warenästhetik

Der begriffsgeschichtliche Wandel, der sich mit dem Gestaltungsbegriff vollzogen hat, korrespondiert mit der Veränderung des Begriffs der ästhetischen Kunst. Gerade die Betonung der kommunikativen Funktionen von Kunst, Erfahrungen erfahrbar zu machen, könnte – wie zuletzt A. Wellmer (1983) am Beispiel der Architektur dargelegt hat – eine neue Perspektive auf das Verhältnis von Kunst und Industrie eröffnen:

Im Vermittlungszusammenhang von Materialien, Formen und Zwecken, können die Zwecke zwar konkretisiert und materialisiert, aber nicht eigentlich geklärt werden; andererseits ist der Zusammenhang zwischen der Schönheit und Zweckmäßigkeit von Gebrauchsdingen nur dort ein realer und nachvollziehbarer, wo die Zwecke selbst einsichtig und solche der betroffenen Subjekte sind. (...) Von ›Gebrauchsästhetik‹ möchte ich dort sprechen, wo es um die ästhetische Qualität der Lebenswelt in Abhängigkeit von der Einsichtigkeit der Zweckzusammenhänge geht, die in Gebrauchsdingen verkörpert sind (S. 143).

Der Vorzug dieses Vorschlags, ästhetische Phantasie habe nicht nur einen Beitrag zur *Realisierung* der Zwecke industrieller Produktion, sondern allererst zu deren *Klärung* zu leisten, liegt zunächst darin, daß eine Vereindeutigung der bislang mißverständlich ambivalenten Bedeutungen von ›Gebrauch‹ zugunsten von ›Bedürfnisadäquatheit‹ gegenüber ›Zweckrationalität‹ gewonnen wurde. Ferner erlaubt der Ansatz, historische (Stil-)Formen in gestalterische Prozesse so weit hereinzuholen, wie sie den kommunikativ zu klärenden Bedürfnissen der Benutzer oder Bewohner entsprechen. So könnte die meist nur im Akademischen verharrende Frage, ob der ›postmoderne Erker‹ als bloße Formenspielerei oder Interpretament seines neuen Kontextes, ob als epigonal oder innovativ zu beurteilen ist, zu einer Frage der Lebensqualität werden. Letztere erschöpft sich, etwa im Wohnungsbau, nicht in den Forderungen nach Komfort, Hygiene, ›kurzen Wegen‹ oder Quadratmeterzahl, sondern schließt gerade das Bedürfnis nach historischer Identität und kultureller Differenzierung ein, auf die der Funktionalismus – vor allem seine trabantenstädtischen Vulgärformen – meint verzichten zu können.
Eine partizipatorisch orientierte Gebrauchsästhetik setzt gerade für den Bereich der Gestaltung der dinglichen Umwelt und des

industrialisierten Alltags auf die Unbotmäßigkeit der ästhetischen Phantasie, um ihrer einsinnigen Indienstnahme für ökonomische und/oder politische Herrschafts- bzw. Verschleierungsinteressen zu widersprechen, die Thema der »Warenästhetik« (Haug, W. F., 1971) und der »Industriellen Ästhetik« (Meurer, B./Vinçon, H., 1983) sind. Es steht außer Zweifel, daß der Bereich der Gestaltung auf vielen Ebenen, beispielsweise der Produktwerbung und anderen Erscheinungen der Massenproduktion und Massenkommunikation, primär kommerziell motiviert ist. Die Warenästhetik hat die Asymmetrie des Verhältnisses von Käuferbedürfnis und Produzenteninteresse in den ökonomischen Beziehungen von Tauschwert und Gebrauchswert beschrieben und dabei Manipulationsformen und Täuschungsinteressen aufgedeckt, die auf der Ausbeutung ästhetischer Wahrnehmung und sinnlicher Qualitäten der Gestaltung beruhen.

Der Begriff des »ästhetischen Gebrauchswertversprechens« (Haug, W. F., 1975, S. 19) indes zeigt, daß das Verführungspotential ästhetischer Phantasie sich der warenästhetischen Dialektik von Tauschwert und Gebrauchswert nicht vollständig fügt: der Terminus ›Gebrauchswert‹ oszilliert zwischen instrumenteller und ästhetischer Bedeutung. Während erstere auf eine Zweck-Mittel-Relation zielt, die traditionell mit dem Begriff des Nutzens verbunden ist, meint letztere die Zwecke selbst, für die traditionell der Begriff des Genusses steht. Wenn aber die ästhetische Dimension der Gestaltung nicht in der Dialektik von Tauschwert und Gebrauchswert vollständig aufgeht, ist eine Reflexion auf Modalitäten und Prinzipien der Gestaltung zunächst diesseits der warenästhetischen Manipulationsthese erforderlich.

Zum einen deshalb, weil bei der Rede von ›Gestaltung‹ nicht mehr allein von der begrenzten Bedeutung ›Gestaltung eines Einzelproduktes‹ auszugehen ist; zum anderen, weil es fehlt an grundlegenden Forschungen zur Wirkung gestalterischen Handelns, zu einer ›Semiotik des Gestaltens‹, zur Konstruktion der industrialisierten Alltagswelt, zu Symbolsprachen und visuellen Codes, deren sich gestalterisches Handeln bedient.

Ob die gegenwärtige Gesellschaft in Philosophie, Ökonomie, Soziologie oder Historie als ›entwickelte Industriegesellschaft‹, ›Spätkapitalismus‹ oder ›postindustrielle Gesellschaft‹ diskutiert wird – in jedem Fall scheint der Industrialismus an seine Grenzen zu stoßen. Es spricht einiges dafür, daß wir an einer Schwelle der industriellen Moderne stehen. Unstrittig ist das Vorwalten der Technik diesseits und jenseits der Schwelle.

Bei der zunehmenden Bedeutung von Technik und Wissenschaften als Produktivkräften hat die »Verselbständigung des Könnens gegenüber dem Sollen« (Mittelstraß, J., 1980) in der Industriegesellschaft mit ihrem technisch bestimmten Rationalitätsbegriff zwar das technische Verfügungswissen, aber auch die Orientierungsprobleme anwachsen lassen. Ob letztere durch die Vollendung des »Projekts der Moderne« (Habermas) oder aber durch das Zusammenspiel pluraler Rationalitäten in einem »Projekt der Postmoderne« (Wellmer) gelöst werden sollen – stets geht es um kommunikative Defizite des Industrialismus, der mit dem Fortschritt der Industrie den gesellschaftlichen Fortschritt *eo ipso* zu befördern meinte, statt dessen aber an die Grenze zur Selbstzerstörung der instrumentellen Vernunft führte. Gegen den Industrialismus mit seinem Pathos der Arbeit könnte die ›postmoderne‹ »Selbstüberschreitung der Vernunft« (Wellmer) in durchaus dialektischer Beziehung zum Ursprung der Moderne in der Aufklärung die praktisch-politische Kategorie der *Öffentlichkeit* setzen. An der humanen Gestaltung der Umwelt aus der Fabrik hätte sich eine Gebrauchsästhetik zu bewähren.

Literatur

Barthes, R. (1964), *Mythen des Alltags*. Frankfurt/M.

Benjamin, W. (1961), »Zentralpark«. In: *Illuminationen. Ausgewählte Schriften*. Frankfurt/M. S. 246-267.

Buddensieg, T./Rogge, H. (Hgg.) (1981), *Gestaltende Technik und Bildende Kunst seit der Industriellen Revolution. Die nützlichen Künste*. Berlin.

Denvir, B. (1983), *The Eighteenth Century. Art, Design and Society*. New York.

Haug, W. F. (1971), *Kritik der Warenästhetik*. Frankfurt/M.

Haug, W. F., (Hg.) (1975), *Warenästhetik. Beiträge zur Diskussion, Weiterentwicklung und Vermittlung ihrer Kritik*. Frankfurt/M.

Holz, H. H. (1972), »Die Repristination des Ornaments«. In: ders., *Vom Kunstwerk zur Ware. Studien zur Funktion des ästhetischen Gegenstandes im Spätkapitalismus*. Neuwied und Berlin. S. 140-166.

Hübsch, H. (1828), *In welchem Style sollen wir bauen?* Karlsruhe.

Iser, W. (1979), »Zur Problemlage gegenwärtiger Literaturtheorie. Das Imaginäre und die epochalen Schlüsselbegriffe«. In: Sund, H./Timmermann, M. (Hg.), *Auf den Weg gebracht – Idee und Wirklichkeit der Gründung der Universität Konstanz*. Konstanz.

Loos, A. (1908), »Ornament und Verbrechen«. In: ders., *Sämtliche Schriften*. Hg. von Franz Glück. Bd. 1. München/Wien. S. 276-288.

Matschoß, C. (1909), *Die Entwicklung der Dampfmaschine. Eine Geschichte der ortsfesten Dampfmaschine und Lokomotive*. 2 Bde. Berlin.

Meurer, B./Vinçon, H. (1983), *Industrielle Ästhetik. Zur Geschichte und Theorie der Gestaltung*. (Werkbund-Archiv Bd. 9). Gießen.

Mittelstraß, J. (1980), »Technik und Vernunft. Orientierungsprobleme in der Industriegesellschaft«. In: Fink, E./Hosemann, G./Wirth, E. (Hgg.), *Energie – Umwelt – Gesellschaft. Sechs Vorträge*. (Erlanger Forschungen Bd. 9). Erlangen.

Müller, M. (1977), *Die Verdrängung des Ornaments. Zum Verhältnis von Architektur und Lebenspraxis*. Frankfurt/M.

Mumford, L. (1959), *Kunst und Technik*. Stuttgart.

Pevsner, N. (1935/36), *Pioneers of Modern Design. From Morris to Gropius*. London. Oder auch: Ders. (1971), *Architektur und Design. Von der Romantik zur Sachlichkeit*. München.

Read, H. (1934), *Art an Industry*. London.

Schlaffer, Hannelore (1974), »Kritik eines Klischees: ›Das Kunstwerk als Ware‹«, in: Schlaffer, Heinz (Hg.), *Literaturwissenschaft und Sozialwissenschaften. Erweiterung der materialistischen Literaturtheorie durch Bestimmung ihrer Grenzen*. Stuttgart. S. 265-287.

Sedlmayr, H. (1947), *Verlust der Mitte*. Salzburg.

Selle, G. (1978), *Die Geschichte des Design in Deutschland von 1870 bis heute. Entwicklung der industriellen Produktkultur*. Köln.

Semper, G. (1851), *Wissenschaft, Industrie und Kunst. Vorschläge zur Anregung nationalen Kunstgefühls*. Braunschweig.

Steinwachs, B. (1985), »Was leisten (literarische) Epochenbegriffe? Forderungen und Folgerungen«, in: Gumbrecht, H. U./Link-Heer, U. (Hgg.), *Epochenschwellen und Epochenstrukturen im Diskurs der Literatur- und Sprachhistorie*. Frankfurt/M. S. 312-324.

Sullivan, L. H. (1892), »Ornament in Architecture«. In: *Engineering Magazine* 3. S. 633-644.

Valéry, P. (1927), *Eupalinos ou l'architecte. Prédédé de L'Ame et la Danse*. Paris.

Waentig, H. (1909), *Wirtschaft und Kunst*. Jena.

Wellmer, A. (1983), »Kunst und industrielle Produktion. Zur Dialektik von Moderne und Postmoderne«. In: *Merkur*, H. 2, S. 133-145. – Neuerdings auch in: ders. (1985), *Zur Dialektik von Moderne und Postmoderne. Vernunftkritik nach Adorno*. S. 115-134.

Friedrich Kittler
Im Telegrammstil

Für Anita Kontreć

> Les mathématiciens ont le droit de dire que
> leurs rêves, leurs préoccupations dépassent
> souvent de cent coudées les imaginations
> rampantes des poètes.   (Apollinaire)

1955 schrieb Gottfried Benn einen Rückblick auf *Die Lyrik des
expressionistischen Jahrzehnts*, anders gesagt: des Ersten Weltkriegs. Stil als Ausdruckswelt stand dabei, wie immer, über
Inhalten. »Der deutsche Expressionismus zelebrierte« laut Benn
»spontan und autochthon in seinen Produktionen« gewisse »stilistische Ordres«, die Marinettis *Futuristisches Manifest* »schon am
20. Februar 1909 im Pariser *Figaro*« erlassen hatte.[1]
Und in der Tat: Futuristenbefehle wie »détruire le ›Je‹ dans la
littérature« oder »abolir l'adjectif« sind und bleiben Schlüsselwörter moderner Literatur. Die Frage ist nur, ob Schriftsteller
mit ihrem sogenannten Stilwillen Macht genug besaßen, solche
Ordres so spontan und autochthon zu erlassen, wie Benn unterstellt. Was die Literaturwissenschaft in ihrem listigen Altruismus
immer wieder als Autonomie der Literatur feiert, mag es vor
Zeiten einmal gegeben haben – in jener unvordenklichen Vergangenheit, als Schrift tatsächlich die avancierteste unter allen Nachrichtentechnologien darstellte. Unter Bedingungen von High
Tech dagegen bestimmen andere Medien noch unsere Begriffe
von Diskursen. Seitdem sind Stilwandel selbst in der Literatur,
auch wenn sie nur die Adjektive und ein Personalpronomen vom
Papier vertreiben, abhängige Variable fremder und das heißt
technischer Mächte.
Die Geschichte weiß es: 1890, lange vor Marinettis Manifest und
dem neuen Lakonismus deutscher Expressionisten, wenn Nacht
über den Berliner Königsplatz kam, brannte in der Roten Bude,
dem Hauptquartier des Kaiserlichen Generalstabs, noch eine
einsame Lampe. Graf Alfred von Schlieffen hatte alle tagsüber
von seinen Untergebenen vorbereiteten Akten auf den Chef-

schreibtisch befohlen und schritt zu einer letzten Durchsicht. Unerbittlich strich sein roter Bleistift redundante Adjektive und redundante Personalpronomen wie *ich*. Als hätte er eben den Stil von Futurismus und Expressionismus erfunden ...

In Tat und Wahrheit wandte Schlieffen aber nur technische Regeln auf Schriftstücke an. Die doppelte Streichung von Adjektiven und Personalpronomen kennzeichnet bekanntlich Telegramme. Und die machten gerade militärische Karriere. 1911 entstand das Telegraphenkorps der kaiserlichen Armee (für einen historischen Überblick vgl. Lerg, ²1970, S. 33-36). Aber schon 1909, im selben Jahr wie Marinettis Manifest, legte eine berühmte Studie Schlieffens dar, daß *Der Krieg in der Gegenwart* ohne Feldherrnhügel, Theatralik und Mündlichkeit eines Napoleon auskommt: »So groß aber auch die Schlachtfelder sein mögen, so wenig werden sie dem Auge bieten. Nichts ist auf der weiten Öde zu sehen [...]. Kein Napoleon, umgeben von einem glänzenden Gefolge, hält auf einer Anhöhe. Auch mit dem besten Fernglas würde er nicht viel mehr zu sehen bekommen. Sein Schimmel würde das leicht zu treffende Ziel unzähliger Batterien sein. Der Feldherr befindet sich weiter zurück in einem Hause mit geräumigen Schreibstuben, wo *Draht*- und *Funkentelegraph, Fernsprech*- und *Signalapparat* zur Hand sind, Scharen von Kraftwagen und Motorrädern, für die weitesten Fahrten gerüstet, der Befehle harren. Dort, auf einem bequemen Stuhle vor einem breiten Tisch hat der moderne Alexander auf einer Karte das gesamte Schlachtfeld vor sich, von dort telegraphiert er zündende Worte, und dort empfängt er die Meldungen der Armee- und Korpsführer, der Fesselballone und der lenkbaren Luftschiffe, welche die ganze Linie entlang die Bewegungen des Feindes beobachten.«[2]

Schlieffens Worte, so prophetisch wie adjektivarm, überführen Strategie in Nachrichtenfluß und, näherhin, in Telegraphie. Wenn das Fernschreibnetz – wie erstmals in den Kriegen von 1866 und 1870/71 – perfekt aufgebaut ist, folgen Siege von allein. Wenn es Schwachstellen aufweist – wie 1914 zwischen den Stäben der drei rechten Flügelarmeen des Schlieffenplans[3] –, werden Marnewunder unausbleiblich. Und wenn schließlich geschulte Laien wie Marinetti oder Liliencron den neuen Stand der Kriegskunst wahrnehmen, findet der Telegrammstil Roter Buden auch aufs Schriftstellerpapier.

Eine Sommerschlacht überschrieb Leutnant Detlev von Liliencron 1886 eine *Kriegsnovelle*, die Moltkes telegraphische Innovationen von 1866 aus der Frontschweinperspektive wiedergab und folgerecht in »Telegrammstil« mündete (zu Liliencrons Begriff »Telegrammstil« vgl. Thon, 1928, S. 88). Die Lage von Liliencrons Kompanie war auch danach: »Nun knallten die ersten Gewehrschüsse. Bald hatten wir ein Wäldchen erreicht und breiteten uns hier am andern Rande hinter den Bäumen aus. Tak, tak, tak, sagte es; tak, tak, tak-tak-taktak-taktaktaktaktak-tak-taktaktaktak ... Wie in einem großen Telegraphen-Bureau hörte sichs an. Es waren die feindlichen Kugeln, die mit diesem Geräusch in die Stämme schlugen, hinter denen wir standen (Liliencron, 1886, o. J., Bd. 1, S. 59).«

Am Vorabend europäischer Romantik definierte Buffon, um auf dem Feld wissenschaftlicher Entdeckungen ihren individuellen Ausdruck von ihrer allgemeinen und das hieß schriftlichen Verbreitung zu trennen, Stil als den Menschen selber. Fichte, um wenig später das neue literarische Urheberrecht philosophisch zu begründen, hätte denselben Grund angeben können (über Fichte vgl. Bosse, 1981, S. 60-62). Der Name des Menschen sorgte ein Jahrhundert lang dafür, daß Korrelationen zwischen Stilen und Technologien gar nicht erst ignoriert wurden. Erst dieser Tage hat Lacan, um das Konzept Mensch selber zu subvertieren, in einer Buffon-Parodie Stil bestimmt als »den Menschen, den man adressiert« (Lacan, 1966, S. 9; meine Übers.). Und solche »Resonanz« zwischen Sprecher und Hörer, Patientencouch und Analytikersessel überführte nur in psychoanalytische Begriffe, was Shannons allgemeine Informationstheorie in technischen Begriffen als Redundanz formuliert hatte. Laut Lacan »stammt der Begriff der Redundanz aus Untersuchungen, die desto genauer waren, je mehr sie von ökonomischen Interessen bestimmt wurden. Das Ausgangsproblem war das einer Kommunikation über große Entfernungen hinweg und insbesondere die Möglichkeit, mehrere Unterhaltungen über einen einzigen Telephondraht laufen zu lassen. Dabei konnte festgestellt werden, daß ein bedeutender Teil des phonetischen Materials zur Herstellung der gewünschten Kommunikation in der Tat überflüssig ist« (Lacan, 1953, 1973-1980, Bd. 1, S. 142). Mit anderen Worten: wissenschaftliche Entdeckungen, wenn sie von Telephonen oder Tele graphen auch noch technisch implementiert werden, lassen für Buffons menschlichen Selbstausdruck keinen Raum. Sie sparen im Gegenteil redundante, also überflüssige Elemente der encodierten Nachricht ein. Deshalb ist Stil weder der Sprecher noch der Hörer, sondern eine direkte Funktion der verfügbaren Kanalkapazitäten. Daß Mentalitäten und Epochen, aber keine technischen Medien einen Effekt auf Stile haben, gehört zu den mythischen Relikten Dubrovniks.

Im Fall Telegraphie ist die Korrelation zwischen Stil und Kanalkapazität schon seit 1904 geklärt, auch wenn das erst McLuhan wiederentdeckte (vgl. dazu McLuhan, 1968, S. 281). Robert Lincoln O'Briens erstaunlicher Essay über *Machinery and English Style* unternahm den Nachweis, daß jüngst erfundene Apparate wie Phonograph, Schreibmaschine und zumal Telegraph »das moderne Englisch verändert« haben – und zwar ohne daß ihre Effekte »auf die aktuellen Benutzer beschränkt« geblieben wären. Die Gründe liegen auf der Hand. »Unglücklicherweise«, bemerkte O'Brien, »schreibt niemand an sich allein (O'Brien, 1904, S. 464 f., hier und im folgenden meine Übers.). In Kommunikation mit anderen aber müssen alle Botschaften jene Systemstellen passieren, die Lacan so poetisch den Engpaß des Signifikanten nannte (vgl. Lacan, 1958, 1973-1980, Bd. 1, S. 209). Auf den geographisch-militärischen Doppelsinn von *défilé* sei hingewiesen, den Shannon so nüchtern Code und Kanal nannte.

Die Schreibmaschine und der (zu Diktierzwecken entwickelte) Phonograph involvieren möglicherweise, aber nicht notwendigerweise außer Sender und Empfänger noch Dritte. Bei Telegraphie dagegen, weil sie schriftliche Nachrichten erst in Morses technisch optimierten Code übersetzen muß, ist ein im Encodieren und Decodieren ausgebildetes Personal unabdingbar. Seine Dazwischenkunft macht Schluß mit aller Privatheit, wie Knut Hamsuns *Letztes Kapitel* das so romanhaft wie amüsant an einer Dorftelegraphistin illustrierte.[4]

Deshalb sah O'Brien den Telegraphen im Vergleich zu beiden anderen Speichermedien der Gründerzeit als Hauptursache stilistischer Neuerungen. »Unter den Lesestoffen der modernen Welt wird der größte Anteil von Leuten geschrieben, die im Schreibaugenblick selber seine Sendung über elektrische Kabel im Blick haben. Die Begrenzungen des Telegraphen schlagen sich demnach unmittelbar in dem nieder, was das gegenwärtige Zeitalter liest« (O'Brien, a.a.O., S. 467). Und weil Zeitungskorrespondenten schon seit 1850, also von Anfang an, Kabelverbindungen benutzt haben, (vgl. den zeitgenössischen Kommentar von Knies, 1857, S. 216) setzte ein seltsamer Lernprozeß ein: Sie mieden fortan alle lexikalischen und stilistischen Komplikationen, die beim Telegraphenpersonal Mißverständnisse hätten auslösen können. Wie direkt also Kanalkapazitäten den Stil beeinflussen, zeigte O'Brien in zwei Hinsichten.

Erstens »braucht nur einer in einer beträchtlichen Anzahl von Operatoren ein weniger geläufiges Wort gegen ein eher geläufiges auszutauschen, und schon kommt es nie zurück. Mehr noch, ein Wort braucht nur ein einziges unter zehn Malen falsch anzukommen, um bei sorgsamen Schreibern Bedenken zu erwecken« (O'Brien, a.a.O., S. 468).

Zweitens »entspringt ein noch größerer Effekt des Telegraphen auf rhetorische Formen aus seiner Beziehung zur Interpunktion. Nur die offensichtlichsten Pausenzeichen sind verläßlich; folglich erlernen Schreiber, die an diese Übermittlungsmethode gewöhnt sind, Sätze in solche Umrisse zu bringen, daß sie sich selber interpunktieren, und Formen zu vermeiden, deren Sinn durch Vergessen eines Punktes oder durch seine Verwandlung in ein Komma völlig verkehrt werden könnte« (O'Brien, a.a.O., S. 468).

So weit O'Briens telegraphische Vorsichtsmaßnahmen. Aber was sorgsame oder skrupulöse Zeitungskorrespondenten in bitteren Erfahrungen zu meiden lernen, können weniger skrupulöse Politiker auch planvoll ausbeuten. Mit der Folge, daß das Medium selber zur Botschaft wird. Durch Verkehrung des Sinns einer Nachricht hat in der Geschichte mindestens ein Telegramm Geschichte gemacht. Als Bismarck im Juli 1870 aus Bad Ems das Telegramm seines Untergebenen Abeken über die letzte Unterredung zwischen Kaiser Wilhelm und dem französischen Botschafter Benedetti empfing, strich er von 206 Wörtern ziemlich genau die Hälfte, bevor er die Depesche an führende deutsche Zeitungen zur Veröffentlichung weitergab (vgl. Rathlef, 1903, S. 181 f.). Wie O'Brien so richtig bemerkte, »dient Telegraphie eher der Klarheit und Kraft als der Eleganz« des Stils (O'Brien, a.a.O., S. 470). Denn in der Tat: die Emser Depesche in ihrer endgültigen und veröffentlichten Form, befreit von aller vormaligen Redundanz und perfekt angepaßt an ihren technischen Kanal, hatte Kraft genug, zwischen Preußen und Frankreich einen Krieg zu starten. Bismarcks Telegraphenkunst löste den Feldzug aus, Generalstabschef Moltkes Telegraphenkunst gewann ihn.

Neun Jahre später grübelte Nietzsche, in Gedanken womöglich noch immer »unter den Mauern von Metz« (Nietzsche, 1886, 1967 ff., Bd. III/1, S. 5) über die »Prämissen des Maschinen-Zeitalters«. »Die Presse, die Maschine, die Eisenbahn, der Telegraph« – laut *Menschliches, Allzumenschliches* – »sind Prämissen, deren tausendjährige Conclusion noch Niemand zu ziehen gewagt hat« (Nietzsche, 1878-1880, 1967 ff., Bd. IV/3, S. 312). Niemand – außer Nietzsche selber. Denn nach seinen eigenen Worten ist das Buch, das auch der tausendjährigen Konklusion von Telegraphie nachgeht, selber in »Telegrammstil« verfaßt. *Der Wandrer und sein Schatten* war kaum geschrieben, als Nietzsche einen Brief an Peter Gast sandte: »Fahren Sie fort, bei der Correctur zu winken und zu warnen: Der Boden des Mißverständnisses ist bei dieser Schrift so oft in der Nähe; die Kürze, der verwünschte Telegrammstil, zu dem mich Kopf und Auge nöthigt, ist die Ursache« (Nietzsche, Brief vom 5. 11. 1879, in: Nietzsche, 1902-1909, Bd. IV, S. 28).
So streng gilt das Titelwort vom (selbstredend blinden) Schatten. Ein Wandrer oder Schreiber, dem seine Ärzte und er selber »Dreiviertelblindheit« (vgl. Fuchs, 1978, S. 631), also auch 75% Schreib- und Leseunfähigkeit bescheinigen, muß seinen Stil in der Tat umstellen. Statt weiter, gut philhellenisch, in rhetorischen Bögen zu schwelgen, wie noch *Die Geburt der Tragödie* sie so liebte, lernt Nietzsche mit seinen Augen- und Kopfschmerzen, lieber den Boden des Mißverständnisses (oder Bismarcks) zu betreten, als auch nur ein redundantes Wort niederzuschreiben.
»Gedrängt, streng, mit so viel Substanz als möglich auf dem Grunde, eine kalte Bosheit gegen das ›schöne Wort‹, auch das ›schöne Gefühl‹ – daran errieth ich mich.« Der neue Stil folgt also einem Ideal von Lakonismus, das Nietzsche nach eigenem Bekenntnis »den Alten verdankt«. Zumal in Horaz-Versen bewundert er ein »Mosaik von Worten, wo jedes Wort als Klang, als Ort, als Begriff, nach rechts und links und über das Ganze hin seine Kraft ausströmt«, und kommt folgerecht zu dem Schluß, daß nur ein »minimum in Umfang und Zahl der Zeichen« ein »maximum in der Energie der Zeichen« erzielt (Nietzsche, 1889, 1967 ff., Bd. VI/3, S. 148).

Für diesen Effekt sind 1888 freilich weder Nietzsches Altphilologentum noch seine Augenschmerzen vonnöten. Ein schlichter Telegraph mit seinen schieren Geldzwängen reicht hin, um Information oder Unwahrscheinlichkeit, dieses Maximum der Zeichenenergie, mit einem Minimum an Redundanz gleichzusetzen. Zum erstenmal in der Geschichte etablierte Morses Erfindung eine eindeutige Korrelation zwischen Signifikanten und Geld, »dem annihilierendsten Signifikanten von allen«, wie nicht zufällig ein Strukturalist formulierte (Lacan, 1956, 1973-1980, Bd. 1, S. 36 f.). Seit Saussure ist ja Nietzsches Wörtermosaik (von Paradigmen und Syntagmen) ebenso linguistische Theorie wie die telegraphische Zuordnung von Zeichen und Geldwerten (vgl. Saussure, ²1969, S. 114-117).

Sicher, Telegraphie »überträgt die Intelligenz augenblicklich, zumindest bei Entfernungen auf der Erde« (Poe, 1962, S. 321), und verwirklicht damit eins jener technischen Wunder, die Poes *Erzählung aus der tausendzweiten Nacht* den alten Märchen entgegenhält. Weil »der an einem Ort zum sinnlichen Ausdruck gebrachte Gedanke an einem entfernten Ort wahrnehmbar wieder erzeugt wird, ohne daß der Transport eines Gegenstandes mit der Nachricht erfolgt« (Scheffler, 1884, zitiert in: Aschoff, 1966, S. 403, Anm. 1), implementiert erst die Telegraphie – im Unterschied zu Boten, Briefen und allen übrigen hergebrachten Nachrichtensystemen – Information als solche. Sie untersteht deshalb auch nicht mehr den Parametern Raum und Zeit, wie sie in den Briefpreiskalkulationen alteuropäischer Postsysteme die Alleinherrschaft hatten.

Aber diesen Wegfall irdischer oder materieller Größen aus ihrem Preiskalkül bezahlt die Telegraphie mit einer neuen Notwendigkeit: Jeder gesendete Punkt oder Strich ist auf die Kanalkapazität der verfügbaren Elektrokabel hin zu berechnen. Die Preisstandardisierung von Nachrichten überhaupt setzte deshalb bei den fernschriftlichen ein. Erst später und vermutlich unter ihrem direkten Einfluß erfuhren auch Briefe und Postkarten (seit dem Krieg von 1870/71) entsprechende Standardisierungen, die den Preis von Botenwegen und Zustellzeiten abkoppelten. Aber eine Zählung bis zur Ebene von Einzelwörtern herunter war und ist das Privileg von Telegrammen (historische und finanzielle Daten zum Vorstehenden siehe bei Knies, 1857, S. 84-111, sowie bei Stephan/Sautter, 1928).

Ein Telegrammstil im Telegrammstil, also in Potenz war es denn auch, der 1877 zur Erfindung des nachmaligen Grammophons führte. In Konkurrenz zu Bell und anderen arbeitete Edison damals an einem System zur Erhöhung telegraphischer Kanalkapazitäten. Weil aber Code und Stil schon optimiert waren, blieb nur noch eine Ökonomie der Übertragungszeiten. Edison trennte die Direktverbindung zwischen Telegraphistenhand und Elektrokabel auf, um schon vorher mit Morsezeichen perforierte Papiere stattdessen automatisch und in einem Tempo durchzugeben, das Operatoren mit ihren Morsefingern nie erreicht hätten. Dabei wollte ein glücklicher Zufall, daß die Striche und Punkte im Papier, wenn es nur schnell genug abgespult wurde, plötzlich Frequenzen im Hörbereich, also Klänge ergaben –: Geburtsstunde des Phonographen (Einzelheiten dazu siehe bei Kittler, 1986).

Verknappung, Einsparung, womöglich auch Beschleunigung von Signifikanten mögen zu den interkulturellen Universalien der Diskurskontrolle zählen. Aber es macht einen Unterschied, ob diese Ökonomie ästhetisch ist wie bei Haikus, Aphorismen usw. oder selber ökonomisch wie bei Telegrammen. Erst wenn jedes gesendete Wort als solches, unabhängig von allen anderen Parametern, seinen Preis hat, lernen auch Alltagsschreiber eine historisch neue Geschicklichkeit: das Wörterzählen.

Als eine Gruppe junger Oxforder Studenten erfuhr, daß Rudyard Kipling für jedes Wort, das er schrieb, zehn Shilling bekomme, schickten sie ihm während eines Treffens telegraphisch zehn Shilling mit der Bitte: ›Schikken Sie uns eins Ihrer besten Wörter.‹ Und ein paar Minuten später war das Wort da: ›Danke.‹ (McLuhan, 1968, S. 278).

Als der Landvermesser in Kafkas *Schloß* seiner vorgesetzten Behörde brieflich garantierte, bei eventuellen »persönlichen Vorsprachen« »von vornherein jede Bedingung anzunehmen, welche an eine solche Erlaubnis geknüpft werden könnte«, also erstens »jede zeitliche Beschränkung« des Gesprächs und zweitens »auch eine als notwendig erachtete Festsetzung der Zahl der Worte, die er bei der Unterredung gebrauchen« dürfe, sprach aus dem Landvermesser reiner Telegrammstil. Kein Romanheld Goethes hätte wie er »geglaubt, schon mit zehn Worten auskommen zu können« (Kafka, 1958, S. 124). Einfach weil klassische Romanfiguren nicht imstande gewesen wären, ihre mündlichen Reden überhaupt als Wörter und gar als zählbare zu hören. Erst das Telegramm erzwingt – als historisches Apriori der modernen Sprachtheorien – eine Logik der Signifikanten.

Als schließlich Kafka selber in seinem endlosen Liebesbriefwechsel mit Felice Bauer ebenso selten wie effektvoll zu Telegrammen überging, erreichte oder übermittelte auch er mit einem »minimum in Umfang und Zahl der Zeichen« ein »maximum in der Energie der Zeichen« (über Kafkas Liebesbriefwechsel als Maximierung aller möglichen Posttechnologien vgl. Cournot, 1972). Das kürzeste von Kafkas Liebestelegrammen enthält gerade drei Wörter, die aber hinreichen, um den Nachrichtenkanal Liebe selber in Frage zu stellen: »warum keine antwort?«[5]

Die Antwort ist einfach. Sie wird beinahe schon gegeben von der Tatsache, daß Kafkas Telegramm jede Anrede seiner Braut in Personalpronomen oder Adjektiven einspart. Technische Medien schließen Seelen aus. Als Samuel Morse 1832, im Todesjahr Goethes, den Zeichenschatz schriftlicher Diskurse in seine Punkte und Striche überführte, aus Buchstaben also eine technisch optimierte Opposition oder Differenz von Signifikanten machte, »die in allen Ländern des Welttelegraphenvereins auf Grund der internationalen Verträge« gelten (Geistbeck, 1895, S. 472), kam der alphabetische Trugschluß selber zum Schluß. Denn nur in Alteuropa konnten Leute von einer Beziehung zwischen Mensch und Medium, Seele und Information träumen – etwa wenn (nach Aristoteles) die Buchstaben schlicht Laute und die Laute ihrerseits »Erleidnisse der Seele« bezeichnen sollten.

Eine Dreierbeziehung, die von der Telegraphie bis zur Absurdität oder Unkenntlichkeit multipliziert wird. Buchstaben verwandeln sich in Punkte und/oder Striche und diese zwei Minimalsignifikanten – Prototyp der mittlerweile universalen Binarisierung von Datenströmen – in elektrische Ströme oder Frequenzen. Als solche laufen die Zeichen dann durch elektrische Kabel oder, nach Marconis drahtloser Vereinfachung, durch elektromagnetische Felder. Und jedwede Beziehung zwischen Mensch und Information ist verschwunden.

Deshalb konnte Kafka die Frage, warum von seiner Geliebten keine Antwort kam, schließlich auch selber beantworten. In einem berühmten Brief an Milena Jesenská unterschied er zwei Trends bei technischen Innovationen. Der eine Trend hat, »um möglichst das Gespenstische zwischen den Menschen auszuschalten und den natürlichen Verkehr, den Frieden der Seelen zu erreichen«, nacheinander »die Eisenbahn, das Auto, den Aeroplan erfunden«. Aber all diese Technologien der Ortsveränderung (oder Natursexualität) »helfen nichts mehr«, weil der Trend auf der »Gegenseite soviel ruhiger und stärker ist«: In Kafkas schriftstellerischem Vampir-Blick (vgl. Kafka, 1976, S. 412, Brief vom 26. 9. 1913) sind die Nachrichtentechnologien wie »Gespenster« oder Vampire, die gesendete und »geschriebene Küsse« »auf dem Wege austrinken« und eben »durch diese reichliche Nahrung sich so unerhört vermehren«. Bei solcher Vermehrung oder Entwicklung – historisch von der »Post« über »Telegraph« und »Telephon« bis hin zu Marconis »Funkentelegraphie« – kommt schließlich ein Zeitpunkt, wo Medien jede Beziehung zu den »Menschen« (Kafka, Ende März 1922, ²1983, S. 302) verlieren und Nachrichten, heißt das, nur noch mit anderen Medien austauschen. Genau das prophezeite Kafka in einem Brief an Felice Bauer oder vielmehr an die Phonographenfabrik, deren Schreibmaschinistin und Angestellte sie war.[6]

Buffons Mensch jedenfalls ist tot – womöglich weil auch er nur eine finanzielle Funktion hatte und aus Urheberrechten schlicht Geld schlug. Letzte Spuren von individuellem Stil erscheinen heutzutage in der Möglichkeit, einen Telegraphisten (zumal unter Bedingungen von offenem oder geheimem Krieg) an seinem Morserhythmus zu erkennen.[7] Aber das ist nackte Physiologie und bei fortschreitender Automatisierung der Datenströme auch bald vorbei. Mit den Beziehungen zwischen Mensch und Medien verschwindet ihr Begriff selber. Was bleibt, ist die grundlegende Beziehung zwischen Bits und Bucks. Und weil niemand die einen von den anderen unterscheiden kann – Dollars sind Information und umgekehrt –, zählen wir unsere Wörter schon, während sie noch erzählen.

Wie etwa hier und jetzt, bei meiner Zwanzigminutenrede.[8]

Anmerkungen

1 Benn (1955), (1959-1961), Bd. IV, S. 379 vgl. Zusatz.
2 Schlieffen (1909), zitiert in: Ulrich (1941), S. 266 f. Die militärischen Durchführungsbestimmungen für alle von Schlieffen genannten Nach-

richtentechniken siehe bei Schmiedecke (1906). Über modernen Krieg und Befehlsübermittlungstempo schließlich vgl. die elegante Formulierung von Erich Fellgiebel, Chef der Wehrmachtnachrichtenverbindungen (bis zum 20. 7. 1944): »Ein kurzer, klarer, rechtzeitiger Befehl ist stets besser als ein noch so sorgfältig ausgearbeiteter, aber langatmiger, der obendrein 5 Minuten zu spät kommt« (Fellgiebel (1929), S. 225). Telegrammstil wird mithin zur militärischen Notwendigkeit.

3 Die gelegten (und die fehlenden) Nachrichtenkabel während der Marneschlacht siehe bei Schniewindt (1929), S. 138-143.

4 Vgl. Hamsun (1923) (1970), Bd. IX, S. 56-61. »Der Telegraph«, weiß diese Dorftelegraphistin zu berichten, »sei das Leben im Extrakt, sie sei täglich genötigt, Mitwisserin von Wohl und Wehe vieler Menschen zu werden, oh, der Telegraph wäre ein Brunnen von Geheimnissen« (S. 56).

5 Kafka (1976), S. 661 (Telegramm vom 9. 6. 1916). Auch nach Zusammenhängen zwischen telegraphischer und literarischer Kleinschreibung wäre noch zu fahnden.

6 Im einzelnen schlägt der Schriftsteller den Medienindustrien die Erfindung »einer Verbindung zwischen dem Telephon und dem Parlographen« sowie Verbindungen zwischen Phonographen und Postämtern, Eisenbahnwaggons, Schiffen, Zeppelinen, Straßenbahnen und Sommerfrischenhotels vor (Kafka (1976), S. 265 f.).

7 Vgl. etwa Pynchon (1981), S. 854: »Communication on the trek command frequency is by CW dots and dashes – no voices to betray. But operators swear they can tell the individual sending-hands. Vlasta is one of his [Enzian's] best operators, and she can do good hand-imitations of most of Ombindi's people. Been practicing up, just in case.«

8 Um genau zu sein: das Limit traf nur die mündliche und englische Version eines Textes, dessen deutsche Ausführlichkeit fast das Recht auf den Titel gefährdet.

Literatur

Aschoff, Volker (1966), »Die elektrische Nachrichtentechnik im 19. Jahrhundert«. In: *Technikgeschichte* 33. S. 402-419.

Benn, Gottfried (1955), *Die Lyrik des expressionistischen Jahrzehnts.*

Benn, Gottfried (1959-1961), *Gesammelte Werke in vier Bänden.* Hg. von Dieter Wellershoff. Wiesbaden.

Bosse, Heinrich (1981), *Autorschaft ist Werkherrschaft. Über die Entstehung des Urheberrechts aus dem Geist der Goethezeit.* Paderborn – München – Wien – Zürich.

Cournot, Michel (1972), »Toi qui as de si grandes dents . . .« Franz Kafka, lettres à Félice«. In: *Le Nouvel Observateur*, 17. 4. 1972. S. 59-61.

Fellgiebel, Erich (1929), »Der Geist der Technik«. In: *Wissen und Wehr* 10. S. 220-227.

Fuchs, Joachim (1978), »Friedrich Nietzsches Augenleiden«. In: *Münchner Medizinische Wochenzeitschrift* 120, S. 631-634.

Geistbeck, Michael (1895), *Der Weltverkehr. Seeschiffahrt und Eisenbahnen, Post und Telegraphie in ihrer Entwicklung dargestellt.* Freiburg/Breisgau.

Hamsun, Knut (1923), *Das letzte Kapitel*, übersetzt von Erwin Magnus.

Hamsun, Knut (1970), *Sämtliche Romane und Erzählungen.* München.

Kafka, Franz (1958), *Das Schloß.* Roman. Frankfurt/Main.

Kafka, Franz (1976), *Briefe an Felice und andere Korrespondenz aus der Verlobungszeit.* Hg. von Erich Heller und Jürgen Born. Frankfurt/Main.

Kafka, Franz (²1983), *Briefe an Milena.* Erweiterte und neu geordnete Ausgabe. Hg. von Jürgen Born und Michael Müller. Frankfurt/Main.

Kittler, Friedrich A. (1986), *Grammophon, Film, Typewriter.* Berlin.

Knies, Karl (1857), *Der Telegraph als Verkehrsmittel. Mit Erörterungen über den Nachrichtenverkehr überhaupt.* Tübingen.

Lacan, Jacques (1953), »Funktion und Feld des Sprechens und der Sprache in der Psychoanalyse«.

Lacan, Jacques (1956), »Das Seminar über E. T. A. Poes Der entwendete Brief«.

Lacan, Jacques (1958), »Die Ausrichtung der Kur und die Prinzipien ihrer Macht«.

Lacan, Jacques (1966), *Écrits.* Paris.

Lacan, Jacques (1973-1980), *Schriften.* Hg. von Norbert Haas. Olten.

Lerg, Winfried B. (²1970), *Die Entstehung des Rundfunks in Deutschland. Herkunft und Entwicklung eines publizistischen Mittels.* (= Beiträge zur Geschichte des deutschen Rundfunks, Bd. 1). Frankfurt/Main.

Liliencron, Detlev von (1886), *Eine Sommerschlacht.*

Liliencron, Detlev (o. J.), *Sämtliche Werke.* Berlin – Leipzig.

McLuhan, Marshall (1968), *Die magischen Kanäle. »Understanding Media«.* Düsseldorf – Wien.

Marinetti, Filippo Tommaso (1913), *Distruzione della sintassi. Immaginazione senza fili. Parole in libertà.*

Marinetti, Filippo Tommaso (1968), *Teoria e invenzione futuristica.* Hg. von L. de Maria. Mailand (=Opere di F. T. Marinetti, vol. II).

Nietzsche, Friedrich (1878-1880), *Menschliches, Allzumenschliches. Ein Buch für freie Geister.*

Nietzsche, Friedrich (1886), *Versuch einer Selbstkritik.*

Nietzsche, Friedrich (1889), *Götterdämmerung, oder: Wie man mit dem Hammer philosophiert.*

Nietzsche, Friedrich (1902-1909), *Briefe*. Hg. von Elisabeth Förster-Nietzsche und Peter Gast. Berlin – Leipzig.

Nietzsche, Friedrich (1967 ff.), *Werke. Kritische Gesamtausgabe*. Hg. von Giorgio Colli und Mazzino Montinari. Berlin.

O'Brien, Robert Lincoln (1904), »Machinery and English Style«. In: *The Atlantic Monthly. A Magazine of Literature, Science, Art, and Politics* 94. S. 464-472.

Poe, Edgar Allan (1962), *Tales of Mystery and Imagination*. Hg. von Pádraic Colum. London – New York.

Pynchon, Thomas (1981), *Gravity's Rainbow*. Toronto – New York – London – Sydney.

Rathlef, George (1903), *Zur Frage nach Bismarcks Verhalten in der Vorgeschichte des deutsch-französischen Krieges*. Jurjew (Dorpat).

Saussure, Ferdinand de (1969), *Cours de linguistique générale*. Hg. von Charles Bally und Albert Sechehaye. Paris.

Schmiedecke, H(ugo) (1906), *Die Verkehrsmittel im Kriege*. Berlin.

Schniewindt, Wilhelm, Generalleutnant (1929), »Die Nachrichtenverbindungen zwischen den Kommandobehörden während des Bewegungskrieges 1914«. In: *Wissen und Wehr* 10. S. 129-152.

Stephan, Heinrich von/Sautter, Karl (1928), *Geschichte der Deutschen Post*. Teil 1: *Geschichte der Preußischen Post*. Berlin.

Thon, Luise (1928), *Die Sprache des deutschen Impressionismus. Ein Beitrag zur Erfassung ihrer Wesenszüge*. München (= Wortkunst. Untersuchungen zur Sprach- und Literaturgeschichte. Hg. von Oskar Walzel. Neue Folge, Heft 1).

Ulrich, Johannes, Hg. (1941), *Deutsches Soldatentum*. Stuttgart.

Jens Malte Fischer
Imitieren und Sammeln
Bürgerliche Möblierung
und künstlerische Selbstinszenierung

I

Wenn ein Leipziger Professor der Jurisprudenz Mitte der siebziger Jahre des 19. Jahrhunderts von seinen Kollegs und Sitzungen nach Hause kam, welches Ambiente, welche Interieurs erwarteten ihn dort, etwa im Besuchs- und Empfangszimmer der großzügigen und geräumigen Wohnung?

Hier standen unförmige riesige Sessel, mit rotem Samt puffig überzogen, an allen Ecken, an allen Armlehnen hingen zweifache schwer gefranste Troddeln, gleichfalls rot, auf speckigen Atlasrosetten, und gedrehte Schnüre, zweifach gezogen, säumten die mit Nähten aneinandergestoßenen Teile. Lange gewichtige Vorhänge, seidig glänzend, mit gewundenen, spiraligen und ewig sich neu verschlingenden Litzen und Borden benäht, waren nur wenig zur Seite gerafft, und wieder hingen die schweren Troddeln, die doppelten Schnüre und hielten den Stoff in zurechtgelegten und aufdringlich drapierten Falten. [...] Ein kleines Sofa, ähnlich den Sesseln, in gleichem rotem Samt, glich eher einer gleichmäßig gepolsterten Hohlkehle als einem Möbel. Kein Mensch konnte darauf sitzen, aber man bediente sich seiner dennoch dazu. Ein Gaslüster, aus kleinen Renaissancemotiven zusammengesetzt, hing in der Mitte. Die Türen trugen Aufsätze mit renaissancehaften Kehlungen und Simsen, und goldene Linien zierten die Pfosten und rahmten die Füllungen. Die Wände waren still dunkelblau angestrichen – eigentlich schön; aber eine unglücklich in sich verlaufende Mäanderlinie in einer anderen Farbe umwanderte die Felder und versuchte sich, klassisch zu sein. In jedem der Felder hing ein Blatt jener farbigen Reproduktionen der großen Wandgemälde Raffaels und Michelangelos, die damals vortrefflich von einer englischen Kunstgesellschaft hergestellt wurden. [...] Dieses Zimmer war sicher eines der schönsten und wahrscheinlich das geschmackvollste seiner Art im Umkreis der gesellschaftlichen Bekanntschaft meiner Eltern. Wenn ich in andere Wohnungen kam, wo offenbar der Tapezierer hemmungslos waltete und vielleicht – was ich als Junge mit einem stillen empfangsbereiten Staunen bewunderte – zwei gekreuzte kurze Hellebarden mit messingpolierten nachgeahmten Spitzen durch einen kühn umgeworfenen, faltigen

Samtüberhang zu einem Zeitungsständer zu vereinigen verstand, so merkte ich wohl, wie zurückhaltend und ausgesucht in allen Dingen die unsere war (Binding, R. G., o. J., S. 335 ff.).

Wir dürfen ohne Bedenken diese Wohnung, an die sich R. G. Binding aus seiner Kinderzeit erinnert, als ein Musterbeispiel der nach damaligen Maßstäben durchaus geschmackvollen Bürgerwohnungen der Gründerzeit ansehen und begegnen in dieser Schilderung bereits wesentlichen Kennzeichen mitteleuropäischen großbürgerlichen Wohnstils jener Jahre: die Überladenheit in den Stoffen und der Appretur der Sessel und Vorhänge (die das Tageslicht nur stark gefiltert durchließen), die Imitation der Renaissance in Beleuchtungskörpern und Türaufsätzen, die Unbequemlichkeit der Sitzmöbel (Binding beschreibt hier exakt jenen ›altdeutschen‹ Holzstuhl, der eines der erfolgreichsten Möbel der Zeit war und dessen spartanische Sitzqualität nur durch schwellende Kissen gemildert werden konnte), die wichtige Rolle der Reproduktionen der großen Meister, das hemmungslose Walten der Tapezierer, wie die Dekorateure und Innenarchitekten damals genannt wurden, und die Zweckentfremdung von ehemals ritterlichen Accessoires zu ganz unfeudalen Nutzanwendungen (Zeitungsständer). Der vorherrschende Eindruck der Überladenheit, wie er uns aus so vielen Interieurs der Zeit entgegenstrahlt und gegen den sich alle Reformbestrebungen der ›Sezession‹, der ›Wiener Werkstätten‹, des ›Art nouveau‹, des ›Modern Style‹ bis hin zum ›Bauhaus‹ richteten – er ist von Walter Benjamin als das bürgerliche Bemühen gedeutet worden, jedem Fleck in der Wohnung die Prägung des Bewohners aufzudrücken, Spuren zu hinterlassen anstatt sie zu verwischen, jede Wohnnische zu besetzen und dem Besucher zu suggerieren: ›Hier hast du nichts zu suchen‹ (vgl. Benjamin, W., 1933, 1980).
Die Überwucherung der Wohnräume durch Möbel und Gegenstände verschiedenster historischer Ausrichtung ist als Historismus und Eklektizismus schon früh gebrandmarkt worden. Vor allem der Wiener Architekt Adolf Loos hat bereits am Ende des 19. Jahrhunderts Kritik an dieser aufgeklebten Ornamentierkunst geübt. 1898 schreibt er:

Nun sollte er aber (der ehrliche Handwerker, J. M. F.) für seine kundschaft, je nach ihrem geistigen glaubensbekenntnisse, griechische, romanische, gotische, maurische, italienische, deutsche, barocke und klassizistische schränke und sessel bauen. Und noch mehr: Ein zimmer sollte in diesem stile, das nächste im andern eingerichtet werden. [...] Der tapezierer, der brave mann, der in früheren zeiten fleißig die heftnadel geführt und matrazen gestopft hatte, ließ sich nun die haare wachsen, zog ein samtjaquett an, band sich eine flatternde krawatte um und wurde zum künstler. Auf seinem firmenschilde löschte er das wort ›polsterer‹ aus und schrieb dafür ›dekorateur‹. Das klang. Und nun begann die herrschaft des tapezierers, eine schreckensherrschaft, die uns jetzt noch in allen gliedern liegt. Samt und seide, seide und samt und makartbouquets und staub und mangel an luft und licht, und portièren und teppiche und arrangements – gott sei dank, daß es nun damit vorbei ist. Die tischler aber bekamen einen neuen vormund. Das war der architekt. Der wußte gut mit der fachliteratur umzugehen und konnte daher mit leichtigkeit alle in sein fach einschlagenden aufträge in allen stilarten ausführen. Wollt ihr ein barockes schlafzimmer? Er macht euch ein barockes schlafzimmer. Wollt ihr einen chinesischen spucknapf? Er macht euch einen chinesischen spucknapf. Er kann alles, in allen stilarten. [...] Aber einen mangel hatten die zimmer der architekten. Sie waren nicht gemütlich genug. Gab es früher nur stoffe, so gab es jetzt nur profile, säulen und gesimse. Da wurde denn wieder der tapezierer herbeigeholt, der die gemütlichkeit per meter an türen und fenstern aufhing (Loos, A., 1898, S. 34 ff.).

Dieser vielgescholtene und bespöttelte Eklektizismus war nur möglich durch die tiefgreifende Mechanisierung der Möbelherstellung, die seit der Jahrhundertmitte erhebliche Fortschritte machte – die Londoner Weltausstellung von 1851 brachte hier den technologischen Durchbruch. Den Prozeß dieser Herrschaft der Mechanisierung auch in der Möbelherstellung und damit in der Gestaltung des Wohnraumes hat Sigfried Giedion beschrieben und einem Kapitel seines Buches den Loosschen Titel »Die Herrschaft des Tapezierers« gegeben (Giedion, S., 1982, S. 402 ff.). Um die Jahrhundertmitte kaprizierte man sich auf die Neo-Gotik (die in der Architektur der Rathäuser noch zähes Leben behalten sollte), dann folgte die Neo-Renaissance – beides wurde gelegentlich auch schon als ›altdeutscher Stil‹ bezeichnet, unter dem man später aber speziell den Stil der Dürer-Zeit verstand (vgl. dazu allgemein Benkert, G., 1984, S. 58 ff.). In dem maßgebenden Handbuch für das sich inneneinrichtende Bürgertum des wilhelminischen Deutschlands, Georg Hirths *Das deutsche Zimmer*, wird gerade dieser altdeutsche Stil vehement propagiert, mit seinen Butzenscheiben, Zinntellern und Hellebarden (wie sie Binding beschrieben hat). Aber auch die Neo-Renaissance und

Ausstellung fertiger Zimmer-Einrichtungen Frankfurt a/Main. in Renaissance Rococo- Oriental- und englischen Styl.

das Altdeutsche verlieren dann ihre Vorherrschaft und machen in den neunziger Jahren einem Nebeneinander von Stilen Platz, die nicht nur in einzelnen Zimmern einer Wohnung abwechseln konnten, wie Adolf Loos bemerkte, sondern sich auch in einem einzigen Raum hart reiben konnten. In einer Werbung aus dem Jahre 1890 bot beispielsweise die Frankfurter Möbelfirma Daniel Mann eine Art collagiertes Nebeneinander der verschiedensten Stile und nannte dies »Ausstellung fertiger Zimmereinrichtungen in Renaissance, Rococo-, Oriental- und englischen Styl« (Glaser, H., 1981, S. 103).

Erfolgreiche Bücher, die die bürgerliche Familie bei der Stilauswahl berieten, gab es nicht nur in Deutschland, wo Hirth federführend war. In England hatte Charles Eastlake 1868 mit *Hints on Household Taste* die Reihe der geschmacksbildenden Bildbände eröffnet, in Frankreich war Henri Havard der maßgebende Mann mit *L'art dans la maison* von 1884, und 1903 schwor W.

Fred mit *Die Wohnung und ihre Ausstattung* seine Leser auf die Abkehr vom Gründerzeitgeschmack ein.

Ein merkwürdiges Phänomen bleibt der selbstverständliche Umgang mit Reproduktionen und Imitationen. Heute besetzen Reproduktionen, auch die technisch vollkommensten, nur eine winzige Nische im Kunstmarkt; damals fand, wie wir sahen, auch ein Juraprofessor nichts dabei, sich seine Raffaels und Michelangelos als Reproduktionen an die Wand zu hängen. Mit angemaltem Gips wurden Holzdecken vorgetäuscht, mit Holz wurde Marmor nachgeahmt, mit gestanztem Metall wurde handwerklich gehämmertes imitiert. Dieser selbstverständliche Umgang mit der Imitation soll aber nicht darüber hinwegtäuschen, daß der Gipfel der gesellschaftlichen Akzeptanz erst erreicht war, wenn es gelang, sich mit Originalen zu umgeben. Die erste Stufe in diese Richtung, die gleich ein gewaltiger Schritt war, war natürlich die gemalte Kopie anstelle der drucktechnisch reproduzierten. Wie wir an Professor Binding sahen, lag diese Stufe offensichtlich ziemlich hoch; ein Münchner Graf Schack, der den jungen Franz Lenbach in Italien für sich Kopien alter Meister malen lassen konnte, war doch wohl die Ausnahme.

Ein extremes Beispiel für einen Historismus ›sans pardon‹ bietet die Berliner Wohnung des Kunstsammlers Dr. Eduard Simon. Simon stand unter dem Einfluß Wilhelm Bodes, des Direktors des Kaiser-Friedrich-Museums auf der Museumsinsel, der als der einflußreichste Kunst-Manager der Gründerzeit gelten darf. Bode beriet die potentesten Sammler Berlins und empfahl Simon, für seine bereits vorhandenen wertvollen Sammlerstücke einen passenden Wohnrahmen entwerfen zu lassen. Simon ließ sich vom Architekten Alfred Messel (der bezeichnenderweise für Wertheim den stilbildenden Kaufhausbau der Gründerzeit geschaffen hatte) eine Villa in der Viktoriastraße bauen. Der erste Stock war der italienischen Renaissance gewidmet, die das Zentrum der Simonschen Sammlung bildete. In das Arbeitszimmer Simons führte eine echte Renaissance-Tür. Der Arbeitstisch stammte aus der Zeit Raffaels und war mit einer Anzahl kleiner Bronzen bedeckt, die Holzintarsien der Wände stammten aus einer italienischen Villa, und an den Wänden sah man einen echten Tizian, eine Madonna von Botticelli und ein Herrenbild Bronzinos.

Der Hausherr als Sammler – das ist im Falle Eduard Simons sicher ein Extrem, aber diese Sammelwut, die überhäuften

Schreibtische und Wände sind nicht selten in dieser Epoche anzutreffen; bei viel geringeren finanziellen Mitteln sind sie auch bei Sigmund Freud zu finden, dessen alles überwuchernde Sammlung von ihm als echt gekaufter antiker, orientalischer und chinesischer Statuetten seine Wohnung überschwemmte.

Zur Abrundung des hier kurz umrissenen Gesamtbildes der bürgerlichen Inneneinrichtung am Ende des 19. Jahrhunderts darf der Hinweis auf den auch von Adolf Loos erwähnten Makartismus nicht fehlen. Hans Makart, der repräsentative Maler der Wiener Gründerzeit, der ›Miniaturdoge‹, wie er genannt wurde, trieb einen geschickt arrangierten pluralistischen Exotismus und Historismus auf die Spitze. In den siebziger und achtziger Jahren schuf er jenen Atelierstil, der dann einen europäischen Modetrend beförderte. Es ist wichtig zu betonen, daß es nicht die Wohnung Makarts war, sondern wirklich sein Atelier unweit der Ringstraße, in dem er arbeitete, das aber auch täglich (gegen Eintrittsgeld!) von 16 bis 17 Uhr zu besichtigen war und in dem abends die weithin berühmten Atelierfeste gefeiert wurden, bei denen man die Spitzen der Wiener Gesellschaft, aber auch die Malerkollegen Piloty und Lenbach aus München, Richard Wagner, Sarah Bernhardt und den Architekten Gottfried Semper sehen konnte. Schon Zeitgenossen fühlten sich von diesem Ate-

lier an eine ›asiatische Trödelbude‹ erinnert, aber Makart setzte damit Maßstäbe und fand ungezählte Nachahmer.

Makarts Atelier wurde zur wechselnden Bühne für die changierenden Arrangements von Waffen, Stühlen, Büsten, natürlich den gerade aktuellen eigenen Arbeiten, Tierskeletten, Musikinstrumenten, Eisbärfellen und den berühmtgewordenen Makart-Sträußen oder Makart-Bouquets aus getrockneten Schilfkolben, Herbstlaub, Palmwedeln und Garben. Dieses Atelier war ein einziges Kostümfest, und Kostümfeste waren, neben dem Malen, Makarts Lieblingsbeschäftigung, von den altniederländischen Künstlerfesten, bei denen er selbst als Rubens auftrat, bis hin zu dem zirzensischen Großereignis des Festzuges zur Silberhochzeit des Kaiserpaares 1879, den Makart mit allem Prunk des zeitgemäßen Historismus inszenierte.

Eine kritisch-satirische Zusammenfassung der hier beschriebenen Sachverhalte finden wir bei Max Nordau, einem der scharfzüngigsten Zeitkritiker, in seinem zweibändigen Buche *Entartung*. Dort heißt es:

Folgen wir diesen Menschen [...] in ihre Wohnungen. Diese sind zugleich Theaterdekorationen und Rumpelkammern, Trödelbuden und Museen. Das Arbeitszimmer des Hausherrn ist ein gothischer Rittersaal mit Panzern, Schilden und Kreuzbannern an den Wänden oder der Kaufladen eines morgenländischen Basars mit kurdischen Teppichen, Beduinen-Truhen, circassischen Narghilehs und indischen Lackschachteln. Neben dem Spiegel des Kamins schneiden japanische Masken wilde oder drollige Gesichter. Zwischen den Fenstern starren Trophäen von Schwertern, Dolchen, Streitkolben und alten Radschloßpistolen. Das Tageslicht filtert durch Glasmalereien, welche hagere Heilige in verzückter Anbetung zeigen. Im Salon sind die Wände mit wurmstichigen Gobelins, deren Farben die Sonne zweier Jahrhunderte (vielleicht auch blos ein schlau gemengtes chemisches Bad) gefressen hat, oder mit Morris'schen Tapeten bekleidet, auf denen fremde Vögel zwischen toll rankendem Gezweige huschen und große lüsterne Blumen mit eitlen Faltern kokettieren. Zwischen Armstühlen und Rundsitzen, wie sie der verwöhnte Leib unserer Zeitgenossen kennt und fordert, stehen Renaissance-Sessel, von deren muschel- oder herzförmigem Holzsitze höchstens die abgehärtete Kehrseite rauher Turnier-Helden sich zum Platznehmen eingeladen fühlen würde. [...] Auf allen Tischen und in allen Schränken sind kleinere und größere, in der Regel verbürgt unechte, Alterthümer oder Werke der Kleinkunst ausgestellt [...] In einer Ecke ist einem kauernden oder aufrecht stehenden Buddha eine Art Tempel errichtet. Das Boudoir der Hausfrau hat etwas von der Kapelle und etwas vom Haremsgemach an sich. Der Toilettetisch ist als Altar gedacht und dekoriert, ein Betschemel verbürgt die Frömmigkeit der Bewohnerin des Gemachs und ein breiter Divan mit orgiastisch umhergeworfenen Kissen scheint zu beruhigen, daß es nicht so schlimm sei« (Nordau, 1892/93, Bd. 1, S. 19 f.).

II

In fünf Skizzen, die charakterologisch betitelt sind, sollen Künstler und Intellektuelle der Epoche auf ihren Wohnstil befragt werden. Es sind: der Bescheidene (Theodor Fontane), der Spartanisch-Naive (Anton Bruckner), der Bäuerliche (Giuseppe Verdi), der Sammler (Sigmund Freud) und der Aufsteiger als ›Meister‹ (Richard Wagner).

Theodor Fontane wohnte, auch als er schon zu Ruhm und Wohlstand gekommen war, weder in einer Künstlervilla noch in einer Vorstadtdichterkolonie, sondern in einem der belebtesten Teile Berlins, in der Potsdamerstraße, Nähe Eichhornstraße, im dritten und letzten Stock des alten Johanniterhauses. Der Straßenlärm war damals um 1890 schon beachtlich, aber Fontane arbeitete im Sommer immer bei geöffnetem Fenster. Sein Arbeitszimmer, wir sehen es in einer Aufnahme des Jahres 1889, wird

von Besuchern als peinlich aufgeräumt und sauber beschrieben; von Luxus war in der ganzen Wohnung keine Spur, Bequemlichkeit war jedoch durchaus vorhanden. Die Möbel erschienen ausgesprochen altmodisch, so daß wir annehmen dürfen, daß im Hause Fontane Erzeugnisse des Historismus und Stileklektizismus keinen Platz hatten, sondern eher das Biedermeier noch regierte. Penibel lag sogar auf dem Fußende des Ruhesofas ein Schondeckchen, auf das die Hausschuhe aufgelegt werden durften. Der Schreibtisch erscheint uns allerdings für einen Ordnungsmenschen schon relativ gefüllt mit Nippes, Zinnfigürchen, einer Bronzehand, der Globus hoch neben dem großen Kamin weist auf den für damalige Maßstäbe weitgereisten ehemaligen Journalisten Fontane.

Im Vergleich zu *Anton Bruckner* war Fontane geradezu ein

Luxusgeschöpf. Der oberösterreichische Komponist war eine für das späte 19. Jahrhundert völlig untypische Künstlerfigur, über deren gemeinhin mit den Begriffen ›naiv‹ und ›gottgläubig‹ umrissene Persönlichkeitsstruktur wohl nie ausreichende Klarheit herrschen wird. Seine vorletzte Wohnung in einem gründerzeitlichen Bau in der Wiener Heßgasse 7 kann man nur als spartanisch bezeichnen. Das Schlafzimmer wurde von einem riesigen Messingbett beherrscht, das ihm Verehrer geschenkt hatten. Der Fußboden war mit braunem Emaillelack gestrichen, die Wände tief ultramarinblau, was den Eindruck einer skandinavischen Bauernstube machte. Bruckner war zwar spartanisch, aber nicht sehr ordentlich. An den Wänden des Schlafzimmers stapelten sich Noten, Korrespondenz und die wenigen Bücher, die er besaß (vornehmlich über Polexpeditionen und über die Hinrichtung Kaiser Maximilians von Mexiko). Im Vorzimmer waren die Eh-

renkränze aufgehängt, die er als Komponist und Organist errun-
gen hatte – der Eindruck einer Grabkammer ließ sich so kaum
vermeiden. Das Arbeits- und Wohnzimmer wurde von dem
großen Flügel einerseits, der Hausorgel andererseits beherrscht.
Auf Orgel und Flügel lagen wiederum Noten und achtlos hinge-
worfene Kleidungsstücke herum, die Bruckner selbst nicht für
offizielle Photographien wegräumte, wie deutlich zu sehen ist.
Neben dem Messingbett war ein gepolsterter Ledersessel der
einzige Luxus. Zwischen zwei großen Schränken altmodischen
Zuschnitts hing ein Ölporträt des Hausherrn, auf einem der
Schränke stand eine große weiße Büste des abgöttisch verehrten
Richard Wagner, ein winziger, schlichter Arbeitstisch diente zum
Komponieren.

Eine andere Art, sich vom Kunstleben der Großstadtmetropolen
zu distanzieren, kultivierte *Giuseppe Verdi* – und das mit gewisser

Berechtigung, denn er stammte aus genau den ländlichen Verhältnissen, in die er sich als erfolgreicher Opernkomponist zurückbe-
gab. Bei Bussetto, unweit seines Geburtsortes Roncole in der Emilia Romagna, erwarb er 1849 ein Grundstück, auf dem er sein
Landhaus Sant' Agata baute und fast 50 Jahre bewohnen konnte. Je
größer sein Erfolg wurde, desto länger wurden die Komponier-
pausen und desto intensiver konnte er sich diesem Landgut wid-
men, was seine Frau, die ehemalige Sängerin Guiseppina Strep-
poni, für eine Manie hielt. Nichts machte ihm größeres Vergnügen,
als im Stile der Bauern seiner Umgebung den ganzen Tag das Ge-
treide und den Wein zu inspizieren – er machte sich damit keineswegs lächerlich, denn er verstand auch sein bäuerliches Handwerk.
Für die Stadtbürger von Bussetto blieb er ein Außenseiter, die Bauern nannten in mit Respekt den »Gran Vecchio«. In der Innenaus-
stattung, die auch heute noch weitgehend original zu sehen ist,
hatte sich Verdi allerdings von der drückenden Armut seines Va-
ters, der Schankwirt war, weit entfernt. Es herrschten ›Louis-
Quinze-Stil‹ und ein gemildertes ›Empire‹ vor (die italienische Gesellschaft des ›Risorgimento‹ hatte ihren Möbelgeschmack stark
französisch ausgerichtet). Auf der Seite gegenüber sehen wir eine
›Louis-Quinze-Veilleuse‹ als Ruhesofa.
Auch die kostbaren Tapeten lassen auf einen durchaus schon guts-
herrlichen Lebenszuschnitt schließen, der allerdings nicht den
Eindruck des Aufwendigen macht. Verdis Freunde mokierten sich
über den zeittypischen Zug der allzuvielen Dinge neben- und
übereinander, hoben aber die Gediegenheit der Möbel und den
Geschmack des Ehepaares hervor. Daß man sich im Haus eines
Musikers befand, war nicht auf den ersten Blick zu merken. Der
große Erard-Flügel (einen solchen besaß auch Richard Wagner)
war im Schlafzimmer eher versteckt, im Arbeitszimmer fiel dagegen ein großes Weinfaß auf, dessen linke Hälfte Rotwein, dessen
rechte Hälfte Weißwein enthielt – das Geschenk eines Fässerfabri-
kanten, der ebenfalls Giuseppe Verdi hieß. Stärker als Notenpapier
fiel offensichtlich auch die stattliche Reihe der Aktenordner mit
den Belegen über die Pachtzahlungen ins Auge.
Von 1891 bis 1938 wohnte *Sigmund Freud* in Wien, in der
Berggasse 19, nördlich vom Ring, einem Wohnviertel des mittleren Bürgertums, das (auch heute noch) Innenstadtnähe mit ruhiger Lage verband. Es gibt keine andere Wohnung eines bedeutenden Menschen, die so gut photographisch dokumentiert ist wie

die Freuds. Der Photograph Edmund Engelmann war mit dem Psychoanalytiker und Freud-Schüler August Aichhorn befreundet und bekam den Auftrag, unmittelbar vor der Emigration des greisen Freud nach England die Wohnung zu photographieren, die damals, wie glaubwürdig belegt ist, noch weitgehend in dem Zustand war, in dem sie einst bezogen worden war, nur daß Freud zunächst nur das halbe Stockwerk bewohnt hatte, später dann das ganze (allerdings wohnte eine Schwester seiner Frau mit in dieser großen Wohnung).

Man sollte nur recht genau die Physiognomie der Wohnung großer Sammler studieren. Dann hat man den Schlüssel zum Interieur des 19ten Jahrhunderts. Wie dort die Dinge Besitz von der Wohnung ergreifen, so hier ein Mobiliar, das die Stilspuren aller Jahrhunderte versammelt, ergreifen will. (Benjamin, 1983, Bd. 1, S. 288).

Walter Benjamin, der nicht wissen konnte, wie die Wohnung Freuds aussah, hat hier eben diese gekennzeichnet. Es ist nicht die Wohnung eines erfolgreichen Arztes, sondern die eines Sammlers mit durchaus manischen Zügen. Freuds Nikotinsucht, mit der seine schwere Krankheit ursächlich zusammenhing, korrespondierte mit seiner Sammelwut, deren Ergebnisse sich vor allem im Behandlungs- und Arbeitszimmer ausbreiteten. Er hatte den Ehrgeiz, wie Simon in Berlin, aber auf einem ungleich bescheideneren finanziellen Niveau, sich nur mit Originalen (vor allem antiker Statuetten) zu umgeben. Es bleibt unerheblich, daß einige dieser Originale, für die er erhebliche Opfer brachte, nach heutigen Erkenntnissen als Fälschungen gelten müssen. Sieht man auf Engelmanns Photographien die dicht nebeneinander hängenden Bilder, die aufeinandergelegten Teppiche, die auf der Behandlungscouch übereinandergestapelten Kissen und Kleinteppiche (der Patient befand sich offensichtlich in einer halb sitzenden Stellung), dann wird man an Freuds eigene Kennzeichnung seiner Methode sich erinnert fühlen, daß es sich nämlich bei der schichtweisen Ausräumung des pathogenen psychischen Materials um einen ähnlichen Vorgang wie bei der Ausgrabung einer verschütteten Stadt handele; eine Archäologie des bürgerlichen Interieurs, zu der Benjamin so viel Material gesammelt und so viele Einzelbeobachtungen gemacht hat, fände in Freuds Wiener Wohnung Material erster Güte.

Unser Bild zeigt das Behandlungszimmer mit der Couch. Über der Couch ein Bild von Abu Simbel. Links neben dem Kamin ein Gipsabdruck des römischen Reliefs der *Gradiva* (über eine Erzählung Wilhelm Jensens, die sich auf dieses Relief bezieht und auch den gleichen Titel trägt, schrieb Freud seine erste große Literaturanalyse), daneben ist nur schlecht sichtbar eine kleine Reproduktion des Gemäldes von Ingres *Ödipus befragt die Sphinx*.

Die Villa »Wahnfried«, die sich *Richard Wagner* in Bayreuth erbauen ließ, verkörpert den Typus der repräsentativen Künstlervilla des späten 19. Jahrhunderts, ohne die Prachtentfaltung der Villa Franz von Lenbachs in München zu erreichen. Die Selbstinthronisierung des Künstlers als Fürst in seiner Welt, auf Du und Du mit den Großen eben dieser Welt, gelang nur wenigen so überzeugend wie Makart in Wien und Lenbach in München. Die vermeintliche Rolle, die der ›uomo universale‹ in der Renaissance gespielt hatte, sollte wieder restituiert werden, und man fing damit praktischerweise bei der Behausung an. Lenbach wollte mit seinem Haus alles in den Schatten stellen, was die Kollegen bisher

erreicht hatten. Die Preise, die er für seine gerühmten Porträts fordern konnte (zwischen 6000 und 12 000 Goldmark pro Stück) erleichterten ihm dieses Vorhaben. Ende der achtziger Jahre ließ er sich von dem Architekten Gabriel Seidl in der Münchner Luisenstraße unweit der Glyptothek und der Propyläen ein Haus bauen, das seinem gesellschaftlichen Rang entsprechen sollte – Lenbach war immerhin mit Bismarck wie mit Wagner, mit Kaiser Wilhelm 1. wie mit Papst Leo XIII. befreundet oder zumindest als Porträtist auf vertrautem Fuße. Heraus kam eine ingeniöse Kombination von Wohnhaus, Atelier und Museum für eigene und fremde Werke, wobei das Wohnhaus auch mit den Kopien und Originalen der großen Kunst der Vergangenheit geschmückt war. Die Wohnarchitektur zielte auf Überwältigung und spiegelte den Geist der Zeit in ihrem Zusammenwurf von Gotik, Renaissance und Barock auf eine höchst elitäre Weise.

Wagners »Wahnfried« konnte sich in Prunk, Ausstattung, ja nur Ausdehnung mit Lenbachs Villa überhaupt nicht messen. Der finanzielle Rahmen war erheblich bescheidener gewesen. Als Wagner sein Haus bezog, kostete es rund 35 000 Taler, das waren 105 000 Goldmark. Der bayerische König Ludwig II. beteiligte sich an den Kosten mit einem Geschenk von 25 000 Talern (also 75 000 Goldmark) – nach vorsichtigen Schätzungen dürfte Lenbachs Villa etwa das Fünffache gekostet haben. Der durchschnitt-

liche Jahresmietpreis einer ebenso durchschnittlichen Berliner Wohnung betrug (1872) 500 Goldmark. Als Dank für die Hilfe Ludwigs wurde im Garten vor dem Haus eine Bronzebüste des bayerischen Königs aufgestellt. Im Inneren des Hauses, dessen vom Bayreuther Architekten Carl Wölfel außerordentlich durchdachter Grundriß auch in seiner heutigen Funktion als Museum ebenso zu überzeugen vermag wie als Wohnhaus der Familie Wagner, als das es rund achtzig Jahre gedient hat, waltete eine von Cosima Wagner straff organisierte Hilfstruppe als Personal.

Wagner stammte aus nur unwesentlich komfortableren Familienverhältnissen als der Schankwirtsohn Verdi – sein Vater war Polizeiaktuarius gewesen. Er benötigte viel mehr Zeit als sein gleichaltriger italienischer Kollege, um sich ein auskömmliches Leben, bequeme Verhältnisse und den Luxus leisten zu können, zu dem er von früh an ein inniges, nur durch gelegentliche Flucht vor Gläubigern zu befriedigendes Verhältnis hatte. Gemessen an diesen Vorbedingungen wird man Wahnfried einen Zug von Stolz und Selbstzufriedenheit nicht absprechen; Protzigkeit, wie sie den Villen der Kommerzienräte und Gründerzeitspekulanten so oft anhaftete, kann man ihm kaum vorwerfen.

Die Wohnräume der Familie befanden sich im ersten Stock: das Kinderzimmer, das auch als Schulzimmer für den Privatunterricht genutzt wurde, die Schlafzimmer der Eltern und Kinder, ein

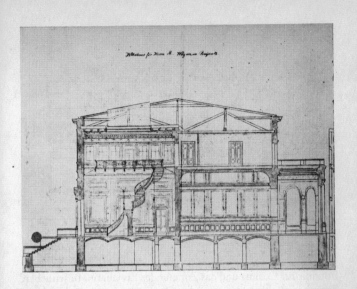

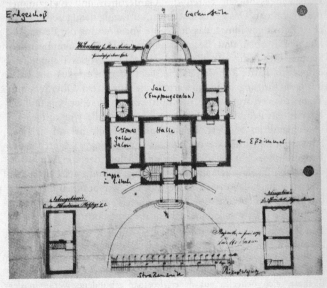

387

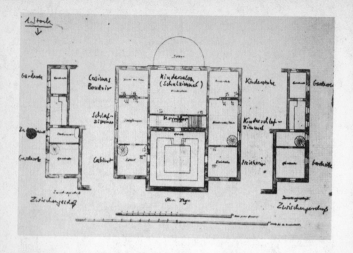

Boudoir für Cosima und das Zimmer der Erzieherin. In seitlichen Zwischengeschossen waren die Garderoben und Badezimmer untergebracht. Das Erdgeschoß war vorrangig dem gesellschaftlichen Leben gewidmet, das durch die Vorbereitung der Festspiele, kleinere Proben und Besprechungen und zahlreiche Besucher äußerst aufwendig war. Da der Architekt ein großes Treppenhaus eingespart hatte, konnte das gar nicht so große Haus mit einer üppigen Eingangshalle aufwarten, die durch ein Oberlicht mit Tageslicht versorgt wurde, mit Luftheizung versehen war und ein Klavier enthielt. Die Galerie der Eingangshalle war mit einem goldenen Fries verziert. Rechts von der Halle befand sich das Speisezimmer, links davon Cosimas gelber Salon. Zentrum des Erdgeschosses aber war der Saal oder Salon, der von Wagner in den ersten Jahren auch als Arbeitszimmer genutzt wurde – später zog er sich in den ersten Stock zurück. Wir besitzen das Tagebuchzeugnis der Gouvernante Susanne Weinert, die 1875/76 in Wahnfried tätig war. Sie beschreibt diesen Salon:

Der Fußboden des großen, den Blick nach dem Garten gewährenden Zimmers ist mit einem dunkelrot und schwarz gemusterten Teppich bedeckt, während ein zweiter, in bunten, matten Farben über jenem ausgebreitet liegt. Die rothbekleideten Wände dieses Salons sind mit Bücherregalen bedeckt, auf denen kostbar gebundene Werke in der höchsten Ordnung sich aneinanderreihen. Von den Uranfängen der deutschen Literatur bis auf die Gegenwart stehen die Werke der Koryphäen des In- und Auslandes, der geistigen Streiter auf allen Gebieten des menschlichen Wissens friedlich nebeneinander ... Gegenüber dem Arbeitstische befindet sich ein kostbarer Flügel. Im Übrigen füllt das Gemach ein reiches Möblement in ungezwungener, geordneter, genialer Unordnung. Hier in einer lauschigen Ecke ein mit gelbem Atlas überzogener Fauteuil. Dort eine carmesinrote Causeuse, in deren weichem Polster man förmlich versinkt; dem Kamin gegenüber erblicken wir ein reizendes kleines Sofa mit buntgemustertem Seidendamast überzogen, davor ein ovales Tischchen mit lang herabhängender himmelblauer Atlasdecke, in welche silberne Blumen eingewebt sind; dazwischen lugen hervor kleine Tischchen, Puffs und Stühle in mannigfacher Gestalt, ein Blumentisch, reich vergoldet, mit köstlichen exotischen Pflanzen und über dem allem schwebt von dem Plafond herab ein prachtvoller Kronleuchter, welcher abends mit seinem strahlenden Lichte diesem bunten Gemenge einen anheimelnden Glanz verleiht (Tagebuch S. Weinert, in: Wagner, R., 1953, S. 569 f.).

Ein Photo aus dem Jahr 1885, zwei Jahre nach Wagners Tod, zeigt diesen Raum so, wie ihn Susanne Weinert beschreibt; was sie nicht erwähnt, sind die in die Kassetten der Decke eingelassenen Wappen – es handelt sich um die Wappen der Städte, in denen Richard-Wagner-Vereine bestanden. Lenbachs und Wagners Villen verraten als einzige der hier behandelten Häuslichkeiten den Selbstfeiercharakter der Künstlerfürsten, der Miniaturdo-

gen, der Meister, oder wie immer sie genannt wurden. Ein Maler hat es relativ einfach, durch die Ausstellung der eigenen Werke im eigenen Heim auf sich zu verweisen, ein Komponist, der ähnliches anstrebt, wird sich nicht mit Klavier oder Flügel und wie absichtslos aufgeschlagenen Partituren, in denen der Besucher blättern darf, begnügen wollen – er muß deutlicher werden. Bei Wagner also sind es die Wappen der Wagner-Städte, es sind zwei Büsten des Meisters und seiner Gattin in der Eingangshalle, es ist das überlebensgroße Bildnis Cosimas im Salon, das dem Bild unten deutlich links zu sehen ist. Auf einem Ölbild, das W. Beckmann 1882 malte, findet sich ein kleineres Porträt Cosimas.

Wir sehen hier Wagner in dem notorischen Samtjackett und mit Samtbarett vor einem wuchtigen Schreibtisch stehen, links davon Cosima, der sächsisch getönten Suada ihres Gatten aufmerksam lauschend, nicht ganz so respektvoll rechts den Schwiegervater Franz Liszt und den treuen Adlatus Hans von Wolzogen. Die Spuren des Makartismus sind gerade auf Beckmanns Bild sehr schön zu sehen in der großen Zierpflanze, einer Zimmerpalme,

dem chinesischen Schmuckschirm und den üppig drapierten roten Portieren sowie den mehrfach übereinandergelegten Teppichen. Das Bild über Wagners Kopf dürfte ein Porträt Schopenhauers sein. Gerade dieser Salon im Haus Wahnfried zeigt, daß die erfolgreichen Künstler ihrer Zeit dem Geist der Gründerzeit und des Fin de siècle Tribut zollten, das Element der Maskerade nicht verschmähten, das bei Lenbach und Makart allerdings noch wesentlich stärker hervortritt. Demgegenüber war es aber auch möglich, wie wir an der gediegenen Landhausatmosphäre Verdis, an der primitiven Umgebung Bruckners, der peniblen Ordnungsliebe Fontanes und dem lebendigen Museum Freuds gesehen haben, sich dem Geist der Maskerade weitgehend zu entziehen. Diese wenigen Gegenbeispiele schon lassen daran zweifeln, daß die Maskerade für den Wohnstil von Künstlern und Intellektuellen am Ende des 19. Jahrhunderts wirklich repräsentativer war als die Schlichtheit. Daß das Gesamtbild eher von jenem Typus geprägt wurde, den wir in den Künstlervillen Lenbachs und Wagners vor uns haben, daran besteht indes kein Zweifel. Für ihn gilt, was bereits 1827 Goethe tadelnd in einem Gespräch bemerkte:

Von der altdeutschen Zeit kam das Gespräch auf die gotische. Es war von einem Bücherschranke die Rede, der einen gotischen Charakter habe; sodann kam man auf den neuesten Geschmack, ganze Zimmer in altdeutscher und gotischer Art einzurichten und in einer solchen Umgebung einer veralteten Zeit zu wohnen. ›In einem Hause‹, sagte Goethe, ›wo so viele Zimmer sind, daß man einige derselben leerstehen läßt und im ganzen Jahr vielleicht nur drei-, viermal hineinkommt, mag eine solche Liebhaberei hingehen, und man mag auch ein gotisches Zimmer haben, sowie ich es ganz hübsch finde, daß Madame Panckoucke in Paris ein chinesisches hat. Allein sein Wohnzimmer mit so fremder und veralteter Umgebung auszustaffieren, kann ich gar nicht loben. Es ist immer eine Art von Maskerade, die auf die Länge in keiner Hinsicht wohltun kann, vielmehr auf den Menschen, der sich damit befaßt, einen nachteiligen Einfluß haben muß. Denn so etwas steht im Widerspruch mit dem lebendigen Tage, in welchen wir gesetzt sind, und wie es aus einer leeren und hohlen Gesinnungs- und Denkweise hervorgeht, so wird es darin bestärken. Es mag wohl einer an einem lustigen Winterabend als Türke zur Maskerade gehen, allein was würden wir von einem Menschen halten, der ein ganzes Jahr sich in einer solchen Maske zeigen wollte? Wir würden von ihm denken, daß er entweder schon verrückt sei oder daß er doch die größte Anlage habe, es sehr bald zu werden.‹ Wir fanden

Goethes Worte über einen so sehr ins Leben eingreifenden Gegenstand durchaus überzeugend, und da keiner der Anwesenden etwas davon als leisen Vorwurf auf sich selbst beziehen konnte, so fühlten wir ihre Wahrheit in der heitersten Stimmung (Eckermann, J. P., o. J., S. 186 f.).

Literatur

Barth, H./Mack, D./Voss, E. (1975), *Wagner. Sein Leben, sein Werk und seine Welt in zeitgenössischen Bildern und Texten.* Wien.

Benjamin, W. (1933) (1980), »Erfahrung und Armut«. In: Benjamin, W., *Gesammelte Schriften.* Bd. II.1. Frankfurt/Main. S. 213-219.

Benjamin, W. (1983), *Das Passagen-Werk.* Bd. I. Frankfurt/Main.

Benkert, G. (1984), *Bürgerliches Wohnen.* München.

Binding, R. G. (o. J.), »Erlebtes Leben«. In: ders., *Gesammelte Werke. Bd.* II. Hamburg, o. J.

Eastlake, C. (1868), *Hints on Household Taste.* London.

Eckermann, J. P. (o. J.), *Gespräche mit Goethe in den letzten Jahren seines Lebens.* Hg. von C. Höfer. Leipzig.

Eckstein, F. (1924), *Erinnerungen an Anton Bruckner.* Wien.

Engelmann, E. (1977), *Berggasse 19. Das Wiener Domizil Sigmund Freuds.* Stuttgart/Zürich.

Fischer, J. M. (1977), »Max Nordau als Kritiker des Fin de siècle«. In: R. Bauer u. a. (Hgg.), *Fin de siècle. Zur Kunst und Literatur der Jahrhundertwende.* Frankfurt/Main. S. 93-111.

Fischer, J. M. (1978), *Fin de siècle.* München.

Fred, W. (1903), *Die Wohnung und ihre Ausstattung.* Bielefeld/Leipzig.

Giedion, S. (1982), *Die Herrschaft der Mechanisierung.* Frankfurt/Main.

Glaser, H. (1981), *Maschinenwelt und Alltagsleben. Industriekultur in Deutschland vom Biedermeier bis zur Weimarer Republik.* Frankfurt/Main.

Havard, H. (1884), *L'art dans la maison.* Paris.

Hirth, G. (³1886), *Das deutsche Zimmer. Anregungen zur häuslichen Kunstpflege.* München.

Klose, F. (1927), *Meine Lehrjahre bei Bruckner. Erinnerungen und Betrachtungen.* Regensburg.

Loos, A. (1898) (1962), »Interieurs«. In: ders. (1962), *Sämtliche Schriften.* Bd. I. Wien/München.

Nordau, M. (1892/93), *Entartung.* 2 Bde. Berlin.

Nowak, L. (1973), *Anton Bruckner. Musik und Leben.* Linz.

Schnabel, B. (1978), *Künstlerleben 1850-1910.* Luzern – Frankfurt/Main.

Wagner, R. (1953), *Briefe. Die Sammlung Burrell.* Frankfurt/Main.

Weaver, W. (o. J.), *Verdi. A Documentary Study.* London.

Wichmann, S. (1973), *Franz von Lenbach und seine Zeit.* Köln.

Nach Abschluß des Manuskripts erschienen neu:

Habel, H. (1985), *Festspielhaus und Wahnfried. Geplante und ausgeführte Bauten Richard Wagners*. München.

Hüttinger, E., u. a. (Hg.) (1985), *Künstlerhäuser von der Renaissance bis zur Gegenwart*. Zürich.

Abbildungsnachweise

S. 374   In: Glaser, H. (1981). S. 103.

S. 376   In: Kiaulehn, W. (1976), *Berlin. Schicksal einer Weltstadt*. München. S. 288.

S. 377   In: *Traum und Wirklichkeit – Wien 1870-1930* (1985). Katalog der Ausstellung. Wien. S. 43.

S. 379   In: Masur, G. (1971), *Das Kaiserliche Berlin*. S. 145.

S. 380   In: Nowak, L. (1973), S. 262, Bild Nr. 267.

S. 381   In: Nowak, L. (1973), S. 267, Bild Nr. 272.

S. 383   In: »Viva Verdi«. Reportage von W. Sandner, Foto von G. Hufschmidt/F. Luci. *ZEIT-Magazin* Nr. 23 (1980).

S. 385   In: Engelmann, E. (1977), Bild Nr. 10.

S. 386-389   In: Kapp, J. (1933), *Richard Wagner. Sein Leben – Sein Werk – Seine Welt in 260 Bildern*. Berlin. S. 136 ff.

S. 390   In: Barth, H. u. a. (1975), Bild Nr. 230.

Gerhard Rupp
»In der Anarchie der Sprache eine gar schöne Ordnung« sehen

Ästhetische Schulung durch Stilübungen
im Literaturunterricht
des 18. und 19. Jahrhunderts

Die kulturhistorische Frage nach dem geschichtlichen Wandel des Stilkonzepts schließt – unter der Voraussetzung des hier leitenden ›weiten‹ Stilbegriffs – die sozialen Institutionen und die in ihnen gebräuchlichen Formen sprachlichen Ausdrucks und kommunikativer Verständigung ein. Diese sprachlichen Formen des symbolischen Austauschs lassen sich als signifikante soziale Praktiken in Institutionen wie der Schule und der Hochschule, aber auch in der literarischen und der wissenschaftlichen Öffentlichkeit beschreiben. Sie erlauben einen konkreten, ›materiellen‹ Zugang zum gesellschaftlichen Wissen einer geschichtlichen Epoche und erschließen damit die empirische Reichweite des Stilkonzepts.[1] Besondere Bedeutung im Rahmen einer solchen ›materiellen‹ Stilgeschichte gewinnen die in den Institutionen dominanten Formen des eigenen ästhetischen Ausdrucks, des Redens und des Schreibens. Beispiele für diese Praktiken stilistischer ›Kommunikation‹ sind in historischer Hinsicht die seit dem 16. Jahrhundert in den lateinischen Gelehrtenschulen eingeführten Typen und Verwendungsformen von *Stilübungen*, die oft mehr als die jeweiligen begrifflichen Nuancen der einzelnen Stildefinitionen die soziale Realität stilistischer Praxis illustrieren.[2] Die humanistischen Stilübungen umfaßten – bei aller autoritativen Bindung an normative Regeln und an die vorgegebenen Muster (»exempla und praecepta dicendi«) – vielfältige Formen der Kombination und der Aktualisierung von Traditionsbeständen im subjektiven Horizont des Poetik-Schülers. Die Stilübungen waren praktische Versuche der Veränderung, Neuzusammensetzung und Wiederherstellung des literarischen Originals auf derselben Ebene sprachlich-literarischer Arbeit und Erfahrung. Sie sind historische Beispiele für Medien und die »Materialität(en) der Kommu-

nikation« (Gumbrecht)[3] zwischen literarischen Laien/professio-
nellen Autoren, Sprache als produktiver Materialität/literarischen
Mustern etc. Allerdings sind sie durch das Aufkommen der
»Institution Literatur« (Bürger, Hohendahl)[4] und durch die
Durchsetzung eines normativen Stilbegriffs in der deutschen
Klassik allmählich verdrängt worden. Deswegen kann die historische Rekonstruktion vergangener stilistischer Praxis nicht sich
selbst genügen. Vielmehr geht es heutzutage darum, die theoretische Einsicht in die geschichtlich bedingten Stilnormen zumindest ansatzweise umzusetzen, indem man zum Beispiel in Schule
und Hochschule Formen ›freierer‹ stilistischer Praxis immer wieder erprobt, um der individuellen ästhetischen Manifestation zum
Ausdruck zu verhelfen.

Aufgrund des sozialhistorischen und praxisorientierten Zugangs
zur Stilgeschichte ergibt sich kein kontinuierlicher linearer Ablauf, sondern die schroffe Konfrontation zweier ungleicher Epo-
chenblöcke am ›Sattelpunkt‹ 1770 (vgl. dazu und im folgenden
das Epochenschema auf S. 404).[5] Die annähernd zwei Jahrhunderte lang unangefochtene repräsentative poetisch-rhetorische
Praxis hantierenden Umgangs mit sprachlichem Ausdrucksmate-
rial in den humanistischen Gelehrtenschulen steht den uneinheitlichen Epochen der Ablösung dieser Praxis gegenüber, die sich in
drei Schritten in der Aufklärung, im Neuhumanismus und im
seinerseits in Restauration, Vormärz und Nationalerziehung auf-
gegliederten 19. Jahrhundert vollzieht. Der praktisch hantierende
Umgang mit den poetischen Musterstücken (Querspalte 1) verlagert sich aus der höfischen Repräsentation hinaus ins alltägliche
Berufsleben (Spalte 2). In der ästhetischen Betrachtung sprachlich-literarischer Kunstwerke, die zugleich mit der Verstaatli-
chung des Schulunterrichts einsetzt, liegt um die Jahrhundertwende 1790-1820 der eigentliche Umbruch, weil ab diesem Zeitpunkt der produktiv-poetische Umgang immer mehr zugunsten
des passiv-kontemplativen Verstehens zurückgedrängt wird
(Spalte 3). Der weitere Verlauf im 19. Jahrhundert ist durch
mehrere Verschärfungen dieser Entwicklung gekennzeichnet: die
literarische Interpretation wird immer mehr formalisiert und
durch moralische Postulate fremdbestimmt; die entstehenden
Aufsatzarten sind auch nicht mehr auf pragmatische Situationen
beziehbar (»Schilderung«, »Erörterung« etc.); die nun wieder
eingeführten altsprachlichen Sprachübungen ermöglichen im

Sinne eines ›pattern drill‹ lediglich die formale Sprachbeherr-schung (Spalte 4).[6]

Grob gesagt ergibt sich durch die Blickrichtung ›von unten‹ (soziale Institutionen und Praktiken) demnach eine Zweiteilung der Stilgeschichte: bis ca. 1770 standen die schulischen Stilübun-gen in einem sinnvollen Zusammenhang mit der poetisch-literari-schen Produktion, danach sind sie durch Verdinglichung und Ausgrenzung (aus der Poetik/Rhetorik und aus den Alltagssitua-tionen) verdrängt worden. Der Stil wird um 1770 zu einem Moment des literarischen Werks selbst, später zum Ausdrucks-medium der Künstlerpersönlichkeit; in jedem Fall zum losgelö-sten Gegenstand sprachlich-literarischen Lernens. Das ist – ver-schärft durch die Entwicklung im 19. Jahrhundert und kaum durch zwischenzeitliche Reformen abgemildert – im wesentlichen auch noch der heutige Stand. Wie kam es aber im einzelnen am Ende des 18. Jahrhunderts zu der noch heute folgenreichen Ein-schränkung des ›stilistischen Spielraums‹ der Schüler?

Wenn man den Stil als relevante soziale Praxis betrachtet, wird man sich nicht täuschen lassen: die Thematisierung des Stils in eigenen Stillehren (bei Adelung und Moritz)[7] hat kompensatori-sche, den Rückgang des Stils als relevante »Materialität der Kom-munikation« ausgleichende Funktion. Der einschneidende Vor-gang ist die hierarchische Nachordnung der laienhaften Gestal-tung der Schüler unter das literarische Werk. Wenn im selben Moment der Stil thematisiert wird, der eigentlich die Entfaltung der individuellen Formgebung intendiert, resultiert daraus zwangsläufig eine restriktive, normierte stilistische Praxis. Deut-lich zeigt sich diese paradoxe Situation in Friedrich Gedikes Programmschrift für das Friedrichswerdersche Gymnasium von 1793 »Einige Gedanken über deutsche Sprach- und Stilübungen auf Schulen« (vgl. Jäger, G., 1977). Bei Gedike werden in einer Art ›Umfunktionierung‹ dieselben Formen von Stilübungen wie Erweiterung, Veränderung, Ersetzung und Ergänzung des litera-rischen Originals jetzt nur noch an isolierten grammatischen Beispielsätzen praktiziert.

Nur zwanzig Jahre vor Gedike findet sich bei Leonhard Usteri (1773, S. 201 f.; zitiert nach Jäger, G. 1976, S. 146-159) in der Programmschrift für die Zürcher Schulen noch ein eindrucksvol-ler Beleg für die ungeteilte poetische Praxis, wenngleich schon deutlich die ästhetische Wertung laienhafter und professioneller

Schöpfung sich durchsetzt. Nach Usteri wird der Schüler dazu angeleitet,

eine Periode aufzulösen, den Hauptsatz sich absonderlich von den Nebensätzen vorzustellen, die mannigfaltigen nähern Bestimmungen, Erläuterungen, Beweise, die in der selben (Periode) gleichsam zusammengedrängt liegen, zu bemerken. Man läßt ihn den Versuch machen, eben diese Sätze wieder zusammen zuordnen [,] damit er sehe wie ganz ungleich die Vorstellung, oder die Rührung herauskömmt, wenn man diese mannigfaltige einzeln und getrennt, oder aber in einander verwebt, vorträgt; wie ungleich es herauskömmt, wenn man eben dieselben Gedanken oder Sätze so, oder anderst verbindet; wie, nach seiner (des Schülers) unvollkommnern Art, die nehmlichen Gedanken weniger Licht und Stärke haben; die hingegen in dem Urbild, das er nachzuahmen bemüht ist, eben durch die Verbindung, Glanz, Anmuth, und Stärke erlangen (Usteri, L., *a.a.O.*, S. 148).

Usteri gibt dem Schüler rezeptionsanalytische Verfahren an die Hand, mit denen er selbst das literarische Werk noch einmal nachschafft und dabei die Wirkung der poetischen Formgebung ermißt. Wenn hier gleichwohl schon literarisches Verstehen angebahnt wird, so basiert es doch auf dem praktischen Umgang mit dem Textmaterial. Durch die unterschiedliche Zusammensetzung der Textteile, Umstellung, Auflösung und ›Verwebung‹ werden zahlreiche Stilübungen durchgeführt, ohne daß der Terminus fiele. Der Schüler lernt den ›Autorstil‹ dadurch kennen, daß er selbst eine Palette stilistischer Möglichkeiten an einer Textpassage entwickelt und danach mit der (apriorisch ›besseren‹) Lösung des Originals vergleicht. Bei Gedike findet sich weder diese für Usteri maßgebliche praktische Schulung an literarischen Texten, noch der Textzusammenhang überhaupt als ›Folie‹ der Stilübungen. Vielmehr leitet Gedike den entsprechenden Passus mit der lapidaren Feststellung ein:

Es ist ein sehr gewöhnlicher Fehler, daß man es dabei den Anfängern zu schwer macht. Man verlangt gleich seitenlange Aufsätze von ihnen. Vornehmlich verlangt man gleich *Briefe*. Aber diese sind für den ersten Anfänger gewöhnlich noch zu schwer, und er muß erst durch leichtere Vorübungen dazu vorbereitet werden. Vornehmlich muß er erst kurze Sätze aller Art bilden lernen (Gedike, F., 1793, S. 15).

Die curriculare Rücksicht auf den Entwicklungsstand der Schüler führt bei Gedike zum Beispiel zu elementaren Übungen wie der, zu »eine(r) Anzahl bloßer Subjekte [...] Prädikate dazu finden«

zu lassen. Die fortgeschrittenen Übungstypen der Beschreibung, des Tagebuchs, der Nachahmung, der Erzählung und schließlich der »kleinen Briefe« (*a.a.O.*, S. 16, 18) illustrieren deutlich das leitende Ziel einer pragmatischen, grammatisch-syntaktischen Stilkompetenz im beruflichen Alltag und der versierten Gesprächsbildung in der Freizeit. Stilübungen im alten Sinn tauchen bei Gedike als »poetische Übungen« auf. Völlig anders als bei Usteri dienen sie aber nicht der ästhetischen Erfahrungsbildung, sondern stehen vorab unter einer axiomatischen Wertung,

indem der junge Mensch durch gründliche Beurtheilung seines Lehrers nun früh erfährt, ob er zum Dichter geboren sei oder nicht (*a.a.O.*, S. 28).

Durch diese hierarchische Unterordnung unter die Dichtung verlieren die Stilübungen – zusätzlich zu ihrer quantitativen Einschränkung und zu ihrer ›Pragmatisierung‹ – ihren Bezug zum subjektiven ästhetischen Ausdruck und zur eigenen poetischen Erfahrung des Schülers. Die von der Aufklärung propagierte allseitige Menschenbildung bringt im Namen des Stils gerade die Reduzierung individueller Manifestation in Sprache und Literatur auf passive Geschmacksbildung und auf die Gewöhnung an eine konsumtive ästhetische Einstellung in der Erwartung fremder Kunstwerke. Zweifellos muß man bei der Einschätzung der stilistischen Wende um 1770 den geschichtlichen Fortschritt anerkennen, durch den sich das Subjekt von den Regelpoetiken, von den rein mechanischen Übungen in fremden Gelehrtensprachen und von den autoritären Bindungen an die absolutistischen Ideologien emanzipiert. Die Ausweitung der Stilübungen auf sozial relevante Textsorten wie Brief und Bericht erfüllte eine wichtige emanzipatorische Funktion. Indem aber die Stilübungen insgesamt während der Konsolidierungsphase des deutschen Abiturs von 1788-1834 zu bloßen Aufsatzarten als Berechtigungsnachweisen administratorisch reduziert und als soziale Praxis abgeschafft werden, liegt faktisch doch eine Verknappung materieller Erfahrungsmöglichkeiten vor. Der daraus resultierende umfassende ideologische Wandel läßt sich eindrucksvoll in drei Abstufungen zunehmender Deutlichkeit und Schärfe auf der Ebene literarischer Theoriebildung und Praxis bei *Schiller*, auf der ›mittleren‹ Ebene der auf den Stil eingegrenzten Theorie bei *Moritz* und auf der Ebene pragmatischer Stilschulung bei *Niemeyer* illustrieren.

Die Einschränkung stilistisch-ästhetischer Praxis findet sich schon in Schillers ästhetischer Theoriebildung, dessen idealistisches Konzept doch gerade individuelle Autonomie und die Befreiung der Sprache aus vorwaltenden Abhängigkeiten intendiert. Diese Einschränkung gilt damit auch für die Dichter, denen allein noch selbstbestimmtes ästhetisches Schaffen nach 1770 offensteht.[8] Dieser bisher oft übersehene Tatbestand tritt deutlich in Schillers Brief an Goethe vom 23.8.1794 hervor, der das literaturpolitische Bündnis der Protagonisten der Weimarer Klassik begründet.[9] Gerade im Namen des Stils, der hier mit Blick auf den gehuldigten Goethe als »großer Styl« begrifflich gefaßt wird, gerät der Ausdruck des Individuellen keineswegs noch autonom, zum Beispiel als »Anarchie«, sondern vorab als »eine gar schöne Ordnung«, durch die es sich dem sprachlichen und sozialen Rahmen einfügt.[10] Der Stil selbst ist der Name für das in Goethes Kunst waltende individuell-allgemeine Ordnungsprinzip. Einzelnes und Allgemeines, Individuelles und Ganzes, Erfahrung und Gesetz widerstreiten einander nicht, sondern bedingen sich in dialektischer Harmonie gemäß der idealistischen Axiomatik:

Sie nehmen die ganze Natur zusammen, um über das Einzelne Licht zu bekommen, in der Allheit ihrer Erscheinungsarten suchen Sie den Erklärungsgrund für das Individuum auf (…) Schon in der ersten Anschauung der Dinge hätten Sie dann die Form des Nothwendigen aufgenommen, und mit Ihren ersten Erfahrungen hätte sich der große Styl in Ihnen entwickelt.[11]

Da in Deutschland – anders als in der griechischen Antike – die natürliche Ordnung und der unmittelbar gegebene »große Styl« fehlen, muß das durch ihn bezeichnete ästhetisch-ethische Gleichgewicht künstlich »auf rationalem Wege« wiederhergestellt werden. Dabei wirken der praktische Stil ästhetischen Wiederhervorbringens und die logisch-abstrakte Reflexion zusammen. Die bei Schiller sogar technisch ausgedrückten poetisch-praktischen Verfahren: »[…] den Menschen genetisch aus den Materialien des ganzen Naturgebäudes […] erbauen, […] in seine verborgene Technik eindringen« stehen in »schöner Einheit« mit den Leitideen der griechischen Antike. Der Stil erschließt dem Individuum die materiale signifikante Dimension der Sprache, vermittelt sie jedoch zugleich mit dem übergreifenden Gesetz und mit dem ästhetischen ›Stilwillen‹ einer »gar schönen Ordnung«.

Schillers Brief an Goethe vom 23.8.1794 belegt zwei Bedeutungen des ›Sattelpunkts 1770‹:

– allein die Dichter haben noch Zugang zu den Materialitäten sprachlicher Kommunikation, die zwar vorher auch nur einer schmalen oberen Gesellschaftsschicht, dieser aber ›kollektiv‹ – unter anderem vermittelt durch die schulischen Stilübungen – zur Verfügung standen;

– nach dem Wegfall der poetischen Regeln und Übungen ist ein abstrakter und umfassender Stilbegriff an die Stelle getreten. In seinem nicht festgelegten Anspruch als stets vorauszusetzende Harmonie zwischen Technik und Abstraktion, Anschauung und Idee wirkt er noch einschneidender als die alte manifeste Regelpoetik. Jedenfalls erweist sich der von der idealistischen Axiomatik ausgehende ideologische Druck in der immer größeren Verengung des Spielraums stilistischer Kommunikation, je mehr man auf der ästhetischen und sozialen Leiter ›hinabsteigt‹ vom Höhenkamm ästhetischer Reflexion bei Schiller zur wissenschaftlichen Theorie bei Moritz und dann zur schulischen Praxis bei Niemeyer.

Hält Schiller noch die Waage zwischen Material (Technik) und Idee (Begriff) als einer produktiven dialektischen Spannung, so thematisiert Karl Philipp Moritz in seinen »Grundlinien zu meinen Vorlesungen über den Stil« den Stil als offenes Paradox, als »Eigentümlichkeit der Vorstellungsart [...] insofern sich dieselbe durchgängig im Ausdruck zeigt« (Moritz, K.Ph., 1793, 1981, S. 581). Der Ausdruck des Individuellen ist nach Moritz' Stiltheorie doppelt verstellt: einmal durch die institutionelle Schranke, durch die der Stil nur passiv bei anderen (den unerreichbar perfekten Dichtern) beobachtet wird und nicht mehr lehrbar ist; zum andern durch die pragmatische Schwelle, aufgrund derer der Ausdruck nur mehr durch die Sache, die Verständlichkeit des Gedankens und die Deutlichkeit der Darstellung und nicht durch die Einbildungskraft und das Vergnügen an Worten zugänglich ist. Die behauptete individuelle ›Eigentümlichkeit‹ kann sich gerade nicht mehr als »dichterische und rednerische Darstellungsart« (a.a.O., S. 582) äußern (dies freilich implizit auch schon bei Schiller), sondern in den stilistischen Axiomen des richtigen Denkens, der wenigen Worte und in der Ordnung des eigenen Vortrags in Haupt- und Nebenideen. Außerhalb dieser kommunikativ-pragmatischen Verständigung verliert der individuelle Stil jede mögliche Bedeutung, aber innerhalb von ihr kann er sie über Grammatik und Syntax hinaus auch nicht gewinnen. In der ersten großen deutschen Stilistik bleibt der Stil im Regelfall auf alltägliche Gebrauchssituationen beschränkt.[12]

Auch auf der ›unteren‹ Ebene stilistischer Theoriebildung für die Zwecke des Unterrichts bei August Hermann Niemeyer fungiert der Stil als reines Ordnungselement. Seine beiden Hauptbestandteile sind Verständlichkeit (Logik) und Sprachrichtigkeit (Grammatik und Orthographie); noch hinzutreten kann die »höhere Vollkommenheit des Stils«, die »schöne ästhetische Form« als die »Fertigkeit, schöne Phrasen aneinanderzureihen« (Niemeyer, A. H., [6]1810, S. 392). Und doch scheint bei Niemeyer und anderen Didaktikern des Neuhumanismus, die zur Gewöhnung an den richtigen Ausdruck praktische Übungen durchführen, zuweilen die Doppelgesichtigkeit des Stilkonzepts auf, insofern in diesen Übungen vereinzelt literarische Originale verwandt und durch Rezeptionshandlungen erschlossen werden, die zumindest materiell die Möglichkeit und den Spielraum eigenen Gestaltens und eigener Stilfindung bieten. Eine solche Aneignungsform ist seit alters die Übersetzung und der Vergleich der eigenen Version mit dem Original sowie dessen dadurch bewirkte Neufassung. Niemeyer erläutert durch ein nicht näher beschriebenes Zitat aus den Schriften des Magdeburger Schulpraktikers Gottfried Benedict Funk (1734-1814), wie beim Übersetzen die Erfassung des fremden Stils mit der eigenen Stilbildung einhergehen kann:

In beyden Fällen thut der Jüngling gerade das, was der junge Mahler thut, wenn er ein Meisterstück copirt. Er ist genöthigt, die Vollkommenheit der Originale weit genauer zu studiren, weit tiefer, als beym bloßen Lesen, in ihren Geist sowohl, als in ihre Manier einzudringen. Wofern er nun, wie er soll, auch hierin das Höchste von sich fordert was ihm möglich ist, und jeden Gedanken mit eben der Richtigkeit und Stärke, und in eben dem Glanze oder sanfteren Lichte darzustellen ringt, wovon ihm das Urbild aus der fremden Sprache vor dem Geiste schwebt, so wird es ihm auch das wirksamste Mittel, sich seiner eigenen Muttersprache zu bemächtigen, und das volle Recht eines Hausherrn über sie zu erhalten (*a.a.O.*, S. 394).

Hier eröffnet die Stilübung (noch einmal) den heuristischen Vergleich zwischen eigener Anstrengung und fremder Perfektion und damit eigene handwerklich praktische Sprach- und Ausdruckserfahrung. Trotz oder gerade in der Bindung an Muster war diese Erfahrung von Beginn der schulischen Stilübungen bis weit ins 18. Jahrhundert hin stets der Zielpunkt poetisch-rhetorischer Stilübungen. Noch Herder sagt 1781:

Hier hat Plutarch, Cicero, Theophrast, la Bruyère, und wie sie weiter heißen, ein solches Thema, solchen Character, diese Geschichte, jenes Gleichniß so ausgeführt; ich will den *Schriftsteller vergeßen*, die Sache nach meiner Art ausführen und so denn vergleichen.[13]

Sobald der Stil das unerreichbare, eigenständige und verdinglichte Moment der ästhetischen Perfektion wird, verschwinden auch die Stilübungen am literarischen Original und spalten sich als Übungen an sprachlichen Beispielen bzw. als eigene Aufsätze und Anschlußformulierungen (und nicht mehr als korrespondierende Parallelversionen) von der Ebene der ästhetischen Gestaltung ab. Dies ist an der tiefgreifenden institutionellen Veränderung im Berechtigungswesen erkennbar, durch die die Rede-Aktus als feierliche, personale Repräsentationen rednerischer und darstellerischer Mächtigkeit von der stillen schriftlichen Klausur im Abitur abgelöst werden. Zweifellos werden vereinzelt noch immer stilistische Übungen und sogar poetische Versuche als dilettantische Experimente durchgeführt und geduldet; im Vormärz werden sogar politische Reden zu Gegenständen der Betrachtung im Unterricht zugelassen. Hier erweist sich die Leistung der ›materiellen‹ Stilgeschichte, die immer noch Reste und Spuren vergangener Epochen als Gegenstücke zu den sich durchsetzenden dominanten Wechseln aufdeckt. Aber sie zeigt auch die radikalen Auswirkungen verknappter sprachlich-literarischer Erfahrungsmöglichkeiten für die Masse der Subjekte als Gegenstück der Autonomisierung von Kunst und Literatur. So wird die Entwicklung zum deutschen Aufsatz als losgelöstem Leistungsnachweis und der Verfall der Stilübungen zu Aufsatzarten durch nichts mehr aufgehalten. Kaum mehr werden auch aus den technischmechanischen Sprachstilübungen subjektive eigene Erkenntnismomente gewonnen oder gar einem literarischen Original gegenübergestellt. Seit 1826 gilt das Wort des Münchner Altphilologen Friedrich Thiersch gegen den freien Aufsatz:

Einen Aufsatz aus eigenen Gedanken und Mitteln schöpfen, setzt einen Vorrath eigener Gedanken und Mittel voraus, wie sie nach langer Übung erst in dem gereiften Geist sich als die Frucht am Baum der wissenschaftlichen Übung ansetzen, und der von aller Einsicht in den jugendlichen Geist, seinen Kennen und Vermögen verlassene Wahn pädagogischer

Thoren, welcher dergleichen von dem kaum erwachten und unter der Pflege edler Muster und Lehrer sich erst entfaltenden Jünglinge begehrt, will mit ungeschickter Hand die Früchte brechen, wo erst die Keime derselben aus der Blüthe hervordringen (Thiersch, F., 1826/27, Bd. 1, S. 363).

Was sich »unter der Pflege edler Muster und Lehrer« entfaltet, wird völlig von außen eingedrückt. Endgültig kündigt ab 1850 die einsetzende Nationalerziehung die allseitige Menschenbildung des utopisch rückwärtsgewandten klassischen Bildungsideals auf. Die Abtrennung des Aufsatzes vom ästhetischen Schaffen ist damit abgeschlossen. Die Stilbildung hat sich verkehrt zur selbstentfremdenden Disziplinierung der Zöglinge.

Der Stil, der mit einem Ausrufungszeichen am Rand der Schülerarbeiten steht, hat ein größeres Beharrungsvermögen gehabt als die reformpädagogischen Versuche zu Ende des 19. Jahrhunderts, die den Aufsatz wieder befreien und die Stilübungen als literarische Originale aufwerten wollten. Durch Freistellung vom Thema, Abtrennung des Schreibens von normativen Titeln, durch Versuche des ›Schreibens über und zu Literatur‹ wurde auch in der Weimarer Zeit und nach dem Zweiten Weltkrieg die immer wieder unterbrochene und zurückgeworfene Befreiungsbewegung von ästhetischer Normativität methodisch realisiert.[14] ›Freier Text‹, Schreibbewegungen, authentische Literatur und das Konzept »Schreiben kann jeder« versuchen heute, die Dominanz der Muster fiktionaler Weltverarbeitung (›hohe Literatur‹) auszubalancieren und auch den einzelnen Schüler zu seinem Stil literarischer Aneignung finden zu lassen.[15] Formen literarischer Stilübungen wie die von Raymond Queneau können dabei für praktische Anwendungen abgewandelt werden.[16] Dabei werden der fiktionale und der Alltagshorizont von Erfahrungsverarbeitung aneinander angenähert, die literarische Formulierung für die Objektivierung des Alltags genutzt und das literarische Repertoire durch den thematischen Reichtum des Alltagslebens aktualisiert. Der Stil wird, wie das Schreiben, dabei totalisiert zum Medium der Identitätsbildung, und kehrt damit zumindest exemplarisch und in praktischen Einzelexperimenten zu seiner vormodernen Reichweite zurück.

Epochenschema einer materiellen Stilgeschichte

EPOCHE	SOZIALER RAHMEN	STILKONZEPT	DOMINANTE ORIENTIERUNG	FÄCHER	STILISTISCHES ERZIEHUNGSZIEL	STILÜBUNG(EN)	KONTROLLE(N)
I Gelehrtenschulen des Humanismus 1600–1770	Kirche Hof Akademie *Repräsentation*	Stil als elocutio, Teil des rhetorischen Systems	exempla und praecepta dicendi (= stilus) *Rede Deklamation*	normativer Poetik- und Rhetorik-Unterricht	Muster durch Schreiben, Reden und Deklamieren imitieren	Kombination u. Aktualisierung der literarischen Traditionsbestände	Rede-Actus Theater-Aufführungen
II Bürgerrealschulen der Aufklärung 1730–1800	Alltag und Berufsleben *Pragmatik*	eigenes selbständiges Konzept	Auszüge aus Werken *Brief Gespräch*	Sprache, Literatur, Aufsatz	individuelle, aber passive Stilbildung	Übersetzung Variation an Beispielen	Abituraufsatz (schriftliche Klausur) (1788–1834)
III Staatsschulen des Neuhumanismus 1790–1820	utopische Rückwendung zur Antike	Stil als Beiwerk des Kunstwerks	literarische Interpretation	Ästhetik	›moralische‹ Stilbildung	Textanalyse	
IV Restauration Vormärz Nationalerziehung 1810–1890			Gesinnung Aufsatz als Selbstzweck	Latein Griechisch Deutsch	formale Sprachbeherrschung	griechisch-lateinische Sprachübungen	

1 Dies darf nicht als Plädoyer für einen blinden Empirismus mißverstanden werden, sondern lediglich als Ergänzung begriffsgeschichtlicher Bestimmungen. Ohne die Analyse der Leitbegriffe in den Metadiskursen *über* den Stil und die Stilübungen wird man auch in einer ›materiellen‹ Stilgeschichte nicht auskommen können (siehe dazu unten die Analyse des Schiller-Briefs). Die Tendenz liegt gleichwohl in der spezifischen Untersuchungsausrichtung auf die Materialitäten und Modalitäten der Kommunikation, auf denen zum Beispiel auch Pierre Bourdieu besteht: »Gerade das Wesentliche entgeht einem also dann, wenn man, wie so häufig der Fall, bei der Erhebung oder der Analyse von der *Modalität* der Praktiken, Geschmacksvorlieben oder – zum Beispiel politischen – Meinungen absieht, die doch als einer der besten Indikatoren für tiefersitzende Einstellungen und folglich auch als Hinweise für künftiges Verhalten zu gelten hat und nicht zuletzt deshalb in allen Gesellschaften höchster Aufmerksamkeit unterliegt« (Bourdieu, P., 1982, S. 120). Die Praktiken stilistischer Kommunikation können übrigens auch als ›Materialisierungen‹ der Formen von Sinnverarbeitung verstanden werden, die Niklas Luhmanns begriffsemantische Studien herausarbeiten, zugleich aber auch als Elemente der Sozialstruktur. Jedesmal wären zum Beispiel die Formen der Stilübungen auf einer ›tieferen‹, institutionellen Ebene angesiedelt, ›unterhalb‹ der Begriffe (vgl. *Gesellschaftliche Struktur und semantische Tradition.* In: Luhmann, N., 1980, S. 13, 19 f.).

2 Im Rahmen der Neubegründung einer literarischen Rezeptionspragmatik habe ich historische Argumente aus der Rekonstruktion der humanistischen Stilübungen gewonnen (vgl. Rupp, G., 1986 und 1987, passim).
Eine der ersten Fundstellen für Stilübungen ist die Schulordnung aus der Kursächsischen Kirchenordnung von 1580. Dort heißt es im Kapitel »Vom Exercitio Styli«: »Die Knaben aber (so sie auch wollen lernen Carmina schreiben) betreffend, sollen sie ihnen erstlich aus denen Poeten etliche versus stückweise zerlegen, und die Worte versetzen, nachmals von denen Knaben fordern, wie die Worte wiederum zusammen zu bringen, damit der versus recht und gantz sey. Alsdann auch ihnen eine materiam vorgeben, und wie sie vor sich selbst auch versus schreiben sollen, treulich weisen.
Sie sollen auch die Knaben lehren, wie sie derer alten Poeten carmina verändern, und auf eine andere Weise und Art machen sollen, dergestalt sie lernen werden, Epigrammata und Elegiaca carmina zu schreiben« (Vormbaum, R., Hg., 1860, S. 285).

3 Gumbrecht, H.U., 1986, in diesem Band; Pfeiffer, K.L., 1986, in diesem Band.

4 Mit diesem Moment der Einsetzung der »Institution Literatur« ist hier
die Durchsetzung des bürgerlichen Literaturbegriffs gegenüber dem
höfischen am Ende des 18. Jahrhunderts gemeint. Durch diese Wende
wird die »Institution Literatur« durch ihre allmähliche Abtrennung
von der Lebenspraxis »gleichsam erst sichtbar« (Hohendahl, P., 1985,
S. 47).
Erst dann erlangt sie jedoch auch ihre weiten Bereiche des literarischen
(und sonstigen öffentlichen) Lebens bestimmende Kraft. In diesem
Sinn definiert Peter Bürger die Institution Kunst als den »kunstprodu-
zierende(n) und -distribuierende(n) Apparat als auch die zu einer
gegebenen Epoche herrschenden Vorstellungen über Kunst« (vgl.
Bürger, P., 1974, S. 29). Das entspricht am gemeinten geschichtlichen
Wendepunkt der Eroberung der literarischen Öffentlichkeit durch die
Weimarer Literaturpolitik Goethes und Schillers und damit die Domi-
nierung des literarischen Lebens durch ästhetische Normative, die sich
in Kunstwerken und Vorstellungen über ästhetische Erziehung und
eben auch in restriktiven ästhetischen Stilübungen niederschlugen.
Zur Weimarischen Literaturpolitik vgl. auch die Beiträge in Barner,
W. und andere (1984).
5 ›1770‹ soll die in Anm. 4 skizzierte Epochenschwelle markieren. Ent-
scheidende Daten für die literarische Stilgeschichte sind etwa Goethes
Entscheidung für Weimar (1775) (vgl. dazu Bürger, Ch., 1977, S. 39 f.,
51 f.) oder das Erscheinungsdatum der »Ästhetik« des Gießener Schul-
reformers H. M. G. Köster (1773), die zugleich das entsprechende
Unterrichtsfach begründet (vgl. Bosse, H., 1978, S. 106, 117).
Die Grundannahme diskontinuierlicher Zäsuren teilt die materielle
Stilgeschichte mit system- und diskurstheoretischen Versuchen der
Absetzung von Begriffs- und Ideengeschichte. Dem Ende des 18. Jahrhunderts kommt dabei besondere Bedeutung zu. Für Luhmann fällt es
zusammen mit der Ausbildung von »je besonderen Funktionssystemen« (Luhmann, N., 1980, S. 55) im Zuge des Übergangs von Alteuropa zur modernen Welt. Die Leistung der funktionalen Differenzierung, »im Rahmen abgesonderter Systeme und besonderer Umwelten
evolutionäre Errungenschaften zu erhalten und zu reproduzieren
(a.a.O., S. 43) kann für Kunst/Literatur und für die ästhetische Schulung gelten. Ähnlich situiert Michel Foucault im Rahmen seiner
wissenschaftsgeschichtlichen Archäologie eine seiner beiden epistemologischen Wenden um 1800 (vgl. Foucault, M., 1971, S. 12, 25,
269 f.)
6 Die zunehmende Formalisierung der literarischen Interpretation geht
auf die emanzipatorische analytische Richtung der Begründung einer
wissenschaftlichen Unterrichtslehre bei Adolf Diesterweg (1830) und
Robert Heinrich Hiecke (1842) zurück, macht dabei die Formalisierung zum Selbstzweck. Indem sie dadurch ihre aufklärerische ratio-

nale Komponente verliert, kann sie in einer eigentümlichen Weise mit der ›Dichterpersönlichkeit‹ bzw. mit Moralerziehung zusammengebracht werden (vgl. Jäger, G., Hg., 1977, S. 7-26, bes. 16f.). Ähnlich aus ganzheitlichen Lernzusammenhängen herausgerissen werden die ehemaligen Stilübungen bzw. jetzt Aufsatzübungen. Lakonisch heißt es bei Rudolf Lehmann: »Der Unterricht bedient sich des Aufsatzes entweder, um das formale Können, die stilistische Anlage des Zöglings auszubilden, oder er benutzt ihn, um den Inhalt des Gelesenen oder Durchgearbeiteten den Schülern fester einzuprägen und entschiedener zu eigen zu machen« (Lehmann, R., 1890, S. 49). »Schreiben-Können« (a.a.O., S. 50) als formal-verdinglichtes Ziel außerhalb bewußter Erfahrung ist dabei genauso losgelöst wie die sich immer mehr durchsetzende Funktion des Aufsatzes für Wissens- und Lernzwecke. Spezifisch stilistische Kontexte werden dabei bewußt zurückgewiesen. Zu den von Friedrich Thiersch 1826 in Bayern wieder eingeführten lateinischen Sprachübungen vgl. Thiersch, F. (1826/27) und Matthias, A. (1907), S. 361-363.

7 Adelung, J. Chr. (1785) (1974). Die von vornherein reduzierte pragmatische Betrachtungsweise zeigt sich in der grundlegenden Definition: »Die Wörter Styl und Schreibart bedeuten zwar überhaupt die Art und Weise, wie man schreibt, d. i. andern seine Gedanken durch geschriebene Worte ausdrückt, und in diesem Verstande gibt es einen guten und einen schlechten Styl. Allein im engern Verstande bezeichnen sie die gehörige Art, andern seine Gedanken auf eine zweckmäßige Art durch Worte vorzutragen, so daß auch der mündliche Ausdruck nicht davon ausgeschlossen bleibt« (a.a.O., S. 25). Zu Karl Philipp Moritz vgl. Moritz, K. Ph. (1793) (1981), S. 579-583 sowie S. 585-756.

8 Dies kann man anschaulich an der Auratisierung der Künstlerpersönlichkeit ablesen, die ein bestimmendes Merkmal der literarischen Öffentlichkeit der Goethezeit ist und von Goethe selbst als ›Strategie‹ seiner ›Literaturpolitik‹ initiiert wird, wenn er im »Winckelmann«-Aufsatz schreibt: »Und so ist alles, was er uns hinterlassen, als ein Lebendiges für die Lebendigen, nicht für die im Buchstaben Toten geschrieben. Seine Werke verbunden mit seinen Briefen, sind eine Lebensdarstellung, sind ein Leben selbst« (Goethe, J. W., 1973, S. 118). Vgl. Bürger, Ch. (1977), S. 70f., 80f.

9 Mit ihm gewinnt Schiller Goethe – wenige Tage vor dessen 45. Geburtstag – zur Mitarbeit an den Horen, in Preis-Juries für Malwettbewerbe, zu einer intensiven Literaturkritik, die das kulturelle Leben in Weimar nachhaltig beeinflußte. Vgl. Bruford, W. H. (1966), S. 310f., sowie neuerdings Unser Commercium, a.a.O., passim.

10 Den Satz »Es ist eine wahre Freude sich einem instinktartigen Verfahren, welches auch gar leicht irre führen kann, eine deutliche Rechen-

schaft zu geben, und so Gefühle durch Gesetze zu berichtigen«
(Schiller, F., 1958, Bd. 27, S. 27) aus dem Brief vom 23. 8. 1794 äußert
Schiller übrigens mit Blick auf die »Moritzischen Ideen« – wenngleich
anläßlich von dessen *Versuch einer deutschen Prosodie« (1786). Daß
es sich aber um die durchgängige Stildiskussion handelt, zeigt die
wörtliche Übereinstimmung mit einer vorausgegangenen Definition
der Übereinstimmung von Goethes »philosophischem *Instinkt* mit
den reinsten Resultaten der speculierden *Vernunft«* (*a.a.O.*, S. 26,
Hervorhebung G. R.).

11 Schiller, F., *a.a.O.*, S. 25. »Großer Styl« ist die Vorform der zentralen
ästhetischen Kategorie des Schönen bei Schiller, wie überhaupt der
Brief als Keimzelle der Abhandlung »Über naive und sentimentalische
Dichtung« gelesen werden kann. Vergleichbar heißt es in »Über
Matthisons Gedichte« (1794): »Nur in der Wegwerfung des Zufälligen
und in dem reinen Ausdruck des Notwendigen liegt der *große Stil«*
(Schiller, F., 1958, Bd. 22, S. 269). Auch diese Stelle ist eine Vorform
der ›Vertilgung des Stoffes durch die Form‹ im 22. Brief der »Ästhetischen Erziehung«; vgl. Ueding, G. (1975), in: Berghahn, K. L. (Hg.)
(1975), S. 159-196.

12 Daß der »Styl aber keine bestimmte Art, sondern das wesentlich
Schöne in der Kunst selbst bezeichnet« (Moritz, K. Ph., 1962, S. 220) –
diese Bestimmung rückt Moritz in die Nähe der klassischen Ineinsset-
zung von Stil und Ästhetik.

13 Herder, J. G. (1889), S. 69 f., Schulrede »Von den Stilübungen«, (Hervorhebung G. R.).

14 Vgl. Gansberg, F. (1914) (⁴1954); Jensen, A./Lamszus, W. (1923);
Schönbrunn, W. (1930).

15 Vgl. Freinet, C. (1967); *Literaturmagazin* 11 (1979); Boehncke, H./
Humburg, J. (1980).

16 Vgl. Queneau, R. (1977) und Boehncke/Humburg *a.a.O.*, S. 179 f.

Literatur

Adelung, Johann Christoph (1785) (1974), *Über den deutschen Styl*.
Nachdruck Hildesheim.

Barner, Wilfried/Lämmert, Eberhard/Oellers, Norbert (Hgg.) (1984),
Unser Commercium. Goethes und Schillers Literaturpolitik. Stuttgart.

Boehncke, Heiner/Humburg, Jürgen (1980), *Schreiben kann jeder.
Handbuch zur Schreibpraxis für Vorschule, Schule, Universität, Beruf
und Freizeit*. Reinbek.

Bosse, Heinrich (1978), »Dichter kann man nicht bilden. Zur Veränderung der Schulrhetorik nach 1770«. In: *Jahrbuch für Internationale Germanistik*. S. 80-125.

Bourdieu, Pierre (1982), *Die feinen Unterschiede. Kritik der gesellschaftlichen Urteilskraft*. Frankfurt/Main.

Bruford, Walter H. (1966), *Kultur und Gesellschaft im klassischen Weimar 1775-1806*. Göttingen.

Bürger, Christa (1977), *Der Ursprung der bürgerlichen Institution Kunst. Literatursoziologische Untersuchungen zum klassischen Goethe*. Frankfurt/Main.

Bürger, Peter (1974), *Theorie der Avantgarde*. Frankfurt/Main.

Foucault, Michel (1971), *Die Ordnung der Dinge*. Frankfurt/Main.

Freinet, Célestin (1967), *Le texte libre*. Cannes.

Gansberg, Fritz (1914) (⁴1954), *Der freie Aufsatz*. Bonn.

Gedike, Friedrich (1793), »Einige Gedanken über deutsche Sprach- und Stilübungen auf Schulen«. Wiederabgedruckt in: Jäger (1977).

Goethe, Johann Wolfgang (1805) (1973), »Winckelmann«. In: *Goethes Werke*. Hamburger Ausgabe. Bd. XII. München. S. 96-128.

Grimm, Gunter E. (1983), *Literatur und Gelehrtentum in Deutschland. Untersuchungen zum Wandel ihres Verhältnisses vom Humanismus bis zur Frühaufklärung*. Tübingen.

Herder, Johann Gottfried (1889), »Von Schulübungen« (1781). In: *Herders Sämmtliche Werke*. Hg. von Bernd Suphan. Bd. 30. Berlin.

Hohendahl, Peter Uwe (1985), *Literarische Kultur im Zeitalter des Liberalismus 1830-1870*. München.

Jäger, Georg (1976), *Humanismus und Realismus. Schulorganisation und Sprachunterricht 1770-1840*. IASL 1.

Jäger, Georg (1977), *Der Deutschunterricht auf dem Gymnasium der Goethezeit. Eine Anthologie*. Hildesheim.

Jensen, Adolf/Lamszus, Wilhelm (1923), *Der Weg zum eigenen Stil. Ein Aufsatz-Praktikum für Lehrer und Laien*. Braunschweig und Hamburg.

Lehmann, Rudolf (1890), *Der deutsche Unterricht. Eine Methodik für höhere Lehranstalten*. Berlin.

Literaturmagazin 11 (1979), »Schreiben oder Literatur«. Reinbek.

Luhmann, Niklas (1980), »Gesellschaftliche Struktur und semantische Tradition«. In: ders., *Gesellschaftsstruktur und Semantik. Studien zur Wissenssoziologie der modernen Gesellschaft*. Bd. 1. Frankfurt/Main. S. 9-71.

Matthias, Adolf (1907), *Geschichte des deutschen Unterrichts*. München.

Moritz, Karl Philipp (1962), »Michelangelo«. In: ders., *Schriften zur Poetik und Ästhetik*. Hg. von H. J. Schrimpf. Tübingen. S. 218-223.

Moritz, Karl Philipp (1981), »Grundlinien zu meinen Vorlesungen über den Stil (1793). In: ders., *Werke*. Bd. 3. Hg. von H. Günther. Frankfurt/Main. S. 579-583.

Moritz, Karl Philipp (1981) »Vorlesungen über den Stil« (1791/93). In: ders., *Werke*. Bd. 3 Hg. von H. Günther. Frankfurt/Main. S. 585-756.

Niemeyer, August Hermann (⁶1810), *Grundsätze der Erziehung und des Unterrichts für Eltern, Hauslehrer und Schulmänner*. Halle. 2. Hauptabschnitt Pädagogik. Spezielle Grundsätze der Erziehung (= 2. Band). S. 385-403.

Queneau, Raymond (1977), *Stilübungen*. Frankfurt/Main.

Rupp, Gerhard (1986), *Kulturelles Handeln mit Texten. Rezeptionshandlungen im Literaturunterricht – Fallstudien aus dem Schulalltag*. Paderborn (im Druck).

Rupp, Gerhard (1987), *Zur Geschichte der ästhetischen Praxis von Laien. Theorien, Institutionen und soziale Formen literarischen Schreibens und Lernens an Texten* (in Vorbereitung); dort Kap.: »Die Rhetorik- und Poetik-Orientierung im protestantisch-humanistischen Sprach- und Literaturunterricht«.

Schiller, Friedrich (1958), Brief an Goethe vom 23.8.1795. In: *Schillers Werke*. Nationalausgabe. Bd. 27. Briefe 1794-1795. Weimar.

Schönbrunn, Walter (1930), *Weckung der Jugend. Moderner Deutschunterricht*. Frankfurt/Main.

Thiersch, Friedrich (1826/27), *Über gelehrte Schulen, mit besonderer Rücksicht auf Bayern*. 3 Bde. Stuttgart und Tübingen.

Ueding, Gert (1975), »Rhetorik und Ästhetik in Schillers theoretischen Abhandlungen«. In: Berghahn, K.L. (Hg.), *Friedrich Schiller – Zur Geschichtlichkeit seines Werkes*. Kronberg. S. 159-196.

Usteri, L. (1773), *Die Nachricht von den neuen Schulanstalten in Zürich*. 6. Stück: Das Mittel-Studium oder Collegium Humanitatis. Zürich.

Vormbaum, R. (Hg.) (1860), *Die evangelischen Schulordnungen des sechzehnten Jahrhunderts*. Gütersloh.

Inge Baxmann
Stilisierung als Kompensation
Repräsentation von Weiblichkeit auf den Festen der Französischen Revolution

1. Feste als Selbstinszenierung der neuen Gesellschaft

Die Feste der Französischen Revolution lassen sich als Selbstinszenierung einer neuen Gesellschaft ansehen, welche über die Festrepräsentation ein Bild ihrer selbst entwirft, um die am Fest teilnehmenden Bürger als Gemeinschaft zu konstituieren. Im revolutionären Selbstverständnis war mit der Revolution, vor allem aber mit der Enthauptung des Königs, ein Bruch mit der bisherigen Geschichte vollzogen worden. Dieser Bruch rief angesichts neuer gesellschaftlicher Erfahrungen von der sozialen, regionalen und kulturellen Heterogenität der die ›Nation‹ konstituierenden Masse auch Ängste hervor, die in zeitgenössischen Kommentaren als Furcht vor kollektiver Gewalt, »Anarchie« und »Chaos«, aber auch vor der »Leere« und dem »Nichts« artikuliert wurden.

Die Feste der Revolution galten als Teil der ›Education Publique‹. Die Selbstrepräsentation auf den Festen gab Deutungsmuster von Revolutionserfahrungen und Sinngebungen der neuen Institutionen vor, die bei den Bürgern verankert werden sollten. Im Rahmen dieser Selbstinszenierung der neuen Gesellschaft läßt sich *Stilisierung* auf die Intentionalität der Festrepräsentation in der Situation eines kulturellen Bruchs beziehen. Dann bezeichnet ›Stilisierung‹ die intentionale Selektion und Kombination von historisch gegebenem Zeichenmaterial durch ein Kollektiv, das aus diesem Material ein Bild der neuen Gesellschaft entwirft mit dem Ziel, sich als Gemeinschaft zu konstituieren.

Die Festrepräsentation ist die offizielle Version gesellschaftlicher Selbstinszenierung. Die für diese Selbstrepräsentation verantwortlichen Instanzen sind der ›Comité d'instruction publique‹, der auf Weisung des Nationalkonvents einen Künstler mit der

Ausarbeitung eines Festprogramms beauftragt. Die Festordnung wurde dann dem Nationalkonvent zur Abstimmung vorgelegt. Sie fixierte als Inszenierungsanweisung für die Festrepräsentation nicht nur Symbole, Rituale, die zu singenden Hymnen, sowie Plätze, Kleidung, rituelle Handlungen und Gesten der Festteilnehmer als Akteure bis ins kleinste Detail; sie gab zugleich die Dekodierungsanweisungen für die Interpretation des Festgeschehens und nicht selten waren im Festprogramm auch schon Hinweise auf die zu erwartenden Reaktionen der Festteilnehmer enthalten.

2. Stilisierte Weiblichkeit
im kulturellen Bruch:
Die »Déesse de la Raison«

Symbolen kam im Kontext der gesellschaftlichen Selbstbeschreibung der neuen Gesellschaft eine besondere Bedeutung zu. Sie sind nicht nur ›Ausdruck‹ eines Weltbildes, sondern als Träger gemeinschaftsbildender Identifikation konstituiert sich die neue Gemeinschaft allererst über Symbole. In der Diskussion über die Entwicklung eines Siegels der Republik im Jahre 1792 begründete der Abgeordnete Grégoire die Notwendigkeit eines neuen Kollektivsymbols mit dem Argument, daß es den öffentlichen Handlungen erst Authentizität und Glaubwürdigkeit verleihe. Auch Stilisierungen von *Weiblichkeit* als Symbol der Republik dienten der Selbstversicherung der neuen Gemeinschaft angesichts des kulturellen Bruchs, als Bestätigung der Realität von Institutionen und Werten, die symbolisiert wurden. Die Selektion von Weiblichkeit zur Repräsentation republikanischer Konzepte lag begründet in der Kontrastfunktion, die sie gegenüber der Repräsentation des Ancien Régime wahrnehmen konnte, sowie in der für die Ästhetik der Revolution charakteristischen Zeichenkonzeption und schließlich in der Rolle von Weiblichkeit innerhalb der ästhetischen Tradition. Der Anspruch, eine direkte, angeblich unverfälschte Beziehung zwischen Zeichen und Bezeichnetem (Idee) herzustellen, ließ sich begründen mit Rousseaus Zivilisationskritik (die *Lettre à D'Alembert sur les spectacles* wurde zu einem der kanonisierten Texte der Festorganisatoren), nach der Korruption und Unterdrückung Niederschlag in der Zeichenpraxis finden. Die Wiederherstellung einer unverfälschten Zeichenbeziehung, die Reinigung vom für den »Kult der Priester« typischen »Pomp« und von der »Künstlichkeit«, die auf eindeutige Zuordnung von Zeichen und Bezeichnetem zielte, wurde zu einem wichtigen Kriterium politischer Repräsentation. Auf einer in der Provinz begangenen *Fête de la Raison* (1793) betonte ein Redner – an die den Begriff der ›Vernunft‹ verkörpernde Schauspielerin gerichtet –, daß sie der direkte Ausdruck jener Idee sei, die sie repräsentieren sollte:

[...] Göttin der Vernunft: der Mensch wird immer Mensch bleiben – allen Raffinessen des Stolzes und aller verbohrten Überheblichkeit des Egoismus zum Trotz – immer wird es deutlicher Bilder bedürfen um seinen Geist zu den nicht-wahrnehmbaren Dingen emporzuheben. Du zeigst uns mit so viel Natürlichkeit das Bild der Vernunft, deren Emblem Du bist, daß wir fast dazu verleitet werden, die Kopie mit dem Original zu verwechseln. Du vereinigst in Dir die körperlichen und moralischen Mittel, um sie liebenswert zu machen (*Discours républicain prononcé par le citoyen Brouillet à Avize, an* II, zitiert nach Aulard, A., 1892, S. 88 f.).

Im Rahmen der Rückkehr zu einer ›natürlichen‹ Repräsentation ergab sich der Rekurs auf Körpersymbolik einerseits aus der epochenspezifischen Gleichsetzung der weiblichen Physis mit ›Natur‹ und andererseits daraus, daß der weibliche Körper als Symbol der neuen Gesellschaft die Absetzung von der Kultur des Ancien Régime und ihrem Zentrum, dem Körper des Königs und den damit verbundenen semantischen Assoziationen (wie Autorität, Hierarchie und Macht) ermöglichte. Die für die Revolution charakteristische Anknüpfung an die Tradition der Klassischen Ästhetik zur Entwicklung der neuen Kollektivsymbolik reaktualisierte eine ikonologische Tradition der Repräsentation abstrakter Ideen über weibliche Figuren. Schließlich ließ auch die für die Ästhetik der Aufklärung spezifische Gleichsetzung des Schönen mit dem Guten[1] Weiblichkeit zum bevorzugten Objekt der Repräsentation revolutionärer Werte avancieren.

Obwohl die Ikonologie der Revolution nie endgültig fixiert worden ist, war die Brisanz des Rückgriffes auf Repräsentationen von Weiblichkeit dennoch im gesellschaftlichen Bewußtsein präsent, wie die Diskussion über die Verwertbarkeit überlieferter Allegorien zeigt. Die Repräsentation der Tugenden durch weibliche Figuren etwa wurden als ein angesichts der Begrenztheit der menschlichen Wahrnehmung notwendiger Kompromiß angesehen. Dabei bestehe die Gefahr solcher allegorischer Darstellungen darin, daß sie auf zwei Ebenen wahrgenommen werden können.

Man kann sich die Wahrheit, die Gerechtigkeit oder die Menschlichkeit einer Frau nicht vorstellen, wenn sie sich auf Kosten der Keuschheit und der ihrem Geschlecht ziemlichen Zurückhaltung entblößt. Sobald jedoch die Nacktheit den Attributen eines moralischen Wesens zu entsprechen scheint, läßt man die Tapferkeit, die Gerechtigkeit und die Hoffnung in einer Weise erscheinen, die eine bescheidene Frau erröten macht. Man kann mir zwar sagen, dies seien keine Frauen, sondern weibliche Figuren, mein Verstand begreift den Unterschied, es ist aber die Einbildungskraft, an die man sich hier richten muß (*Remarque de Gibbon, sur les Dialogues d'Addison*, in: Jansen, J., 1799, Bd. 2, S. 206).

Stilisierung von Weiblichkeit als Kollektivsymbol wurde als Problem der Durchsetzung ›richtiger‹ Deutungen, als Problem der Kontrolle der ›imagination‹ angesehen. Die Herstellung der Reinheit des Blicks in einer säkularisierten Gesellschaft, wo Götzendienst und religiöse Sakralisierung von Bildern abgelehnt wurden, warf die Frage auf, wie eine gegenüber der revolutionären Symbolik als angemessen angesehene Rezeptionshaltung durchgesetzt werden konnte. Einerseits hängt von der Fähigkeit, sich ausgehend von einem Zeichen (Symbol) die Totalität einer gesellschaftlichen Ordnung vorstellen zu können, die Gemeinschaftsbildung und die Glaubwürdigkeit der neuen Institutionen ab. Konzepte wie *La Patrie* sind in ihrer identitätsstiftenden und kollektive Aktion stimulierenden Funktion (bis hin zur Opferung des eigenen Lebens) ohne die Fähigkeit des Menschen zur Imagination (ohne die Fähigkeit, in einem ›Bild‹ mehr zu sehen) nicht denkbar.

Andererseits beinhaltete eben diese Fähigkeit – gerade angesichts eines neuen Massenpublikums, das nicht über die klassische Bildung der Festorganisatoren verfügte – auch die Gefahr, daß dieses »Mehr« der gesellschaftlichen Kontrolle entglitt und die einheitliche Sinnbildung gefährdete. *Das sensualistische Wissen über die Wirkung von Bildern geriet in Widerspruch zu dem Bedürfnis nach politischer Sinn-Prägnanz.* Gesucht wurde nach einem Kompromiß zwischen dem Eingeständnis, daß auf die emotionale Wirkung der Bilder nicht verzichtet werden konnte, und einer rationalistischen Position, die ihren extremsten Ausdruck im Rahmen der Dechristianisierungskampagne fand:

[...] wenn wir dem Volk den reinen Kult der Vernunft nahebringen wollen, müssen wir es – anstatt seine Neigung zu fördern, Abstraktionen zu konkretisieren, moralische Wesen zu personifizieren – unausweichlich von dieser Manie heilen, welche die wichtigste Ursache menschlicher Irrtümer ist. Die metaphysischen Prinzipien von Locke und Condillac müssen verbreitet werden; das Volk muß sich daran gewöhnen, in einer Statue nicht mehr zu sehen als einen Stein und in einem Bild nicht mehr als eine Leinwand und Farben (*Annales patriotiques, 23 brumaire an* II, zitiert nach Aulard, A., 1892, S. 87).

Stilisierung bedeutete Vereindeutigung, weil durch sie der Spielraum der Imagination reduziert wurde. So schlug der Abgeordnete Momoro vor, zur Repräsentation der ›Vernunft‹ eine Frau auszuwählen, »deren Benehmen ihre Schönheit respektierbar mache«. Stilisierung ist hier der Versuch, die Autonomie des Ästhetischen aufzuheben und zugleich über die Vorgabe von Codes des Wiedererkennens innerhalb der Gesamtinszenierung der neuen Gesellschaft die politischen Intentionen direkt verfügbar zu machen. Über die Festordnung, über die Reden und die gemeinsam gesungenen Hymnen, aber auch über die Inszenierung der als angemessen betrachteten Rezeptionshaltungen im Festritual wurden den Intentionen der Festorganisatoren entsprechende Interpretationshilfen vorgegeben.

Die *Göttin der Vernunft* war nach antiken Modellen aus Emblembüchern stilisiert. Sie trug ein langes weißes Kleid (das Farbsymbol konnotiert Neubeginn und Reinheit) im antiken Schnitt (fließender, den Körper betonender Stoff verweist auf Natur und stellt den Bezug her zur Antike als dem Ideal einer egalitären Demokratie) sowie einen Mantel, der antiken Statuen nachempfunden war. Den ›Bonnet Rouge‹, das offizielle Symbol der Republik auf dem Kopf und die Pike (als Waffe des freien Mannes) in der Hand, bildete ›La Déesse Raison‹ den Mittelpunkt des Festes. Die Kirche Notre Dame wurde zum *Tempel der Vernunft* dekoriert und auch die symbolischen Interaktionen der Festteilnehmer in der Inszenierung eines Huldigungsrituals an die Göttin war antiken Ritualen nachempfunden. Auf die *Sakralisierung* ihrer Werte konnte auch die neue – auf Vernunft basierende – soziale Ordnung nicht verzichten. Die beobachtete Überfrachtung der Repräsentation ergab sich aus der mit dem kulturellen Bruch verbundenen Unsicherheit des Wertesystems, welche die Ablehnung der christlichen Religion als Instanz der Integration aller Bereiche des gesellschaftlichen Handelns in ein kohärentes Wertesystem nach sich zog. Die ›Reinheit‹ des Zeichens wurde zum Kriterium republikanischer Gesinnung. Politische Konspiration und Spannungen zwischen Zeichen und Bezeichnetem galten – wie folgende Kritik an der *Fête de la Raison* deutlich macht – als identisch:

Wenn die Befürchtungen, von denen ich Zeugnis gebe, wenig fundiert erscheinen, so rufe ich euch nochmals in Erinnerung, wie unsere Feinde die Vernunft verkleidet und profaniert haben, und zwar gerade in den Zeremonien, die sie angeblich feiern sollten. Sie haben ihr Trugbild in den Straßen spazierengeführt, und es war eine ihrer Frauen, die diese Pantomime spielte. Man sieht sogar, daß eine solcherart sterbliche und offenherzige Vernunft, wie sie unter einem durchsichtigen Hemd noch auf dem schlechtesten Theater erscheint, mit Rouge und Schönheitspflästerchen geschminkt ist! Bemitleidenswerte Mythologie, neue Quelle phantastischer Irrtümer! All diese schändlichen und kindischen Allegorien konnten unter der vergangenen Tyrannei von Nutzen sein, um die Wahrheit in all ihrer Kraft und all ihrem Glanz zu verdecken. Will man eine fühlbare Darstellung, ein lebendiges, respektables und natürliches Bild dieser sublimen und reinen Vernunft, von der die Republikaner erfüllt sind, so wird man dieses Bild jeden Tag auf Schritt und Tritt in den Handlungen der guten Bürger finden: in ihren Familien, in den Tugenden des Volkes. Jene unechte Vernunft jedoch, die in den Straßen mit den Verschwörern herumzog, beendete ihr angebliches Fest in zügellosen Orgien. Man brauchte nur eine Nadel von ihrer Kostümierung zu entfernen, um daraus eine Ausschweifung zu machen; die einzige Gefahr, der sie sich aussetzen konnte bestand darin, am Exzess ihrer Maßlosigkeit zu sterben (Collot d'Herbois, im *Moniteur, 28 floréal an* ii, zitiert nach Guillaume, M. J., Hg., 1897, Bd. 2, S. 355).

Weiblichkeit und politische Konspiration waren vergleichbar unter dem Aspekt der ›Maskierung‹. Durch Theatralisierung und sexuelle Verführung wurden die Reinheit und Eindeutigkeit der Repräsentation und die Transparenz der Zeichenbeziehung aufgehoben; sie galten daher als politisch gleichermaßen gefährlich.

3. Stilisierte Weiblichkeit als Regressionssymbol: Die Fontaine de la Régénération

Die Darstellung der Revolution als Rückkehr zu einem ursprünglichen Zustand der Einheit von Mensch und Natur wurde auf der von Jacques-Louis David organisierten *Fête de l'Unité* (1793) in einer Statue realisiert, die im Zentrum auf einer der Stationen des (christlichen Prozessionen nachgebildeten) Festzugs stand. Die intendierte Funktion der *Fête de l'Unité* (auch *Fête de la Régénération* genannt) war es – wie aus dem Bericht des Abgeordneten Gossin an den Nationalkonvent hervorgeht –, die mit der Annahme der neuen Verfassung nach dem Verständnis der Montagne erreichte neue Qualität der gesellschaftlichen Einheit sichtbar zu machen. Die Zerbrechlichkeit dieses Konsenses war nach vorangegangenen Auseinandersetzungen zwischen Gironde und Montagne als ›Krise der Revolution‹ erfahren worden (vgl. Soboul, A., 1971, S. 273 ff.). Die Kluft zwischen der revolutionären Utopie von einer Einheit des republikanischen Frankreich und der Wirklichkeit einer sozialen, politischen und regionalen Zersplitterung war offensichtlich geworden.

Für die *Fête de l'Unité* stellen sich angesichts des Bruchs mit überkommenen Konzepten der Legitimation politischer Macht und der Herstellung nationaler wie staatlicher Einheit neue Anforderungen an die Selbstrepräsentation. Sie sollte die *neue* Qualität der revolutionären Gemeinschaft erfahrbar machen, zugleich ›égalité‹ und (natürliche) ›Ordnung‹ als Prinzipien der neuen Gesellschaft repräsentieren, um Kontingenzängste sowie die Furcht vor Chaos und kollektiver Gewalt abzuwehren. Bei der konstituierenden Sitzung des Nationalkonvents am 21. September 1792 hatte der Abgeordnete Grégoire in der Debatte über die Abschaffung des Königtums vor der »magischen Kraft« gewarnt, welche die Institutionen des Ancien Régime und besonders das Wort ›König‹ nach wie vor auf das Bewußtsein der Bürger ausübten.

Die Revolution wurde als Rückkehr zu einem natürlichen, dem hierarchischen Prinzip entgegengesetzten egalitären Prinzip, das verkörpert war in Weiblichkeit, inszeniert. Die Stilisierung von Weiblichkeit im Bild der ›Fontaine de la Régénération‹ diente der Bewältigung angstbesetzter Revolutionserfahrungen. In dieser Stilisierung kam die Selbsteinordnung der Revolution in das Universum zum Ausdruck, die Wertsetzung und Deutung, die sie dem Kosmos im Rahmen ihres Weltbilds unterlegte. Die ›mythische Regression‹ war integraler Bestandteil des revolutionären Weltbilds, welches der magischen Kraft des Kollektivsymbols der alten Gesellschaft ein neues, gemeinschaftsstiftendes Symbol gegenüberstellte. Solche Inszenierung der neuen gesellschaftlichen Solidaritätsprinzipien in den Formen eines antiken Kultrituals verweist auf die rückwärtsgerichtete Utopie, die dem Selbstbild der neuen Gesellschaft als Orientierungshorizont diente. Jener Gedanke eines einheitlichen nationalen Kults, der in den Ritualen und Zeremonien der Feste zum Ausdruck kommen sollte, war in Anlehnung an Mirabeau (1791) von Boissy d'Anglas und De Moÿ (1792) entwickelt worden (vgl. hierzu Mathiez, A., 1904, S. 74 f., 121 ff.). Das Verhältnis von Religion und Staat in der Antike als Modell kultureller Integration war der Anknüpfungspunkt, von dem aus eine kulturelle Abgrenzung von der Gesellschaft des Ancien Régime wie auch die Zusammenfassung der Perspektiven und Werte revolutionärer Umwälzung möglich wurde. Noch der neoklassische Stil der Festrepräsentation, der in antiken Dekors und Kostümen ebenso wie in der Symbolik und in den Festritualen seinen Ausdruck fand, lag in der Funktion der Antike als Kulturmodell für die neue Gesellschaft begründet. Die Beschreibung von der Statue der ›Fontaine de la Régénération‹ in der Festordnung evoziert die Vorstellungen einer natürlichen Gemeinschaft und der Rückkehr zu einem Egalitätsprinzip, das über die Muttermilch als ›mystische Nahrung‹ versinnbildlicht wird:

Sammelpunkt wird das Gelände der ehemaligen Bastille sein. Inmitten ihrer Trümmer wird sich die Fontäne der Erneuerung erheben, repräsentiert von der Natur. Aus ihren fruchtbaren Brüsten, die sie mit den Händen zusammenpreßt, wird im Überfluß das reine und heilsame Wasser hervorsprudeln, von dem nacheinander 86 Kommissare der Assemblées Primaires trinken werden, jeweils einer pro Département. Der Älteste hat den Vorrang, ein einziger Kelch wird für alle genügen (*Rapport de David*, in: Guillaume, M. J., Hg., 1897, Bd. 2, S. 733).

Körpersymbolik, philosophische und anthropologische Diskurse der Aufklärung, ikonologische Traditionen und antike Mythen wurden im Bild der ›Fontaine de la Régénération‹ zusammengebunden. Die Quellen der Stilisierung entstammen ganz unterschiedlichen Bereichen, doch die Selektionsprinzipien entsprachen der epochenspezifischen Denkweise.

Der Rückgriff auf die griechische Mythologie in Gestalt des Demeterkults läßt sich unter zwei Aspekten verstehen: einerseits verbindet sich mit Demeter/Artemis als Göttin der Fruchtbarkeit die Vorstellung der Rückkehr zu einer Phase der Menschheitsgeschichte, welche nicht durch Ungleichheit, sondern durch die

Einheit von Mensch und Natur gekennzeichnet sein sollte. Ein anderer Aspekt des Demetermythos läßt sich als »volksbildend, eine Gemeinde hervorbringend« (Pauly, A., 1958, S. 2713) charakterisieren.

Ein neues, egalitäres Solidaritätsprinzip, das dauerhaft (organisch) sein sollte, wurde in der Mutter-Kind-Beziehung symbolisiert, wobei die Muttermilch zur magischen Substanz stilisiert war. In der zeitgenössischen Ikonologie wurde mit diesem Prinzip der Anspruch der Aufklärung repräsentiert, einen ›neuen Menschen‹ hervorzubringen. Unter dem Stichwort ›Erziehung‹ heißt es in Gravelot et Cochins *Iconologie* von 1791: »Sie ist dargestellt als eine Frau reifen Alters, deren entblößter Busen die Milch sehen läßt, die aus ihren Brüsten fließt. Die Reife des Alters zeigt die für eine Erzieherin notwendige Erfahrung und die Milch, die sie verströmt, ist das Emblem der geistigen Nahrung [...]« (Gravelot/Cochin, 1792, Bd. 2, S. 7).

Im Rückgriff auf Körpersymbolik war die Möglichkeit einer Repräsentation der neuen sozialen Ordnung als organisches System gegeben, welches Zweifel an dieser Ordnung abwehren konnte. Aufgrund der epochenspezifischen Gleichsetzung des weiblichen Körpers mit ›Natur‹ wurde Weiblichkeit zum Schlüsselsymbol für eine Gesellschaft, deren Anspruch es war, auf ›natürlichen‹ Prinzipien zu beruhen. Der weibliche Körper konnte somit zum *eindeutigen* Zeichen für die Ordnung der Natur werden und damit zugleich für ihre Realisierbarkeit in der neuen Gesellschaft. Eine stillende Natur wehrte zudem sexuelle Assoziationen ab, war also auch in diesem Sinne »eindeutig«. Die Besonderheiten in der Verwendung von Körpersymbolik sind vor dem Hintergrund des zeitgenössischen biologisch-medizinischen Wissens zu verstehen. Konzepte von ›Gesundheit‹ oder ›Krankheit‹ wurden direkt bezogen auf Lebensstil und soziale Rollen; auch in den medizinischen Diskursen der Epoche erschienen biologische, moralische und soziale Überlegungen über Konzepte wie ›tempérament‹, ›coutume‹, ›constitution‹ und ›sensibilité‹ zur Konvergenz gebracht. Gesundheit galt als ein Produkt biologischer, psychologischer und sozialer Interaktion. Das Faszinosum der Weiblichkeit war für die Medizin des 18. Jahrhunderts nicht der Uterus – sondern die Brüste. Dabei ist eine Fusion von ästhetischen, medizinischen und sozialen Argumenten charakteristisch. In seinem *Système physique et morale de la femme*

(1775, S. 225 ff.) behauptete P. Roussel, über die Assoziation der weiblichen Brust mit dem Stillen werde der Platz der Frau in der sozialen Ordnung erkennbar. Die Brust symbolisiere die grundlegendste soziale Beziehung (jene zwischen Mutter und Kind). Sie sei sichtbarstes Zeichen von Weiblichkeit und daher in ihrer sexuellen Anziehungskraft für Männer und ihrer Schönheit auch ein Mittel der Herstellung von Familienbindungen. Die Brust galt als ›von Natur aus gut‹, da sie ›Familie‹ als natürliche Grundlage des sozialen Organismus konnotierte (vgl. Jordanova, O., 1980, S. 42 ff.).

Der Gedanke einer Gemeinschaftsstiftung durch ›Rückkehr zur Natur‹ bestimmte auch den Anschluß an die Antike in den Festzeremonien. Das Trinken aus dem gemeinsamen Kelch, in dem das aus den Brüsten der ›Fontaine de la Régénération‹ spritzende Wasser aufgefangen wurde und das Versprengen dieses Wassers auf den Boden wiederholte ein antikes Ritual.

Der Präsident des Nationalkonvents wird, nachdem er durch eine Art Trankopfer die Erde der Freiheit benetzt hat, als Erster trinken; danach wird er den Kelch an die Kommissare der Assemblées Primaires weiterreichen, diese werden in alphabetischer Reihenfolge zum Klang der Trommel und des Horns aufgerufen; eine Artilleriesalve wird jedesmal, wenn ein Kommissar getrunken hat, den Vollzug des Akts der Brüderlichkeit verkünden (*Rapport de David*, in: Guillaume, M.J., Hg., 1897 Bd. 2, S. 733).

Die Idee eines Trankopfers zur Repräsentation sozialer Erneuerung war offenbar aus Nicolas Boulangers *L'Antiquité dévoilée par ses usages*, 1766), einer Kompilation antiker Bräuche aus Reiseberichten, Legenden und historiographischen Texten, entlehnt. Im Kapitel über die antiken Feste beschreibt Boulanger die Traditionen und Bräuche der *Fêtes des eaux* bei verschiedenen Völkern. So hätten derartige Feste zum Ausdruck der Wiederherstellung sozialer Bindungen gedient.

Die Bedeutungen, welche die alten Perser diesem Brauch unterlegt haben könnten, sind uns nicht überliefert: wenn es je eine Zeit gegeben hat, in der solches Vergießen von Wasser an Religion gebunden war (was sich nicht bezweifeln läßt), so ist es doch möglich, daß dieser Brauch in anderen Zeiten verweltlicht wurde und nicht mehr zum Ausdruck brachte als eine Erneuerung von Gemeinschaft und von Zuneigung anläßlich des Jahresneubeginns. Man könnte diesen Brauch auch eine ›staatsbürgerliche Taufe‹ nennen (Boulanger, 1766, 1978, S. 94).

Die Repräsentation der Revolution und der neuen sozialen Ord-
nung als eine neue Ära der Menschheitsgeschichte, die zugleich
eine Rückkehr zu der auf die Antike projizierten Utopie des
Gemeinwesens war, verweist auf das Anliegen der Feste, die
Bürger im Rahmen der ›Education Publique‹ zu einer neuen
›civilité républicaine‹ zu führen. Ein Reinigungsritual sollte die
Erneuerung der republikanischen Sitten zum Ausdruck bringen.
Das Festzeremoniell zielte darauf ab, über ›Form‹ ›Ordnung‹ zu
vermitteln. In alphabetisch-egalitärer Reihenfolge tranken die
Vertreter der Assemblées Primaires aus einem gemeinsamen
Kelch das Wasser der Natur, um die gesellschaftliche Gleichheit
und Einheit zu vergegenwärtigen.
Die Reaktionen der Festteilnehmer, die zugleich Akteure und
Rezipienten der Zeremonie waren, werden von Hérault de Se-
chelles in einem Kommentar dargestellt. Bevor ihnen aus der
Hand des Präsidenten des Nationalkonvents (das war zu dieser
Zeit eben Hérault de Sechelles) der Kelch gereicht wurde, hätten
einzelne Vertreter der Assemblées Primaires ihre Empfindungen
zum Ausdruck gebracht. Der Festkommentar rekonstruiert die
Reaktionen der Festteilnehmer nach einem Muster, welches als
Bestätigung der Übereinstimmung von intendierter Selbstreprä-
sentation und ihrer Verwirklichung fungiert.

Ein anderer, dessen weiß gewordenes Haar im Winde wehte, rief aus:
›Wie viele Tage sind über mein Haupt gegangen! Oh Natur, ich danke
Dir, daß Du mein Leben nicht vor diesem heutigen Tag beendet hast!‹
Den Kelch in der Hand sagte ein anderer, so als hätte er einem Bankett der
Nationen beigewohnt und auf die Befreiung der menschlichen Gattung
getrunken: ›Menschen, Ihr seid alle Brüder! Völker der Welt, seid nei-
disch auf unser Glück, es diene Euch zum Beispiel!‹ ›Diese reinen Wasser,
mit denen ich mich begießen werde‹, rief ein anderer aus, ›sollen für mich
zum tödlichen Gift werden, wenn ich nicht den Rest meines Lebens dazu
nutze, die Feinde der Gleichheit, der Natur und der Republik zu vernich-
ten!‹ Wieder ein anderer, der sich, von prophetischem Geist ergriffen, der
Statue näherte, rief: ›Oh Frankreich! Die Freiheit ist unsterblich! Die
Gaben der Republik, wie die der Natur, werden nie vergehen!‹ Tief
berührt von dem Schauspiel, das sie selbst gaben, fühlten sich alle
gedrängt, mit Worten die Gefühle zu verströmen, von denen ihre Seele
erfüllt war. Jedesmal, wenn der Kelch von einer Hand zur anderen ging,
verschmolzen die elektrischen Funken einer feierlichen Freude mit dem
Donnern der Kanonen (*Procès-verbal de la Fête du 10 août 1793*, in:
Buchéz, P.-J.-B./Roux, P.-C., Hgg., 1836, Bd. 28, S. 438 f.).

In der Rede, die Hérault als Präsident des Nationalkonvents an die Statue der Natur richtete, zeigt sich, daß die Stilisierung des Neuen letztlich *keinen* Bruch mit überkommenen Repräsentationsprinzipien beinhaltete, sondern – defensiv – auf ›klassische‹ Repräsentationskonzepte und Vorstellungen zurückgriff.

Herrscherin des Wilden und der aufgeklärten Nationen! Oh Natur! Dieses gewaltige Volk, das sich mit den ersten Strahlen des Tages vor Deinem Bild versammelt, ist Deiner würdig. Es ist frei. In Deinem Schoß, in Deinen heiligen Quellen hat es seine Rechte wiedererlangt, hat es sich regeneriert. Nach so vielen Jahrhunderten des Irrtums und der Knechtschaft hieß es, zur Einfachheit Deiner Mittel zurückzukehren, um die Freiheit und Gleichheit wiederzufinden. Oh Natur! Empfange den Ausdruck ewiger Bindung der Franzosen an Deine Gesetze, und diese fruchtbaren Wasser, die aus Deinen Brüsten schießen, dieses reine Getränk, das die ersten menschlichen Wesen tränkte, möge in diesem Kelch der Brüderlichkeit und der Gleichheit die Schwüre heiligen, die Dir Frankreich an diesem Tage darbringt, an dem schönsten Tag, den die Sonne erleuchtete, seitdem sie in die Unendlichkeit des Kosmos gesetzt wurde (*Procès-verbal*, in: Buchéz, P.-J.-B./Roux, P.-C., Hgg., 1836, Bd. 28, S. 438).

Die Vorstellung von der Existenz eines absoluten Raums, die hier zum Ausdruck kommt, ist signifikant für die (in Reden und Hymnen vollzogene) Parallelisierung der neuen Gesellschaftsordnung mit der *Ordnung des Kosmos*. Der Annahme eines Zentrums, von dem aus der Ort aller Gestirne in dieser Ordnung festgelegt wäre, korrespondierte der Versuch, die neue gesellschaftliche Ordnung als eine Ordnung zu zeigen, die der unveränderlichen menschlichen Natur entsprechen sollte. Das Tableauprinzip der Festrepräsentation konnte Phänomene der Gesellschaft in diese Ordnung integrieren. Damit wurde weder eine neue Denkweise, noch ein neues Repräsentationsprinzip eingeführt, sondern Instanzen des alten Denkens lediglich umbesetzt. Die mit der Revolution verbundenen neuen Erfahrungen innerhalb eines solchen Rahmens darzustellen und den Festteilnehmern überzeugende Deutungsangebote zu machen, war eine Aufgabe, die zeigte, welche Grenzen einer Umsetzung des egalitären Anspruchs in eine gelungene Stilisierung gesetzt waren. Die zweite Station der *Fête de l'Unité* (die von David einem Prozessionszug entsprechend inszeniert wurde) stilisierte eine für die revolutionäre Gemeinschaftsbildung zentrale Episode der Revolutionsgeschichte: »[...] unter einem Säulengang oder einem Triumphbogen sieht man die Heldinnen des 5. und 6. Oktober 1789, wie damals, auf den Kanonen sitzend; die einen halten Zweige in der Hand, die anderen Trophäen, deutliche Zeichen des strahlenden Sieges, den die mutigen Bürgerinnen über die sklavische Leibgarde errangen« (*Rapport lu à la Convention, 11 juillet 1793*, zitiert nach Guillaume, M. J., Hg., 1897, Bd. 2, S. 732).

Der 5. und 6. Oktober 1789 waren Höhepunkt einer Volksbewegung gewesen. Als Reaktion auf eine antirepublikanische Manifestation der um den König versammelten Aristokraten waren die Frauen der Pariser Vororte nach Versailles gezogen, um vom König Brot zu fordern und ihn von Versailles (›Hort der Aristokratie‹) nach Paris (in die ›Gemeinschaft der Bürger‹) zu geleiten. Der Marsch der Frauen nach Versailles wurde in der Wiederholung und der Repräsentation der auf den Kanonen sitzenden Frauen zu einem Ereignis, welches die Metamorphose des Volkes zum Subjekt der Geschichte und die Umkehrung der alten Ordnung versinnbildlichte. Solcher Stilisierung von Weiblichkeit als Paradigma der Menschheitsbefreiung durch die Revolution entsprach der egalitäre Anspruch der aufklärerischen Gesellschaftsutopien, die schon auch eine egalitäre Bestimmung der Rolle der Bürgerin in der neuen Gesellschaft impliziert hatten. Ihrer Umsetzung in ›gelungene Stilisierung‹ standen jedoch Prämissen der Festrepräsentation entgegen, vor allem die Vorstellung, das ewig gültige (da der Natur entsprechende) »wirkliche und ursprüngliche Verhältnis zwischen den Dingen« zur Darstellung bringen zu müssen. Diese Vorstellung führte – dem cartesianischen Prinzip der »klaren und deutlich unterscheidbaren Ideen« entsprechend – zu einer Inszenierung der »unveränderlichen menschlichen Natur« in ihren – ebenfalls unveränderlichen – Varianten. Die Festteilnehmer wurden zur Repräsentation einer ›natürlichen‹ sozialen Ordnung nach Alter und Geschlecht stilisiert, wobei den Frauen die Rolle der ›Mütter‹ oder ›Jungfrauen‹ zufiel. Der egalitäre Anspruch scheiterte an einer – rousseauistischen – Bestimmung der weiblichen Natur und am Bedürfnis nach Eindeutigkeit. Auf der *Fête de l'Unité* wurde dieser Konflikt mit der Inszenierung eines Geschichtsschemas aufgehoben, demzufolge die ›egalitäre‹ Phase der Revolution für die Frauen als beendet galt. Nach ihrer Ehrung durch den Präsidenten des Nationalkonvents stiegen die ›Heldinnen des 5. und 6. Oktober‹ von ihren

Kanonen und reihten sich unter den für Frauen bestimmten Abteilungen der ›Mütter‹ und ›Jungfrauen‹ in den Festzug ein:

[sie] erhalten aus der Hand des Präsidenten des Nationalkonvents einen Lorbeerzweig; dann drehen sie ihre Kanonen um und folgen der Ordnung entsprechend dem Festzug, um sich in stolzer Haltung mit dem Souverain zu vereinen (David, *Rapport* [...] in: Guillaume, M.J., Hg., 1897, S.733).

Anmerkungen

1 So zum Beispiel bei Winckelmann, »Das Gute und das Schöne ist nur eins«. In: ders., *Anmerkungen über die Geschichte des Altertums*, Vorrede, zit. nach: Maek-Gérard, E. (1982). S.45.

2 »Die Vernunft ist nichts anderes als unsere Fähigkeit, die Natur der Dinge sowie ihre Beziehung zu verstehen, und die Wahrheit ist letztendlich nichts anderes als die Natur selbst, das wirkliche und grundlegende Verhältnis zwischen den Dingen« (*Révolutions de Paris*, Nr. 179 (1793), zit. nach: Gumbrecht, H.U., 1981, S. 198).

Literatur

Assunto, R. (1973), *L'antichità come futuro. Studio sull' estetica dell neoclassicismo europeo*. Mailand.

Aulard, A. (1892), *Le culte de la raison et le culte de l'Etre Suprême*. Paris.

Boissy d'Anglas, F. A. de (1791), *Le magistrat-prêtre*. Paris.

Boulanger, N. A. (1766) (1978), *L'antiquité dévoilée par ses usages*. Nachdruck, hg. von Sadrin, P. Paris.

Buchéz, P.-J.-B./Roux, P.-C. (Hgg.) (1836), *Histoire parlementaire de la Révolution ou Journal des Assemblées Nationales depuis 1789 jusqu'en 1815*. Bd. 28. Paris.

Castoriadis, C. (1975), *L'institution imaginaire de la société*. Paris. Deutsch (1984), *Gesellschaft als imaginäre Institution*. Frankfurt/Main.

Darnton, R. (1984), »Readers respond to Rousseau: The fabrication of romantic sensitivity«. In: ders., *The Great Cat Massacre and other episodes in French cultural history*. New York.

Gravelot et Cochin (1792), *Iconologie ou Traité de la science des allégories à l'usage des artistes*. Bd. 2. Paris.

Guillaume, M.J. (Hg.) (1897), *Procès-verbaux du Comité d'instruction publique de la Convention Nationale*. Bd. 2. Paris.

Gumbrecht, H.U. (1983), »Chants révolutionnaires, maitrîse de l'avenir et niveau du sens collectif«. In: *Révue d'histoire moderne et contemporaine* 30. Paris. S. 223-256.

Gumbrecht, H.U. (1981), »La raison en fuite devant l'imaginaire«. In: *Bulletin du Centre d'Analyse du discours*. Bd. 5. S. 197-211.

Hunt, L. (1983), »Hercules and the radical image in the French Revolution«. In: *Representations* Bd. 1/2. Berkeley.

Jansen, J.J. (Hg.) (An VII/1799), *De l'Allégorie ou Traités sur cette matière*, par Winckelmann, Addison, Sulzer etc. Recueil utile aux Gens de Lettres et nécessaire aux artistes. Bd. 1. Paris.

Jordanova, O. (1980), »Natural facts: a historical perspective on science and sexuality«. In: McCormick C./Strathern, M. (Hgg.), *Nature, Culture and Gender*. Cambridge.

La Réveillière-Lespeaux, M. (An V/1797), *Réflexions sur le culte, sur les cérémonies civiles et sur les Fêtes nationales*. Paris.

Maek-Gérard, E. (1982), »Die Antike in der Kunsttheorie des 18. Jahrhunderts«. In: Beck, C./Bol, P. (Hgg.) *Forschungen zur Villa Albani. Antike Kunst in der Epoche der Aufklärung*. Berlin (West).

Mathiez, A. (1904), *Les origines des cultes révolutionnaires (1789-1792)*. Paris.

Moÿ, C.A. de (1792), *Accord de la réligion et des cultes chez une nation libre*. Paris.

Palmer, R. (1941), *Twelve who ruled. The committy of public safety during the terror*. Princeton.

Pauly, A. (1901) (1958), *Realencyclopädie der klassischen Altertumswissenschaft*. Bd. 8/1. Stuttgart.

Roussel, P. (1775), *Système physique et morale de la femme*. Paris.

Soboul, A. (1971), *Précis de l'histoire de la Révolution Française*. Paris.

Dietrich Schwanitz
Natürlichkeit und Lächerlichkeit

Probleme der Verhaltensstilisierung
in der englischen Restaurationskomödie

In den folgenden Überlegungen geht es um das Phänomen der Verhaltensstilisierung im Wechselbezug zwischen sozialer Wirklichkeit und literarischer Darstellung. Dabei wird das Konzept des Stils weniger selbst im Mittelpunkt stehen als die Konturen seines Schattens, durch die im Kontext der asymmetrischen Ko-evolution von Literatur und Gesellschaft die Entdeckung des Sozialen als einer Sphäre mit eigenen Gesetzen diesseits derer von Moral und Religion präfiguriert wird. Um sie nachzeichnen zu können, bedarf es des Entwurfs eines Zusammenhangs, dessen Momente sich dann an der Untersuchung eines literarischen Genres bewähren sollen, das sich über die Darstellung der Formen sozialer Verhaltensstilisierungen konstituiert: Gemeint ist die Gesellschafts- oder Sittenkomödie, die im englischen Kontext, in dem wir uns bewegen, ›comedy of manners‹ genannt wird. Von da aus werden über den zentralen Begriff der Interaktion Bezüge zur Moderne herzustellen sein.

Wie die Ständeklausel oder die Lehre von den genera dicendi zeigt, konnte im klassischen Verständnis von Literatur als imitatio naturae (oder als Mirror of Nature) das Stilkonzept als literarisches Korrespondenzprinzip zur sozialen Ordnung aufgefaßt werden, die von Hierarchie, Status und Lebensformen geprägt war. Stilparodien wurden deshalb in der Regel mit der Demonstration von Statusprätentionen verbunden. Nach modernem Verständnis imitieren Kunstwerke aber nicht die Natur, sondern einander, und Stil ist dann das, was sie aneinander imitieren, wenn sie nicht die Natur imitieren. Diese quer zueinander liegenden Imitationsbezüge bilden die Koordinaten eines Feldes, in dem ihre historische Vermittlung bündig als Zusammenhang von literarischer Selbstreferentialität und wechselseitiger Implifikation von Literatur und Lebenswelt gefaßt werden kann: Wenn Literatur – wie etwa in Don Quijote – eine Figur darstellt, die in ihren Lebens- und Handlungsentwürfen den Formen eines obsolet gewordenen Genres nachlebt, wiederholt sie die Grenze zwischen sich und der Wirklichkeit in sich noch einmal auf der Grundlage der Voraussetzung, daß es diese Grenze auch in der Wirklichkeit gibt, die sie darstellt. In diesem Verfahren, das objektiv der Stilinnovation dient, setzen sich Selbstreferentialität und wechselseitige Implifikation von Literatur und Lebenswelt also voraus. Das hat eine in beiden Bereichen miteinander korrespondierende begriffliche Zellteilung nach dem Prinzip der Kreuztabellierung zur Folge: Dem diskreditierten Stil enspricht in der Wirklichkeit die Lächerlichkeit des Verhaltens, das ihn nachahmt; die beiden Gegenpositionen müssen dann wieder vom Naturkonzept eingenommen werden: imitatio naturae in der Literatur und Natürlichkeit des Verhaltens in der Lebenswelt. Beide sind von nun an mit dem Problem der Selbstreferentialität und wechselseitigen Selbstimplifikation belastet. Denn sich selbst muß die Darstellung der lächerlichen Imitation der Literatur durch das Leben in Distanz zu dem diskreditierten Stil wieder als imitatio naturae verbuchen, und zwar einer Natur, die ihrerseits geteilt ist. Das bleibt sozusagen als klassischer Rückstand, der allen Stilinnovationen auch nach dem Übergang zu einem modernen Literaturverständnis weiter anhaftet. Im Sinne einer Art literaturevolutionären Notwendigkeit kann sich die Wendung gegen einen ausgelaugten Stil, den sie der Lächerlichkeit preisgibt, immer nur durch ein wie immer artikuliertes authentischeres Verhältnis zur Wirklichkeit begründen. Auf der Seite der Wirklichkeit steht die lächerliche Imitation der Literatur von Anfang an in einem Kontext, der durch die Langlebigkeit der Ständehierarchie, zum anderen durch den Bezug zur Moral kompliziert wird. Einen Teil ihrer Überzeugungskraft in der rhetorischen Tradition bezog die Vorstellung von der Literatur als Nachahmung des Lebens von ihrer, wenn auch asymmetrischen, Umkehrbarkeit: Ahmte die Literatur das ganze Leben einschließlich des Bösen nach, sollte das Leben die Literatur nur insofern nachahmen, soweit diese das Vorbildliche und Mustergültige darstellte. In der Diskreditierung eines obsoleten Stils wie im Don Quijote wurde aber auch die Imitation des Edlen und Heroischen lächerlich gemacht. Dies zeigt Parallelen zum Verbot der Stilimitation über die Standesgrenzen hinweg, wenn sich Angehörige der niederen Stände durch Imitation der Tugenden der höheren lächerlich machen. Die Abwehr dagegen operiert begrifflich mit der Opposition zwischen Substanz und Verkleidung. Im Drama Shakespeares, das von allergischen Reaktionen gegen statusmotivierte Verhaltensstilisierungen wimmelt, wuchert die Verkleidungsmetaphorik. Eine schöne Stelle aus *Maß für Maß*, die die Prätention genau zwischen die Lächerlichkeit und das Böse plaziert, zeigt zudem die metaphysische Fundierung des Imitationskonzepts durch die Spiegelmetapher, die gleichermaßen den Zusammenhang zwischen Kunst und Leben und Leib und Seele begründet:

> Könnten die Großen donnern
> Wie Jupiter, sie machten taub den Gott:
> Denn jeder winz'ge, kleinste Richter brauchte
> Zum Donnern Jovis Äther; – nichts als Donnern!
> O gnadenreicher Himmel!
> Du mit dem zack'gen Felsenkeile spaltest
> Den unzerkeilbar knot'gen Eichenstamm,
> Nicht zarte Myrten: Doch der Mensch, der stolze Mensch,
> In kleine, kurze Majestät gekleidet,
> Vergessend, was am mindsten zu bezweifeln,
> Sein gläsern Element, – wie zorn'ge Affen,
> Spielt solchen Wahnsinn gaukelnd vor dem Himmel,
> Daß Engel weinen, die, gelaunt wie wir,
> Sich alle sterblich lachen würden. (II, 2)

Hier sind alle Motive versammelt: eine Serie verzerrender Imitationen, die Leiter der Hierarchie hinab von Gott über den Menschen zu einem zornigen Affen, das Schauspiel mit den Engeln als Zuschauer, die Verkleidungsmetapher (dressed in a little brief authority), die traurige Lächerlichkeit und die zerbrechliche Spiegelnatur des Menschen (his glassy essence; die Tieck-Baudissinsche Übersetzung ›gläsern Element‹ unterschlägt hier, daß ›glass‹ auch ›Spiegel‹ heißt und daß mit ›essence‹ wirklich ›Wesen‹ gemeint ist). Es ist deshalb nicht umsonst, daß Richard Rorty diese Passage als zentrale Belegstelle für seine Dekonstruktion der Leib-Seele-Metaphysik als Grundlage westlicher Erkenntnistheorie zitiert.[1] Hiermit sind die Momente eines Problemhorizonts genannt, die im Drama einen engeren Zusammenhang als in anderen Gattungen bilden: Selbstreferentialität des Dramas – Selbstimplikation im Imitationsverhältnis von Literatur und Wirklichkeit (theatrum mundi) – Naturbegriff – Lächerlichkeit-Moral-Status und Verhaltensstil. In seiner Verwiesenheit auf leibhaft-expressive Interaktion hält das Drama überdies den Bezug zum Leib-Seele-Verhältnis fest. Zugleich wählen wir mit der ›comedy of manners‹ einen Bereich, in dem die begriffsgeschichtliche Spur des Stilkonzepts zum Konvergenzpunkt von Manieren und maniera, manners, Machart und Stil eines Kunstwerks zurückführt.

Wie man weiß, war die große englische Theaterblüte der Elisabethanisch-Jakobäischen Zeit bereits vorbei, als 1642 auf Verfügung des Parlaments die Theater geschlossen wurden. Als 1660 der Hof Charles' II. aus Frankreich zurückkehrte, wurden auch wieder zwei lizenzierte Theatertruppen zugelassen, die unter dem Patronat des Königs und seines Bruders standen und von Vertrauten des Königs geleitet wurden. Durch den Neubeginn waren einige Neuerungen gegenüber dem vorrevolutionären Theater möglich, die alle auf stärkere Lebensähnlichkeit hinausliefen: Frauenrollen wurden nun auch von Frauen gespielt (statt Knaben), die Bühnenbilder konnten von Szene zu Szene gewechselt werden, und die intimeren Theaterbauten ermöglichten eine genauere Teilnahme am Geschehen. Neben Importen vom Kontinent, Reprisen aus der heimischen Tradition und dem zeitgenössischen heroischen Drama spielte man Stücke aus einem für dieses Theater entwickelten Genre, das unter der Bezeichnung ›Restoration Comedy‹ in die Literaturgeschichte eingegangen ist. Seine bedeutendsten Vertreter – Etherege, Wycherley, Congreve, Farquhar, Vanbrugh[2] – verteilen sich auf zwei Generationen vor und nach der Glorious Revolution von 1688. In der zweiten Generation wurde das Genre bereits einer deutlichen öffentlich-moralischen Kritik ausgesetzt, während zugleich seine Verteidiger auf die Entstehungszeit als das goldene Zeitalter von überlegenem Geschmack und Urteil zurückblickten. Die Entstehungsbedingungen sind gerade durch den Neuanfang in einer sonst selten so faßbaren Weise an das Milieu des Hofs und der sogenannten court-wits geknüpft. Wir kennen die Höflinge, die selbst Dramen schrieben und in den Dramen portraitiert wurden.[3] Der König selbst kooperierte bei der Abfassung und Aufführung von Dramen, und Schauspielerinnen reüssierten als seine Mätressen. Die gemeinsame Erfahrung des Exils und die dadurch erzwungene Funktionslosigkeit hatte in diesem Milieu Haltungen hervorgerufen, die durch eine äußerst laxe Sexualmoral, kosmopolitischen Schliff und eine ungehemmte Aversion gegen Puritaner, die mit ›Trade‹ beschäftigten Klassen und die ›Business Community‹ der City gekennzeichnet waren. Sie spiegeln sich in einer Komödie wieder, in der anhand von Verführungs- und Liebesintrigen der modische Betrieb einer exklusiven Gesellschaft dargestellt wird, die sich durch Snobismus und überlegenen Verhaltensstil vom Rest der Gesellschaft inklusive der eigenen Standesgenossen vom Lande abgrenzt.

Die Literaturkritik hat in der Beurteilung dieser in puncto Sexualität libertinistischen, im manifesten Gehalt als trivial beurteilten und in der Dialogführung anerkanntermaßen geistvollen und in den besten Stücken brillanten Komödie eine eigentümliche Hilflosigkeit bewiesen: Sie kam bis heute nicht aus dem Umkreis der Frage heraus, ob man die in der Regel beklagte Artifizialität dieser Gattung als realistischen Ausdruck einer moralisch oberflächlichen Gesellschaft oder als Ergebnis literarischer Formautonomie werten sollte.[4] Diese Hilflosigkeit hängt damit zusammen, daß die Kritik des Dramas an das Modell des Textes gebunden bleibt und keinen entwickelten Begriff von Interaktion hat[5], und dies, obwohl das Drama in seinem Formaufbau und seiner Wirkung bei aller Möglichkeit der Abweichung und Deformation an die Strukturvorgaben leibhaft-expressiver Interaktion gebunden bleibt. Deren Eigengesetzlichkeit ist in umfassender Weise in der Soziologie untersucht worden[6], wobei umstritten bleibt, wie weit Gesellschaft von Interaktion aus gedacht werden kann. Uns kommt es dabei mit Bezug auf den Funktionswandel von Interaktion auf folgende Feststellung an:

Weder archaische, interaktionsnahe Gesellschaften noch fortgeschrittene Hochkulturen geschweige denn die sich entwickelnde moderne Gesellschaft sind mit Interaktion kongruent. Deshalb muß Interaktion Grenzen aufrichten sowohl gegen nicht-interaktionsbezogene Kommunikation (einen Artikel schreiben) als auch gegen andere Interaktion mit anderen Teilnehmern und Themen. Diese Grenzen regeln den Bezug der Interaktion zur gesellschaftlichen Umwelt. Sie legen fest, welche Teilnehmer unter welchen Bedingungen zur Interaktion zugelassen sind, welche Themen traktiert werden dürfen und welche Art der Behandlung erlaubt ist und welche nicht. Interaktionsregeln, die sich zu Umgangsformen verfestigen, werden dann davon abhängen, ob die Interaktionsteilnehmer einander gut kennen oder nicht, ob der gesellschaftliche Rollenhaushalt differenziert genug ist, ihnen anderswo andere Rollenverpflichtungen abzuverlangen, auf die man in der Interaktion Rücksicht nehmen muß, ob und wie man eigene Interessen psychischer und sozialer Art zur Geltung bringen darf, ohne mit den Interessen anderer gefährlich zu kollidieren, und welche Informationen über sich und andere in die Interaktion eingehen dürfen und welche nicht. In einer Arbeit über die ›Geselligkeit als Spielform der Vergesellschaftung‹ hat G. Simmel (1917) diese Interaktionsgrenzen mit Bezug auf die Geselligkeit als Schwellen bezeichnet, die eine Sphäre der ›reinen Interaktion‹ gegen heterogene Zwecke der Bedürfnisbefriedigung abgrenzen, wobei sich die zum Selbstzweck werdende Interaktion zur zweckorientierten Form der Vergesellschaftung verhalte wie die Kunst zur Realität. Der Schwellenbegriff scheint zur Beschreibung der in der Restaurationskomödie gezeigten Interaktion durchaus geeignet: Eine obere Schwelle sichert die Geselligkeit gegen die aus der Gesellschaft eindringenden Interessen und Ziele ab, während eine untere Schwelle sie vor Überflutungen durch die psychischen Interessen der Beteiligten schützt und diese daran hindert, sich selbst expansiv und aufdringlich zur Geltung zu bringen. Dadurch wird ein Freiraum abgeschirmt, in dem sich die sozialen Konventionen und Verhaltensregulierungen mit den Eigenschaften treffen, die weniger durch Befolgung externer Regeln als durch aktive Selbstregulierung in Erscheinung treten: Eleganz, Liebenswürdigkeit, Höflichkeit, Witzigkeit als Balanceform für Engagement und Distanz, Takt, Diskretion und – als Klammer und Medium für all dies – die Fähigkeit zur Konversation. Als verdichtetes Abbild der Geselligkeit vollzieht sich Konversation nicht im Dienste zweckgebundener Mitteilung, sondern wird zum Selbstzweck. Deshalb dürfen die Themen der Konversation kein Eigengewicht annehmen, sondern nur als Anlässe und Reizstoffe dienen, an denen die artistischen Formen der doppeldeutigen Kommunikation, des Flirts als Form der Diplomatie, der Koketterie, des Neckens, der Ironie und des Witzes sich entfalten können. Der Witz, der als ›wit‹ für die Restoration Comedy zum beherrschenden Stilprinzip wird, ist dabei ein Tribut an die Eigengesetzlichkeit der Interaktion, weil er durch aufmerksames Verfolgen ihrer Fluktuationen und Wendungen die Möglichkeit gewinnt, aus ihr sich ergebende Konstellationen zu Ereignissen zu machen. Gerade das verbietet es, in gnadenloser Weise die Konversation auf präparierte Witze zuzusteuern oder vorgestanzte Witze an den Haaren herbeizuziehen, um sie in die Situation einzuhängen.

Nun ist nachweisbar, daß in der Restauration die Konversation zur gemeinsamen Basis und zum Zentrum für die gesellige Interaktion sowohl in der Realität als auch im Drama wurde. Darin scheint die Restoration Comedy ein realistisches Bild zunächst der Hofkultur unter Charles II und, gegen Ende des 17. Jahrhunderts, bestimmter Aspekte der Kaffeehaus-Kultur zu bieten. Diese Orientierung auch der Literatur an einer verfeinerten Konversationskultur ist den Zeitgenossen bewußt und wurde als

Fortschritt gegenüber einer unnatürlich gestelzten, weil geschriebenen Dichtung aus der vorrevolutionären Zeit empfunden, was Dryden mit Blick auf die Elisabethaner in den Zweizeiler faßte:

> Die Herren und Damen *sprechen* heut' beim Konversieren
> mehr Witz als damals jene Dichter je *geschrieben*.[7]

Sozial beruhte die Entwicklung der Konversationskultur auf einer Reihe von Faktoren, als deren wichtigste die folgenden gelten dürften:

Bürgerkrieg und Revolution hatten die Gefahren eines gesellschaftlichen Dissenses gezeigt, der sich in religiösen und moralischen Kategorien artikuliert hatte. Er drohte aber auch nach der Restauration und der einvernehmlichen Unterdrückung des Dissentertums durch die politischen Führungsschichten in diesen selbst in neuer Form wieder aufzubrechen, und erst ab 1688 wurde durch die allmähliche Herausbildung der zwei Parteien am Verfassungskonflikt die Lösung gefunden, die gegenwärtige Opposition durch die Aussicht auf künftige Regierung zu domestizieren. Die Bewahrung des Konsenses war deshalb gerade in der vom Konflikt bedrohten Oberschicht besonders wichtig, deren Interaktion noch immer den Zusammenhalt der gesamten Gesellschaft trug. Sie konnte nur gelingen, wenn man in der Interaktion die gefährlichen Themen moralischer und religiöser Art ausgrenzte oder ihnen das Gewicht nahm. Das galt um so mehr, als man sich in einer uneinheitlichen und wegen des englischen Erbrechts an den Rändern diffusen Oberschicht der Haltung des Gegenübers nie ganz sicher sein konnte. Eine solche Situation begünstigte die Entstehung von rein sozialen Regulationsmechanismen. Daß sie, obwohl nicht statusunabhängig, gleichwohl nicht auf Status allein abhoben, hat mit der besonderen Situation der Hofclique zu tun: Die meisten Sozialhistoriker sind sich darin einig, daß die gesellschaftliche Macht weitgehend an die im Parlament vertretene Nobility und Gentry überging, während andererseits der Verwaltungsapparat der Exekutive seit der Revolution stärker versachlicht war. Die weitgehend funktionslos bleibenden Hofcliquen konnten deshalb zu den gesellschaftlich relevanten und damit gefährlichen Fragen zunehmend auf Distanz gehen, was sich in der Restoration Comedy in der Abwehr gegen jeden uneleganten Ernst und die Zumutungen gesellschaftlicher Funktionalität dokumentierte. Das zeigt sich daran, daß nicht nur die Vertreter von ›Trade‹ und ›Business‹ lächerlich gemacht werden, sondern auch die eigenen Standesgenossen vom Lande, die dort ihre Funktion als Friedensrichter und Parlamentsabgeordnete bewahrten. Von da an gibt es in England für längere Zeit die quer durch die Statuszugehörigkeit laufende Differenz zwischen Town und Country, wie man etwa noch am Personal von Fieldings *Tom Jones* ablesen mag, wo diese Grenze mitten durch die

Familien läuft. So ergibt sich die paradoxe Situation, daß eine um den Hof zentrierte Clique von Lebemännern und Stutzern mit ihrer Clientele von Anhängern eine Konversationskultur ausbildet, durch die sie neue, aus dem Verhaltensstil gewonnene Kriterien der sozialen Abgrenzung unabhängig vom Status gewinnt, daß aber diese Konversationskultur zugleich auf die Entschärfung des sozialen Dissenses und tendenziell auf das Absehen von Statusunterschieden angelegt ist, was erklärt, warum die spätere Kaffeehaus-Kultur die rein aristokratische Konversationskultur der Restauration aufnehmen und weiterentwickeln konnte[8]: Denn wenn die Statusgrenze zum Zwecke noch engerer Abgrenzung nach innen durch Ersatzkriterien depotenziert wird, kann sie ebensogut wie später im Kaffeehaus nach außen überspielt werden.

Im folgenden soll mit Bezug auf die Restoration Comedy gezeigt werden, daß die von ihr vorgeführten Verhaltensnormen im Kontext einer neu variierten nature-art-Relation über Paradoxierung gesichert werden und ein von Moral unabhängiger Verhaltensstil über die selbstreferentielle Geschlossenheit des Sozialen etabliert wird. Transformiert in dramaninterne Formgesetzlichkeit zeigt sich die Abwehr gegen alle sozialen Verpflichtungszumutungen daran, daß die Fabel als situationsübergreifender Repräsentant sozialer Rollenverflechtungen auf die komische Liebesintrige beschränkt wird. Das ist zwar Komödientradition, zugleich aber auch Reflex der Tatsache, daß den Comedy Gallants so wie den wirklichen zur finanziellen Absicherung des Status nur die Mitgiftjägerei erlaubt war. Die Spannung der Intrige lebt deshalb allein von dem Wettstreit um Verführung und Heirat. Dabei ist die schematische Handlung, die im Dienst der gesellschaftlichen Ordnung meist sowieso in der Ehe endet, nicht das Wesentliche; sie ist vielmehr nur das sequentielle Regulationsprinzip für die Staffelung von Situationen, bei der die unterschiedliche Informationsverteilung unter den Beteiligten die Interaktionsgrenzen selbst sichtbar macht (der eine weiß etwas über den anderen, was dieser nicht weiß) und darüber die Anlässe für die Demonstration von Interaktionskünsten bietet: Doppeldeutigkeiten, Flirt, vorsichtige Annäherung, Spott, versteckte Spitzen, Kaltblütigkeit, Wahrung der Contenance, Schlagfertigkeit etc. Die komische Liebesintrige wird dabei zur Spielform der gallantry, bei der es, wie oft betont wird, weniger um das Ziel als um den Weg geht. Die eigentliche Funktion dieses Spiels ist die Ermittlung der Kriterien, welche Partner füreinander in Frage kommen, wobei eben nur diejenigen einander würdig sind, die in ihrer Handhabung der Interaktionskünste ebenbürtig sind. Daran wird das Ethos der Komödie angeschlossen, das von den Comedy Gallants als ›Men of Sense‹ repräsentiert und durch Spott, Lästereien, Witz und Snobismus zur Geltung gebracht wird. Sofern hierin die Interaktion auf Interaktion reflektiert, nähert sie sich der Form autopoietischer Systeme; sie ist Kommunikation über Kommunikation, gesellige Ereignisse werden Anlässe zu neuen Ereignissen, und die Geselligkeit wird reguliert durch ein nicht mehr explikationsbedürftiges Vorverständigtsein, das sich als guter Geschmack zeigt. Dies kann die Restoration Comedy direkt aus der Realität übernehmen, über die es bei einem zeitgenössischen courtesy-book-Autor kritisch heißt:

Viele statten anderen Besuche ab, nicht, um ihnen eine Freundlichkeit zu erweisen, sondern entweder, um sich die Zeit zu vertreiben oder um sich umzusehen, ob sie nicht etwas Lächerliches entdecken, über das sie sich lustig machen können. Es ist dies eine geheimnisvolle Kunst, in der die Besucher in London sehr versiert sind, die dieses Verfahren seit langem in geregelte Bahnen gelenkt haben; so daß die Entdeckungen bei einem Besuch sie mit Material für verleumderische Reden beim nächsten versorgen, und immer so weiter ad infinitum (Allestree, R., 1660, S. 35).

Die tägliche Runde der ›visits‹ mit eingestreuten Exkursionen in die Parks bestimmt dann auch im Kontext der Fabel die Verknüpfung der Szenen in der Restaurationskomödie.

Wenn die Selbstreferentialität der Interaktion sozusagen die obere Schwelle gegen die weiteren Zumutungen aus der Gesellschaft bildet, so wird auf der anderen Seite gleichsam als Schutz vor der Ungeformtheit der Psyche ein rigoroser Standard stoischer Indifferenz gegenüber den eigenen Gefühlen und Impulsen zum Bestandteil der Interaktion. Das galt auch mit Bezug auf die Formen der Gallantry und die damit zusammenhängenden Gefühle. Es war dieser Standard, der für eine nach-sentimentale Rezeption die Qualität der Restoration Comedy am stärksten einfärbte und für eine an echten Gefühlen orientierte Haltung den Eindruck der Kaltschnäuzigkeit vermittelte. Denn im Bereich von ›pleasure‹ sind die Comedy Gallants Epikuräer, aber in der Affektdemonstration absolute Stoiker. Mit der rigorosen Selbstbeherrschung vermied man jede Art von emotionaler Selbstauslieferung. Schon das bare Unglück kam in den Geruch von Lächerlichkeit und wurde verheimlicht. Daran zeigt sich die autopoietische Komponente, daß die Abgrenzung nach außen zugleich als Restriktion nach innen fungiert: je beißender der Spott nach außen, desto größer die Furcht vor Lächerlichkeit im Inneren dieses Kreises. Das erhöhte zugleich die Anforderungen bei der Gestaltung des Rollenspiels. Die Differenz zwischen gelingender und mißlingender Verhaltensstilisierung wird dabei durch den Gegensatz zwischen ›naturalness‹ oder ›familiarity‹ und ›affectation‹ ausgedrückt. Nun zeigt Natürlichkeit als Norm des Verhaltens eine paradoxe Struktur, die die Verhaltensanforderungen verschärft und dadurch zum Testkriterium für die Zugehörigkeit zur guten Gesellschaft werden läßt. Denn sie gebietet eine quasi-automatische Selbstverständlichkeit bei der Erfüllung der Norm. Sie ist selbstreferentiell, insofern sie nicht nur Regeln vorgibt, sondern auch als Verweis auf sich selbst die Art, wie man sie zu erfüllen hat. Sie ist eine Anweisung an die Manier, wie man sich an sie zu halten hat. Deshalb verlangt sie, in aller Rollengestaltung das Beiläufige, Leichte, Unangestrengte und Elegante herauszustellen. Castiglione, der schon zur Zeit der Elisabethaner von Sir Thomas Hoby übersetzt wurde, nennt die Natürlichkeit ›sprezzatura‹ und definiert sie als die Kunst, alles, was getan wird, so erscheinen zu lassen, als ob es ohne Anstrengung getan wird, denn nur das kann als Kunst gelten, das nicht künstlich wirkt; und deshalb bedarf es nie einer größeren Anstrengung, als wenn es darum geht, sie selbst zu verbergen. Hoby übersetzt ›sprezzatura‹ mit ›recklessness‹ und ihr Gegenteil ›affetatione‹ als ›curiosity‹ und ‹attilatura› (Affektiertheit in Modefragen) als ›preciseness‹. Alle drei Begriffe werden auch in der Restoration Comedy noch häufig gebraucht, wobei für die Affektiertheit zunehmend die Begriffe ›affectation‹ und ›foppery‹ benutzt werden (vgl. Schneider, R., 1971, S. 26 f.).

Wenn man die Norm, die hinter der Rollengestaltung liegende Anstrengung zu verbergen, auf die Interaktionsschwellen bezieht, wird sowohl das soziale Motiv als auch eine weitere selbstreferentielle Schleife sichtbar: Es mußte verdeckt werden, daß sich hinter der ängstlichen Bemühtheit und Anstrengung der Rollengestaltung der übermächtige Wunsch äußerte, unbedingt zu den inneren Zirkeln der Society gehören zu wollen. Auch hier galt das Gebot der Indifferenz. Dies ist nun genau der Punkt, an dem die Affektierten scheitern. Ihrer Zugehörigkeit nicht sicher und in ihrer Rollengestaltung überfordert, neigen sie zu einer kompensatorischen Überbetonung der Gestaltungsnormen selbst und halten damit die peinliche Erinnerung daran wach, daß ihre Erfüllung Anstrengung erfordert und darin eben so natürlich nicht ist. Es gibt eine ganze Reihe von Typen der Fops oder Affektierten in der Restoration Comedy. Die wichtigsten sind auf die beiden zentralen Aspekte des Verhaltens bezogen: den ›wit‹ als Krönung der Konversation und die Mode als symbolische Bearbeitung der persönlichen Fassade. Es sind dies der ›wit-woud‹ oder ›false wit‹ und der Modegeck oder Beau.[9] Nun schloß ›wit‹ neben Witz auch die Bedeutung von Indifferenz und Selbstbeherrschung mit ein (siehe Wilkinson, D. R., 1964, S. 96). Gerade aber darin demonstriert der affektierte wit-woud sein Verlangen, als witzig zu gelten, daß er seinen eigenen Witz thematisiert oder sein angestrengtes Bemühen um den Eindruck der Witzigkeit durch durchsichtiges Manövrieren der Konversation zu erkennen gibt. Das verletzt dann überdies die Norm der Indifferenz; der wit-woud kann dann Gelassenheit gegenüber allem möglichen außer gegenüber der Norm der Gelassenheit selbst zeigen. Was nun gar den Witz selbst als krönendes Ereignis der Interaktion betrifft, weiß man, daß jede Bezugnahme auf subjektive Intentionen seine Form sofort zerstört. Witzig darf man nicht sein wollen, man muß es sein. Darin unterscheidet sich ein solches Stilgebot von einer moralischen Norm: An seiner Erfüllung darf, anders als in der Moral, die gute Absicht gerade nicht als getrennt wahrgenommen werden. Wie in der Kunst und Literatur allgemein wirkt hier die bloß gute Absicht tödlich. In ihrer rigorosen Abwehr gegen moralische Zumutungen ist die Restoration Comedy äußerst konsequent: Sie gibt sie stets der Lächerlichkeit preis.

So wie der wit-woud seinen Witz ständig thematisiert, macht der Beau seine Übereinstimmung mit der neuesten Mode zum Thema. Er holt sie damit aus der Dimension der Beiläufigkeit heraus und scheitert gerade da, wo der gallant reüssiert: in der Technik, die modische Eleganz der persönlichen Fassade wie zufällig erscheinen zu lassen. Dieser Bereich ist durch sprachliche Analyse der Literaturkritik nicht mehr erreichbar und gehört ins Medium der Schauspielerei, was einmal mehr erklärt, warum die Kritik mit dieser Komödie solche Schwierigkeiten hat. Einen Eindruck von den hohen Graden schauspielerischer Bewußtheit in dieser Dimension mag folgende Kennzeichnung eines (fiktiven) Etikette-Buchs vermitteln:

Dann ist da *Die Kunst der Affektiertheit*, verfaßt von einer jüngst verstorbenen Schönheit von Stand, die lehrt, wie man die Brüste hochzieht, den Hals reckt, graziös den Kopf bewegt, die Nase in die Luft streckt, die Hose ausstellt und in einer albernen Fistelstimme spricht, wobei man all die närrischen französischen Ausdrücke gebrauchen soll, die der Erscheinung und Konversation unfehlbaren Charme verleihen [...] (Etherege, G., 1966, S. 36).

In der Darstellung modisch-affektierten Gehabes wird sogar die Schauspielerei selbstreferentiell, die als die professionelle des Schauspielers die lebensweltliche fingiert. Dieser Bezug erlaubt einen Blick auf die grundsätzliche Verbindung zwischen sozialer Interaktion und Drama unter dem Gesichtspunkt der Selbstreferentialität (vgl. Schwanitz, D., 1977):

Wenn man die Formen von Interaktion durchgeht, die das Drama mit Vorzug als seine Materialien benutzt, erhält man vier Haupttypen:
1. die symbolisch überhöhten Formen des Rituals, der Zeremonie, der Herrschaftsrepräsentation, des Fests etc.,
2. die Eindrucksmanipulation im Sinne des direkten Betrugs, die dramatisch durch die unterschiedliche Informationsverteilung zwischen Betrogenem, Betrüger und Publikum sinnfällig gemacht wird,
3. die Spielformen der Geselligkeit und
4. das Drama selbst.

In diesem vierten Bereich wird das Drama selbstreferentiell, was zu den bekannten barocken Spiel-im-Spiel-Verschränkungen geführt hat. Doch hat die Moderne der Selbstreferentialität eine ganz neue Dimension hinzugefügt, deren extreme Positionen von Pirandello einerseits und Beckett andererseits eingenommen werden. Jeweils mit verschiedenen Mitteln schließen beide die Selbstreferentialität zu einem paradoxen Zirkel: Pirandello verschachtelt die Rahmungen von dramatischer Form und dargestellten Situationen derart, daß sie sich nach dem Prinzip des Kreters, der von sich behauptet, daß er lügt, wechselseitig enthalten; Beckett verdünnt die Sinnkohärenz der dargestellten Situation derart, daß die innerdramatischen Sinnreste eine neue Signifikanz gewinnen, wenn man sie schlicht auf die Aufführungssituation bezieht, so daß alle Aussagen gleichzeitig innerhalb und, als Metakommentar, außerhalb der dargestellten Situation gelten. (Man mag darauf mit Bezug auf *Warten auf Godot* die Probe machen, und das berühmte Warten wird zum Warten des Zuschauers). Diese Pointierung macht sinnfällig, was für das Drama seit seinen Anfängen gilt: Es konstituiert sich über seine Selbstreferentialität, indem es mit Vorzug die lebensweltliche Theatralik von gerahmten, erwartbaren oder geplanten Interaktionsabläufen vorführt, die zugleich fingierbar und störanfällig sind: Ihre Störanfälligkeit ist die Quelle dramatischer Spannung. In dieser Selbstreferentialität steckt von Beginn an das

Bewußtsein von der Eigenständigkeit des Sozialen. Das war stets Teil des Gehalts der berühmten Metapher vom theatrum mundi. Doch die Vorstellung der Eigengesetzlichkeit des Sozialen wurde durch ihre Verbindung mit dem Theater zugleich von der Idee des Fingierten, Imitierten, Unrealen begleitet und belastet. Das lebensweltlich Fingierte ließ sich zwei Dimensionen zuordnen: Die gelungene Fiktion als überzeugende Lüge und erfolgreicher Betrug gehörte dem Reich des Bösen an und fiel unter die Zuständigkeit der Moral; die sich selbst dementierende, mißlingende Prätention sozialer Selbstvergrößerung als sich selbst enthüllende Schauspielerei entzog sich durch ihre Harmlosigkeit der Moral und verfiel der Lächerlichkeit. So scheint es, als träte uns das Soziale aus dem Schatten der Moral zuerst im Gewande der Lächerlichkeit entgegen. Da wir aber das Lächerliche rekonstruiert haben als die sich selbst entblößende Selbstreferentialität der Interaktion in der Schauspielerei, muß in der gelungenen Interaktion gerade die Selbstreferentialität des Sozialen unterbrochen und geleugnet werden: Das erst erklärt die Norm der Natürlichkeit und ihre umgekehrte Paradoxie. Der Bezug auf Natur unterbricht die Selbstreferenz des Sozialen, indem er leugnet, daß alle Interaktion gesteuert und in der symbolischen Bearbeitung des physischen Signifikanten von Körper, Kleidung, Stimme, Mimik, Gestik immer stilisiert ist. Darin liegt die Affinität zur Kunst, die etwas kontingent Gemachtes so ausstatten muß, als sei es zwingend, notwendig und selbstverständlich so, wie es ist, und damit ohne Alternative.

Sozial ist natürliches Verhalten die Kontraktion der Paradoxie, daß man sich in Gesellschaft so verhält, als ob man allein wäre, und darin gerade in seiner Natur seine Gesellschaftsfähigkeit nachweist.[10] Und so kommt es zu der Paradoxie, daß sich gerade die Dimension des Sozialen als Natur verhüllt und sich in Form der Selbstreferentialität, der ihre Selbstverhüllung mißlingt, als Lächerlichkeit enthüllt. Natürlichkeit und Lächerlichkeit besetzen damit das Feld, in dem die Eigengesetzlichkeit des Sozialen exploriert werden kann, ohne gleich von den Ansprüchen der Moral gestoppt zu werden. Der Bezug dieses Feldes zur Moral läßt sich in einer Kreuztabelle schematisieren:

	Religion/Moral	die Sphäre des Sozialen
Fiktion	Betrug Lüge das Böse	Prätention Affektiertheit Heuchelei Lächerlichkeit
Realität	das Wahre und das Gute	das Natürliche

Dieses Vierfelderschema deckt bei aller Vereinfachung einen Gutteil möglicher Positionen im Problemzusammenhang von Theater-Theatralik-Verhaltensstil-Moral-Sozialsphäre ab: Die traditionelle Verteidigung des Theaters operiert unter dem Gesetz des Gegners und rechtfertigt das Theater moralisch als Darstellung des Guten, Warnung vor dem Bösen und Demaskierung des Lächerlichen. Ihr Problem bleibt, daß sie unter dem Zwang der Selbstreferentialität das Natürliche doppelt, und zwar für den Gegenstand der Darstellung und die Art der Darstellung in Anspruch nehmen und gerade dies als Hiatus zwischen Kunst und Wirklichkeit unter dem Begriff der Natürlichkeit zu verstecken trachten muß. Eben dies zu tun und die Fiktion als natürlich erscheinen zu lassen, ist die Sünde des Theaters in den Augen der Moral, für die Natur und Schein gleichermaßen Anathema sind. Ihre Vertreter schlagen deshalb das Theater als Repräsentant von beiden zum Bösen, das selbst in der Form der künstlich-natürlichen Fiktion eine selbstreferentielle Struktur annimmt: Es ist darin doppelt böse, daß es den absoluten Anspruch der Moral mit ihrer Gut/Böse-Differenz auf universelle Geltung überhaupt leugnet, und zwar zugunsten einer neuen Sphäre, in der die künstlerische Maniera und die gesellschaftlichen Manieren beide unter der Herrschaft der Natur stehen. Wird unter dieser Herrschaft das Böse selbst lächerlich, ist das eine ärgerliche Verharmlosung. Viel gefährlicher ist, daß auch das Gute unter dem Gesichtspunkt der Natürlichkeit eine beängstigende Tendenz zeigt, lächerlich zu werden. Und das liegt, wie wir gesehen haben, daran, daß das Konzept der Natürlichkeit sensibel macht für die Wahrnehmung jeder Differenz zwischen Intention und Ergebnis, Anspruch und Erfüllung, die die Moral für ihre Selbsterhaltung braucht. Fügt sie sich aber dem neuen Perfektionismus der Natur, treibt sie sich aus Angst vor Lächerlichkeit in die Heuchelei und wird erst recht lächerlich. Die Differenz von Lächerlichkeit und Natürlichkeit entzieht also der Ernsthaftigkeit der Moral eine Sphäre des Unernstes und der amoralischen Anerkennung jener Gesetze des Sozialen, die in Congreves berühmten Komödientitel unter *The Way of the World* subsumiert werden. In England haben solche Reaktionsbildungen gegen moralischen Ernst auf dem Theater dreimal stattgefunden und jedesmal in der Form der ›comedy of manners‹: in der Restoration Comedy gegen die Puritaner, in der Komödie Sheridans und Goldsmiths gegen die

Exzesse der Sensibilität und in der Komödie Wildes und Shaws gegen die Respektabilität der Viktorianer. In der Qualifikation als Böses korrespondiert das Theater mit der Entdeckung der ›Naturgesetze‹ des Sozialen durch Machiavelli und Hobbes. Sowohl das Theater als auch die neuen Theorien demonstrierten mit der Vorführung des Guten als einer ›Naturform‹ des Sozialen, daß der Diskurs der Moral selbst auf die Gesetze des Sozialen hin relativiert werden kann. Das wirkt bis heute in die Auseinandersetzung der Gesellschaftstheorie nach: Soll man Moral gesellschaftlich erklären oder die Gesellschaftstheorie unter moralische Ansprüche stellen? Die Antwort führt zurück zum Problem: Das eine ist aus der Sicht der Moral tendenziell böse, das andere soziologisch lächerlich.

Das neue Böse unter der Herrschaft der Natur ist die Lächerlichkeit. Böse an ihr ist die Erinnerung daran, daß das Natürliche so natürlich nicht ist, sondern Ergebnis der Selbststeuerung, die sich verbirgt. So schürt der Glaube, soziales Verhalten sei dem Menschen natürlich, die Furcht vor der Lächerlichkeit und schützt sich damit selbst. Als er zusammenbricht, wird der in der Kreuztabelle markierte Schematismus – endgültig bei Rousseau – umorganisiert: Das Natürliche zieht sich ins Privatleben zurück und kann dort über die Gleichsetzung mit dem von der Öffentlichkeit befreiten Gefühl mit dem Guten identifiziert werden. Die nun unnatürlich gewordene Sphäre des Sozialen wird zum neuen Reich des Bösen, in dem man die natürlichen Gefühle verstecken muß. Dies jedenfalls ist die Annahme, die Richard Sennett zum Ausgangspunkt für den Nachweis macht, daß eine zivilisierte Sphäre öffentlicher Kommunikation, die es im Ancien régime gegeben habe, unter dem Ansturm einer neuen Moral der Intimität zusammengebrochen sei (Sennett, R., 1983).

Unter funktionierender Öffentlichkeit versteht er die Geltung eines anerkannten Regelsystems von Konventionen als Voraussetzung für ein distanziertes Rollenspiel der Beteiligten und für die Verhandlung von nicht auf Personen zuschreibbaren Bedeutungen, die allein zur realistischen Wahrnehmung sozialer, und damit nichtpersonaler Zusammenhänge in Stand setzen. Dabei ist bezeichnend, daß er als Beleg für die Anerkennung dieser Konventionen im Ancien régime die bereitwillige Unterwerfung unter die Gesetze des Theaters anführt, dessen Aufführungsmodalitäten er untersucht und mit dem Verhalten in der Öffentlichkeit vergleicht. Die Sphäre urbaner Öffentlichkeit, argumentiert Sennett, sei seit dem 19. Jahrhundert von einem Kult der Authentizität korrodiert worden, der dazu führt, daß zum Beispiel Politiker nicht mehr nach ihren Handlungen und Programmen beurteilt werden, sondern nach ihrer Fähigkeit, eine Ausstrahlung von Glaubwürdigkeit, Menschlichkeit und Wärme zu verbreiten, die aus der Nahwelt intimer Beziehungen gewonnen werde und in der als einzige Wahrheitskriterien gute Absichten und menschliche Gefühle gelten.

Unterstellt man diese Darstellung als richtig, so beschreibt sie neben einem Gutteil des Klimas und so mancher Konstellation unter den Olympiern auch der deutschen Politik wohl die Usurpation der öffentlichen Kommunikation durch psychologische Kategorien; aber sie berücksichtigt nicht, daß es in einer funktional differenzierten Gesellschaft keine privilegierten Interaktionsformen mehr geben kann, die wie die der Oberschichten hierarchischer Gesellschaften die gesamte Gesellschaft repräsentieren könnten. Das von Sennett anvisierte Problem scheint sich daher anders zu stellen: Mit zunehmender gesellschaftlicher Differenzierung nimmt die Signifikanz der Interaktion für die Gesellschaft überhaupt ab, deren Kommunikation, wie Niklas Luhmann gezeigt hat, über subsystemspezifische interaktionstranszendente Mediencodes wie Geld, Recht, Politik, Wissenschaft etc. organisiert wird, die ihrerseits zwar auf Interaktion etwa im Sinne der Versachlichung einwirken, aber selbst nicht mehr aus ihrer Form ableitbar sind. Als Ergebnis dieser Differenzierung aber gibt es eine Ausnahme, durch die Interaktion sozusagen selbst als Träger eines Subsystems ausdifferenziert wird: Das ist der auf die Familie bezogene Bereich der Intimität. Er konstituiert sich als Interaktion, oder, wie man die Ehe genannt hat, als Konversationsmaschine (H. Kellner). Diese Interaktion ist von weiteren gesellschaftlichen Rücksichten entlastet, da sie sich nur auf wenige und immer die gleichen Teilnehmer einzustellen braucht, eröffnet diesen aber dafür die Möglichkeit, alle sie bewegenden Themen und Affekte in ihr unterzubringen. Eben darin besteht ihre gesellschaftliche Funktion. Sie sichert darüber das Realitätsgefühl der Individuen, ihre primäre Sozialisation und die affektive Kompensation öffentlicher Frustrationen. Paradox gesprochen: Die intime Interaktion hat ihre Funktion darin, für die Gesellschaft irrelevant zu sein, damit sie für die Individuen bedeutend sein kann. Eben daran zeigt sich die Trennung von Individuen und Gesellschaft. Interaktion braucht hier kaum mehr vorzugeben, natürlich zu sein, weil sie es fast schon ist, allerdings um den Preis, daß sie kaum mehr sozial ist. Sie kann deshalb die selbstreferentielle Selbstregulierung mit dem Ziel der Verhaltensstilisierung aufgeben und beinahe so spontan ablaufen, wie sie eben läuft. Das hat mehrere paradox wirkende Folgen:

1. Intime Interaktion kann als Hort unentfremdeter Natürlichkeit Ausgangspunkt für moralische Ansprüche an die öffentliche Kommunikation in dem Sinne sein, in dem Sennett das beschreibt. Der Widerspruch, daß sich die Sphäre des Sozialen nicht mehr durch Interaktion und schon gar nicht durch die der privaten Natürlichkeit regeln läßt, muß deshalb zur moralischen Aufrechnung führen, weil die Selbstreferentialität der Moral so funktioniert, daß die Unerledigtheit von Widersprüchen die moralische Kalibrierung immer wieder auflädt, indem sie Anlässe für Empörung bereitstellt. Von da aus ist der Tenor vieler Protestbewegungen zu erklären, die die ›Natürlichkeit‹ der Interaktionsformen von Jugendmilieus und Intimbeziehungen sowohl als Kampfmittel benutzen als auch als Ziel anbieten.

2. Zugleich kann aber auch die intime Interaktion durch ihre Isolierung und ihren Mangel an sozialer Regulierung eine Form regressiver Naturalisierung annehmen, aus der die trübsten Bilder sinnentleerter Routine, klaustrophobischer Enge, hoffnungsloser Langeweile und deprimierender Aussichtslosigkeit gewonnen werden können. Dies hat vor allem das moderne Drama getan. Am signifikantesten sind dabei die Demonstrationen einer neuen, negativen Form der Selbstreferentialität: die Tatsache, daß es zur intimen Interaktionsgemeinschaft keine Alternative gibt, macht jeden Konflikt in der Interaktion zu einem selbstreferentiellen Kampf um die Herrschaft über ihre Form, in dem dann die Alternativenlosigkeit selbst zu einem Kampfmittel wird. An dieser Form der negativen Selbstreferentialität zeigt das moderne Drama – neben spezifischen sozialen Einsichten –, daß Interaktion nichts mehr bedeutet als sie selbst. Daher der oben beschriebene tautologische Kurzschluß der Selbstreferentialität im modernen Drama.

3. Der Verlust der Repräsentativität hat die Entwertung aller stilisierten Hochformen gesellschaftlicher Interaktion wie Fest, Ritual, Zeremonie, Herrschaftsrepräsentation etc., aber auch der Künste der Geselligkeit zur Folge gehabt. Übrig geblieben ist – auch nach dem Verfall von Lebensformen[11] – neben der versachlichten Interaktion im Kontext von Institutionen ›The Presentation of Self in Every-Day Life‹[12], das heißt der ›Alltag‹[13] als Kontinuum trivialer Interaktionen. In seiner Bedeutungslosigkeit ist er offen für zwei Erscheinungsformen:

a) für die Prägung durch die Identitätsmuster und Verhaltenstypisierungen der Medien, Moden und der Rhetorik des Konsums. Zumal die Auslieferung an den Konsum legt folgenden, bereits von Henri Lefebvre (1972) entwickelten Schluß nahe: Um die Geschwindigkeit des Umschlags der für die Selbstinszenierung repräsentativen Produkte wie Kleidung, Wohnungseinrichtung, Autos etc. zu halten oder zu steigern, müssen die Bedeutungen schneller veralten, als die Produkte es können. Das führt zu einem beschleunigten Wechsel der Moden. Damit bietet das Geld eine nicht nur in sozialer, sondern temporaler Hinsicht gestaffeltes Differenzierungsschema für die Selbstabgrenzung sozialer Gruppen, das hohe Mobilität mit großer Sensibilität für ›die feinen Unterschiede‹ verbindet. Zusammen mit der Tatsache, daß Interaktion per se an gesamtgesellschaftlicher Relevanz verloren hat, macht es die Kombination von Differenziertheit und Mobilität mit der Logik des Konsums unwahrscheinlich, daß selbstreferentiell regulierte Interaktionsstile als Mittel für soziale Abgrenzung oder deren Überwindung je wieder sozial repräsentativ werden könnten.

b) In entgegengesetzter Blickrichtung zu Sennetts Perspektive wird die Alltagsinteraktion offen für ideologische Aufladung durch gesamtgesellschaftliche Relevanzbezüge. Das ist der seit der Studentenrevolte beobachtbare Prozeß hoher moralischer Überlastung einfachster Interaktionsabläufe, so daß an der unwilligen Erledigung der Wohngemeinschaftspflichten die Haltung zum Feminismus (der übrigens zwischen den Positionen 1 und 2 schwankt), zum Sozialismus und zur Dritten Welt abgelesen werden kann. Damit kehrt sich die Konstellation der reinen Interaktion geradezu um: Nicht soziales Verhalten wird als natürlich ausgegeben, sondern quasi-Naturwüchsiges als sozial. Die Umkehrung betrifft auch das Verhältnis zur Moral: Die moralische Sensibilität für die Signifikanz geringfügiger Symptome erreicht hohe Grade. Das hat schon so manches Universitätsgremium lahmgelegt.

Sowohl gegen die von Sennett beobachtete ›natürliche Darstellung echter Gefühle‹ in der öffentlichen Kommunikation als auch gegen die moralischen Prätentionen der Alltagsinteraktion hilft nur eins: Lächerlichkeit. Eine gesteigerte Sensibilität für sie wäre dem gesellschaftlichen Diskurs zumal in Deutschland zu wünschen. Daß sie im Vergleich zu den alten Demokratien so lächerlich unterentwickelt ist, mag damit zusammenhängen, daß es eine repräsentative hauptstädtische Interaktionskultur auch im Ancien régime hier nie gegeben hat. Nicht auszudenken, welche Politik und welche Politiker anderenfalls bis heute hätten verhindert werden können!

1 Rorty, R., (1981), S. 54. Der erste Teil des Buches bezieht aus der Stelle seine Überschrift: ›Unsere gläserne Natur‹. Gläsern ist unsere Natur, weil die Seele wie der Spiegel neue Formen annimmt, ohne sich selbst zu verändern, und weil sie von feinerer Substanz ist als die Materie. Die Stelle hat schon den Titel von A. Huxleys *Ape and Essence* inspiriert.

2 Sir George Etherege, *Love in a Tub, She Would if she Could, The Man of Mode* – William Wycherley, *Love in a Wood, The Gentleman Dancing Master, The Country Wife, The Plain Dealer* – William Congreve, *The Old Bachelor, The Double Dealer, Love for Love, The Way of the World* – George Farquhar, *Love in a Bottle, The Constant Couple, Sir Harry Wildair, The Inconstant, The Twin Rivals, The Recruiting Officer, The Beaux' Stratagem* – Sir John Vanbrugh, *The Relapse, The Provoked Wife, The Confederacy, The Provoked Husband*.

3 Es sind Buckingham, Orrery, Rochester, Dorset, Mulgrave, Roscommon, Sedley u. a.

4 Bezeichnend ist, daß die zeitgenössische Kritik der ersteren Position zuneigt, wenn sie die Komödie moralisch verdammt. Einschlägig ist hier Collier, J., (1698). Erst über 100 Jahre später erklärte Charles Lamb diesen Vorwurf für gegenstandslos, da das inkriminierte Verhalten Teil einer ganz und gar künstlichen ›Utopia of Gallantry‹ sei, die mit der Realität nichts zu tun habe (Lamb, Ch., 1901). Im 20. Jahrhundert gab L. C. Knights dem Argument in einem *Scrutiny*-Essay von 1937 eine neue – gegen Virginia Woolf und Lytton Strachey gerichtete – Wendung, wenn er eine solche Künstlichkeit der Kunst als literarische Sünde der Trivialität brandmarkte. (Knights, L. C., 1946).

5 Symptomatisch hierfür Szondi, P., 1966. Obwohl Szondi gerade auf den Interaktionsbezug des Dramas hinauswill, begnügt er sich mit vage bleibenden Hilfsbegriffen, die die Analyse dann limitieren. Spätere Arbeiten setzen an diese Stelle meist den Begriff der Kommunikation. Das ermöglicht zwar eine sehr viel bessere Einsicht in die Konstitutionsbedingungen des Genres, führt aber in der historischen Analyse in die Irre. Symptomatisch hierfür etwa Pfister, M., (1977).

6 Zu nennen wäre hier die phänomenologisch inspirierte Wissenssoziologie in der Nachfolge von A. Schütz, der an G. H. Mead anschließende ›symbolic interactionism‹, die konstruktivistische Interaktionstheorie P. Watzlawicks, die Ethnomethodologie von H. Garfinkel und schließlich die Arbeiten von E. Goffman, in denen diese Untersuchungen bis zum Schnittpunkt von lebensweltlicher Eindrucksmanipulation und Schauspielerei vorgetrieben wurde.

7 Epilog zu *Almanzor and Almahide, or the Conquest of Granada*, in: Dryden, J., (1912). S. 410.

8 Nicht umsonst beginnt Congreves *The Way of the World* in White's Coffee-house.

9 Zeittypisch ist, daß die modische Affektiertheit fast stets als Eigenschaft der Männer dargestellt wird. Weibliche Affektiertheiten waren Koketterie zumal bei älteren Damen und prätendierte Männerfeindschaft als Tugendausweis oder ›irgendeine besondere Qualität, die wie ein kleines je ne sais quoi wirken sollte‹ (Congreve, W. 1964, S. 179).

10 Niklas Luhmann hat hierin ein Symptom für die zunehmende Relevanz des einsamen, nicht-interaktionellen, aber gleichwohl gesellschaftlich relevanten Verhaltens gesehen, das nun, als normiertes, selbst zur Norm für gesellschaftliches Verhalten werden kann (siehe das Kapitel ›Gesellschaft und Interaktion‹ in: Luhmann, N., 1984, S. 551-592). Daß diese Norm aber gerade mit Rekurs auf die Natur und damit durch eine Paradoxie abgesichert wird, wird erst verständlich durch den Bezug auf die Selbstreferentialität der Interaktion: Sie konnte mit dem Verweis auf Natur geleugnet werden.

11 Gemeint ist der Begriff in der Bedeutung, wie sie in Borst, A., 1979, herausgearbeitet wurde.

12 So lautet der englische Originaltitel von Goffman, E., 1969.

13 Nicht umsonst hat der Begriff des Alltags eine erhebliche Prominenz erlangt. Dabei fungiert er heute weitgehend als kritischer Kontrollbegriff gegenüber technisch-wissenschaftlicher Überfremdung der natürlichen Lebenswelt und partizipiert darin an der Konjunktur der Ökologie. Alltag ist der Ort des Gleichgewichts, an dem sich dann dessen Störungen ablesen lassen. Die andere, von marxistischer Seite betonte Bedeutungskomponente von Alltag als eines defizienten Modus der Existenz (Kosik, Lefebvre) ist dabei eher in den Hintergrund getreten, zumal die Lukács-Schülerin Agnes Heller hier anders optiert. Angesichts des Funktionswandels der Interaktion dürfte es allerdings verfehlt sein, Alltag historisch zurückzuprojizieren. Alltag ist ein modernes Phänomen. Vgl. dazu *Kursbuch* 41, September 1975, und das Sonderheft 20 der *Kölner Zeitschrift für Soziologie und Sozialpsychologie* (1978). *Materialien zur Soziologie des Alltags.*

Literatur

Allestre, R. (1660), *The Gentleman's Calling*. London.

Borst, A. (1979), *Lebensformen des Mittelalters*. Wien.

Castiglione, B./Hoby, Th. (1561), *The Book of the Courtier*. London.

Collier, J. (1981), *A Short View of the Immorality and Profaneness of the English Stage*. London.

Congreve, W. (1964), *The Double Dealer*. New York.

Dryden, J. (1912) »Epilog zu Almanzor and Almahide, or the Conquest of Granada«. In: *Poetical Works*. London.

Etherege, G. (1966), *The Man of Mode*. Hg. von W.D. Carnochan. London.

Goffman, E. (1969), *Wir alle spielen Theater*. München.

Knights, L. C. (1946), »Restoration Comedy: the Reality and the Myth«. In: *Explorations*. London.

Lamb, C. (1901), »On the Artifical Comedy of the Last Century«. In: *Essays of Elia*. London.

Lefebvre, H. (1972), *Das Alltagsleben in der modernen Welt*. Frankfurt/M.

Luhmann, N. (1984), *Soziale Systeme*. Frankfurt/M.

Pfister, M. (1977), *Das Drama. Theorie und Analyse*. München.

Rorty, R. (1981), *Der Spiegel der Natur. Eine Kritik der Philosophie*. Frankfurt/M.

Schneider, R. (1971), *The Ethos of Restoration Comedy*. Urbana, London.

Schwanitz, D. (1977), *Die Wirklichkeit der Inszenierung und die Inszenierung der Wirklichkeit*. Meisenheim.

Simmel, G. (1917), *Grundfragen der Soziologie*. Berlin, Leipzig.

Szondi, P. (1966), *Theorie des modernen Dramas*. Frankfurt/M.

Wilkinson, D.R. (1964), *The Comedy of Habit. An Essay on the Use of Courtesy Literature in a Study of Restoration Comic Drama*. Leiden.

Hans-Jürgen Lüsebrink
Leonardo da Vinci – ein Individualstil?

I

Der *Stil* Leonardo da Vincis – dessen konzeptuelle Bestimmung zwangsläufig das Resultat einer posthumen Beschreibungsleistung darstellt – scheint einem Verlangen nach kultureller Ganzheit, der Sehnsucht nach einer verlorenen Synthese von Kunst und Leben entsprungen zu sein: dem Traum von einem exzeptionellen Einklang von Kultur und Natur, von Wissenschaft und Kunst, von Lebensform und Ästhetik, von gesellschaftlicher Wirklichkeit und deren adäquater künstlerischer Darstellung – einem Traum, dem das ›Renaissancegenie‹ Leonardo da Vinci einen zeitlosen, seitdem nie mehr erreichten künstlerischen Ausdruck verliehen habe. Giorgio Vasari erhob als erster in seinen *Vite de' più eccelenti pittori, scultori ed archittetori da Giorgio Vasari pittore aretino* (1568) Leonardo da Vinci zum »göttlichen Genie«, zum »intelletto tanto divino«, »veramente mirabile e celesti«. Vasari, dessen Kulturgeschichte der Renaissance untrennbar verbunden war mit der Absicht, die bei der Plünderung Roms 1529 erlittene ›nationale Erniedrigung‹ durch die Aufwertung der kulturellen Leistungen Italiens zu kompensieren, stellt Leonardo da Vinci als die genuine Inkarnation des Renaissancemenschen dar: als Komponist und Mathematiker, Maler und Dichter, Kunsttheoretiker und pragmatisch-erfinderischer Ingenieur verkörpere er den »Uomo rinascimentale«, dessen Innovationskraft in gleichem Maße aus der überlieferten Gelehrsamkeit antiker Autoren, dem Antrieb zur experimentellen Erforschung der Natur und einem neuen Bedürfnis nach Wissens- und Erfahrungserweiterung resultiere.

Für Jacob Burckhardt und Germaine de Staël symbolisiert – zweihundert Jahre später, zu Beginn des 19. Jahrhunderts und auf der Grundlage sehr verschiedener ideologischer Implikationen – die Figur Leonardo da Vincis die gleiche verlorene Einheit von Lebensstil, Denkstil und Kunstform, die zuerst Vasari nostalgisch beschworen hatte. Madame de Staël etwa bedauerte in *Corinne ou l'Italie* (1810), daß man jene »Ganzheit der Existenz, jene Natürlichkeit der Daseinsform, die noch der antiken Ruhe verhaftet sei und André Mantegne, Perugino und Leonardo da Vinci charakterisiere, längst nicht mehr kenne«.[1]

Diese auf Vasari zurückgehende interpretative Einschätzung von Leben und Werk Leonardo da Vincis erlebte mit den achtziger Jahren des 19. Jahrhunderts eine erhebliche Ausweitung, die kunsthistorisch durch den Begriff des »Vincisme« gekennzeichnet wird. Innerhalb des »Vincisme« der Jahrhundertwende – einer von Frankreich ausgehenden und in der Folge auf ganz Europa Einfluß nehmenden ästhetischen Bewegung – lassen sich drei wesentliche Lektüreweisen von Werk und Biographie Leonardo da Vincis ausmachen:

1. Eine erste Lektüreweise findet sich im Werk Hippolyte Taines, in Jules Michelets *La France au XVI siècle* und in den kunsthistorischen Essays von Paul Valéry, die in Leonardo da Vinci das wegweisende Modell einer gelungenen Synthese wissenschaftlichtechnischer Praxis und künstlerisch-literarischer Kreativität erblickten. Die Bezugnahme auf Leonardo da Vinci verfolgt hier zugleich das Ziel, die soziale Vorrangstellung der künstlerischwissenschaftlichen Elite im Frankreich der Dritten Republik zu legitimieren und durch Traditionsbildung zu untermauern. Kunst, Literatur und Ingenieurwissenschaften erscheinen als in ihrer gesellschaftlichen Bedeutung gleichrangige Praktiken, deren epistemologische Gleichwertigkeit und Interdependenz Voraussetzung grundlegender Wissens- und Erkenntnisfortschritte sei. »Ich sah in Leonardo da Vinci«, schrieb Paul Valéry in seinem Essay *Léonard et les philosophes* von 1929, »die Verkörperung einer bewußten Arbeitsweise, die Kunst und Wissenschaft untrennbar verknüpft, das Beispiel eines künstlerischen Systems, das auf einer umfassenden Analyse beruht und bei der Hervorbringung eines Einzelkunstwerks immer darauf bedacht ist, nur verifizierbare Darstellungselemente zu verwenden« (Valéry, P., 1975, S. 1260). Für Charles Henry, Kunsttheoretiker und Dozent für psychologische Physiologie an der Pariser Ecole des Hautes Etudes, war Leonardo da Vinci das Modell des »metaphysischen Intellektuellen« schlechthin. »Er ist der Künstler«, schrieb C. Henry 1895 in seinem Werk *L'esthétique scientifique*, »der die wissenschaftliche Ästhetik am weitesten vorangetrieben hat. Seine wundervollen Schleifen, die Druckbuchstaben, die er für

die *Divina Proportione* seines Freundes Paccioli entworfen hat, zahlreiche Notizen und Entwürfe, die in seinen Manuskripten verstreut sind, belegen dies« (zitiert nach Guillerm, J.-P., 1981, S. 45).

2. Eine zweite Lektüreweise, die unter anderem von Maurice Barrès, Jean Lorrain und Paul Adam entwickelt und vertreten wurde, sah Biographie und Werk Leonardo da Vincis als wegweisendes ästhetisches Vorbild eines elitären Lebensstils. Die Ästhetik Leonardo da Vincis erschien in dreifacher Hinsicht geeignet, zu einem zentralen Bestandteil des »kulturellen Habitus« (Bourdieu, P., 1979) der gesellschaftlichen Oberschichten des ausgehenden 19. Jahrhunderts, vor allem in Frankreich, zu avancieren: sie inkarnierte in der Person des in seinen letzten Lebensjahren im Dienste des französischen Königs arbeitenden und 1519 in Amboise verstorbenen Leonardo da Vinci exemplarisch den Prozeß der »Translatio studii«, der Verlagerung der politischen und vor allem literarisch-kulturellen Vormacht von Italien nach Frankreich; sie konnotierte sodann einen aristokratischen Lebensstil der Vergangenheit, ohne die seit der Französischen Revolution von 1789 teilweise gesellschaftlich tabuisierte Ästhetik des französischen *Ancien Régime* zu evozieren; und sie erschien schließlich geeignet, einem Lebensstil ästhetischen Ausdruck zu verleihen, der die »Modernität verkörpert und zugleich allzu modernistische Tendenzen ausschließt« (Guillerm, J.-P., 1981, S. 154). Leonardo da Vinci, seine Gemälde, Zeichnungen und künstlerische Entwürfe, aber auch einige seiner literarischen und kunsttheoretischen Schriften wurden hiermit zu ästhetischen Modellen, die die Gestaltung bourgeoiser Intérieurs ebenso beeinflußten wie die Etablierung normgebender Schönheitsideale in den gesellschaftlichen Oberschichten. Paul Adams Roman *Les Images Sentimentales* (1893) liefert eines der zahlreichen zeitgenössischen Beispiele für die normative Wirkung dieses ästhetischen *Vincisme*, der sich außer in der Malerei und Innenarchitektur des *Fin de Siècle* vor allem in der Literatur artikulierte:

»Das junge Mädchen hätte, was ihr Lächeln und ihren Blick anbelangt, von Leonard de Vinci erträumt werden können, als er Mona Lisa und Johannes den Täufer malte. Das Äußere ihres Körpers, die Zartheit ihrer hieratischen Gesten entsprang zugleich der Verve Sandro Botticellis; sie ähnelte etwas jener Jungfrau, die man im Louvre ganz im Hintergrund der linken Freske sieht« (Guillerm, J.-P., 1981, S. 88).

3. Die dritte Lektüreweise von Leben und Werk Leonardo da Vincis nahm ihren Ausgang von der Interpretation der *Mona Lisa*, deren Einstufung als »schönstes Gemälde der Welt« mit dem gesellschaftlichen Einfluß des ästhetischen *Vincisme* in den letzten Jahrzehnten des 19. Jahrhunderts koinzidierte. Die Frage nach der Signifikanz des berühmten Lächelns der Mona Lisa ließ Hypothesen aufkeimen wie die eines verborgenen, von der dargestellten Person verdrängten und doch halbbewußt präsenten Gatten- oder Kindermordes. D'Annunzio, Walter Pater und vor allem Gustave Planche entdeckten im Werk Leonardo da Vincis »une séduction de l'horreur«, eine »Verführung durch den Schrecken«. Diese neuentdeckte ›Nachtseite‹ seines Werks wurde durch die Akzentuierung biographischer Elemente interpretativ untermauert: Leonardos Interesse für Magie und Okkultismus, seine angebliche Orientreise. Gustave Planche etwa evoziert die Faszination des Schreckens, die von der *Mona Lisa* ausginge, ausführlich in seinen *Portraits d'Artistes-Peintres et Sculpteurs* (1853):

Leonardo vereinigt das Gefühl des Schreckens und das Gefühl der Schönheit. [...] Daher die gleichzeitige Entwicklung beider Gefühle beim Zuschauer, in dessen Seele sie nicht trennbar sind [...]. Es gibt in diesem halb weiblichen Gesicht einen Zug von Rache und Leidenschaft, der fasziniert, der die Aufmerksamkeit auf sich zieht [...]. Welch' wunderbare Eleganz in der Zeichnung der Lippen! Welcher Schrecken in der Tiefe der Augenhöhlen, in der Einfügung der Augen selbst, in der Unbeweglichkeit des Blickes [...]. Was mich angeht, so gebe ich zu, daß es unter den Werken Leonardos wenige gibt, die mir so deutlich nicht so sehr das Geheimnis seines Genies als das Geheimnis des Zaubers enthüllt haben, der allen Äußerungen seines Denkens anhaftet (Guillerm, J.-P., 1981, S. 115).

Der beunruhigende Riß in der Persönlichkeit Leonardo da Vincis, den die skizzierte dritte Lektüreweise seines Werkes offenbart hatte, wurde von Sigmund Freud in seinem Essay *Eine Kindheitserinnerung des Leonardo da Vinci* systematisch hinterfragt. Freud interessierte sich jedoch nicht – wie der zeitgenössische ästhetische *Vincisme* – für die Evozierung oder beschreibende Analyse eines *Lebensstils*, sondern bei Leonardo da Vinci für die psychologische Genese eines außergewöhnlichen – und für ihn normbrechenden, marginalen – *Lebenslaufes*. Als uneheliches, von seiner Mutter, einer Wäscherin, in ärmlichen Verhältnissen aufgezogenes Kind habe Leonardo da Vinci die Armut seiner Kindheit in späteren Lebensjahren durch einen ostentativ müßiggängerischen, ›aristokratischen‹ Lebenswandel (über)kompensiert (»er trug gern prunkvolle Gewänder und schätzte jede Verfeinerung der Lebensführung«, Freud, S., 1982, S. 6), während die fehlende Vaterfigur bei ihm zu einer stark verdrängten, sublimierten Sexualität geführt habe. Die Sublimierung des Sexualtriebs in Form künstlerisch-literarischer Kreativität, die nach Freud den außergewöhnlichen Wissensdurst und Schaffensdrang Leonardos ebenso wie die »Eigenart« seines Werkes erkläre, läßt sich – so Freud – darüber hinaus unter anderem mit mehreren Aphorismen Leonardos explizit belegen, so etwa: »Die Leidenschaft der Seele vertreibt die Wollust«.[2] Oder: »Wer seine Wollust nicht zügelt, ist den Tieren gleich«.[3]

Freuds Leonardo da Vinci ist in vieler Hinsicht geradezu die Antithese des von Vasari, Germaine de Staël oder Paul Adam hymnisch gefeierten Renaissancegenies: determiniert durch die uneheliche Geburt, die fehlende Vaterfigur und die Armut der Kindheitsjahre, den hieraus resultierenden Drang nach Überkompensation durch sexuelle Verdrängungsmechanismen und ziellose Kreativität, die ihn keines seiner zahllosen Projekte habe zuende bringen lassen, gründet aus der Sicht Freuds die Genialität Leonardos in einer sozialen Randstellung und einer pathologischen Triebstruktur.

II

Verlagert man die Analyse der *Genese* von Stil und Struktur des künstlerischen Werkes von Leonardo da Vinci vom *psychoanalytischen* (Freud) in den *soziokulturellen* Bereich, so ist zunächst von einigen grundlegenden faktischen Gegebenheiten auszugehen: Leonardo da Vinci, 1452 und – wie 23% der schöpferischen Elite im Italien der Renaissance (Burke, P., 1984, S. 42) – in der Toskana geboren, war unehelicher Herkunft und wuchs in sehr bescheidenen Verhältnissen auf. Als unehelicher Sohn einer Wäscherin und eines kleinen Notars aus dem Städtchen Vinci bei Florenz, der ihn im Alter von fünf Jahren zu sich aufnahm, jedoch von seinem Bruder Francesco auf einem Bauernhof in der Nähe von Vinci aufziehen ließ und ihn im Gegensatz zu seinen elf legitimen, nach Leonardo geborenen Kindern nie zum rechtmäßigen Erben einsetzte, gehörte Leonardo da Vinci zu jenem fast 25% ausmachenden Teil der künstlerischen und intellektuellen Elite seiner Zeit, der aus der sozialen Unterschicht stammte – ebenso wie etwa auch Savonarola, Sohn eines Webers, Giotto, der einer einfachen Bauernfamilie entstammte, oder Scala, dessen Eltern eine kleine Mühle besaßen. Die sozialhistorischen Untersuchungen Peter Burkes (1984) haben gezeigt, daß die in den gesellschaftlichen Unterschichten geborenen Angehörigen der künstlerischen und intellektuellen Renaissanceelite zunächst fast ausschließlich Berufe in den Bereichen Handwerk und Bildende Kunst ergriffen – Maler, Stukkateur, Bildhauer, Innendekorateur – und nur in seltenen Ausnahmefällen zu Literaten, Journalisten oder Lehrern wurden. Die Biographie Leonardo da Vincis ist für diesen sozialhistorischen Befund geradezu ein Paradebeispiel: nach seiner schulischen Grundausbildung an der Scuola dell' abbato in Vinci, die sich vor allem auf den Erwerb elementarer Lese-, Schreib- und Rechenkenntnisse beschränkte, wurde Leonardo im Alter von zehn Jahren Malerlehrling in der Werkstatt Verrocchios in Florenz. Mit zwanzig Jahren zum Gesellen ernannt, wurde Leonardo in die Zunft von Santa Lucia aufgenommen, in deren (noch erhaltenem) Mitgliederverzeichnis er als »Leonardo di Ser Piero da Vinci dipintore« figuriert. Erst 1482, als inzwischen Dreißigjähriger, fertigte Leonardo, der bis dahin an Auftragsarbeiten des Ateliers von Verrocchio mitgearbeitet hatte, ein eigenständiges Bild, die »Adorazione di San Donato«. Mit vierzig Jahren begann er autodidaktisch – das heißt anhand des Lehrbuchs *Rudimenta Grammatices* (1474) von Perotti und mit Hilfe selbst angelegter Vokabellisten (»Libro di mia vocaboli«) und Grammatikhefte – sich Latein- und Griechischkenntnisse anzueignen. Siebenunddreißigjährig schrieb Leonardo da Vinci in toskanischer Sprache sein erstes Buch, die kunsttheoretische Schrift *Il Trattato della Pittura*, die erst 1651 posthum im Druck erscheinen sollte. Parallel hierzu sowie in den folgenden Jahrzehnten verfaßte Leonardo eine große Anzahl kleinerer, unveröffentlicht gebliebener Schriften, die im Mailänder *Codex Atlanticus* sowie den erst im 20. Jahrhundert entdeckten und in Auszügen kritisch edierten Codices von London, Paris, Oxford und Madrid überliefert sind: Fabeln, Aphorismen, Prophezeiungen, Bestiaria, polemische Essays, die – wie etwa die Schrift

Contre il negromante e l'alchimiste (»Gegen den Geisterbeschwö-
rer und den Alchimisten«) – gegen Aberglauben und zeitgenössische Pseudowissenschaften gerichtet sind, und schließlich die
Quaderni, Notizbücher, die in weitgehend ungeordneter Folge
Lektüreexzerpte, Vokabeln, Gedankenfragmente sowie – großenteils zur Veranschaulichung schriftlicher Notizen – Bleistiftzeich-
nungen enthalten.

Leonardo da Vinci, dessen Karriere kaum jene genialische Früh-
reife zu illustrieren vermag, durch die Vasari ihn glaubte charakterisieren zu können, war in mehrfacher Hinsicht ein ›kultureller
Bastard‹, »un bâtard culturel« im Sinne des französischen Literar-
historikers Jean-Marie Goulemot (1981, S. 96). Im Gegensatz
zum *kulturellen Habitus*, das heißt zum Lebens- und Selbstdar-
stellungsstil der sozialen Eliten seiner Zeit (vgl. Goldsmith, E. P.,
1950; Burke, P., 1984), versuchte Leonardo da Vinci kaum,
seinen Mangel an Schul- und Universitätsbildung, die er durch
eine immense Anstrengung autodidaktischen Lernens zu kompensieren suchte, und insbesondere seine fehlenden Latein- und
Griechischkenntnisse zu verbergen. So schrieb er beispielsweise
in den sogenannten *Proemi*, Vorworten, die für verschiedene
geplante Buchveröffentlichungen gedacht waren, über sich selbst:

Ich weiß wohl, daß so mancher eitle Fant, zumal ich kein Gelehrter bin,
glauben wird, er könne mich mit Recht tadeln, indem er geltend macht,
ich sei ein Mann ohne Gelehrsamkeit. Törichte Leute! Wissen sie denn
nicht, daß ich ihnen genau so antworten könnte, wie Marius den römischen Patriziern antwortete, nämlich mit den Worten: ›Diejenigen, die
sich mit fremden Leistungen schmücken, wollen die meinigen nicht gelten
lassen!‹ Sie werden behaupten, ich könne mangels Gelehrsamkeit das, was
ich behandeln will, nicht richtig sagen. Nun, wissen sie denn nicht, daß
meine Lehren nicht so sehr aus den Worten andrer gezogen werden, als
aus der Erfahrung, die doch die Lehrmeisterin derer war, die gut geschrieben haben? So nehme ich sie zur Lehrerin und werde mich in allen Fällen
auf sie berufen (Leonardo da Vinci, 1980, S. 148 f.).

Die Selbstdarstellung Leonardo da Vincis als »Mann ohne Gelehrsamkeit« (»Uomo sanza lettere«) verweist auf das Selbstbewußtsein eines Autodidakten und sozialen Aufsteigers, der den
Wahrheiten und ethischen Werten der durch schulische Institutionen überlieferten traditionellen Bildung zutiefst mißtraute. Ihr
setzte er die Valorisierung unmittelbarer Erfahrung, der Naturnachahmung (»libro della natura«) sowie des spielerischen Expe-

riments entgegen. Leonardos manifestärer *Trattato della Pittura* wertet konsequenterweise die Bildersprache gegenüber den Kommunikationsmedien Schrift und mündliche Rede auf und betrachtet sie als potentiell wirklichkeitsadäquater. Voraussetzung für ihre Nutzung und gesellschaftliche Wirkung sei allerdings, so Leonardo da Vinci, die experimentelle Erprobung und Einführung neuer Darstellungstechniken im Bereich der Malerei auf der Grundlage wissenschaftlicher Erkenntnisse, wie etwa eine neue Ästhetik körperlicher Ausdrucksformen, die Leonardo da Vinci ausgehend von anatomischen Studien und geometrisch-mathematischen Berechnungen entwickelte, und die Einführung innovativer Maltechniken wie des ›Hell-Dunkel‹ (»chiaro-oscuro«) und des »sfumato«, die seinen ›Malstil‹ charakterisieren und mit deren Hilfe er Wirklichkeitsphänomene wie Atmosphäre, Licht und körperliche Distanz in darstellungsästhetisch neuer Weise zu erfassen suchte.

Trotz seines Mißtrauens gegen die Bildungsinhalte und -werte der tradierten humanistischen Schriftkultur zeigte Leonardo da Vinci eine vor allem in seinen autobiographischen Schriften offenkundige Faszination durch das Buch und die Schrift, ein unstillbares Verlangen nach Lektüre und ein – allerdings erst spät einsetzendes – Bedürfnis zu schreiben. Sein Antrieb zum Lesen und zum Schreiben gründete zunächst im Pragmatismus eines Handwerkers und Künstlers, der sein Metier nicht nur in traditioneller Weise durch mündliche Unterweisung und Wissensaneignung zu erlernen und zu praktizieren suchte, sondern durch den Rückgrifff auf ein (seit der Erfindung des Buchdrucks leichter zugängliches und verfügbares) Buchwissen zu vervollkommnen bestrebt war. Neben der Aneignung von ›Hilfswissenschaften‹ wie Geometrie und Mathematik standen hier für Leonardo da Vinci Werke im Vordergrund, die Detailkenntnisse über darstellungsrelevante Wirklichkeitsbereiche zu vermitteln vermochten. Leonardo da Vinci besaß beispielsweise *Il libro della agricultura* von Piero Crescenti, Diogenes Laertios *La vita di Filosofi* und *Metaura* von Aristoteles, Bücher, die er in italienischer Sprache las und gewissenhaft durcharbeitete, wie sein Bücherverzeichnis und seine Lektürenotizen belegen (»I libri di Leonardo«, Leonardo da Vinci, 1980, S. 239-257). Seinen Lektürenotizen zufolge bat er den Gelehrten Fazio Cardano, ihm ein lateinisches Lehrwerk über geometrische Raumverhältnisse

(Della Proportione) zu übersetzen. Ein Mönch namens Della Brera übersetzte ihm Jordanus Nemorarius' ›De Ponderibus‹. Sein Freund Luco Pacioli half ihm während seines Aufenthaltes am Mailänder Hof (1496-99) bei der Übersetzung von *De divina proportione*. Santillanas Untersuchungen haben gezeigt, daß Leonardos Kenntnisse der Werke Ovids, Archimedes' und des griechischen Astronomen Philolaos weitgehend aus zweiter Hand stammten (Santillana, G. de, 1953). Er erwarb sie in Gesprächen mit seinen Freunden Cristoforo Landini und Fra Jacobo, deren substantiellen Inhalt Leonardo in Form von Gedächtnisprotokollen in seinen *Quaderni* minutiös festzuhalten bestrebt war. Leonardo da Vincis teilweise semi-orale Aneignung von Buchwissen fügt sich somit ein in den Zusammenhang seiner fünfzehnjährigen Tätigkeit in der Werkstatt Verrocchios, des vielseitigsten Kunsthandwerkers der florentinischen Renaissance, und weist zugleich darüber hinaus: sie zeugt von der immensen Neugier eines aus ärmlichen Verhältnissen hervorgegangenen sozialen Aufsteigers nach wissenschaftlicher Erkenntnis, seinem Durst nach Erfahrungserweiterung durch Buchwissen und Lektüre. Leonardos ›Stil‹ der Wissens- und Lektüreaneignung setzte jedoch den Gestus des Praktikers, des handwerklich tätigen Künstlers voraus; sein Streben nach pragmatischer Wissensumsetzung fußte auf der Überzeugung, daß Wissen Macht und Wissenserweiterung Machtpotenzierung bedeutet (Thuillier, P., 1979, S. 1105) – eine Überzeugung, der die Erfindung des Buchdrucks und die Möglichkeiten autodidaktischen Lernens neue Triebkräfte verliehen.

Der ›Stil‹ der literarischen Schriften Leonardo da Vincis – ihre Form und Schreibweise (»écriture«) – zeigt deutliche Spuren dieser *wilden Akkulturation* eines Handwerkers (»Mecanicus«) und »Mannes ohne Gelehrsamkeit« (»Uomo senza lettere«), wie sich Leonardo in bewußter, ostentativer Distanznahme von den etablierten, humanistisch gebildeten Eliten seiner Zeit zu bezeichnen pflegte. Leonardos Initiation in die Welt der humanistischen Schrift- und Buchkultur erfolgte weitgehend autodidaktisch, außerhalb der schulischen und universitären Institutionen seiner Zeit, ohne festgeschriebenen Lehrplan und tradierte Autorenkanones, und lediglich mit Unterstützung einiger Freunde wie Cristoforo Landino und Fra Jacobo, die ihm Bücher liehen und ihm bei der Übersetzung griechischer und lateinischer Originaltexte halfen. Seine Vorliebe für das Fragmentarische, Unabgeschlossene, ist als Konsequenz dieser außerinstitutionellen, ›ungeordneten‹ Praxis der Lektüre und Wissensaneignung zu werten. Sieht man von seinem *Trattato della Pittura* ab, der aus der Sicht einer 25jährigen Berufspraxis eine neue, manifestär formulierte Theorie der Malerei skizzierte, so findet sich in dem umfangreichen literarisch-philosophischen Werk Leonardo da Vincis kein Ansatz zur Wissenssystematisierung. Seine bevorzugte literarische Gattung ist hingegen der Aphorismus, die kleinste, gleichsam erratische Form der schriftlichen Artikulierung eines philosophischen Gedankens. Die Aphorismen Leonardo da Vincis sind jedoch nicht Sammlungen geistreicher Redewendungen zur Belebung des abendlichen Gesprächs am Hofe Ludovico Sforzas – wozu etwa seine *Fazie*-Sammlungen dienten –, sondern persönlicher Ausdruck einer tiefen Krise des tradierten Wissens: »Ein Versuch«, wie Carlo Ginzburg für die gesamte italienische Aphorismenliteratur des beginnenden 16. Jahrhunderts formulierte, »auf der Grundlage von Symptomen, Indizien, Urteile über den Menschen und die Gesellschaft zu fällen: einen Menschen und eine Gesellschaft, die krank sind, sich in einem Krisenstadium befinden« (Ginzburg, C., 1979, S. 91).

Die Prophezeiungen, eine zweite von Leonardo da Vinci bevorzugte fragmentarische Form literarischen Ausdrucks, enthalten zahlreiche kirchenfeindliche, zum Teil häretische Elemente, wie zum Beispiel:

Vom Weihrauchfaß. Diejenigen, die in weißen Gewändern mit herausfordernden Gebärden umhergehen, werden mit Erz und Feuer andere bedrohen, die ihnen nie etwas zuleide getan haben.
Vom Verkauf der Kruzifixe. Ich sehe Christus wieder verkauft und gekreuzigt und seine Heiligen wieder gemartert (Leonardo da Vinci, 1970, Bd. II, S. 306, 308).

Seine Fazetien und Fabeln, von Leonardo da Vinci ursprünglich als Erzählstoff für abendliche Gespräche am Mailänder Hof aufgezeichnet, sind großenteils dem Werk Poggios sowie der zeitgenössischen mündlichen Volksliteratur entnommen (Santillana, G. de, 1953; Chastel, A., 1953, S. 253). Herkunft und Verwendungsweise erklären ihre Nähe zur syntaktischen und semantischen Struktur gesprochener Sprache, auf die etwa die häufige Verwendung von Anakoluthen und der Rekurs auf volkstümliche Redewendungen verweisen (Santillana, G. de, 1953, S. 45). Leonardo da Vincis *Bestiario* schließlich, eine Sammlung von Allegorien mit moralischer Erzählintention, schöpft großenteils aus den Bestiaria des italienischen Mittelalters, wie dem *Fiore di Virtù* und Cecco d'Ascolis *Acerba*, sowie aus Plinius' *Historia Naturalis*, die Leonardo dank der Übersetzungshilfe seines Freundes Cristoforo Landini vertraut war.

III

Der ›Stil‹ Leonardo da Vincis – seine *écriture* und insbesondere seine deutliche Vorliebe für fragmentarische Ausdrucksformen, seine innovative *Maltechnik* und schließlich sein spezifischer *Modus* der Wissensaneignung und Wirklichkeitserfassung – erscheint somit zunächst als Resultat einer spezifischen sozialen und soziokulturellen Konstellation, die seinen Werdegang entscheidend bestimmte: eine durch die fehlende Vaterfigur charakterisierte familiäre Situation, von der die Studie Sigmund Freuds ihren Ausgang nimmt; und vor allem ein sozialer und sozioökonomischer Kontext, der zwischen 1380 und 1480 den gesellschaftlichen Aufstieg von Angehörigen der Unterschichten, vor allem des Handwerkermilieus, begünstigte und es prinzipiell ermöglichte, daß ein in ärmlichen Verhältnissen geborener und aufgewachsener Kunsthandwerkerlehrling wie Leonardo da Vinci in wohldotierte Stellen am Fürstenhof in Mailand und schließlich am Hof des Königs von Frankreich zu gelangen vermochte. Der Lebensweg Leonardo da Vincis veranschaulicht somit, aus sozialhistorischer Perspektive gesehen, exemplarisch die Akkulturation und den rapiden sozio-ökonomischen Aufstieg des Florentiner Handwerkerstandes im ausgehenden 14. und in der ersten Hälfte des 15. Jahrhunderts. Dieser Prozeß führte zur Genese einer neuen Verbindung von Ingenieur, Künstler und Handwerker, in der Thomas Kuhn (1962) und Peter Burke (1984) – mit Recht – das entscheidende Innovationspotential des italienischen *Cinquecento* erblickten. Leonardo da Vincis *Trattato della Pittura* legt zugleich Zeugnis ab von den Verlaufsformen und den Konsequenzen der Akkulturation des städtischen Handwerkermilieus der Frührenaissance, das heißt von ihrem Zugang zu Buchkultur und schriftlichem technischen Wissen, den eine relativ hohe

Alphabetisierungsquote belegt: Leonardo polemisiert hier gegen die »spekulativen Pseudowissenschaften der Gelehrten« (»le buggiarde scienzie mentali«, Leonardo da Vinci, 1970, Bd. II, S. 34), die auf einer verkrusteten Aneignung tradierten Buchwissens beruhten; er plädiert im Gegensatz hierzu für eine neue Malerei, die auf der Grundlage experimenteller Naturerforschung (»esperienza«) und wissenschaftlicher Theoriebildung (deren Notwendigkeit er im 53. Kapitel des *Trattato* unterstreicht) neue Dimensionen der Wirklichkeitserkenntnis eröffne. Jene sozio-kulturellen Rahmenbedingungen, die, bei Leonardo da Vinci oder Brunelleschi beispielsweise, eine innovative Neudefinierung der Beziehungen zwischen Wissenschaft, Buchkultur und handwerklich-künstlerischer Tätigkeit bewirkten, wandelten sich in den letzten Jahrzehnten des *Cinquecento* in grundlegender Weise: um 1500 war der Anteil der aus dem Handwerker- und Bauernmilieu hervorgegangenen Angehörigen der intellektuellen und künstlerischen Elite Italiens dreimal niedriger als noch hundert Jahre zuvor; die Gründung von Kunstakademien nach dem Vorbild der vom Adel beherrschten literarischen Akademien verstärkte von neuem die während des 15. Jahrhunderts in Frage gestellte Trennung von Kunstpraxis und Kunsttheorie, von handwerklich-künstlerischer Tätigkeit und akademischem Diskurs; und seit 1480 erschwerte eine Reihe administrativer Maßnahmen die Möglichkeiten des sozialen Aufstiegs von Angehörigen der gesellschaftlichen Unter- und Mittelschichten in gehobene Stellungen an Fürstenhöfen oder in der Verwaltung (Burke, P., 1984, S. 288).

Der ›Stil‹ Leonardo da Vincis und vor allem die Form und Struktur seiner literarischen Schriften gründet sich in zweiter Hinsicht auf eine Matrix der Wissensaneignung, deren historische Zeitdimension den Rahmen des italienischen *Cinquecento* bei weitem überschreitet: die Autodidaxe. Sie charakterisiert im Bereich der Frühen Neuzeit (1450-1850) eine individuelle Aneignung von Schrift- und Buchkultur durch Angehörige gesellschaftlicher Schichten, die keine oder lediglich – wie im Falle Leonardo da Vincis – eine sehr rudimentäre Schulausbildung durchlaufen haben. Leonardo da Vincis weitgehend autodidaktische Form der Aneignung humanistischer Bildung, die ihm innerhalb eines Zeitraums von knapp 40 Jahren zu einem geradezu enzyklopädischen Wissen verhelfen sollte, stellt ihn in soziokultureller Hinsicht in eine Reihe mit anderen »uomini senza lettere« wie Menocchio, dem von Carlo Ginzburg (1975) entdeckten friaulischen Bauern und Häretiker im ausgehenden 16. Jahrhundert, Valentin Jamerey-Duval (1695-1775), einem aus einer Bauernfamilie in der Champagne hervorgegangenen Autodidakten, Schafhirten und späteren Gelehrten (Goulemot, J.-M., 1981; Hébrard, J., 1985), oder – außerhalb Europas, aber in einer der Frühen Neuzeit vergleichbaren soziokulturellen Situation – dem senegalesischen Künstler Cheikh Diop Makhone, den ein Journalist im Oktober 1983 in der Zeitschrift *Africa* als den »Leonardo da Vinci Afrikas« bezeichnete (Gérard, M., 1983, S. 55). Gemeinsam ist ihnen eine außerschulische, individuelle, teilweise semiorale, ›wilde‹ Form der Aneignung von Schriftkultur, die sowohl bei Menocchio wie bei Jamerey-Duval und Leonardo da Vinci zur Formulierung von Aussagen führte, die die etablierten Institutionen der Zeit – Kirche, Universitäten und Staat – als ›häretisch‹ einstuften. In einem Prozeß der pädagogischen Normierung und Homogenisierung, der subversive, häretische, heterogene Elemente ihrer Werke ausklammerte, avancierten einige dieser Autodidakten der Frühen Neuzeit zu Gegenständen didaktischer Diskurse des 18. und 19. Jahrhunderts, die ihren Wissensdurst, ihren Lerneifer und ihre genialische Improvisationsgabe zum Vorbild zeitgenössischer wie zukünftiger Schülergenerationen erhoben. So präsentierte 1839 der deutsche Pädagoge Dielitz den Autodidakten Jamerey-Duval in einer »Für die deutsche Jugend bearbeitet(en)« Fassung seiner Lebensgeschichte als »einen Menschen, der vermöge unaufhörlicher Betrachtungen, anhaltender Forschungen und tiefer Studien, nur durch sich selbst dahin gelangte, daß man ihn in ganz Europa für einen großen Gelehrten halten mußte« (Dielitz, C., 1839, S. IV). Ein 1984 im Bertelsmann-Verlag erschienenes »lebendes Bilderbuch« für Kinder stellte seinerseits Leonardo da Vinci als genialen Bastler vor, der seinen Drang nach Wissen und Erkenntnis mit einem fast kindlichen Trieb zum Erproben, zum lustvollen, aber häufig ziellosen Experimentieren verband (Provensen, A. und M., 1984). Die für die Analyse von Werk und Biographie Leonardo da Vincis vorgeschlagene Verlagerung des Frageinteresses von der deskriptiv-totalisierenden Erfassung des Gesamtwerkes hin zu seinen psychoanalytischen und sozio-kulturellen Entstehungsbedingungen rückt ein Stilkonzept in den Blick, das die Genese und spezifische Form frühneuzeitlicher Individualästhetiken begrifflich zu erfassen sucht: ›Stil‹ bedeutet hier weder Maltechnik noch Schreibart, wie etwa im *Trattato della Pittura* Leonardo da Vincis selbst; und auch nicht ›kultureller Habitus‹ im Sinne Pierre Bourdieus, ein Begriff, der geeignet erscheint, Konnotationsraum und legitimatorische Funktion etwa jenes *Vincisme* zu beschreiben, der von Giorgio Vasari bis Madame de Staël und Paul Adam Leonardos ›Stil‹ in totalisierendem Zugriff ›erfand‹ und ihn zugleich zum Modell ästhetischer Geschmacksbildung erhob. Im Gegensatz hierzu wurde ›Stil‹ in der vorliegenden Skizze sozialhistorisch definiert: als begriffliches Werkzeug, um die ästhetische Heterogenität eines künstlerischen Werkes im Zusammenhang mit spezifischen Modi der Wissens- und Wirklichkeitsaneignung zu denken und zu beschreiben, die im Fall Leonardo da Vincis wesentlich in den Verlaufsformen einer singulären autodidaktischen Akkulturation beruhen. Der hierbei in den Vordergrund gerückte ›wilde Leonardo‹ läßt somit unvermutete Konvergenzen erkennen zwischen einer neuen, sozialhistorisch fundierten Biographieschreibung und etwa der Faszination eines Joseph Beuys durch die ›anarchische Kreativität‹ Leonardo da Vincis (Schuster 1985).

Anmerkungen

* Für wichtige Hinweise zur Vortragsfassung dieses Beitrags danke ich den Teilnehmern des IUC-Seminars in Dubrovnik und insbesondere H. U. Gumbrecht, K. L. Pfeiffer, G. Rupp und U. Schulz-Buschhaus. Die im Text erscheinenden Zitate aus der Primärliteratur sind, wenn nicht anders vermerkt, von mir selbst aus dem Französischen und Italienischen übersetzt worden.

1 Cf. Staël, *Corinne ou l'Italie* (1985), S. 222: »Corinne pensait que l'expression des peintres modernes, en général, était souvent théâtrale, qu'elle avait l'empreinte de leur siècle, où l'on ne connaissait plus, comme André Mantegne, Perugin et Léonard de Vinci, cette unité d'existence, ce naturel dans la manière d'être, qui tient encore du repos antique.«

2 Leonardo da Vinci (1980), S. 74, »Pensieri«, n° 93: »La passione dell' animo caccia via la lussuria«.

3 Ebda., S. 72, n° 64: »Chi non raffrena la voluttà, colle bestie s'accompagni«.

Literatur

Bourdieu, P. (1979), *La distinction. Critique sociale du jugement.* Paris. Deutsch (1982), *Die feinen Unterschiede.* Frankfurt/M.

Burckhardt, J. (1859) (1974), *Die Kultur der Renaissance in Italien. Ein Versuch.* Stuttgart.

Burke, P. (1972), *Culture and Society in Renaissance Italy.* Deutsch (1984), *Die Renaissance in Italien.* Berlin.

Chastel, A. (1953), »Léonard et la culture«. In: *Léonard de Vinci et l'expérience scientifique au XVIe siècle. Colloques internationaux du Centre de la Recherche Scientifique, Sciences Humaines.* Paris. S. 251-261.

Dielitz, C. (1839), *Valentin Jamerey-Duvals höchst merkwürdige Lebensgeschichte.* Nürnberg.

Freud, S. (1910) (1982), *Eine Kindheitserinnerung des Leonardo da Vinci.* Frankfurt/M.

Fumagalli, G. (1971), *Leonardo omo sanza lettere.* Florenz.

Garin, E. (1979), *La cultura filosofica del rinascimento italiano.* 1979.

Gérard, M. (1983), »Cheikh Diop Makhone, le ›Léonard de Vinci‹ de l'Afrique«. In: *Africa* 154. S. 55-56.

Ginzburg, C. (1975), *Il formaggio e i vermi. Il cosmo di un mugnaio del 1500.* Torino. Deutsch (1979), *Der Käse und die Würmer.* Frankfurt/M.

Ginzburg, C. (1979), »Spie. Radici di un paradigma indiziario«. In: Gargani, A., *Crisi della ragione. Nuovi modelli nel rapporto tra sapere e attività umane.* Turin. S. 57-106.

Goldsmith, E.P. (1950), *The printed book of the Renaissance. Three lectures on type, illustration, ornament.* Cambridge.

Goulemot, J.-M. (Hg.) (1981), *Valentin Jamerey-Duval, Mémoires. Enfance et éducation d'un paysan au XVIIIe siècle.* Avant-propos, introduction, notes et annexes par Jean-Marie Goulemot. Paris.

Guillerm, J.-P. (1981), *Tombeau de Léonard de Vinci. Le peintre et ses tableaux dans l'écriture symboliste et décadente.* Lille.

Hébrard, J. (1985), »L'autodidaxie exemplaire. Comment Jamerey-Duval apprit-il à lire«. In: Chartier, R. (Hg.), *Pratiques de lecture.* Marseille. S. 23-60.

Kuhn, T.S. (1962) (1976), *Die Struktur wissenschaftlicher Revolutionen.* Frankfurt/M.

Link-Heer, U. (1985), »Giorgio Vasari oder der Übergang von einer Biographien-Sammlung zur Geschichte einer Epoche«. In: Gumbrecht, H.U./Link-Heer, U. (Hgg.), *Epochenstrukturen und Epochenschwellen im Diskurs der Literatur- und Sprachhistorie.* Frankfurt/M. S. 73-88.

Provensen, A. und M. (1984), *Leonardo da Vinci. Ein lebendes Bilderbuch.* München.

Santillana, G. de (1953), »Léonard et ceux qu'il n'a pas lus«. In: *Léonard de Vinci et l'expérience scientifique au XVIe siècle*. Colloques internationaux du Centre de la Recherche Scientifique, Sciences Humaines. Paris. S. 43-59.

Schumacher, J. (1981), *Leonardo da Vinci. Maler und Forscher in anarchischer Gesellschaft*. Berlin.

Schuster, P.-K. (1985), »Der Mensch als sein eigener Schöpfer. Dürer und Beuys – oder das Bekenntnis zur Kreativität«. In: *Süddeutsche Zeitung am Wochenende*, 22.-23.6.1985, S. 133.

Staël, G. de (1810) (1985), *Corinne ou l'Italie*. Ed. présentée, établie et annotée par Simone Balayé. Paris.

Thuillier, P. (1979), »Léonard de Vinci et la naissance de la science moderne«. In: *La Recherche* 105. S. 1100-1109.

Valéry, Paul (1929), »Léonard et les philosophes«. In: Valéry, P. (1975), *Oeuvres*. Edition établié et annotée par Jean Hytier. Paris. Bd. 1. S. 1234-1268.

Vasari, G. (1568), (1906), *Vite de' più eccelenti pittori, scultori ed architetori da Giorgio Vasari pittore aretino*. Ed. Milanesi. Florenz. Nachdruck 1981.

Vinci, Leonardo da (1939), (1970), *The literary works of Leonardo da Vinci*. Compiled and edited from the original manuscripts by Jean-Paul Richter. Leicester.

Vinci, Leonardo da (1980), *Scritti letterari*. Ed. Augusto Marinoni. Nuova edizione accresiuta con i manoscritti di Madrid. Mailand.

Vinci, Leonardo da (1817), *Trattato della pittura, tratto da un Codice della Biblioteca Vaticana*. Ed. G. Manzi. Rom.

Nancy Kobrin
»Aljamía« – Lebensstil und Gruppenbindung am Rande des christlichen Europa

Gruppenbindung, Gemeinschaftstreue: Solche Vorstellungen stehen vor allem für das Mittelalter im Zentrum des Begriffes ›Lebensstil‹. Den Morisken bot ihre Sprache – *Aljamía*, eine romanische Variante des Altspanischen, eine Mischsprache in arabischer Schrift, welche die heilige Sprache des Korans zu integrieren vermochte – die Möglichkeit, Ethos und Lebensweise einer Minderheit aufrechtzuerhalten. An der Wende des 16. Jahrhunderts bildeten die Morisken die letzte größere islamische Enklave im Westen. Als ihr die Ausübung ihres Glaubens untersagt wurde, zog sich die Gemeinde auf sich selbst zurück und tauchte unter. Wenn wir uns daran erinnern, daß Identitätsbildung über Sprache verläuft, aber ein Produkt des Bewußtseins ist, dann können wir die Lebensform der Moriskengemeinde teilweise im Zeichensystem einer für ihr Unternehmen ungemein wichtigen Legende entschlüsseln. Die geschichtlichen Umstände, unter denen die Morisken lebten, waren einzigartig. Daher greift der Stilbegriff, so wie man ihn normalerweise versteht, zu kurz, wenn es darum geht, der Vorstellung eines gemeinschaftlichen Lebensstils Konturen zu verleihen. Wenn wir unsere heutige Vorstellung von Stil als einem »opting in« oder »opting out« (vgl. den Beitrag von A. Assmann) in die Vergangenheit projizieren und auf die Morisken anwenden, so zeigt sich, daß erzwungene Optionen keine Optionen sind. Für das späte Mittelalter in Spanien war der Begriff ›Lebensstil‹ daher keineswegs nebensächlich (ausführlich dazu Kobrin, N., 1984).

1449 erließ Pedro Sarmiento, Bürgermeister *(alcalde mayor)* und Kommandant des Alcázar in Toledo, die *Sentencia-Estatuto de Toledo*. Dieses Gesetz schädigte die ethnischen Minderheiten in Spanien mehr als selbst die Inquisition, weil es eine verheerende Doktrin der Rassendiskriminierung aufstellte. Mit diesem einen juristischen Streich hatte Sarmiento die gesamte Macht der Stadtverwaltung übernommen. Die Statuten wurden gegen die *conversos*, die neubekehrten Christen vor allem jüdischer Herkunft, verkündet. Der *alcalde* ließ mehrere prominente Neuchristen wegen ›jüdischer Tendenzen‹ einkerkern und dann auf dem Scheiterhaufen verbrennen. Die Anklage lautete auf Religionsverrat und Ketzerei. In seinem Erlaß klagte Sarmiento die *conversos* in mehreren Punkten an. Er setzte fest, daß *conversos* jüdischer Abstammung künftig ungeeignet seien, ein öffentliches Amt zu bekleiden, das dem Amtsinhaber Macht über Altchristen in der Stadt Toledo und ihrer Umgebung verlieh.

Eine übliche Erklärung für Sarmientos Beweggründe, derart drastische Maßnahmen gegen die *conversos* einzuleiten, nimmt die wirtschaftliche Frage eines möglichen Notariatsmonopols der *conversos* von Toledo in den Blick (vgl. Sicroff, A. A., 1972; Maravall, J. A., 1972, S. 14-18). Sicroff hat in einem Buch, das als die bisher überzeugendste und ausführlichste Arbeit über die Rassengesetze gelten darf, das Notarsamt als den Schlüsselfaktor dingfest gemacht (Sicroff, A. A., 1960, S. 35). Aber Sicroff erklärt die Funktion nicht, die der Notar für das alltägliche gesellschaftliche Verhalten im Zeitalter des Übergangs vom Feudalismus in den Kapitalismus ausübte.

Will man die politischen Hintergründe verstehen, muß man sich an die Funktion des Notars erinnern. Braudel meint, das Amt des Notars sei lebenswichtig für den Handel ›großen Stils‹ im fast gesamten Kontinentaleuropa des 15. Jahrhunderts gewesen (Braudel, F., 1982, S. 81). Spanien war da sicher kein Ausnahmefall. Die Menge der für den Notar oder *escribano* anfallenden Arbeit konnte man als Geschäftsbarometer betrachten. Denn der Notar zeichnete, ohne daß es dazu einer Absicht bedurft hätte, Ausmaß und Intensität geschäftlicher Transaktionen auf, die zu einer vornehmlichen Quelle für quantitative Ansätze in der heutigen Geschichtswissenschaft geworden sind. Moderne Historiker untersuchen in steigendem Maße Notariatsregister, um das allgemeine Geschäftsniveau in einer bestimmten Gegend rekonstruieren und einschätzen zu können. Die *escribanos* übernahmen mehrere wichtige Aufgaben. Man könnte sie, kurz gesagt, als mittelalterliche Praktiker des Rechts etwas außerhalb oder sogar im Rahmen des Gesetzes bezeichnen. Sie spezialisierten sich auf das Grundeigentums- und Immobilienrecht; durch den Aufdruck des Notarsiegels regelten sie Grundbesitzangelegenheiten, beglaubigten Verträge, Urkunden und eine ganze Reihe weiterer Dokumente (vgl. *Encyclopaedia Britannica*, 1933, Artikel *Notary*,

Legal Profession). Der Notar bürgte nicht nur für die Identität der beteiligten Parteien; es lag, was noch wichtiger ist, in seiner Macht, *den gesellschaftlichen Rang einer Person durch eine entsprechende Einstufung der an einem Vorgang beteiligten Parteien zu ändern* (vgl. Sicroff, A. A., 1960, S. 35). Der alte spanische Spruch über den *escribano* faßte dessen Macht bündig zusammen: *Por bueno o por malo, el escribano de tu mano*. Was immer du tun willst, sorge dafür, daß du den richtigen Mann, nämlich den Notar, auf deiner Seite hast.

Die *Reconquista* und die mit ihr einhergehenden Eigentums- und Grundrechtsprobleme steigerten den Bedarf an Notaren und erhöhten ihre Stellung. Wer besaß welche Rechte? Auf welchen Grundbesitz? Wer waren die beteiligten Parteien, welche Besitzansprüche konnten sie geltend machen? Es konnte neue Besitztitel geben, damit neue Zugänge zum Adel; das wiederum veränderte das Gleichgewicht der Macht. Wer das Notariat kontrollierte, der übte einen ungeheuren Einfluß auf die Gestalt der Klassengesellschaft aus. Folglich mußte das Notarsystem, das vorher unabhängig war, bei der Ausbildung des Staates vom neuen Apparat übernommen werden. Die *conversos* von Toledo mußten aus ihren Ämtern entfernt, die das Recht Ausübenden in Staatsbeamte umgewandelt werden, um die Unversehrtheit des alten Adels, der Altchristen zu garantieren. Die gängige Klage der *cristianos viejos* drückte deren Groll darüber aus, daß in jüngster Vergangenheit *caballeros* von nichtadliger Geburt in ihre Reihen eingedrungen waren. Daß der Adel in der Tat Eindringlinge dadurch abwehren wollte, daß er sich Kontrolle über die Notare zu verschaffen suchte, kann man aus der ausdrücklichen Sprache des *Estatuto* und der Tatsache schließen, daß ein früherer *converso*-Notar mit dem Tod bedroht wurde, falls er es wagte, seine illegale Praxis wieder aufzunehmen.

Das *Estatuto* von 1449 stellte den ersten Versuch dar, mit neuen juristischen Mitteln den Spielraum der *conversos* gesetzlich einzuschränken. Die alten Gesetze, die man gegen praktizierende Juden eingeführt hatte, taugten dafür nicht, denn sie gründeten auf dem Religionsunterschied. Nachdem die Juden bekehrt waren, mußte man eine andere Unterscheidung treffen; dafür mußte die Andersartigkeit der Rasse, des Blutes, nicht mehr des Glaubens herhalten. Die Gesetze markierten also den Übergang von religiösen zu ethnischen Kriterien; überdies verknüpften sie das entstehende ethnische Bewußtsein mit dem Prozeß nationalstaatlicher Formierung.

Die Entwicklung Spaniens zur staatlichen Einheit versuchte auf vielen Wegen sich Bahn zu brechen. Vor den *Reyes Católicos* galt die Bekehrung als mögliche Strategie der Einigung. Aber als Mechanismus gesellschaftlicher Gleichschaltung lieferte die Bekehrung nur ein oberflächliches Mittel, mit dem man kulturelle Unterschiede einebnen wollte, um daraus ein gemeinsames Glaubenssystem zu schmieden. Die Doktrin von der Reinheit des Blutes *(limpieza de sangre)* war jener der Bekehrung genau entgegengesetzt. Bekehrung und Reinheit des Blutes schlossen sich wechselseitig aus. Der Bekehrungsgedanke geht davon aus, daß unterschiedliche Abstammung anverwandelt, umgestaltet und mit den utopischen Ursprüngen des herrschenden Glaubens versöhnt werden kann. Da *limpieza de sangre* die Unwandelbarkeit, Unversöhnbarkeit der Ursprünge betonte, schloß sie die Vorstellung aus, jeder könne Christ werden. Die Reinheit des Glaubens *(limpieza de fe)* zog keinen gesellschaftlichen Statuswandel nach sich. Die Setzung neuer Gegensätze *(limpieza de sangre* gegen Bekehrung; Ausschließlichkeit gegen Universalität) verrät, so möchte man sagen, eine noch überlegenere Einsicht; sie verwandelt den Begriff der Identität selbst in ein Rätsel. Denn der einzelne konnte nie mit absoluter Sicherheit feststellen oder garantieren, daß er reinen Blutes oder reiner Abstammung war. Rechtgläubigkeit lief daher im Spanien des 16. Jahrhunderts auf die rechte Herkunft hinaus (vgl. Elliott, J. H., 1963, S. 214-220). Die Identitätssicherung beschäftigte sich mit den gleichen Fragen, die aus dem Streit um das Amt des Notars entstanden waren. Die Beglaubigung der Identität, vorher die Aufgabe des Notars, wurde zu jedermanns Geschäft; Identität wurde zu einer »Qualifikation, die mit bestochenen Zeugen, erfundenen Stammbäumen und gefälschten Dokumenten *ausgehandelt* wurde« (Sicroff, A. A., 1972, S. 256; meine Hervorhebung, N. K.; vgl. Baer, Y., 1961, Bd. 2, S. 331). Vor allem aber bedeutete die staatliche Einverleibung des Notariats, daß der Staat sich zur identitätsverleihenden Körperschaft erhob.

Die Durchführung des Gesetzes von 1449 stieß auf Widerstand. Dennoch wurden seine Ziele während der nächsten 100 Jahre auf der ganzen iberischen Halbinsel durchgesetzt. Zwischenzeitlich wurden die Juden vertrieben (1492). Ihre Ausweisung zeigte an, daß die Bekehrungspolitik fehlzuschlagen begonnen hatte. Diese vermeintliche Lösung des ›Judenproblems‹ macht die absolute Verleugnung der Juden deutlich. Als freilich die Vertreibung abgeschlossen war, konnte man mit der Verleugnung nicht aufhören; die massive Unsicherheit im Blick auf Abstammung blieb bestehen. Da die Vertreibung von 1492 ein Vakuum geschaffen hatte, traten die Morisken an, um die Juden zu ersetzen. Als sie das taten, wandten die Christen nach dem erzwungenen Auszug der Juden die rassischen und religiösen Gesetze auf die Morisken noch schärfer an. In der Mitte des 16. Jahrhunderts, als Expansion und zunehmende soziale Konflikte schwere Wirtschaftsprobleme verursachten, wurden die Morisken zur Zielscheibe von Abstammungsprüfungen und Rassendiskriminierung.

Je mehr der Bekehrungsprozeß zerfiel und fehlschlug, desto mehr Namen wurden für die ›Objekte‹ der Untersuchungen geschaffen. So nannte man sie auch, je nach Umständen, *cristianos nuevos* oder *cristãos novos*. Gerade aber die widersprüchliche Bezeichnung *cristãos novos*, die man auf die zwangsweise getauften Juden anwendete, machte die spezifische Bewegung von Ein- und Ausschluß offenkundig. Die Bezeichnung umfaßte rassische wie religiöse Dimensionen, da ›Christ‹ Universalität und ›neu‹ den Ausschluß aufgrund rassischer Kriterien bedeutete. Im Portugiesischen wurden auch zwei weitere beschönigende Bezeichnungen für die jüdischen Zwangsbekehrten geprägt – *homens de negocios* und *homens da nação*. Den ersten Begriff hat man meist mit ›Geschäftsmann‹ übersetzt. Schlägt man in portugiesischen Wörternbüchern nach, so findet man die Slangbedeutung ›Juden‹ freilich nicht, obwohl diese Bedeutung vom späten 15. bis zum 17. Jahrhundert gang und gäbe war. Ein wirtschaftlicher Euphemismus für jüdische Kaufleute bestand selbst nach der Vertreibung weiter, wie der Fall der Genueser Juden von 1552 bis 1557 zeigt. Man nannte sie *hombres de negocios*; sie spekulierten in *juros*, spanischen Staatsanleihen, die speziell aufgelegt wurden, um der galoppierenden spanischen Inflation Herr zu werden. An diesem Unternehmen beteiligten sich diese früheren Bewohner Spaniens und Portugals.

Der andere Euphemismus, *homen da nação*, gehört dem politischen Code an. Man nimmt meist an, daß er einen ›Mann des hebräischen Volkes‹ bezeichnet (vgl. Yerushalmi, Y. H., 1971, S. 12-19). Zweifellos meinte der Ausdruck Juden; aber sein nationaler Bezug ist komplizierter. Wenn man Dokumente aus dem 16. und 17. Jahrhundert genau studiert, dann entdeckt man drei Varianten: *homen da naçao, homen da nação hebreia* und *homen da nação portuguesa*. Diese überdeterminierten Varianten lassen auf die geopolitische Tatsache schließen, daß Portugal, wie Spanien, sich mitten in einem Prozeß der Staatsbildung befand. Mit dem Ausdruck *homen da nação* konnte der neue Staat auf diskrete und subtile Weise zu erkennen geben, daß diese Gruppe, falls sie konvertiert hatte, künftig als Portugiesen angesehen werden sollte.

Was sich in der Tat abspielt, das ist die Verschmelzung des wirtschaftlichen mit dem ethnischen Status – *homens de negocios* und *homens da nação*. Wie beim Thema des Notarsamtes wird hier klar, daß Handel und Politik die Kernbereiche der Staatsbildung waren. Der Zusammenhalt der *conversos* deutet an, daß es einen vorgängigen hebräischen Signifikanten gab, aus dem der Begriff *nação* abgeleitet wurde. Aber diese Vermutung bestätigt sich nicht. Denn ein solcher Begriff wäre wohl nach dem Ausdruck *'am Yisrael*, Volk Israel, gebildet worden, der in den Schriften aber keine große Rolle spielt. Eine andere Möglichkeit hätte darin bestanden, einen Ausdruck wie *homem do povo* zu prägen; aber diese Möglichkeit wäre wohl nicht zum Zuge gekommen, da der vage Ausdruck *povo* (Volk) weder sprachlich noch kognitiv zu der speziellen Aufgabe der Staatsgründung, sei es in Portugal, Spanien oder Israel, paßte.

Der einzige entsprechende Ausdruck, der sich leicht aus dem Hebräischen ins Portugiesische und Spanische übertragen ließ, war *Torat Moshe, ley de Moises, lei do Moises* – das Gesetz Mose. Das war der am stärksten normative Signifikant, den sowohl Juden als auch Nichtjuden verwendeten. Dem neugeprägten Euphemismus *homens da nação* lag also die Vorstellung zugrunde, daß das göttliche Gesetz, wie es Gott Moses übergeben hatte, bindend sei. *Nação* (Nation) steht also im strikten Gegensatz zu *Estado*, weil *nação* die Vorstellung der Zugehörigkeit betont, während *Estado* als Idee des weltlichen Staates auf staatliche Macht, also auf die Kontrolle des Apparats, abhebt. Das göttliche Gesetz beinhaltet nicht nur den neuen Begriff der Nation, sondern auch deren praktische Ausprägung in der Gemeinschaft, der jüdischen wie jener der Morisken, die durch die jeweiligen Mischvarianten des Altspanischen, *Ladino* und *aljamía* und deren

Grundlage in der *Torah* und *Sha'ria*, geschaffen wurde. Der weltliche Staat freilich eignete sich seinerseits gesetzgebende Macht an. Maravall (1972) hat im einzelnen beschrieben, wie der *estado estamental* als Klassenstaat mit besonderen Abstammungsverhältnissen bei der Verschleierung dieser Umkehrung sich den göttlich-transzendenten Diskurs einverleibte. Gerade weil dem Staat an einem Einschluß aller nicht gelegen war, erhob er in dieser Hinsicht keine Ansprüche. Seine geradezu eklatante Exklusivität läßt sich an den Vertreibungen und der Rassenideologie ablesen. Der Staat verfügte über das Gesetz durch Leute einer bestimmten Abstammung, die ihrerseits den Staat kontrollierten. Vorher hatte der Staat einem Gesetz unterstanden, das man für das göttliche hielt.

Bildung und Legitimierung des Staats erfolgten in Spanien in der Tat so schnell, daß seine Macht durch die Vertreibung und die Rassedoktrin unverhüllt zutage trat, ganz anders als beim langsameren Prozeß in den europäischen Staaten des 18. Jahrhunderts, wo die Bourgeoisie dem aristokratischen Staat Legitimationen beschaffte.

Als die religiöse Verfolgung zunahm, konnte sich die Religionsgemeinschaft der Morisken nur mit dem Selbstbewußtsein trösten, daß sie ein göttliches Recht auf eine eigene kulturelle Existenz besaß. Nun stellt die Vorstellung, man könne Auserwähltheit und Glauben durch Prüfungen und Leiden ›testen‹, einen verbreiteten Mythos von Gemeinschaften dar. Die jüdische Tradition kennt das Opfer Isaaks; die christliche die Kreuzigung und orthodoxe Moslems den beinahe geopferten Ishmael. Sieht man sich die *Aljamía*-Legende *Musa con la paloma y el falcón* (Moses mit der Taube und dem Falken) an, so scheint diese zu einer entsprechenden Lesart – ein neues ›Opfer‹ Moses', das diese Selbstwahrnehmung bestätigt – einzuladen. Dies besonders deswegen, weil der Kern der Erzählung jenem Augenblick im Ersten Buch Mose auf fast unheimliche Weise ähnelt, in dem Abraham das Messer nimmt, um seinen Sohn Isaak zu töten. Aber diese Analogie aufrechtzuerhalten wird in dem Augenblick schwierig, in dem man versucht, das Bedeutungssystem der Geschichte auseinanderzulegen.

Die Geschichte beginnt mit der formelhaften Feststellung, daß die Erzählung die der *hadith* (Überlieferung), also die Gattung der Rechtgläubigkeit, sei. Der Erzähler, der nicht näher bestimmt und nicht in die Kette legaler Autorität, die *Isnaad*, eingebunden wird, behauptet gleichwohl, die Legende sei von Mohammed, also der höchsten Autorität, erzählt worden. Des weiteren wird die Erzählung durch eine in der *Aljamiado*-Literatur wiederkehrende typische Szene strukturiert: Moses betet am Berg Sinai zu Gott. Dabei erlebt Moses den Zustand der *aporia*, der Unfähigkeit, einem Ereignis Bedeutung zuzuschreiben, als er Allah um göttliche Erleuchtung anfleht. Sein Unvermögen hängt an *cinco palabras*. Diese *palabras* freilich sind keine bloßen Lexeme, sondern *mandamientos*, Gebote. Dadurch werden automatisch die Gesetze des Islams aufgerufen. Das fünfte Gebot betrifft vor allem das moralische Verhalten der Israeliten, denen Allah das Gebet zur Pflicht gemacht hat. Moses versteht die Gebetspflicht und beginnt ihr sofort nachzukommen. An dieser Stelle schickt ihm Allah eine Taube, die vor einem sie verfolgenden Falken Schutz sucht. Bis hierher scheint die Erzählung dem traditionellen Modus getreulich zu folgen. Diese Gewißheit ist freilich kurzlebig, denn die Anwesenheit des Falken führt den Gegensatz Taube/Falke ein. Dem Leser ergeht es nicht wie dem Moses der *aporia*; ihn überfällt eine ganze Reihe möglicher Bedeutungen für die Taube: Sie kann Symbol des Friedens und der Liebe, Gottes Inkarnation in der Welt sein, aber auch die Taube Noahs, die nach der Sintflut trockenes Land sucht, der Vogel des rituellen Opfers oder gar, wie in Farid ud-Din Attars Sufi-Legende *Mantiq ut-Tair* (Die Konferenz der Vögel), den Vogel darstellen, der Seele und Körper des Menschen miteinander verknüpft. Dagegen scheint der Fall des Falken problematischer. Für ihn gibt es das Spektrum der Möglichkeiten nicht, das Torah, Neues Testament oder der Koran für die Taube bereithalten. Die religiösen Register helfen dem Leser hier nicht. Tastet man die verbleibenden Erwartungshorizonte ab, so mag man sich an die Falken-Episode im *Don Quijote* erinnern, welche die Falknerei als beliebten höfischen Zeitvertreib des Adels der Vergangenheit entreißt. Überdies waren es die Araber, welche diesen Jagdsport im Westen einführten. Zwar ist nun das Thema der Jagd und Verfolgung in die religiöse Dimension eingefügt; aber der Code zeigt ›Risse‹. Er läßt sich nicht von den wirtschaftlichen, politischen und juristischen Aspekten des Feudalstaates trennen, den der Falke nunmehr symbolisiert. Die biblische Typologie geht in Allegorie über und treibt dadurch die Geschichte voran.

Moses streckt seinen Arm aus, um die Taube vor ihrem Feind zu schützen. Diese Geste ist ein stark aufgeladenes biblisches Bild. Sie erinnert an den ausgestreckten Arm von Adonai (Gott) und sein Versprechen, sein auserwähltes *und* gesetzestreues Israel zu schützen. Moses wird gottgleich, indem er dem transzendenten Gesetz im Symbol der Taube Schutz bietet. Dieses Geschehen polt erwartete Normen in subtiler Weise um. Der Falke verlangt, daß man ihm die Taube als Nahrung übergebe. Moses willigt zunächst ein. Aber die Taube bittet sofort um ihr Leben. Moses fleht Allah an, er möge eingreifen, erhält aber keine Antwort. Moses zögert einen Augenblick, dann nimmt er ein Messer. Unverzüglich schreibt dem der Erzähler einen doppelten rituellen Zweck zu: Das Messer dient dem Schneiden der Fingernägel, also der Reinlichkeit, und dem Schärfen jener besonderen Feder, mit der die heilige Torah geschrieben wird. Dieser Kommentar ordnet das Instrument den Richtlinien des orthodoxen Gesetzes unter. Eine solche Auslegung aber wird sofort unterlaufen, da Moses das Messer für einen gänzlich anderen Zweck verwenden will: In einem offenbaren Akt der Selbstaufopferung will er sich das Bein abschneiden – *pensó de cortarse alguna cosa de su carne*. Der Falke verlangt unterdessen weiterhin die Taube als Nahrung für sich.

Um den Konflikt zwischen dem Opfer der Taube und dem seines eigenen Fleisches aufzulösen, befiehlt Moses dem Falken, irgendeinen Teil seines Körpers zu essen; er werde nichts sagen. Der Falke beschließt, ein Stück aus Moses' Augenwinkeln auszubeißen. Dies ist eine ungewöhnliche Entscheidung, denn die Sicht des Falken ist besser als die des Menschen. Der Falke braucht kein besseres Auge. Gleichwohl kann sein Hunger nicht durch einen Bissen gestillt werden; der Falke schnappt mehrmals zu. Damit wird angedeutet, daß Moses' Auge eine unerschöpfliche Nahrungsquelle bietet. Mit dem wiederholten Beißen ist die Sprache gekoppelt, denn Moses verspricht, daß er nicht sprechen werde: *Come, que no hablaré ninguna cosa*. Beim dritten Bissen nimmt Moses sein Versprechen zurück und ruft den heiligen Namen Allahs an: »Gepriesen sei Gott.« Die Unerschöpflichkeit seines Auges hat diese einzigartige Fähigkeit erzeugt; sie entspricht der Tatsache, daß Moses der einzige Prophet war, der Allah sehen durfte. Seine visionäre Kraft kann er nicht verlieren; dies wäre eine strenge Strafe und würde den Verlust seines hohen

Ranges bedeuten. Er füttert den Falken mit seinem Auge und kann überdies den Raubvogel des Adels in Schach halten.

Freilich muß die Handlung vorangetrieben werden, denn das wiederholte Beißen gelangt an einen toten Punkt. Moses muß verzweifelt zum letzten Mittel greifen und geht daran, sein Bein abzuschneiden. Als die Taube diese Absicht wahrnimmt, ruft sie Moses zu, er möge aufhören und sagt: »Oh Prophet Allahs! Schneide nicht dein Fleisch ab und traure nicht in deinem Herzen, ich bin keine Taube und er ist kein Falke.« »Wer bist du dann?«, fragt Moses. Die Taube offenbart sich als Engel Gabriel, der Falke als Michael. Allah hatte sie geschickt, um die Leidensfähigkeit Moses' zu prüfen. Die Enthüllung der wahren islamischen Identität der Vögel arbeitet den erwähnten Gegensatz zwischen Taube und Falke weiter heraus. Die Verwandlung der Taube in den Geist Gabriels ist um so bedeutsamer, als Allah den Koran durch Gabriel offenbarte, indem er ihn Mohammed Sure für Sure diktierte. In diesem Rahmen ist Moses als Gesetzgeber ersetzt worden. Die Verschmelzung des Falken mit Michael überführt die Idee des Jagens und der Aggression, wie sie einer auf Gewalt gegründeten, den weltlichen Staat beherrschenden Adelsgesellschaft entspringt, in die Gestalt des bekehrten Michael, in den Kriegerengel, der das Schwert trägt. In der Erzählung allerdings kann die militärische Gewalt nicht länger auf Distanz gehalten werden; das Opfer des Beines signalisiert eine Verschiebung. Die Erzählung präsentiert einen zerstückelten Körper; sie isoliert, vom Arm über das Auge bis hin zum Bein, einzelne Körperteile. Diese Zerstückelung folgt freilich der islamischen Praxis der *lex talionis*, wo die Strafe dem Vergehen entspricht. Dies stimmt um so mehr mit der Figur Moses' überein, als der Ursprung dieses Brauchs oft dem zweiten Buch Mose zugeschrieben wird (Auge um Auge, Zahn um Zahn …). Wichtiger noch: Im Islam bedeutet das Abschneiden des Beines die Bestrafung für Verrat; Sure v, 36 bestimmt dies ausdrücklich. Moses' Absicht, sein Bein zu opfern, zeigt an, daß er sich selbst als Verräter im Lichte jenes Gesetzes betrachtet, das sich der vom Menschen geschaffene weltliche Staat gegeben hat. Der edle Falke konfrontiert dieses nachgeordnete Gesetz mit dem transzendenten Gesetz der Taube. Ironischerweise kann die Taube aber den Bestand des transzendenten Gesetzes nicht garantieren, da sie sich auf den Arm Moses' flüchten muß; umgekehrt wird der Jagdfalke der Taube Gabriel als ›Kumpan‹ unterstellt. Diese Umkehrung stärkt und erhöht die Position Moses'. Er schützt die Taube und zähmt den Falken; damit bürgt er für Ethos und Lebensweise der Moriskengemeinschaft. Die Morisken übernahmen die unbeugsame Haltung Moses'. Sie waren bereit, eher Schande unter dem Gesetz der Menschen zu erdulden, als ihre Privatkultur aufzugeben. In dieser Hinsicht waren auch sie Angehörige des weltlichen Staates. In diesem logischen Euphemismus drückt sich die kognitive Dimension der Treue sowohl zum weltlichen Staat als auch zum Gesetz Allahs aus. Dieses muß sich wandeln, um der gesellschaftlichen Wirklichkeit der Moriskengemeinschaft Rechnung zu tragen.

Aus dem Amerikanischen von K. Ludwig Pfeiffer

Literatur

Baer, Y. (1961), *A History of the Jews of Christian Spain*. Philadelphia.
Braudel, F. (1982), *Civilization and Capitalism 15th-18th Century: The Wheels of Commerce*. New York. Deutsch (1985), *Sozialgeschichte des 15.-18. Jahrhunderts. Der Handel*. München.
Elliot, J. H. (1963), *Imperial Spain*. New York.
Kobrin, N. (1984), *Moses on the Margin*, 2 Bde. Minneapolis.
Maravall, J. A. (1972), *El Estado moderno y la mentalidad social*. Madrid.
Sicroff, A. A. (1960), *Les Controverses des Statuts de Pureté de Sang en Espagne du xv au xvii siècle*. Paris.
Sicroff, A. A. (1972), »Limpieza de Sangre«. In: *Encyclopaedia Judaica*, Bd. 11. S. 255-256.
Yerushalmi, Y. H. (1971), *From the Spanish Court to the Italian Ghetto*. New York.

Marie-Louise Ollier
Formeln der Wahrheitsbeteuerung und Verschiebungen des Weltbilds im Mittelalter

Mein Beitrag zu dem in diesem Band thematisierten Problemhorizont wird sich auf den Gebrauch der stärksten Beteuerungsformel konzentrieren, die wir in französischen Texten des Mittelalters finden. Genauer: ich werde mich mit einem Unterschied der sprachlichen Formen befassen, der zu einer Differenzierung ihres Gebrauchs in Abhängigkeit von diskursiven Situationen geführt hat.[1] Die Formel, um die es mir geht, ist die des Eides; mit ihr unterstreicht derjenige, der einen Schwur leistet, feierlich die Wahrheit seiner Aussage. In fiktionalen Texten sind zwischen dem 12. und dem 13. Jahrhundert zwei verschiedene Wendungen mit je spezifischer Funktion aus der Eidesformel hervorgegangen. Zum einen die Wendung ›Si m'aïst Dex‹, zum anderen die Wendung ›Se Dex m'aït‹, welche gewöhnlich als eine Variante der ersten angesehen wird. Beide Formeln ermöglichen die Strukturierung von Interaktionen, und sie tun dies in Abhängigkeit vom jeweiligen Grad der Verbindlichkeit einer Aussage, den als gegeben hinzunehmen ein jeweiliger Sprecher sein Gegenüber verpflichten kann. Es geht mir also darum, aus pragmatischer Perspektive die semantisch fundierte Annahme von der Synonymität beider Formeln zu problematisieren.

Beide Wendungen gehören deshalb zur linguistisch-pragmatischen Dimension, weil sie eine Art Kommentar bilden – sie stehen ein für die Wahrheit des Ausgesagten –, und sie gehören zu einem Inventar von Ausdrücken, dessen systematische Beschreibung (zumindest für die alte Sprachstufe) noch aussteht. Daß ich mich auf die beiden genannten Wendungen konzentriere, läßt sich heuristisch leicht begründen: ihre formale Verwandtschaft (und mithin ihre Vergleichbarkeit) liegt auf der Hand; hinzu kommt die Evidenz der Annahme, daß die Wendung ›Si m'aïst Dex‹ die oberste Hierarchie-Ebene des einschlägigen Inventars besetzt, weil ihr die stärkste Bekräftigungs-Wirkung zukommt.

›Wahrheiten‹, die es zu bekräftigen gilt, sind keine absoluten Wahrheiten, sie sprechen nicht mehr ›für sich‹. Vielmehr hängen sie wesentlich von der Spannung zwischen zwei Sprecher-Subjekten ab, deren Beziehung sich ständig verändern kann: unsere beiden Formeln dienen also Strategien der Überredung und mithin Strategien zur Veränderung der Position des jeweils anderen. Abgesehen von ihrer Zugehörigkeit zu einem und demselben Ausdrucks-Inventar läßt sich die Spezifik ihrer Bedeutungen nur unter pragmatischer Perspektive ausmachen: sie liegt ganz einfach in ihrer Wirksamkeit.

Beide Formeln sind schon verschiedentlich linguistisch analysiert worden.[2] Ausgehend von den Belegen, die meiner eigenen Untersuchung zugrunde liegen, will ich die Ergebnisse dieser Arbeiten in folgenden Thesen zusammenfassen:

– die mit ›Se‹ beginnende Wendung ist offenbar in ihrer Form stabiler, jedenfalls beständiger;
– darüber hinaus ist ihr Vorkommen prägnanter festgelegt: fast immer bestätigt sie eine bejahende Aussage; sie kommt – ohne jede Ausnahme – nur in direkter Rede vor; und die direkte Rede muß in eine – echte oder fiktive – Dialogsituation eingebettet sein: sie kommt nie in Prologen, Epilogen oder lyrischen Monologen vor;
– von der mit ›Si‹ beginnenden Wendung kann man syntaktisch die Wendung ›Se‹ ableiten, die offenbar zunächst den Status eines Zitats hatte;
– schließlich kommt die Formel ›Se‹ in den frühesten Texten weit seltener vor.

Insgesamt scheinen unsere Beobachtungen den Vorrang der Formel ›Si‹ und die Einschätzung der Formel ›Se‹ als ihre Variante zu belegen. Aber wenn man schon von einer ›Normal-Formel‹ reden will, dann sollte man sich doch davor hüten, damit die Vorstellung einer chronologischen Priorität zu verbinden: beide Formeln erscheinen *zur gleichen Zeit* in den Quellen, und sie verschwinden auch etwa gleichzeitig. Deshalb nehme ich an, daß sie von Beginn an ihre jeweilige pragmatische Spezifik hatten und sich – wahrscheinlich komplementär – auf verschiedene Diskurssituationen verteilten, welche allemal den Rekurs auf eine deutliche Wahrheitsbekräftigung forderten. Wenn man nun zwischen dem 12. und 13. Jahrhundert eine Umkehrung ihrer Frequenz zugunsten der Formel auf ›Se‹ beobachten kann, muß man wohl den Grund für diese Verschiebung in der pragmatischen Dimension suchen: ich nehme an, daß die Formel auf ›Se‹ in Konkurrenz mit anderen Formeln desselben Inventars stand, von denen allerdings keine die Formel auf ›Si‹ ersetzen konnte.

Die Beteuerungsformel in der Situation des Eides

Nach dem Zeugnis unserer Belegtexte stellt allein die Wendung auf ›Si‹ ein Ritual dar; sie erscheint nur, wenn derjenige, der sie gebraucht, tatsächlich die Schwur-Handlung vollzieht. Obwohl wir vor dem 13. Jahrhundert nicht über einschlägige Belege aus der Volkssprache verfügen, besteht kein Grund daran zu zweifeln, daß dieser Befund dem Alltag der Rechtspraxis entsprach.[3] Insgesamt vermitteln die fiktionalen Texte allerdings nur ein vages Bild von jener Praxis, sie stellen nur wenige Typen der Schwur-Situation dar. Manche der Schwur-Situationen, die wir dort finden, evozieren eine Situation der ›Reinigung‹; der Schwörende will sich von einer gegen ihn erhobenen Anklage distanzieren (in dieser Situation finden wir etwa Isolde im *Tristan*); andere bekräftigen ein Versprechen (das ist der Fall, wo Laudine im *Yvain* sich mit erhobener Hand ›bei den Heiligen‹ verpflichtet, die Versöhnung zwischen dem Ritter und seiner Freundin herbeizuführen).

Die diskursive Situation des Eides hilft uns also durchaus, die Besonderheiten der Formel auf ›Si‹ zu verstehen: sie bekräftigt, steht unter den Bedingungen markierter Performanz, ist Teil eines Rituals und gibt der Beziehung zwischen Sprecher und Zuhörern einen ›dramatischen‹ Charakter. Als Eidesformel ist diese Wendung aber vor allem – und wir sehen das dort besonders deutlich, wo es um den Effekt der ›Reinigung‹ geht, – die Negation einer vorausgehenden Behauptung. Beim Versprechen unter Eid richtet sich die feierliche Selbst-Verpflichtung des Schwörenden gegen eine abweichende Erwartung, die er – sozusagen ›virtuell‹ – seinen Hörern zuspricht. Wir sehen also, daß der Eid nicht einfach zwei parallele Wahrheits-Ansprüche aktualisiert; es handelt sich – genauer – stets um einander widersprechende Wahrheits-Ansprüche. In seinem Rechtsstatus als einzig gegebene Beweismöglichkeit – und oft begleitet von einem ›Gottesurteil‹ – fixiert der Eid folglich die Niederlage des Schuldigen oder den Triumph des Unschuldigen. Freilich beruht diese bemerkenswerte Wirkung – und mit gutem Grund – nicht allein auf seiner Funktion als verbale Bekräftigung: man leistet den Eid ausdrücklich auf das Evangelium (oder seine jeweiligen Substitute), und erst diese Geste verleiht der Schwur-Handlung ihr besonderes Gewicht. Denn diese Geste verpflichtet Gott, als Schieds-Instanz zu intervenieren. Deshalb kann niemand ohne ein hohes Risiko sein Schicksal von einem Schwur abhängig machen: man geht davon aus, daß die jeweilige Entscheidung – Freispruch oder Verurteilung – unmittelbar folgen wird. Ebenso muß sich beim Versprechen unter Eid an den Schwur ein unmittelbarer Erweis für die Aufrichtigkeit der Selbstverpflichtung anschließen.

Auch außerhalb der genannten besonderen Gebrauchsbedingungen bleibt die Wendung auf ›Si‹ von jenen drei Charakteristika gekennzeichnet, deren Konvergenz ihren besonderen Ort innerhalb der Bekräftigungs-Formeln ausmacht und sie – vor allem – von der Wendung auf ›Se‹ abhebt: sie ist stets mit einer nicht nur subjektiv gemeinten Aussage verbunden.[4] Genauer: es handelt sich um solche Aussagen, die wenigstens vom Sprecher als nicht nur subjektive Aussagen intendiert sind, und mit denen er bei seinen Gesprächspartnern vermuteten Erwartungen und Meinungen entgegentreten will, um diese dazu zu bringen, ihm beizupflichten.

Die Beteuerungsformel in anderen Diskurssituationen

Im Kontext einer Behauptung verbindet sich die Beteuerung auf ›Si‹ mit zwei Arten von Prädikaten (und es handelt sich dabei genau um jene Prädikate, die wir in der Eidesformel angetroffen haben): mit Werturteilen und persönlichen Verpflichtungen. Die diskursiven Funktionen beider Prädikate sind genauestens festgeschrieben. Die Wert-Aussage wird auf einem ersten diskursiven Niveau konstituiert, das sich durch verschiedene sprachliche Elemente – freilich stets solche, die auf einen Akt des Urteilens verweisen – objektiviert. Auf einer zweiten Ebene stellt diese Wert-Aussage eine dem Gegenüber des Sprechers zugeschriebene Meinung in Frage, auf die als eine Fehleinschätzung verwiesen wird. Die Wert-Aussage steht also zugleich für sich selbst und für das Gegenteil der Wert-Aussage des Gesprächspartners. Auch die

Verpflichtungs-Aussage impliziert zwei komplementäre Ebenen: hier wird das Gegenüber des Sprechers persönlich miteinbezogen, und diese Einbindung wirkt stets – mehr oder weniger – auf seine Erwartungen. In beiden Aussage-Typen jedenfalls bekräftigt der Sprecher durch die Wendung auf ›Si‹ nicht allein eine Aussage, die sich an sein Gegenüber richtet; in beiden Fällen wird wohl auch eine Verpflichtung an das Gegenüber herangetragen, mit der ihm eine Veränderung seiner vorausgehenden Einschätzung nahegelegt wird.

Zwar kann auch die Bekräftigung auf ›Se‹ mit Werturteilen und Selbst-Verpflichtungen des Sprechers verbunden sein, aber ihr Gebrauch beschränkt sich nicht auf diese beiden Typen von Prädikaten. Es ist nicht möglich, diese Wendungen nach demselben Modell zu beschreiben wie die Wendungen auf ›Si‹, denn sie sind nie mit der gerade beschriebenen zweiten pragmatischen Ebene verbunden; diese Formeln dürfen nicht als ein Potential der Verneinung auftauchen, wo zwei gegensätzliche Meinungen in Konflikt stehen. Wenn die Formel auf ›Se‹ aber auf der einen Seite nicht diese virtuelle Verneinung mit sich bringt, so kann doch auf der anderen Seite der Gegenstand der von ihr ausgedrückten Bekräftigung jede beliebige positive oder negative Behauptung sein, solange sie keinerlei Präsuppositionen bezüglich des Adressaten enthält. Deshalb wird man die Wendungen auf ›Se‹ etwa in indirekter Rede finden, ebenso in Diskursen, deren Bedeutungsstrukturen nicht zur Diskussion stehen. Gewiß kann man sagen, daß jeder kommunikative Akt zumindest die virtuelle Existenz eines Adressaten verlangt, und daß man die Wahrheit einer Behauptung nur gegenüber einem solchen Adressaten bekräftigen kann. Doch allein die Bekräftigungsformel auf ›Si‹ macht diesen Adressaten zu einer konkreten Referenz; selbst wenn sie in einem Monolog auftaucht, braucht sie doch den Horizont einer fiktionalen Debatte, um die Instanz des Subjekts für einen möglichen Widerspruch setzen zu können. Eben aus diesem Grund kann die Formel auf ›Si‹ auch nicht in indirekter Rede erscheinen. Wir fassen zusammen: die Wendung auf ›Se‹ verbindet sich im Diskurs allein mit eindeutigen Aussagen, zum Beispiel mit Behauptungen, Befehlen, Fragen. Dagegen liegt die Besonderheit der Wendung auf ›Si‹ gerade darin, eine bestimmte Aussage ›A‹ als Gegensatz zu einer Aussage ›Nicht-A‹ zu perspektivieren (die implizit einem Gesprächspartner zugeschrieben wird). Mit anderen Worten: indem die Formel auf ›Si‹ den Raum für eine Diskussion schließt, eröffnet sie ihn auch zugleich.

Es bleibt uns nun näher zu beobachten, welche pragmatische Position es dem Sprecher erlaubt, seinen Adressaten zur Übernahme der von ihm bekräftigten Aussage zu verpflichten und damit das ›Kräfteverhältnis‹ der Kommunikationspartner zu seinen eigenen Gunsten zu gestalten.

Die Dominanz des Sprachhandlungssubjekts – eine Implikation der Wendung auf ›Si‹

Wo immer solche Formeln der Wahrheitsbeteuerung gebraucht werden, befindet man sich nicht in einem Sinnrahmen der Evidenz oder der von den jeweiligen Subjekten unabhängigen ›Objektivität‹. Es gehört vielmehr zum Wesen der in solchen Situationen gemachten Aussagen, daß sie relative und subjektive Aussagen sind, daß sie sich in je spezifischen Situationen konstituieren, wo für das Subjekt der Sprachhandlung alles darauf ankommt, die Ausgangsannahmen seines ›Gegenüber‹ zu verändern, um damit – im pragmatischen Sinn – die situationalen Ausgangsbedingungen zu modifizieren. Wer in solchen Situationen – ganz unabhängig davon, ob es sich um Werturteile oder Selbst-Verpflichtungen handelt – die Wendung auf ›Si‹ braucht, der spielt eine sichere Karte. Mit Recht sagt man umgangssprachlich: ›er weiß, wovon er spricht‹. Wenn es um ein Werturteil geht, dann vollzieht er dieses Werturteil unter Bedingungen, die er selbst festlegt. Und wenn es um eine Selbst-Verpflichtung geht, dann kann – selbstredend – kein anderer mit ähnlicher Gewißheit wie der Sprecher annehmen, daß sie eingelöst wird.

Daraus folgt, daß die ›Wahrheit‹ der so bekräftigten Behauptungen *hic et nunc* überprüft werden muß. Diese Aufgabe fällt dann dem Adressaten der bekräftigten Aussage zu. Die von der Formel auf ›Si‹ inszenierte Situation impliziert nur noch zwei weitere Aspekte. Einmal legt der Sprecher einen *Einsatz* fest, um den es bei der Konfrontation der zwei gegensätzlichen Meinungen gehen soll. Zum anderen ist die mit der Formel auf ›Si‹ eröffnete Debatte im Moment dieser ›Eröffnung‹ auch schon wieder virtuell geschlossen. Man kann also sagen, daß einer durch die Wendung auf ›Si‹ bekräftigten Behauptung der Status einer *Konklu-*

sion zukommt, denn notwendig folgt unmittelbar auf eine solche Aussage ihre Wirkung. Mit anderen Worten: der Sprecher kann sich hier nicht ohne weiteres bestehenden Zweifeln entziehen, denn damit würde er gewiß sein Seelenheil aufs Spiel setzen. Seine Aussage *muß* zu einer Veränderung des situationalen Rahmens führen.

Übrigens liegt die Wirkung der höchst seltenen Frage- oder Befehlssätze, die mit der Wendung auf ›Si‹ bekräftigt werden, auf derselben Ebene. Sie führt notwendig zu einer Antwort, die eine sprachliche oder eine außersprachliche Antwort sein kann. Jedenfalls bringen Frage wie Befehl eine an den Adressaten gerichtete Aufforderung mit sich, welche ihn in den Rahmen der so bewirkten ›Inszenierung‹ hineinzieht.

Variation und geschichtliche Horizonte

Trotz ihrer unübersehbaren Form-Verwandtschaft erscheinen die Wendungen auf ›Si‹ und ›Se‹ in je verschiedenen diskursiven Situationen, und sie werden unter gänzlich verschiedenen Bedingungen gebraucht. Die Gebrauchsbedingungen der Wendung ›Si‹ implizieren einen wesentlich höheren Grad der Verpflichtung für die Kommunikationsteilnehmer, und dieser Besonderheit entspricht ihre schon erwähnte Form-Stabilität. Wir haben es also ganz gewiß nicht mit ›freien Varianten‹ zu tun, deren jeweiliges Erscheinen kontingent wäre oder – wie man etwa angenommen hat – dem Reimzwang folgte. Soviel man auch über syntaktische und semantische Filiationen von der einen zu der anderen Formel spekulieren mag, man darf jedenfalls nicht vergessen, daß sie schon in den ersten uns überlieferten Texten gemeinsam auftauchen, weshalb ihre Distribution unter der Perspektive funktionaler Komplementarität und nicht unter jener chronologischer Abfolge zu diskutieren ist. Sofern wir unserem Belegmaterial vertrauen können, verschiebt sich die Frequenz der beiden Wendungen im 12. und 13. Jahrhundert hin zur Dominanz der Formel auf ›Se‹. Diese Verschiebung kann man keinesfalls durch eine Veränderung des Form-Geschmacks erklären. Vielmehr müßte man unsere Untersuchung auf das gesamte Inventar der Bekräftigungs-Formeln ausdehnen, um zu sehen, wie sich von Epoche zu Epoche – vielleicht von ›Gattung‹ zu ›Gattung‹ – das gesamte

Netz ihrer wechselseitigen Beziehungen verändert und den einzelnen Formen jeweils modifizierte pragmatische Positionen zuweist.

Mit ›Wahrheit‹ hat die Distribution der beiden Wendungen kaum zu tun. Man hat darauf hingewiesen, daß die einschlägigen Belege vor allem aus Erzähltexten des 12. Jahrhunderts stammen. Dabei sind allerdings die *Chansons de geste* unterrepräsentiert, denn zumindest in den älteren Versionen findet man kaum echte Dialoge. Wahrscheinlich bedurfte es jener *Ahnung von Relativität*, wie sie der Roman zum ersten Mal präsentiert, eines *neuen Gefühls für die Sprache* in der Zeit einer noch kaum formalisierten Rhetorik, damit solche Wendungen – mit immer größerer Variabilität – in Gebrauch kamen. Wir wissen nicht, welche Beteuerungs-Formel in der Rechtspraxis jener Zeit – dort wo sie sich volkssprachlich vollzog – vorherrschte; wenn man sich allerdings an die von uns herangezogenen Texte hält, dann entsteht ein recht prägnanter Eindruck. Sollte es ein bloßer Zufall sein, daß die Kontexte, in denen wir dort Darstellungen des Schwurs finden, am Ende fast immer *ambivalent*, ja in eigenartiger Weise *doppelbödig* bleiben? Gewiß, noch bezog man sich in letzter Instanz tatsächlich auf Gott. Aber im selben historischen Moment war es für die Troubadours doch schon fast selbstverständlich geworden, ›Gott‹ als Instanz durch Amor oder durch die Dame ihrer Verehrung zu ersetzen; und der Umschlag der Schwurformeln zum Fluch im frühen 15. Jahrhundert zeigt uns, daß am Ende der Bezug auf Gott nicht mehr ernst genommen wurde. Vielleicht liegt der Beginn dieses Prozesses dort, wo die Schwurformeln zum ersten Mal in ein Sprachspiel intersubjektiver Konfrontation hineingezogen wurden, in die Komplexität einer schon erstaunlich autonomen Praxis.

Aus dem Französischen von Hans Ulrich Gumbrecht

Anmerkungen

1 Grundlage meiner Untersuchung war ein die verschiedenen Epochen und ›Gattungen‹ berücksichtigendes Corpus einschlägiger Belege, das ich unter dieser Fragestellung exhaustiv analysiert habe (vgl. Ollier, M.-L., 1984, dort auch Textmaterial).

2 Besonders verweisen möchte ich auf Marchello-Nizia, Ch. (1984), die letzte unter diesen Arbeiten (nebenbei auch die einzige, welche eine übergreifende linguistische Hypothese zur Interpretation der Wendung auf ›Si‹ entwickelt); dort findet man die komplette einschlägige Literatur. Allerdings unterscheidet Marchello-Nizia beide Formeln nur nach Oberflächen-Gesichtspunkten, was unvermeidlich zu einigen Unklarheiten in der Beschreibung führt. Dasselbe gilt für Marchello-Nizia, Ch. (1983).

3 Zwei Kapitel des *Coutumier de Beauvaisis* stellen in aller Genauigkeit den Akt des Schwurs dar. Scheinbar abweichend von unserer Argumentation findet man dort nur die Wendung auf ›Se‹. Doch es handelt sich hier um einen Rechtstext, während man in literarischen Texten tatsächlich allein und immer auf die andere Formel stößt (womit die Bedeutung des Roman-Kontextes für die Semantisierung der beiden Wendungen deutlich wird). Darüber hinaus ist der *Coutumier* ja auch ein vergleichsweise später Text (er stammt aus dem Jahr 1283). Schließlich erscheint unsere Formel hier nicht unter Performanzbedingungen.

4 In der französischsprachigen Linguistik hat sich dafür die Bezeichnung ›L-vérité‹ eingebürgert (vgl. Berrendoner, A., 1981).

Literatur

Berrendoner, A. (1981), *Eléments de pragmatique linguistique*. Paris.

Marchello-Nizia, Ch. (1983), »›Si m'aït Diex‹ et le rituel linguistique de la véridiction«. In: *Le Moyen Français*, 13. S. 7-19.

Marchello-Nizia, Ch. (1984), *Dire le vrai. L'adverbe SI en français médiéval. Essai de linguistique historique*. Genève.

Ollier, M.-L. (1984), »Spécificité discursive d'une locution: ›Si m'aist Dex‹ vs ›Se Dex m'ait‹«. In: *Le Moyen Français* 14.

Paul Zumthor
Mittelalterlicher ›Stil‹. Plädoyer für eine ›anthropologische‹ Konzeption

Dem Wort ›Stil‹ eignet in unseren modernen Sprachen wohl kaum eine denotative, feste Bedeutung. Es verweist vielmehr konnotativ auf den Diskurs, in dem es vorkommt. Es macht darauf aufmerksam, daß der Diskurs seinerseits auf ein System oder eine Qualität oder manchmal auf beides verweist – und das obwohl es sich bei System und Qualität um zwei unterschiedliche Bedeutungsachsen, um eine generalisierende und eine individualisierende, handelt. Das heißt: Der Stilbegriff, auf sprachliche wie bildende Künste und auf gesellschaftliches Verhalten (›Lebensstil‹) angewandt, bezieht sich im Grunde auf ein System. Je nach Kontext aber kann er die Autorität des Systems, also Regeln, oder die Verletzung dieser Regeln meinen.

Im folgenden geht es mir ausschließlich um den Bezug des Stilbegriffs zu fiktionalen Texten, die ich als ›Dichtung‹ bezeichne.

Im Blick auf ›mittelalterliche‹ (ein Adjektiv, das ich nicht definiere; dazu bedürfte es mehrerer weiterer Kolloquien) Dichtung stellt sich von vornherein eine Frage: Kann die Mediävistik mit Begriff und Vorstellung heute noch etwas anfangen; wenn ja, auf welcher *Wirklichkeitsebene* kann dies geschehen? Auf eben diese Frage möchte ich eine Antwort skizzieren.

I

In solchen Perspektiven kennzeichnet den Stilbegriff die Vorstellung einer formalisierenden Veränderung, die auf einen Gegenstand einwirkt. Jede Formalisierung setzt im mittelalterlichen Verstande ihrerseits eine Kunst *(ars)* voraus. Mehr oder weniger explizit heißt Stil also Technik, Brauch. Daraus resultiert ein doppelter ›stilistischer‹ Gesamteffekt: Stil hebt synchrone wie diachrone Unterschiede auf und gestaltet die Normalform kultureller Gegebenheiten neu. Daraus wiederum ergibt sich eine gewisse, manchmal konfliktbesetzte Konkurrenz zwischen den Begriffen ›Stil‹ und ›Gattung‹. Spricht man von Gattung, nimmt man die Aufhebung in den Blick; redet man vom Stil, so zielt man auf die Neugestaltung ab.

Stil gewährt einem sprachlichen ›Denkmal‹ Existenz und Form. Er ist gleichzeitig Ort und Mittel dessen, was ich ›Monumentalisierung‹ nennen möchte. Er bringt Grammatik und Rhetorik ›in Form‹, verlebendigt sie in wirklichen Formen, ein Vorgang, der sich auch auf die ›Dialektik‹ eines Themas oder Gegenstandes erstreckt. In der Tat gestaltet der Stil eine Totalität, verleiht ihr Leben. In dieser Perspektive spielen die auf Opposition abhebenden neueren Defintionen des Stils (die berühmt-berüchtigte ›Abweichung‹) offensichtlich keine Rolle.

Freilich muß ich noch klarstellen, was ich hinsichtlich der mittelalterlichen Dichtung unter Totalität verstehe. Ich verweise der Kürze halber auf zwei meiner neueren Bücher, als deren Fortsetzung ich den vorliegenden Aufsatz begreife. In einer Sammlung von Vorlesungen am Collège de France (Zumthor, P., 1984; vgl. Zumthor, P., 1983) behaupte ich – wohlbegründet, wie ich meine –, daß in der europäischen Tradition jeder dichterisch-fiktive Text vor dem 15. Jahrhundert auf mündlicher Überlieferung beruht. Diese Existenzform ist nicht zufällig. Auch dann, wenn der Text schriftlich verfaßt wird, birgt er in seiner Tiefenstruktur eine Zielgerichtetheit, welche einen formalisierten Zusammenhang stiftet: Der Text will gesprochen werden, will sich durch die Stimme entfalten. In einem solchen Kontext muß daher jeder Umgang mit dem Text – gleichgültig ob er sich im Gesang, im Vortrag oder in öffentlicher Lektüre vollzieht – unabhängig vom Grad der Theatralisierung als *Performanz* aufgefaßt werden. In meiner Einführung in die mündliche Dichtung (Zumthor, P., 1983) habe ich eine allgemeine, aber eng an den Texten orientierte Definition des Sachverhaltes ›Dichtung‹ versucht, die sich an der beherrschenden ›Stimmlichkeit‹ ausrichtet. Meine These lautet, daß der dichterische Text in einem gegebenen raumzeitlichen Umfeld als eine spezifische, sei es schriftliche, sei es mündliche Manifestation eines umfassenden Diskurses empfunden wird, der als globale Metapher für die innerhalb einer sozialen Gruppe gepflegten Normaldiskurse gelten kann. Diesen Text markieren oder begleiten Signale, die seine ›symbolische‹ Natur offenbaren. Daraus ergibt sich ein Gegensatz zwischen zwei Texttypen – ein

Gegensatz, der sicherlich relativ ist, aber der zumindest Mündlichkeit und Schrift durchzieht und analoge Unterschiede erzeugt. Nun sind diese poetischen Signale vielfältiger Art. Sie operieren auf einer anthropologischen und sprachlichen Grundlage, die sie verwandeln, indem sie sich ihr anpassen. Diese Basis besteht aus Primärstrukturen, die relativ stabil sein dürften. Es handelt sich um

– ›natürliche‹ Strukturen (Stimmorgane, Hände, materielle Substrate der Schrift);
– ›kulturelle‹ Strukturen (jene der Sprache als solche).

Einen Diskurs, der nur die Primärstrukturen ins Werk setzt, nenne ich ein *Dokument*. Ein Denkmal *(Monument)* entsteht auf einer anderen Ebene, die hier die ›dichterische‹ heißt. Es wird durch bewußte Markierungen bestimmt und ist das Ergebnis eines Verfahrens, welches die in den Primärstrukturen geordneten Elemente neu organisiert. Dabei unterscheide ich zwischen

– einer textuellen Markierung, die sich auf die Sprache bezieht;
– einer modalen Markierung. Diese ist im Falle der Schrift graphisch (und gleicht den Text einem graphischen Muster an). Sie entspringt, im Falle der Mündlichkeit, der Stimme; der Text nähert sich dann dem Gesang.

Die Gesamtheit all dieser Markierungen bezeichne ich als ›Stil‹ eines Werkes. Nun richtet sich das Ausmaß textueller und modaler Markierungen bei der Entstehung eines Denkmals stark nach der Vorherrschaft mündlicher oder schriftlicher Orientierungen in der dichterischen Praxis. Im Schriftlichen ist die textuelle Markierung, in den Künsten der Stimme ist die modale unabdingbar. Als Grenzfall wäre ein mündliches Denkmal vorstellbar, das vollständig modalisiert und nicht im geringsten textualisiert ist. In dem Maße, in dem der mittelalterliche Text zur Mündlichkeit tendiert, müssen wir ihn uns als weitgehend modalisiert vorstellen. Eine rein textuelle (im sehr engen herkömmlichen Verständnis ›stilistische‹) Analyse würde ein wesentliches Merkmal verfehlen.

Welche Modalisierungsfaktoren kommen also ins Spiel? Alle performanzbezogenen Elemente müssen in Betracht gezogen werden:

– Im Blick auf den ›Interpreten‹, den Vortragenden, sind dies Ton, Modulierung und Spiel der Stimme, Mimik, Gestik, gegebenenfalls Kleidung oder ›Accessoires‹.

– Beim Hörer handelt es sich um Erwartung und die sie begründenden vorgängigen Kenntnisse, um seelisch-körperliche Reaktionen beim Zuhören.
– Schließlich spielen die zeitlichen und räumlichen Verhältnisse eine wichtige Rolle.

All dies, wie auch der gesprochene Text, gewinnt in, durch und um den *Körper des Interpreten* herum Profil. Bei den dichterischen Texten, die uns das Mittelalter aus oft recht dunklen Gründen schriftlich überliefert hat, darf man dabei eine Unterscheidung nicht vergessen. Man darf den *Text*, also die Folge sprachlicher Zeichen in der Handschrift, nicht mit dem *Werk*, den in der Darbietung realisierten Text, verwechseln. Die Form des Textes ist, wenn dieses scholastische terminologische Wortspiel erlaubt ist, die *forma remota*. Der Körper des Interpreten erschafft im Vortrag die *forma propinqua*, also die Form des Werks. Selbstverständlich könnte man die Grundsätze dieser Art Analyse aufs Theater anwenden. Damit habe ich mich hier nicht zu beschäftigen; ich will lediglich an den theatralischen Charakter jedes dichterisch-fiktionalen Textes aus dem Mittelalter erinnern.

II

Als formalisierende Verwandlung wirkt der Stil auf zwei Ebenen. Man muß also ›Textstil‹ und ›Werkstil‹ unterscheiden. Aber jener ist diesem völlig untergeordnet. Der Werkstil umgreift, vollstreckt den Textstil, verleiht ihm Substanz. Es macht buchstäblich keinen Sinn, allein den Textstil zu untersuchen. Bei den meisten von uns verhindern eingefahrene und verinnerlichte Vorurteile, daß wir der Reichweite dieser Bemerkung gewahr werden. Wir müssen Stil als formalisierende Veränderung und Schriftpraxis oder, besser gesagt *Niederschrift, Verschriftung*, voneinander trennen. Selbst das, was uns schriftlich, als Text überliefert ist, besaß in jener Zeit, in der es die Hand des Schreibers aufs Pergament oder Papier brachte, Dimensionen der *pronuntiatio* und *actio* (ich wähle absichtlich Begriffe der Rhetorik) mindestens im gleichen Ausmaß, wenn nicht mehr, wie der *elocutio*. Das ist der Knoten des Problems, das der mittelalterliche Diskurs aufwirft. Ich spiele nicht nur auf die Tatsache an, daß der mündliche Ausdruck die sprachlichen Einheiten in einer Weise hervorbringt, welche die Schrift nicht kennt. Das ist offenkundig. Für radikaler noch halte ich die Wirkungen der Materialität der Stimme selbst, dann nämlich, wenn diese nicht nur dem *Werk* ›eingeschrieben‹ ist, sondern physiologisch in die Konstitution selbst des Textes (zum Beispiel beim Diktieren) eingreift.

Tatsächlich steckt die menschliche Stimme in der mittelalterlichen Schriftpraxis, in ihren Verfahren und ihrer Technik. Für den Schreibenden spielen Gehör und Stimme eine unter Umständen entscheidende Rolle. Die Arbeit des Kopisten gehört teilweise noch der Sphäre des Mündlichen an. Diese Abhängigkeit nimmt im Laufe der Zeit zunächst nicht ab, sondern verschärft sich um 1200: Ein direktes Abschreiben, das man, ohne Vermittlung eines Vorlesers manchmal früher praktiziert hatte, paßt schlecht zur relativen Beschleunigung der Produktion. Im allgemeinen hört der Schreiber den Text, den er wiederzugeben hat. Das Schriftbild und seine Veränderungen scheinen anzuzeigen, daß er ein auditives und weniger ein visuelles Bild der Wörter empfing, die er niederschrieb (Sänger, P., S. 379; Chaytor, H. J., 1945, S. 19 f.). In den *scriptoria*, in denen das antike System der *pronuntiatio* aufrechterhalten wurde, schrieb eine ganze Gruppe nach Diktat. Die Gruppe fungierte daher zunächst als Rezipient in einer oral-auditiven Situation. Die zum Teil beträchtliche Zeit, welche das Diktat langer Texte verbrauchte, mußte diesen Effekt verstärken. Auf die eine oder andere Art bewahrte der Kopist seiner Aufgabe gegenüber eine gewisse Selbständigkeit, welche durch die Wahrnehmungsweise – das Gehör ist aktiver als das Auge – unterstützt wurde. Der Kopist kümmert sich folglich wenig um Echtheit; er gewährt sich, was ihm der Brauch ohnehin einräumt: eine manchmal extreme Freiheit. Die Manuskripttradition bestimmter Texte macht deren Formen schlagartig sichtbar; von vielen möglichen Beispielen will ich nur das *Libro de buen Amor* anführen. Untersucht man mit diesem Ansatz die französische Gattung der *fabliaux*, so stellt man zahlreiche, keineswegs zufällige Analogien seiner Geschichte mit einer mündlichen Tradition fest (Rychner, J., 1960; Lee, C., 1983). Die Sprache, welche die ›Handschrift‹ regiert, bleibt daher potentiell jene der direkten Verständigung. Von Ausnahmen abgesehen, entsteht das Geschriebene in der physischen ›Ansteckung‹ durch die Stimme. Die Tätigkeit des Kopisten ist, in der Terminologie McLuhans, ›taktil‹.

Auch dann, wenn in Ausnahmefällen der Text vom Auge wahrgenommen wird, liefert die seit der Antike gepflegte Lektüreweise (das heißt die der individuellen Rezeption) ein äußerst aufschlußreiches Indiz für diese Situation. Die materiellen Bedingungen des Schreibens machten das Entziffern jedes Wortes zu einem je besonderen Problem. Das Wort wird unter mehr oder weniger großen Schwierigkeiten als eine für sich bestehende Ganzheit identifiziert. Daher mußte die mündliche Aussprache entscheidend eingreifen. Tatsächlich beanspruchte die Lektüre auch noch lange nach der Erfindung des Buchdrucks den Einsatz des Stimmbildungsapparats, mindestens das Schwingen der Stimmritze, ein Flüstern, normalerweise die Aussprache durch die im allgemeinen laute Stimme. Wir besitzen ununterbrochene Zeugnisse für diese Praxis vom 5. bis zum 16. Jahrhundert. Forscher wie Hendrikson, Chaytor, Hajnal und Dom Leclercq haben von den 30er bis in die 50er Jahre auf die Bedeutung dieser Tatsache hingewiesen. Heute schließt man sich allgemein ihrer Meinung an, obwohl man sich immer noch sträubt, daraus alle Konsequenzen zu ziehen. Die Klostertradition ihrerseits fährt fort, das Lesen mit lauter Stimme hochzuhalten und schätzt es als Meditationshilfe. Die Bewegung der Gesichtsmuskeln verbindet die Meditation mit der Nahrungsaufnahme; die Erhebung des Geistes setzt mit dem ein, was M. Jousse das »Essen des Wortes« genannt hat.

Im Verlauf dieser Geschichte bleibt die schreibende, nach sozialem Rang strebende Klasse, die bald den modernen Schriftsteller, den elitären Stilisten hervorbringen wird, einem Druck ausgesetzt, der sie zwingt, die Macht der Stimme einzubringen (Stock, B., 1982). Man erkennt die Wirkungen in den Formen der volkssprachlichen Dichtung, wo das Geschriebene über Jahrhunderte hinweg Strukturen und Verfahren bewahrt, die ursprünglich rein mündlichen Traditionen eigneten – etwa das, was man ›formelhaften Stil‹ nennt. Dabei handelt es sich weniger um bloße Trägheit der Schreiber als vielmehr um ein Phänomen, das die Ethnologen auch anderswo beobachten: In Kulturen mit gemischter Mündlichkeit lesen die Menschen Texte auf eine von der mündlichen Tradition vorgegebene Weise, deuten sie die Schrift kraft der kommunikativen Werte der Stimme. So kann, wie Jacques de Vitry am Anfang des 13. Jahrhunderts im Prolog zur Sammlung seiner Predigten schreibt, der belehrende Teil dieser Texte, Vergleiche und *exempla*, nur durch »die Geste, das Wort, den Ton« ausgedrückt werden: »Nur im Munde eines bestimmten Predigers und nicht etwa eines anderen, nur in einer bestimmten Sprache und nicht in einer anderen, vermögen sie den Zuhörer zu ergreifen oder auch nur seine Aufmerksamkeit zu wecken« (Bremond, C., Le Goff, J., Schmitt, J. C., 1982, S. 147). Besser könnte man den Bezug auf eine Performanz, im Vollsinne des Wortes, nicht herstellen. Von gelehrten Schreibern des 12. Jahrhunderts, wie Pierre le Vénérable und anderen, weiß man, daß sie ihre Werke im Kopf verfaßten, den Text einem Sekretär diktierten, der ihn auf Tafeln niederschrieb; danach nahm sich der Verfasser diesen Entwurf vor und korrigierte ihn. Manchmal hatte er, den Text sich dabei laut vorsprechend, ihn selbst geschrieben. Nichts verbietet uns die Annahme, daß die volkssprachlichen Schriftsteller vom 12. Jahrhundert an genauso verfuhren. Dies alles ist freilich nicht so wichtig. Eine Tatsache allein zählt: Durch alle Unterschiede der Schreib- und Lesepraxis hindurch dringt die Stimme, herrscht sie zumindest virtuell, mit all den sinnlichen Reizen, die sich damit verbinden.

So scheint mittelalterliches Schreiben vom tiefen Wunsch gezeichnet, zu den Ursprüngen der Stimme zurückzukehren. Verdanken wir nicht diesem Wunsch und den Phantasiebildern, denen er nachjagt, die in so vielen Prologen aller Sprachen zu beobachtende Mischung eines Vokabulars der Mündlichkeit und der Schrift? M. Scholz hat sich dazu ausführlich geäußert (und gelangt im übrigen zu entgegengesetzten Schlußfolgerungen; Scholz, M. G., 1980). Die Macht expressiver Gewohnheiten und, in geringem Maße, der sich bildenden Schriftmentalität, machen sich mehr oder weniger nachdrücklich in der Produktion, der Überlieferung oder Wiederholung des Textes geltend. Die Bedeutung der Darbietung stand dabei außer Frage, denn sie ist das entscheidende Merkmal der Mündlichkeit. Mehr noch: Jedes Mal, wenn ein dichterischer Text (und sei es auch nur während des Diktierens) vom mündlichen in den schriftlichen Status oder umgekehrt überwechselt, wandelt sich seine sprachliche Organisation grundlegend, auch wenn dies nicht klar zu bemerken ist. Ein schriftlich entstandener, aber mündlich dargebotener Text verändert damit seine Eigenart und seine Funktion – ebenso wie ein ursprünglich rein mündlicher Text sich verändern müßte, wenn er, schriftlich gesammelt und verbreitet, der einsamen Lektüre überantwortet würde.

Die Schrift speichert Wörter und Sätze, sie zeichnet Tatsachen und auch die Gedanken auf, die sich darauf beziehen. Aber ihr Wirken unterdrückt das, was sich entfalten möchte, verinnerlicht, was sich als ›Wirklichkeit‹ zu entäußern sucht, schließt die Bahnen der Stimme kurz. Gleichwohl kann sie, da als Technik immer unvollkommen, den Ton dieser Stimme nie ganz zum Verstummen bringen. Viele Autoren warnen, vom 12. Jahrhundert an, ihr Publikum vor möglichen Verunstaltungen ihres Textes. Die Schrift genügt nicht, um ihn wirklich ›festzuschreiben‹; jeden Augenblick können sich der Mund des Lesers und das Ohr des Kopisten rächen. Daraus resultiert die labile Situation des volkssprachlichen Schriftstellers, der sich am Rande der gebildeten Welt aufhält, dort eindringen möchte, aber zwischen zwei Bereichen pendelt, in welchen er seinen ›Stil‹ verwirklichen kann: auf dem Pergament oder in der Entfaltung der Stimme.

III

All dies bedingt die Zwiespältigkeit der Schrift, den dialogischen Charakter der Dichtung im Mittelalter, die nicht nur auf der Ebene der Bedeutungen, sondern auch auf jener der Signifikanten besteht: in der Materialität des Schriftbilds ebenso wie in der ›stilistischen‹ Organisation.

Die geschriebene Seite präsentiert sich in massiver Form; Zeichen sind kaum gesetzt, manchmal werden nicht einmal die Wörter voneinander getrennt ... fast so wie zahlreiche Gegenwartstexte, die dadurch die Unmittelbarkeit der Stimme wiedergewinnen möchten. Es ist schwierig, das mittelalterliche Schriftbild mit einem Blick zu zerlegen, da es die Gliederung der Rede dem Auge verbirgt. Man mußte diese Schrift dem Gedächtnis ›einverleiben‹, was ihre Stimmwerdung sehr erleichterte, ja vielleicht überhaupt erst möglich machte. Die Handschriften, die am meisten auf die Zeichensetzung achten, wie die Kopie Guyot der Romane Chrétiens de Troyes, setzen da einen Punkt, wo offensichtlich eine Unterbrechung des Redeflusses gewünscht wird; sie verwenden das Komma nach einem Ausruf, also nach einer Hebung der Stimme. Titel von Kapiteln oder Abschnitten, die manche Texte gliedern, hat man als Hinweise für einen berufsmäßigen Rezitator gedeutet, beispielsweise in zwei Handschriften des *Iwein* von

Hartmann von Aue. Solche Zeichen verleihen dem Text eher eine vage Ähnlichkeit mit einer musikalischen Partitur als mit unseren bedruckten Seiten. Die gleichen Ursachen erklären, zumindest teilweise, warum die Tradition des Versromans bis zum Ende des 14. Jahrhunderts aufrechterhalten wird: Der durch den Reim gebundene Zweizeiler bildet eine rhythmische Einheit, die das Ohr leichter als einen Prosasatz vernehmen kann. In gleicher Weise hält D. Hult (1982) die unzähligen, gleichsam leeren Wörter wie *si, que, car* für eine lexikalische Interpunktion, welche Sätze, Ausdrücke und Wortgruppen dieser Texte skandieren.

Man könnte die meisten der sogenannten ›stilistischen‹ Verfahren in volkssprachlichen Texten in dieser Hinsicht prüfen. Das gilt für die allgemeine Neigung zum Formelhaften, für Kompositionstechniken wie dialogisierte Formen, für die Schwäche, Unordnung und Farblosigkeit der meisten Beschreibungen, die weniger durch den Mißbrauch von Stereotypen als vielmehr durch das Vertrauen in das stimmliche und gestische Talent des vorgesehenen Rezitators entstehen. So spiegelt sich, wie R. Dragonetti schreibt (1983), im Text selbst »ein sehr deutliches Bewußtsein der stimmlichen Möglichkeiten einer Sprache«. Die Prosaromane des 13. Jahrhunderts geben sich selbst das Wort: »Der Graf sagt, daß ...«, das ist ein kleiner, wiederkehrender Ausdruck, der unentwegt für den Bericht die Wahrheit dessen, was der Klang der Stimme hören läßt und beweist, in Anspruch nimmt. Der Ausdruck ist in den Versromanen unnötig, da der Vers selbst die Stimme bedeutet.

Solche Sachverhalte sind wie das Wertensemble, das sie transportieren oder repräsentieren, notwendigerweise in jegliche Definition des mittelalterlichen ›Stils‹ eingelassen. Ich will daran erinnern, daß dieser Stil als Verfahren eine formalisierende Veränderung, als Ergebnis dieses Verfahrens einen bestimmten Diskurstyp darstellt. Die genannten Elemente verweisen auf Zeichen, die in der sprachlichen Äußerung und in den Modalitäten ihrer Äußerung einen anthropologischen Status des Diskurses bezeugen. Das heißt: Der Diskurs gewinnt Funktion und Bedeutsamkeit im Rahmen all der anderen Faktoren, die uns zu Menschen machen, zu Bruchstücken der Freiheit im Stoff einer Geschichte.

Von diesem Standpunkt aus kritisiere ich das Mißverständnis, das jene Forschungen beherrscht, die sich auf Belege und Gebrauch der Rhetorik im Mittelalter stützen. In der schulmäßigen Form, in der sie uns überliefert ist, betrifft die Rhetorik – im Gegensatz zu dem, was man vor einem halben Jahrhundert lehrte – ganz entschieden nur das Lateinische. Das ist sicherlich wichtig, wenn man den Einfluß bedenkt, den das Lateinische in weiten Bereichen der volkssprachlichen Dichtung ausgeübt hat. Gleichwohl kann man im Blick auf das Stilproblem das mittelalterliche Latein nicht auf eine Stufe mit den Volkssprachen stellen. In allen romanischen Ländern (und teilweise, wenn auch in sehr unterschiedlicher Weise, in den germanischen Ländern) war das Lateinische durch ein ebenso exklusives wie natürliches Band mit der Schrift verknüpft. Die Schrift war lateinisches Erbe; das Wort *grammatica* (und sein Abkömmling *litteratura*) bezogen sich ausdrücklich darauf. Am Lateinischen und den Wissensformen, die es verewigt, hingen die Autorität der Schreiber, ihre Macht, ihre Daseinsberechtigung. Die Volkssprachen hingegen begründeten wirkliche Gemeinschaften. Daher rühren die Konflikte, die Kritiken, die ›Renaissancen‹, mit denen die Sprach- und Literarhistoriker gern den Verlauf der Jahrhunderte ordnen. Tatsächlich machten die Volkssprachen – als Ursprung und Symbol der Diskursauflösung und des Verlustes der einen Wahrheit – bei jeder der Krisen vom 8. Jahrhundert bis zum Beginn der Neuzeit einen gewaltigen Schritt auf ihrem eigenen Weg nach vorn. Jenseits rhetorischer und schulischer Programme bleibt das Latein für alle insofern eine ›Fremd‹sprache, als es die Entfremdung des Gebildeten, ohne daß dieser das wußte, formuliert: Es läßt spontane Empfindungsweisen verstummen. Nur außergewöhnliche dichterische Begabung wird es einigen Gelehrten erlauben, aus dem Lateinischen ein taktvoll-distanziertes Imitat solcher Sensibilität zu machen. Insgesamt neigt der mittelalterliche Gebrauch des Lateinischen dazu, wenn nicht die Wortkunst, so doch deren körperliche Aspekte abzuwerten. Umgekehrt blieb jegliche volkssprachliche Dichtung, auch wenn sie noch so kunstvoll aufgearbeitet war, im Verlauf dieser Jahrhunderte potentiell immer ›auf der anderen Seite‹ der Schrift. Sie wurde zuvörderst als eine Kunst der Stimme empfunden.

Als Sprache der Männer herrscht das Lateinische in einer Umgebung, die taub ist für das Wort der Frau. Einige Blaustrümpfe verirrten sich da hinein, von der Hl. Radegunde bis zu Heloise. Aber ihre Zahl reichte nicht hin, um die Eigenart des Lateinischen zu brechen. Die Erlernung des Lateins in der Schule geriet damit zu einem männlichen Pubertätsritual. Als einzige unter allen Sprachen öffnet sich das Lateinische nicht natürlicherweise nur dem Gehör und dem Austausch der Worte. Man bedarf der Grammatik. Dieses Latein ist, im Unterschied zu seinem antiken Homonym, grundlegend *textualisiert*. Es gehorcht nicht einfach ›natürlichen‹ Regeln und Tendenzen; es existiert nur als eine Sammlung von Texten, die sich, unabhängig von ihren anderen Bedeutungseffekten, mehr oder weniger nur auf sich selbst beziehen und unbegrenzt reproduziert werden können: in den *genera dicendi*, den ›Stilformen‹ der Rhetorik (vgl. Quadlbauer, F., 1962; Lausberg, H., 1960, § 1078-1082).

IV

Auf diesem Hintergrund gewinnen die volkssprachlichen Texte Kontur: Man muß sie im Kontrast zur lateinischen Tradition sehen und befragen, nicht in deren Nähe. Vom 8. bis zum 13. Jahrhundert unternimmt die Schrift über lange Zeit durch ganz Europa hindurch den Versuch, die Stimme zu kolonialisieren. Noch Dante identifiziert im Brief an Cangrande die Volkssprache mit dem *sermo humilis*, weil die Frauen sich ihrer zum Schwatzen bedienten *(in qua et muliercule comunicant)*! Der unbekannte Autor der Verspredigt *Grant mal fist Adam* hatte in der Mitte des 12. Jahrhunderts dasselbe in einem anderen Kontext gesagt. Liebevoll nannte er Kinder und Einfältige jene, denen er predigte. Daher stammt eine Verteidigungsreaktion der dichterischen Stimme; sie unterwirft sich den Werten, welche für die Schrift zu gelten scheinen; sie nimmt Wissenselemente und geistige Züge auf, welche jene mit sich führt und verbreitet. Diese funktionale Selbstkolonialisierung zeichnet sich schon in den ersten Texten ab, im *Eulalialied* und im *Ludwigslied*. Sie tritt im 12. und 13. Jahrhundert deutlicher hervor. Die *schriftliche* volkssprachliche Dichtung, die bis dahin stark zunimmt, kommt in einem vornehmlich mündlichen Kontext gleichwohl nicht über eine ›zentrale Randerscheinung‹ hinaus. Wenn man den *Eracle* des Gautier von Arras aufmerksam studiert, so wird diese Situation sehr deutlich; die entsprechenden Schlußfolgerungen möchte ich verallgemeinern (Zumthor, P., 1984). Gewiß ist der *Eracle* mit latinisierender Rhetorik durchtränkt. Der ganze Text mag einem wie ein außerordentlich subtiles Spiel eines expressiven Ausgleichs zwischen *stylus nobilis* und *stylus mediocris* vorkommen. Aber er enthält auch etwas ganz anderes, nämlich zahlreiche Elemente, die man funktional auf der Schriftebene schlecht erklären kann. So etwa den unsicheren Gebrauch chronologischer Markierungen, mit denen die Erzählung durchsetzt ist. Man fragt sich, ob das nicht ein Mittel ist, mit welchem dem Vortragenden ein Spielraum in der rhythmischen Phrasierung des Textes gewährt werden sollte, dem analog, was für den Sänger eine unvollständige musikalische Notation (wie etwa die Neumen) darstellte, also eine einfache Performanzstütze, die verschiedene Darbietungsweisen gestattete. Auf dieser Ebene konnten (wie man sich vorstellen mag) die Wirkungen in der Darbietung um so dramatischer ausfallen, als der Text mit Verben im Präsens übersät ist. So bewahrt die Erzählung, deren zeitliche Tiefendimension der Vers durch Wiederholungseffekte zu verwischen droht, das Medium des Vortrags, die fleischliche Gegenwart und die Kontinuität der Stimme. Die gleiche Frage stellt sich im Blick auf Dialogstrukturen und auf die Verteilung anscheinend formelhafter Elemente usw. In den Löchern der schriftlich niedergelegten Erzählung öffnen sich leere, unvollständig formalisierte Strecken; sie bilden gleichsam Zonen der Verfügbarkeit, das heißt der Erwartung und des Strebens nach Vollendung – des Strebens zur Performanz.

Alles geschieht so, als ob der Text nicht mehr wäre als einer der Einsätze für eine (Spiel-)Handlung. In dieser *schriftlichen* Erzählung gehört die Darbietung als Endzweck derart unauflöslich zum Text, daß viele Abschnitte in der stummen Lektüre nur dank der Kunststücke moderner Herausgeber leicht verständlich werden. Das gilt etwa für kurze Monologe, die ein Sprecher im Laufe seines eigenen Monologes als Worte eines Dritten berichtet: Nur ein Spiel mit Anführungszeichen erlaubt es dem Leser, sich da zurechtzufinden. An anderen Stellen müssen Klammern herhalten, um Rede einer Figur und Kommentar des Autors zu trennen, der sich einmischt, ohne den Fluß der Rede zu unterbrechen. In den Dialogen ist der Übergang von einem Sprecher zum nächsten oft durch eine Anrede gekennzeichnet; an anderen Stellen aber muß sich der moderne Herausgeber mit optischen Zeichen, etwa mit einem Gedankenstrich behelfen. Innere Dialoge wären ohne derartige typographische Tricks völlig ohne Zusammenhang. Was kann das anderes heißen, als daß der Text, wo nicht bereits der Wille des Autors, einen stimmlich-mimisch-gestischen Kommentar verlangt? Selbst wenn der Dialog mit Anreden durchsetzt ist, erhärten diese nur die mündliche Wesensart des Textes, indem sie sie explizit vorstellen. In diesem Sinn liefert der Text, den wir lesen, nur eine leere, und wohl zutiefst *veränderte*, wenn nicht *entstellte* Form, die im Vergleich mit den Absichten des Autors zu einer anderen geworden ist. Der *Text* verbirgt das *Werk*.

Der ›Stil‹, darauf muß man in der Tat beharren, ist allumfassend. Das *Werk* ist stilisiert, nicht der *Text*, jedenfalls nicht der Text allein: Der Text als solcher ist es nicht weniger und nicht mehr als die zeitlichen und räumlichen Umstände, in denen er vorgetragen wird. Man könnte, ohne einem Paradox zu verfallen, diese Überlegungen erweitern. Man könnte die Perspektive leicht verschieben und in die Performanzidee das Ganze des *Rezeptions*geschehens einschließen, mit all dem, was es synchronisch und diachronisch mit sich bringt. Die Rezeption, die mehr oder weniger durch die inneren Schichten des *Werkes* bestimmt wird, trägt zu seiner ›Stilisierung‹ bei. Denn ›Stil‹ in diesem Sinne, ich will daran erinnern, gehört zum eigentlichen Wesen der menschlichen Sprache und geht ontologisch all unseren Formen der Verschriftlichung voraus. Er bildet sich in der und durch die Bewegung, durch welche die Sprache sich als Ritual, Mythos – als Poesie – zu erkennen gibt.

Aus dem Französischen von K. Ludwig Pfeiffer

Literatur

Bremond, C./Le Goff, J./Schmitt, J.C. (1982), *L'exemplum*. Typologie des sources du Moyen Age. Bd. 41. Turnhout.

Chaytor, H.J. (1945), *From Script to Print. An Introduction to Medieval Literature*. Cambridge.

Dragonetti, R./Leupin, A./Mela, C. (1983), »L'enjeu et l'événement«. In: *L'esprit créateur* 23.

Hult, D.F. (1982), »Vers la société de l'écriture«. In: *Poétique* 13. S. 155-172.

Lausberg, H. (1960), *Handbuch der literarischen Rhetorik*. 2 Bde. München.

Lee, C. (1983), *Remaniements d'auberée. Etude et textes.* Napoli.

Quadlbauer, F. (1962), *Die antike Theorie der genera dicendi im lateinischen Mittelalter.* Wien.

Rychner, J. (1960), *Les fabliaux.* Genf.

Sänger, P. (1982), »Silent reading: its impact on late medieval script and society«. In: *Viator* 13.

Scholz, M. G. (1980), *Hören und Lesen: Studien zur primären Rezeption der Literatur im 12. und 13. Jahrhundert.* Wiesbaden.

Stock, B. (1982), *The Implications of Literacy: Written Language and Models of Interpretation in the 11th and 12th Centuries.* Princeton.

Zumthor, P. (1983), *Introduction à la poésie orale.* Paris.

Zumthor, P. (1984a), *La poésie et la voix dans la civilisation médiévale.* Paris.

Zumthor, P. (1984b), »L'écriture et la voix: le roman d'Eracle«. In: Arrathoon, L. A. (Hg.), *Chaucer and the Craft of Fiction.* Rochester. S. 161-210.

Thomas Schleich
Rhetorischer Stilwandel
und die Stiftung politischer Identität
in der griechischen Polis

...Sorge also für ein Gewand aus dem feinsten tarentinischen Stoff, das den Körper durchschimmern läßt, weiß und buntgestickt, und für zierliche, attische Pantoffeln, wie die Frauen sie tragen, oder sikyonische Schuhe, von schlohweißem Filz. Überdies mußt du dir eine Menge Bedienstete nachtreten lassen und immer ein Buch in der Hand haben ... Das erste ist also, auf deine äußere Erscheinung die größte Aufmerksamkeit zu verwenden und immer schön angezogen zu sein. Sodann mußt du fünfzehn oder höchstens zwanzig attische Wörter jeder Gattung auswendig lernen und dir so geläufig machen, daß sie dir immer, wie von selbst, auf die Zunge kommen ... Mit diesen schieße bei jeder Gelegenheit auf die Leute los ... Vor allem aber, vergiß das Treffen bei Marathon und den Kynaigeiros nicht ... die Sonne muß von den Pfeilen der Perser verfinstert werden, Xerxes fliehen, Leonidas der Held des Tages sein ... Salamis, Artemision und Plataiai sind immer hervorzuheben. Je dichter sich das alles drängt, desto besser. Und immer müssen jene wenigen attischen Wörter dabei sein [...] (Lukian)

Der griechische Schriftsteller Lukian beschreibt in dem vorangestellten Textausschnitt eine das kulturelle Leben seiner Zeit – die Mitte des zweiten nachchristlichen Jahrhunderts – prägende Mode, den Attizismus. Dieser Rhetorikstil, die Frage nach seinem Wesen und seiner Geschichte hat im gelehrten Deutschland des späten 19. Jahrhunderts einen Streitfall gebildet, in dem sich die Koryphäen der deutschen Altertumswissenschaft, die damals gleichsam die geisteswissenschaftliche Leitdisziplin stellte, in einer Reihe von Publikationen aneinander gemessen haben.[1] Im Zentrum dieser Diskussion unter Altphilologen stand der Wandel der Rhetorik vom Asianismus zum Attizismus. Diese beiden Termini sind im Zusammenhang dieses Gelehrtenstreits gebildete Kunstbegriffe, die gegensätzliche, zeitlich aufeinanderfolgende Strömungen der griechischen Beredsamkeit zu umschreiben suchten, die – gemessen an der attischen Rhetorik des 5. und 4. Jahrhunderts v. Chr. als Verfallsstadien eingestuft wurden.

Asianismus bezeichnet demnach die vorherrschenden rhetorischen Erscheinungsformen von 300 bis 50 v. Chr., Attizismus die dominierenden Formen der Beredsamkeit von 50 bis 250 n. Chr., eingeschoben ist eine Epoche des römischen Attizismus (50 v. bis 50 n. Chr.), der den späteren Attizismus der Griechen verursacht oder zumindest stimuliert haben soll.

Cicero nennt zwei Arten des Asianismus: den Stil der kurzen, antithetisch gebauten, pointiert zugespitzten, stark rhythmisierten Sätze und den wortreich überladenen, pathetisch bombastischen Stil. Folgt man den Publikationen der Attizismus-Debatte, so entsteht Asianismus, als die Redner Kleinasiens, die sich »an die klassisch attische Tradition nicht gebunden fühlten«, im bewußten Gegensatz zum klassischen Stil eine »glänzendere und wirkungsvollere Ausdrucksweise anstrebten«, besonders durch den vermehrten Gebrauch rhetorischer Schmuckmittel, wobei sie »freilich oft in äußere Effekthascherei, Schwulst und Manierismus verfielen«. Dieser asianischen Rhetorik mangelte strengere Geisteszucht«, sie »war auf äußerliche und oberflächliche Wirkungen« bedacht, der Zweck »ruhiger und sachlicher Gedankenführung« trat in den Hintergrund gegenüber dem Bestreben, durch neue, »wenn auch noch so geschmacklose Einfälle und Beleuchtungen« zu überraschen und Gefühle zu erregen, »die nicht sowohl aus der Sache herausgewachsen als künstlich in sie hineingetragen« wurden und von ihr ablenkten. Alles war auf ein Publikum gezielt, das, »zu gesammelten und zusammenhängenden Interessen unfähig oder unlustig, durch die sich überpurzelnden Kunststücke des rednerischen Wundertäters immer wieder aufgerüttelt« werden mußte und wollte. Zu diesem Zweck verzichtete der Asianer auf breite Perioden, »deren Bildung geistige Sammlung von Redner und Hörer voraussetzte«, ging vielmehr in kurzen, wenn möglich antithetisch parallelisierten Sätzen vor, die sich gegenseitig »pikante Schlaglichter« zuwarfen und in ihrer vereinzelnden Wirkung durch scharfmarkierten (kretisch-trochäischen oder ditrochäischen) Klauselrhythmus noch besonders hervorgehoben wurden. »Grelle Metaphern« und Vergleichungen, ins Ohr fallende Klangfiguren, Abweichungen von der natürlichen Wortstellung, Einschaltung sachlich überflüssiger Worte um der Klangwirkung willen, epigrammatisch zugespitzte Sentenzen und Bemerkungen wirken »blendend wie ein Feuerwerk, ja betäubend für den Hörer«.[2]

Attizismus meint dagegen eine Mode – mehr eine grammatikalische Erscheinung als eine literarische –, welche darauf abzielte, den Wortschatz, die Formen und den Satzbau der klassischen Sprache in ihrer einstigen Reinheit wiederherzustellen, indem man aus der Literatursprache alles tilgte, was Neuerung des hellenistischen Griechisch war. In der Formenlehre zeigt sich das in der Ausscheidung alles Vulgären in Deklination und Konjugation, besonders in der Wiedereinführung der sog. attischen Deklination und des attischen Futurums, in der Wiederbelebung des Duals. Auf dem Feld der Syntax zeigt sich diese Strömung in der skrupulösen Verwendung der Präpositionen, Beseitigung des ins Vulgärgriechische eingedrungenen Synkretismus der Kasus, Rückkehr zur scharfen Abgrenzung der Infinitiv- und Konjunktionalkonstruktionen, zum Beispiel des absoluten Infinitivs, besonders aber in der Auffrischung des Optativgebrauchs, der sogar an Stellen vordringt, wo er im Attischen unzulässig war, und dem Gebrauch bestimmter Negationen. In der Wortwahl griff man nicht bloß auf den aus dem Altattischen noch geläufigen, von der Schule vermittelten und verständlichen Wortschatz zurück, möglichst mit Verweis auf den Modellautor, sondern auch auf manche seltene, längst verschollene Ausdrücke. Stilistisch suchte man nicht bloß durch Periodisierung, sondern auch durch Ausschmückung mit Tropen und Figuren (Paronomasie, Litotes, rhetorische Figuren) zu wirken. In der Rhythmisierung herrschte hingegen keine Einigkeit.

Die damals geführte Debatte mutet heute über weite Strecken wie ein Streit um Quisquilien an.[3] Schon Wilamowitz hatte das anstehende Problem des Wandels von Rhetorikstilen in seiner die Diskussion beschließenden Synthese aus dem Jahr 1900 eingeebnet, denn er vermochte überhaupt keinen Bruch in der sophistischen Rhetorikpraxis zu erkennen, er konstatierte vielmehr ungebrochene Kontinuität von der athenischen Demokratie bis in die späte Kaiserzeit. Wohl sah er geographische Gewichtsverlagerungen, von Griechenland auf die Inseln, von den Inseln auf das kleinasiastische Festland, aber im Grundsatz handelte es sich immer um eine Fortsetzung der attischen Rhetorik. Es gab Auswüchse – die er zu »Geschmacksverirrungen« erklärte –, auch fand er asianische Tendenzen im Attizismus und attizistische im Asianismus. Ausgeprägt attizistisch schien ihm nur die Reform von Sprache und Rhythmus in der frühen Kaiserzeit, die vorhandene Ansätze jedoch nur verstärkte. Obwohl sein Beitrag in einschlägigen altphilologischen Arbeiten immer zustimmend als grundlegend zitiert wird, kann eine Sozialhistorie, die die Rekonstruktion gesellschaftlicher Identitäten in den Mittelpunkt ihres Fragens stellt und Sozialgeschichte als die Geschichte der Verteilung und Evolution gesellschaftlicher Wissensvorräte versteht, sich mit einem solchen Ergebnis nicht zufrieden geben. Denn Wilamowitz eliminiert nicht nur eine ganze, durchaus homogene, klar konturierte Epoche der griechischen Literaturgeschichte, indem er sie als Erfindung ihres Chronisten, des Literaten Philostrat abtut[4], seine Kontinuitätsstiftung übersieht auch eine Fülle von Phänomenen wie die Omnipräsenz der Rhetorik in allen literarischen Gattungen, die Umschichtung der Trägerschichten, die Erweiterung des Publikums, den Wechsel der Strategien wie der Ziele in der Rhetorik. Blickt man auf das einleitende Zitat von Lukian (dem eine Fülle ähnlicher Äußerungen anderer Zeitgenossen an die Seite gestellt werden können), ist Attizismus zwar auch eine sprachliche Erscheinung, er ist aber vor allem eine soziale (durch die Vorgabe von Lebensnormen) und eine politische (durch den Rekurs auf eine bestimmte Epoche der griechischen Geschichte). Attizismus meint als Stil die Gesamtpräsentation des Redners und umschreibt die Flucht der kleinasiatischen Gesellschaft aus der römisch geprägten Gegenwart der kaiserzeitlichen Polis. Für eine Situierung dieser Kulturströmung wird man sich der Entstehung der Rhetorik, den Hintergründen des Wandels *klassisch, asianisch, attizistisch* zuwenden müssen, im Handlungszusammenhang des griechischen Stadtstaats zwischen dem 5. Jahrhundert v. bis in das 3. Jahrhundert n. Chr.[5]

Demokratie und Sophistik entstanden in Griechenland nach der Zerschlagung der zwischen 650 und 470 überall in Griechenland errichteten Tyrannisherrschaften. In Reaktion auf die Tyrannis etablierten sich Adelsregime, deren Struktur auf die Verhinderung überragender Machtballung in den Händen einzelner Adliger angelegt war, mit Ausnahme von Athen (und verschiedener sizilischer Städte). In Athen brachten die kleisthenischen Reformen die Demokratie auf den Weg. Kleisthenes zerschlug althergebrachte soziale, politische, kultische und rechtliche Abhängigkeitsverhältnisse, neben die alten Bindungen setzte er die zentralen Instanzen der Polis, die eine politische Kommunikation zwischen den Bürgern auf allen Ebenen ohne adlige Bevormundung ermöglichten. Den Adligen blieb ihre führende Stellung, aber sie verloren ihre festen, gleichsam »geborenen« Gefolgschaften, jeder Adlige mußte sich in Zukunft um Unterstützung beim Volk bemühen, für alle Adligen waren damit gleiche Startbedingungen beim Kampf um politischen Einfluß geschaffen. Adlige Rivalität als Antrieb der Politik wurde nicht ausgeschaltet, aber sie war in das athenische Staatswesen integriert, wurde vom Volk kontrolliert und hatte sich vor ihm zu legitimieren. Die Institution des Scherbengerichts, das die Verbannung von Bürgern erlaubte, verhinderte ein Übermächtigwerden von Einzelpersönlichkeiten in der Stadt. Die neuen, politischen Aufgaben des expandierenden Staatswesens erforderten einen anderen Typ des politischen Führers. Politik hatte sich zu rechtfertigen, politische Pläne mußten in der Volksversammlung von Fall zu Fall durchgesetzt, Anhängerschaften mußten von Fall zu Fall geworben werden. Viele Adlige waren für diese neue Sachlage schlecht gerüstet, sie leiteten ihre politische Befähigung aus ihrem Umgang mit Eltern, Verwandten und Freunden, aus Erfahrung, Bildung und persönlichen Beziehungen ab, sie trieben Politik im Rahmen von Familienclans und auf der Basis von Freundeskreisen. Frühere Qualifikationen für Macht und politische Führung wie Reichtum, göttliche Abkunft, Verwandtschaft mit Heroen des Mythos oder athletische Tüchtigkeit hatten ihre Geltung in einer Zeit verloren, die von den administrativen, militärischen und finanzwirtschaftlichen Notwendigkeiten der städtischen und imperialen Expansion bestimmt war. Die politische Auseinandersetzung artete aus zu Aufhetzung und Verleumdung, man war zugleich anti-intellektuell, wandte sich radikal gegen aristokratische Ansprüche und zeigte sich gnadenlos gegenüber aristokratischer Inkompetenz.

Politik war so im Athen des 5. Jahrhunderts zu einem schwierigen, vielen Fährnissen ausgesetzten Geschäft geworden. Der Politiker hatte sich und seine Politik fortgesetzt durch Erfolge zu legitimieren. Seine Stellung blieb immer prekär – wie auch bewunderte Führer erfahren mußten. Sie konnten durch Sykophanten angeklagt, durch gerichtliche Sanktionen behindert, durch militärische Mißerfolge diskreditiert werden. Korruption wurde zu einem Element politischen Handelns, die Stimmung der Volksversammlung war wechselhaft. Entscheidungen wurden verschiedentlich ebenso schnell verworfen wie getroffen, Emotionen konnten leicht dominieren. Als die Adelskonventionen an

Gültigkeit verloren, galt es zudem, neue Legitimationen für menschliches Verhalten, für Handeln, für Macht zu suchen. Menschen mußten für politische Praxis erzogen werden. Auf fast allen Gebieten hatte sich der professionelle Experte vom Laien zu sondern begonnen, aber das politische Leben kam noch immer ohne Fachleute aus. Jeder Bürger sah sich vor die Aufgabe gestellt, als Richter Urteile zu fällen, er mußte konkurrierende Kandidaten beurteilen, Mitbürger überzeugen und für das Gemeinwesen verantwortliche Entscheidungen treffen. Dieser Erziehungsaufgabe widmeten sich professionelle Lehrer, die sogenannten Sophisten. Das Schwergewicht der praxisorientierten Lehren der Sophisten lag auf der Kunst des Überredens. Mit Rhetorik gewann man Macht über andere. In einer Zeit, da Politik ohne Abhängigkeiten und daher ohne geborene Gefolgschaften betrieben wurde, vermochte man sich durch die Kunst der Rede politisch zu legitimieren. Die Lehre der Sophisten war flexibel, konnte daher für jede Richtung fruchtbar gemacht werden.[6]

Die sophistische Rhetorik entstand wohl zuerst auf Sizilien. In den westgriechischen Kolonien hatte sich – aus bislang nicht hinreichend erklärten Gründen – in der zweiten Hälfte des 5. Jahrhunderts eine geistige Elite gesammelt, es gab eine geistige Disposition, die auf neue Problemstellungen schnell zu reagieren vermochte. Aus den unter den Tyrannen vorgenommenen Besitzumschichtungen hatten sich bei Rückkehr exilierter Gruppen widerstreitende Besitzansprüche ergeben, die unklaren Rechtsverhältnisse wurden nun in zahllosen Prozessen zu klären gesucht. Die Demokratie brachte auch eine Umstrukturierung der Gerichte mit sich, statt adliger Einzelrichter und vornehmer Richtergremien kamen die Prozesse vor Volksgerichte. Der griechische Prozeß war schon immer eine Art Agon gewesen, in dem es weniger um Rechtsfindung als um den Sieg einer Partei ging, in den neuen Gegebenheiten kam es nach der Zerschlagung überkommener Nah- und Treueverhältnisse auf die Überzeugungskraft des Einzelnen an. Die Sophisten übten eine Wirkung weit über ihre unmittelbaren Schülerkreise und Gegenstände hinaus aus, sie faszinierten eine jüngere Generation, zogen öffentliches Interesse auf sich, wurden zum Objekt der Auseinandersetzung. Sie leerten die alten Stätten der Erziehung, die Palästren, und füllten die neuen, die Marktplätze und Hörsäle. Aus den direkten und indirekten Publica, die sie konstituierten, addierte sich ein bedeutender Strukturwandel der griechischen Gesellschaft. Die Sophisten riefen eine intellektuelle Öffentlichkeit ins Leben, für die sie selbst den Kern einer neuen und eben berufsmäßigen Intelligenz stellten. Mit ihnen begann Wissenschaft, nicht durch ihre Lehren, aber durch ihren Anspruch, daß sich das »Wahre« aus der Rede und Gegenrede öffentlich zwingend ergeben müsse. Darin steckte das völlig neue Konzept eines öffentlichen Wissens, das sich in öffentlicher Begründung erhärten sollte. Das vor ihnen bestehende öffentliche Wissen war entweder nicht argumentativ verfahren (vertreten durch die Dichter) oder es handelte sich um Geheimwissen (Propheten, Magier, Zauberer, Orakel) und berufsständisches Sonderwissen (Astronomen, Mathematiker, Mediziner). Indem sich die Sophisten an jedermann wandten (zumindest an jeden Zahlungswilligen), begriffen sie die Öffentlichkeit als ihr Publikum und konnten sich insofern als die Erben der Dichter fühlen. Indem sie auf der Demonstrierbarkeit des Wissens bestanden, übernahmen sie die Vorstellung eines argumentativen Wissens, das sie selbst unter den Zwang setzte, ihre Erkenntnisse für sich und andere argumentativ zu entwickeln. Damit war Wissen öffentlich, für jedermann lehrbar, lernbar und für alle durch Demonstration konzipiert.

Für die Bedeutung der Rhetorik kommt ein weiterer Gesichtspunkt ins Spiel. Politik war zum Lebensinhalt, wenn nicht gar zum Lebensunterhalt auch des athenischen Kleinbürgers geworden. Das Bürgersein nahm einen großen Teil der Zeit, Kraft, Fähigkeiten und Aufmerksamkeit eines jeden in Anspruch, die Bürger identifizierten sich in hohem Maße mit der Polis, sie verband das Bewußtsein einer gemeinsamen Aufgabe, eines gemeinsamen Schicksals, eines gemeinsamen Glaubens, sie entwikkelten geradezu eine politische Identität. Die Angehörigen der unteren Schichten konnten nur auf diese Weise die Anerkennung der anderen Gemeindemitglieder gewinnen, angesichts des Ausnahmecharakters der von innen und außen angefeindeten Demokratie mußte der Anspruch des Demos auf Herrschaft, die Regimentsfähigkeit durch Bereitschaft zum politischen Engagement dokumentiert werden, vor allem in der Volksversammlung. Die Entscheidungsprozesse dort glichen Redeagonen, in denen die Großen, die ›Rhetoren‹, unter Aufbietung all ihrer Kunst und Anmut miteinander um die Zustimmung des Demos wetteiferten.

Die Existenz des allgemeinen Rederechts war hierfür grundlegende Voraussetzung. Es garantierte, daß der Agon der Redner vor der Versammlung und nicht irgendwo hinter verschlossenen Türen ausgetragen, daß die Argumente ausgebreitet und dabei auch immer die Interessen des Demos im Auge behalten werden mußten. Selbst wenn sich der Durchschnittsbürger nicht selber zu Wort meldete, so wurde doch gerade durch die Möglichkeit, daß jeder Beliebige sich äußern konnte, nicht nur wahrscheinlich gemacht, daß das, was er dachte und vielleicht auch gerne vorgebracht hätte, im Laufe der Debatte von irgend jemandem vorgebracht wurde, sondern auch sichergestellt, daß in jedem Fall er und seinesgleichen die ausschlaggebende politische Kraft blieben. Es ist in diesem Zusammenhang ein nicht zu unterschätzender Vorgang, daß die in der Antike üblicherweise ausgeprägten Statusdifferenzen in Athen in ungewöhnlichem Maße verwischt waren, Freie und Sklaven unterschieden sich abseits des politischen Lebens kaum noch. In dieser Situation mußte gerade den Kleinbürgern ihre politische Identität auch als Statussymbol doppelt bedeutsam werden. Die Redefähigkeit im politischen Bereich grenzte sich zum einen gegenüber Sklaven und Fremden ab, zum anderen glich sie sich den sozial Höherstehenden an. Nicht ohne Grund ragt aus den vielfältigen Vorwürfen der Demokratiegegner – wie sie uns in der politischen Propaganda des späten 5. Jahrhunderts oder der politischen Philosophie des 4. Jahrhunderts entgegentreten – gerade das Argument heraus, daß in der Versammlung und im Rat reden konnte, wer wollte, und auch sagen durfte, was ihm richtig und wichtig schien. Dieses ›Alles-sagen-dürfen‹ wurde geradezu zum Inbegriff demokratischer Freiheit, ›Parrhesia‹ wurde zum Schlüsselbegriff für die Freiheit des Bürgers in der Demokratie.[7]

Mit dem Verfall der klassischen Polis und der Übernahme der Herrschaft in Griechenland durch das makedonische Königshaus und dessen Nachfolgedynastien änderten sich die Handlungszusammenhänge. In der Antike findet sich etwa bei Tacitus und Longin das Argument, Eloquenz sei nur in autonomen Gemeinwesen möglich, dieser Zusammenhang von Verfassungsform und rhetorischer Blüte ist im 18. Jahrhundert von Rousseau und Winckelmann aufgegriffen worden und in den letzten Jahren insbesondere in der Aufklärungsforschung systematisiert worden.[8] Libertät beruht in der Demokratie auf der Vielfalt der Meinungen, Beredsamkeit kann sich nur dort entfalten, wo sie als Instrument zur Konsensbildung widerstreitender Gruppen oder Standpunkte dient, mithin also die Funktion der Wisensveränderung und der Handlungskoordinierung wahrnimmt. Unter den hellenistischen Königen unterlagen die innerstädtische Kommunikation und die Schichteninteraktion nicht mehr der Selbstkontrolle, dem freien Spiel der Kräfte (und der Argumente), sondern wurden von der neuen Machtzentrale, dem jeweiligen Herrscher und seiner Umgebung, kontrolliert. Der Handlungsspielraum und die Diskussionsgegenstände engten sich außerordentlich ein, und damit veränderte sich das Ziel und die Struktur der Rhetorik. Es ging nicht mehr (oder nur noch am Rande) um Inhalte, sondern um die Form und die Gefälligkeit.[9] Die politische Rede mauserte sich zur Fest- und Prunkrede, es ist kein Zufall, daß die erste – uns überlieferte Rede zu einem fiktiven Thema aus dem Jahr 334, also aus der Regierungszeit Alexanders des Gr. stammt. Hatte sich die sophistische Rhetorik um Argumente bemüht, kümmerte sich die asianische Rhetorik um die Aufbereitung der Stilmittel. Das aber war kein innerliterarischer Vorgang, keine gleichsam freiwillige, persönlichem Geschmack unterliegende Umorientierung von Rednern von einem rhetorischen Figurenkomplex zu einem anderen, sondern ein klarer Funktionswandel der öffentlichen Rede unter dem Druck veränderter Verständnis- und Handlungszusammenhänge.

Mit dem Wegfall der Möglichkeit, in öffentlicher Rede alles sagen zu dürfen, trat ein Aspekt griechischen Lebens in den Vordergrund, der in der vom Adel dominierten vordemokratischen Zeit bereits eine hervorstechende Rolle gespielt hatte: die Bedeutung der Anmut (charis). Im Bericht der Quellen springt uns das fast schon exotisch anmutende Schönheitsideal des Adels ins Auge. Körperliche Schönheit wurde besonders geschätzt und durchweg hervorgehoben, selbst im Schlachtbericht wird an zentraler Stelle mitgeteilt, wer der Schönste unter den Beteiligten war, und die Schönsten unter den Jungen fanden größtes Interesse. Im Adelsideal der *kalokagathia* verband sich Schönheit mit Vortrefflichkeit. Bei den Griechen stoßen wir auf viele von *kalos* (schön) abgeleitete Oberschichtnamen. Anmut war ein Aspekt der Schönheit, der lernbar war, mit dem man Defizite an körperlicher Schönheit auszugleichen vermochte. An diesem Ideal waren der Lebensstil, das Verhalten und die Erziehung des griechischen

Adels ausgerichtet. Die demokratische Entwicklung variierte dieses Ideal und integrierte das veränderte Adelsideal in die demokratische Gesellschaft der Polis, in einer gleichsam vergesellschafteten Selbstbeherrschung, in einem an wechselseitigem Respekt orientierten Auftreten und Handeln in öffentlicher Versammlung.[10] In hellenistischer Zeit wurde der Pflege anmutiger Rede besondere Aufmerksamkeit geschenkt und in den fünf Abteilungen des Studiums der Rhetorik (Erfindung, Gliederung, Ausdrucksweise, Gedächtniskunst und Darstellung) besonders berücksichtigt. Vor allem in der Darstellung ging es um die Kunst, sich anmutig zu präsentieren, Stimme und Vortragsweise abzuwägen, das Wort durch den Ausdruckswert der Geste zu steigern. Heute – in einer Zeit, wo Rhetorik aus dem Curriculum der Schulen verschwunden ist – befremdet die Genauigkeit der Ratschläge, die antike Handbücher dem Redner erteilen, das »Spiel der Hände« entwickelte sich zu einer wirklichen Symbolsprache.[11]

Mit dem absoluten Königtum hellenistischer Prägung schien das Zeitalter der Rhetoren als zentralen Figuren des politischen Lebens abgelaufen. Von den drei Redegattungen, welche die Lehrmeinung seit Aristoteles unterscheidet (der beratenden, der gerichtlichen und der Prunkrede) waren die beiden ersten durch den Verfall des Stadtsystems an den Rand gedrängt worden. Gepflegt wurde nur noch die dritte Gattung, die epideiktische oder prunkhafte Beredsamkeit, die Kunst des Vortrags. Aber sie blieb nicht nur am Leben, sie entwickelte sich, bereicherte sich, überflügelte alle Nachbargebiete, drang in alle Gattungen ein, prägte Berufszweige und Lebensbereiche. Infolge der Praxis des Lesens mit lauter Stimme gab es keine Grenze zwischen Wort und Buch. Die Beredsamkeit zwang den anderen Formen kulturellen Lebens und der geistigen Tätigkeit (Dichtkunst, Geschichtsschreibung, Philosophie) ihre Begriffe und ihren Stempel auf. Die Zeit der rhetorischen griechischen Renaissance, die Zeit des Attizismus zwischen 50 bis 250 n. Chr. wird von den Philologen im allgemeinen mit Mißachtung bestraft. Die frühe Kaiserzeit wurde aus dem Kanon literarisch bedeutsamer Epochen ausgeklammert, meist erscheint sie gerade noch als lustlos geschriebener Appendix in den Literaturgeschichten, bereits überschattet von der Produktion des sich ausbreitenden Christentums. Diese Ära gilt als »wenig originell«, geprägt »von einem dürren, sterilen Attizismus«, sie bestand nurmehr »aus den literarischen Geschöpfen eines platten Unterhaltungsbedürfnisses«, getragen wurde sie von »literarischen Dilettanten«.[12]

Nun steht der Niedergangsthese und dem Desinteresse der Philologen zum einen eine erstaunlich rege literarische Produktion gegenüber, zum anderen war die Akzeptanz der neu etablierten attizistischen Norm derart hoch, daß zwischen 300 v. und 100 n. nicht ein einziger ausführlicher Redetext für uns erhalten worden ist. Da es nicht dem vorherrschenden Ideal entsprach, wurde es nicht tradiert (mit Ausnahme der frühen christlichen Brief- und Sermonliteratur). Das Ansehen der Redekunst überlebte die sozialen Bedingungen, aus denen sie erwachsen war, Platon (der Philosoph) unterlag Isokrates (dem Redner), die Rhetorik wurde zum zentralen Gegenstand des Hochschulunterrichts, zur Krönung aller auf Vollständigkeit gerichteter Erziehung. Gut sprechen lernen, wurde synonym mit gut denken lernen, sogar mit gut leben lernen, denn die Beredsamkeit besaß einen wesenhaft menschlichen Wert, der ihre praktischen Anwendungsmöglichkeiten bei weitem überstieg. Sie trug in sich, was den Menschen vom Tier unterschied, was ihn zum Menschen machte. Dadurch war die hellenistische Bildung vor allem auf die Erziehung zum Vortragskünstler gerichtet, es war eine rednerische Bildung, deren literarischer Gattungstyp der öffentliche Vortrag war. Die Zeitgenossen stimmen einhellig darin überein: die Sprachbeherrschung macht den gebildeten Mann. Alle wichtigen Schriftsteller der Zeit verkünden, daß allein die Rhetorik die wahre Bestimmung und Leistung des menschlichen Geistes sei. Philosophie galt als leicht, da redete man so daher und drauf los, ohne auf die Sprache, die Gliederung des Stoffes, die Feinheiten der Wortspiele und Synonyma achten zu müssen. Malerei und Plastik schienen erbärmliche Künste, den Handwerken verwandt, gut allein für Leute, die auf dem Gebiet der Rhetorik nichts zu leisten verständen. Der Ausdruck ›beredt‹ wird überall da gebraucht, wo man heute ein Wort für »gebildet« oder »gelehrt« erwarten würde.

Wohin man auch blickt, überall trifft man Rhetoren und ihr Publikum. Nicht selten wird berichtet, wie schwer es fiel, die vereinbarten Termine einzuhalten, weil der Gastredner überall gebeten wurde, seinen Aufenthalt zu verlängern. Die öffentlichen Vorträge machen sogar dem Zirkus und der Arena Konkurrenz, sie sind ein gehobenes Theater, keinesfalls auf die Oberschicht begrenzt. Es wurde ein einträglicher und vornehmer Beruf – ausgerüstet mit städtischen wie kaiserlichen Privilegien – als wandernder Rhetor von Stadt zu Stadt zu ziehen, einen Saal zu mieten und Vorträge zu halten. Und so kann man gegenüber der Zeit des »Asianismus« eine deutliche Verschiebung im sozialen Profil der Trägerschichten erkennen. Es sind nicht länger einzelne Personen entweder aus mittleren Schichten, die, eher kärglich honoriert, die Redekunst vermitteln, oder Angehörige der Oberschicht, die in ihrer Muße der Erforschung philologischer Feinheiten nachgehen, es handelt sich vielmehr durchweg um Angehörige der Oberschichten, mitunter sogar der städtischen Führungsschichten, die die Rhetorik wenn nicht berufsmäßig, so doch zumindest mit dem Einsatz ihrer ganzen Zeit und all ihrer Möglichkeiten betreiben. Von den bedeutenderen Sophisten haben wir durch Philostrat Kenntnis (Aelian aus Praeneste, Alexander aus Seleuceia, Antiochus aus Aegae, Antipater aus Hierapolis, Appolonius aus Tyana, Appolonius aus Naucratis, Aristides aus Hadrianutherae, Aristaenet aus Byzanz, Aristocles aus Pergamon, Aspasius aus Ravenna, Athenodor aus Aenos, Chrestus aus Byzanz, Damian aus Ephesos, Dio aus Prusa, Diodot aus Cappadokien, Dionysius aus Milet, Enodian aus Smyrna, Favorin aus Arelate, Hadrian aus Tyre, Heliodor aus Arabien, Heracleides aus Lykien, Hermocrates aus Phaeca, Hermogen aus Tarsus, Herodes Atticus aus Athen, Hippodrom aus Larissa, Isaeus aus Syrien, Lollian aus Ephesus, Lukian aus Samosata, Markus aus Byzanz, Nicomedes aus Pergamon, Nicetes aus Smyrna, Onomarch aus Andros, Pausanias aus Caesarea, Philagrus aus Kilikien, Philiscus und Phoenix aus Thessalien, Phylax aus Olympia, Plutarch aus Chaeronea, Polemo aus Laodicea, Pollux aus Naucratis, Proclus aus Naucratis, Ptolemaeus aus Naucratis, Quirin aus Nicomedia, Rufus aus Perinth, Scopelian aus Smyrna, Secundus aus Athen, Theodot aus Athen, Varus aus Laodicea, Varus aus Perge), diese etwa fünfzig Personen machen deutlich, daß es sich nicht um eine lokale oder regionale, sondern um eine flächendeckende Bewegung im griechischsprachigen Raum (mit Zentren in Ephesus, Smyrna und Athen) handelte. Epigraphische Funde bringen ständig weitere Namen ans Licht, zudem wissen wir, daß es in allen größeren Städten – wie etwa Tarsus – mehrere, nicht selten konkurrierende Rednerschulen gab. Im Zuge dieser

Entwicklung kam der Redner seit dem Ende des 1. Jahrhunderts der Kaiserzeit auch – zumindest mittelbar – zu einer gewissen politischen Wirksamkeit. Hatte eine griechische Stadt eine dieser Künstler des Wortes, einen jener berufsmäßigen Vortragsmeister unter ihren Söhnen oder zumindest in ihren Mauern, machte sie ihn zu ihrem Wortführer. Nicht nur zur Erhöhung des Glanzes von örtlichen Feierlichkeiten, Festen und Spielen, sondern auch bei wesentlichen Diensten wie Gesandtschaften nach Rom. Und das nicht allein, weil man seiner Überredungskunst Hilfestellung bei den eigenen Anliegen zutraute, sondern weil das persönliche Ansehen des Redners, das mit dem allgemein anerkannten Ansehen seiner Kunst verbunden war, sich von vornherein der Aufmerksamkeit, dem Wohlwollen und der Achtung empfahl. Hierzu trug auch der Aufzug bei, wir hören von riesigem Geleit: Lasttiere, Pferde, Jagdhunde aller Rassen, Massen von Sklaven folgen dem Meister, der selbst auf einem Luxuswagen mit silberbeschlagenem Zaumzeug daherkommt. Die Korrespondenzen der Zeit kennen kaum ein anderes, gleich wichtiges Thema. Man berichtet, was für Vorträge in der letzten Zeit stattgefunden haben, wer der Redner war, welche Stileigentümlichkeiten, welchen Satzbau, welches Spiel von Antithesen er anwandte. Es ging um die Schönheit der Rede, die Wortwahl und die Klangfülle, die Satzmelodie, den Rhythmus der Perioden und Klauseln, die Modulation der Stimme, das Agieren des Rhetors, der fast zum Schauspieler wurde.[13] Nicht ohne Grund war das Studium der Rhetorik zeitaufwendig, fünf bis acht Jahre schienen den Zeitgenossen nicht zuviel, kein Weg zu berühmten Meistern zu weit. Die Sprache war attisch ausgerichtet, man beharrte auf einer mindestens fünfhundert Jahre alten Sprachform. Das Problem bestand darin, nur Wörter und Formen zu gebrauchen, die schon von den Klassikern angewandt worden waren, fähig zu sein, für jedes von ihnen einen empfehlenswerten Verfassernamen aus grauer Vorzeit anführen zu können, um den Gebrauch zu rechtfertigen.

Nun trifft man auf diese Rückwendung auf eine weiter zurückliegende Sprachepoche auch im lateinischen Westen. Tacitus schreibt zu Recht von einer »aetas incuriosa suorum«, einem Zeitalter ohne Interesse an sich selbst. 80 Jahre nach Tacitus spricht der Kaiser Mark Aurel vor einer Schlacht zu seinem Offizierskorps in einem derart altertümelnden Latein, daß ein

General ihn zögernd darauf aufmerksam macht, die Mehrzahl der Offiziere sei leider des Griechischen (!) nicht mächtig ... Aber in Griechenland ist dieser sprachliche Attizismus Teil eines umfassenden, kulturellen ›Archaismus‹, für alles ist das klassische Griechenland des 5. und 4. Jahrhunderts der Bezugspunkt. Die Themen der Reden bewegen sich im Rahmen einer geschichtlichen oder mythologischen Fiktion. Die Reden der Vorfahren zu den meisten Gelegenheiten waren nicht überliefert, also redete man darüber, was sie hätten reden können, und was man ihnen hätte erwidern können, und was sie bei dem oder jenem Anlaß, wo sie gar nicht geredet hatten, hätten sie geredet, geredet haben würden. Am beliebtesten waren die medischen oder attischen Themata: In den medischen traten die Perser als barbarische Prahler auf, in den attischen die Helden von Salamis und Marathon, im Zentrum standen die Perserkriege. Dialoge dominieren, in denen sich Helden der klassischen Zeit – von Solon bis Alexander – unterhalten. Und selbst wenn der Fährmann der Unterwelt, Charon, das Licht aufsucht, um sich über das Treiben der Menschen zu unterrichten, wandert er durch das klassische Hellas, nicht durch das moderne Reich. Auch die Geschichtsschreibung kennt kein anderes Thema, vorzugsweise attische Lokalgeschichte wird getrieben. Aber dieser Archaismus und Attizismus findet nicht nur in der Literatur statt, in den Oberschichten sucht man nach Verbindungen zu alten Helden (einem Nachfahren des Themistocles werden die diesem Helden zustehenden Ehren zuteil); griechische Städte, die in römischer Zeit gegründet wurden, geben Dichtungen in Auftrag, in denen Apoll die Gründung der Stadt erwägt; Kinder heißen vorwiegend Achilles, Menelaos, Idomeneos, Iason, Theseus, Nestor usw.); Athen verwehrt der Stadt Megara den Zugang zu Festspielen, weil Megara im Vorfeld des Peloponnesischen Krieges sich gegen Athen stellte. Es ist eine Welt, aus Trümmern der Vorzeit gebaut, in der es für Römisches keinen Platz gibt: Römische Namen werden gräzisiert, aus Fronto wird Phrontis; römische Verwaltungseinheiten werden ignoriert, statt aktueller Provinzbezeichnungen greift man auf ethnische Einheiten (Ionia, Lydia, Caria) zurück, die sich natürlich mit den Provinzen nicht decken, und aus römischen Statthaltern macht man Satrapen. Das macht vor fernen Orten nicht halt: Gallien heißt Celtica, Hispania Iberia, Puteoli Dicaearcheia. Nicht anders ist es bei Maßen und Zeiteinteilung. Der linguistische Attizismus ist so kein auf die Sprache begrenzter Vorgang, der gleichsam frühere, innerliterarische Strömungen fortsetzt und verstärkt, sondern Teil eines umfassenderen Phänomens, das als kultureller Archaismus die eigene Lebenszeit und Situation ausblendet.[14]

Der hellenistische Osten, das war auch unter den römischen Kaisern die Welt der Polis, und das bedeutete nicht nur einen hohen Grad der Urbanisierung und städtisch geprägter Kultur, sondern auch einen ausgeprägten Lokalpatriotismus, eine eifersüchtig gewahrte Unabhängigkeit der einen Stadt von den anderen und die wache Erinnerung an eine Epoche, in der jede Stadt ihre speziellen Ansprüche und ihr Vormachtstreben gegenüber den Nachbarn militärisch vertreten konnte und bei jeder sich bietenden Gelegenheit auch vertrat. Daraus hatten sich verinnerlichte, seit Jahrhunderten stabile Feindschaften ergeben, deren Anlässe und Ursachen, Streitpunkte und Zielsetzungen unter der römischen Herrschaft längst in Vergessenheit geraten waren (vgl. Robert, L., 1977; und Jones, C.P., 1978). Aber dennoch – oder gerade deshalb – schwelen die Eifersüchteleien unablässig weiter. Nun waren die römischen Herren nicht gewillt, inner- oder zwischenstädtische Scharmützel oder Übergriffe zu dulden, Unruheherde gefährdeten die Reichseinheit und boten Angehörigen der imperialen Führungsschicht, vor allem den Provinzgouverneuren Gelegenheit zu Putschversuchen. Offener Austragung von Rivalitäten drohten Sanktionen, wovon – angesichts der erwähnten Rangstreitigkeiten – nicht der unwichtigste der Entzug von Privilegien, von Rechtstiteln und Statusqualitäten waren (der dadurch natürlich den Konfliktlagen neue Nahrung zuführte). Da die Mahnung Plutarchs an den Staatsmann seiner Zeit, stets an den römischen Soldatenstiefel über seinem Haupt zu denken (*praec. rei. publ. ger.* 813 E), an sehr realen Vorkommnissen orientiert war, hatte man sublimere Formen der Konkurrenz in Anwendung zu bringen. Im Rangstreit der Städte wurde zunehmend mit Angaben über Reichtum, Alter, Größe, Einwohnerzahl, herausragende Bauwerke, geschichtliche Helden und erinnerungswürdige Begebenheiten gefochten, aber auch mit Verweisen auf Beziehungen lokaler Potentaten zu Reichsaristokratie und kaiserlichem Hof oder auf berühmte Geistesgrößen der Stadt. Diesen Einstellungen vermochten sich nicht einmal die ansonsten durchaus anderen Werten verpflichteten jungen Christengemeinden im griechisch-sprachigen Reichsteil zu entziehen, sie adoptierten Grundzüge der Auseinandersetzung, indem sie auf heimatliche Apostel, Bekenner, Märtyrer, Lehrer, Bischöfe und »Heilige Männer« verwiesen, um sich von anderen Stadtgemeinden abzuheben. In die gegenseitige städtische Rivalität floß ein reiches Erbe an philosophischem Denken und Spekulation, das auch in der theologischen Diskussion (die im Westen des römischen Reiches nahezu völlig fehlte) eine stolze Vielfalt der Meinungen beflügelte. Neben allgemein akzeptierten Grundmustern fand man in jeder Gemeinde, in jeder Stadt, zumindest aber in jedem Städteverband eine Unzahl von lokalen Eigenarten und Varianten, selbst kleinste Differenzen wurden mit größter gedanklicher Breite und polemischer Schärfe verteidigt, es kursierten unzählige Schriften und Meinungen. Die von Rom erstrebte Eintracht stand im Osten im Ruch unerwünschter Uniformität.

Aber auf diese Rivalitäten und Konflikte stößt man nicht nur auf der zwischenstädtischen Ebene, sie sind noch viel gravierender im städtischen Binnenraum, auf dem Feld der sozialen Beziehungen wie in Prusa und Oea.[15] Die soziale und politische Lage hatte sich ungemein zugespitzt, es kam zu virulenten Konflikten zwischen den führenden Familien, zwischen den Oligarchen und den städtischen Grundschichten, die sich dann auf der Ebene der städtischen Organe (Rat, Volksversammlung, Ältestenrat) widerspiegeln. Nimmt man nun noch die Konflikte hinzu, die zwischen den verschiedenen Rednern und Rednerschulen endemisch waren – sie schlugen sich meist in Straßenschlachten zwischen den Anhängern nieder –, sowie die Probleme, die die Ausbreitung des Christentums in den kleinasiatischen Poleis mit sich brachte (erinnert sei hier nur an den Aufstand der Silberschmiede in Ephesos, die im Vordringen der Christen eine Schädigung ihrer wirtschaftlichen Basis, des Artemis-Tempels, erblickten), wird klar, daß die Städte sich in einem gefährlichen Gärungsprozeß befanden, der immer wieder das gänzlich unerwünschte Eingreifen des römischen Statthalters oder anderer römischer Organe bis hin zum Kaiser erforderte. Gegen dieses Eingreifen des römischen Statthalters suchte man sich durch Prozesse und Gesandtschaften zur Wehr zu setzen. Anlässe gab es genug, denn bei jeder Entscheidung, die einer Partei Vorteile gegenüber der anderen einräumte, sah man Bestechung am Werk. Die Repetundenprozesse (Strafverfahren vor dem Senat gegen der Korruption angeklagte Statthalter) schürten dann wieder die Stimmung der Senatoren gegen die Städte, denn jeder Senator konnte einmal in die Lage seines beklagten Standesgenossen kommen. Sowohl im Streit zwischen den Städten, bei den Rivalitäten in den Städten, in den Bittgängen und Prozessen in Rom spielten die Sophisten eine herausragende Rolle als Strafredner, Mahner und Versöhner, hier wohl in der Tradition der in Griechenland immer wieder notwendig gewordenen »Wieder-ins-Lot-Bringer« (Begriff von Meier, C., 1980). Sie beschworen vor allem die Eintracht, immerhin 7 solcher Homónoia-Reden sind uns erhalten, nach dem Ausweis der Homónoia-Münzen, die von den Städten nach der immer nur vorübergehenden Beilegung der Konflikte geprägt wurden, müssen sie zu Hunderten gehalten worden sein (vgl. Kienast, D., 1964; u. Merkelbach, R., 1978). Das erklärt die Bedeutung der Rhetorik und der Sophisten, aber nicht schon den Archaismus und Attizismus.

Archaismus impliziert wohl immer eine Form des Leidens oder der Unzufriedenheit mit der eigenen Gegenwart. Die ›Pax Augusta‹ hatte vor allem den kleinasiatischen Städten (weniger Festlandgriechenland) eine nie gekannte Prosperität verschafft, Reichtum strömte fast wie von selbst in diesen Raum. Die Städte verfügten materiell über alle Voraussetzungen von Größe, wirtschaftlich waren sie viel gefestigter und bedeutender als in der klassischen Zeit, doch das machte das Fehlen realer politischer Macht und Freiheit, die früher untrennbar mit Größe verbunden waren, wohl nur fühlbarer. Das förderte den Versuch der Ausgrenzung Roms, die Fiktion eines von Fremdherrschaft freien Raums, den nostalgischen Blick zurück auf eine glorreiche Vergangenheit. Gegenüber dem bestehenden Römischen Reich schufen sich die Griechen eine Gegenwelt, das allumspannende Reich griechischer Kultur und griechischer Freiheitsgeschichte, wo man mit den Römern nicht nur konkurrieren konnte, sondern sie bei weitem übertraf, nicht ohne Grund hat die griechische Sprache in fast 6 Jahrhunderten fremder Herrschaft allenfalls zwanzig lateinische Wörter übernommen, die Wiedererrichtung des klassischen Griechenlands war eine Form der Immunisierung. Aber der Archaismus im attischen Gewand war auch ein Instrument sozialer Kontrolle, eine Beschwörung der Kräfte der Solidarität und der Eintracht, ein Auffangmechanismus für die um sich greifenden zentrifugalen Kräfte, die die traditionelle Struktur der

Polis zu zerstören drohten, eine Form der Selbstdisziplinierung der Polis-Eliten. Die Regierung der Städte hatte immer aus einer Mischung von Einigkeit und Parteiengeist bestanden, wie er im Schlüsselbegriff ›philotimia‹, Liebe zur eigenen Stellung, aufscheint. Sie trieb die Angehörigen der Führungsschichten zu einem glanzvollen Konkurrenzkampf, sie setzte aber immer auch ein Publikum machtvoller Konkurrenten voraus. Der kaiserzeitliche Reichtum und die damit einhergehenden neuen Möglichkeiten verschärften diesen Konkurrenzkampf, die Eliten mobilisierten all ihre Ressourcen (auch die Rhetorik!), bis hin zur Verarmung im Wettbewerb um die Macht, Ehre und Ansehen. Die Generösität, besser: der Euergetismus (Begriff von Veyne, P., 1976), nämlich die Verpflichtung, sein Vermögen für das Ganze nutzbar zu machen, führte zur Reduzierung regimentsfähiger Familien, zu städtischer Mißwirtschaft, die die kaiserliche Zentrale nötigte, zur Sicherung der Städte als Verwaltungseinheit staatliche Kontrolleure (Kuratoren) einzusetzen, die zum Beispiel Bauprojekte und ähnliches bewilligten. Eliten tendieren dazu, ein Netz von unsichtbaren, aber internalisierten Regeln zu errichten, die die Grenzen für den Handlungsspielraum des Einzelnen, für tolerierbares Handeln innerhalb der Oberschicht markieren. So sind in der griechischen Elite zum Beispiel Formen der persönlichen Stellung und des eigenen Aufstiegs, wie etwa Reichtum, nicht zu horten (um damit potentiell die anderen in ihrer Stellung zu gefährden), sondern der Gemeinschaft zu spenden. Eliten, die sich in einem Modell der Gleichheit in ständigem Wettbewerb befinden, gestatten ihresgleichen den unkontrollierten Zugriff auf Quellen der Macht und des Prestiges nicht. Geld der Stadt – und am besten den Göttern, den Garanten der Sicherheit aller – zu spenden, war ein Weg, sich gegen Neider und Konkurrenten zu sichern (vgl. Brown, P., 1978). Die Verehrung der Vergangenheit, das Ausweichen auf die eigene, weit entfernte Frühgeschichte aktivierte starke Bilder der Eintracht und der Gleichheit, sie war ein Pochen auf Solidarität. Die Vergangenheit als Bezugspunkt gegenwärtigen Handelns verhinderte, daß einzelne Mitglieder in der Darstellung eigener Leistung den Glanz und die Bedeutung anderer Elitenfamilien überdeckten, die eigene Leistung ging in der gemeinsamen Geschichte des Kollektivs Polis auf. Attizismus war so eine Kanalisierung disruptiver Ambitionen und eine Form der Verschleierung der aktuellen Zerrissenheit. In der Wirklichkeit hatte das Streben nach Übermacht keinen Platz, die Wünsche und Optionen der einzelnen schlugen sich in einer anderen Welt, den Träumen nieder (erhellend dafür das Traumbuch des Artemidor von Dalcis).

Die attizistische Rhetorik war so ein soziales Transformationsphänomen, der Versuch der Institutionalisierung von Einmütigkeit in der kaiserzeitlichen Polis. Ihr Erfolg war begrenzt, in der zunehmend entpolitisierten Polis suchte der Einzelne nach neuen Identifikationsmöglichkeiten. Man fand sie zunehmend in der Religion. Macht wird in Zukunft dort nicht mehr primär als Phänomen in den Beziehungen der Menschen untereinander, sondern als eines des Verhältnisses der Menschen zu Gott begriffen werden (vgl. Brown, P., 1982). Immerhin wäre es wohl lohnend, der Frage nachzugehen, ob die in der Zweiten Sophistik vorgenommene Ausgrenzung und Verdrängung der Wirklichkeit nicht ein die Krise des 3. Jahrhundert mitbedingendes Element gewesen ist.

Anmerkungen

1 Es handelt sich vor allem um die Arbeiten von Kaibel, G. (1885); Rohde, E. (1886); Norden, E. (1892 und 1896); Schmid, W. (1887-1896) und Wilamowitz, U. v. (1900). Eine Zusammenfassung des Verlaufs dieser Debatte gibt Boulanger A. (1923).

2 Die Zitate sind aus den unter Anm. 1 genannten Arbeiten genommen. Sie werden hier nicht im einzelnen nachgewiesen, da sie nur den Umstand illustrieren, daß in dieser Attizismus-Debatte weniger historisch erklärt, als vielmehr anhand einer nicht näher erläuterten Werte-Skala eingestuft wurde, und zwar negativ (als minderwertig, steril und platt).

3 Bowersock, G. W. (1969), S. 8, konstatiert »an air of absurdity«.

4 Eine Gesamtdarstellung der Zweiten Sophistik, für die Philostrats um 230 n. Chr. entstandenes Werk *Vitae sophisticarum* (Sophistenleben) die zentrale Quelle bildet, fehlt. Vgl. immerhin zum sozialen Milieu Bowersock, G. W. (1969), zur literarischen Produktion Reardon, B. (1971), zu wichtigen Vertretern dieser Strömung Boulanger, A. (1923), Graindor, P. (1930) und Jones, C. P. (1978).

5 Der sogenannte römische Attizismus wird bewußt ausgeklammert, zum einen handelt es sich wohl um eine falsche Umschreibung, zum

anderen um einen ganz anders gelagerten Handlungszusammenhang, der sich aus differierenden Leitwerten in der griechischen und der römischen Gesellschaft ergibt. Vgl. neuerdings zum Kontrast dieser sonst allzu schnell parallel gesetzten historischen Formationen Martin, J. (1979) und Meier, C. (1984).

6 Vgl. zur Sophistik vor allem Martin, J. (1976) und Kerferd, G. (1983).

7 Zur politischen Identität der Athener vgl. vor allem Meier, C. (1980), zu Demokratie und Freiheit zuletzt Raaflaub, K. (1980).

8 Dazu vor allem Todorov, T. (1975), Starobinski, J. (1977) und Gumbrecht, H. U. (1978).

9 Todorov, T. (1975), S. 82: »Das beste Wort ist nun jenes, das man für schön hält.«

10 Herausgearbeitet bei Meier, C. (1985).

11 Vgl. Volkmann, R. (1885); Sittl, C. (1890); Martin, J. (1974); und besonders Marrou, H.-L. (1957).

12 In der Reihenfolge der Zitierung: Flacelière, R. (1966), S. 537; Wilamowitz, U. v. (1900), S. 28; Heuß, A. (1976), S. 397; Friedländer, L. (1978), S. 638.

13 Ein schönes Beispiel bei Plin. ep. 2. 3.

14 Erstmals beschrieben bei Bowie, E. (1970); vgl. auch Bowie, E. (1980).

15 Vgl. Kienast, D. (1971); Jones, C. P. (1978); und Pavis d'Escurac, H. (1974). Hieraus erklärt sich das Motiv der Stadtflucht in der Bukolik, vgl. Effe, B. (1982).

Literatur

Boulanger, A. (1923), *Aelius Aristide et la sophistique de la province d'Asie au IIe siècle de nôtre ère*. Paris.

Bowersock, G. W. (1969), *Greek Sophists in the Roman Empire*. Oxford.

Bowersock, G. W. (Hg.) (1974), *Approaches to the Second Sophistic*. Philadelphia.

Bowie, E. L. (1970), »Greeks and their Past in the Second Sophistic«. In: *Past and Present* 46. S. 1-41.

Bowie, E. L. (1980), »Greek Literature after 50 B. C. In: Dover, K. J. (Hg.), *Greek Literature*. Oxford. S. 150-168.

Brown, P. (1982), »The Rise and Function of the Holy Man«. In: ders., *Society and the Holy in Late Antiquity*. London. S. 103-149.

Brown, P. (1978), *The Making of Late Antiquity*. Cambridge.

Burgess, T. C. (1902), »Epideictic Literature«. In: *University of Chicago Studies in Classical Literature* 3. S. 89-261.

Effe, B. (1982), »Longos. Zur Funktionsgeschichte der Bukolik in der Kaiserzeit«. In: *Hermes* 117. S. 139-172.

Flacelière, R. (1966), *Literaturgeschichte Griechenlands.* München.

Friedländer, L. (1978), *Sittengeschichte Roms.* Wien.

Geytenbeek, A. C. van (1948), *Musonius Rufus en de Griekse Diatribe.* Amsterdam.

Graindor, O. (1930), *Un milliardaire antique. Herode Atticus et sa famille.* Kairo.

Gumbrecht, H. U. (1978), *Funktionen parlamentarischer Rhetorik in der französischen Revolution. Vorstudien zur Entwicklung einer historischen Textpragmatik.* München.

Heuß, A. (1976), *Römische Geschichte.* Braunschweig.

Jones, C. P. (1978), *The Roman World of Dio Chrysostome.* Cambridge, Mass.

Kaibel, G. (1885), »Dionysios von Halicarnass und die Sopistik«. In: *Hermes* 20. S. 497-513.

Kennedy, G. (1972), *The Art of Rhetoric in the Roman World.* Princeton.

Kerferd, G. (1983), *The Sophistic Movement.* London.

Kienast, D. (1964), »Die Homonoia-Verträge der römischen Kaiserzeit«. In: *Jahrbuch für Numismatik und Geldgeschichte* 14. S. 51-64.

Kienast, D. (1971), »Ein vernachlässigtes Zeugnis für die Reichspolitik Trajans. Die zweite tarsische Rede von Dio von Prusa«. In: *Historia* 20. S. 62-80.

Marrou, H.-I. (1957), *Geschichte der Erziehung im klassischen Altertum.* München.

Martin, J. (1974), *Antike Rhetorik. Technik und Methode.* München.

Martin, J. (1976), »Zur Entstehung der Sophistik«. In: *Saeculum* 27. S. 143-164.

Martin, J. (1979), »Two Models of Ancient History«. In: *Social History* 8. S. 157-178.

Meier, C. (1980), *Die Entstehung des Politischen bei den Griechen.* Frankfurt/Main.

Meier, C. (1984), *Introduction à l'anthropologie politique de l'Antiquité classique.* Paris.

Meier, C. (1985), *Politik und Anmut.* Berlin.

Merkelbach, R. (1978), »Der Rangstreit der Städte Asiens und die Rede des Aelius Aristides über die Eintracht«. In: *Zeitschrift für Papyrologie und Epigraphik* 32. S. 287-296.

Norden, E. (1892), *Der griechische Roman und seine Vorläufer.* Leipzig.

Pavis d'Escurac, H. (1974), »Pour une histoire sociale de l'apologie d'Apulée«. In: *Antiquité africaine* 8. S. 89-101.

Raaflaub, K. (1980), »Des freien Bürgers Recht der freien Rede«. In: Eck, W. und andere (Hgg.), *Studien zur antiken Sozialgeschichte.* Köln. S. 7-57.

Reardon, B. (1971), *Courants littéraires grecs au IIe et IIIe siècles après J. C.* Paris.

Robert, L. (1977), »La titulature du Nicée et du Nicomédie: La gloire et la haine«. *Harvard Studies in Classical Philology* 81. S. 1-39.

Rohde, E. (1886), »Die asianische Rhetorik und die Zweite Sophistik«. In: *Rheinisches Museum für Philologie* 43. S. 172-236.

Schmid, W. (1887), *Der Attizismus in seinen namhaftesten Vertretern.* 4 Bde. Stuttgart 1887-1896.

Sittl, C. (1890), *Die Gebärden der Griechen und Römer.* Leipzig.

Starobinski, J. (1977), »Eloquence and liberty«. In: *Journal of the History of Ideas* 38. S. 195-210.

Todorov, T. (1975), »Une fête manquée: la rhétorique – essai d'histoire-fiction«. In: *Cahiers roumains d'histoire littéraire* 3. S. 82-97.

Veyne, P. (1976), *Le pain et le cirque.* Paris.

Volkmann, R. (1885), *Die Rhetorik der Griechen und Römer in systematischer Übersicht dargestellt.* Leipzig.

Wilamowitz, U. v. (1900), »Asianismus und Attizismus«. In: *Hermes* 35. S. 1-52.

Jan Assmann
Viel Stil am Nil?
Altägypten und das Problem
des Kulturstils

1. Stil

1.1. Vorbemerkung

Die altägyptische Kultur scheint den klassischen Fall eines ausgeprägten »Kulturstils« darzustellen. Wenn »Stil« der Ausdruck
von Eigenart und »Kultur« die Summe der symbolischen Ausdrucksformen einer Gesellschaft ist, dann scheinen in Ägypten
Stil und Kultur tatsächlich koextensiv. Nirgends sonst scheinen
alle Hervorbringungen einer Kultur sowohl in der Breite des
Formenschatzes einer Epoche als vor allem auch in der zeitlichen
Gesamterstreckung ein so einheitliches und unverkennbares Gepräge zu tragen. So liegt es für einen Ägyptologen nahe, zum
Rahmenthema »Stil« den Aspekt des »Kulturstils« beizutragen,
der sich, wenn irgendwo, dann in Ägypten in idealtypischer
Form aufzeigen lassen müßte. Bei der Ausführung dieses Vorsat-
zes ist das Gegenteil herausgekommen. Bei näherer Untersuchung hat sich gezeigt, daß wir im Blick auf die hier interessierenden Phänomene – die »Unverkennbarkeit« und die »Zeitresistenz« der ägyptischen Formensprache – sowohl den Begriff
»Stil« als auch den Begriff »Kultur« vermeiden sollten. Der
Beitrag dieses Versuchs zu einer Neuadjustierung des Stilbegriffs
ist darum jedoch keineswegs rein negativ einzuschätzen. Im
Gegenteil scheint mir für die Klärung des Begriffs viel gewonnen,
wenn er von dem irreführenden Bezug auf die altägyptische
Kultur abgekoppelt wird.

1.2. Elemente eines Ägypten-Bildes

1.2.1. Platon und das Ägypten der Spätzeit

»Viel Stil am Nil«: was ist mit dieser einem Comic entnommenen[1] Formel eigentlich gemeint, aus dem Bezug auf welchen Eindruck schöpft sie ihre dem Laien wie dem Gelehrten spontan einleuchtende Überzeugungskraft? Wir können uns wohl ohne längere Erörterungen auf folgende Grundzüge einigen: ein ungewöhnliches Maß an Standardisierung sowohl der Darstellungskonventionen als auch der Bildinhalte und ein noch ungewöhnlicheres Maß an Langlebigkeit dieser Standards. Das sind genau die beiden Züge, die Platon in einer Passage seiner Gesetze als eine einzigartige Leistung der ägyptischen Kunst hervorhebt.[2] Die Gesprächspartner in diesem Dialog sind sich über die hohe erzieherische Funktion der »Musenkünste« als einer sinnlichen Veranschaulichung des Schönen und Wahren einig. Um so bedauerlicher, daß die Maßstäbe dessen, was als schön zu gelten habe, überall den Künstlern freigestellt seien, »das einzige Ägypten ausgenommen«. Nur hier habe man früh erkannt, daß die Kunst sich nach höchsten Maßstäben des Schönen zu richten habe und diese Maßstäbe in der Form eines Inventars von Standardtypen (*schemata*) auf den Tempelwänden fixiert. Von diesen Typen abzuweichen oder irgendetwas Neues zu erfinden, sei durch Gesetz verboten worden. So kommt es, heißt es dann weiter, daß die »vor zehntausend Jahren« hergestellten Werke in nichts schöner oder häßlicher seien als die der heutigen Zeit, sondern »genau denselben Grad künstlerischer Vollkommenheit aufweisen«.

Obwohl diese Geschichte im Detail eigentlich nur aus Mißverständnissen besteht, angefangen von den »zehntausend Jahren« über die Vorstellung einer expliziten Kunstgesetzgebung mit Innovationsverbot bis zur Deutung der Tempeldekoration als monumentaler Musterbücher, hat sie doch im Ganzen etwas Überzeugendes und gilt mit Recht seit jeher als eine tiefsinnige Deutung der ägyptischen Kunst. Drei Punkte sollte man als wichtig festhalten an dem platonischen Bild: die Wahrheitsbindung des Schönen, die Orientierung an Mustern oder Standardtypen (*schemata*) und die Sakralisierung (»Tempel«) der ägyptischen Kunst.

Was die Wahrheitsbindung angeht, so sind sich die Ägyptologen seit Heinrich Schäfer darin einig, daß die ägyptische Kunst auf dem Konzept der *Maat* – Wahrheit, Ordnung, Gerechtigkeit, Richtigkeit – basiert und die Wahrheit einer göttlich-kosmischen Ordnung widerspiegelt.[3] Solange die Ägypter an diesem »kosmologischen Wahrheitsstil« (Voegelin, E., 1956) festhielten, war auch die Kunst an diese Konzeption zeitenthobener kosmischer Ordnung gebunden. Allerdings ist in diesem Punkt die Ägyptologie nicht über sehr allgemeine Formulierungen hinausgekommen. Festeren Boden betreten wir mit der Frage der Orientierung an Vorbildern, Mustern und Typen. Wenn auch Platons Deutung, daß in den Dekorationsprogrammen ägyptischer Tempel die ägyptischen Begriffe des Wahren und Schönen in Form kultureller Metatexte in erschöpfender Form explizit gemacht und für alle Zeiten festgeschrieben seien, in abenteuerlicher Weise am ursprünglichen Sinn der entsprechenden Darstellungen vorbeigeht, so läßt sich doch nicht von der Hand weisen, daß die Ägypter der Spätzeit die Kunstwerke der Vergangenheit tatsächlich als kulturelle Metatexte verstanden haben, in denen die Normen der Kunst in absolut gültiger und verbindlicher Weise Gestalt gewonnen haben. Das belegen die Existenz von Kopien auf der einen, und von Musterbüchern und »Bildhauermodellen« auf der anderen Seite. Zweifellos hat sich die Kunst dieser Zeit in besonderem Maße an ›metatextuelle‹ Explikationen eines zugrundeliegenden Normensystems gebunden gefühlt. Jetzt entstehen zahllose Werke, die man auf ersten Anhieb in eine über tausend Jahre ältere Periode datieren möchte; in vielen Fällen ist die Datierung noch immer kontrovers. Der Archaismus dieser Zeit läßt sich als »Innovationsaskese« deuten und diese wiederum als Wirksamkeit eines Innovationsverbots mißverstehen. Aber auch unabhängig von diesem Archaismus, der ein spezielles Phänomen ist, bleibt das Faktum bestehen, daß die ägyptische Kunst etwa der Ptolemäerzeit der des Alten Reichs – einer über 2 Jahrtausende zurückliegenden Epoche! – wesentlich ähnlicher ist, als allen zeitgenössischen Richtungen der hellenistischen »ökumenischen« Kultur und daß die ägyptische Kunst als einzige gegenüber dem Anpassungsdruck der hellenistischen Kultur-Koine resistent geblieben ist.

Was Platon beschreibt, legt weniger den Begriff ›Stil‹ als die Metapher einer generativen Grammatik nahe, die auf der Basis eines finiten Regelwerks bzw. Typeninventars eine unendliche Menge von Kunstwerken oder vielmehr ganz allgemein von kulturellen Ausdrucksformen erzeugt (denn der griechische Begriff der »Musenkunst« geht ja weit über unseren Begriff von »Bildender Kunst« hinaus und deckt sich praktisch mit unserem Begriff »Kultur«). Aber darin muß noch kein Widerspruch liegen. Auch Stil folgt einer generativen Grammatik. Worüber wir uns hier zunächst Klarheit verschaffen müssen, ist, worin dieses zugrundeliegende Regelwerk besteht. Das ist eine nur monographisch (wenn überhaupt) zu lösende Aufgabe; deshalb müssen hier Stichworte genügen. Ich unterscheide fünf Regelkomplexe:

1. Proportionsregeln[4]

Der ägyptischen Kunst – Rundplastik, Relief und Malerei – liegt ein striktes metrisches System zugrunde, das vor allem eines leistet: eine sehr genaue Berechenbarkeit aller Darstellungen. Das Ganze kann aus einem Teil ergänzt, ein Teil aus dem Ganzen abgeleitet werden. Dieser Aspekt der ägyptischen Kunst geht sehr klar aus einer Anekdote hervor, die Diodor überliefert. Telekles und Theodorus, zwei Brüder, lernten in Ägypten die Bildhauerkunst, und als sie nach Ionien zurückkehrten, schufen sie gemeinsam eine Apollostatue, der eine die linke, der andere die rechte Seite, Telekles in Samos und Theodoros in Ephesos. Und als man die Hälften aneinanderfügte, paßten sie genau. Dank diesem System erreichte die ägyptische Kunst den höchsten Grad von Rationalität, den Kunst je angestrebt hat. Es erlaubte Reproduktionen in verschiedenem Maßstab und sicherte einen hohen Qualitätsstandard auch in Provinzwerkstätten.

2. Projektionsregeln[5]

Ein Komplex von Regeln gewährleistet die Projektion dreidimensionaler Körper auf die zweidimensionale Fläche. Figuren und Gegenstände werden auf der Fläche frei von allen perspektivischen Verzerrungen aus ihren charakteristischsten Ansichten aufgebaut. In der Rundplastik wird umgekehrt von der auf den vier Flächen des Blocks aufgetragenen zweidimensionalen Zeichnungen ausgehend die dreidimensionale Figur herausgearbeitet.

3. Darstellungsregeln[6]

Die erstaunliche Bindung an ikonographische Formeln oder Konventionen, an eine geringe Zahl standardisierter Stellungen, Haltungen und Gesten, gibt der ägyptischen Kunst eine heraldisch-emblematische Konstanz. Sehr allgemein formuliert bezieht sich die ägyptische Kunst nicht auf die sichtbare Erscheinung einer Szene, sondern auf ihre begriffliche Artikulation, ist also eher eine Art Begriffsschrift, die mit einem großen, aber begrenzten Repertoire von »Piktogrammen« arbeitet. Die meisten dieser Piktogramme oder ikonischen Formeln bleiben über einen Zeitraum von 3000 Jahren konstant, und zwar ist die Konstanz um so stärker, je enger sie auf einen religiösen Sinngehalt, z. B. Handlungen Pharaos oder rituelle Handlungen bezogen sind.

4. Ausschlußregeln[7]

Omnis determinatio est negatio: dieser Satz des Spinoza gilt auch für die ägyptische Kunst, deren unverwechselbare Identität sich am deutlichsten in ihren Vermeidungen, in dem, was sie in programmatischer Weise ausblendet, zu erkennen gibt. Dazu gehört vor allem jene ›naive Welthaltigkeit‹, die man in aller frühen und auch Kinderkunst findet: Sonne, Wolken, Vögel, Baum, Berg, Wasser symbolisieren, meist zu konventionalisierten Chiffren erstarrt, Umwelt. In der ägyptischen Kunst gibt es diese Art von ›Umwelt‹ nicht. Wo Umweltsymbole auftreten, gehören sie eng zum Thema, zum Beispiel als Wasserstreifen zu einem Schiff, als Pflanzen zu einer Jagdszene. Sie sind immer in Handlung eingebettet, niemals aber ist Handlung in eine Szene eingebettet.

Auf diese Weise sind in der Flachkunst die Figuren auf einen Grund gesetzt, der vollkommen abstrakt ist und sorgfältig freigehalten ist von allen räumlichen Konnotationen, und sie stehen auf einer Linie, die nicht »Boden« darstellt, sondern als Zeile fungiert, die das Bild lesbar macht. Auch in der Rundplastik sind die Blöcke, auf denen die Figuren stehen, sitzen oder an die sie sich lehnen, schwarz gemalt, um sie von allen ikonischen Assoziationen (zum Beispiel Sitzmöbel) freizuhalten. Die Ausschlußregeln sichern allen ägyptischen Darstellungen ein erhebliches Maß an Abstraktheit und lassen das Gesamtwerk aus dem Zusammenwirken ikonischer und anikonischer Elemente entstehen.

5. Syntaktische Regeln

Ein ägyptisches Wandbild ist gewöhnlich aus vielen einzelnen Szenen aufgebaut. Was die einzelnen Szenen verbindet, ist nicht etwa ein gemeinsamer Raum: genau dies ist durch die Ausschlußregeln programmatisch ausgeblendet. Vielmehr sind sie nach semantischen Kategorien angeordnet, zum Beispiel Generalthema »Landwirtschaft«, gegliedert in vier »Register« (Bildzeilen) Arbeit und zwei Register Vergnügungen, die Arbeits-Register wiederum unterteilt in Ackerbau, Viehzucht und Fisch-

und Vogelfang; Ackerbau nach jahreszeitlichen Tätigkeiten unterteilt in Pflügen, Säen und Ernten, Viehzucht in Großvieh und Kleinvieh, Jagdszenen in Fisch- und Vogelfang, Vergnügungsszenen etwa in ein ländliches Fest mit Weinkeltern und Tanz, und in Kampfspiele wie das beliebte Fischerstechen. Die Bildzeilen machen die ganze vielfigurige Komposition lesbar. Vor allem ist in diesen Bildern aber ein rigides hypotaktisches Prinzip wirksam, das sie zu einem szenischen Ganzen organisiert: der sogenannte Bedeutungsmaßstab. Dadurch werden nicht, wie immer angenommen, wichtige Personen hervorgehoben, sondern viele Einzelhandlungen oder -Szenen einem übergreifenden Handlungsrahmen untergeordnet. In unserem Beispiel wäre dieser Handlungsrahmen etwa durch die alle sechs Register verklammernde wandfüllende Figur des Grabherrn realisiert, der all das in den Einzelszenen Dargestellte ›betrachtet‹ (wie es die Beischrift klarstellt). Durch das hypotaktische Prinzip des Bedeutungsmaßstabs erreicht die ägyptische Kunst denselben Grad an Systematizität des Bildaufbaus wie dann erst wieder die Zentralperspektive.

Mit diesen Regeln müßte sich, wie ich meine, die generative Grammatik beschreiben lassen, die über den Zeitraum von mehr als dreitausend Jahren alle und nur jene Werke hervorgebracht hat, die wir heute mit einem Blick als »ägyptisch« erkennen und die schon auf Platon den Eindruck getreuer Repliken von geheiligten Vorbildern machten.

1.3. Elemente eines Stilbegriffs

1.3.1. Stil als Askese

Wenn wir uns darüber einig sind, daß es die Wirksamkeit eines solchen Regelwerkes ist, die auf den außenstehenden Betrachter der ägyptischen Kultur von Platon bis heute den Eindruck von Stil im Sinne besonders hoher Stilisiertheit macht, dann stellen sich zwei Fragen: Welcher Stilbegriff liegt diesem Urteil zugrunde, und: Ist dieser Stilbegriff hier wirklich am Platze?
Wer der ägyptischen Kultur aufgrund ihrer offenkundigen Regelgebundenheit ein besonderes Maß an ›Stil‹ zuspricht, versteht unter Stil wohl in erster Linie einen hochselektiven Formgebungsrahmen, innerhalb dessen nur weniges möglich und dieses Wenige daher sehr einheitlich geprägt ist. Stil erscheint hier als Bindung und Askese, als Verzicht auf experimentierende oder

eklektizistische Vielfalt zugunsten einer strengen Ordnung. Man denkt an Mondrians »Stijl« und die Formstrenge der »Neuen Sachlichkeit«; nicht von ungefähr hat sich diese Zeit von ägyptischer Kunst ganz besonders angesprochen gefühlt.

Wieweit dieser Stilbegriff zutrifft, mag ein Gedankenexperiment deutlich machen. Stellen wir uns vor, die ägyptische Kultur wäre mit dem Alten Reich untergegangen oder hätte, was gut hätte der Fall sein können, nach dessen Untergang eine ganz andere Richtung genommen. Das Urteil einheitlicher Prägung und strenger Selektivität der Formensprache würde sich dann auf die *eine* Epoche der »Pyramidenzeit« beziehen. In diesem Rahmen wäre der Stilbegriff mit gleichem Recht am Platze wie in bezug auf andere Epochen, die eine vergleichbar grandiose und einheitlich geprägte Formensprache ausgebildet haben: das perikleische Athen, das augusteische Rom, das Zeitalter Ludwigs XIV., das napoleonische Empire usw. Die Kunstgeschichte des Alten Reichs ließe sich als eine geradezu klassische Stilgeschichte schreiben: mit den ersten drei Dynastien als einer experimentierenden, vielfältigen Archaik, mit dem »strengen Giza-Stil« der 4. Dynastie als der Epoche hochselektiver Form-Askese, mit der reichen Entfaltung des strengen Formparadigmas in der 5. und mit der Auflösung in der 6. Dynastie. Das ist der sozusagen natürliche, normale Befund einer Ausprägung von chronologischer Struktur in der Formensprache einer Kultur, und der Stilbegriff ist hier wie in allen vergleichbaren Fällen ein unverzichtbares Instrument, die einzelnen Phasen dieser Entwicklung in ihrer Einheit und Distinktivität zu kennzeichnen.

Nun ist es aber das Besondere der altägyptischen Kultur, daß sie den Untergang des Alten Reichs um zweieinhalb Jahrtausende überdauert und während dieser gesamten Zeitspanne nicht aufgehört hat, die Formensprache des Alten Reichs zu perpetuieren. Der Eindruck der Einheitlichkeit, der im Betrachter den Eindruck von Stil hervorruft, bezieht sich denn auch gar nicht in erster Linie auf die Einheitlichkeit eines synchronen Formeninventars, sondern auf diachrone Einheitlichkeit, auf Gleichschaltung der künstlerischen Produktion über lange Zeiträume hin, auf die Ausschaltung nicht von *Vielfalt*, sondern von *Wandel*.

Die Ausschaltung von Wandel ist der Punkt, an dem meines Erachtens der Stilbegriff überstrapaziert wird. Stil stiftet zwar Kontinuität, aber keinesfalls Zeitlosigkeit und völlige Stillstellung künstlerischer Entwicklung. Im Gegenteil impliziert die Rede von Stil immer die Beobachtung von Wandel. In der Archäologie jedenfalls spricht man von Stil in erster Linie in Hinblick auf die Datierbarkeit eines Phänomens. In seinem Stil gibt es sich zu erkennen: als zugehörig zu einer bestimmten Zeit, und darüber hinaus dann auch zu einer bestimmten Gegend, sozialen Schicht, Werkstatt, Gattung, Künstlerpersönlichkeit usw. Der Rede vom Stil liegt das Interesse an der präzisen Bestimmung anhand feiner Unterschiede zugrunde. Die Stildiagnose ist eine Differentialdiagnose. Stil ist die Ausprägung von Struktur im Sinne identifizierender Unterschiede, und unter den verschiedenen Strukturen, die sich in der Formgeschichte der menschlichen Dingwelt ausprägen – geographische, soziologische, funktionale – steht die chronologische obenan (Vgl. Kubler, G., 1962, 1982).

Alle menschliche Kultur ist einem schleichenden Wandel ausgesetzt, der normalerweise unterhalb der Bewußtseinsschwelle verbleibt. Der Sprachwandel ist dafür das beste Beispiel. Stil macht diesen Wandel bewußt, und zwar zunächst und vor allem in der Form der Negation: Als Abwendung von einer unfortsetzbar gewordenen Tradition, die nun erst, aus der erreichten Distanz, als Stil identifizierbar wird. Stile veralten, trotz der dem Kunstwerk als solchem eigenen Zeitlosigkeit. Die Jupiter-Symphonie oder der David des Michelangelo haben nichts von ihrer Faszinationskraft eingebüßt, und trotzdem wird es keinem modernen Künstler einfallen, stilistisch an diese Werke anzuknüpfen. Was veraltet, ist nicht der Stil, sondern seine Anschließbarkeit. Wenn dieser Zeitfaktor ausgeblendet wird, degeneriert der Stil zum Schema, zur Schablone.

1.3.3. Anschließbarkeit und Wiederholbarkeit

Das Stichwort ›Schablone‹ gibt zu denken: ist damit nicht in der Tat ein zentrales Element der ägyptischen Kunst und Kultur getroffen? Viele der oben behandelten Regeln zielen auf die vollkommene Berechenbarkeit des Werkes und auf die Routinisierung und Standardisierung seines Herstellungsprozesses. Indem sie dem einzelnen Werk dadurch ein Höchstmaß an handwerklicher Vollkommenheit sichern, nehmen sie ihm zugleich seinen Kunstcharakter: seine Einmaligkeit. An die Stelle von Anschließbarkeit tritt Wiederholbarkeit und damit an die Stelle von Stil Schablone, eine schematisierte Serienfabrikation als Replikation von Standardtypen. Diodor erzählt die Anekdote von Telekles und Theodoros, um genau diesen zweckrationalen Sinn der Regelgebundenheit der ägyptischen Kunst hervorzuheben, und im Grunde sind ja auch Platons »schemata« Schablonen, auch wenn sie auf der Erkenntnis wahrer Schönheit und damit auf zeitlos gültigen Normen beruhen. Es ist diese perfekte Wiederholbarkeit, die die Griechen an der ägyptischen Kunst fasziniert hat.

Ägypten konfrontiert uns mit einer Kunst, die einerseits, vor allem in den späteren Epochen ihrer Geschichte, in ungewöhnlich großem Umfang Älteres wiederholt und andererseits von Anfang an kraft der Rationalität und Systematizität ihrer Regelhaftigkeit auf Wiederholbarkeit angelegt ist (zum Prinzip der Wiederholbarkeit siehe Assmann, J., 1975). Wiederholbarkeit aber erschöpft sich nicht, im Gegensatz zur Anschließbarkeit des Stils, sie hat keinen Zeitindex. Während Stile den Wandel bewußt machen, durch Negation von Vergangenheit und Position von Aktualität, und im Wandel Kontinuität schaffen, schafft Wiederholung Stillstand und arbeitet gegen den Wandel an.

1.3.4. Anti-Stil oder Makro-Stil?

Wenn wir daran festhalten wollen, unter Stil die Ausprägung identifizierender Unterschiede zu verstehen, dann sollten wir das in der Regelhaftigkeit der ägyptischen Kunst wirksame Prinzip nicht Stil nennen. Denn diesem Prinzip geht es doch offenbar um das genaue Gegenteil: um die Verhinderung der Ausprägung identifizierender Unterschiede, vor allem in der chronologischen, aber durchaus auch in der geographischen, sozialen und funktionalen Dimension. Von Stil sollte man in der ägyptischen Kunstgeschichte daher nur reden, wenn und insofern sich die Eigenart eines Phänomens in seiner formalen Ausprägung zu erkennen gibt im Rahmen jenes bald engeren, bald weiteren Spielraums, den das stilantagonistische Prinzip der verbindlichen Formensprache freigibt. *Stil gibt es nicht dank, sondern trotz der Wirksamkeit dieser der ägyptischen Kunst immanenten Grammatik.* Dieselben Regeln, die den Stil der Pyramidenzeit ermöglicht haben, wirken in dem Maße stilblockierend auf spätere Epochen, als diese sie im Sinne reproduzierender Wiederholung rezipieren. Durch solche Rückbindung an eine zur zeitlos gültigen Norm erhobene Formensprache ergibt sich in der ägyptischen Kunstgeschichte eine Spannung zwischen gegenstrebigen Prinzipien, die in diesem Ausmaß wohl einzigartig ist, jedenfalls nicht einfach in der immer wirksamen Dialektik von Tradition und Innovation aufgeht, die Spannung zwischen Stil und Anti-Stil.

Nun könnte man sich auf den Standpunkt stellen, daß jenes gegenstrebige Prinzip durchaus den Namen Stil verdient, nur auf einer anderen Ebene wirksam ist als das, was wir landläufig unter Stil verstehen. Wenn Stil einerseits die Erzeugung von Einheit in der Vielheit ist, und andererseits die Ausprägung von Eigenart, warum sollte dann nicht Stil je nach dem Umfang der auszuprägenden Eigenart, von individueller über kollektive bis zu nationaler Identität, und je nach dem Umfang der zu vereinheitlichenden Vielheit, von den einzelnen Sätzen eines Textes oder Farben und Linien eines Bildes über die Werke eines Autors oder Mitglieder einer Gattung bis hin zur Gesamtheit der symbolischen Ausdrucksformen einer Epoche auf den verschiedensten Ebenen denkbar sein? Wir hätten es dann in Ägypten nicht mit der Spannung zwischen Stil und Anti-Stil, sondern zwischen verschiedenen Mikro- und einem allumfassenden Makrostil zu tun. Mikro-Stile wären Stile im üblichen Sinne der Ausprägung feiner Unterschiede und Erzeugung präziser Bestimmbarkeit, und da sie genau die Vielfalt bilden, die der Makro-Stil einheitsstiftend überformt, ergibt sich hier ein Antagonismus, der aber genauso auch auf den unteren Rängen der Hierarchie stattfindet. Denn je ausgeprägter ein Epochenstil, zum Beispiel Empire, desto schwächer können sich individuellere Stile ausprägen, je ausgeprägter ein Gattungsstil, desto schwächer prägen sich die Individualstile der einzelnen Autoren darin aus. Die Ebene eines Makro-Stils wäre dann erreicht, wenn seine Elemente – die Vielheit, in der er Einheit stiftet – nicht Werke oder Elemente von Werken sind, sondern Stile. Epochenstile wie Rokoko oder Jugendstil sind zweifellos Makrostile. Ägypten wäre der (Einzel-?)Fall eines zeitresistent gemachten oder gewordenen Epochenstils, ein Kulturstil.

In der mündlichen Fassung dieses Beitrags hatte ich mich in der Tat für diese Lösung entschieden. Ich hatte Ägypten mit Epochenstilen zusammen als Makro-Stil rubriziert und nach der Typologie historischer Bedingungen gefragt, die zur Ausbildung von Makro-Stilen führen. Dabei hatte ich zwei Grundtypen unterschieden, die ich »Bewegung« und »Rahmeninstitution« nannte. Amarna, das griechische 5. Jahrhundert, Renaissance, Jugendstil wären Beispiele für makro-stilbildende Bewegungen, die katholische Kirche, das chinesische Kaisertum und die ägyptische »Literatokratie« Beispiele für stilbildende Institutionen. Mein Anliegen dabei war, den Ausnahmecharakter von Makro-Stilen aufzuzeigen und damit die romantisch-idealistische Vorstellung eines Volks- bzw. Zeitgeists zu überwinden, der als Instanz solcher Makro-Stilbildungen hpyostasiert wird. An einen ägyptischen ›Volksgeist‹ als hinreichende Erklärung für die hier zu beobachtende Formkonstanz, und sei es auch nur im Goffmanschen Sinne einer »Ressourcenkontinuität«, vermag ich nicht zu glauben. Da es aber Stil nun tatsächlich immer und überall gibt, wird auch ein Begriff wie Makro-Stil dem Ausnahmecharakter des ägyptischen Befundes nicht gerecht. Der Widerspruch, der in dem Begriff eines »zeitresistenten Epochenstils« liegt, verweist auf einen Antagonismus in der Sache, den wir terminologisch nicht verdecken sollten. Die Verbindung von Stil und Zeit bzw. Wandel erscheint mir unauflösbar. Eine Kultur, die wie die ägyptische gegen die Zeit anarbeitet, indem sie ihre Kunst auf Wiederholbarkeit (anstatt Anschließbarkeit) anlegt, arbeitet auch gegen Stil an.

2. Kanon

2.1. Kanon vs. Stil

Wenn wir das Phänomen der ägyptischen Kultur, die zeitresistente Einheitlichkeit und Unverkennbarkeit ihrer Ausdrucksformen, nicht mit dem Stilbegriff, sondern mit dem Begriff Kanon in

Verbindung bringen, stellen wir es in einen völlig anderen Kontext. Wir nehmen Ägypten heraus aus der Reihe typischer »Makro-Stile« – Moderne, Jugendstil, Empire, Rokoko usw. – und stellen es in eine Phänomen-Reihe mit Weltreligionen: Islam, Judentum, Christentum, Buddhismus, Konfuzianismus, Taoismus. Dieser auf den ersten Blick vielleicht abwegig erscheinende Vergleich wird zumindest zwei Eigentümlichkeiten des ägyptischen Befundes wesentlich besser gerecht als der Stilbegriff: dem Ausnahme-Charakter des Phänomens, und der Tatsache, daß nicht ein anderer Makro-Stil (Hellenismus), sondern eine Kanon-Religion (das Christentum) ihm ein Ende gesetzt hat. Was ist ein Kanon? Wir wollen den Begriff hier nur insoweit entfalten, als er in der Gegenüberstellung mit dem Stilbegriff zu dessen Klärung beiträgt und können dabei auf umfangreicheren Studien aufbauen, die Aleida Assmann und ich in Verbindung mit dem Arbeitskreis *Archäologie der Literatur* zum Thema Kanon als einem kultur- und traditionssoziologischen Prinzip durchführen (siehe Assmann, A. u. J., 1986a, und diess., 1986b). Fünf Punkte lassen sich hervorheben:

1. Wahrheitsbindung bzw. Heilsgewißheit

Jeder Kanon ist um ein positives Sinn-Zentrum organisiert, das in der Regel gebildet wird durch das sprachliche Zur-Erscheinung-Kommen einer absoluten Wahrheit;

2. Exklusivität

Der Position absoluter Wahrheit entspricht dialektisch die Negation des zur ›Lüge‹ depotenzierten Früheren und Fremden. Um die Wahrheit wird ein Zaun gezogen, der das Häretische kategorisch ausschließt;

3. Explizität

Die umzäunte Wahrheit muß so vollständig zur Erscheinung gekommen sein, daß sie alles erklärt und eine umfassende Orientierung in allen Lebensfragen und für alle Zukunft garantiert, so daß an dem sie zur Erscheinung bringenden Bestand »nichts hinzugefügt, nichts weggenommen, nichts verändert« zu werden braucht.

4. Normativität

Ein Kanon fordert unbedingte Gefolgschaft: sowohl die Sätze, in denen die Wahrheit explizit wird, haben den Status von Gesetzen, als auch der ›Zaun‹, der sie umgibt und Abweichungen unter Sanktion stellt;

5. Bewußthaltung bzw. ›Sinnpflege‹

Jeder Kanon arbeitet gegen die Zeit, das heißt den »schleichenden Wandel« an: negativ durch Veränderungsverbote, positiv durch hermeneutische Strategien, die lebensorientierende Kraft der umzäunten Wahrheit durch alle Veränderungen der lebensweltlichen Wirklichkeit hindurch freizusetzen. In der menschlichen Welt gibt es keinen Stillstand und daher auch keine automatische Stillstellung. Stillstellung ist vielmehr nur durch unausgesetzte Anstrengung möglich. Verzichtet ein Kanon auf diese hermeneutische Arbeit, dann verkommt er zum Fetisch, zur Zauberformel.

In bezug auf diese fünf Kanon-Merkmale verhält sich der Stilbegriff teils positiv, teils negativ, teils indifferent. Von *Wahrheitsbindung* oder *Heilsgewißheit* kann man bei Stil nicht sprechen: im Gegenteil setzt Stil einen gewissen Pluralismus voraus, die Freiheit, es so oder anders zu machen. An diesem Punkt zeigt sich aber die Notwendigkeit, zwischen Mikro- und Makro-Stilen zu unterscheiden. Denn Makro-Stile gewinnen ihre einheitsstiftende Binde- und Überzeugungskraft durchaus aus einer Art von Wahrheitsgewißheit, sei es im Zeichen der Vernunft, der Natur oder der Antike. Sie verstehen sich als Ausdruck allgemeingültiger Wahrheit, im Gegensatz zu Mikro-Stilen, deren Funktion als Ausdruck von Eigen-Art den Verzicht auf Allgemeingültigkeit voraussetzt. In puncto Wahrheitsbindung kann man daher in bezug auf Makro-Stile durchaus von Kanon sprechen als der Einheitsformel, die der Stilvielfalt der Epoche ihren einheitlichen Ausdruck aufprägt: der Kanon des guten Geschmacks, der Vernunftgemäßheit, der Natürlichkeit, der edlen Einfalt und stillen Größe, der Jugend: das sind Wertformationen mit einem Wahrheitsanspruch, der in den metatextuellen Proklamationen der Zeitgenossen explizit zum Ausdruck kommt.

Exklusivität ist demgegenüber ein gemeinsamer Nenner: er verbindet Kanon und Stil, sowohl als Makro- wie als Mikro-Stil, und macht daher den Vergleich überhaupt erst sinnvoll. Stil wäre nicht Ausdruck von Eigenart, wenn er nicht exklusiv wäre; wir haben ihn darum einen Selektionsrahmen genannt, innerhalb dessen nur weniges möglich ist. In seinem asketischen Aspekt kommt Stil dem Prinzip Kanon am nächsten. *Explizität* ist jedoch ein unterscheidendes Merkmal. Die Vorstellung einer explizit zur Erscheinung gekommenen Wahrheit, an der fortan nichts hinzugefügt, hinweggenommen oder verändert werden darf, ist ein stilantagonistisches Prinzip, denn sie schließt anknüpfendes Weiterführen aus und läßt nur Wiederholung zu. *Normativität* und *Bewußtheit* sind weder stilantagonistisch, noch tragen sie zur Kennzeichnung des Stilphänomens bei. Natürlich gibt es normative und bewußt ausgebildete Stile, ebenso würde man aber auch einem unwillkürlichen Ausdruck von Eigenart den Stilcharakter nicht absprechen. Der schwer auf Regeln zu bringende, tastende und wenig normative Stil der Vorklassik hört nicht auf, Stil zu sein, wo er, wie etwa in der »Mannheimer Schule«, in Regeln formuliert und in kommentierenden Schriften der zeitgenössischen Musikschriftstellerei bewußt gemacht wird; er schlägt darum noch lange nicht in einen Kanon um. Stilantagonistisch ist jedoch eindeutig jedes gegen die Zeit anarbeitende, kontrapräsentische Festhalten an einer Formensprache. Wo dies geschieht, wird Stil entweder zur Schablone devaluiert oder zum Kanon aufgerüstet.

Wenn wir uns auf diese Unterscheidungen einigen können, dann ist es klar, daß Platon einen Kanon und nicht einen Stil beschreibt. Die Wahrheitsbindung ist evident: Sie besteht für Platon in der früh gefundenen Erkenntnis »was und wie etwas schön sei«. Die gefundene Wahrheit wird explizit gemacht: in den Tempeln, die sie zugleich mit dem Zaun der Heiligung umgeben. Das Innovationsverbot setzt die Vollständigkeit und Vollkommenheit des in den Tempeln Dargestellten voraus und besiegelt zugleich seine Exklusivität und Normativität. Und der Topos der 10 000 Jahre stellt die Zeitresistenz der ägyptischen Formensprache heraus.

2.2. Kanon: Ein Stil für die Ewigkeit

An diesem Punkt haben wir zwar das Thema Stil verabschiedet, aber es bleibt ein Problemüberhang, auf den wir abschließend wenigstens noch kurz zurückkommen müssen. Wie ist die ägyptische Kultur in einer Phänomenreihe mit den kanonischen Buchreligionen zu verstehen? Hier müssen wir eine wesentliche Einschränkung machen. Es ist nicht die ägyptische Kultur als Ganzes, sondern lediglich ein Sektor, auf den die Merkmale des Kanon zutreffen.

Von Platon bis heute erliegen die Betrachter des Alten Ägypten derselben optischen Täuschung, wenn sie meinen, das, was uns so eindrucksvoll und unverkennbar mit dem Gepräge einer einheitlichen und unwandelbaren Formensprache entgegentritt, sei identisch mit der ägyptischen Kultur. In Wirklichkeit handelt es sich um einen zwar zentralen, aber durchaus begrenzten Sektor innerhalb dieser Kultur, der einerseits aufgrund seiner alles überstrahlenden Eindrücklichkeit, andererseits dank dem Zufall der Überlieferungsumstände, die alles andere haben verschwinden lassen, den Anschein erweckt, das Insgesamt der Kultur als eines »Staats aus dem Stein« darzustellen. Aber innerhalb der ägyptischen Kultur verläuft eine Grenze. Sie scheidet das Monumentale vom Vergänglichen. Am klarsten verläuft diese Grenze in der ägyptischen Schrift. Die Ägypter haben zwei Schriftsysteme entwickelt, eines für den monumentalen und eines für den sonstigen Gebrauch. Das Charakteristikum der Monumentalschrift ist, daß sie als einzige der originären Bilderschriften ihre Ikonizität im Laufe ihrer Geschichte in keiner Weise aufgegeben oder auch nur abgeschwächt hat, im Gegensatz etwa zur Keilschrift und zur chinesischen Schrift, im Gegensatz aber vor allem zur ägyptischen Schreibschrift, die der aller Schrift immanenten, sozusagen systemrationalen Tendenz zur Vereinfachung bzw. Kursivierung in vollem Umfang nachgegeben hat.

In der ägyptischen Monumentalschrift sehen wir die gleiche Gebundenheit, die gleiche Widerstandskraft gegen den schleichenden Wandel und seine treibenden Kräfte, die auch die ägyptische Kunst kennzeichnet. Der ägyptische ›Stil‹, den wir jetzt angemessener den ägyptischen ›Kanon‹ nennen, übt seine prägende Kraft keineswegs auf das ägyptische Schreiben insgesamt aus, sondern allein auf die Hieroglyphenschrift, die Schrift der monumentalen Steininschriften. Es ist klar, daß die Grenzen dieses Bereichs sehr eng gezogen sind. Was heute ungefähr 95% des Erhaltenen ausmacht, stellte einstmals vielleicht 5% des Geschriebenen dar.

In diesen engbegrenzten Bereich des Hieroglyphischen gehört die ägyptische Kunst hinein. Schrift und Kunst – Flachkunst, Rundplastik und Architektur – gehen in Ägypten in ungewöhnlicher Weise ineinander über. Das zeigt sich auf dreifache Weise: in der Gemeinsamkeit des Vorkommens, als Aufeinander-Bezogenheit, indem die Schrift identifizierend zum Bild, das Bild determinierend zur Schrift hinzutritt, und als strukturelle Wesensverwandtschaft, die sich als Bildhaftigkeit in der Schrift, und als Schrifthaftigkeit in der Kunst manifestiert (siehe hierzu Tefnin, R., 1984; Vernus, P., 1985). So wie die Bildbindung eigengesetzliche Weiterbildungen des Schriftsystems, verhindert die Schriftbindung eigengesetzliche Entfaltungen der Kunst. In ihrer Kookkurrenz, Korrelation und strukturellen Verwandtschaft erweisen sich Hieroglyphenschrift und Kunst als komplementäre Medien eines übergeordneten Ausdruckssystems, das ich den »Monumentalen Diskurs« nennen möchte. Dieser, und nicht die ägyptische Kultur insgesamt, bildet den Geltungsbereich der oben beschriebenen Regelkomplexe und den Manifestationsrahmen des ägyptischen Makro-Stils bzw. Kanons. Die Aufschlüsse, die sich aus der Betrachtung der Schriftverwendung in Ägypten ergeben, sind aber nicht nur extensional, sondern vor allem intensional. Sie deuten nicht nur auf den Umfang dessen, was den hochselektiven und formstrengen Aufzeichnungsbedingungen des Monumentalen Diskurses unterliegt, sondern geben auch Hinweise auf den Sinngehalt, das heißt, in Max Webers Formulierung, den subjektiv gemeinten Sinn dieser höcht eigentümlichen Form sozialer Kommunikation. Kurz gesagt handelt es sich beim Monumentalen Diskurs um Selbstthematisierung zum Zwecke der Selbstverewigung. Es dürfte schwer fallen, eine bedeutendere Anzahl hieroglyphischer Inschriften zusammenzustellen, die *nicht* auf ein sich in ihnen in erster oder dritter Person thematisierendes Subjekt bezogen wären. So gut wie alle Inschriften dienen einem in ihnen namentlich hervortretenden, durch ihre Aufzeichnung begünstigten Subjekt. Das gilt für die königlichen Siegesinschriften wie für biographische Grabinschriften, für Widmungstexte und Opferformeln, Dekrete und Testamente. Undenkbar wäre die hieroglyphische Aufzeichnung etwa eines historiographischen Texts, der von vergangenen Ereignissen handelte, oder von anonym formulierten Gesetzen, oder eines fiktionalen Texts (vgl. Assmann, J., 1983 b).

Diese Beobachtungen lassen sich auf den gesamten Monumentalen Diskurs ausdehnen. Auch die Tempel sind in Ägypten Selbstthematisierungen. Obwohl einer oder mehreren Gottheiten gewidmet, verherrlichen und verewigen sie den Namen ihres königlichen Stifters und jeder König muß danach trachten, in einem von bestehenden Tempeln immer dichter besiedelten Feld auch seinen Namen in rastloser Bautätigkeit zur Geltung zu bringen und sich in diese Ewigkeit einzuschreiben. Das im einzelnen auszuführen, ist hier nicht der Ort, aber wir können von dieser inhaltlichen Bestimmung des Monumentalen Diskurses nicht gut absehen, wenn nach der Besonderheit, und das heißt, wie wir gesehen haben, nach der Zeitresistenz seiner Formensprache gefragt wird. Zu deutlich liegt der Zusammenhang auf der Hand, der sich zwischen solchem Anarbeiten gegen die Zeit und dem Ewigkeits-Begehren ergibt. Der Monumentale Diskurs umschreibt den hochselektiven Aufzeichnungsrahmen, innerhalb dessen Erlösung von der Vergänglichkeit durch selbstthematisierende Zeichensetzung möglich war, und die Regelkomplexe der Kunstgrammatik legen die hochverbindliche Ordnung fest, deren Wiederholung solcher Selbstthematisierung die Ewigkeit zeitenthobener Wahrheit vermittelt.

Unsere Betrachtung hat sich um so weiter vom Thema ›Stil‹ entfernt, je tiefer sie uns in die Eigentümlichkeiten der ägyptischen Kultur hineingeführt hat. Das Interesse, das diese Erörterungen für den Stilbegriff haben können, liegt in der Identifizierung stilantagonistischer Prinzipien. Die Behauptung, daß die Formgesetze der ägyptischen Kunst nicht Stil genannt werden sollen, wäre in unserem Zusammenhang müßig, würde sich damit nicht die Beobachtung verbinden, daß sie der Ausprägung von Stil im eigentlichen Sinne entgegengewirkt haben, als einem Phänomen, das aufs engste mit Zeit und Wandel verbunden ist, daß also, im Gegensatz zu dem, was die Formel »Viel Stil am Nil« andeutet, der Stil es am Nil eher schwer hatte und die ägyptische Kunstgeschichte gekennzeichnet ist durch einen spannungsreichen Antagonismus von Stil und Kanon, Entfaltung und Stillstellung, schöpferischer Anknüpfung und ritueller Wiederholung.

Anmerkungen

1 Larry Gonick, *Die Geschichte des Universums*. Bd. 2. Deutsch von Robert Lug. Linden 1982. S. 28.
2 Platon, Legg. 2, 657-7 (cf. 7, 799 a-b); vgl. dazu Davis, W. M. (1979).
3 Schäfer, H. (1919) (⁴1963) (engl. 1974); Baines, J. (1985). Gegen solche ontologischen Implikationen wendet sich Junge, F. (1983).
4 Diese Regeln werden in der Ägyptologie und in der Kunstgeschichte allgemein unter dem Titel »Kanon« zusammengefaßt, siehe dazu Iversen, E. (²1975) und ders. (1971).
5 Vgl. hierzu Schäfer, H. (⁴1963) und Baines, J. (1985).
6 Vgl. hierzu Assmann, J. (1983 a).
7 Wichtige Beobachtungen hierzu finden sich bei Groenewegen-Frankfort, H. A. (1951).

Literatur

Assmann, A. und J. (Hgg.) (1986 a), *Kanon und Zensur* (im Druck).

Assmann, A. und J. (1986 b), »Der Nexus von Überlieferung und Identität. Probleme und Potentiale des Kanon-Begriffs«. In: *Jahrbuch des Wissenschaftskollegs zu Berlin*. Jg. 84/85 (1986).

Assmann, J. (1975), »Flachbildkunst des Neuen Reichs«. In: Claude Vandersleyen, *Das Alte Ägypten* (Propyläen Kunstgeschichte, Bd. 15). Berlin. S. 304-317.

Assmann, J. (1983 a), »Die Gestalt der Zeit in der ägyptischen Kunst«. In: Assmann, J./Burkard G. (Hgg.), *5000 Jahre Ägypten. Genese und Permanenz pharaonischer Kunst*. Heidelberg, S. 11-32.

Assmann, J. (1983 b), »Schrift, Tod und Identität. Das Grab als Vorschule der Literatur im Alten Ägypten«. In: Assmann, A. und J./Hardmeier, C. (Hgg.), *Schrift und Gedächtnis*. München. S. 64-93.

Baines, J. (1985), »Theories and Universals of Representation. Heinrich Schäfer and Egyptian Art«, in: *Art History* 8. S. 1-25.

Davis, W. M. (1979), »Plato on Egyptian Art«. In: *Journal of Egyptian Archaeology* 65, S. 121-127.

Davis, W. M. (1983), »Egyptian Images: Percept and Concept«. In: *Göttinger Miszellen* 64. S. 83-96.

Gombrich, E. H. (³1978), (1950), *The Story of Art*. London.

Groenewegen-Frankfort, H. A., (1951), *Arrest and Movement*. London.

Iversen, E. (1971), »The Canonical Tradition«. In: Harris, J. R. (Hg.) (1971), *The Legacy of Egypt*. Oxford. S. 55-82.

Iversen, E. (²1975), *Canon and Proportions in Egyptian Art*. Warminster.

Kübler, G. (1962), (1982), *Die Form der Zeit. Anmerkungen zur Geschichte der Dinge.* Frankfurt.

Junge, F. (1983), »Vom Sinn der ägyptischen Kunst«. In: Assmann, J./ Burkard, G. (Hgg.), *5000 Jahre Ägypten. Genese und Permanenz pharaonischer Kunst.* Heidelberg. S. 43-60.

Russmann, E. R. (1980), »The Anatomy of an Artistic Convention: Represenration of the Near Foot in Two Dimensions through the New Kingdom«. In: *Bulletin of the Egyptological Seminar* 2. S. 75-81.

Schäfer, H. (1919), (⁴1963),. *Von ägyptischer Kunst.* Wiesbaden.

Tefnin, R. (1979), »Image et histoire. Réflexions sur l'usage documentaire de l'image égyptienne«. In: *Chronique d'Egypte* 108. S. 218-244.

Tefnin, R. (1981), »Image, Ecriture, Récrit. A propos de la bataille de Qadesh«. In: *Göttinger Miszellen* 47. S. 55-78.

Tefnin, R. (1984), »Discours et iconicité dans l'art égyptien«. In: *Göttinger Miszellen* 79. S. 55-71.

Vernus, P. (1985), »Des relations entre textes et représentations dans l'Egypte pharaonique«. In: Christin, A. M. (Hg.), *Ecriture* II. Paris. S. 45-69.

Voegelin, E. (1956), *Order and History. Bd. 1: Israel and Revelation.* Louisiana.

IV
Stilbegriffe und Theoriekonstruktionen

Sprache und

Renate Lachmann
Synkretismus als Provokation von Stil

Wolfgang Iser zum 60. Geburtstag

Geht man von einem dichotomischen Verhältnis zwischen Stil einerseits und Synkretismus andererseits aus, dann läßt sich Stil in bezug auf Gattung, Sprache und Kultur als ein Ensemble von Strategien des Ausschlusses und der Homogenisierung, zugleich aber auch als ein Interpretationsmodell betrachten, das die genannten Bereiche zu totalisieren versucht. Synkretismus hingegen erscheint als detotalisierende, im Betreten der vom Ausschluß betroffenen Gebiete und in der Überschreitung der Homogenisierungsgrenzen sich gegen den Stil richtende Einstellung. Beide Einstellungen, die stilistische und die antistilistische, bestimmen in ihrem antagonistischen Spiel die Geschichte der europäischen Texte (und der ihnen entsprechenden Theorien).

Während der Begriff des Stils als fundamentaler Bestandteil von Rhetorik und Dreistillehre, das heißt als Element kultureller Metatexte eine Tradition beanspruchen kann, die seit der Antike das Wechselverhältnis zwischen dem Konzept und der Herstellung von Texten reguliert, ist der des Synkretismus, ohne systematischen Ort in der kulturellen Grammatik, ein später akademischer Begriff, der aus kultur- und religionsgeschichtlicher Perspektive die religiösen und philosophischen Verschmelzungsprozesse der ersten drei nachchristlichen Jahrhunderte, aus denen die Gnosis entstanden ist, zu beschreiben versucht. Die Deutung dieses Amalgamierungs- und Vermischungsgeschehens als einer Art anarchischer Verschiebung des Heidnischen ins Christliche und umgekehrt, das heißt als chaotische Setzung kultureller Zeichen, hat dem Begriff seine pejorative Konnotation eingebracht. Er wurde zum Terminus für ein Konzept, das Grenzüberschreitungen, kulturelle Mixturen, Heterogenisierung also und Dehierarchisierung meint. Diese pejorative Konnotation mag mitgelesen werden, – auch wenn der Begriff nun für den Bereich des Antistilistischen als deskriptiver geltend gemacht und als solcher umgewertet ist –, damit der Blickpunkt der ›Ordnung‹, der durch die transgressiven Akte beunruhigt wird, präsent bleibt. Denn der Begriff bedarf seiner Normfolie auch dann, wenn er – wie im folgenden – als Modus, Zeichen und Bedeutung zu generieren und zu interpretieren, das heißt als Konzept bestimmt wird, das semantische Prozesse in Gang setzt.

Die Metapher des Mischens, der semiotischen Promiskuität, die die Berührung und wechselseitige Infizierung heterogener kultureller Kodes beschreibt, ist eines der Pseudonyme des Antistilverhaltens. Die Mischung, das Synkretische, ist als eine Operation zu verstehen, die, indem sie die Differenz, der sie sich verdankt, nicht verschleiert, das Heterogene als eigene Qualität entwirft. Mit dieser Bestimmung wird Synkretismus als zentraler Aspekt von Intertextualität transparent, genauer noch als deren Komplement, insofern das Mischen textueller Kodes, generischer Konventionen oder stilistischer Verfahren (im engeren Sinn), wie sie intertextuell strukturierte Texte markieren, dem synkretistischen Prinzip verpflichtet sind. Mit anderen Worten, Intertextualität meint eine textuelle Dimension, Synkretismus eine textuelle Qualität und ein Ensemble von Verfahren, das sie erzeugt.

Im intertextuellen Text leistet der Synkretismus eine Synchronisierung, aber auch Kontaminierung heterogener Stile und der in ihnen akkumulierten semantischen und kulturellen Erfahrungen. Dabei kann der Rekurs auf die Strategien anderer Stilkonventionen bedeuten, daß bestimmte Elemente in den Text auf eine Weise übernommen werden, daß diese zugleich als Glieder seiner manifesten Struktur und als Elemente auftreten, die deren Oberflächenkohärenz im Verweis auf die fremde Stilkonvention, der sie entstammen, stören. Das ›fremde‹ Stilem, das autoreferentiell und heteroreferentiell eingesetzt wird, ist eine der Bedingungen der Doppelkodierung des Textes. Grosso modo ließe sich von einer anagrammatischen Präsentation der fremden Stile reden, von deren Ver-Stellung im neuen Kontext. Synkretismus tritt als semantisches und textuelles Phänomen hervor, das einem in der Geschichte der sich ablösenden Kulturtypen alternierend zur Geltung gelangenden Kulturmodell korrespondiert.

Vornehmlich Phänomen des semantisch komplexen Textes ist Synkretismus auch die potentielle ›Gefahr‹ bei der Herstellung jedes Textes. Denn der ungemischte, sogenannte reine Stil kommt erst durch selektive Maßnahmen zustande, die an übergeordneten Kriterien, ästhetischen, logischen, ethischen, sich orientieren. Der rhetorischen Forderung des *decorum* ebenso wie der eines Entsprechungsverhältnisses von *res* und *verba* liegt ein solches Kriterium zugrunde. Im rhetorischen Metatext werden die Restriktionen, die das Resultat der Selektionsprozesse formulieren, als Regeln aufgezeichnet. Die triadisch aufgebaute Stillehre und die die Zuordnung von Sprachschicht, Gattung und Gegenstand regulierenden Anweisungen belegen die Orientierung an Vorstellungen wie *aptum, claritas* oder *perspicuitas*. Die Lehre von den drei Stilen, die ein differenziertes und stringentes System von Zuweisungen und Entsprechungen darstellt, hat in kulturellen Kontexten, in denen sie Geltung erlangte, nicht nur das vorfindliche Sprachmaterial hinsichtlich bestimmter Kommunikationsziele sondiert, sondern auch die Beziehungen zwischen den an der Kommunikation beteiligten Instanzen festgelegt. Das Ergebnis ist ein gewissermaßen lückenloses Entsprechungsverhältnis, das die Redegattung, das Redeziel, die Sprachschicht, den Redegegenstand betrifft. Jeder sprachliche Ausdruck ist auf einen in der triadischen Hierarchie verankerten Stil bezogen, von denen jeder über sein eigenes Verfahrensrepertoire (Tropen, Figuren) verfügt (vgl. Dyck, J., 1966 und Fischer, L., 1968). Die Unterteilung des *genus dicendi* in *stilus sublimis sive gravis, medius sive floridus, infimus sive familiaris* hat Konsequenzen für die Ordnung der zu beredenden Gegenstände, der angeredeten und redenden Personen, der Affekte, deren sich die redende Person in bezug auf ein Redeziel bedient, der Redeziele selbst, schließlich der Verfahren, der Sprachschichten.

Ein so rigoros regulierendes Stilsystem basiert auf Ausschluß und Reduktion. Jede Grenzüberschreitung ist Regelverletzung. Es versteht sich von selbst, daß alle Formen der Mischung (makkaronische Formen, *mixobarbarismus*), die das Kriterium des *decorum* unterlaufen, gegenüber einer ungemischten *latinitas* keine Chance haben. Die *latinitas,* die die Vorstellung der *claritas* und *perspicuitas* sowie aller konstitutiven Eigenschaften der richtigen Stilordnung einschließt und damit zur *proprietas* jeder Sprache avanciert, wird zum Stilideal derjenigen Nationalsprachen, die die rhetorische Interpretation des Sprachgebrauchs übernommen haben. Die rhetorischen Handbücher verschiedener europäischer Länder können die imperative Geltung der Dreistillehre bis weit ins 18. Jahrhundert hinein belegen (Lachmann, R., 1983 a).[1] Das heißt gegen den Synkretismus, der die stilistische Ordnung immer wieder sprengen und die Entsprechungsverhältnisse verwirren konnte, mußten differenzierte Restriktionsregeln aufgeboten und aufrechterhalten werden.

Der synkretische ›Stil‹ erscheint, da er in der Reaktion auf den hierarchischen diesen immer mitreflektiert, als Stil höherer Komplexität, bzw. als Stil, der nicht nur Gegen- und Abweichungsstil, sondern Meta-Stil ist. Die höhere Komplexität allerdings läßt sich nicht nur aus der Sekundarität des Synkretismus, sondern auch aus seiner Primarität ableiten. Diese Idee ist in der russischen historischen Poetik formuliert worden (Veselovskij, A., 1913). Danach wäre vorstellbar, daß ein elementarer, sozusagen archaischer Synkretismus – der womöglich der Polyfunktionalität einer primären Kommunikationssituation entsprach, die der Differenzierung in Redegattungen und entsprechende Stile nicht bedurfte – Ton (Musik), Geste (Tanz) und Wort (Poesie) verband, noch bevor eine die Zeichensysteme diversifizierende Entwicklung einsetzte. Dieser archaische, primäre Synkretismus wurde, so müßte man folgern, durch die Herausbildung distinkter Kommunikationsziele und die Einführung der diese garantierenden restriktiven Regeln diszipliniert und damit letztlich zum Verschwinden gebracht. Als spätere Gegenreaktion ist ein ›sekundärer‹ Synkretismus denkbar, der der Stilhierarchie entgegentrat und die Strategien der Grenzüberschreitung zu einer Art Gegenrhetorik (die als solche aber nicht zu einem expliziten Metatext wurde) entwickelte.

Eine solche Situation (deren Rekonstruktion naturgemäß spekulative Züge trägt) scheint die ›Menippea‹ widerzuspiegeln. Mit ihr nämlich tritt der Stilsynkretismus als ›Stil‹ auf, der in Konkurrenz mit dem triadischen und sich am *decorum* orientierenden System eine eigene Tradition herausgebildet hat. Nimmt man eine weitere Idee der russischen historischen Poetik auf, nämlich die, daß künstlerische Gattungen das Gedächtnis ihrer Archaik, den ursprünglichen kommunikativen Kontext, den kreativen Moment bewahren (Bachtin, M., 1971, S. 118)[2], so ließe sich bezüglich des Synkretismus davon ausgehen, daß er Charakteristika seiner Archaik bewahrt hat und zwar speziell in der Mischgattung der ›Menippea‹. Mit anderen Worten, die Stilformen selber, die Einzelstile, können als Gedächtnisträger betrachtet werden. Der synkretische Stil spielt ihr Gedächtnis in den konkreten Einzeltext ein. Dieser Aspekt des Synkretismus schließt die Kreuzung und Mischung verschiedener Zeichensysteme ein (wie es der archaischen Situation entsprach), das heißt schließt das ›multimediale‹ Moment ein, das in der Geschichte des Synkretismus eine zentrale Rolle spielt.

Nun läßt sich der Synkretismus als stilmischendes Verfahren auch außerhalb der prominenten Mischgattung der ›Menippea‹ beobachten, so etwa in der Lyrik des manieristischen Barock. Und damit stellt sich auch die übergeordnete Frage nach dem kulturellen Paradigma, das den Synkretismus besonders begünstigt oder, allgemeiner, nach einem dem Synkretismus entsprechenden Kulturmodell. Natürlich läßt sich auch hier nichts Abgesichertes sagen, höchstens eine Vorstellung suggerieren, nämlich die eines kulturellen Mechanismus, der entweder synchron als Konfrontation eines puristisch-hierarchischen, zentripetal organisierten Kulturmodells mit einem zentrifugalen, dehierarchisierenden funktioniert oder als Alternation dieser beiden Modelle auftritt.[3] Vielleicht ließe sich auch von der alternierenden Dominanz der beiden Modelle reden, da keines der beiden je zur Gänze ausgeschaltet wird. Während das zentripetale oder besser rhetorische und ›stilozentrische‹ Kulturparadigma zur Vereinheitlichung drängt und darum polysemische Prozesse unterbindet, gibt das zentrifugale, eigentlich polyisotopische Paradigma Raum für proliferierende Gestaltung und proliferierenden Sinn. Es bietet immer mehrere Interpretationen der Kultur an, für die es gilt.

Die Tendenz zur Schaffung synkretistischer Formen (Lotman spricht von »Kreolisierung«, Bachtin von »Hybridisierung«), wie sie in der Renaissance, im Manierismus der Barockzeit, in der Romantik etc. festzustellen ist, manifestiert sich in einer Reihe unterschiedlicher, allerdings miteinander korrespondierender kultureller Handlungen. In der theoretischen Praxis der Renaissance etwa läßt sich die Absorption heterogener philosophischer Theoreme (des Neuplatonismus, der Gnosis, der Kabbalah, des Aristotelimus) ausmachen, die mit solchen der exakten Wissenschaften, der Medizin und Jurisprudenz zusammengehen. Dasselbe Verhältnis der Berührung, Kreuzung, Überlappung gilt für die literarische Praxis. Das kann ein Text wie Rabelais' *Gargantua und Pantagruel* exemplarisch belegen, in dem auf der thematischen Ebene die Mischung der Theoreme aus den genannten Bereichen in der Verkehrung parodiert wird und durch die frappante Aufnahme von Elementen der volkstümlichen Lachkultur, der Karnevalskultur, eine plurivoke Struktur entworfen wird. Rabelais' Roman ist, wie Bachtin nachgewiesen hat (Bachtin, M., 1986), ein Werk innerhalb der Tradition der ›Menippea‹, jener synkretistischen Gattung par excellence, die alle Hybriden erlaubt. Die Relevanz des zentrifugalen, polyisotopischen Kulturmodells läßt sich gerade mit diesem Werk belegen. In Bachtins Interpretation erscheint die Renaissance als Hoch-Zeit eines kulturellen Synkretismus, der die Volkskultur – und diese ist durch die Archaik ihrer Herkunft bereits Mischform – in die Hochkultur einschmilzt. In Rabelais' Werk wird diese Verschränkung der Kulturen, ihrer Funktionen (als offizielle und als inoffizielle) und ihrer Traditionen (Neuplatonismus, Hermetismus, Mythologie) manifest. Der Synkretismus Rabelais' macht insbesondere im Umgang mit den absorbierten fremden Stilen deutlich, daß jeder Einzelstil, der transformiert, parodiert und auf welche Weise auch immer verarbeitet wird, Rollencharakter erhält. Indem er dieses Rollenspiel treibt, stellt der Synkretismus nicht nur die semantischen ›Ablagerungen‹ zur Schau, die ein Stil als historischer transportiert, sondern er treibt auch aus den im Stil-Kontakt entstehenden semantischen Inkongruenzen Formen der Vieldeutigkeit hervor. Von daher wird das durchgängig ludistische Moment, das Karnevaleske, dieser Art von Texten verständlich, aus dem auch das Lachen entsteht.

Die puristische, hierarchisch-seriöse Textherstellung dagegen, die grundsätzlich agelastisch ist, räumt dem Lachen, dem *risus* als Affekt, der hinter *ethos* und *pathos* rangiert, einen eng abgesteckten Freiraum ein – dessen rhetorisch kontrollierte Lizenzen sogar Formen der Übertreibung und Mischung zulassen. Das *iocando ad risum movere* erlaubt, aus der regulierten Korrespondenzbeziehung zwischen *res* und *verba* herauszutreten, eben um den Affekt des Lachens zu ermöglichen. Damit erhält die Sprachkomik eine Chance: die *amphibolia*, die komische Metapher, der Barbarismus, der *soloecismus*, die *ridicula hyperbola* und die *ridicula amplificatio* sind Formen, in denen sie zum Zuge kommt, ebenso wie in dem ironisch eingesetzten, d. h. dem Gegenstand unangemessenen *ornatus*. Aber auch die unter dem *risus*-Affekt gelockerten rhetorischen Anweisungen sind letztendlich durch das *decorum* gebunden. Die Angemessenheitsregel gibt unter den zwei Möglichkeiten des *iocandi genus:* dem *honestum, urbanum genus*, und dem *indecens, scurrilum genus*, dem ersten den Vor-

zug. Die Gegenüberstellung von *urbanitas* (das ist das aristoteli-
sche Stilideal des *asteion*) und *scurrilitas* macht deutlich, daß nur
letztere die eigentliche Grenzüberschreitung wäre: das skurrile
Wortspiel.

Das ludistische Moment ist im Rahmen der synkretistischen
Sprachbehandlung nicht nur mit dem Komischen, sondern als
hypertrophe Form auch mit dem Grotesken, Monströsen und
Exzentrischen verbunden. Das Monströse in seiner Doppelbe-
deutung als ›ungeheuer‹ und ›sich-zur-Schau-stellend‹ ist ein Zug
insbesondere der manieristischen Lyrik. Im Hauptverfahren manieristischer Lyrik, dem *concetto,* sind die synkretistischen Strategien der *decorum*-Verletzung, der Polysemie, Hypertrophie zu
einem Gegenstil verdichtet, der auch in einer eigenen Theorie
reflektiert und repräsentiert ist: in der *acumen*-Lehre (Lachmann,
R., 1983 b). Diese ist zwar Teil rhetorischer Lehre, setzt sie aber –
wie die prominentesten Traktate der Concettisten beweisen –
konzeptuell außer Kraft. Die zum Stil erhobenen Verfahren des
Antistils vermögen eine Zeitlang einen wenn auch esoterischen
›Standard‹ zu etablieren.

Im Begriff des *concetto* wird erstmals in der Geschichte der Stile
eine stilistische Vorstellung begründet, die den Begriff des *stilus,*
des *genus dicendi,* der tradierten Rhetorik suspendiert. Das *concetto* avanciert, da es in den entsprechenden Metatexten als Form
der Hypertrophie, der monströsen Metapher, die die etablierten
Ähnlichkeitskodes außer Kraft setzt, als Form der sprachlichen
Extreme, der Mischung, vor allem aber des polysemischen Wort-
spiels profiliert wird, zu einem theoretisch abgesicherten, einen
metatextuellen Status beanspruchenden Gegenbegriff zu *stilus.*
Das heißt, erst mit dem 17. Jahrhundert gibt es auf der Ebene der
Metatexte eine Symmetrie zwischen den Termen der die Stiltriade
und ihre restriktive Verfahrensästhetik begünstigenden Rhetorik
und den Termen einer das Gegenkonzept positivierenden Trak-
tatliteratur. So tritt *concetto* als positiver Begriff an die Stelle jener
rein negativ qualifizierenden Begriffe wie *falsa* oder *corrupta
eloquentia,* mit denen in der Geschichte der Rhetorik und der
Dreistillehre Verstöße, und es waren immer solche des Synkretismus, bezeichnet wurden. Es ist allerdings signifikant, daß im
Zuge der wachsenden Kritik am Concettismus und dessen all-
mählichen Abbaus Argumente revitalisiert wurden, die sich von
der negativen Topologie der antiken stilkritischen Urteile in

nichts unterscheiden. Die *buon gusto*-Argumente, die *decorum*-Forderung der Arcadia und der übrigen klassizisierenden Schulen des ausgehenden 17. Jahrhunderts benutzen eine Terminologie und Argumentation wie sie in Tacitus' *Dialogus de oratoribus* (vgl. Heldmann, K., 1980) vorgezeichnet ist.

Das *concetto*, der positivierte Synkretismus, fällt nunmehr in das Gebiet des Ungeschmacks und hat auf der Ebene der paradigmatischen Metatexte keine Chance, dafür aber ist seine Wirkung im Bereich der Textproduktion nicht folgenlos. Die Frage nach dem weiteren Geschick des Synkretismus auf der Ebene der Metatexte drängt sich auf. In den Poetiken der Romantik und hernach denen des Symbolismus, Postsymbolismus, Surrealismus etc., Metatexten also, die nicht mehr in direkter Konfrontation mit orthodoxer rhetorischer Lehre stehen, wohl aber mit Modellen klassischer Ästhetik, lassen sich Begriffe wie Groteske, Arabeske (zumindest seit der Romantik auf Phänomene des Literarischen übertragen), Symbol, das Absurde, Verfremdung mit der synkretistischen Tradition assoziieren. Dezentrierung, Pluralisierung von Sinn, Sinnkomplexion und Sinnzerstäubung formulieren Teilaspekte; auch die Begriffe der Dialogizität und Intertextualität stehen in der Tradition des synkretistischen Denkens.

Gewiß gehört Bachtin mit seinen zentralen Konzepten in diese Tradition (Lachmann, R., 1984) – seine Rabelais-Interpretation, seine Bestimmung der Renaissance als synkretistischer Kultur (für unsere Typologie ein Idealtyp) und seine Geschichtsschreibung der menippeischen Satire (*satira-satura*) als der Geschichte der Gattungs- oder Diskursmischung von der Antike bis ins 19. Jahrhundert (eine Geschichte, die weitergeschrieben werden kann) belegen seinen Ort in der Auseinandersetzung zwischen der orthodoxen und der unorthodoxen Position. Markant wird die Bachtinsche Theorie insbesondere im Bereich der Bestimmung von Sprachmischung und sprachlicher Interferenz. In *Ästhetik des Wortes* verknüpft Bachtin die Mischung als Erscheinung sprachlicher, textueller und kultureller Ordnung mit seinem Konzept des dialogischen Wortes. Seine Definition des hybriden Wortes bezieht sich daher auch auf das dialogische. Hier das Zitat:

Wir nennen diejenige Äußerung eine hybride Konstruktion, die ihren grammatischen (syntaktischen) und kompositorischen Merkmalen nach zu einem einzigen Sprecher gehört, in der sich in Wirklichkeit aber zwei

Äußerungen, zwei Redeweisen, zwei Stile, zwei Sprachen, zwei Horizonte von Sinn und Wertung vermischen (Bachtin, M., 1979, S. 195).[4]

Zwei Stile – an anderer Stelle redet er von mehreren Stilen, Stilpluralität –, die von einem Sprechersubjekt in einer Äußerung vermittelt werden – sind die Verdichtung desselben Verfahrens, das für einen ganzen Text gilt. Denn das, was Bachtin mit der Aufhebung der Grenze des Syntaktischen und Kompositorischen meint, gilt für den Gesamttext insofern, als er wie eine Äußerung funktioniert. (Dasselbe ließe sich von der Kultur als Text sagen.) Bachtin geht es nun primär um die Durchsetzung seiner Kategorie des Dialogischen, einer kommunikativ positiven, versöhnlichen Kategorie, die die Beschreibung einer dynamischen semantischen Komplexion beschreibt. Und zwar dergestalt, daß im dialogischen Kontakt, den der manifeste Text in den Kontiguitätsbeziehungen der versammelten fremden Stile herstellt, die Geste der Herauslösung eben dieser fremden Stile aus ihren jeweiligen Kontexten als in einer semantischen Synthese aufgehoben erscheint.

Setzt man aber den Aspekt der semantischen Differenz, der durch die Friktion der Stile, durch die monströse Heterogenität entsteht, dominant, dann gerät ein eher Unharmonisches in den Blick. Das Auseinandertreiben des einen Sinns, das der Synkretismus schafft, bedeutet, daß die Kultur nicht zur Ruhe kommen kann. Sie kann weder gerinnen noch eigentlich Gestalt gewinnen, denn der Text weigert sich, sie abzubilden. Die ›Menippea‹ tendiert, trotz ihres ›Realismus‹ – und das zeigt die Bachtinsche Analyse ja auch auf –, zur Zersetzung des Bildes einer konkreten Wirklichkeit. Die synkretistische Sinnhandlung ist die der Auflösung der Sinn-Kerne und die gleichzeitige proliferierende Entfaltung des aus verschiedenen Kontexten gespeicherten Sinns.

Nun lassen sich Mischung und Proliferation als Ausdruck einer Negativität (der ständig gleitend-entgleitende Sinn, die nichtdarstellbare ›Wirklichkeit‹, das *ineffabile* der Wahrheit schließlich) interpretieren, denn die hybride, dialogisch-plurivoke Form, das Wort als verschiedene Sinnpositionen kreuzendes Gegenwort und als Parodie verhindert die Sinn-Monade. Die Diffusion von Sinn strebt den ›Meta-Sinn‹ an, der die Ausdrückbarkeit überschreitet. – Diese Implikation sei nur angedeutet, zumal sie nicht für alle Synkretismus-Stilisten gilt. Sie gilt jedoch gewiß für die

Wortspiel-Magier (Morgenstern, Chlebnikov u. a.) unter ihnen. Im ludistischen Moment selbst nämlich, das sowohl im Verbergen des Sinns als auch in der Demonstration der Form sich durchsetzt, verbinden sich Sprachkarneval und Sprachmagie. Das Raffinement des Synkretismus arbeitet mit seinen Verfahren der Andeutung, Verschleierung, Mehrdeutigkeit, des Umwegs (der nie zum Ziel kommt) also mit seiner *obscuritas, ambiguitas, amphibolia* an einer negativen Ästhetik der Uneigentlichkeit und zugespitzt der semantischen Kryptomanie. Die prominenten Synkretismus-Stilisten (Rabelais, die Manieristen-Concettisten, Jean Paul, Heine, Dostojevskij, Belyj, Nabokov – allesamt Spieler mit fremdem Stil und fremdem Sinn) sind Kryptomane, die die Dechifrierungskunst der Rezipienten provozieren, die »cryptogrammic paper-chase« (Nabokov, V., 1955) nach dem ex-zentrischen Sinn.

Die ›negative Ästhetik‹ dieser und anderer Autoren ist aber nicht nur kryptisch, sie ist auch demonstrativ. Demonstrativ, weil sie ihre Formen als Formen entblößt (eine negative formalistische Kunst also) und weil sie theatralisch ist. Die fremden Stile nämlich (Rollen und Masken ineins) werden zitiert, deklamiert, in einer *mise-en-scène* auf die Textbühne gebracht. Theatralisch ist auch ihre multimediale Orientierung, wie sie zum Beispiel im Lettrismus, in den *carmina figurata* und vergleichbaren Formen vom Manierismus zum Dadaismus und Futurismus sich zeigt. Theatralisch schließlich ist auch das Wort entblößende Spiel, das ihm die Eindeutigkeit des Sinns austreibt, ihn ex-zentrisch macht. Die Ver-Setzung des semantischen Wortkerns geschieht durch Kontamination mit anderen, durch semantische Transgression, aber auch durch die Entfaltung semantischen Gedächtnisses, das ein Wort dem anderen einprägt. In summa: die synkretistischen Texthandlungen schaffen demonstrativ-spielerisch und kryptisch-magisch das Ex-Zentrische des Sinns.

Ohne auf die Frage einzugehen, ob die einzelnen Nationalliteraturen eigene Traditionen des Synkretismus hervorgebracht haben, sollen anhand dreier Beispiele synkretistische Formen der russischen Literatur charakterisiert werden, die womöglich Anlaß geben, bestimmte Typen, zumindest aber Funktionen des Synkretistischen herauszustellen. Es geht um Dostojevskij, Belyj, Majakovskij.

Dostojevskij, den Bachtin als Fortschreiber der (kryptisch gewordenen, ins literarische Unbewußte gefallenen) menippeischen Tradition und als Hyperboliker des polyphonen Prinzips an den Beginn des modernen europäischen Romans stellt, läßt sich nun in der Tat als Synkretist besonderen Zuschnitts (Verschnitts) bezeichnen. Nicht nur die makrotextuelle Dimension seiner Romane (und Erzählungen) ist von einem mischenden Duktus affiziert, der unterschiedlichste narrative Modi, sentimentalistisch-realistisch zeitgenössische und obsolete hagiographische, amalgamiert: Die Mord-, Selbstmord-, Geheimnis-, Spannungs-Poetik der *gothic novel* in der zugleich geläuterten und getrübten Version der *école frénétique* (Victor Hugo, Eugène Sue, Jules Janin) und raffinierten Weiterführung (E. A. Poe) trifft auf den Sensations- und Anekdotenstil der Boulevardpresse, nimmt Elemente des sentimentalen russischen Romans und des Realismus auf und zwar eines Realismus, der ein Wirklichkeitskonzept des Extremen, Phantastischen und Grotesken umsetzt. Dies ist die Bestätigung der der Gattung Roman immanenten Hybridenbildung, Argument für deren menippeische Wurzel. Dostojevskij schmilzt diese Modi in den Duktus historiosophischer Traktate des 19. Jahrhunderts, religiös-philosophischer Disputationen ein, läßt den Tonfall von Manifesten hören, die von Terrorismus, Anarchismus und Sozialismus handeln, und läßt eine Folie durchschimmern – und das wäre der obsolete Modus –, die narrative Muster der altrussischen Heiligenviten und der häretischen Literatur einspielt. (Es soll hier gar nicht die Rede davon sein, wie Dostojevskij diese unterschiedlichen Traditionen einsetzt, indem er seriöse Genres parodiert, triviale nobilitiert etc.). Diese Mixtur von distinkte Gattungen assoziierenden Formen, die die Makrostruktur der Romane ausmacht, hat nun aber auch Konsequenzen für deren Mikrostruktur, insbesondere im Bereich des Semantischen. Die aufgerufenen Repräsentationsstile transportieren für Dostojevskij Interpretationsmuster für die Verarbeitung von Geschichte, Wirklichkeit, Welt, deren mythische Substrate er freizusetzen weiß. Sie werden aber auf eine Weise miteinander verkettet, daß sie einander wechselseitig interpretieren. Das häretische Muster deutet das anarchische, das schauerromantische das apokalyptische. Aber das ist bei weitem nicht alles. Dostojevskij macht sich auch zeitgenössische Interpretationsmodi zu eigen (vor allem solche, die als Antizipation psychoanalytischer – die Phänomene der Hysterie und Epilepsie betreffender – Konzepte gelten können), die er nicht von ungefähr mit älteren Konzepten, wiederum in interferierenden Erklärungsstrukturen, verknüpft. Es sind die des Narrentums in Christo, der Doppelgängerei, der Besessenheit, des Ekstatischen etc.

In summa, was wir vorfinden, ist ein semantischer Synkretismus der gleitenden, einander wechselseitig, jeweils zeitweilig, dominierenden Signifikanten, die jeder Hierarchiebildung widersprechen. Es kommt zu Sinnfolienschichtungen in einem einzigen Signifikanten, also zu Mehrfachkodierungen. Es sind die in exzentrischen Handlungen verwickelten, exzentrische (»groteske« würde Bachtin sagen) Psychen besitzenden, exzentrische Ideologeme, Mythologeme äußernden Protagonisten seiner Romane, die diese Signifikantenrolle übernehmen und diese Mehrfachkodierung ›erdulden‹. Jede Figur (das gilt besonders für *Die Dämonen*) ist, wenn auch eine jeweils eigene ›Stimme‹ intonierend, von diesen heterogenen Mustern durchdrungen. Und alle Figuren im Ensemble repräsentieren eine Art ›Transsubjekt‹, das die Dopplungen und Vervielfältigungen zusammenhält. Jede einzelne Figur erscheint als Hybride und als die eigene Stimme in der Polyphonie des Romans transzendierende Instanz. Polyphonie also – eines der Bachtinschen Schlüsselwörter – wird hier zur zentralen Strategie des Synkretismus. Und zwar als ›Orchestrierung‹ konkurrierender, rivalisierender, antinomischer oder einfach kontroverser Positionen, von denen keine als einzige Artikulation der Wahrheit auftritt und von denen keine den einen Ausklang (Akkord, Harmonie) in Aussicht stellen kann. Vielmehr streben die einzelnen Spezial-›Idiome‹, die religiösen, politischen, axiologischen, zu- und wieder auseinander, ohne eines der Idiome zu eliminieren und ohne eine Rangordnung zu etablieren. Jede Stimme ist in sich gespalten, ist eine doppelte, setzt einen dialogischen Sprechakt durch, in dem zumindest zwei Stimmen sich berühren (Bachtin, M., 1971).[5]

Dostojevskijs Roman als ganzer hat ebenfalls eine zweifache Ausrichtung: die eine ist narrativ, linear, sequentiell, die andere ist semantisch, reiterativ, zyklisch. Die narrative entfaltet in ihrer teleologischen Einstellung die semantische, die ateleologisch ist. Und eben auf dieser semantisch strukturierten Ebene tritt das zu einem Extrem getriebene Raffinement des Synkretismus hervor: die Allusionen, Signale, Zitate sind eingelagert in ein System von Kreuzungen, Überlappungen, Wiederholungen, Inversionen, Eskalationen etc., in ein System freilich, das einen hohen Grad an Organisiertheit besitzt – die Regelhaftigkeit des Irregulären. Diese semantische Struktur, wie sie auch andere Romane Dostojevskijs auszeichnet, gilt für eine Reihe synkretistischer Texte, insbesondere für die der Gegenwart, in denen die teleologische Orientierung in zunehmendem Maße abgebaut wird. Die Exzentrik des synkretistischen Textes, die das narrative ›telos‹ dominiert, enthüllt die Exzentrik des Sinns. In Dostojevskijs Fall ist Synkretismus deutlicher Ausdruck einer negativen Ästhetik.

Andrej Belyj, Theoretiker der Intertextualität ›avant la lettre‹ und einer ihrer artifiziellsten Praktiker, entwickelt in seinem Roman *Petersburg* (1913) einen Synkretismus, der – wenn auch in einer ›seriösen‹ Kulturphilosophie gründend – in der Transformation fremder Stile und Mythen ein vorwiegend parodistisches Spiel mit diesen treibt. Der fremde Stil wird als Repräsentant einer poetischen Tradition, einer literarischen Epoche oder eines Autors durch die Zitierung seiner charakteristischen Signale aufgerufen. So zum Beispiel revozieren poetische Etymologien, Alogismen, Calembours, Lautwiederholungen, deskriptive Verfahren das ›Bild‹ des Gogolschen Stils. Die narrative Struktur seines Romans erweist sich als Montage aus Dostojevskijs *Die Dämonen* (in allen oben erwähnten Aspekten) aus Puškins *Der eherne Reiter*, aus reverbalisierten Elementen von Čajkovskijs *Pique-Dame*-Oper (der ihrerseits der Text Puškins zugrunde liegt), aus Elementen Tolstojscher und Čechovscher Werke (Holthusen, J., 1979, ders., 1985; Steinberg, A., 1977).

Dieser Synkretismus ist nicht additiv, sondern implikativ und läßt durch die Parodierung hindurch ein Konzept erkennen, das die Projizierbarkeit von Texten auf Texte, von Kulturen auf Kulturen positiviert (Lachmann, R., 1983 c). Oder anders: die in Texten kodierte Erfahrung und die Weisen der Kodierung, die diese Erfahrung speichern, bauen eine expandierende textuelle Dimension auf, die erlaubt, daß in jedem neuen Text die älteren, quasitoten Texte mitgeschrieben und wiedererweckt werden. Jedes in die kulturelle Zirkulation gebrachte Zeichen schlägt sich im Gedächtnis der Kultur nieder und ist damit disponibel. Der synkretistische Akt ist folglich zugleich ein summativer, der sich entlang einer zeitlichen Achse vollzieht. Vielleicht ließe sich hier von einem Synkretismus von durch Texte repräsentierten Kulturschichten reden, von denen jede die ›darunterliegende‹ reflektiert,

d. h. einem Schichten-Synkretismus mit stark diachroner Ausrichtung. Besonders deutlich wird dies in den Mythen transfor-
mierenden Verfahren. So etwa werden in die Rekonstruktion des
Saturn-Mythos oder der Apoll- und Dionysos-Mythen Mythologeme der hermetischen Tradition ebenso eingeblendet wie die
nietzscheanische Opposition von appollinisch und dionysisch;
Steinersche Anthroposophismen fusionieren mit signifikanten
Elementen indischer, persischer und ägyptischer Mythologie und
nicht zuletzt mit ›Dogmen‹ russischer häretischer Tradition.

Diese *bricolage* lagert die zitierten Mythologeme nicht neben-,
sondern ineinander und stellt eine eigentümliche Sinntransparenz
her. Ja, sie suggeriert die Vorstellung einer Sinn-Reinkarnation,
eine Vorstellung, die durch den parodistischen Ludismus des
Romans ihr pathetisches Gewicht freilich verliert. Der prononciert diachronische Aspekt des Mischens, der gewissermaßen (in
der Reinkarnation) eine Komplexion, eine Intensivierung ermöglicht (langsames Anwachsen des Sinnpotentials), wird durch einen gegenläufigen depotenziert, den der Diffusion und Zersplitterung. Beide gelten für Belyjs Praxis und beide finden ihr
späteres theoretisches Echo in Bachtins Romantheorie. Die Idee
der Spuren, die jedes Zeichen aus den Kontexten, in denen es
wirksam war, in den neuen Kontext einbringt (diese speichernd),
konkurriert mit jener der Atomisierung des Sinns in der Berührung mit anderen Zeichen. Also: Zersplitterung in der Akkumu-
lation, Zusammensetzung in der Zersetzung von Sinn. Beide
Bewegungen, die des Synkretismus, der Summation und Akku-
mulation und die der Dispersion und Auflösung, lassen Konsoli-
dierungen nicht zu.

Majakovskij bedient sich in *Ode an die Revolution* des Synkretismus persuasiv zur Durchsetzung einer sprach- und stilkritischen
These, die der zeitgenössischen Revolutionspanegyrik gilt. Die
demonstrative Konfrontation zweier Stile und zweier Sprachschichten, die deren ideologische Funktion wechselseitig zu reflektieren scheint, wird zum eigentlichen Thema. Es ist die rhetorisch eingesetzte Antithese zwischen der höchsten Ebene der
Stiltriade, wie sie für die russische Literatursprache des 18. Jahrhunderts verbindlich war, und den Vulgarismen der noch nicht
als Literatursprache zugelassenen Subsprachen der Arbeitswelt
und des Militärs, die zum organisierenden Prinzip der Revolu-
tionsode wird. Die Konfrontation der lexikalischen Felder läßt

ihre ›Kreolisierung‹ zu (Majakovskij selbst spricht von »Mixtur«, *smes'*). Die ›kreolisierte‹ Sprache eines Textes, die sich über stilistische und generische Bindungen hinwegsetzt, versteht Majakovskij als Reaktion auf die »erstarrten Wörter« (*zastyvšie slova*) einer Sprache, der der dialogische Kontakt mit jeder anderen versagt ist. Die Friktion heterogenen Wortmaterials, deren Modell im Titel »Ode« an die »Revolution« vorgezeichnet ist, stellt diesen Kontakt gewaltsam her (»Grubenarbeiter« und »frommes Weihräuchern«, »Kohlenstaub« und »Heiligenschein«). Die Wörter, zumal die erhabenen (Kirchenslavismen, Archaismen), schleppen ihre funktionale Abhängigkeit von bestimmten Stilen (hoher Stil) und diese wiederum von bestimmten Genres (Ode) mit sich.

Es wird deutlich, daß Majakovskij die einzelnen in den Schmelztiegel getauchten Lexeme auch als Referenzsignale einsetzt, die eine bestimmte Stil- und Gattungskonvention assoziieren. Lexeme wie »Ode«, »Oh«, »Ruhm« oder feierliche Odenphrasen (»in Entzücken erhebe ich«) zeigen diese Funktion an, aber gerade diese Wendungen sind es auch, die ein fremdes panegyrisches Vokabular einspielen, das in der höfischen Lobode des 18. Jahrhunderts seinen Platz hat. Daß sich Majakovskij dieser vorfabrizierten Formen und der ästhetischen und ideologischen Traditionen, die sie abbilden, bedient, indem er das rhetorische Potential der panegyrischen Ode sowohl nutzt als auch parodiert, läßt die ›Kreolisierung‹ als ›Ideologiekritik‹ erscheinen und verhindert, daß die Ode als Ode sich anläßt.

Das zitierte Odengenre, das die affirmative Haltung des Panegyrikers des 18. Jahrhunderts aufruft, soll hier nicht zum Preis der Oktoberrevolution restauriert werden. Denn die Brechung des Pathos in der Hybride unterläuft nicht nur die panegyrisch-affirmative Funktion der historischen Odentradition, sondern auch die odifizierende Tendenz der offiziösen Revolutionssprache (Lachmann, R., 1980). Ode und Revolution treten als inkompatible kulturelle ›Handlungen‹ auseinander. Und doch schafft die Mischung einen Dialog der Ambivalenz, die in den in (zitierter) Litaneiform aufgezählten oxymoralen Prädikaten der Revolution zum Ausdruck kommt (»heroisch« und »viehisch«, »krämerisch« und »erhaben«). Und über diesen Umweg, d. h. die dialogische Usurpation des Odenstils, die Aufdeckung seiner affirmativen Ideologie, kann Majakovskij die Ode reideologisieren, ohne die Ambivalenz zu löschen. Es ist die Ambivalenz des poetischen (*poètovo*) im Gegensatz zum offiziösen Wort, die Majakovskij der das Revolutionsbild entwerfenden Sprache einprägt, eine Ambivalenz, die aus der Mischung, die die Stile als Stile in ihrer ideologischen Dimension demaskiert hat, hervorgegangen ist.

Alle drei Ausprägungen, die zwischen den Extremen eines funktional ungebundenen, gleichsam entblößten Synkretismus und eines funktional gebundenen, pragmatischen Synkretismus liegen, setzen das semantische und kulturelle Potential von Stilen, Gattungen und Mythen frei in wechselseitiger Demaskierung, Kommentierung, Zersetzung. Es scheint, als vermag nur die synkretistische Geste dies zu leisten, da sie die versammelten Elemente in ihrer jeweiligen ›Fremdheit‹ erhält – als »eine Synthese ohne Überdeckung der Heterogenität des Hineinzitierten.«[6] Diese zugleich archaische (primäre) und reflektorische (sekundäre) Antistilhandlung, die Kultursummen entwirft und zugleich ausstreicht, verweist auch im exzentrischen, nicht lokalisierbaren Sinn auf das Gedächtnis der Kultur zurück.[7]

Anmerkungen

1 Exemplarisch für die *decorum*-Rhetorik (unter deren Einfluß auch die russische Tradition dieses Typs stand) ist Nicolaus Caussinus' *De eloquentia sacra et humana libri* xvi. Paris 1619.

2 Bachtin hat das für seine Ästhetik zentrale Konzept des archaischen Synkretismus und der Speicherfunktion von Gattungsformen offensichtlich von A. Veselovskij übernommen.

3 Die Vorstellung eines binären Kulturmodells und eines davon bestimmten kulturellen Mechanismus leitet sich aus J. Lotmanns Kulturtypologie her (Lotman, Ju., 1974; ders./Uspenskij, B., 1977). Auf den hier interessierenden Komplex angewendet, ergibt sich folgendes binäres Schema:

Kultureller Mechanismus (Repräsentations- und Transformationsmodelle)

Hierarchisierung	Dehierarchisierung
Ausschluß	Einschluß
Vereinheitlichung	Diversifikation
Kanonisierung	Dekanonisierung

Totalisierung	Detotalisierung
offizieller Konsens	Tendenz zu Esoterik
Maß	Hyperbel, Raffinement
Positivität	Negativität
Teleologie	Ateleologie
Monovalenz	Ambivalenz

Kulturelle Metatexte

aristotelische Rhetorik	»Anti-Rhetorik«, Rhétorique noire (Barthes, R., 1970)
bon-goût-Ästhetik	concettismo
Formalismus ⎫ Neo- New Criticism ⎭ aristotelismus	Humboldts Sprachästhetik (in Rußland: Potebnja → Bachtin)
Strukturalismus (Struktur, System)	Poststrukturalismus (Dialogizität, Intertextualität, Synkretismus)

4 Diese Bachtinsche Position sollte meines Erachtens immer im Zusammenhang mit der von V. Vološinov entwickelten Vorstellung der »Rede-Interferenz« (rečevaja interferencija) gesehen werden (Vološinov, V., 1975).

5 Vgl. hierzu die kritische Auseinandersetzung bei W. Schmid (1979).

6 B. Menke in der Diskussion des IUC-Kolloquiums im März/April 1985.

7 Vgl. hierzu die Ergebnisse von Gumbrecht, H. U./Link-Heer, U. (Hgg.) (1985).

Literatur

Bachtin, M. (1971), *Probleme der Poetik Dostojevskijs.* München.

Bachtin, M. (1979), *Die Ästhetik des Wortes,* Hg. von R. Grübel. Frankfurt/M.

Bachtin, M. (1986), *»Rabelais und seine Welt. Volkskultur als Gegenkultur«.* Hg. von R. Lachmann. Frankfurt/M.

Barthes, R. (1970), »L'Ancienne rhétorique«. In: *Communications* 16.

Belyj, A. (1982), *Petersburg.* Deutsche Übersetzung der dritten russischen Fassung von 1922. Übersetzt von F. Dalitz. Berlin.

Dostojevskij, F. (1977), *Die Dämonen,* übersetzt von A. Rahsin. München.

Dyck, J. (1966), *Ticht-Kunst. Deutsche Barockpoetik und rhetorische Tradition.* Bad Homburg.

Fischer, L. (1968), *Gebundene Rede. Dichtung und Rhetorik in der literarischen Theorie des Barock in Deutschland.* Tübingen.

Gumbrecht, H. U./Link-Heer, U. (Hg.) (1985), *Epochenschwellen und Epochenstrukturen im Diskurs der Literatur- und Sprachhistorie.* Frankfurt/M.

Heldmann, K. (1980), »Dekadenz und literarischer Fortschritt bei Quintilian und bei Tacitus«. In: *Poetica* 12/1. S. 1-23.

Holthusen, J. (1979), »Andrej Belyj, Petersburg«. In: Zelinsky, B. (Hg.) (1979), *Der russische Roman.* Düsseldorf. S. 265-289.

Holthusen, J. (1985), »Humor im russischen Symbolismus. Über eine mehrstufige Čechov-Paraphrase in Andrej Belyjs Petersburg. In: *Slavica Gandensia* 12. S. 107-111.

Lachmann, R. (1980), »Intertextualität in der Lyrik. Zu Majakovskijs Oda revoljucii«. In: *Wiener Slawistischer Almanach* 5. S. 5-23.

Lachmann, R. (1983 a), »Das decorum als totales Stilprinzip. Zum Rhetorikkonzept des Feofan Prokopovič«. In: *Slavistische Studien zum IX. Int. Slavistenkongreß in Kiev.* Köln-Wien. S. 267-282.

Lachmann, R. (1983 b), »Die problematische Ähnlichkeit. Sarbiewskis Traktat ›De acuto et arguto‹ im Kontext concettistischer Theorien des 17. Jahrhunderts«. In: dies. (Hg.), *Slavische Barockliteratur. II.* München. S. 87-114.

Lachmann, R. (1983 c), »Intertextualität als Sinnkonstitution. Andrej Belyjs ›Petersburg‹ und die fremden Texte.« In: *Poetica* 15/1-2. S. 66-107.

Lachmann, R. (1984), »Bachtins Dialogizität und die akmeistische Mythopoetik als Paradigma dialogisierter Lyrik«. In: *Das Gespräch. Poetik und Hermeneutik XI* (Hg. von K. Stierle/R. Warning). München. S. 489-516.

Lotman, Ju. (1974), *Dinamičeskaja model' semiotičeskoj sistemy* (Das dynamische Modell des semiotischen Systems). Moskau.

Lotmann, Ju./Uspenskij, B. (1977), »Die Rolle dualistischer Modelle in der Dynamik der russischen Kultur (bis zum Ende des 18. Jahrhunderts)«. In: *Poetica* 9/1. S. 1-40

Majakovskij, V. (1966), *Ode an die Revolution,* übersetzt von H. Huppert. In: ders. (1966), *Ausgewählte Werke,,* Hg. von L. Kossuth, Bd. 1: *Gedichte.* Berlin.

Nabokov, V. (1955), *Lolita.* Reinbek bei Hamburg.

Schmid, W. (1973), *Der Textaufbau in den Erzählungen Dostojevskijs.* München.

Veselovskij, A. (1913), »Tri glavy iz istoričeskoj poėtiki« (Drei Kapitel aus der historischen Poetik). In: ders. *Sobranie sočinenij.* Sankt Petersburg.

Vološinov, V. (1975), *Marxismus und Sprachphilosophie.* Frankfurt/M.

Marc Eli Blanchard
Stil und Kunstgeschichte

Es geht mir im folgenden um den Gebrauch des Begriffs ›Stil‹ in der Kunstgeschichte. Ich beginne daher mit einem Vergleich des Gebrauchs von *Stil* in Kunstgeschichte und Literaturgeschichte. Aus diesem Vergleich sollen bestimmte Charakteristika abgeleitet werden, die den Begriff des Stils in der Kunstgeschichte kennzeichnen. Ich werde dann nachzuweisen versuchen, daß die kunstgeschichtliche Stilkonzeption es ermöglicht, zwei fundamentale Bezugssysteme miteinander in Beziehung zu setzen: den Begriff der Rezeption des Kunstwerks und die Geschichte dieser Rezeption. Abschließend wird zu zeigen sein, auf welche Weise die Geschichte dieser Rezeption mit der Entstehung und dem Wandel des Begriffs der Dekoration verknüpft ist.

1. Der Begriff des Stils in der bildenden Kunst als moderner oder modernistischer Begriff

Ein Grundproblem jeder Stilanalyse in der bildenden Kunst der abendländischen Kultur besteht darin, daß sich das Vokabular der Literaturkritik nicht mehr ungebrochen auf die bildende Kunst übertragen läßt. Für diesen Sachverhalt sind in erster Linie historische und entwicklungsbedingte Gründe verantwortlich. Die durch die Erfindung der Zentralperspektive revolutionierte Wahrnehmung des Tiefenraums veränderte die Parameter des Sehens. Daher konnte man ein Bild auf einem Triptychon, einer Wand, nicht mehr auf die gleiche Weise betrachten wie ehedem die Miniaturen der illuminierten Handschriften. Eine Szene, wie sie im Gedächtnis von Generationen verankert und in den Chroniken und heiligen Büchern niedergeschrieben war, hatte bis zu diesem Punkt als Paradigma gegolten, das es dem Betrachter erlaubte, aus dem, was er auf einer flachen Bildtafel sah, eine Einheit zu konstituieren. Mit der Erfindung der Zentralperspektive aber begann sich die Aktivität des Sehens und der Bildbetrachtung von der Art und Weise zu unterscheiden, mit der man bestimmte Formen des Geschichtenerzählens in einem Gedicht oder einer Erzählung, Handlungsentwürfe oder Figurendarstellung identifizierte. Das Auge nahm nicht mehr nur ein Bild wahr und erkannte darin Muster und Figuren, sondern machte nun diese Muster und Figuren von ihrem Beitrag zu einem sie umgebenden Raum, zur Konstruktion einer Szene, abhängig.

Es dauerte indessen eine ganze Weile, ehe es der Kunstkritik gelang, sich von der Literaturkritik zu lösen. Obwohl Lessing als erster die Begrenztheit des »ut pictura poesis« erkannt hatte, blieb die Beziehung zwischen Kunstkritik und Literaturkritik problematisch. Wie die Kontroverse zwischen Panofsky und Wölfflin zeigt, wurde die Frage dieser Beziehung in der neueren Zeit zur Frage der generellen Abhängigkeit der Kunstkritik von Kriterien umgemünzt, die ursprünglich aus anderen Disziplinen hervorgegangen waren: aus der Philosophie, der Anthropologie und der Geschichte der Pädagogik (vgl. Panofsky, E., 1980 a, S. 19-27; 1980 b, S. 45-48). Ich will aus der Kunstkritik und der Theorie des Stils in der bildenden Kunst keine eigene Disziplin ohne Bezug zu anderen Disziplinen machen. Dennoch kann man sagen, daß der fortgesetzte Versuch, der Kunstgeschichte Kategorien aufzuzwingen, die von außen an sie herangetragen werden, seinerseits historisch motiviert ist. Die kritische Tradition des Westens ist ausschließlich griechisch-römischen Ursprungs, denn weder die islamische noch die jüdische Tradition kennen einen Kunstbegriff, der über den Begriff der Dekoration hinausgehen würde. Ich werde jedoch später zeigen, daß der Begriff der Dekoration für die Ausbildung einer spezifisch westlichen Stilvorstellung von grundlegender Bedeutung ist. Vorerst sei nur soviel gesagt: Während die literarischen Werke der römischen und griechischen Kultur überdauerten, gingen die meisten Werke ihrer bildenden Kunst, insbesondere ihre Malerei, schon früh verloren; es ist dieses mit dem Verlust einer bildlichen Tradition gepaarte Überleben einer schriftlichen Tradition, das für die Abhängigkeit eines beträchtlichen Teils der mittelalterlichen Kunst und vielfach auch noch der Kunst der frühen Neuzeit – und dazu gehören beispielsweise auch bestimmte Phasen der französischen Klassik des 17. Jahrhunderts – von den Schriften der Antike und dem kontinuierlich daraus hervorgegangenen Kommentar verantwortlich war.[1]

Weil es dem modernen kunsthistorischen Diskurs nie ganz ge-

lang, seine Schulden gegenüber der Literaturkritik und der kritischen Tradition zu tilgen, sah sich der Kunstkritiker, der sich
nicht mit der Applikation von im wesentlichen nur für die
Literatur oder die Rhetorik tauglichen Kategorien auf die Kunst
zufrieden geben wollte, zur bewußten Konzentration auf technische und begriffliche Probleme genötigt. In seinem Buch über
den *Manierismus* räumt Arnold Hauser zwar ein, daß der Manierismus in der Tat ein Stil sei; aus Mißtrauen gegen die Literaturkritik aber geht er das Problem des Manierismus nur aus dem
technischen Blickwinkel der Raumbehandlung an. Hauser zeigt,
wie das manieristische Vorgehen Raumkonzepte umformt. Damit
entgeht er der Falle, den Begriff des Manierismus auf die Literatur
und die Künste auszudehnen. Seine Suche nach einem manieristischen Vokabular, das nur für die Malerei und vielleicht noch für
die Architektur Gültigkeit besäße, verrät sein Bestreben, Definitionen zu finden, die für andere kulturelle Bereiche nicht anwendbar sind. Hauser hat dies folgendermaßen formuliert:

Der Manierismus ist radikale *Kunst:* Er verwandelt alles Natürliche in
etwas Kunstvolles, Künstliches, Gekünsteltes. Der Naturlaut, das unge-
formte Rohmaterial des Daseins, alles Faktische, Spontane und Unmittelbare wird durch ihn vertilgt und in ein Artefakt, ein Gestaltetes und
Fabriziertes umgewandelt, das – wenn auch dem *homo faber* noch so
nahe, noch so vertraut – naturfern ist (Hauser, A., 1964, S. 279 f.).

Erst wenn der Begriff des Stils in der bildenden Kunst ausschließlich in Relation zu den Künsten selbst definiert ist, kann der
Kritiker eine Stilkonzeption entwickeln, die nicht mehr, wie es
die Verteidiger des Kanons fordern, durch ihre Bindung an eine
aus bestehenden literarischen Traditionen abgeleitete Norm, sondern durch das Fehlen einer solchen Norm und durch neue
Parameter des Sehens gekennzeichnet ist. Einer solchen Konzeption geht es nicht darum, diese Parameter so zu gestalten, daß sie
zu einer idealen, wenngleich nichtspezifizierten Form passen.
Wirklichkeit und Natur sind nicht mehr dazu da, um nachgeahmt
zu werden, und ihre Darstellung gelingt nicht dadurch, daß man
die Modalitäten ihrer Nachahmung, d. h. die Stile definiert, die
später als Gattungen kanonisiert werden. Was dem Künstler
gegenübersteht, was sich dem Betrachter darbietet, das ist ein
Schauspiel, bei dem das Bewußtsein die neuen Grenzen zu interpretieren sucht, die sich dem Auge aufdrängen. Dafür gibt es zwei

Gründe: Erstens vermittelt das Kunstwerk durch seine beschränkte Ausdehnung und – was insbesondere für das in seinen Rahmen eingekapselte Gemälde gilt – durch seine Begrenztheit dem Bewußtsein über das Auge ein Gefühl der Geschlossenheit, den Zwang einer Grenze. Der Betrachter gewärtigt innerhalb des Rahmens nicht ein unbestimmtes Tableau, sondern eine Szene, eine Inszenierung. Zweitens ist hier im Gegensatz zu einem Text der den Text artikulierende Code verborgen und muß erst noch ermittelt werden. Auge und Bewußtsein werden zuallererst mit Bildern konfrontiert, und das Ausmaß, in dem ein Gemälde oder ein Monument eine Geschichte erzählen kann, ist beschränkt. Während ›Stil‹ in der Literatur die Weisen des Sagens charakterisiert und dadurch deren Klassifizierung nach Form und Gattung ermöglicht, erlaubt der Stil in der bildenden Kunst, die Wahrnehmungsgrenzen des Werkes festzulegen, welche Aussageweisen allererst erzeugen.

2. Stil als Erprobung der Wahrnehmungsgrenzen

Stil, so kann man folgern, stellt im Diskurs der Kunstgeschichte eine Kategorie dar, die es dem Historiker erlaubt, die Reaktionen des Betrachters auf den Ersatz eines Parameters durch einen anderen zu beurteilen. Weil dem Künstler des Mittelalters, wie Wylie Sypher in seinem Buch *Four Stages of Renaissance Art* zeigt, »ein weltliches Theater, in dem der Mensch eine Rolle spielen konnte«, fehlte und weil »der Kosmos Gott allein, und nicht dem Menschen gehörte«, fiel der Kunst der Gotik die Aufgabe zu, die Darstellung menschlicher zu gestalten, indem sie den Anteil des Menschen am göttlichen Raum besonders hervorhob. Dem mittelalterlichen Künstler gelang es indessen nie, die Notwendigkeit, das Bild einer eingegrenzten Fläche, eines abgeschlossenen Eden, mit der Notwendigkeit in Einklang zu bringen, dabei die Darstellung der göttlichen Allmacht zu erhalten. Figuren, die die Hingabe des Menschen an eine, zumeist christliche, Sache verkörpern sollten, durften niemals von ihrem Hintergrund getrennt werden (Sypher, W., 1978 (1956), S. 67). Indem er den menschlichen Körper zum Bezugspunkt jeder Darstellung erhob, gelang es dem Künstler der Renaissance später, seine Figuren in einer Szene einzuschließen, die allein ihnen vorbehalten zu sein schien. Diese Unterscheidung zwischen der Kunst des Mittelalters und der Kunst der Renaissance impliziert die Vorstellung, die Darstellung einer Geschichte sowohl für das Auge als auch für das Bewußtsein möglich oder akzeptabel zu machen. Der Künstler der Gotik suchte nach jener Art von Raum, der in der Darstellung von Figuren oder Objekten die göttliche Allmacht zum Ausdruck zu bringen vermochte. Trotz ihrer extremen Vielschichtigkeit vermittelte die Welt der gotischen Architektur dem Betrachter den Eindruck einer aus der Perspektive eines erhabenen und überwältigenden Raumarrangements wahrgenommenen, zwischen plastischen Figuren herrschenden Beziehung. Im Gegensatz dazu suchte die Kunst der Renaissance Figuren und Gesten innerhalb eines Raumes zu integrieren, sie wollte den Betrachter davon überzeugen, daß die einzig mögliche Form, die Anwesenheit des Menschen im Raum zu erklären, darin bestand, Figuren auf einer einheitlichen, auf einen Fluchtpunkt hin organisierten Perspektive anzuordnen.

So gesehen, wird Stil zu einer Kategorie, die es erlaubt, unterschiedliche Publikumsreaktionen zu analysieren und zu klassifizieren. Ich sage ›Stil‹ und nicht ›Genre‹, weil der Begriff des Genre auf der Annahme einer Reihe schriftlich fixierter, nicht durch das Sehen vermittelter Situationen beruht und sich daher auf narrative Typen bezieht, die zu bestimmen nicht vornehmlich Aufgabe der Stile bildender Kunst ist. An dieser Stelle können wir also sagen, daß stilistische Merkmale, wie etwa die Intensität und Verteilung der Farben oder eine spezielle Geometrie der Komposition, den Betrachter einladen, visuelle Zentren zu identifizieren und zu interpretieren.

Wenn der künstlerische Stil eine Kategorie ist, mit deren Hilfe Publikumsreaktionen bestimmbar werden, dann muß es dem Analytiker des Stils vorrangig darum gehen, den diese Reaktionen auslösenden Prozeß einzukreisen. Weil Sehen nicht nur eine rein physische Aktivität, sondern auch eine imaginäre Projektion beinhaltet, die sich zahlreicher, vom Betrachter zuvor schon wahrgenommener Muster bedient, ist es die Kopräsenz solcher Muster bei jedem neuen Sehvorgang, die den Erkenntnisvorgang in der Erfahrung des Betrachters leitet. So können die jeweiligen Stile definiert werden, indem man die jeweiligen Verfahren untersucht, die der Künstler entweder zur Verdeutlichung oder aber zur Vermeidung dieser Muster handhabt. Wie auch immer: Der

Künstler ahmt nicht die Wirklichkeit nach, sondern verwendet fast immer ein Verfahren, einen Kunstgriff, mit dem er Wirklichkeit lediglich *andeutet*. Breughel, der zahllose Details in seinen gewaltigen Menschenansammlungen malt, erzeugt dadurch ›realistische‹ Effekte, obwohl wir nicht fähig – oder auch nicht willens – sind, unsere Zeit damit zu verbringen, jede einzelne Figur genau nachzuzeichnen. Im Gegensatz dazu genügen den Kreideportraits der Schule von Fontainebleau des 16. Jahrhunderts schon ein paar Schatten, um aus einer immensen Fläche ein menschliches Gesicht hervortreten zu lassen. Stil zu untersuchen heißt folglich, zwischen illusionsbildenden Techniken zu unterscheiden. Der Stil Breughels etwa kann nach dem »Etcetera-Prinzip«, wie Gombrich es genannt hat, charakterisiert werden: »... daß wir, wenn wir einige Glieder einer Reihe wahrgenommen haben, annehmen, wir sähen die ganze Reihe ...« (Gombrich, E. H., 1967, S. 244). Im Kontrast dazu wird der Stil des älteren Clouet dadurch geprägt, daß das Gefühl der Grenzen des Gemäldes im umgekehrten Verhältnis zur Konturenlosigkeit der Kreide steht. Was allerdings in dieser Definition von Stil fehlt, ist die historische Dimension, die einen wesentlichen Bestandteil der Kunstgeschichte bildet. Und dennoch, weil zwischen dieser formalen Definitionsebene von Stil und einer historischen kunst*geschichtlichen* Perspektive kein akzeptables Bindeglied gefunden worden ist, gibt es im Diskurs der Kunstgeschichte keine spezifischen Stilkategorien, die sich nicht mit anderen, typologischen, generischen und auch rein chronologischen Kategorien überschneiden.

3. Der Begriff des Stils im historischen Kontext

Aufgrund der Vagheit, mit der der Stilbegriff im kunstgeschichtlichen Diskurs verwendet wird, kommt es allzuoft zu Überschneidungen mit dem Begriff der Epoche; der Begriff der Epoche wiederum reicht nicht aus, um die formalen Unterschiede zwischen Kunstwerken aus ein und derselben Epoche oder, im Gegensatz dazu, aus ganz verschiedenen Epochen zu erklären. Die Kategorie des Stils muß neu definiert werden, und ist sie erst neu definiert, dann muß sie dazu beitragen können, den Begriff der Epoche neu zu definieren.

Nehmen wir das Beispiel des Manierismus, als Stil *und* als Epoche verstanden. Wölfflin vereinfachte die Unterschiede zwischen Renaissance und Barock allzu stark – eine Ideologie der Farbe und des Raumes ersetzt eine Ideologie der Linie und Zeichnung. Dadurch wurde der Manierismus zu einer Stilkategorie hergerichtet, welche die Kluft zwischen Epochen überbrücken sollte – zwischen einer Epoche, in der die Künstler, um T. S. Eliots Vergleich von Tennyson und Browning mit John Donne zu zitieren, »ihre Denkweise so unmittelbar empfinden konnten wie den Duft einer Rose«, und einer anderen Epoche, wo ein Auseinanderdriften von Intellekt und Gefühl, das Künstler dazu veranlaßt hatte, Verschiebungen, Disproportion und Asymmetrie auszuloten und vorzuführen, sie nun dazu trieb, nach einer Reintegration der Formen in einer Darstellung voll Energie, Fülle und Farbe zu streben (Eliot, T. S., 1921, S. 64). So gesehen erhält der Gebrauch des Stilbegriffs im Diskurs der Kunstgeschichte mehr als nur formalen Charakter. Er zeigt den Versuch des Künstlers, einen speziellen Parameter annehmbar und glaubwürdig zu machen, das heißt das Experimentieren der Gotik mit einem aus der Überschau gesehenen Raum oder, dazu im Gegensatz, das Bedürfnis der Renaissance, jeder einzelnen Perspektive ein imaginäres Auge zuzuweisen. Weil außerdem ein solcher durch kulturelle Entwicklungen motivierter Versuch – im Mittelalter etwa die Beziehung des Menschen zu Gott oder in der Renaissance die Beziehung des Universums zum Menschen – auf einem historischen Modell beruht (das Experiment der Gotik entspricht einer Epoche stabiler Herrschaft unter der gemeinsamen Verwaltung durch Papst und Kaiser; der Zeit der Renaissance entspricht die Vermehrung der *condottieri* in Italien und die Expansionspolitik Frankreichs), kann man sagen: Die Definition des Stils ist die essentielle Vorbedingung für die Definition historischer Epochen, wie sie von der Kunstgeschichte reflektiert werden. Die Formen der aus dem 14. und 15. Jahrhundert stammenden Bauelemente des Mailänder Domes sind daher stilistisch *und* historisch verschieden von den Formen der aus dem 16. Jahrhundert stammenden Medici-Kapelle. Und letztlich kann sich der Begriff des Stils als nützlich erweisen sowohl für die Einführung historischer Unterschiede als auch für eine bessere Differenzierung zwischen einzelnen historischen Epochen. Ich kann dann beispielsweise sagen, daß der Stil der frühen Bauformen des Domes mir die Bestimmung einer spätgotischen Epoche (die Zeit der

Erbauung des Domes) erlaubt, wo es dem Architekten primär darauf ankam, die seinem Entwurf gesetzten Grenzen kontrapunktisch zu unterlaufen, indem er den Kontrast zwischen Masse und dekorativen Motiven ausschöpfte, wohingegen der Stil der Medici-Kapelle die Definition einer manieristischen Epoche gestattet, als deren Höhepunkt Michelangelos Gebrauch dekorativer Motive im Sinne einer Abwendung vom kanonisierten Detail gelten kann.[2] In diesem Unterschied zwischen dem Stil des Domes und dem der Medici-Kapelle ist, so kann man sagen, die historische Distinktion zwischen zwei Einstellungen zum Kanon der Architektur enthalten: hier die üppige Zurschaustellung, dort die subtile Dekonstruktion.

Ihre historische Fundierung gewinnt die Unterscheidung zwischen einzelnen Stilen aber noch nicht schon dadurch, daß sie lediglich eine Entwicklung auf dem formalen Sektor konstatiert, die den Status des Kanons betrifft; die Frage muß allgemeiner gestellt werden. Wenn sich im Hinblick auf den Kanon ein Einstellungswandel abzeichnet, und wenn dieser Wandel durch eine stilistische Weiterentwicklung untermauert wird, dann deutet dieser Stil nicht nur auf einen Unterschied in der Behandlung der Formen hin, sondern auch auf die Möglichkeit, den Horizont, gegen den sich diese Formen ausbildeten, zu entwerfen. So verstanden, reicht eine qualitative Distinktion zwischen den jeweils angewandten formalen Verfahren, wie sie uns in Mailand und Florenz entgegentreten, nicht aus.

Ich werde versuchen, auf das Problem der Historizität mit einem weiteren bekannten Beispiel aus der Geschichte des Stils zu antworten: gemeint ist die Poussin-Caravaggio-Kontroverse.

Es ist nicht allzu schwierig, die Malerei Poussins mit ihrer Betonung des Gesamtentwurfs als einem rein intellektuellen Produkt und dem Einsatz der Farbe, die einfach dazu dienen soll, das Auge zu betören, in Relation zur Malerei der Renaissance zu setzen; wesentlich schwieriger läßt sich hingegen die Beziehung zwischen Poussin und Caravaggio herstellen, der Poussin zeitlich viel näher steht als der italienischen Renaissance. Für beide, Caravaggio mit seinen expressiven Techniken und suggestiven Farbkontrasten und Poussin mit seiner Verleugnung der Farbe, scheinen ausgeprägt räumliche Wahrnehmungen im Vordergrund zu stehen. Genau hier bedarf der historische Übergang von der Renaissance zum Klassizismus der Feinabstimmung mit dem

Begriff des Stils. Die Stilkonzepte des Barock und des Manierismus sind unabdingbar, wenn erklärt werden soll, wie die Entdeckung des perspektivisch aufgebauten Tiefenraums durch die Renaissance zur Erforschung eines ganz speziellen Bereichs führte, der von der Renaissance unangetastet gelassen worden war: die semiotische Interpretation des Raumes, der von der Renaissance bestimmt worden war. Die Neuorganisation der Perspektive ermöglichte es dem Betrachter, jedem Betrachter, sich die Szene, die er vor Augen hatte, neu anzueignen. Was bei dieser Neuaneignung allerdings aus dem Bild herausfiel, war die Interpretation dieses Raumes im Hinblick auf die psychologische Charakterisierung der Figuren. Im Zusammenhang mit dem mittelalterlichen Kulturwandel kann die Perspektive als ein *Motiv*, ohne Bezugnahme auf spezifische Unterschiede zwischen einzelnen Kunstwerken, erklärt werden. Liest man den Panofsky der *Idea* und des *Scholasticism and Gothic Architecture,* so merkt man, daß das Kunstwerk nur als Prisma für die verschiedenen Strömungen, die eine Epoche durchziehen, existiert. Was aber den Unterschied zwischen Poussin und Caravaggio betrifft, der für einen erheblichen Teil der Malerei des 17. Jahrhunderts bestimmend war, so reichen dafür historische und kulturelle Daten nicht mehr aus. Dieser Konflikt kann erst durch den Rückgriff auf die Schwächen oder vielmehr die Kehrseite sowohl des Stils der Renaissance als auch des klassischen Stils erklärt werden.

Einerseits hatten die Künstler der Renaissance Werke geschaffen, in denen zugunsten einer immer virtuoseren Perspektive der Blickwinkel derart verengt worden war, daß die so entstandene Szenerie sich für die Entfaltung menschlichen Handelns als nicht mehr tauglich erwies. Ich denke etwa an die Gemälde von Piero della Francesca, die im Bild nachzuweisen versuchten, was der Künstler in seinen Schriften zur Perspektive bereits demonstriert hatte: daß die optische Perspektive eine geeignete Struktur für die Interpretation menschlicher Erfahrung darstellt. Aber ist sie das wirklich? Ein Blick auf seine *Kreuzigung* lehrt uns, daß die religiöse Erfahrung, auf die das Bild verweist, in Wahrheit vom Gefühl der Distanziertheit und Entfremdung, die im Bild besonders stark zum Ausdruck kommen, geradezu erdrückt wird. Die klassischen Künstler andererseits, die auf die in Castigliones *Cortegiano* so trefflich veranschaulichten Erziehungs- und Bildungsideale reagieren, streben danach, sich über die Eigenarten und Einzelheiten der Natur zu erheben, um so eine Welt der Harmonie und des Maßes zu erreichen. Aber kann das Detail so sehr im Ganzen aufgehen, daß es darüber seine Besonderheit verliert? Indem er sein gesamtes malerisches Schaffen auf der Basis des Entwurfs und der Komposition definiert, setzt sich Poussin der Kritik aus, es nur auf das Gattungsmäßige, und nicht auf das Individuelle abgesehen zu haben und durch seine Besessenheit vom heroischen oder erhabenen Stil die Darstellung an eine Grenze zu treiben, von der sie sich nur zurückziehen kann – wie die allmähliche Rückkehr der französischen Malerei zur Expressivität des Farbtons durch die Maler des 18. Jahrhunderts beweist. Caravaggios expressiver Stil ist geeignet, hier eine Lücke im historischen Kontinuum zu schließen. Poussin ist dann nicht so sehr zu verstehen als jemand, der eine kompositorische Ideologie der Renaissance aufgreift, sondern als jemand, der Caravaggios Ideologie der Farben und der dunklen Töne bekämpfte. Wir haben hier ein gutes Beispiel dafür, wie eine Stilkategorie, zum Beispiel Expressivität, die Rekonstruktion einer Geschichte der Malerei ermöglicht, die nicht durch das historische Kontinuum, das heißt zwischen der Komposition der Renaissance und der der Klassik, definiert ist.

Ich schlage deshalb vor, den Begriff des Stils in der Kunstgeschichte nicht für den Nachweis der verschiedenen historischen Genres zu reservieren, sondern ihn zum besseren Verständnis der Definitionsprobleme von Epochen heranzuziehen, welche die Konstitution von Genres ermöglichen.

4. Stil, Genre und Dekoration

Von der Vorstellung, daß Stil die Konstitution von Genres erleichtert, ist es nur ein kleiner Schritt zur Vorstellung von Stil als Dekoration. Kunsthistorische Werke haben häufig eines gemeinsam: Sie leiten aus der Beschreibung dekorativer Motive in einem Kunstwerk einen Genrebegriff ab und folgen diesen Motiven bis zu einem hypothetischen kritischen Punkt, an dem sie Teil des Kanons werden, mit dessen Hilfe dann diejenigen Werke, die solche Motive enthalten, identifiziert werden können.

Die Geschichte der Kanonbildung mit Blick auf den Stil kann in zwei Stadien beschrieben werden. Im ersten Stadium erzeugt eine

Veränderung in bestimmten Teilen eines Werkes, selbst dann, wenn sie nur unwesentlich ist, auf Kosten anderer Teile bestimmte Muster und erlaubt so dem Betrachter ein automatisches Wiedererkennen eines Werkes oder einer Gruppe von Werken eben aufgrund dieser Muster. In *Kunst und Illusion* beschreibt Gombrich diesen Vorgang als »Schema und Korrektur«:

Wir bemerken etwas nur, wenn wir nach etwas Ausschau halten, und wir schauen nur, wenn unsere Aufmerksamkeit durch irgendeine Störung im gewohnten Gleichgewicht angeregt wird, also durch eine Diskrepanz zwischen unserer Erwartung und der von außen zukommenden Botschaft (Gombrich, E. H., 1967, S. 244).

So verstanden, ist es die Korrektur, die das Kunstwerk als solches identifiziert und gegen die Natur abhebt. Wahrscheinlich meinte Constable diesen Sachverhalt, als er sagte: »Ich habe mich bemüht, zwischen echter Kunst und Manierismus eine Trennungslinie zu ziehen, aber auch die größten Maler waren niemals ganz frei von Manier« (zit. bei Gombrich, E. H., 1967, S. 203). Der Stil eines Malers wird in der Kunstgeschichte dann wiedererkennbar, wenn eine Korrektur oder eine Reihe von Korrekturen als Modifikation eines etablierten Schemas betrachtet werden kann – allerdings nicht bis zur völligen Unkenntlichkeit des Schemas. In diesem Stadium kann die Wahrnehmung eines sich herausbildenden Stils auf die Wahrnehmung von Motiven begrenzt sein, die zur Dekoration dienen, aber nicht die Funktion der Darstellung verändern. Für uns heute mögen die Säulenkapitelle romanischer Kirchen mit ihren wilden Tieren und rankendem Pflanzenwuchs ein exotisches oder karikaturartiges Dekor darstellen. Aber wir müssen uns daran erinnern, daß es sich dabei lediglich um ein Gemisch von phantastischen, aus illuminierten Handschriften und Bestiarien übernommenen Figuren und Darstellungen ganz gewöhnlicher Menschen aus dem Alltagsleben handelte. In diesem Sinne verstanden, diente das Groteske oder Bizarre einfach nur der Stärkung des Glaubens, weil damit selbst das Monströse auf den Wänden der Kirchen katalogisiert war. In diesem Stadium finden wir daher eine Verschmelzung von Stil und Schema: Beide sind eng miteinander verknüpft. Die Darstellung hat nicht den Zweck, Erwartungen zu durchkreuzen, sondern sie zu erfüllen. In einem zweiten Stadium vermittelt das dekorative Motiv, wenn es erst einmal identifiziert und klassifiziert ist, das Gefühl von

Tradition. Es ist dies ein höchst interessanter Moment in der Geschichte der Kunst, weil er die Besonderheit und irreduzible Qualität des Kunstwerks etabliert und gleichzeitig die Tradition stärkt. Das Motiv wird nicht mehr von innen nach außen, sondern von außen nach innen wahrgenommen. Die am ursprünglichen Schema durchgespielten Variationen und Differenzen konstituieren nun ein neues Schema, mit dem das Kunstwerk zur Deckung gebracht werden muß. So kann Poussin als Schöpfer neuer Paradigmata betrachtet werden, weil er auf einer Kompositionsauffassung beharrte, die den Bildern Caravaggios fehlt. In diesem Zusammenhang mögen Poussins Farbtöne im Vergleich zu Caravaggio ziemlich flach oder matt wirken, und was für seine Farben galt (daß sie verblichen aussehen, gerade weil sie wie die natürlichen Farben der realen Welt wirken sollten), ist nur im Zusammenhang eines Vergleichs mit dem manieristischen Stil Caravaggios sinnvoll. Sobald aber die Farben nicht mehr nur als dekorativ, sondern im Hinblick auf die Erfüllung einer kompositorischen Funktion wahrgenommen werden, das heißt die Imagination erst stimulieren, nachdem sie den Intellekt angesprochen haben, tragen sie dazu bei, eine Komposition stärker in den Blick zu rücken, aus der alle pittoresken Elemente verbannt scheinen, weil sie sich, nach Sir Anthony Blunt, »der Methode des expressiven Understatement« bedient (Blunt, A., 1970, S. 176). In diesem Kontext wird wiederum das ganze klassische Paradigma neu entdeckt, und zwar nicht nur als Vergangenheit, als kulturelle Überlieferung, sondern primär als Ideal. Die klassische Mythologie, die bis zur Zeit Poussins als Themenrepertoire gedient hatte (man denke an Rubens' mythologische Szenen), wird nun zum Anreiz für die Reflexion über eine Vergangenheit, die nicht mehr greifbar, die ohne Glanz und Sinnlichkeit ist, und deshalb nur noch der Meditation dient.

Die Wahrnehmung seiner Funktionalität bestimmt den historischen Augenblick, an dem ein dekoratives Ornament den Charakter eines Stilelements annimmt. Wenn Poussins Farben, verglichen mit den Farben Caravaggios, nicht mehr blaß erscheinen, sondern mit den einfachen Flächen, die seine Gemälde auszeichnen, zu einer Einheit verschmelzen, ist der Zeitpunkt gekommen, von dem an man von Poussins eigenem Stil sprechen und gleichzeitig auch seine Malerei als repräsentativ für den klassischen Stil schlechthin gelten kann.

Man wird einwenden, Poussin sei ein extremes Beispiel, da ich den klassischen Stil quasi durch die Abwesenheit des Dekorativen in dem von mir vorgeschlagenen Sinne definiert habe; meine Behauptung, so mag man sagen, Stil sei durch das Aufgehen von Motiven in das Zentrum des Werks definiert, beruhe nur auf einer Würdigung des klassischen Stils. Es muß jedoch betont werden, daß das Paradigma des Oppositionsverlustes zwischen Dekoration und dem Werkzentrum, wie es für den Übergang vom Manierismus zum Klassizismus der Fall ist, auch für den Manierismus gilt. Die klassische Kunst à la Poussin mag zwar durch ein Understatement der visuellen Stimuli charakterisiert sein, sie ist indessen mitnichten bar solcher Stimuli. Sobald bei der Betrachtung vieler Gemälde Poussins der anfängliche meditative Stau überwunden ist, wird man gewahr, daß die scheinbare Beschaulichkeit der Landschaft durch ominöse Geschehnisse in bestimmten Bildsegmenten gebrochen scheint, die aber durch Poussins Technik so abgehoben und in die Distanz gerückt erscheinen, daß selbst der Vordergrund erst auf den zweiten Blick erkennbar wird. Überwältigend aber bleibt die durchgängig waltende Reduktion des visuellen Feldes auf die Linien eines monumentalen Entwurfs.

Paradoxerweise ist dasselbe Reduktionsprinzip auch im Falle des Manierismus anwendbar. Analysen des Manierismus erklären zumeist Mannigfaltigkeit und Konzentration aufs Detail zu den zwei Grundprinzipien des Manierismus. Interessant aber ist die Art und Weise, wie sich die Kritiker mit beiden Prinzipien auseinandersetzen. Von der Annahme ausgehend, ein gut entwickelter Stil sei erst dann wahrnehmbar, wenn diese Mannigfaltigkeit organisiert erscheint und Muster sich herauszubilden beginnen, geraten sie in Verlegenheit, wenn das Prinzip der Reduktion auch auf solche Werke angewandt werden soll, bei denen das Auge des Betrachters von so vielen Interessenzentren stimuliert wird, daß es nicht mehr in der Lage ist, diese Muster in eine umfassende Form zu integrieren. Und dennoch, wie in einem Gemälde von Poussin, wo Farben absichtsvoll verblassen, um dem Betrachter die Möglichkeit zu geben, sich ganz auf das Detail zu konzentrieren, sind auch die besten Werke des Manierismus mit einem Muster versehen, wie John K. Shearman sagt, wo keine »Form eindeutig irregulär ist«, so daß das Auge weniger von der Streuung der Details überwältigt und verwirrt, als vielmehr von den verschiedenen Energiezentren stimuliert wird (Shearman, J. K., 1967, S. 71). So gesehen bietet ein manieristischer Stil Mannigfaltigkeit nicht als ein Prinzip der Desorganisation an, sondern als ornamentales Verfahren, das es dem Betrachter ermöglicht, ein Gefühl von Reichtum und Überfluß aus einer Fülle von Details zu schöpfen, die er zwar sehen kann, deren er indes nicht im einzelnen nachzugehen braucht. Die Fülle der Details erzeugt so eine Repräsentation, eine Vorstellung von Überfluß und Unordnung, die ganz verschieden und ganz entfernt von der tatsächlichen Mannigfaltigkeit des Werkes ist. Dem Betrachter stehen zwei Möglichkeiten offen: Entweder er konzentriert sich auf einzelne Details und widmet ihnen so viel Zeit, daß er darüber das Bild als Ganzes vergißt, oder er bezieht aus seiner anfänglichen Orientierungslosigkeit eine *Vorstellung* von Orientierungslosigkeit, die ihm dazu verhilft, ein Gesamtverstehen des Werkes in Angriff zu nehmen. Im ersten Falle setzt er sich mit dem Ornament auseinander, im zweiten nimmt er einen Stil wahr.

Ich fasse zusammen. Der Gebrauch der Stilkategorie im Diskurs der Kunstgeschichte impliziert drei Untersuchungsebenen:

a) eine formale Ebene: ›Stil‹ ist nicht bezogen auf die physische Operation des Sehens, sondern auf die vom Künstler verwendeten Verfahren (auf den Illusionsgrad, auf Kontraste), mittels derer das Visuelle dem Bewußtsein vermittelt wird;

b) eine Ebene des Kanons: ›Stil‹ bezieht sich auf die künstlerische Zurschaustellung des Kanons und auf das Spiel mit dem Kanon;

c) eine eigentlich historische Ebene: ›Stil‹ bezieht sich auf die Integration dekorativer Motive in ein multiples Kommunikationssystem, das die Ideologie einer Epoche hervorbringt.

Nur durch die Integration aller drei Ebenen kann eine Geschichte des Stils hoffen, zur Geschichte der Kunst zu werden.

Aus dem Amerikanischen von Margit Smuda

Anmerkungen

1 Mein Ansatz ist damit theorieorientierter und allgemeiner als die in der neueren deutschen Diskussion überwiegend romantische Konzeption der ›fiktionalen Homogenität‹ eines einheitlichen ›Hochstils‹ mit seinen, geringwertigen, Varianten (vgl. Hager, W./Knopp, N., Hgg., 1979, S. 12).

2 Beispielsweise in der Verwendung blinder und geschrumpfter Tabernakel hinter Statuen.

3 Zu visuellen Hierarchien u. ä. vgl. Gombrich, E. H. (1979), (1982), S. 75-106.

Literatur

Blunt, A. (1970), *Art and Architecture in France 1500-1700*. Harmondsworth, Middlesex and New York.

Eliot, T. S. (1921), (1964), »The Metaphysical Poets«. In: *Selected Prose*. London. S. 59-67.

Gombrich, E. H. (1967), *Kunst und Illusion. Zur Psychologie der bildlichen Darstellung*. Köln.

Gombrich, E. H. (1979) (1982), *Ornament und Kunst: Schmucktrieb und Ordnungssinn in der Psychologie des dekorativen Schaffens*. Stuttgart.

Hager, W./Knopp, N. (Hgg.) (1979), *Beiträge zum Problem des Stilpluralismus*. München.

Hauser, A. (1964), *Der Manierismus. Die Krise der Renaissance und der Ursprung der modernen Kunst*. München.

Panofsky, E. (1980 a), »Das Problem des Stils in der bildenden Kunst«. In: Oberer, H./Verheyen, E. (Hgg.), *Aufsätze zu Grundfragen der Kunstwissenschaft*. Berlin. S. 19-27.

Panofsky, E. (1980 b), »Heinrich Wölfflin zu seinem 60. Geburtstag am 21. Juni 1924«. In: Oberer, H./Verheyen, E. (Hgg.), *Aufsätze zu Grundfragen der Kunstwissenschaft*, Berlin. S. 45-48.

Shearman, J. K. (1967), *Mannerism*. Harmondsworth.

Sypher, W. (1956) (1978), *Four Stages of Renaissance Style*. Gloucester, MA.

Ferdinand Fellmann
Stile gelebter Philosophie und ihre Geschichte

Der Stilbegriff in der Philosophie und ihrer Geschichte – beruht diese programmatische Themenstellung nicht auf einer Verwechselung? Der Verwechselung nämlich von Philosophie und Kunst, die das weltanschauliche Philosophieverständnis kennzeichnet, das aber mit dem Anspruch der modernen Philosophie auf strenge Wissenschaftlichkeit endgültig überwunden sein sollte. Die Wissenschaftlichkeit der Philosophie prägt die Art, in der gegenwärtig Geschichte der Philosophie betrieben wird. In Form der Begriffsgeschichte und der Problemgeschichte hat sie ein Abstraktionsniveau erreicht, das in der Regel über dem anderer Spezialgeschichten liegt. Parallel zu und in enger Verbindung mit der Wissenschaftsgeschichte tritt Philosophiegeschichte als reine Strukturanalyse auf, die ideale Verlaufsmodelle des philosophischen Denkens konstruiert.[1]

Den analytischen Verfahren der Philosophiegeschichte entspricht die Beschränkung auf eine einzige Klasse von Quellen, nämlich auf die systematischen Texte. Biographische Zeugnisse, die etwas über die Entstehungsbedingungen einer Philosophie aussagen, sowie Materialien, die die wirkungsgeschichtliche Dimension erschließen, liegen in der Regel außerhalb des problemgeschichtlich orientierten Erkenntnisinteresses. So erfüllt die Geschichte der Philosophie wie kaum eine andere Spezialgeschichte das geisteswissenschaftliche Programm der »Geschichte über den Geschichten«. Damit vollendet die Philosophiegeschichte den neuzeitlichen Prozeß der Umkehrung des ursprünglich pragmatischen Geschichtsverständnisses. Philosophiegeschichte wird selbst zur strengen Wissenschaft, in der die Erforschung der Möglichkeiten der Erforschung der Wirklichkeiten vorangeht.

So faszinierend die Emanzipation der Philosophiegeschichte von den Trübungen der empirischen Wirklichkeiten des menschlichen Denkens auch sein mag, sie enthält ein wissenschaftstheoretisches Problem, das ihren eigenen Begriff in Frage stellt. Als Erfahrung des Abwesenden unterscheidet sich Geschichte von anderen empirischen Wissenschaften dadurch, daß sie ihre Begriffe nicht direkt an den Gegenständen überprüfen kann. Sie muß daher den Realitätsbezug in ihrer Begriffsbildung selbst bewahren, damit die Erforschung der Möglichkeiten sich nicht in rein phantastische Konstruktionen auflöst. Solange Geschichte mit dem handelnden und leidenden Menschen zu tun hat, muß daher Philosophiegeschichte nicht nur logisch, sondern immer auch »pathologisch« (Jacob Burckhardt) betrieben werden. Darin liegt keine Aufforderung zum Rückgang in den Naturalismus, zur Reduktion des geschichtlichen Sinnes auf Anthropologie und Psychologie. Die Selbständigkeit der Objektivationen des Denkens soll durchaus gewahrt bleiben, ihre Eigengesetzlichkeit voll anerkannt werden. Aber den Wirklichkeitsbezug gewinnt die Philosophiegeschichte erst dann, wenn sie die Problemzusammenhänge so konstruiert, daß sie sich an die lebensweltlichen Subjekte anbinden lassen.

Diese Überlegungen führen uns zu der These, daß der Stil für die Wirklichkeit des philosophischen Denkens steht, insofern dieses als Vermittlungsarbeit zwischen den Menschen und den Welten, in denen sie leben müssen, begriffen wird. Dahinter steht die Überzeugung, daß Stil durch den Widerstand, den er bereitet, aus Lebensproblemen Erkenntnis schafft, und daß Stil, darüber hinaus, die Kluft zwischen reinem Denken und der Öffentlichkeit, die darin nach Orientierung sucht, überbrückt. Diese funktionale Definition sprengt den ästhetischen Stilbegriff; denn die Form wird als Wirklichkeitskriterium des Denkens aufgefaßt. Als solches gehören Denkstile zum Selbstverständnis der modernen Philosophie. Das reicht vom »existentiellen Denken« über das »wilde Denken« zum »schwachen Denken« der Gegenwart.

Die Einheit eines philosophischen Denkstils kann sich auf verschiedenen Ebenen äußern. Seine Bedeutung reicht vom sprachlichen Ausdruck über die Argumentationsfiguren bis zu den literarischen Gattungen, deren sich das philosophische Denken bedient. Daraus ergibt sich für die Geschichte der Philosophie, daß sie auf Erscheinungen achten muß, die von der Problemgeschichte als Störungen der rein logischen Sinnregeln zu Unrecht ausgeschieden worden sind. Denn wie es in der Geschichte im allgemeinen nichts Unwesentliches gibt, so rückt in der Philosophiegeschichte im besonderen das scheinbar Unwesentlichste, der Stil des Denkens, ins Zentrum der Erforschung der wirklichen

Möglichkeiten des Geistes. Das ist der Grund, weshalb auch und gerade die Philosophiegeschichte, die es mit der Klimax des Denkens zu tun hat, auf den Stilbegriff nicht verzichten kann.

Die Forderung, Denkstilanalyse als Instrument der Philosophiegeschichtsschreibung einzusetzen, ist freilich leichter aufzustellen als zu erfüllen. Denn die ihr zugrundeliegende Annahme, daß Stil ein konstitutives Element des philosophischen Gedankens selbst bildet, widerspricht allen modernen Philosophiebegriffen, die dem Rationalitätsstandard des wissenschaftlichen Objektivismus verpflichtet sind. Die Läuterung der Philosophiegeschichte zur Problemgeschichtsschreibung ist daher kein Zufall. Um die hier liegenden Widerstände gegen die Anerkennung des Stilbegriffs im philosophischen Denken zu beseitigen, bedarf es eines kurzen historischen Rückblicks auf die besondere geistige Konstellation, in der der wissenschaftliche Philosophiebegriff der Gegenwart und die ihm entsprechende Idee der reinen Problemgeschichte entstanden sind.

Es gehört zu den großen historischen Vereinfachungen, wenn man die Philosophiebegriffe der Gegenwart bruchlos auf die neuzeitlichen Anfänge des Denkens zurückführt, wie sie in Galilei und Descartes vorliegen, bei denen Philosophie und Wissenschaft eine unzertrennliche Einheit bilden. Die Formen der Gegenwartsphilosophie erklären sich historisch aus einem viel jüngeren Anfang, der in den Darstellungen der Philosophiegeschichte weniger Beachtung findet, der aber die innere Form und das Selbstverständnis philosophischen Denkens bis heute geprägt hat. Dieser zweite Anfang der Philosophie in der Moderne liegt im letzten Drittel des 19. Jahrhunderts und ist geprägt durch die Wiedergewinnung der Eigenständigkeit philosophischen Fragens gegenüber dem radikalen Reduktionismus der positiven Wissenschaften.[2]

Seitdem ließ sich Philosophie nur noch in Relation zu den exakten Wissenschaften definieren. Ihre Selbstbehauptung machte es erforderlich, den wissenschaftlichen Rationalitätsanforderungen zu genügen und zugleich über die begrenzte Fragestellung der Spezialwissenschaften hinauszugehen. Wie sollte das geschehen, da der rationalistische Traum von der Philosophie als Universalwissenschaft, die alle Einzelwissenschaften integriert, im Zeitalter der Spezialisierung ausgeträumt war?

In dieser schwierigen Situation hat die theoretische Philosophie im Rückgriff auf den Transzendentalismus Kants den epochemachenden Versuch unternommen, Philosophie als Erkenntnistheorie zu erneuern. Diese Tendenz, die in der Definition von Philosophie als »Grundwissenschaft« zum Ausdruck kommt, ist gegen Ende des 19. Jahrhunderts schulübergreifend, hat ihre exemplarische Ausprägung aber bei den Neukantianern gefunden. Wollte Philosophie mehr sein als bloße Weltanschauungslehre und dem Rationalitätsstandard der exakten Wissenschaften genügen, so konnte sie nur als deren erkenntnistheoretische Grundlegung betrieben werden.

Es ist charakteristisch für die neukantianische Erneuerung der Philosophie, daß sie den Letztbegründungsanspruch, der die Philosophie über bloße Methodologie der Wissenschaften hinaushebt, nicht mehr in deduktiver Form durchführen will. Das ist der Punkt, an dem sich die Neukantianer, vom »Faktum der Wissenschaften« ausgehend, von Kants analytischem Ansatz unterscheiden. Es gehört zu den feststehenden Überzeugungen schon der frühen Neukantianer, daß die transzendentale Deduktion der Kategorien zu den mißlungenen und grundsätzlich undurchführbaren Stücken der Kantischen Systematik gehört.

Wollte man dennoch für die Philosophie an der Grundlegungsaufgabe festhalten, so konnte man das nur, wenn es gelang, das unlösbare systematische Problem der Letztbegründung in ein *historisches* zu verwandeln. Der Ausgang vom jeweiligen Entwicklungsstand der Wissenschaften hat diese Verwandlung begünstigt, da damit das geschichtliche Moment schon in die Formulierung des Begründungsproblems einfloß. Philosophie war schon im Ansatz ohne Wissenschaftsgeschichte nicht denkbar, so daß sie selbst zu einer Wissenschaft werden konnte, die mit ihrer eigenen Geschichte zusammenfiel. Die »Verbindung des systematischen und des historischen Interesses« wird von den Kantianern zum Programm erhoben, das der Philosophie unerwarteterweise einen selbständigen Gegenstandsbereich eröffnet, der ihr gegenüber dem sterilen Geschäft der bloßen Methodologie den konkreten Sachbezug sichert, nämlich das eigene Denken in seiner geschichtlichen Entwicklung.

Es leuchtet ein, daß unter diesen Voraussetzungen Philosophiegeschichte in einer spezifischen Form betrieben werden mußte. Wenn Geschichte die Funktion der wissenschaftstheoretischen Grundlegung übernehmen sollte, so konnte sie das nur, wenn sie sich auf sehr abstraktem Niveau bewegte. Die Geschichte der Philosophie und der Wissenschaften war nach dem gleichen logischen Schema zu konstruieren, nach dem ihre Inhalte selbst verbunden waren. Die Schwankungen und Zufälligkeiten in der Entwicklung des Geistes mußten daher als Trübungen des idealen Entwicklungsganges eliminiert werden. Allein zugelassen war die Konstruktion des durchgängigen Problemzusammenhangs nach besonderen Sinnregeln, deren Entwicklung den Prinzipien der funktionalen Logik unterstellt wurde. Die Neukantianer bevorzugten für die Problemgeschichte die Methode der »überschauenden Projektion«, derzufolge der Gang der Entwicklung aus der Extrapolation eines idealen Entwicklungszieles konstruiert wurde.[3]

Die hier in groben Zügen skizzierte Erneuerung der Philosophie als Problemgeschichte, die zumindest für Deutschland bis heute maßgeblich geblieben ist, hat ihren Niederschlag im Selbstverständnis der Philosophiegeschichtsschreibung gefunden. Die Einheit des systematischen und des historischen Interesses gehört nach wie vor zu den Grundprinzipien der geltenden »Philosophiegeschichtsphilosophie«. Wie die Fächeraufteilung an den Universitäten erkennen läßt, versteht sich die Geschichte der Philosophie in der Regel nicht primär als historische Disziplin, sondern als eine und die noch einzig für möglich gehaltene Form von Philosophie selbst.

Die Überwindung des Standpunktes der reinen Problemgeschichte kann aber nur gelingen, wenn die Geschichte der Philosophie von der ausschließlichen Bindung an den wissenschaftstheoretischen Philosophiebegriff des ausgehenden 19. Jahrhunderts befreit wird. Es kommt darauf an, den Wandel im Selbstverständnis der Gegenwartsphilosophie zu reflektieren, der dem Stil eine für das philosophische Denken konstitutive Bedeutung zukommen läßt. Dieser Wandel kann zunächst allgemein als Erweiterung der wissenschaftlichen Philosophie beschrieben werden, die aus der Enge des Schulbegriffs herausführt. Schon *Kant* hat in diesem Zusammenhang von »Philosophie nach ihrem Weltbegriff« gesprochen. Da diese Bezeichnung an Voraussetzungen der Bildungsgeschichte des 18. Jahrhunderts gebunden ist, sei hier der Terminus »gelebte Philosophie« vorgeschlagen.[4]

Unter gelebter Philosophie soll nicht ein besonderer Zweig des Philosophierens neben anderen verstanden werden, sondern der allem philosophischen Denken eigene »Lebensbezug«, welches immer auch seine Thematik im einzelnen sein mag. Selbst hoch abstrakte Philosopheme haben ihren Lebensbezug, der keine geheimnisvolle Qualität darstellt, sondern sich durchaus *wissenssoziologisch* beschreiben läßt. Die gelebte Dimension einer Philosophie liegt in ihrer Funktion als »Bildungswissen«. Als solches gibt die Philosophie über ihren speziellen Gegenstand hinaus Antworten auf das Deutungsverlangen der jeweiligen Gegenwart. Die Antworten haben orientierungspraktische Funktion im Sinne der Bestimmung von allgemeinverbindlichen Einstellungen gegenüber den Realitäten der geistigen Lage einer Zeit.

Gelebte Philosophie – dieser leicht irrationalistischen Mißverständnissen ausgesetzte Titel wird also hier nicht im Sinne des subjektivistischen Prinzips von Erleben und Denken gebraucht. Denn Philosophien bestehen nicht aus Erlebnissen, sondern aus Gedanken. Aber Gedanken werden erst dann zu Philosophien, wenn sie auch als Antworten auf Orientierungsfragen verstanden werden können, die das Selbstverständnis der Menschen betreffen. Insofern gehört die Form, in der Philosophien in ihrer Zeit auftreten, durchaus mit zur objektiven Seite des philosophischen Gedankens.

Der Begriff der gelebten Philosophie und damit die Stilformen philosophischen Denkens gewinnen an *Aktualität* in der spezifischen Situation der modernen Philosophie im Zeitalter der Wissenschaften. Die Philosophie hat ihre großen metaphysischen Themen als Gegenstand endgültig eingebüßt und sich in der Spezialisierung so weit an die Einzelwissenschaften angenähert, daß sich die Frage ergibt, wodurch sich Philosophie von den Wissenschaften überhaupt noch unterscheidet. In der Tat sind die Grenzen fließend geworden, so daß eine zunehmende Verlegenheit im Selbstverständnis der Philosophierenden spürbar wird, die sich in den Schwierigkeiten spiegelt, eine überzeugende Antwort auf die Frage, was Philosophie sei, geben zu können. Die Entstehung der deutschen Lebensphilosophie, die keineswegs einen Unfall der historischen Vernunft darstellt, reflektiert in drastischer Weise die Identitätsprobleme des modernen philosophischen Denkens. Das »Leben« tritt nach der von Dilthey konstatierten »Euthanasie der Metaphysik« an die Stelle ihrer traditionellen Themen. Insofern reflektiert gelebte Philosophie der Gegenwart den Standpunkt der Lebensphilosophie, ohne mit ihr identisch zu sein.

In dieser Situation, in der gelebte Philosophie zunehmend die Suche nach ihrem eigenen Gegenstand thematisiert, vollzieht sich eine eigentümliche Bedeutungsverschiebung des philosophischen Diskurses. Das Spezifische der gelebten Philosophie besteht heute darin, daß ihre eigentliche Bedeutung nicht mehr in den Problemen und ihren Lösungen liegt, sondern in der Form des Diskurses selbst. Damit wird der Stil konstitutiv für den modernen Philosophiebegriff. Wenn man unter Stil die Einheitsform einer Weltsicht versteht, so sichert er dem philosophischen Denken auch im Zeitalter der Wissenschaften seinen Lebensbezug durch die Erfüllung des Orientierungsanspruchs, der nach wie vor das philosophische Fragen vom spezialwissenschaftlichen unterscheidet.

Die Darstellung des Übergangs von den Problemen zum Stil in der gelebten Philosophie der Moderne sei an einem Beispiel aus der jüngeren Philosophiegeschichte erläutert. Die Phänomenologie Edmund Husserls, die zu Beginn unseres Jahrhunderts als realistische Hinwendung »zu den Sachen selbst« aufgetreten ist, verdankt ihre epochale Durchschlagskraft der Tatsache, daß Husserl den Stil des philosophischen Denkens konsequent an den »Arbeitsstil« der neuen Zeit angepaßt hat (Helmuth Plessner). Nur so läßt sich die Tatsache erklären, daß spezielle logische und erkenntnistheoretische Untersuchungen, die sich streng im akademischen Rahmen halten, zum Ausgangspunkt für eine breite geistige Bewegung werden konnten. Wie kaum eine andere Philosophie repräsentiert die »phänomenologische Bewegung« Zeitstile, in denen der Wandel der geistigen Situation seinen Ausdruck findet.

Am Stil des phänomenologischen Denkens wird insbesondere die Dialektik von Schulphilosophie und gelebter Philosophie sichtbar, die ihre wirkungsgeschichtliche Explikation darin gefunden hat, daß die auf Wissenschaftlichkeit fixierte Phänomenologie so heterogene, ins Dichterische ausgreifende geistige Bewegungen wie die Existenzphilosophie Heideggers und den Existentialismus Sartres hervorbringen konnte. Die problemgeschichtlich orientierte Philosophiegeschichte hat die hier auftretenden Phänomene des Stilwandels als Aufgaben der Historik bisher noch kaum thematisiert. Um den Gestaltwandel des phänomenologischen Philosophierens im 20. Jahrhundert historisch zu erklären, bedarf es weiterer Stilanalysen des Husserlschen Denkens, die deutlich machen würden, wie die gelebte Dimension im Arbeitsstil des Begründers der Phänomenologie selbst schon enthalten ist.

Die phänomenologische Wissenschaftlichkeit kennzeichnet eine eigentümliche Ambivalenz. Als »strenge Wissenschaft« versteht sich die Phänomenologie als »unpersönliche« Aufgabe, die zu ihrer »Durchführung der Arbeit der Jahrhunderte bedarf«. Mit diesem asketischen Duktus verbindet sich auf überraschende Weise das Pathos eines epochalen Anspruchs auf praktische Wirksamkeit der philosophischen Theorie. Das äußert sich in der Bereitschaft des Philosophen, mit seinem Denken die Totalverantwortung für die Welt übernehmen zu wollen. Damit erfährt die Idee wissenschaftlicher Rationalität eine unerwartete Steigerung, die den »Beruf« des Philosophen in »Berufung« verwandelt.

Mit dieser ins Religiöse reichenden Klimax der Theorie steht Husserl vor dem Ersten Weltkrieg nicht allein. Er nimmt teil an der Radikalität und »Anfangswut«, die den Denkstil der expressionistischen Zeit prägen. Insofern läßt sich eine Phase des phänomenologischen Denkens historisch als Antwort auf die Spannungen der geistigen Lage des Vorkriegs verstehen. So erweist sich gerade die Phänomenologie, die die Ausschaltung alles Weltanschaulichen zum Programm erhoben hat, durch ihre Stilgestalt als ein gutes Stück gelebter Philosophie, die die geistige Situation ihrer Zeit widerspiegelt.[5]

Diese Polarität des phänomenologischen Denkens findet in der Produktionsweise Husserls und dem damit verbundenen Selbstverständnis ihren stilgeschichtlich aufschlußreichen Ausdruck. Husserl hat sein Denken stets von aktuellen Bezügen freigehalten und unbeirrt seine Spezialthemen verfolgt, wovon der zehntausende von Seiten umfassende Nachlaß ein eindrucksvolles Zeugnis ablegt, der wie der Fahrtenschreiber einer lebenslangen Reflexion gelesen werden muß. Mit dieser enormen privaten Produktion kontrastiert aufs auffälligste die geringe Zahl der von Husserl selbst publizierten Werke, die nach den »Logischen Untersuchungen« nur noch in immer neuen programmatischen Darlegungen der Phänomenologie bestehen. Hier liegt ein Problem, das auf die innere Beschaffenheit des phänomenologischen Denkens und seine Stellung in den geistigen Koordinaten der Zeit zurückführt. Mit psychologischen Erklärungen ist es hier nicht getan, sondern das Mißverhältnis von privater und öffentlicher Produktion resultiert aus der Schwierigkeit, die Selbständigkeit der Philosophie als Wissenschaft im Zeitalter der Spezialwissenschaften zu behaupten.

Die Differenzierung der Materialien nach Stilkriterien ist für die Geschichte der gelebten Philosophie von besonderer Wichtigkeit, da nur sie die wirkungsgeschichtliche Dimension erschließen kann, die wesentlich zur Bedeutung des philosophischen Gedankens gehört. Die Wirkung transzendiert in der Regel den Inhalt der Probleme, so daß gerade den gering geschätzten und vernachlässigten niederen Genera wie Einführungen und Programmschriften besonderer Aufschlußwert zukommt. Es handelt sich dabei keineswegs nur um Degradationsformen des Denkens im Sinne seiner Popularisierung. Die genannten Genera besitzen vielmehr eine jeweils zu definierende Eigenständigkeit, die es verbietet, sie auf einer Ebene zu behandeln, wie es die reine Problemgeschichte zu tun pflegt. Gemäß dem wirkungsgeschichtlichen Prinzip, daß man eine Zeit nicht nach den Büchern beurteilen kann, die in ihr geschrieben wurden, sondern nach denjenigen, die in ihr gelesen wurden, stellen die populären Gattungen ein besonders wichtiges Quellenmaterial für die Geschichte der gelebten Philosophie dar. Das Problem der »Programmschriften« Husserls belegt das in besonders anschaulicher Weise.

Geht man vom wirkungsgeschichtlichen Prinzip aus, so liegen die Programmschriften Husserls keineswegs am Rande des phänomenologischen Denkens. Man muß sie nur in ihrer Stileigenart ernst nehmen und als Anweisungen dafür lesen, wie die reinen Problemanalysen als Antworten auf die philosophischen Fragen der Zeit gelesen werden sollten und gelesen wurden. Erst in dieser Perspektive gewinnen Problemzusammenhänge ihre historische Bedeutung, man versteht, was die Sachlichkeit der Phänomenologen im Gegensatz zum Methodologismus der Neukantianer für das kulturelle Selbstverständnis dieser Epoche bedeutet. An diesem Beispiel wird die synchrone Binnendifferenzierung des philosophischen Gedankens sichtbar, die es dem Historiker gestattet, ohne Rückgriff auf außerphilosophische Materialien die gelebte Wirklichkeit eines Philosophierens historisch zu erfassen.

Als weiteres Beispiel für die Entwicklung des modernen Philosophiebegriffs im Lichte des Stilwandels sei die Entstehung einer neuen philosophischen Gattung in den zwanziger Jahren genannt. Gemeint sind die »Selbstdarstellungen«, in denen die gelebte Philosophie eine neue Form des Ausdrucks gefunden hat. Es ist der Stil des personalistischen Denkens, der keineswegs nur eine äußerliche Erscheinung darstellt, sondern wiederum für den Perspektivenwandel steht, der das Philosophieren an die Artikulationsformen des Nachkriegs anschließt. In den Selbstdarstellungen tritt die Einheit der Persönlichkeit an die Stelle der Einheit des Systems, die man nach der Krisis des Historismus nicht mehr für möglich hielt.

Selbstdarstellung als Ersatz für Systematik kommt den Bedürfnissen einer Generation entgegen, die den Zusammenbruch des europäischen Geistes am eigenen Leibe erleben mußte. Philosophie wird nur noch durch Vermittlung der Person des Philosophen erlebbar. Das ist nur zu begreiflich in einer Zeit, in der die systematische Konsistenz nicht mehr für sich spricht, weil die Problemzusammenhänge so kompliziert und abstrakt geworden sind, daß sie nicht mehr dem mit der philosophischen Frage verbundenen Totalitätsanspruch genügen. Es wäre eine lohnende Aufgabe für den Historiker der gelebten Philosophie, der Vermittlungsfunktion der Selbstdarstellungen im Hinblick auf die existentielle Wende des Philosophierens in dieser Zeit nachzugehen.

Schließlich sei noch der neueste Stilwandel des Philosophierens erwähnt, der durch die Annäherung des philosophischen und des epischen Diskurses gekennzeichnet ist, so daß die Grenze zwischen Philosophie und Literatur verschwimmt. Von seiten der Literatur war diese Annäherung schon lange vorbereitet, wenn man davon ausgeht, daß der moderne Roman weitgehend Formen der Argumentation und der Reflexion angenommen hat. Wie immer die Annäherung der Philosophie an die Literatur im einzelnen auch ausfallen mag, so ist sie sicherlich symptomatisch für die gelebte Philosophie der Gegenwart und verdient somit, von der Kritik und der Geschichte der Philosophie ernstgenommen zu werden. Der Einzug des Stils in die Philosophie, der zur Sprengung der Grenzen des kognitiven Diskurses führt, spiegelt die Hermeneutisierung der gegenwärtigen Welt wider, die Sachverhalte primär als Sprachprobleme erlebt.

Die Fiktionalisierung des philosophischen Argumentierens durch das Prinzip des Stils stellt eine Entfesselung des Uneigentlichen dar, die die Philosophie der Gegenwart mit anderen Erfahrungsformen teilt. Die Uneigentlichkeit liegt darin, daß philosophische

Reflexionen als Bruchstücke einer zerstörten Sprache angesehen werden, deren Rekonstruktion das eigentliche Ziel des philosophischen Totalitätsanspruchs bilden soll. Die Devise »Zu den Sachen selbst«, mit der die Phänomenologie zu Beginn dieses Jahrhunderts in Deutschland ihren Ausgang genommen hat, erscheint aus der Perspektive der Entwicklung der gelebten Philosophie nur als erste Station auf dem langen Weg der Selbstbewußtwerdung der Sprache. Nicht die soziale Wirklichkeit selbst, sondern immer nur ihre Interpretationen bilden das Schema, nach dem Philosophien gelebt werden können. Als Artikulation einer epochalen Erfahrungsweise gleicht die gegenwärtige Philosophie der Wirklichkeit darin, daß sie unbeschadet ihres wissenschaftlichen Zieles begrifflicher Klarheit und Deutlichkeit eine Vielfalt von Deutungsmöglichkeiten in sich birgt. Es definiert die gelebte Philosophie unserer Zeit, daß ihre Erkenntnisfunktion auf eine Stufe mit der der Literatur gestellt wird.

Die genannten Beispiele haben gezeigt, in welchem Maße der Stilbegriff geeignet ist, an die historische Wirklichkeit des philosophischen Gedankens heranzukommen.[6] Die Funktion des Denkstiles besteht darin, zwischen den abstrakten Problemen und der konkreten geistigen Lage einer Zeit zu vermitteln. In der Vermittlung liegt die Hauptfunktion des Stils, der auf das Denken und das Leben in gleicher Weise anwendbar ist. Der Stil stellt eine innere Form der Einheit von Theorie und Praxis her, die das Schema der pragmatischen Applikation sprengt.[7]

Die Vermittlungsfunktion des Stils, auf der die Lebbarkeit (und nicht die bloße Lesbarkeit!) einer Philosophie beruht, setzt einen handlungstheoretischen Stilbegriff voraus. Demzufolge bedeutet Stil eine bestimmte Art und Weise, Probleme zu lösen oder wenigstens mit ihnen fertig zu werden. Damit scheinen Stil und Methode zusammenzufallen. Dennoch bleibt eine wesentliche Differenz darin, daß Methode rein sachorientiert und folglich beliebig übertragbar ist, während Stil etwas von dem Subjekt bewahrt, das sich im Problemlösungsprozeß zu behaupten hat, und daher bestenfalls nur imitiert werden kann. Stile schaffen gemeinsame Welten, sie können aber auch Welten in einer Weise trennen, die sich durch begriffliche Argumentation nicht überbrücken läßt.

Die Differenz, zugleich aber auch die Interferenz von Stil und Methode läßt sich sehr gut an Descartes veranschaulichen, der durch das Prinzip der Methodisierung der Philosophie ihre neuzeitliche Gestalt gegeben hat. Der Primat der Methode schließt bei Descartes die Bedeutung des Stils nicht aus. Im Gegenteil: der *Discours de la méthode* begründet einen neuen philosophischen Stil, der als »erzählte Philosophie« bezeichnet worden ist (Harald Weinrich). Die Erzählform hat hier durchaus kognitive Funktion, sie dient Descartes dazu, mit dem Problem des Anfangs der Vernunft fertig zu werden. Im Stil der »erzählten Philosophie« findet die Ambivalenz des neuzeitlichen Vernunftbegriffs ihren prägnanten Ausdruck, die darin besteht, das Allgemeine und das Individuelle des menschlichen Geistes miteinander zu verbinden. So übt auch hier der Stil eine Vermittlungsfunktion aus, die die Methode allein nicht leisten kann.

Als Vermittlungsbegriff entfaltet der Stil seine Wirksamkeit auch in wirkungsgeschichtlicher Hinsicht. Nicht nur im ästhetischen, sondern auch im kognitiven Bereich bildet Stil die Voraussetzung für Mitteilbarkeit. Ohne Vermittlung durch den Stil bleiben Rezeptionsprozesse unverständlich. Denn der Stil ist ein Indikator von Einstellungsaffinitäten, die noch vor der begrifflichen Formulierung liegen. Das erleichtert es dem menschlichen Geist, das konstitutionelle Mißtrauen auszuüben, mit dem er fremde und neue Inhalte sich vom Leibe hält. Stilgefühl schützt in hohem Maße vor Beschädigungen und Irreführungen des Denkens, da es keineswegs ein Oberflächenphänomen ist, sondern an den Kern der geistigen Existenz heranreicht. Im Unterschied zu geistigen Moden sind Denkstile nicht hypothetisch und nicht teilbar. Sie erfassen den ganzen Menschen und entziehen sich weitgehend der Manipulierbarkeit. Der Sphäre des Ernsten und der Wahrhaftigkeit zugehörig, gehört der Stil des Denkens zur Lebensform des Menschen.

In der Ausweitung auf Denkstile, wie sie hier versucht wird, verliert der rein ästhetische Stilbegriff seine Unverbindlichkeit. Das liegt daran, daß im theoretischen Zusammenhang Selbstbehauptung nicht mehr rein pragmatisch definiert werden kann, da sie immer schon das Moment der Selbstdarstellung einschließt. Insofern transzendiert der Denkstil den Standpunkt der Nützlichkeit. Da der Mensch das Wesen ist, das sich selbst deutet und in der Selbstdeutung seine Existenz rechtfertigt, wird Selbstbehauptung wissenssoziologisch zum »Selbstverständnis«. Stil ermöglicht Identifikation, die Kommunikation schon voraussetzt.

In diesem erweiterten Sinne gehören Stil und kognitive Orientierung zusammen. Anders als beim Begriff beschränkt sich die Orientierungsfunktion des Denkstils nicht darauf, Erfahrung zu organisieren, sondern besteht darin, Erfahrung auf die Einheit des lebensweltlichen Subjekts zu beziehen. Dieser Einheitsaspekt des Stils ist es, durch den der philosophische Orientierungsanspruch erfüllt wird und der folgenlose theoretische Probleme in die Praxis gelebter Philosophie transformiert.

Als Aufgabe der Geschichte der gelebten Philosophie ergibt sich daraus: die Stileinheit als inneres Bildungsprinzip philosophischer Bewegungen konstruieren! Das hat Verschiebungen der Kategorien zur Folge, nach denen die Entwicklung des philosophischen Gedankens historisch konstruiert wird. Das betrifft zunächst die Verlaufsformen, die einen sicheren Indikator für den Wirklichkeitsbezug der Geschichte abgeben. Die reine Problemgeschichte basiert auf dem Prinzip der Kontinuität, dessen Erfüllung große Zeiträume erfordert. Ein paar hundert Jahre bedeuten für die Entwicklung eines Problems oder eines Begriffs wenig. Die Entwicklung der Ideen übersteigt die Zeit der Existenz. Das macht die Unmenschlichkeit der reinen Problemgeschichte aus, die theoretische Subjekte über die Jahrhunderte verbindet, als hätten sie niemals als lebensweltliche Subjekte in Raum und Zeit existiert.

Zum andern ist die Verlaufsform der Problemgeschichte dadurch charakterisiert, daß die Zeit nur als Nacheinander und Unumkehrbarkeit vorkommt. Homogeneität und Kontinuität der Problemzeit nehmen der Geschichte auch dort, wo Umbrüche beschrieben werden, das Unvorhersehbare und Gewaltsame. Das Neue tritt immer nur in Form von »Vorbereitungen« auf, von »Übergängen«, die für bedeutsamer gehalten werden als die Endgestalten, so daß sich Geschichte in »Genesis« verwandelt.

Die Geschichte der gelebten Philosophie kennt andere Verlaufsformen. Sie orientiert sich an den spezifischen »Temporalstrukturen« (Reinhart Koselleck), die an die Stelle des problemgeschichtlichen Substantialismus treten. Der Rhythmus, in dem sich Stile ändern, ist enger und hat sein Maß an den unvorhersehbaren und schubweisen Veränderungen, denen die gesamtgeschichtliche Lage ausgesetzt ist.

Anders als die reine Logik der Problementwicklung, die genetisch verfährt und primär an den »Vorbereitungen« interessiert ist, berücksichtigt die Geschichte der gelebten Philosophie das *Gleichgültigwerden* als zentrale Kategorie der Veränderung.[8] Denn auf der Ebene der Denkstile werden Probleme nicht gelöst, sondern umgangen oder überflüssig gemacht. Damit erfaßt die Geschichte der gelebten Philosophie etwas von der Tragik geistiger Bewegungen, die darin besteht, daß Probleme, die zu ihrer Zeit brennend und unverzichtbar erscheinen, schon für die nächste Generation unverständlich werden. Man denke nur an das Gleichgültigwerden des Wertbegriffs nach dem Ersten Weltkrieg oder an das Verschwinden des Interessebegriffs aus der philosophischen Diskussion der Gegenwart. Wer interessiert sich noch für das Interesse, das den Stil der gelebten Philosophie der Achtundsechziger-Bewegung geprägt hat?

Die Überlegungen zur Funktion von Denkstilen im Rahmen der gelebten Philosophie sollten die Frage beantworten, warum die Philosophiegeschichte heute des Stilbegriffs bedarf, wenn sie an die Wirklichkeit des philosophischen Gedankens herankommen will. Die Antwort fällt eindeutig aus: Wenn Philosophie aufhört, als Universalwissenschaft zu gelten, kann sie nur durch die Form des Denkens ihre Selbständigkeit als Bildungswissen in der Zeit der Spezialwissenschaften behaupten. Daher gilt: Nur durch Berücksichtigung des Denkstils als Vermittlungsbegriff zwischen der Logik der Probleme und den konkreten Zeitfragen kann es der Philosophiegeschichtsschreibung gelingen, die »Befreiung der Geistesgeschichte von der Menschengeschichte«, die eine idealistische Historik proklamiert hatte, wieder rückgängig zu machen. Die Selbständigkeit der historischen Frage läßt sich nur wahren, wenn die Philosophiegeschichte nicht einem bestimmten Philosophiebegriff dienstbar gemacht wird. Ihre Aufgabe kann nicht darin bestehen, Surrogat der Philosophie zu sein, sondern sie muß den historischen Wandel der Philosophiebegriffe selbst sichtbar machen.

Und was wird aus der reinen Problemgeschichte? Sie behält durchaus ihre Berechtigung als metahistorisches Orientierungsschema, das den Spielraum markiert, in dem sich die Geschichte des konkreten Denkens bewegt. Die Problemgeschichte fungiert als *Möglichkeitsgeschichte*, in der der Geist seiner Zeit immer schon voraus ist. Darin liegt ja auch die große Faszination, die dieser gereinigte Typus der Geistesgeschichte auf das in seine Zeit verstrickte Denken ausübt. Die Stilgeschichte der gelebten Philosophie dagegen bleibt *Wirklichkeitsgeschichte*, die das utopische Potential der reinen Problementwicklung mit konkreten Inhalten füllt.

Die Bestimmung der Stilgeschichte als Wirklichkeitsgeschichte darf nicht mit dem Rückfall in einen naiven Abbildrealismus verwechselt werden. Denn der Zeitstil ist ebenso wie die Problemsituation ein neuartiger Gegenstand der Philosophiegeschichte, der nicht einfach vorgefunden wird, sondern nur aus der Vielheit differenzierter Materialien rekonstruiert werden kann. Auch die Geschichte der philosophischen Denkstile erfordert einen konstruktiven Nominalismus, demzufolge das theoriegeleitete Konstrukt immer in Differenz zur erlebten Wirklichkeit bleibt. Unter diesen Voraussetzungen stellt sich das Wirklichkeitsproblem der Geschichte der gelebten Philosophie als Frage nach der Übersetzbarkeit konstruierter Realitätsebenen. Die Wirklichkeit einer Ebene kann nur an der einer anderen verifiziert werden. In den Stilen gewinnt die Mehrdimensionalität des Denkens objektive Gestalt. In ihnen wird das Denken der Möglichkeiten geschichtlich, wenn man unter Geschichte das versteht, was zu bestimmten Zeiten und an bestimmten Orten das Tun und Leiden der Menschen bestimmt hat.

Anmerkungen

1 Zur engen Verzahnung von Philosophie, Wissenschaft und Wissenschaftsgeschichte vgl. Mittelstraß, J. (1974), S. 8-28.

2 Die Schlüsselstellung dieser Epoche für die deutsche Gegenwartsphilosophie der Gegenwart findet zunehmende Beachtung. Vgl. Schnädelbach, H. (1983).

3 Paradigmatisch für die neukantianische Position ist Hermann Cohen, »Einleitung mit kritischem Nachtrag zur *Geschichte des Materialismus* von F. A. Lange« (³1914), insbesondere Abschnitt 1: Das Verhältnis der Philosophie zu ihrer Geschichte. In: Cohen, H. (1984). Vgl. die instruktive Einführung von H. Holzhey.

4 Vgl. Fellmann, F. (1983).

5 Vgl. Fellmann, F. (1982).

6 Diese Position geht über die Prinzipien der »objektiven Interpretation« hinaus, die neuerdings von R. Brandt (1984) entwickelt worden sind. Eine Auseinandersetzung mit Brandt, der sich gegen die Tendenzen der

herrschenden Hermeneutik wendet, würde sehr zu Klärung der hier
behandelten Frage beitragen, da Brandt mit den Sünden der wirkungsgeschichtlichen Hermeneutik streng ins Gericht geht.

7 Dadurch unterscheiden sich die Ziele der Kulturwissenschaften prinzipiell von denen rein theoretischer Konstruktionen. Vgl. Schwemmer,
O. (1981), in: ders. (Hg.) (1981), S. 85-103.

8 Zur »Vergleichgültigung« als geistesgeschichtlicher Kategorie vgl.
Rothacker, E. (1971). S. 96. Der von Rothacker entwickelte kulturan-
thropologische Stilbegriff (»Kulturen als Lebensstile«, »Lebensstile
und Welten«) scheint mir hermeneutisch noch nicht ausgeschöpft zu
sein. Die lebensweltliche Rückbesinnung der (konstruktivistischen)
Wissenschaftsphilosophie könnte hier fruchtbare Einsichten gewinnen.

Literatur

Brandt, R. (1984), *Die Interpretation philosophischer Werke*. Stuttgart-
Bad Cannstatt.

Cohen, H. (1984), *Werke* Bd. 5, hg. von H. Holzhey. Hildesheim.

Fellmann, F. (1984), *Gelebte Philosophie in Deutschland. Denkformen
der Lebensweltphänomenologie und der kritischen Theorie*. Freiburg.

Fellmann, F. (1982), *Phänomenologie und Expressionismus*. Freiburg.

Mittelstraß, J. (1974), »Philosophie und Wissenschaft«, In: ders. (1974),
Die Möglichkeit der Wissenschaft. Frankfurt/Main. S. 8-28.

Rothacker, E. (1971), *Geschichtsphilosophie*. München, Wien.

Schnädelbach, H. (1983), *Philosophie in Deutschland 1831-1933*. Frank-
furt/Main.

Schwemmer, O. (1981), »Wissenschaft als Lebensform?« In: ders. (Hg.)
(1981), *Vernunft, Handlung und Erfahrung*. München. S. 85-103.

Wilhelm Wuellner
Stil der Bibel
und Lust der Auslegung

Stilphänomene sind die analysierbaren Stilarten der Bibel, also Offenbarungs-Stilarten – entweder als diachronische, diskrete Teile: *historisch* (vorexilisch versus nachexilisch; apostolisch/frühchristlich versus postapostolisch), *kulturell/geographisch* (Aramäisch, Griechisch, Lateinisch etc.), *literarisch* (Prosa versus Poesie); oder synchronisch gesehen: *Bibel als Kanon*.

Stilbegriffe sind die theoretischen Konstruktionen der ›Rhetorik der Religion‹ – entweder in ihren Teilen: ›die *Kunst*‹ der biblischen Prosa oder Poesie (Schökel, L. A., 1968; Alter, R., 1981, 1985) oder mit der *Bibel als Ganzes* im Blick (Frye, N., 1981). Lust an Stil und Stilistik religiöser Texte und an deren Auslegung steht im Kontrast zu der Lustlosigkeit, der Langeweile, ja Aversion innerhalb der Religionsgemeinschaften (Kirche und Synagoge), innerhalb der traditionellen Kulturgemeinschaften (Universität und Kongresse von Spezialisten). Warum überhaupt kann und soll man noch – und falls ja, wie und wozu – unter diesen Umständen über Stilphänomene und Stilbegriffe in der religiösen Literatur, in der Bibel reden und reflektieren? Wie kann und soll man über Stilarten der Bibel im Zeitalter des Pluralismus diskutieren?

Warum war und blieb die Diskussion über Bibel-Stil so intensiv, so virulent, so ideologisch geladen? Warum ist auch heute noch (oder wieder) gerade die Religions-Rhetorik-Debatte (Burke, K., 1945, 1962, S. 183-333; 1961) so bedeutungsvoll (fatal oder verheißungsvoll) als Teil der Bemühungen um die ›Ideologie der Form‹ (vgl. Jameson, F., 1981; Dowling, W. C., 1984) oder die ›Theorie der Form‹ (Burke, K. 1931, 1953, 1968, S. 124-149)? Solche Reflexionen gehen bewußt aus von den Problemen traditioneller Theorien mit der göttlichen oder genialen Inspiration, wie sie innerhalb eines metaphysischen Weltbildes entwickelt wurden (Wall, K. 1982), sie gehen aber ebenso bewußt über diese hinaus. Einmal werden die traditionellen Konzeptionen von Sprache und Literatur als Instrumente der Mitteilung oder Kommunikation einbezogen. Die Bibel wird aber zum zweiten nicht mehr nur als Mittel religiöser Verkündigung, Erbauung oder Erziehung, als Hort dogmatischer oder ethischer Werte thematisiert. Stattdessen werden Sprache und Literatur der Bibel erneut als Artikulationsformen von Bewußtseins-Ebenen mit ihren jeweiligen Hierarchien und Transformationen reflektiert.[1] Literatur hat nämlich nicht nur ein ihr eigenes ›*politisches* Unbewußtes‹ (vgl. Jameson, F., 1981) sondern auch ein ihr eigenes ›*rhetorisches* Unbewußtes‹ (vgl. Lentricchia, F., 1983, S. 159-163, über Burke). Rhetorik der Religion und Stil der Bibel werden deshalb wiederentdeckt als Neufassung antik-rhetorischer Gattungs-Kategorien: im Vordergrund stehen neben dem forensisch-dikanischen und dem deliberativ-symbouleutischen besonders das demonstrativ-epideiktische Genre als Evokation und Konsolidierung von Werten und Modalitäten.[2]

Stilbegriff und Theoriegeschichte in den Bibelwissenschaften

Jede Produktion und Rezeption von Sprache, auch in der Welt der Religionen, impliziert Begriffe von Stilarten und die diesen Begriffen implizit vorausgehende und explizit nachfolgende Theoriegeschichte. Die Bibel als Literatur oder Schrift *(literacy)* ist zu unterscheiden von der Bibel als Wort *(orality)*. Stilbegriff und Theoriebildung bezüglich der Bibel als Schrift haben bis in unsere Zeit hinter der Vermischung und dem Mangel an Differenzierung zwischen ›orality‹ und ›literacy‹ gelitten (Ong, W.J., 1982a; Kelber, W.H., 1983; Derrida, J., 1967)

Stilarten der Bibel sind in ihrer Begriffsbildung und Theoriegeschichte eingebettet in die Traditionsgeschichte hellenistisch-römischer Rhetorik und Poetik. Die erste jüdische Bibel-Rhetorik von Judah Messer León (1475)[3] stand noch völlig im Bann der vom Humanismus wiederentdeckten hellenistischen Rhetorik. Sie belegt die anhaltende ›Hellenisierung des Judentums‹ (vgl. Fontaine, J., 1982), die sich seit dem ersten vorchristlichen Jahrhundert trotz aller bewußten Widerstände in den Schulen und Synagogen des rabbinischen Judentums vollzog. Die Eigenständigkeit jüdischer Stilbegriffe und ihrer Theoriegeschichten – in Auseinandersetzung mit dem rhetorischen Erbe des Westens einerseits und mit Christentum und Islam andererseits – verdient insofern neue Beachtung, weil sie den Konflikt zwischen westlichen und nicht-westlichen Stilbegriffen aufzeigen kann und weil sie die Polemik zwischen jenen Theorieansätzen verdeutlicht, die aus dem Studium der Bibel in Kirche/Synagoge und in Schule/Universität erwuchsen.

Christliche Stilbegriffe werden aus Andeutungen im biblischen Text abgeleitet[4] und von der Theologie (exegetisch, apologetisch, etc.) bis heute in Auseinandersetzung mit dem hellenistisch-römischen Erbe der Rhetorik und Poetik expliziert (vgl. Auerbach, E., 1946, 1958). Stilbegriffe und ihre Theoriegeschichte entwickeln sich also im Spannungsverhältnis zwischen ›Christentum und Antike‹ oder ›Athen und Jerusalem‹.[5] Der Stil der Bibel gilt dabei als bewußter Bruch mit den literarischen Konventionen und Normen der Antike.[6] Im Blick auf die *Paulusbriefe* nennt E. A. Judge drei dominante Kultursysteme (vgl. Wuellner, W., 1985), mit denen der Bibelstil brach: mit dem Erziehungssystem (paideia), mit dem Patronatssystem (Freundschaftsverpflichtungen) und mit dem Selbstwertsystem (Selbstruhm und soziale Privilegien). Als Bruch mit der sprachlichen Konvention gilt die Obskurität und Schmucklosigkeit des Bibelstils.

Stil-Obskurität wird als nützlich und heilsam (vgl. Augustinus) gegen ihre Verächter verteidigt. Spezifische Figuren des Obskuren sind: das Figurative (Joh. 16:25), das Parabolische (Markus 4:11 33 f. par.), Oxymoron und Ironie (1 Kor. 4:9-10) usw. Diese und andere Stilphänomene werden in der Theoriegeschichte unterschiedlich behandelt; als Teil der ›Ästhetik der Unordnung, der gewollten Konfusion‹[7] oder als Zeichen der ›selbstsubstitutiven Ordnung‹ von Religion als eigenständiges System (vgl. Luhmann, N., 1977; 1982, S. 47).

Schmucklosigkeit des Bibelstils wird von ihren Kritikern als ›vulgär‹ beanstandet (vgl. Laktanz), als *sermo humilis* (vgl. Auerbach, E., 1958) wird sie von ihren Verteidigern mit dem Mangel an Schönheit beim Gottesknecht (Jesaiah 53) und mit der Armut Christi verglichen. Wo aber »alles was lieblich ist (prosphilē) und wohllautet (euphēma) empfohlen wird (Philipper 4:8), wo die Schätze Ägyptens dem Volk Gottes zugestanden werden, da wird auch gewarnt gegen die stets latente Idolatrie (das goldene Kalb), die aus unbedachtem Umgang mit Schmuck entstehen könne. *Unbedachter* Umgang mit Schmuck sei *eine* Gefahr; eine andere der *falsch* bedachte Umgang mit Schmuck, also Stil als ›ornatus‹, als ›suavitas‹ im bloß ästhetischen (angeblich nutzlosen) Sinn. Heute wird Schmucklosigkeit einerseits durch den Charakter der Bibel als ›göttlicher Komödie‹[8] gerechtfertigt; andererseits aber wird vorhandener ›ornatus‹

als Mittel zum Zweck »sorgfältig diskutiert«.[9] Sowohl Schmuck wie Schmucklosigkeit werden als ›nützlich‹ gerechtfertigt, wobei die Nützlichkeit mit der ›Lust‹ an der ›Sache‹ (›res‹) der Bibel verbunden wird und nicht mit Werten der kulturellen Ästhetik.

Wo der Stil der Bibel nicht als Bruch, sondern als Fortsetzung antiker Konventionen gesehen wird, da »entsteht mit Juvencus die Bibelepik. Ihr Ergebnis ist eine Art ›Vergilisierung‹ der neutestamentlichen Botschaft, die über den Bereich der Formen hinausgeht« (Fontaine, J., 1982 S. 17). Die spätantike Schule (die erst im 6. Jahrhundert christlich wurde und auch dann noch das Lehrprogramm der Antike weiterförderte) war nicht nur der Ort »einer Bildungsgemeinschaft« (a.a.O., S. 17 f.), sondern normierte auch die ›Ineinandersetzung‹ von Christentum und Antike.

Zusammenfassend läßt sich vom biblischen Stilbegriff und seiner Theoriegeschichte sagen, daß zwei Bemühungen im Konflikt lagen und bis in unsere Zeit hinein liegen:

Stilarten der Bibel werden allein aus der Bibel selbst entnommen – und zwar durch deskriptive, historisch und literarisch-kritische Analysen. Im induktiven Verfahren glaubt man, zu ›dem‹ Stil der Bibel zu kommen oder gekommen zu sein. Die Bibel wird dabei als *abgeschlossenes System der verschriftlichten kanonischen Offenbarung* angesehen und entsprechend (mit je charakteristischen Unterschieden in den verschiedenen kirchlichen ›Systemen‹) behandelt. Als ›geschlossenes System‹ erreicht die Bibel dann auch bald das Attribut ›klassisch‹; sie wird Kanon oder Norm eines ebenfalls geschlossenen Kultur- und Sozialsystems, das sich allerdings schon bald spaltet, zuerst in ›Westen‹ (Rom) und ›Osten‹ (Byzanz), dann in Nationalstaaten und -sprachen (Dante, Luther etc.), in jeweilige ›Imperien‹ – trotz (oder gerade wegen?) aller beibehaltenen ›imperialistischen‹ (politischen, weltanschaulichen oder kosmologischen, wissenschaftlichen) Ideologien (vgl. Kermode, F., 1975, 1983; Foucault, M. 1966, 1969). Im Rahmen dieses ›geschlossenen Systems‹ werden biblische Stilbegriffe und ihre Theoriegeschichte zweifach legitimiert: zunächst durch die religiösen Lebensgemeinschaften (Kirche/Synagoge) und deren Erziehungs- oder Schulbetriebe, die kurial oder rabbinisch kontrolliert sind, dann auch durch die säkularisierten Wissenschaftsbetriebe (Universität und Buchhandel), wie sie in Foucaults Arbeit zur *Archéologie du savoir* beschrieben sind.

Durch Humanismus, Reformation und Aufklärung kommt es zu Auffassungen von den Stilarten der Bibel, die nicht mehr auf dem Begriff des Klassischen und Kanonischen als geschlossenen Systemen beruhen[10] – sondern die Bibel (wie alle anderen ›Klassiker‹ der Literatur) als ein *offenes unabgeschlossenes* System bewerten – und das genau zu einer Zeit, wo durch die Einführung des gedruckten Buchs die ›mouvance‹ des Handschriftenzeitalters abrupt stabilisiert wurde. In diesem Paradigmenwechsel, der erst in unseren Tagen die Theoriegeschichte des biblischen Stilbegriffs zu beeinflussen beginnt, wird die Formulierung des Stilbegriffs selber zum integralen Teil eines hermeneutischen (besser noch: rhetorischen) Prozesses, »der ständig neue Visionen und Revisionen herausfordert … (eines Prozesses, der) sich in der historischen Rhetorik- und Poetikforschung jüngst wieder intensiviert hat (Plett, H., 1985, S. 97).

Biblischer Stil/Kulturelle Produktion/Soziale Repräsentation

Je mehr vom Bibelstil als ›Offenbarungsstil‹, als ›Stil des Gotteswortes‹, als ›Rhetorik Gottes‹ gesprochen und geschrieben wird, um so schärfer stellt sich das Problem der kulturellen Produktion und der sozialen Repräsentation von Phänomenen, Begriffen oder Theorien jenes ›Gottes-Stils‹.

Denn ohne Gott, ohne göttliche Inspiration (ohne göttlich legitimierte Kollegialität mit Aaron) ist und bleibt Moses ein »Stotterer« (Exodus 4:10). Im Vergleich zu seinen Rivalen, den ›Super-Aposteln‹, die vielleicht die Vorläufer eben jener Stil-Produktion und -Repräsentation waren, die Fontaine ›Vergilisierung‹ des Evangeliums nennt, sieht Paulus sich bewußt als »Narren« (1 Kor. 4:10), ja als literarischen »Idioten« (vgl. 2 Kor. 11:6 und seine ›Narrenrede‹ in 2 Kor. 11:1 – 12:10) (vgl. Betz, H.D., 1972). Hier bereits, in der ersten, formativen, normativen ›apostolischen‹ Generation des Frühchristentums beobachten wir einen radikalen Konflikt zwischen zwei Stil-Systemen. Und das nicht etwa im Konflikt zwischen Christen und Nichtchristen, sondern innerhalb der Kirche! Die spätere ›Vergilisierung‹ gibt den Ausschlag zugunsten der Gegner des Paulus. Aber der Historiker E. A. Judge betont zu Recht, daß die *Stil*kritik des Paulus ein programmatisches Potential für *kulturelle Produktion und soziale Repräsentation* darstellt. Außerhalb der Bibel ist dieses Potential bisher nur sporadisch zur Wirkung gekommen und scheint erst heute einer neuen Würdigung entgegenzugehen.[11]

Stil ist nicht nur (wie Wissen) eine soziale, politische, geistliche Macht; auch Stilbegriffe und Stilsysteme sind Mächte, die es im Licht einer ›Ideologie der Formen‹ zu berücksichtigen gilt. Die Realisierung dieser Aufgabe hat in Kirche und Synagoge nicht nur noch nicht begonnen – sie ist weithin nicht einmal als solche erkannt. Es ist ein billiger Trost, wenn man – mit Walter Jens – Kierkegaard in der Verurteilung dessen als »unecht, amoralisch und irreligiös« folgt, was sich im »Spektakel sogenannter christlicher Künste« (und sogenannter wissenschaftlicher Behandlung des Bibelstils) vollzieht (Jens, W., 1984, S. 110). Man kann aber auch dazu gelangen, Betrachtungen zum Bibelstil aus der Perspektive der *Lust am Text* anzustreben und zu rechtfertigen. Man betrachtet dann die Bibel als Wort Gottes im Licht jener Auffassung vom Ziel des Menschseins, welche Lust und Freude an Gott in den Vordergrund stellt (im anglikanischen Katechismus des 16. Jahrhunderts heißt es: »Hauptziel und Zweck des Menschen bestehen darin, Gott zu rühmen und sich seiner ewig zu erfreuen«). Als Mittel der Rhetorik wird Stil so zur Voraussetzung der Identifikation (und nicht nur Persuasion): Identifikation als Verwandlung im Gebrauch der Bibel ist lust-orientiert, lustorientierend, lust-voll. Das Heilige und das Komische konvergieren als selbstsubstitutive Ordnungen: »alle Lust will Ewigkeit«.[12]

Bibelstil kann lustvoll wegen der diesem Stil eigenen Vulgarität und dem göttlich ›Komischen‹ sein. Seine Wahrnehmung ist nicht beschränkt auf die kulturelle Elite, sondern sie ist entschränkend, ist für alle, für die *polloi*. Es ist ein Stil nicht für die Kultivierung *eines* Volkes als Volk Gottes (im Sinne Israels) oder einer Kirche mit ihrer religiösen Fachsprache, sondern für die Kultivierung *aller* Völker *als Gottes Eigentum, Gottes Braut* (Derrida, J., 1979).

Theoriegeschichte des Bibelstils

Je stärker die Alterität des Bibelstils erfahren wird, desto intensiver ist der Drang zur kulturhistorischen Stilisierung innerhalb der stilkritischen Bibelwissenschaften. Die Entwicklung der Theorien zum Bibelstil von der Patristik bis zur Reformation, ja bis zum Neoklassizismus der restaurativen Reaktion im 19. Jahrhundert wurde bestimmt vom Schulbetrieb und dem ihm eigenen Lehrprogramm. Die wechselnde Bewertung der Rhetorik innerhalb dieses Lehrprogramms war natürlich auch von externen kultursoziologischen Faktoren bestimmt, etwa vom wechselnden Selbstverständnis des Schulbetriebes im Hinblick auf seine Adressaten und Zwecke (vgl. Schanze, H., 1974; Plett, H. F., 1977).

Je deutlicher Stil als »Einheitlichkeit aller Gestaltungen einer jeden geschichtlichen Epoche« (Auerbach, E., 1958, S. 12) in den Blick der Kulturwissenschaften gerät, um so mehr geht es auch in der Stilkritik der Exegeten des Alten und Neuen Testament um die Identifizierung ganzer Epochen (vorexilisch vs. nachexilisch, jüdisch vs. christlich, kanonisch vs. apokryph). So spricht man denn auch bei solchen Epochen-Rekonstruktionen von heuristischen Einheiten mit »ideologischem Abschluß« (vgl. Dowling, W. C., 1984, S. 108-111) oder von Epochen mit jeweiligem »Master-Code« (vgl. Murphy, J. J., 1974, 1981, 1983; Dyck, J., 1977). Es wird noch viel Detailarbeit zu leisten sein, um die Kulturepochen innerhalb der nahöstlichen und dann hellenistischen Kulturen zu markieren, aus denen die Bibel – in ihren einzelnen Büchern, wie auch in ihren ›kanonischen‹ Ganzheiten (als jüdischer und als christlicher Kanon) entstand und sich in jeweiliger Materialität (Papyrusrolle, Codex etc.) als Schrift und Kanon behauptete. Entstehung wie Fortdauer epochaler Stilarten sind natürlich bestimmt durch kultursoziologische Faktoren, etwa durch die wirtschaftlichen und technischen Bedingungen von Produktion, Reproduktion und Distribution einzelner biblischer Bücher oder der gesamten Bibel als Kanon. Was aber die *Wertung* des Bibelstils betrifft, so wird man Verschiebungen von einer »Differenzierung zwischen akademischer und volkstümlicher, sowie zwischen nicht-literarischer und literarischer Rhetorik« (Plett, H. F., 1985, S. 96) erwarten dürfen, und von der bei W. Ong betonten Unterscheidung der Stilwertung bezüglich der Bibel als handschriftlicher Materialität und der Bibel als druckschriftlicher (und neuerdings auch elektronisch-schriftlicher wie elektronisch-oral-bildlicher) Materialität (vgl. zum Beispiel die Fernseh-Bibel).

Stiltheorie und Lusttheorie in der Exegese

Wir haben bereits angedeutet, auf welchen Basistheoremen die Verbindung zwischen Stil der Bibel und Lust der Auslegung beruht: auf der *Gotteslust des Menschen* als Religions-Produzent und -Verbraucher, und auf der *Identifikations- oder Transforma-*

tionslust des Menschen als Stil-Produzent und -Verbraucher. In beiden Fällen ist die Lust nicht an Konzeptionen vom Genuß ästhetischer (poetisch-literarischer) Objekte orientiert oder gebunden. Nach Ricœur ist die primäre Komponente in dieser Lust am Text eben die Lust des Lernens, wobei eine der mehr verborgenen Quellen der Lust des Lernens (Erkennens) in der Quelle des ›Persuasiven‹ liegt. Die Konturen des Persuasiven sind für Ricœur jene der »gesellschaftlichen Form der Imagination« (Ricœur, P., 1984, S. 49).

Die schon thematisierte *Obskurität* des Bibelstils (sie ist Ausdruck einer biblischen Ästhetik der Unordnung) wird von Ricœur in Anlehnung an Kermode für die Theorie der Lust der Auslegung dahin ausgewertet, daß er in ihr ein Symptom für die Unerschöpflichkeit des Texts sieht und sie als »hermeneutisches Potential« bewertet, das wohl, »falls nicht eine Konsonanz, so doch wenigstens eine Resonanz findet in unseren nicht-erzählten Lebensgeschichten« (*a.a.O.*, S. 75 f.). Die Lust am Auslegen der Bibel als göttlicher *Komödie* hingegen beruht auf der »selbstsubstitutiven Ordnung‹ der Religion als Ausdruck des Heiligen, das sich zum Komischen verhält ›wie die große Form zur kleinen Form‹. Ironie und Humor sind Formen der Reflexion des Komischen. Gerade die Ironie – und nicht nur die einseitige, daher über-betonte Metapher – in der religiösen Sprache und am Stil biblischer Literatur wird in neuester Zeit aufs stärkste betont.[13]

Die Lust am Text (Stil-Lust, Auslegungs-Lust) wird von Ricœur mit den Konturen der literarischen und biblischen Imagination verbunden und sie wird von Burke theoretisch, mit Hilfe seiner ›Theorie der Form‹ als eine Art des »rhetorisch Unbewußten« in Produktion und Rezeption von religiösen Texten dargestellt, als Teil des psycho-physischen Prozesses lustvoll fortschreitender Individuation, Identifikation und Verwandlung.

Wo der Stilbegriff ausschließlich unter dem Aspekt der ›Ideologie der Form‹, also als Code für soziale Veränderung – style as enactment – gewertet (Dowling, W. C., 1984, S. 11) und Burkes Version von Ideologie als ironischem Schwanken des Menschen als »pontifex minimus« ignoriert wird, kann man weder von Stil-Lust noch von Auslegungslust reden. Sieht man aber mit Burke den Ursprung wie die Funktion der Religion darin, immer größere, bessere Sinnzusammenhänge für menschliches Leben zu suchen und zu finden, dann treten Stil-Lust wie Auslegungs-Lust hervor.[14] Der gläubige – lustvolle – Leser der göttlichen Komödie ist dann vergleichbar mit den lustvollen Bemühungen auf allen anderen denkbaren und erfahrenen Stufen individueller Verwandlung (»Transumption« bei Bloom, H., 1982). Sie liegen zwischen den Stadien der unreifen Kindheit und der Emanzipation von der Macht der Eltern einerseits und den Stadien reifen Alters andererseits, wo sich die Emanzipation darin zeigt, daß Lust, Freude, Wohlgefallen an »höheren Mächten« gesucht und gefunden werden (Burke, K., 1978, S. 411).

Unser Fazit: Stiltheorien zur Bibel wurden lange Zeit – und in weiten Teilen noch heute – auf der Basis traditioneller ›Poetik und Hermeneutik‹ entwickelt. Eine einschneidende Änderung zeigt sich nun darin, daß die Stiltheorien (mehr oder weniger konsequent) sowohl von Poetik wie von Hermeneutik Distanz nehmen, um sich mehr auf der Basis einer neu konzipierten Rhetorik zu entfalten – ›*Style as enactment*‹ – im Burkeschen Sinn – läßt uns den biblischen Text und den biblischen Stil als ein ›offenes System‹ sehen – mit einer Instabilität des Texts, wie sie in der jüdischen Tradition als Erbschaft der »Moses-Mörder« (Handelmann, S., 1982) längst bekannt war. *Wie andere Klassiker der Literatur* und vielleicht sogar schon eher als jene hat die Bibel ihre traditionelle und weithin institutionell legitimierte Stabilität als ästhetisch und gedanklich ›geschlossenes System‹ verloren.

Der Verlust wird zum Gewinn, denn »alle Lust will Ewigkeit« und »Gottes Wort bleibt in Ewigkeit«.

Anmerkungen

1 Rhetorik als Identifikation im Sinne von Burke: Burke, K. (1945, 1962), S. 16-29, 49-90, 328-333; Burke, K. (1978), S. 401-416. Seine Position (S. 407 f.): der klassische Begriff »Persuasion« soll komplementiert werden durch den post-marxistischen und post-freudianischen Begriff der »Identifikation«, den er »explizit« mit ›Ideologie‹ in Verbindung bringen will. Zur kritischen Würdigung der Neufassung der traditionellen Rhetorik siehe Lentricchia, F. (1983), S. 145-163. Zum Unterschied zwischen Sprache/Literatur als Kommunikation und als Ausdruck von Bewußtseinsebenen siehe Banfield, A. (1982).

2 Zur Neufassung des traditionellen Epideiktischen siehe Rosenfield, L. W. (1980); Duffy, B. K. (1983); Podlewski, R. (1982).

3 Vgl. Rabinowitz, I. (Hg.) (1982).

4 Vgl. Exodus 4:10-12; Psalm 19:1-2, 9-10; Jesajah 53:2; Matth. 10:19-20 und Parr; 1. Korinther 2:1-5; 4:9-10; 2. Korinther 3:4-6 u. a.

5 Vgl. die Metonymie in den Titeln zweier repräsentativer Veröffentlichungen *Athen und Jerusalem* (Dyck, J., 1977) und *From Athens to Jerusalem* (Clark, S. R. L., 1984).

6 Anknüpfungstexte in der Bibel: Exodus 4:10-12; 1. Korinther 2:1-5. Zur Betonung des Bruchs mit der vorherrschenden Kulturnorm vgl. Origenes, *Contra Celsum*, VI, 1-2 (Platons Stil für die Elite versus Stil der Bibel für alle); Hieronymus, *Epist.* XXII, 30 (Vorwurf und Anklage vom Himmel: Ciceronianus, non Christianus); Augustinus, *Confessiones* III, 5 (Bibel kontrastiert mit Cicero).

7 Vgl. Miles Jr., J. A. (1981); Frye, N. (1981), S. 219, spricht vom »discontinuous and aphoristic style of the Bible« durch die Kanonisierung verschiedener Stilarten innerhalb der Bibel noch akzentuiert. So auch Kugel, J. (1981).

8 So Murphy, J. J. (1974, 1981), S. 171: »The plain style is appropiate to comedy«.

9 Vgl. Murphy, J. J. (1974, 1981), S. 47, Anm. 22 zu Augustinus, *de doctrina christiana* IV, 25:55-58 über »Lust, die durch Schmuck geweckt und geleitet wird«.

10 Kermode, F. (1979) geht dieser Entwicklung in seinem provokativen Buch nach; ähnlich Handelman, S. (1982) und Dreyfus, H. L./Rabinow, P. (Hgg.) (1982²).

11 Vgl. Judge, E. A. (1983a), über »The reaction against classical education in the New Testament«, S. 7-14; »The interaction of biblical and classical education in the fourth century«, S. 31-37; ders. (1983 b), S. 13-29 über »Christian innovation and its contemporary observers«; ders. (1984) über »Cultural conformity and innovation in Paul«, S. 3-24.

12 Vom feministischen Standpunkt her entwickelt vgl. Daly, M. (1985).

13 Ong, W. (1982 b), bes. S. 26, hat beobachtet, daß »so wie Mimesis-Theorien verblassen ..., so erwachsen (theoretische Interessen an der) Ironie«. Vgl. auch Haverkamp, A. (1981), Swearingen, C. J. (1978), McKee, J. B. (1974) und Kaufer, D. (1977). Im Unterschied zur Ironietheorie als Reflexion des Komischen wird Ironie auch als rhetorisches Stilphänomen in der Bibel studiert, vgl. Good, E. (1981²) und Duke, P. D. (1985).

14 Der Konsum religiöser Literatur kann »süßer als Honig« sein – vgl. Psalm 19:10, reflektiert im Titel der ersten jüdischen Bibelrhetorik – der aber, wenn er zur Prophetie führt, »bitter werden kann« – vgl. Offenbarung Johannis 10:9. Zum ideologischen Element im literarischen Genuß religiöser Texte vgl. Burke, K. (1978) in Auseinandersetzung mit Jameson.

Literatur

Alter, R. (1981), *The Art of Biblical Narrative*. New York.

Alter R. (1985), *The Art of Biblical Poetry*. New York.

Auerbach, E. (1946), *Mimesis*. Bern.

Auerbach, E. (1958), *Literatursprache und Publikum in der lateinischen Spätantike und im Mittelalter*. Bern.

Banfield, A. (1982), *Unspeakable Sentences. Narration and Representation in the Language of Fiction*. London.

Betz, H. D. (1972), *Der Apostel Paulus und die sokratische Tradition*. Tübingen.

Bloom, H. (1982), *The Breaking of the Vessels*. Chicago.

Burke, K. (1961), *The Rhetoric of Religion. Studies in Logology*. Berkeley.

Burke, K. (1945, 1962), *A Rhetoric of Motives*. Berkeley.

Burke K. (1931, 1953, 1968), *Counter-Statement*. Berkeley.

Burke, K. (1978), »Methodological Repression and/or Strategies of Containment«. In: *Critical Inquiry* 5/2. S. 401-416.

Clark, S. R. L. (1984), *From Athens to Jerusalem. The Love of Wisdom and the Love of God*. Oxford.

Daly, M. (1985), *Pure Lust. Elemental Feminist Philosophy*. Boston.

Derrida, J. (1967), *De la Grammatologie*. Paris. Deutsch (1974), *Grammatologie*. Frankfurt/Main.

Derrida, J. (1979), *Spurs/Épérons. Nietzsche's Styles/Les Styles de Nietzsche*. Übersetzt von Barbara Harlow. Chicago.

Dowling, W. C., (1984), *Jameson, Althusser, Marx. An Introduction to The Political Unconscious*. London.

Dreyfuß, H. L./Rabinow, P. (Hgg.) (1983²), *Michel Foucault. Beyond Structuralism and Hermeneutics*. Chicago.

Duffy, B. K. (1983), »The Platonic Functions of Epideictic Rhetoric«. In: *Philosophy & Rhetoric* 16/2. S. 79-93.

Duke, P. D. (1985), *Irony in the Fourth Gospel*. Atlanta, GA.

Dyck, J. (1977), *Athen und Jerusalem. Die Tradition der argumentativen Verknüpfung von Bibel und Poesie im 17. und 18. Jahrhundert*. München.

Fontaine, J. (1982), »Christentum ist auch Antike. Einige Überlegungen zu Bildung und Literatur in der lateinischen Spätantike«. In: *Jahrbuch für Antike und Christentum* 25. S. 5-21.

Foucault, M. (1966), *Les Mots et les Choses. Une archéologie des sciences humaines*. Paris. Deutsch (1971), *Die Ordnung der Dinge*. Frankfurt/Main.

Foucault, M. (1969), *L'Archéologie du Savoir*. Paris. Deutsch (1973), *Archäologie des Wissens*. Frankfurt/Main.

Frye, N. (1981), *The Great Code. The Bible and Literature*. London.

Good, E. (1981²), *Irony in the Old Testament*. Sheffield.

Handelman, S. (1982), *The Slayers of Moses. The Emergence of Rabbinic Interpretation in Modern Literary Theory*. Albany, N.Y.

Haverkamp, A. (1981), »Allegorie, Ironie und Wiederholung.« In: Fuhrmann, M. (Hg.), *Poetik und Hermeneutik 9*. München, S. 561-565.

Jameson, F. (1981), *The Political Unconscious. Narrative as A Socially Symbolic Act*. Cornell.

Jens, W. (1984), »Theologie und Literatur. Möglichkeiten und Grenzen eines Dialogs«. In: ders., *Kanzel- und Katheder-Reden*. München. S. 107-133.

Judge, E. A. (1983a), »The reaction against classical education in the New Testament«, S. 7-14; »The interaction of biblical and classical education in the fourth century«, S. 31-37. In: *Journal of Christian Education 77*.

Judge, E. A. (1983b), »Christian innovation and its contemporary observers«. In: Croke, B./Emmett, A. M. (Hgg.), *History and Historians in Late Antiquity*. New York. S. 13-29.

Judge, E. A., (1984), »Cultural conformity and innovation in Paul«. In: *The Tyndale Bulletin 35*. S. 3-24.

Kaufer, D. (1977), »Irony and Rhetorical Strategy«. In: *Philosophy and Rhetoric 10*. S. 90-110.

Kelber, W. H. (1983), *The Oral and the Written Gospel. The Hermeneutics of Speaking and Writing in the Synoptic Tradition. Mark, Paul and Q*. Philadelphia.

Kermode, F. (1979), *The Genesis of Secrecy. On the Interpretation of Narrative*. Cambridge, Mass.

Kermode, F. (1975, 1983), *The Classic. Literary Images in Permanence and Change*. New York/Harvard.

Kugel, J. (1981), »On the Bible and Literary Criticism«. In: *Prooftexts 1/3*. S. 217-236.

Lentricchia, F. (1983), *Criticism and Social Change*. Chicago/London.

Luhmann, N. (1977) (1982), *Die Funktion der Religion*. Frankfurt/Main.

McKee, J. B. (1974), *Literary Irony and the Literary Audience*. Amsterdam.

Miles Jr., J. A. (1981), »Radical Editing. Redaktionsgeschichte and the Aesthetic of Willed Confusion«. In: Halpern, B./Levenson, J. D. (Hgg), *Traditions in Transformation. Turning Point in Biblical Faith*. Winona Lake, Indiana. S. 9-31.

Murphy, J. J. (1983), *Renaissance Rhetoric. Studies in the Theory and Practice of Renaissance Rhetoric*. Berkeley.

Murphy, J. J. (1974, 1981), *Rhetoric in the Middle Ages. A History of Rhetorical Theory from St. Augustine to the Renaissance*. Berkeley.

Ong, W. (1982a), *Orality and Literacy. The Technologizing of the Word*. London.

Ong, W. (1982b), »From Mimesis to Irony. The distancing of the voice«. In: Hernadi, P. (Hg.), *The Horizon of Literature*. Nebraska. S. 11-42.

Plett, H. F. (Hg.) (1977), *Rhetorik. Kritische Positionen zum Stand der Forschung.* München.

Plett, H. F. (1985), »Texte und Interpretationen. Zum Forschungsstand von Rhetorik und Poetik der englischen Renaissance«. In: *Göttinger Gelehrte Anzeigen* 237, 1/2.

Podlewski, R. (1982), *Rhetorik als Pragmatisches System.* Hildesheim/ New York.

Ricœur, P. (1984), *Time and Narration.* Bd. 1. Chicago/London.

Rosenfield, L. W. (1980), »The Practical Celebration of Epideictic«. In: White, E. E. (Hg.), *Rhetoric in Transition.* Philadelphia. S. 131-155.

Schanze, H. (Hg.) (1974), *Rhetorik. Beiträge zu ihrer Geschichte in Deutschland vom 16. bis zum 20. Jahrhundert.* Frankfurt/Main.

Schökel, L. A. (1968), *Sprache Gottes und der Menschen.* Düsseldorf.

Swearingen, C. J. (1978), *Irony, from Trope to Aesthetic. A History of Indirect Discourse in Rhetoric, Literary Aesthetics, and Semiotics.* Ph. D. dissertation, University of Texas. Austin.

Wall, K. (1982), *A Classical Philosophy of Art. The Nature of Art in the Light of Classical Principles.* Washington.

Wuellner, W. (1985), »Paul as Pastor. The function of rhetorical questions in First Corinthians«. In: VanHoye, A. (Hg.), *Bibliotheca Ephemeridum Theologicarium Lovaniensium*, Bd. 73, *Paulus Colloquium 1985.* Leuven 1986.

Alois Hahn
Soziologische Relevanzen
des Stilbegriffs

Stile finden sich nicht nur in den Künsten, wenn der Terminus hier auch seinen traditionellen ›Ort‹ hat. Der Stilbegriff läßt sich vielmehr auf alle Bereiche des menschlichen Handelns anwenden, auf profanes und sakrales, auf Arbeit und Spiel, auf äußere Bewegungen und innere Vorgänge, auf Körperliches und Seelisches. Voraussetzung dafür ist, daß sich in den Handlungen oder ihren Resultaten charakteristische Merkmale finden lassen, die nicht einfach auf die manifesten Ziele dieser Aktivitäten oder auf ausdrückliche Verhaltensregeln zu reduzieren sind. Immer wieder treffen wir nämlich auf Eigentümlichkeiten, die für ein Individuum, eine Gruppe oder eine ganze Kultur typisch sind. Es geht dabei aber nicht um rein funktional bedingte Ähnlichkeiten. Daß Menschen, die zum Beispiel Fische fangen, sich überindividuell konstanter Bewegungen bedienen, ist solange noch kein Indiz für Stil, wie es sich dabei lediglich um die sachlich erforderlichen Voraussetzungen des Erfolges handelt. Erst wenn Haltungen fixierbar sind, die eher expressiver als instrumenteller Natur sind, handelt es sich um Stilelemente. Goffman hat in diesem Sinne von Stilen als der Handlungen – oder Personen – übergreifenden Aufrechterhaltung expressiver Identifizierbarkeit gesprochen (»the maintenance of expressive identifiability«, Goffman, E., 1974, S. 288).
Nun könnte ein intelligenter Leser natürlich die Frage nach den Möglichkeiten der Identifikation des ›expressiven‹ Überhangs über die rein instrumentelle Komponente des Handelns stellen. Wie kann er von außen erfaßt werden? Es ist ja nur schwer vorstellbar, daß jeder Betrachter erst einmal in Gedanken sämtliche Nuancen einer perzipierten Handlung durchgeht, um sich klar zu machen, ob es sich dabei um eine dominant expressive oder eine dominant instrumentelle Gestalt handelt. Wie also vollzieht sich die Stilidentifikation dann anders? Offenbar nur durch Kontrasterfahrungen! Für eine isoliert lebende Gruppe von Fischern zum Beispiel sind die instrumentellen und die expressi-

ven Elemente ihrer gruppenspezifischen Art des Angelns vielleicht eine untrennbare Einheit. Erst wenn sie selbst – oder
ethnographisch-vergleichende Beobachter – mit einer anderen
Gruppe von Fischern konfrontiert würden, ließe sich das eigentümlich stilistische Moment als Fremdheit oder als Andersheit
erkennen. Denn man sähe zwar, daß auch die anderen fischen,
aber auf eine nicht der Sache, sondern *ihnen* zuzurechnende
verschiedene Art. Oder um ein anderes Beispiel zu erwähnen:
Wenn ich nur eine Handschrift kennte, ließe sich die instrumentelle Komponente der reinen Lisibilität nicht von der individuell
differenten Ausprägung trennen. Aber wenn ich viele Briefe
erhalte, erkenne ich schon an der Anschrift, wer mir geschrieben
hat, obwohl es sich stets um dieselbe Adresse handelt. Dabei ist
die Stilidentifikation auch perzeptiv spontan. Ob allerdings diese
im Kontrast erfahrene Differenz mit Aufmerksamkeit bedacht
wird, ob sie thematisiert oder gar dekonstruktiv analysiert werden kann oder darf, das hängt von den Relevanzstrukturen ab,
innerhalb derer sie sich zeigt. So kann es zum Beispiel verpönt
sein, einen Sachtext (etwa einen philosophischen) wie einen (unabsichtlich) poetischen zu traktieren.
Wir können also Stil definieren als eine Formung von Handlungen (oder deren Resultaten), die für einen Handelnden, eine
Gruppe von Handelnden oder eine ganze Kultur typisch sind und
sich in verschiedenen Sphären des Daseins als identifizierbar
manifestieren, ohne daß diese Formen eindeutig ›technisch‹ bedingt sind. So sprechen wir vom Stil einer Person, wenn wir in
allen ihren Handlungen ein vielleicht nicht leicht oder überhaupt
nicht definierbares, aber doch klar unterscheidbares und wahr-
nehmbares Prinzip am Werke sehen, das als ein konstantes Moment in den verschiedenen Aktivitäten nur moduliert wird. Dabei
ist diese Konstante selbst in der Regel nicht auf den Begriff zu
bringen, obwohl Beobachter sich darüber einig sein können, ob
dieses ›je ne sais quoi‹ gegeben ist oder nicht. Goffman spricht in
diesem Zusammenhang von Stil als einer »Ressourcenkontinuität« (»ressource continuity«), die Handelnde in allen Situationen
immer nur modifizieren. Als Illustration verweist er auf die je
besondere Art eines Menschen, Schach zu spielen oder auf die
Unterschiede zwischen den sowjetischen Schachmeistern im Gegensatz zu amerikanischen (vgl. Goffman, E., 1974, S. 289). Natürlich liegt das stilbildende Moment in diesem Fall nicht in den

Regeln des Schachspiels selbst, sondern in einer gewissen – wie immer erworbenen – Disposition, diese auf bestimmte Weise anzuwenden. Wenn die Applikation der Regeln ihrerseits von identifizierbaren Regeln regiert werden sollte, so könnte man von Regeln zweiten Grades oder von Meta-Regeln sprechen. Dabei sollte indessen klar sein, daß der Gebrauch des Regelbegriffs in diesem Fall leicht zu terminologischen Ambiguitäten führt, wie sie eindringlich von Bourdieu beschrieben worden sind. Aus der Tatsache, daß eine Erscheinung *regelmäßig* auftritt (also mit einer unter Umständen statistisch meßbaren Frequenz), darf man noch nicht auf eine Regel schließen, die ausdrücklich formuliert und bewußt befolgt wird, auch nicht auf eine unbewußte Regulierung, die aufgrund einer mysteriösen zerebralen oder sozialen Mechanik die geregelten Wirkungen produziert. Dieser Fehlschluß verwechselt das Modell der Realität mit der Realität des Handelns (Bourdieu, P., 1972, S. 173).

Wie immer es sich damit verhalten möge, man kann gewisse isomorphe Strukturen identifizieren, die man als stilistische Konstanten ansetzen könnte, und zwar quer durch verschiedene Diskursuniversa (zum Beispiel wissenschaftliche *und* poetische), in den Verhaltensformen und den industriellen Produkten einer Epoche. Ich erinnere etwa an die Interpretationen von Serres, in denen solche Isomorphien zwischen Descartes' Metaphysischen Meditationen und den Fabeln Lafontaines oder zwischen der Dampfmaschine und dem Werk eines Denkers des 19. Jahrhunderts aufgezeigt werden (vgl. Serres, M., 1977, S. 286; siehe auch Descombes, V., 1981, S. 108 f.). Man könnte die Transformationsregeln, durch die solche Isomorphien hervorgerufen werden, als das generative Prinzip des Stils bezeichnen. Auch wenn man es selbst nicht identifizieren kann, bewiese allein schon die Entdeckung der Isomorphien als solcher das Vorhandensein von Stilen. Jedenfalls gilt das dann, wenn die Gleichförmigkeiten nicht ausschließlich auf das Konto des Interpreten gehen, der sie konstruiert. Stil in diesem Sinne entspringt nicht notwendig bewußten Stilisierungen, mittels derer Handelnde ihren Hervorbringungen eine besondere Gestalt verleihen. Die Existenz von stilistischen Isomorphien mag ihren Autoren völlig verborgen bleiben. Vielleicht würden sie sie nicht einmal akzeptieren, wenn man sie darauf aufmerksam macht. Sehr oft sind diese Isomorphien Rekonstruktionen eines ex-post-Beobachters. Eine zunächst einmal habituelle Lebensweise, die in gleichsam ›natürlicher‹ Einstellung schlicht ›for granted‹ genommen worden ist, kann dann mittels der Aufklärung durch den Beobachter reflexiv werden und sich selbst als Stil wahrnehmen. Aber auch wenn der Handelnde oder eine soziale Gruppe ihr eigenes Handeln oder dessen Produkte selbstreflexiv (also aus der Perspektive des Beobachters) als stilgebunden erkennt, heißt das nicht, daß das Handeln schon bei seiner Hervorbringung diesem generativen Prinzip entsprang. Erst recht läßt sich nicht in jedem Fall ein einmal aus der Beobachter-Perspektive gewonnener Begriff von stilistischen Regelmäßigkeiten nachträglich als generatives Prinzip weiterer Hervorbringungen aktivieren. Es kann nämlich sein, daß gerade der spontane Charakter des Stils die Vorbedingung für sein ›Funktionieren‹ ist, wie Kleist sehr schön in seiner Abhandlung über das Marionettentheater zeigt oder auch wiederum Goffman, der auf das Gekünstelte und Unglaubwürdige der Wirkung eines Stils verweist, dem man die Absichtlichkeit anmerkt (Goffman, S. 290), was natürlich nicht heißt, daß dieser Versuch nicht immer wieder mit größerem oder geringerem Erfolg unternommen wird.

Soziale Gruppen allerdings pflegen deutlich zu unterscheiden zwischen Menschen, die stilistischen Regeln gehorchen, die sie aus dem Verhalten anderer theoretisch abstrahiert haben und nun nachahmen und Personen, deren Handeln so wirkt, als sei ihr Stil eine instinktive Anlage. Die klassische Differenz zwischen den »doctes« und den »mondains« im Frankreich des 17. Jahrhunderts könnte hierfür ein Beispiel sein, das sich aber auch sonst immer wieder findet. Typischerweise trifft dabei die soziale Depreziation diejenigen, die als bloße Nachahmer charakteristische ›Fehler‹ machen oder als Pedanten die nur nachträglich erschlossene Regelmäßigkeit ohne Rücksicht auf situative Modulationsnotwendigkeiten für die Regel selbst halten, die sie folglich zu starr und ohne hinlängliche Berücksichtigung von Kontexten anwenden. An Motiven zur ›illegitimen‹ Übernahme fremder Stile fehlt es vor allem da nicht, wo Stile als Identifikatoren höheren Status fungieren.

Unter welchen Bedingungen ist es wahrscheinlich, daß Stilkopien verboten sind? Verbote dieser Art sind einmal stets dann zu erwarten, wenn mit einem Stil Exklusivitätsansprüche verbunden sind. Diese können sich auf schichtmäßige – etwa ständische –

Privilegien oder auf Individualitätsdramatisierungen stützen. Im ersten Fall verhindern oft Machtmittel unbefugte Stilimitationen, die dann wie Hochstapeleien behandelt und entsprechend geahndet werden. Man kann zum Beispiel durch Aufwandsordnungen schon rein materiell Zugänge zu Stilrequisiten für Parvenus sperren oder schichtinadäquate Stilisierungen als ridikül perhorreszieren. Stilisierungsverbote wirken hier als ›Vulgarisierungsbremsen‹. Die Legitimität des Stilbesitzes wird in diesem Fall nicht dadurch gestützt, daß der Träger ihn etwa selbst kreiert hat. Ganz im Gegenteil! Individuelle Stilinvention gilt unter solchen Umständen als Entlarvung defizitärer Statuskompetenz. Anders verhält es sich dann, wenn Stil als Individualitätszeichen fungiert. Hier ist der Kopist nicht nur Hochstapler, sondern Urkundenfälscher. Er muß folglich traktiert werden wie jemand, der mit einem fremden Namen signiert. Dabei muß man eigentlich zwischen zwei Formen der als Individualitätsmerkmal wirkenden Stilbildungen unterscheiden. Einmal geht es um Originalität, zum anderen um Authentizität. Bei der Nachahmung im Bereich von Handlungsfeldern, bei denen Rang an Invention geknüpft ist (in der modernen Wissenschaft oder Kunst etwa), liegt es auf der Hand, daß der Zweite genau das verfehlt, worum es geht, zumal gerade oft geniale Erfindungen leicht stilisierbar sind. Umgekehrt dürfte gerade das Originalitätsangebot, wenn man die Knappheit von Originalitätsressourcen bedenkt, sehr oft dazu führen, daß Imitation hinter Esoterik sich tarnt. Wo Authentizität erwartet wird, braucht demgegenüber nicht nachgewiesen zu werden, daß man einen Stil selbst geschaffen hat, sondern daß der Stil des äußeren Auftretens und Handelns durch das inkommensurable ›innere Sein‹ gedeckt wird. Ähnlich wie im Fall der Standesgemäßheit eines Stils die ›Passung‹ von Status und Stil relevant wird, dramatisiert sich bei Authentizitätsforderungen die Suche nach Innen-Außen-Adäquanz. Der Fälscher täuscht dann nicht mehr über seinen Rang, sondern über sein Ich, selbst wenn die gewählte Stilform absolut originell wäre. Die hier entstehende Dialektik ist nicht leicht auflösbar: Auch die ehrlichste Darstellung unseres Inneren ist immer noch Darstellung und insofern stilgebunden. Aber die Ehrlichkeit unserer Selbstenthüllung ist nicht in jedem Falle die beste Voraussetzung für unsere Glaubwürdigkeit. Nun ist Authentizität nicht in allen Gesellschaften für alle Lebensbereiche von gleicher Bedeutung. In der modernen

Gesellschaft zum Beispiel wird das Funktionieren der Sachstrukturen nicht mehr über persönliche Beziehungen und die Konkordanz von Innenlagen und Handlungen gesteuert. Der ›Abkoppelung‹ der privaten Rollen von den beruflichen entspricht die weitgehende Immunisierung des Funktionierens der großen bürokratischen Apparate gegen die Motive ihrer Mitglieder. Die Kooperation wird von der Authentizität ihrer Präsentation unabhängig. Ehrlichkeit und die auf sie bezogenen Stilisierungstabus gelten folglich nur noch für den Intimraum privater Beziehungen, von denen gesamtgesellschaftlich weiter nichts abhängt. Wo diese aber, wie zum Beispiel in höfischen Gesellschaften, den Bestand und den Fortgang der wichtigsten Institutionen sichern (wo Liebe und Haß staatsrelevant sind), da korreliert mit der realen Chance, durch Stilisierungen größte illegitime Vorteile zu erlangen, das moralisierende Pathos des Stilisierungsverbots. Das Tabu über die Stilisierung signalisiert also die Abhängigkeit sozialer Systeme von nicht adäquat bestimmbaren, da unsanktionierbaren Innenlagen der Individuen, die Dependenz der Struktur von Authentizität.

Die vollendete Übernahme solcher Stile ist indessen um so schwerer, je mehr die spontane Kompetenz zu einer die gesamte Lebensführung umfassenden Formgebung verbunden ist. Dabei ergibt sich die Schwierigkeit nicht nur daraus, daß dem Fremden die für die authentische Stilisierung seiner Handlungen erforderliche Eingewöhnung normalerweise fehlt, sondern auch daraus, daß er selbst durch den Stil seiner eigenen Gruppe geprägt ist, der gerade, weil er seine Wurzeln im Unwillkürlichen hat, seinen Träger immer wieder leicht verrät. Es mag zwar möglich sein, eine Handschrift in nahezu perfekter Weise zu fälschen, wenn man die entsprechende Zeit zu unbeobachteter Schriftproduktion hat. Aber bei spontanem Schreiben, schlägt die eigene Handschrift eben doch durch. Überhaupt ist die Handschrift vielleicht ein gutes Beispiel für die nur mit Einschränkungen steuerbare oder versteckbare identifizierende Wirkung von Stil. Vermutlich läßt sich unser ganzes Leben wie eine Handschrift deuten, wenn auch weder wir selbst, noch andere zu dessen sozusagen graphologischer Identifikation in der Lage sind. Die Genesis von Stilen ist aus soziologischer Perspektive am ehesten aus Gewohnheitsbildungen ableitbar, die sich im Prozeß der Enkulturation herausbilden. Dabei muß man sich allerdings vor Augen halten, daß

Gewohnheiten – dies hat schon Arnold Gehlen gezeigt – nicht einfach mechanische Dressuren bedeuten. Vielmehr wird über Gewohnheiten generalisierbare Kompetenz aufgebaut. Die am Einzelfall geübte Bewegung wird spontan in sinnanalogen Situationen produktiv mit anderen Gewohnheiten zu einer Figur verschmolzen, so daß auch ganz neue Lagen rasch in typischer Weise bewältigt werden. Nun kann man, wenn man selbst über die entsprechenden Dispositionen nicht verfügt, zwar anhand vergangener Manifestationen Hypothesen bilden, wie eine Antwort auf noch nie Dagewesenes aussehen könnte. Dieser Schluß bleibt aber prekär, denn die Aktivierung von komplexeren Dispositionen erfolgt nicht nach dem Schema rein logischen Schließens, sondern eher im Sinne von auf Urteilskraft basierenden Subsumptionen. Eine Disposition ist in gewisser Weise eine Art person- oder gruppenspezifischer Urteilskraft im Handeln. Wer sie selbst nicht hat, wird daher durch ihr Wirken immer wieder überrascht. Gleich Disponierte aber reagieren auch auf Neues gleichartig. Daher die stark identifizierende Wirkung von Stilen: Sie sind weitgehend verinnerlichte Habitus, denen eine handlungsgenerative Funktion eignet. Ein sehr begrenzter Satz von Dispositionen erzeugt eine nahezu unendliche Zahl von Handlungen, denen man nachträglich ihre Stilähnlichkeiten ansieht, ohne daß man sie immer vorhersehen könnte.

Aber das Insistieren auf der Unbewußtheit stilkonstituierender Dispositionen soll nicht die Existenz sehr bewußter stilistischer Regeln ausschließen, die oft sogar ausdrücklich durch besondere soziale Hierarchien, Vorkehrungen und Prozeduren institutionalisiert sind. Es können sogar kodifizierte Gesetze existieren, die diese Regeln kanonisieren und Institutionen der Zensur, die stilistische Abweichungen als ästhetische Sünden verurteilen und verfolgen. Insbesondere in der Sphäre der Kunst können sich spezifisch Stile entwickeln, die – wiewohl niemals unabhängig von den unbewußten »resource continuities« der epochalen oder gruppengebundenen Dispositionen der Künstler – doch in hohem Maße bewußter Regelkreation entspringen. Je stärker im übrigen die funktionale Ausdifferenzierung der verschiedenen Daseinssphären, desto größer ist die Wahrscheinlichkeit, daß Stilbildungen eher durch die subsystemspezifischen Traditionen als durch die frühkindlich erworbenen Dispositionen der Individuen erklärbar sind. Dies gilt sowohl für den Bereich der Künste als auch etwa für den der einzelnen Wissenschaften, des Rechtswesens oder der Religion.

Man wird also zwischen eher expliziten und weitgehend impliziten Stilbildungen unterscheiden müssen. Implizite Stilformung findet sich in allem Handeln in allen Gesellschaften. Aber nicht überall wird dem Stilcharakter des Handelns Aufmerksamkeit gezollt. Es ist zwar so, daß jeder Richter einen persönlichen Stil der Urteilsbegründung verrät. Aber sozial entscheidend ist der sachliche Gehalt, nicht der Stil. Mit einiger vereinfachender Übertreibung wird man vielleicht sagen können, daß stilistische Aufmerksamkeit vor allem (wenn natürlich auch nicht ausschließlich) dort bedeutsam wird, wo im Zentrum des Interesses eher ›zweckfreie‹ Aktivitäten stehen. Zwar verrät mir auch ein Geschäftsbrief, der stilistisch fehlerhaft ist, Peinliches über seinen Autor. Aber darum geht es zunächst einmal nicht, sondern um den Inhalt. Anders ist das natürlich bei einem belletristischen Text. Hier steht ja die Form im Vordergrund der Hinwendung zu ihm. Man könnte einwenden, in fast allen Lebenslagen spielten doch Stilfragen eine große Rolle, derjenige, der gegen den ›guten Stil‹ verstoße, riskiere oft drastische Sanktionen. Das stimmt zwar. Aber im ›praktischen‹ Leben ist die Einhaltung bestimmter stilistischer Erwartungen die Minimalbedingung kompetenter Kommunikation, nicht ihr Gegenstand. Stilistische Minima sind hier Zugehörigkeitsvoraussetzungen, nicht Thema. Unter normalen Bedingungen können Stilerwägungen unberücksichtigt bleiben. Sie werden erst bei Verstößen als Störung sichtbar. Man befaßt sich dann mit ihnen, um sie hinter sich zu bringen, so daß man zur Sache kommen kann. In den Künsten aber sind Stil und damit zusammenhängende Probleme die Sache selbst. Deshalb ist es auch nicht zufällig, daß der Stilbegriff zwar grundsätzlich in allen Lebenssphären als analytisches Instrument benützt wird, im Bereich der Ästhetik aber sein eigentliches Sinnzentrum liegt.

Literatur

Bourdieu, P. (1972), *Esquisse d'une théorie de la pratique*. Paris. Deutsch (1976), *Entwurf einer Theorie der Praxis*. Frankfurt/Main.

Descombes, V. (1981), *Das Selbe und das Andere. Französische Philosophie 1933-1978*. Frankfurt/Main.

Goffman, E. (1974), *Frame Analysis*. New York. Deutsch (1977), *Rahmen-Analyse*. Frankfurt/Main.

Serres, M. (1977), *Hermès 4. La distribution*. Paris.

Thomas Luckmann
Soziologische Grenzen
des Stilbegriffs

Der Begriff des Stils findet in den Sozialwissenschaften wenig Verwendung, und selbst wenn er einmal gebraucht wird, geschieht es keineswegs in systematischer Weise, sondern beiläufig. Auf die einzige nennenswerte Ausnahme komme ich noch kurz zu sprechen. Von dieser Ausnahme abgesehen gehört ›Stil‹ weder zum eigenen begrifflichen Instrumentarium der sozialwissenschaftlichen Einzeldisziplinen, auch nicht der Soziologie (und nicht einmal der Kultursoziologie), noch zum Repertoire der Konzepte einer allgemeinen Gesellschaftstheorie. Dort, wo es die Erkenntnisinteressen der Sozialwissenschaften zumindest nebenbei mit bestimmten kulturgeschichtlichen Erscheinungen zu tun bekommen, übernehmen sie ohne besondere Skrupel die Stilbegriffe der historischen Kunst- und Literaturwissenschaften. Sie verwenden ›Stil‹ zum Zweck verallgemeinernder Hinweise auf kulturell, epochal, regional und schichtenspezifisch zu verortende Gestaltungsmerkmale von (Kunst-)Erzeugnissen. Sie meinen, diesen Begriff im wesentlichen empirisch-beschreibend verwenden zu können. Diese Übernahme theoretisch anderswo präformierter Begriffe und deren Verwendung sozusagen ohne eigene Haftung und Gewähr mag unbekümmert erscheinen. Sie findet ihre Erklärung – wenn schon nicht Berechtigung – darin, daß die Verwendung des Stilbegriffs in den Sozialwissenschaften üblicherweise auf solche gesellschaftliche Erscheinungen beschränkt bleibt, für die man Fächer wie Musikologie, Kunstgeschichte und Literaturwissenschaft für zuständig halten darf – oder immerhin halten zu dürfen vermeint. Im großen und ganzen verfährt man also nicht anders als die kulturhistorischen Disziplinen, wenn diese spezifisch sozial-strukturelle Gegebenheiten mit geborgten Begriffen wie soziale Klasse, Institution, Rolle usw. ins Auge zu fassen versuchen.

Die vorhin angesprochene Ausnahme ist die Kultur- bzw. Sozialanthropologie. Diese Sozialwissenschaft verwendet Stilbegriffe in einigen ihrer Teildisziplinen. Die ethnologisch orientierte Archäologie, die hierbei wie ihre ›klassische‹ Vorgängerin verfährt, braucht sie im wesentlichen zu taxonomischen und Datierungszwecken (vgl. zum Beispiel Willey, G. P., 1953, S. 361-385; Meyer Shapiro, 1953, S. 287-312). Auch in der Ethnomusikologie hat der Stilbegriff ähnliche daten-ordnende Funktionen (vgl. zum Beispiel Lomax, A., 1968). Sowohl in der Forschungspraxis wie in der Kultur-›evolutionistischen‹ und diffusionstheoretischen Auslegung der auf kulturelle Erzeugnisse bezogenen Daten hat der Stilbegriff in diesen sozialwissenschaftlichen Teildisziplinen so nützliche Dienste geleistet, daß die diesbezüglichen Seelenerforschungen und Selbstzerfleischungen in den Heimatfächern dieses Begriffs wenig Eindruck machen dürften.

Es ist bemerkenswert, daß (gerade?) auch in der Kulturanthropologie dem Versuch einer weitaus ambitiöseren kulturtheoretischen Ausweitung des Begriffs über taxonomische Zwecke hinaus wenig Erfolg beschieden war. Kroebers allgemeine Bestimmung von Zivilisationen als Formzusammenhängen, die durch ›Inhalte‹, ›Werte‹ und ›Stile‹ gebildet wurden (wobei Kroeber dem Stil als formgebendem Prinzip eine entscheidende Bedeutung zumaß; Kroeber, A. L., 1957), machte nicht Schule. Während also ein auf den ›klassischen‹ Anwendungsbereich beschränkter Stilbegriff in jener sozialwissenschaftlichen Disziplin, die ›Kultur‹ als ihren eigentlichen Gegenstand betrachtet (die bisherige Bindestrich-Kultur-Soziologie ist hier vergleichsweise von wenig Belang), gute Dienste in der Forschungspraxis leistet, sind theoretische Ausweitungsversuche gescheitert. Nur wenn man glaubt, jede Wissenschaft bräuchte unbedingt ihre losen Großmetaphern, wird man diesen Umstand bedauern. Denn dann wäre ›Stil‹ immerhin noch Begriffen wie ›System‹ vorzuziehen. Denken wir in diesem Zusammenhang an eine Bemerkung Redfields:

... wir meinen, daß jedes sein entsprechendes Bild hervorruft: ›Struktur‹ eine Maschine oder Organismus, ›Muster‹ oder ›Stil‹ oder ›Physiognomie‹ ein Kunstwerk, ein Gedicht oder vielleicht eine Persönlichkeit.

Angesichts der Seltenheit *und* der methodologischen und theoretischen Unbekümmertheit des Gebrauchs des Stilbegriffs in der Soziologie ist aus ihren Reihen zur gegenwärtigen Diskussion kaum viel Nützliches zu erwarten. Die Bemerkungen eines Soziologen zu diesem außerhalb seiner Kompetenz liegenden ›Werturteilsstreit‹ sind höchstens aus einem Grund nicht ganz überflüssig: die Soziologie hat ihre liebe Mühe mit facheigenen Begrifflichkeiten gehabt, die dem Stilbegriff in einigen Punkten nicht unähnlich sind, und hat daraus gewisse Lehren ziehen können, die über die Grenzen der eigenen Disziplin nützlich sein können. Die Mühe mit den Begriffen liegt in der Natur des Gegenstandsbereichs, auf welche die Begriffe bezogen sind. Empirische, gegenstandsbeschreibende Verallgemeinerungen verschiedener Aspekte sozialen Lebens vermischen sich von vornherein mit einer doppelten Schicht von Wertungen und ›Perspektivitäten‹, Wirklichkeitsansichten und Stellungnahmen zur Wirklichkeit, mit einem Wort: Wirklichkeitskonstruktionen.

Die gesellschaftlichen (menschlichen, allzumenschlichen) Wirklichkeitskonstruktionen der ersten Schicht lassen sich nicht einfach ›bereinigen‹ – wie die verschiedensten reduktionistischen Ansätze zu ihrem Leidwesen erfahren mußten. Nach einer solchen ›Bereinigung‹ bliebe nichts von der menschlichen (›lebensweltlichen‹) Wirklichkeit übrig. Die Wertungen und Wirklichkeitsorientierungen der ›Subjekte‹ des gesellschaftlichen Lebens machen das gesellschaftliche Leben, den Gegenstandskern der Sozialwissenschaften aus, nicht als ein Meinungszusatz, als abschälbare Sinnschicht, sondern als konstitutive Merkmale des gesellschaftlichen Handelns und seiner Ergebnisse. Diese erste, vor-theoretische und binnen-theoretische (›folk theoretical‹) Schicht muß daher empirisch-deskriptiv in den Griff genommen werden. Ohne sie gibt es von vornherein keinen *sozial*wissenschaftlichen Gegenstandsbereich und folglich keine sozialwissenschaftlichen Daten.

Die zweite Schicht der Wertungen und Perspektivitäten ist jene, welche in die Festlegung der Erkenntnisinteressen einer Wissenschaft, deren Problemauswahl und Methodenentwicklung eingeht und so in einem mehr oder minder kontrollierbaren Ausmaß auch die Transformation gesellschaftlicher Gegenstandsbereiche in sozialwissenschaftliche Daten steuert. Die Tradition, das ›Paradigma‹ ist Voraussetzung für die Forschungspraxis – das ist eine Selbstverständlichkeit. Das heißt natürlich nicht, daß die Bestandteile der Tradition dem systematischen, reflexiven Zugriff entzogen sind. Die Beliebtheit wissenschaftstheoretischer und methodologischer Diskussionen in der Soziologie – und, wie man sieht, auch in den hier versammelten Wissenschaften – zeigt, daß die paradigmatischen ›Selbstverständlichkeiten‹ der zweiten

Schicht nicht in der gleichen unlösbaren Weise in die Datenkonstitution eingeschmolzen sind wie die wirklichkeitskonstruierenden der ersten in die Gegebenheit der Sozialwelt. Auch in dieser Hinsicht gibt es Unterschiede zwischen den ›Konstrukten erster Ordnung‹ und jenen der zweiten, um eine Schützsche Unterscheidung zu verwenden. Jedenfalls besteht kein Grund, sich in den wieder einmal an der kulturbetrieblichen Wissenschaftsperipherie modisch gewordenen wissenschaftstheoretischen Anarchismus zu flüchten. Die gesellschaftliche Konstruiertheit der historischen ›Lebenswelten‹ und die Traditionalität der Wissenschaft ist beileibe keine Begründung der Beliebigkeit von Beobachtung und Deutung.

Wissenschaftliche Begriffe stehen wie alle Begriffe in einer ›interessegeleiteten‹ historischen Tradition (ohne Interesse gäbe es natürlich auch diese Tradition nicht). Aber wissenschaftliche Begriffe stehen eben in einer besonderen, der in der Menschheitsgeschichte ohnehin späten und schmalen Tradition einer theoretischen Wissenschaft: in *relativer* Handlungsentlastung und so auch *relativer* Distanz zum jeweiligen Ergebnis der eigenen Wissenssuche. Gewiß, sie sind in der historischen Vorläufigkeit *eines* ›Paradigma‹ *einer* wissenschaftlichen Disziplin verortet. Aber schon im Alltagsgeschehen werden Wahrheitsansprüche nachhaltig gestellt, und zwar in Kenntnis der intersubjektiven Bedingungen, unter denen sie befriedigt werden können; und die Wahrheitsansprüche werden in mehr oder minder kontrollierbarer Behandlung von Gegebenheiten und in mehr oder minder kontrollierbaren Berichten von Begebenheiten auch einigermaßen bestätigt – oder widerlegt. Sowohl ›Datenbehandlung‹ wie ›Datenbericht‹ werden in den *scientific communities* – und seien diese noch so zerstritten – um einiges systematischer kontrolliert als in den Geschäften des Alltags. Der Umstand, daß sozialwissenschaftliche (und kulturhistorische) ›Daten‹ eine sie als solche (im Gegensatz zum Beispiel zu biologischen) erst konstituierende Schicht von Wertungen und Perspektivitäten enthalten, ändert nichts daran, daß im wesentlichen, bei allen ›technischen‹ Schwierigkeiten, auch hier zwischen richtigen und falschen Gegebenheits- und Begebenheitsberichten und Deutungen entschieden werden kann.

Das gilt selbstverständlich auch für Anwendungen des Stil-Begriffs auf menschliche Gegebenheiten und Begebenheiten – *wenn* man sich grundsätzlich einmal auf einen empirisch bestimmbaren Anwendungsbereich geeinigt hat. Darin liegt jedoch nicht das Hauptproblem. Die Frage ist vielmehr, wie *nützlich* dieser Begriff für das systematische Verständnis historischer ›Lebenswelten‹ ist. (Denn auf Sternkonstellationen oder Korallenriffe wird man ihn wohl nicht anwenden wollen.) Hat der Begriff einen ›lebensweltlich‹ schon vorgegebenen Anwendungsbereich oder nicht? Wenn ja, wie eng soll (oder darf) der wissenschaftliche Begriff des ›Stils‹ an vorwissenschaftliche Vorgaben anschließen? Wenn nein, braucht man den Begriff überhaupt, oder sollte man sich nicht lieber mit anderen Ordnungsbegriffen wie ›Struktur‹ oder gar ›System‹ begnügen?

Zu diesen Fragen werden hier im Symposium recht unterschiedliche Antworten gegeben. Auch die diesbezüglichen begriffs- und theoriegeschichtlichen Darstellungen, so aufschlußreich sie auch waren, führen in dieser Hinsicht zu keinem einheitlichen Urteil. Heuristik, Methodik und Theorie sind zwar gerade in diesen Fragen schwer voneinander zu trennen, aber zunächst geht es jedenfalls um Nützlichkeitserwägungen. Ich kann daher ohne Anspruch auf Verbindlichkeit – geschweige denn Originalität – wagen, meine in einer gewissen Distanz zu den fachwissenschaftlichen Stildebatten entstandene Auffassung zu umreißen.

Es kommt mir vor, daß ›Stil‹ nur dann als ein einigermaßen nützlicher wissenschaftlich-analytischer Begriff dienen kann, wenn er, erstens, auf einen gegenständlich halbwegs eingegrenzten Anwendungsbereich gerichtet wird und wenn, zweitens, einigermaßen einsichtige Transformationsregeln zwischen den ›Primärdaten‹ der Wissenschaft und dem Generalbegriff ›Stil‹ formuliert werden. Ansonsten kann der Begriff, erstens, querfeldein auf beliebige Erscheinungen und, zweitens, beliebig nach eigenem Eindruck angewandt werden. Das kann nur Verwirrung stiften. Im folgenden einige Bemerkungen zu den zwei Bedingungen einer bescheideneren Anwendung des Stilbegriffs. Obwohl die zwei Bedingungen selbstverständlich eng miteinander verschlungen sind, ist die erste im wesentlichen substantiver, gegenstandsbezogener und die zweite methodologischer, denkvorgangsbezogener Natur.

Es ist selbstverständlich, daß der Begriff auf etwas gerichtet wird, das in der gesellschaftlich-geschichtlichen, menschlichen Welt eine erkennbare ›Struktur‹ bildet. Aber dafür würde im allgemeinen auch der neutrale Begriff ›Struktur‹ genügen. Es erscheint mir sinnvoll, ›Stil‹ nur für jene ›Strukturen‹ in historischen ›Lebenswelten‹ zu benützen, die schon seinen ›klassischen‹ Anwendungsbereich bildeten: auf erkennbare, typische Zusammenhänge der Merkmale von Erzeugnissen menschlichen Handelns und, unter gewissen Bedingungen, auf typische Zusammenhänge der Merkmale des erzeugenden Handelns selbst. Eine mögliche, noch kontrollierbare Ausweitung des Begriffs beträfe die im erzeugenden Handeln eingesetzten Wissensbestände. Bei darüber hinausgehenden Ausweitungen sollte deren lockerer metaphorischer Charakter deutlich angezeigt werden. Es ist schwer vorstellbar, daß bei solchen Ausweitungen des Begriffs zu einer Generalmetapher für intuitiv erfaßte Gesamtcharakteristiken einer Kultur, einer Epoche, eines Lebens die zweite, methodologische Bedingung eingehalten werden kann. Ohne Transformationsregeln kann aber ein Begriff in einer Wissenschaft (im Gegensatz etwa zur politischen Rhetorik) kaum nützlich eingesetzt werden.

Zu den Transformationsregeln ist zu sagen, daß zumindest in diesem Fall die Begriffe zweiter Ordnung verhältnismäßig eng an die Begriffe erster Ordnung schließen sollten. Ich will damit übrigens nicht sagen, daß *alle* sozialwissenschaftlichen Begriffe unmittelbar an Kategorien des Alltagswissens gebunden sein müssen. Genau genommen sind auch die theoretischen Präformationen des Stilbegriffs als Begriffe erster Ordnung, allerdings schon recht systematischer Art, aufzufassen. Das heißt natürlich nicht, daß der Stilbegriff nur dann vernünftig angewandt werden kann, wenn er schon vorwissenschaftlich oder ›fremdwissenschaftlich‹ vorliegt. Das hieße, daß man ihn nur noch als ›folk category‹, nur noch historisch deskriptiv als Bestandteil einer historischen Kultur einsetzen könnte, also nur bei wenigen Kulturen in wenigen Epochen – und sogar dann, wie manche der Beiträge zu diesem Symposium zeigen, meist mit einer gewissen retrospektiven Gewaltsamkeit.

Ein ausdrücklicher Stil-Begriff im alltäglichen Wissensbestand ist gewiß nicht die notwendige Voraussetzung für diesen wissenschaftlich-analytischen Einsatz. Es genügt zwar nicht, daß die typischen Zusammenhänge der Merkmale von Erzeugnissen – bzw. des erzeugenden Handelns – nur dem Wissenschaftler erkennbar sind (wie etwa die Struktur des RNDA). Es genügt aber, wenn sie auch schon den Erzeugern, den handelnden Menschen erkennbar sind. Mit anderen Worten, ein nützlicher Stil-Begriff zweiter Ordnung bezieht sich auf Gestaltungen und nicht auf Handeln und dessen Produkte schlechthin: *das* wäre ein weiteres Territorium. Er verweist also auf Gestaltungsprinzipien, die das erzeugende Handeln über Orientierungskategorien: Handwerks- und Kunst- und Kommunikationsregeln leiten, Kategorien, die in den Wissensvorräten einer Gesellschaft auffindbar und systematisch rekonstruierbar sind. Das wird auf jeden Fall in Hochkulturen der Fall sein. Aber ich bin mir ziemlich sicher, daß Gestaltungskategorien, auf die ein Stilbegriff gründen kann, nicht nur dort, sondern auch in schriftlosen Stammesgesellschaften bzw. deren Erzeugnissen und kommunikativen Gattungen vorhanden sind. Im allgemeinen (Schütz, A./Luckmann, 1984, Kap. V A) ungefähr nach dem gegenüberliegenden Schema.

Literatur

Kroeber, A. L. (1957), *Style and Civilization*. Ithaca, N. Y.

Lomax, A. (1968), *Folk Song Style and Culture*. American Association for the Advancement of Science. Publication no. 88. Washington, D. C.

Meyer Shapiro (1953), »Style«, in: *Anthropology Today*. S. 287-312.

Redfield, R. (1962), *Human Nature and the Study of Society. The Papers of Robert Redfield*. Bd. 1. Hg. von M. Park-Redfield. Chicago, Ill.

Schütz, A./Luckmann, Th. (1984), *Strukturen der Lebenswelt*. Bd. 2. Frankfurt/Main.

Willey, G. P. (1953), »Archeological Theories and Interpretation: New World«. In: *Anthropology Today*, S. 361-385.

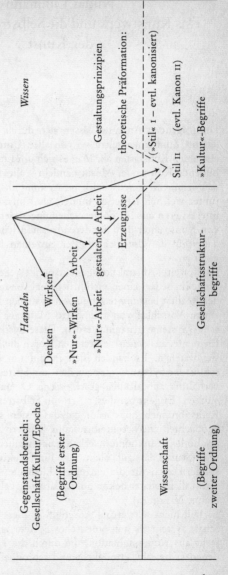

Gegenstandsbereich:
Gesellschaft/Kultur/Epoche

(Begriffe erster
Ordnung)

Handeln

Denken   Wirken

»Nur«-Wirken

Arbeit

»Nur«-Arbeit   gestaltende Arbeit

Erzeugnisse

Wissen

Gestaltungsprinzipien

theoretische Präformation:

(»Stil« I – evtl. kanonisiert)

Stil II   (evtl. Kanon II)

»Kultur«-Begriffe

Gesellschaftsstruktur-
begriffe

Wissenschaft

(Begriffe
zweiter Ordnung)

Niklas Luhmann
Das Kunstwerk und die Selbstreproduktion der Kunst

I

Die folgenden Analysen lassen sich durch zwei Abstraktionen leiten.[1] Zum einen sehen sie von allen Unterschieden zwischen einzelnen Kunstarten ab. Mag es sich um Literatur oder Theater, bildende Kunst oder Musik handeln – alles kommt in Betracht, sofern nur die gesellschaftliche Kommunikation den Tatbestand (unter welchen Kriterien immer) als Kunstwerk behandelt. Wir interessieren uns für Folgeerscheinungen der Ausdifferenzierung von Kunst unter dem Sondercode schön/häßlich, und es kommt dabei auf die Unterschiede der einzelnen Kunstarten zunächst nicht an.

Der zweite Abstraktionsgesichtspunkt regelt die Problemstellung. Er bedarf einer ausführlicheren Vorstellung. Man kann in der Realität bestimmte Arten von Systemen ausmachen, die nach einem Vorschlag von Humberto Maturana (1982) »autopoietische« Systeme genannt werden. Diese Systeme produzieren die Elemente, aus denen sie bestehen, durch die Elemente, aus denen sie bestehen. Es handelt sich mithin um selbstreferentiell-geschlossene Systeme, oder genauer, um Systeme, die ihr Umweltverhältnis auf zirkulär-geschlossene Operationsverknüpfungen stützen. Es geht bei dieser Art von Selbstreferenz nicht nur um Reflexion: nicht nur darum, daß das System seine eigene Identität beobachten und beschreiben kann. Sondern alles, was im System als Einheit funktioniert, erhält seine Einheit durch das System selbst, und das gilt nicht nur für Strukturen und Prozesse, sondern auch für die einzelnen Elemente, die für das System selbst nicht weiter dekomponierbar sind (vgl. ausführlicher Luhmann, N., 1984a).

Es fällt nicht schwer, im Anschluß an diese Theorie das Gesellschaftssystem als autopoietisches System zu definieren. Es besteht aus Kommunikation, die durch die Kommunikation, aus denen es besteht, ermöglicht und reproduziert werden. Was als

Einheit einer Kommunikation angesehen und behandelt wird, kann nicht durch die Umwelt vorgegeben werden, sondern ergibt sich aus dem Zusammenhang mit anderen Kommunikationen – vor allem aus den Bedingungen sinnvoller Negation (Ablehnung). Auf die Gesellschaft als Ganzes paßt also der Begriff autopoietischer Systeme, und zugleich führt dieses Konzept zu einer eindeutigen Abgrenzung des Gesellschaftssystems gegen seine Umwelt, in der es keine Kommunikation gibt. Die Frage ist, ob dies der einzige Fall von Autopoiesis im Bereich sozialer Systeme ist, oder ob und unter welchen gesellschaftsgeschichtlichen Bedingungen auch andere soziale Systeme diese Strukturform selbstreferentieller Geschlossenheit und Autonomie in der Konstitution ihrer Elemente erreichen können.

Meine Hypothese ist, daß die Struktur der modernen Gesellschaft es ermöglicht, funktionsbezogene autopoietische Teilsysteme zu bilden. Die Art wie dies geschieht, ist durch die funktionale Differenzierung des Gesellschaftssystems bedingt. Durch funktionale Differenzierung gewinnt die Gesellschaft die Möglichkeit, die wichtigsten Teilsysteme im Hinblick auf ihre gesellschaftliche *Funktion* auszudifferenzieren und sie damit aus ihrer innergesellschaftlichen *Umwelt* stärker herauszulösen. Die Bedeutung von Input und Output im Konnex der gesellschaftlichen Teilsysteme tritt zurück. Damit wird es zunehmend inadäquat, die Kunst als Input-definiert zu begreifen, und ebensowenig bestimmt ein Bedarf anderer wichtiger Teilsysteme, zum Beispiel ein Schmuckbedarf, das, was als Kunst gilt. Kunst wird zu einem sich selbst bestimmenden, sich selbst produzierenden, sich an inneren Kohärenzen und Widersprüchen orientierenden System.[2] Die Selbstbeschreibung der Kunst, ihre Semantik, ihre ästhetische Theorie muß dann die Vorstellung der »imitatio« aufgeben.[3]

Wenn das der Tatbestand ist, muß nicht nur die interne (ästhetische), sondern auch die externe (soziologische) Beschreibung der Kunst darauf eingestellt werden. Sie erfordert eine Theorie, die erfassen kann, daß und wie die Kunst sich *unter gesellschaftlichen Bedingungen* (also keineswegs »frei schwebend«!) als ein *geschlossenes* System der Selbstreproduktion halten und entfalten kann. Genau das versucht eine Theorie autopoietischer Systeme zu leisten, indem sie die Organisation der autopoietischen Reproduktion unterscheidet von den Beschränkungen, die der Bereich (domain) vorgibt, in dem die Autopoiesis stattfindet.

Anscheinend werden aber nicht alle Funktionssysteme bis zu derjenigen Autonomie ausdifferenziert, die eine autopoietische Selbstreproduktion ermöglicht. Ohne einen logischen oder gesetzmäßigen Zwang erkennen zu können, müssen wir daher von Fall zu Fall prüfen, ob und bei welchem Entwicklungsstande Funktionssysteme nicht nur eine gewisse Eigenständigkeit und Regulationsfähigkeit erreichen, sondern auch über Elemente, aus denen sie bestehen, selbst verfügen. Nur wenn diese Autonomie erreicht ist, sind sie auch für sich selbst und nicht nur für einen externen Beobachter soziale Systeme.

Für das Rechtssystem und für das Wirtschaftssystem der modernen Gesellschaft kann man dies mit hinreichender Deutlichkeit zeigen (vgl. Luhmann, N., 1983 und 1984b). In einem Falle verselbständigt sich das System durch Kommunikation rechtsnormativer Erwartungen, die nur durch Rückgriff auf andere Elemente desselben Systems als gültig bestimmt werden können. Im anderen Falle besteht das System aus Geldzahlungen, die Geldzahlungen voraussetzen und Geldzahlungen ermöglichen. Das kann hier nicht ausreichend expliziert werden. In jedem Falle wird man es nicht als Zufall ansehen können, daß gerade diese beiden Funktionsbereiche über eine hochentwickelte Systemtechnik verfügen und in der liberalen Phase der neueren Gesellschaftsentwicklung die Gesellschaft geradezu repräsentieren konnten.

Man kann für alle Funktionssysteme die gleiche Frage nach dem Zusammenhang von Ausdifferenzierung und selbstreferentieller Schließung als Basis für ein offenes und komplexes Umweltverhältnis stellen. Nur wenn dieser Zusammenhang herstellbar ist, können Geschlossenheit und Offenheit zugleich gesteigert, zugleich komplexer werden. Das Thema der folgenden Überlegungen bezieht sich auf eines dieser Funktionssysteme, auf das soziale System des Herstellens und Erlebens von Kunstwerken (Kunstsystem). Und auch in diesem eingeschränkten Rahmen werden wir nur einige Probleme behandeln können, die auftreten, wenn dies System Autonomie zur Bestimmung seiner Elemente erlangt, selbstreferentielle Schließung anstrebt und genau dadurch seine Umweltsensibilität zu entwickeln sucht.

Gegen Adorno gewendet, geht es dabei nicht um »Verselbständigung der Gesellschaft gegenüber« (diese Formulierung in Adorno, T. W., 1970, S. 334), sondern um *Verselbständigung in der Gesellschaft;* und wir sehen die Gesellschaftlichkeit der Kunst auch nicht in einer Negativität, in einer »Gegenposition zur Gesellschaft« (Adorno, T. W., 1970, S. 335), sondern darin, daß die Freisetzung für eine spezifische Funktion nur als *Vollzug von Gesellschaft* möglich ist. Entsprechend ist die in der Neuzeit erreichte Autonomie der Kunst auch nicht etwas, was der Abhängigkeit von Gesellschaft widerstreitet; nichts, was die Kunst in ein hoffnungsloses Abseits treibt. Im Gegenteil: die Kunst teilt das Schicksal der modernen Gesellschaft gerade dadurch, daß sie als autonom gewordenes System zurechtzukommen sucht.

Daß in der modernen Gesellschaft Kunst als autopoietisches Funktionssystem ausdifferenziert ist, zeigt sich besonders deutlich am Schicksal aller Versuche, traditionelle Kriterien des Schönen, Darstellungsfunktionen, ja schließlich sogar die symbolische Qualität von Kunstwerken in Frage zu stellen. Das Infragestellen selbst wird dabei zum Vollzug der Autopoiesis von Kunst. Die Leugnung jeder Ausdrucksabsicht wird als besonders raffinierte, versteckte, hintersinnige Ausdrucksabsicht aufgefaßt – aller Beteuerung zum Trotz (vgl. Hofstadter, D. R., 1979, S. 703 f.). Die Reduktion auf bloße Objekte, wenn das die Absicht ist, scheitert am »frame effect«.[4] Der Vollzug der künstlerischen Operation muß sich wie jede Operation eines selbstreferentiellen Systems auf Voraussetzungen einlassen, und sei es nur auf die Voraussetzung der Anschlußfähigkeit im System. Auch eine unbeschränkte Beliebigkeit in der Form- und Themenwahl würde daran nichts ändern können. Die Operationen schaffen sich »inviolate levels«[5], und diese sind nichts anderes als der Bezug auf den Vollzug der Autopoiesis von Kunst. Man kann jede Fixierung dieser Voraussetzung zu vermeiden suchen und sie mit den Operationen fluktuieren lassen, macht damit aber um so deutlicher, daß es um Autopoiesis geht. Die Alternative wäre: das System zu verlassen.

II

Die Kunst denkt sich selbst gern als funktionslos. Das ist aber nichts weiter als eine Geste der Abwehr gegen Vereinnahmungsansprüche anderer Funktionsbereiche oder auch Fortschreibung einer alten Tradition, die die Kunst als nutzlos betrachtete. Innerhalb der modernen Gesellschaft ist eine Ausdifferenzierung von Kunst nur möglich mit Bezug auf eine spezifische Funktion, die in diesem System und nirgendwo sonst erfüllt wird. Funktionale Differenzierung bedeutet: Auf-sich-selbst-Stellen einzelner Funktionsbereiche mit jeweils spezifischen, unverwechselbaren Codes. Sie bedeutet auch: Auflösung alter Multifunktionalitäten und infolgedessen: Redundanzverzicht. Das heißt: Kein Funktionssystem kann durch ein anderes ersetzt werden; die Kunst zum Beispiel nicht durch Politik, aber auch die Politik nicht durch Kunst. Funktionssysteme sind selbstsubstitutive Ordnungen. In der modernen Gesellschaft hat mithin die Kunst eine Funktion oder sie besitzt keine Geschlossenheit der Selbstreproduktion, also keine Autonomie.

Zugleich muß man aber konzedieren, daß Funktionen nicht als »functional requisites«, als objektive Bestandserfordernisse des Gesellschaftssystems begriffen werden können (was Wissenschaft als externen Beobachter der Gesellschaft voraussetzen würde).[6] Vielmehr verselbständigen und artikulieren sich Funktionen nur im Prozeß ihrer evolutionären Ausdifferenzierung, und niemand anders ist für ihre Bestimmung zuständig als das sich ausdifferenzierende Funktionssystem (was keineswegs ausschließt, daß externe Beobachter die Funktion und ihren Kontext beschreiben und sie anders beschreiben können als das Funktionssystem selbst (hierzu anhand eines Beispiels Luhmann, N., 1986). Wir müssen mithin Kunst beobachten und befragen, wenn wir ermitteln wollen, was die Funktion der Kunst ist und ob und inwieweit sie so ausdifferenziert ist, daß sie durch kein anderes Funktionssystem wahrgenommen werden kann.

Mit einer zunächst sehr unscharf angesetzten Beschreibung sehen wir die Funktion der Kunst in der *Konfrontierung der (jedermann geläufigen) Realität mit einer anderen Version derselben Realität*. Die Kunst läßt die Welt in der Welt erscheinen, und wir werden noch sehen, daß dies mit Hilfe der Ausdifferenzierung der Differenz von Form und Kontext, also mit Hilfe einer kunstimmanenten Unterscheidung geschieht. Darin liegt ein Hinweis auf die Kontingenz der normalen Realitätssicht, ein Hinweis darauf, daß sie auch anders möglich ist. Schöner zum Beispiel. Oder weniger zufallsreich. Oder mit noch verborgenem Sinn durchsetzt. Dieser Hinweis wird mit eigenen artistischen Mitteln gegen die Normalsicht durchgesetzt. Die ältere Kunsttheorie hatte deshalb die Erregung von Erstaunen und Verblüffung als

Merkmal der Kunst hervorgehoben. Damit konnte jedoch kein Endzweck gemeint sein, kein perfekter Dauerzustand des Verblüfftseins, sondern nur der Übergang zu etwas anderem. Die Frage nach dem, was die Überraschung und Verblüffung bewirken soll, führt dann auf die Frage nach der Funktion der Kunst, und an der Reihe der Antworten auf diese Frage läßt sich die fortschreitende Ausdifferenzierung der Kunst ablesen. Sie ist in diesem Sinne ein historischer Prozeß und abhängig von dem, was jeweils als Funktion der Kunst angenommen wird.

Zunächst ist und bleibt der Hinweis auf eine Alternativversion von Realität natürlich durch das bestimmt, was mit dieser Alternativversion gesagt sein soll. Man denkt an eine schönere, ideale, sinnreichere Welt und von hier aus an Religion und/oder an die politische Identität der Stadt oder des Herrschaftszentrums. Auf langen und verschlungenen Wegen werden solche Anlehnungen jedoch nach und nach aufgegeben bzw. in sekundäre, dekorative Dienstleistungen des Kunstsystems umkonstruiert. Im Ergebnis erscheint die Funktion von Kunst dann schließlich in der Herstellung von Weltkontingenz selbst zu liegen. Die festsitzende Alltagsversion wird als auflösbar erwiesen; sie wird zu einer polykontexturalen, auch anders lesbaren Wirklichkeit – einerseits degradiert, aber gerade dadurch auch aufgewertet. Das Kunstwerk führt an sich selbst vor, daß und wie das kontingent Hergestellte, an sich gar nicht Notwendige schließlich als notwendig erscheint, weil es in einer Art Selbstlimitierung sich selbst alle Möglichkeiten nimmt, anders zu sein. Dies mag, bei Dürer etwa, als eine komplexere Beschreibung der Realität selbst intendiert sein; aber mit der Differenzierung von Wissenschaft und Kunst wird auch diese Art Anlehnung obsolet. Ohne Anlehnung fungierend, wird die Kunst schließlich ihre Mittel auf die Kontingenzerzeugung selbst einstellen, und die kontingente Herstellung von etwas, was nachher als notwendig erscheint, ist dann nur noch eine der Möglichkeiten. Andere sind: der Einbau von Paradoxien oder strategisch placierten Unschärfen, von als absichtsvoll erkennbaren Verfremdungen, von Rätseln, von Zitaten, von Irritierungen dessen, der das Kunstwerk zu »genießen«, das heißt sich anzueignen sucht, aber angezogen und abgewiesen wird wie Kafkas K. Schon in der frühen Neuzeit hatte sich die Kunst auf Täuschung des Betrachters verlegt (der dann das Kunstwerk erst bewundern konnte, wenn er durchschaute, wie die Täuschung gelang). Heute kommt die Verspottung des Betrachters, des Sinnsuchers, des Inspirationsbedürftigen hinzu. Auch dabei steht freilich Technik im Dienste eines anderen Sinns. Verblüffung, Täuschung, Verspottung sind nicht Selbstzweck. Sie sind Durchgangsstadium für eine Operation, die man als Entlarvung der Realität bezeichnen könnte – gleichsam für den Schluß: Da das Kunstwerk existiert und real überzeugend (wenn überzeugend!) erlebt werden kann, kann etwas mit der Welt nicht stimmen (siehe hierzu Schmidt, S. J., 1984). Mit der Welt! – und gerade nicht mit der Kunst, die ihre eigenen Möglichkeiten ja ersichtlich beherrscht.

Es ist leicht zu sehen, daß die Ausdifferenzierung im Dienste dieser Funktion auf Autopoiesis eines eigenen Kunstsystems hinausläuft. Wenn es darum geht, die Wirklichkeit mit einer Alternative zu konfrontieren, kann Instruktion und Inspiration dafür gerade nicht der Wirklichkeit entnommen werden, sondern nur der Kunst selbst. Wie André Malraux immer wieder betont hat: man orientiert sich als Künstler nicht an den Objekten, sondern an den Vorgängern. Und wenn es ein Programm der »imitatio« oder des »Realismus« gibt, ist dies ein Programm, mit dem man etwas anders und besser machen will als zuvor. Ebenso ist aber auch das Programm des »l'art pour l'art« nicht die Autonomie des autopoietischen Systems, sondern nur deren Mißverständnis. »L'art pour l'art« will das, was das System ist, im System zum Programm machen und verfehlt damit den elementaren Tatbestand, daß Autonomie die Beziehungen zur Umwelt nicht unterbindet, sondern gerade voraussetzt und reguliert. Es bringt die Autopoiesis der Kunst gerade an ihr Ende, wenn Abhängigkeit als Negation von Abhängigkeit begriffen wird. Zum Glück mißlingt das Programm – aus angebbaren Gründen.[7]

III

Wenn man die Kunst mit all ihren Sparten als ausdifferenziertes soziales System betrachtet und nach den Elementen fragt, aus denen dieses System besteht, stößt man auf die einzelnen Kunstwerke. Man könnte daher vermuten: die Kunst bestehe aus Kunstwerken, und was ein Kunstwerk sei, bestimme die Kunst. Zirkuläre Definitionen dieser Art sind nichts Neues, sie waren als

Bestandteile der Theorien des guten Geschmacks (gusto, goût, taste) in der ersten Häfte des 18. Jahrhunderts gang und gäbe. Unser Problem ist zunächst, ob das Kunstwerk wirklich die letzte, nicht weiter dekomponierbare Einheit des Kunstsystems ist. Das wäre, soziologisch gesehen, eine Anomalie. Denn schon die Gesellschaft besteht aus Kommunikationen (nicht etwa: aus Texten), und Kommunikationen sind Ereignisse, nicht Objekte; und auch die Wirtschaft besteht nicht aus Waren oder Kapitalien, sondern aus Zahlungen. Folgt man dieser Anregung, dann kann man das Kunstwerk allenfalls als Kompaktkommunikation oder auch als Programm für zahllose Kommunikationen über das Kunstwerk ansehen. Nur so wird es soziale Wirklichkeit.[8]

Kunstwerke sichern, mit anderen Worten, ein Mindestmaß an Einheitlichkeit und Wechselbezüglichkeit (zum Beispiel Ergänzungsfähigkeit) der auf sie bezogenen Kommunikationen. Sie verdichten ihren Zusammenhang. Alter versteht in gewissen Grenzen, was Ego erlebt, wenn er ein Kunstwerk, um es altmodisch zu sagen: genießt, das heißt sich aneignet. Die Kommunikation darüber kann, obwohl es sich keineswegs um eine einfache Tatsache handelt, entsprechend verkürzt werden. Sie toleriert und verbirgt zugleich ein hohes Maß an Diskrepanz in dem, was die Beteiligten bewußtseinsmäßig aufnehmen und verarbeiten. Das Kunstwerk vereinheitlicht ihre Kommunikation. Es organisiert ihre Beteiligung. Es reduziert, obwohl es ein höchst unwahrscheinlicher Tatbestand ist, die Beliebigkeit der absehbaren Einstellungen. Es reguliert die Erwartungen. Sich dem mit Einsicht zu fügen, hatte einst den Titel »Geschmack«.

Ohne Bezug auf ein entsprechendes Objekt käme diese Ordnung der Kommunikation nicht zustande. Das ist insofern banal, als man auch über Kartoffeln nicht reden könnte, wenn es sie nicht gäbe. Nur ist das Kunstwerk aus der Welt der nützlichen bzw. gefährlichen Dinge abgehoben. Es scheint speziell dazu angefertigt zu sein, Kommunikation zu provozieren. Es geht nicht um eine Summe isolierter Genüsse, die erreicht werden soll, sondern um ein sozial abgestimmtes Urteil, das keinen anderen Sinn hat als sich selbst. In der Kunst wird Kommunikation – fast könnte man mit einem fragwürdigen Begriffe sagen: Selbstzweck. Sie wird jedenfalls ins Unwahrscheinliche und doch Abstimmbare getrieben. Man erfährt das eigene Erleben als geführt, und zwar so, daß die intrikatesten und esoterischsten Winkelzüge noch

Nachvollziehbarkeit, also Konsensfähigkeit in Aussicht stellen. Eben deshalb kann explizite Kommunikation weitestgehend unterbleiben, ja sogar als unangemessen empfunden werden. Wer sein Kunsturteil vorträgt und begründet, ist schon in Gefahr, als jemand zu erscheinen, der nicht (überflüssigerweise) über das Kunstwerk spricht, sondern über sich selbst.

Das Auflösevermögen der soziologischen Analyse greift demnach durch die Einheit (Ganzheit, Harmonie, Perfektion) des Kunstwerks hindurch. Es begründet eben dadurch aber ein neues Verständnis dieser Einheit. Sie besteht nicht herstellungstechnisch im Zentralisierungsgrad der Problemdarstellung, auch nicht in der Interdependenz der Einzelheiten, und schon gar nicht im Risiko des Mißlingens oder in der Vermeidung von Fehlern. Das alles sind Gesichtspunkte, die nicht zu vernachlässigen sind: Leitgesichtspunkte der Anfertigung, Hilfsgesichtspunkte der Bewunderung und Anhaltspunkte für den expliziten Diskurs. Aber die Einheit des Kunstwerks liegt letztlich in seiner Funktion als Kommunikationsprogramm, wobei das Programm so einleuchtend sein kann, daß es jede Argumentation erübrigt und die Sicherheit des Schonverständigtseins vermittelt. Eben das scheint die Theorie des guten Geschmacks gemeint zu haben, wenn sie in ihren Analysen des Kunsturteils das Tempo der Meinungsbildung, die sofortige Sicherheit, die Intuition und das Vermeiden jeder Zwischenbefragung des Verstandes herausstellt.[9]

IV

Nachdem wir gesagt haben, wofür sie gut sind, konzentrieren wir die weitere Analyse auf die Kunstwerke selbst. Wenn irgendwo, dann muß man hier den Schlüssel für die Autopoiesis der Kunst suchen.

Das Kunstwerk aber ist sowohl Bedingung als auch Hindernis für die Autopoiesis der Kunst. Ohne Kunstwerke würde es keine Kunst geben, und ohne Aussicht auf *neue* Kunstwerke kein Sozialsystem Kunst (sondern allenfalls Museen und ihre Besucher). »Neu« heißt hier seit dem 17. Jahrhundert nicht mehr nur: ein weiteres Exemplar, sondern vielmehr etwas, was vom vorherigen *abweicht* und *dadurch* überrascht.[10] Auch vorher hatte man auf Ungewöhnlichkeit, Erstaunlichkeit und Neuheit von Kunstwerken Wert gelegt, aber ihre Auffälligkeit hatte eine ganz bestimmte Funktion, nämlich die: sich dem Gedächtnis einzuprägen (vgl. *Ad Herenium* III, XXII). In einer Kultur ohne oder mit nur begrenzter Verwendung von Schrift war diese Aufgabe des Festhaltens des Merkwürdigen von besonderer Bedeutung gewesen. Nach der Einführung des Buchdrucks tritt diese Funktion zurück, Neuheit wird temporalisiert und als Selbstwert geschätzt. Das Überraschtwerden selbst erfreut, wird zum Genuß. Vorbereitetsein und Erwartenkönnen mindert das Entzücken, deflorieren das Objekt vor dem Genuß.[11] Das Geniale besteht jetzt in der Durchsetzung von Diskontinuität. Es liegt auf der Hand, daß diese zeitliche Diskontinuierung eine soziale zur Voraussetzung hat, nämlich die Ausdifferenzierung der Kunst aus der Obhut anderer, vor allem religiöser und politischer Interessen.

In dieser Bindung des Neuen ans Überraschende, ans Abweichende liegt mehr, als auf den ersten Blick sichtbar ist. Denn was neu sein muß, hat eben deshalb keine Zukunft. Es kann nicht neu bleiben. Es kann nur als Neu-Gewesenes verehrt werden.[12] Das soziale System Kunst hat es von da ab mit dem Problem des ständigen Neuheitsschwundes zu tun. Dazu paßt die Vorstellung der Kunsttheorie, daß das Kunstwerk ein in sich geschlossenes harmonisches, ein in sich ruhendes Ganzes sein solle, das sich seine Zeitbeständigkeit durch souveräne Mißachtung der Zeit selbst garantiert. Mit all dem steht man aber vor der Frage, was das einzelne Kunstwerk dann noch zur Selbstreproduktion der Kunst beitragen kann.

Daß die Einzelobjekte für gleichmäßige Bewunderung bereitgehalten, wiederholt besichtigt, gelesen, aufgeführt und nach Möglichkeit vor Zerstörung bewahrt werden, versteht sich von selbst. Ihre Vernichtung und sogar ihr Verkauf ins Ausland wären ein »unersetzlicher Verlust«. Sie werden sanktifiziert und mit Alarmanlagen gesichert. Ohne sie geht es nicht weiter – aber mit ihnen eigentlich auch nicht. Ihre Preise steigen, ihre Wahrheit klärt sich ab, aber der Umgang mit ihnen im Sozialsystem Kunst gewinnt unversehens eine andere Qualität. Langeweile schleicht sich ein[13], und die offiziellen Huldigungen wirken fast wie ein trotziges Bestreiten dieses Tatbestandes, wie eine Gegenmaßnahme oder wie eine Kompensation.

Das liegt nicht zuletzt an den formalen Qualitäten des Kunstwerks selbst. Form ist unausgesprochene Selbstreferenz.[14] Dadurch, daß sie Selbstreferenz gewissermaßen stillstellt, kann sie zeigen, daß ein Problem gelöst ist. Sie bezieht sich auf den Kontext, der das Problem stellt, und zugleich auf sich selbst.[15] Sie präsentiert Selbstverschiedenheit und Selbstidentität aneinander. Gelingt dies, so entsteht aber der Eindruck der Selbstgenügsamkeit. Das Kunstwerk bildet seinen eigenen Kontext. Es versucht Form und Kontext in Einklang zu bringen, die Einheit der Differenz zu sein. Die Kunstform zieht alle Verweisungen ein, und was sie wieder abstrahlt, ist nur ihre eigene Bedeutung.[16]

Ferner muß die (ästhetische) Form so weit ambivalent sein, daß sie stutzig macht und Rückfragen an das Kunstwerk adressiert.[17] Sie muß zum Nachvollzug der Selbstreferenz und damit auch zur Kommunikation über das Kunstwerk anregen. Man hat immer schon gesehen und gefordert, daß das Kunstwerk »Erstaunen« auslöse. Die »Ästhetisierung« der Kunst besagt zusätzlich, daß nur das Kunstwerk selbst die Fragen, die es aufwirft, beantworten kann, und daß weder die Kenntnis seines Stils noch die Kenntnis seiner Funktion als Antwort genügen. Das »Erstaunen« wird dann von allerlei Aufmerksamkeitslenkungsfunktionen im Interesse von Religion, Moral und Politik entlastet; es wird gewissermaßen mitausdifferenziert.

Die Differenz von Form und Kontext dient dazu, an der Form Weltbezüge sichtbar zu machen und so die Welt in der Welt zum Erscheinen zu bringen. Das Einzelkunstwerk kann zahlreiche Differenzen dieser Art aufnehmen und ineinander verschränken, so daß Einzelmomente als Form für sich selbst und zugleich als Kontext für andere dienen. In dem Maße, als eine solche Verdichtung gelingt, wirkt dann auch das Kunstwerk insgesamt als Form für die nichtmithergestellten Sachverhalte. Zum Beispiel kann die Umgebung eines Bauwerks als Kontext dienen und so einen Sinn gewinnen, den sie von sich aus nicht hätte.

Diese Eigenarten der ästhetischen Form sind funktional für die Organisation des Erlebens und der Kommunikation über Kunst. Sie sind dysfunktional für die Autopoiesis des Kunstsystems selbst. Denn wie soll es weitergehen? Was trägt das in sich geschlossene einzelne Kunstwerk für die Ermöglichung anderer Kunstwerke bei? Wie kann das, was überraschend, also unerwartet sein will, um die vorzeitige Deflorierung des Objektes zu vermeiden, trotzdem als Kunst erkennbar sein? Und wie können Steigerungen des Erlebens überhaupt erreicht werden, wenn ih-

nen die Sicherheit des Erwartbaren entzogen wird? Wo liegt die
»Organisation«[18] der Autopoiesis, wenn das Kunstwerk auf seine
eigene Isolierung Wert legen muß? Das Ei erzeugt ein Huhn, um
wieder zu einem Ei zu kommen. Das Kunstwerk wäre das Huhn,
aber wo ist das Ei? Oder: was entspricht dem genetischen Material, das, wie immer umweltabhängig und zwar gesteigert umweltabhängig, die Kontinuität der Selbstreproduktion sichert?

Wir halten diese Frage fest, um mit einer anderen Reihe von
Überlegungen zu ihr zurückzukehren. Normale Kommunikation
hat den wichtigen Vorteil, nur Ereignis zu sein, und das heißt: mit
ihrem Vorkommen sofort wieder zu verschwinden. Eine Akku-
mulation, eine Anhäufung von allem, was jemals kommuniziert
worden ist, zu gleichzeitiger Gegenwart, wird somit vermieden.
Solche Simultanpräsenz würde sehr rasch zu einer Komplexität
auflaufen, in der sich niemand mehr zurechtfindet, würde bloßes
Geräusch sein, würde Chaos erzeugen. Das laufende Verschwinden der Kommunikation ist mithin Voraussetzung für die Herstellung und Reproduktion von ordnungsfähiger Komplexität, ist
unerläßliche Mitursache von Ordnung.

Gegen dieses Grundgesetz profilieren sich Ausnahmen. Die wohl
wichtigste ist die Schrift, später verstärkt durch den Buchdruck.
Sie hält Kommunikation relativ zeitbeständig fest, ent-ereignet sie
und bekommt es dann mit denjenigen Nachteilen zu tun, die aus
dem Verzicht auf den Vorteil des Verschwindens resultieren.
Kultur versammelt sich und läßt sich infolgedessen beobachten.
Dies ist nur deshalb erträglich, weil nicht alle Kommunikation
verschriftlicht wird und weil auch Geschriebenes nur selektiv
aufbewahrt und zugänglich gehalten wird. Gleichwohl erzwingt
die Schrift neuartige Selektionsstrategien, Unterscheidungsvermögen, Kriterien für wahlfreien Zugriff, Systematisierungen, Register bis hin zu einer geradezu kultischen Verehrung großer
Namen und wichtiger Begriffe.

Das Gleiche gilt für objektivierende Kunst, die ebenfalls Kommunikation dem Verschwinden und Vergessenwerden entzieht
und sie als immer wieder reaktivierbare Möglichkeit aufbewahrt.
Auch dies führt dazu, daß sich Möglichkeiten anhäufen. Es wird
mehr und mehr, und es wird Gegenstand für Beobachtung und
Vergleich. Wie kann man dann nach einiger Zeit mit der Menge
der Möglichkeiten noch umgehen?

Die Frage, was eine Kommunikation zur Ermöglichung einer

anderen beiträgt und was ein Kunstwerk zur Ermöglichung eines anderen beiträgt, muß mithin ergänzt und erweitert werden. Es muß auch, und zusammen mit diesem Problem, die Frage gestellt und beantwortet werden, wie man das Viele noch beobachten und ordnen kann.

V

Die so gestellten Fragen sollen mit Hilfe des Stilbegriffs beantwortet werden. Wir definieren diesen Begriff also – zunächst ohne Rücksicht auf seine Verwendung in der Kunsttheorie selbst[19] – funktional. Der Stil eines Kunstwerkes ermöglicht es, zu erkennen, was es anderen Kunstwerken verdankt und was es für weitere, neue Kunstwerke bedeutet.[20] Die Funktion des Stils ist es, den Beitrag des Kunstwerkes zur Autopoiesis der Kunst zu organisieren und zwar in gewisser Weise gegen die Intention des Kunstwerkes selbst, die auf Geschlossenheit geht. Der Stil entspricht und widerspricht der Autonomie des Einzelkunstwerks. Er respektiert sie und zweigt trotzdem einen Mehrwert ab. Er beläßt dem Kunstwerk seine Einmaligkeit und zieht gleichwohl Verbindungslinien zu anderen Kunstwerken.

Es ist für diesen Stilbegriff unerheblich, ob Stil nur als Mittel der Beobachtung, Beschreibung, Analyse und Kritik von Kunstwerken eingeführt wird oder ob er deren Herstellung, also die künstlerische ›Praxis‹, in der Art einer sie begleitenden Beobachtung bereits mitbestimmt. Diese wissenschaftstheoretisch diktierte Unterscheidung paßt, wenn überhaupt irgendwo, jedenfalls nicht hier. Beide Ebenen beeinflussen sich, zumindest seit der Frührenaissance, wechselseitig (Belege bei Gombrich, E.H., 1978). Man könnte also allenfalls sagen, daß diese Differenz von Beobachtung und Vollzug innerhalb des Kunstsystems eingerichtet wird, also dessen Ausdifferenzierung voraussetzt; und vielleicht auch, daß so etwas wie Stil (oder funktionale Äquivalente, zum Beispiel Rezepte) eine entsprechende Ebenendifferenz, nämlich das Beobachten als geschultes, erfahrenes Beobachten, erst ermöglicht.

Mit unserer funktionalen Bestimmung des Stilbegriffs umgehen wir auch die viel diskutierte Frage: ob Stile eine ganze Epoche beherrschen müssen, um ihren historischen Auftrag zu erfüllen, oder ob dies weder nötig noch zu wünschen sei (hierzu Schmoll gen. Eisenwerth, J. A., 1977). Dies ist mehr ein Problem für die Kunstgeschichtsschreibung und weniger ein Problem für die Kunst selbst. Das Problem, was ein Kunstwerk über sich selbst hinaus besagt, aufnimmt, fördert, kann durchaus im Rahmen einer pluralistischen Stilvielfalt gelöst werden, ja im Grenzfalle auch durch den ›persönlichen Stil‹ eines Künstlers. Wir brauchen die Sehnsucht nach Einheit nicht so weit zu treiben, daß Pluralismus und Eklektizismus uns zu Abwertungsbegriffen geraten. Im Gegenteil: Die Kunst insgesamt ist vielleicht besser beraten, wenn sie das Risiko des Einheitsstils meidet und auf Vielfalt setzt, sofern nur Zusammenhänge (Eklektizismus?) möglich bleiben. Die Frage, ob und unter welchen Bedingungen Einheitsstile ganze Epochen beherrschen, klammern wir deshalb aus. Sie läßt sich ohnehin nur beantworten, wenn man geklärt hat, was man unter »Stil« verstehen will und ob dieses Phänomen eine Sonderbehandlung durch die Geschichte, einen »Einheitszwang«, überhaupt verträgt.

Wenn die Überlegungen des vorigen Abschnitts zutreffen, kann man Stil nicht einfach an Formunterschieden festmachen. Vielmehr ist das Kunstwerk in seiner Zentralaussage betroffen: in der Art, wie es Form und Kontext aufeinander bezieht. Es ist die Einheit dieser Differenz und die Art, wie sie erreicht wird, die ein Kunstwerk stilfähig macht. Dabei ist Kontext all das, was als Horizont des Kunstwerks fungiert, was seine Verweisungen regelt. Das können und werden nicht zuletzt negative Verweisungen sein im Weglassen, Verkürzen, Abstrahieren. Auch das Zitieren anderer Kunstwerke (oft ironisch, man denke an Strawinski; aber auch Kunstarten überspringend, man denke an Schriftzitate in Bildern von Hann Trier) gehört nur zum Kontext, und der Stil findet sich gerade nicht im Zitat, sondern nur in der Art und Weise, wie es zur Form des Kunstwerks selbst als Zitat (und nicht nur: als Moment der Form!) beiträgt.

Stil kann aus der Vorbildlichkeit einzelner Kunstwerke entstehen. So ist er anstrengungslos und unreflektiert möglich. Der Kirchturm von St. Paul de Léon wird Vorbild für andere Kirchtürme der Bretagne.[21] Das ist jedoch nur möglich, wenn Kopieren erlaubt ist, wenn die Einmaligkeit des Kunstwerkes keine Qualitätsbedingung ist und wenn die rezeptmäßige Anfertigung nicht schadet. Rein wortgeschichtlich gesehen, meint copia zunächst ja eine positive Wertung, sie bringt in der Rhetorik die Reichhaltigkeit der zur Verfügung stehenden Formen und Redensarten zum Ausdruck; und erst nachdem diese im Buchdruck leicht zugänglich für jedermann zur Verfügung gehalten werden, wendet sich die Bedeutung des ›Copierens‹ ins Negative. Solange das Kopieren als Schöpfen aus dem Reichtum der Kenntnis perfekter Formen gepriesen wird, liegt auch die Sinnebene des Stils in der Ähnlichkeit der Kunstwerke selbst. Sie ist gegen deren Form und Ausführung nicht deutlich differenziert. Allerdings muß der Reproduktionsprozeß das Ausgangsobjekt und seinen konkreten Kontext durch abstraktere Symbole ersetzen, und eben das zwingt zur Reduktion auf Merkmale eines ›Stils‹.

Schon für solche Sachverhalte stellt sich deshalb, wortgeschichtlich gesehen, der Stilbegriff zur Verfügung.[22] Er bezeichnet dann, und das gilt terminologieoffiziell bis weit ins 18. Jahrhundert hinein, die Machart (maniera, manner etc.) des Kunstwerks.[23] Dieser Begriff hatte seine Wurzeln in einer Tradition, die als »Rhetorik« nur unzureichend charakterisiert ist.[24] Im Kern ging es um eine *Amplifikation*, eine Steigerung und Effektverstärkung der Kommunikation vor allem in moralischer, seit dem Mittelalter aber zunehmend auch in ästhetischer Hinsicht. Da solch eine Amplifikation nicht von selbst eintrat, mußte man sich über die Art und Weise ihrer (technisch-artistischen) Erzeugung Gedanken machen. Dies geschah einerseits in der Topik, die allgemeine »Plätze« bereitstellte, an denen man Möglichkeiten der Amplifikation »finden« konnte, und andererseits durch Einteilungen und Unterscheidungen des Verfahrens. Unbezweifelte Grundlage blieb dabei die Annahme, daß es Verallgemeinerungen seien, die das Bessere und Schönere in die Kommunikation einführten und diese dadurch amplifizierten.[25] Die Höherwertigkeit war in der allgemeineren Form aufgehoben, weil nur so, nur durch sachlich-zeitlich-soziale Generalisierungen, die Kommunikation verstärkt werden konnte, und das Individuelle des Einzelfalls, des Einzelobjekts, der Situation, der Biographie blieb bloß akzidentieller Anlaß der Kommunikation. Diese Gesamtdenkweise verlagert sich im Übergang zur Neuzeit auf Rhetorik im engeren Sinne und auf Eloquenzerziehung in Lateinschulen und trocknet dort ein. Im Kontrast dazu entwickeln sich Interessen an Individualität, an Einmaligkeit, an Originalität – auch und gerade in dem Bereich, der nun als schöne Kunst aus dem allgemeinen Bereich der artistischen Anfertigungen ausdifferenziert wird.

Die terminologischen Konsequenzen müssen jedoch gewissermaßen gegen die Schulen durchgesetzt werden und lassen deshalb auf sich warten. Das zeigt sich gerade am Stilbegriff. In einem ersten, historisch aber schwer fixierbaren Schritt werden die Bedingungen formaler Übereinstimmung von Darstellungsform und Kommunikationsabsicht gelockert. Man läßt anspruchsvollere, indirektere Übereinstimmungen zu, und entsprechend steigen die Ansprüche an Stil. Zur Darstellung einer großen Sache, meint Boileau, sollte man nicht unbedingt große Worte verwenden; es sei besser, das »Sublime« durch die Art der Formulierung erscheinen zu lassen.[26] Das heißt zugleich, daß Kunstsinn, Künstlerleben und damit die autopoietische Reproduktion der Kunst als Kunst höheren Anforderungen genügen müssen. Der Sinn liegt nicht an der Oberfläche, er muß von einem eigens dafür präparierten Erleben erschlossen – und man sagt jetzt: auf eine nicht weiter erklärbare Weise empfunden werden. Dazu ist die Einzigartigkeit, Unvergleichbarkeit und Originalität der Form der beste Schlüssel – in Ablösung der »topoi«, mit denen man bis dahin diesen Effekt erzielen wollte. Herstellung und Beurteilen von Kunst wird ins Unerklärbare verlagert, und zwar deshalb, weil die Autopoiesis der Kunst, ihr Fortgang von Kunstwerk zu Kunstwerk, schwieriger wird und weil es damit schwieriger wird, zu bestimmen, was man von einem Kunstwerk für andere lernen kann. Der neue Sinn für Sensibilität, Delikatesse, Sentiment ist nichts anderes als eine semantische Chiffrierung dieser Problematik. Dabei ist, besonders im Modebegriff der »délicatesse«, das Leiden an der eigenen Überempfindlichkeit miteingeschlossen (de La Villate, F., 1737, S. 142).

Das Originalitätspostulat liegt aber zunächst noch im Widerstreit mit dem alten Gedanken der Perfektion des Kunstwerks; denn dem Perfekten ist die Originalität gleichgültig, der einzig adäquate Umgang mit ihm ist die Imitation.[27] Selbst als man die rezeptförmige Anfertigung der Kunstwerke schon ablehnte und auf Originalität (wenngleich nicht: Singularität!) schon Wert legte, blieb aber der traditionelle Stilbegriff, der die Machart bezeichnet, noch erhalten. Er scheint als Korrelat der Ablehnung von Regel-Kunst in ähnlicher Funktion um so unentbehrlicher gewesen zu sein, sozusagen als Regelablehnungskompensationsbegriff. Er wird zunächst nur weitgehend subjektiviert und so den Anforderungen an Genialität und Geschmack angepaßt.[28] Er beherrscht aber die Kunstszene nicht allein, und es ist auch kein Ausdruck für eine Version der Einheit des Systems. Ihm gegenüber bleiben zunächst bis weit ins 18. Jahrhundert hinein objektive Begriffe für Ausdrucksformen erhalten, nach denen eine Ausdrucksabsicht sich zu richten hat – Begriffe wie Charakter oder modus (Bialostocki, J., 1961). Erst die Temporalisierung des Stilbegriffs wird auch diese Differenz auflösen und die Referenz des Stils in der Autonomie der Kunst suchen.

Einerseits ist also Stil kein Rezept und kein Entscheidungsprogramm, anhand dessen man die Richtigkeit der Ausführung und die Richtigkeit der Beurteilung eines Kunstwerkes beurteilen könnte. Dies zu steuern nimmt in historisch zunehmendem Maße das Kunstwerk selbst in Anspruch. Andererseits kann man sich aber nicht alles gefallen lassen. Die Souveränitätsproklamation des Kunstwerks wirft, wie alle Souveränitätsproklamationen, das Problem der Beliebigkeit und der Willkürkontrolle auf; und hier scheint man am Anfang des 18. Jahrhunderts verstärkt auf Natur, auf Harmonie und eben auch auf Stil zurückzugreifen.

Die Differenzierung von Entscheidungsprogramm und Stil war im Grunde schon entschieden, als man den Pluralismus der Stilarten und den Eklektizismus der Ausführungen wahrzunehmen begann – also im 16. Jahrhundert. Die Ablehnung der regelgemäß angefertigten Kunst ist nur eine Weiterführung der schon sichtbar gewordenen Kontingenz. Das Kunstwerk dient dann der Bewältigung von Kontingenz, ihrer Rückführung ins Notwendige[29], und erfüllt damit eine Funktion, die auf der Ebene der Stile noch nicht geleistet werden kann. Es ist dann nur konsequent, wenn man jedem Kunstwerk das Recht zuspricht, sein eigenes Programm zu sein. Nur: was gewährleistet dann, daß es überhaupt Kunst gibt und daß es sie weiter geben wird?

Dies Problem wurde zunächst freilich gar nicht akut, weil die Fortsetzbarkeit der Kunst in die Gesellschaftsstruktur eingehängt und dadurch garantiert war. Die höheren Schichten und die schon ausdifferenzierten Funktionsschwerpunkte für Religion und für Politik sorgten für Aufträge. Sie benötigten Kunst zur Ausmalung ihrer Bedeutung, und dies um so mehr, als die alte Welt bereits an ihre Grenzen stieß. In der Semantik, die sich mit Kunst beschäftigt, finden sich gleichwohl schon vorgreifende Umstellungen, »preadaptive advances«, Anpassungen an etwas, was noch gar nicht vorhanden ist; und nicht zufällig läßt dieser Vorgriff auf Zukunft sich besonders gut an der Stildiskussion ablesen.

Wenn man allgemein sagen konnte, daß Kunstwerke Erstaunen und Bewunderung auslösen, so ändert sich jetzt die Art des intendierten Erstaunens. Der miraculöse, pompöse, übertreibende Stil wird durch die Forderung des Einfachen, Natürlichen, Sublimen abgelöst. Der Stilbegriff übergreift zunächst noch beides[30], er ist nach wie vor definiert als Machart oder als eine Art, Interesse zu erwecken.[31] Aber das staunende Interesse, das Wohlgefallen, das angenehme Gefühl, das man durch Stil auslösen will, wird auf sich selbst gestellt. An die Stelle der rhetorischen Amplifikation tritt der Überraschungswert dessen, was neu und von allem Bekannten sehr verschieden ist und was folglich seine Qualität sich selbst verdankt.[32] Diese Passion wird man bald darauf durch Kunst produzieren wollen. Im Roman sind nun Charaktere erforderlich, die den Leser aus sich heraus überraschen können (statt ihn nur durch Heldentum zu beeindrukken).[33] Das heißt dann aber auch, daß das Kunstwerk etwas sein muß, was es nicht bleiben kann, und entsprechend muß der soziale Kontext der Kunst reorganisiert werden. Die Reaktionszeiten werden kürzer und kürzer, die Ansprüche an das Überraschtwerden (gerade weil dies auf einen Widerspruch hinausläuft) größer und größer. »Si l'on fait dépendre la valeur d'une chose de l'effet de surprise qu'elle produit, vous arrivez à définir cette chose par cette seule valeur de choc« (Valéry, P., 1960b, S. 256). Das Kunstwerk wird nicht mehr zur Unterstützung und Überhöhung hierarchisch übergeordneter Bedeutungen eingesetzt, ist nicht mehr Staffage für Kirchen und Paläste. Es zielt nicht mehr auf jenes Erstaunen, von dem Shaftesbury (1714, S. 242) sagt, es sei »of all other Passions the easiest rais'd in raw and unexperienc'd Mankind«. Im Gegenteil: es rechnet mit kunsterfahrenen Genießern. Jetzt produziert die Kunst ihr eigenes Publikum, und die Frage kann nur noch sein, wer daran partizipieren kann.[34]

Dem entspricht, daß die Art und Weise sich ändert, in der die Kunst sich auf externe gesellschaftliche Motive stützt. Die Abhängigkeit von Amplifikationsanliegen der Moral und von Prunkbedürfnissen der Auftraggeber wird gelockert. An deren Stelle tritt in einer sozial beweglicher gewordenen Gesellschaft das Interesse einer immer größeren Zahl von Personen, ihre

Zugehörigkeit zu bestimmten sozialen Gruppen zu beweisen. Das geschieht über ›Geschmack‹.[35] Eben deshalb kann die Theorie des Geschmacks nicht entscheiden, ob der gute Geschmack die soziale Resonanz oder die soziale Resonanz den guten Geschmack bestimmt. Dieser Zirkel überläßt es notgedrungen der Kunst, ihre Kriterien selbst zu definieren. Sie bleibt dabei auf Motivzufuhr aus der Umwelt angewiesen, aber die Umstellung von Prunk auf Geschmack gibt ihr mehr Freiheit – ganz abgesehen davon, daß sie sich auch an den Stilen selbst bemerkbar macht.[36] Der Geschmackszirkel verbindet mithin Kunst und gesellschaftliche Umwelt in Formen, die mit größerer Ausdifferenzierung der Kunst kompatibel sind, weil er geradezu darauf angewiesen ist, daß die Kunst ihn asymmetrisiert.

Schon wegen dieser Zirkularität, aber auch deshalb, weil die Ausdifferenzierung der Kunst tieferliegendere Urteilskriterien erfordert, läßt sich guter Geschmack nicht definieren. Das gerade gilt nun als Kompliment und als Hinweis auf die Bedeutung der Sache. Noch ist die Ästhetik nicht so weit, als Reflexionstheorie des Kunstsystems die Bestimmungen zu liefern. Vorerst verfällt man auf einen anderen Ausweg, nämlich den, sich an die *Differenz* von gutem und schlechtem Geschmack zu halten.[37] Mit der Ausdifferenzierung übernimmt ein binärer Code die Führung des Systems; er ermöglicht eine Orientierung auch dort, wo die Einheit des Systems nicht (oder später: nur noch reflexionstheoretisch) zu bestimmen ist.

Parallel hierzu kommt es zu einer Aufwertung von Imagination und Phantasie. Deren spezifische Art der Auseinandersetzung mit der Welt wird natürlich nicht erst jetzt entdeckt. Sie wird jetzt nur auf andersartige Selektionskriterien bezogen. Noch die Passionen-Lehre und die Courtesy-Literatur des 17. Jahrhunderts behandeln Phantasie unter Gesichtspunkten der Moral und der Klugheitsregeln, die die Zulassung kontrollieren. Phantasie ist ein »Gemeinplatz«, von dem die topisch-rhetorische Literatur zu handeln hat (Reynoldes, E., 1640, S. 18 ff; Fuller, T., 1642, S. 177 ff.). Gegen Ende des 17. Jahrhunderts wird das Phänomen jedoch umgesetzt und auf die Geschmackskontrolle der schönen Kunst verwiesen. Es wird durch die Ausdifferenzierung des Kunstsystems mitgezogen. Die Zulassung von Phantasie kann dann auf ein eigenständiges Kunsturteil gestützt werden; sie rechtfertigt sich durch ihr Produkt, das sich der Beurteilung stellt.

Seit wann diese Entwicklung zu beobachten ist und was sie ausgelöst hat, müßte genauer erforscht werden. Um 1700 steht jedenfalls fest, daß Künstler an einem auf spezifische Fragen der Kunst eingestimmten, kunsterfahrenen Publikum interessiert sind und daß dies wichtiger ist als positive oder negative Urteile im Einzelfall. Die Bewunderung allein reicht nicht, es muß sachverständige Bewunderung sein.[38] Das heißt: Die Kunst besteht nicht mehr nur aus den Leistungsrollen der Künstler; sie erfordert, denn nur dadurch kann sie Sozialsystem werden, die Mitausdifferenzierung eines auf dieses System spezifizierten Publikums, die Mitausdifferenzierung komplementärer Rollen. Die Ausdifferenzierung eines Sozialsystems für Kunst erfolgt, mit anderen Worten, als Ausdifferenzierung der *Differenz* von Profis und Publikum.

Zugleich wird für den Künstler selbst das Vorbild der Rhetorik verabschiedet. Schon die Rhetorik hatte – zumindest in ihrer nicht rein technischen, sondern mit Philosophie durchsetzten Hauptlinie – verlangt, daß der Redner die Passionen, die er auslösen wolle, in sich selbst mobilisieren müsse, weil er sonst kaum überzeugend auftreten könne.[39] Dieser Gedanke wird aus der zerfallenden Rhetorik ausgegliedert und nun durch Ausdifferenzierung eines Sonderbereiches der Kommunikation, sei es Liebe, sei es Kunst, sei es Religion gesteigert. Man fordert jetzt ein authentisches Verhältnis zur Sache und auf dieser Basis eine Gemeinsamkeit der Sichtweise und der Einstellungen, der Begeisterung und des Gefühls, durch die Kommunikation zusammengehalten und als etwas Besonderes ausdifferenziert wird. Exklusion und Inklusion müssen dann neu geregelt werden, und dabei verbietet sich der Rückgriff auf Regeln und Rezepte, die einstellungsunabhängig gehandhabt und einstellungsunabhängig kontrolliert werden können.[40]

Auch in anderen Hinsichten macht sich das Zurücktreten der rhetorischen, auf ein nicht lesendes Publikum eingestellten Tradition bemerkbar. So können jetzt Redundanzen freier und individueller arrangiert werden. Der Adressat ist nicht mehr auf formelhafte Stereotypisierungen angewiesen; man kann, besonders in Dichtung und Literatur, sein Verständnisvermögen auch durch den Text selbst entwickeln, und tradierte Formeln wirken jetzt langweilig oder sogar als Zumutung, die die Fähigkeiten des Betrachters bzw. Lesers unterschätzt.[41]

Das damit unter steigende, individuell variierbare Ansprüche geratene Kunstsystem braucht neue Titel für Künstler. *Daß* sie Künstler sind, bezeichnet jetzt nur noch ihre Selbstzuordnung zu diesem Funktionssystem. Sie müssen zum Beispiel *Genies* sein,[42] um sich in dem schon ausdifferenzierten Bereich dann nochmals *besonders* auszeichnen zu können. Im Kontext einer Begründungsreflexion wird schließlich das Genie die Instanz, die der Kunst die Regel gibt (Kant, I., 1902, § 46, S. 169 f.). Aus dem gleichen Grunde verändert sich die Art und Weise, wie Kunst auf sich aufmerksam macht. Das alte »Staunen« muß neu aufgeheizt werden. Und schließlich tritt die Frage der ästhetischen Normen, die Herstellung und kritische Beurteilung steuern, unter neue Anforderungen. Das, was man unter Stil versteht, wird schließlich auf die Selbststeuerung dieses Verhältnisses von Profis und Publikum bezogen und wird im Zuge dieser Entwicklung temporalisiert.

Erst wenn kein Stil mehr zu finden ist, wird man für das Verbinden von Künstler und Publikum und erst recht für das alte Problem des Erstaunens neuartige Lösungen finden müssen – etwa in den Formen der provozierenden Kunst oder der wehleidigen Kunst oder in der Form des verbissenen Versuchs, sich über die Leute lustig zu machen, die es nicht ernst nehmen oder es nicht einmal zur Kenntnis nehmen, daß man sich über sie lustig macht.

VI

Die funktionale Definition des Stilbegriffs führt diesen zugleich als historischen Begriff ein. Mit »historischem Begriff« meine ich, daß der Begriff durch eine historische Differenz mitbestimmt ist, die er selbst vollzieht. Das schließt eine funktionale Definition (mit eigenem Differenzschema) nicht aus, sondern setzt sie gerade voraus. Das Bezugsproblem, das zur Unterscheidung von Kunstwerk und Stil führt, ist selbst ein historisches Problem. Es ist durch die Ausdifferenzierung eines Kunstsystems gegeben. Und erst in bezug auf dieses Problem macht das Erkennen und Verändern von Stil (im Unterschied zum Kunstwerk selbst) eine Differenz. Oder konkreter gesagt: Es ist nicht einfach die Vorbildlichkeit des Kunstwerks selbst, die die Stilfunktion miterfüllt, sondern Stil wird als eine besondere Ebene des Umgangs mit Kunstwerken ausdifferenziert. Und erst dadurch wird es möglich, die Perfektion des Kunstwerks zu individualisieren (nämlich von Vorbildlichkeit zu entlasten) und zugleich den Stil selbst als maßgebend und als wandelbar anzusetzen.

Das Bezugsproblem der Ausdifferenzierung autopoietischer Funktionssysteme stellt sich erst in der Geschichte und erst relativ spät – jedenfalls lange, nachdem es Kunst schon gibt. Lange bevor die Problemstellung für die Ausdifferenzierung eines Kunstsystems im 18. Jahrhundert aktuell wurde, war der Stilbegriff für sie schon präpariert. Mit ihm war eine Ebenendifferenz ins System der Kunst eingezogen. Mit ihm war Kontingenz als Möglichkeit der Stilwahl formulierbar geworden, ohne daß dies das Einzelwerk ins Beliebige versetzen mußte: Das Kunstwerk konnte unter dem Regime eines Stils (oder auch gerade durch Eklektik der Stile) seine eigene Notwendigkeit behaupten. Mit all dem ist aber noch keineswegs klar, *wie* der Stil seine Funktion erfüllt; geschweige denn: ob und welche Restriktionen möglicher Stile sich aus der Funktion herleiten lassen.

Den Schlüssel für das Weiterverfolgen dieser Frage bietet uns die *Temporalisierung* und *Historisierung* der Stileinheiten, ihre Umformung in Epochenbegriffe.[43]

Welches Problem, müssen wir zunächst fragen, wird durch Historisierung gelöst? Auf welche Frage ist Historisierung eine Antwort? Oder: was ist die Funktion der Historisierung?

Es handelt sich um das Ausgangsproblem unserer Untersuchungen, und zwar um dessen Zweitfassung: wie man sich überhaupt noch zurechtfinden kann, wenn man darauf verzichtet, Kommunikation als Ereignis verschwinden zu lassen und sie für jederzeitigen Zugriff verfügbar hält. Am besten kann man sich dies wiederum am Beispiel der Schrift verdeutlichen. Sobald Schrift durch Buchdruck verstärkt wird, kommt es zu einer massenhaften Reaktualisierung vergangenen Gedankenguts – zu einem »retour du passé«, wie Jacques Gernet am Falle der chinesischen Erfindung des Buchdrucks für den Zeitraum des 10.-13. Jahrhunderts feststellt (1978, S. 247). Die Parallele zur europäischen Renaissance und zur Überführung allen Buchwissens in den Druck liegt auf der Hand. Teils unabhängig, teils abhängig davon wird jetzt auch Kunst ›gesammelt‹, das heißt unabhängig von ihrem Entstehungskontext für Kommunikation zur Verfügung gehalten. Es kann nicht ausbleiben, daß eine solche Simultanpräsentation von Vergangenem zu Orientierungsproblemen in der Gegenwart führt. In vielen Bereichen löst sich daraufhin ein Modernitätsbewußtsein von der Bewunderung der Alten ab.[44] Historisierung ist, nachdem die Möglichkeiten selektiver Bewertung und Imitation des Besten nicht mehr ausreichen, die letzte Antwort auf dieses Problem. Das präsentierte Vergangene wird wieder in die Vergangenheit zurückgeschickt. Mit Hilfe einer Doppelmodalisierung der Zeit läßt es sich als gegenwärtige Vergangenheit behandeln und damit in seinem Aktualitätsdruck abschwächen.[45]

Die Stildiskussionen des 16. und 17. Jahrhunderts hatten für diese Lösung eine wichtige Vorgabe geliefert. Sie hatten, verglichen mit dem Mittelalter, die Ansprüche an die *sachliche Konsistenz* der Formentscheidungen erhöht.[46] Erst wenn in der Sachdimension ausreichende Konsistenz und damit Identifizierbarkeit der Stile durchgesetzt ist, kann man auch die Inkompatibilitäten von Stilentscheidungen sehen und dann daran denken, sie in der Zeitdimension als ein Nacheinander des Unvereinbaren anzuordnen.

Üblicherweise datiert man diese Wende ihrerseits historisch: Sie wird (zusammen mit vielen anderen Historisierungen) in der zweiten Hälfte des 18. Jahrhunderts vollzogen, nachdem Winckelmann den Stilbegriff erfolgreich als Mittel der kunstgeschichtlichen Forschung eingesetzt hatte.[47] Aber was genau hat sich geändert? Auch vorher war das Phänomen der Stilepochen und ihrer Abfolge nicht unbekannt gewesen. So war durchaus bemerkt worden, daß der burleske Stil eines Cervantes sich gegen den Ritterroman (der im Roman jetzt nur noch als Lektüre vorkommt) gerichtet hatte. Gerade diese polemische Stilbildung konnte aber nicht überzeugen. Sie widersprach allen idealisierten Lobsprüchen, mit denen man das Kunstwerk selbst empfahl. Auch konnte man sich nicht vorstellen, wie ein auf Zerstörung eines vorangegangenen Stils gerichteter Stil hätte Dauergeltung gewinnen sollen; denn wozu sollte man die Zerstörung perpetuieren, wenn ihr Werk getan war.[48] Man hatte das alte Thema der ›varietas temporum‹; aber man sah darin nur einen Mangel an Konstanz und an Perfektion der Weltverhältnisse, der sich auch auf die Kunst auswirkte. Man bemerkte Veränderungen der Kunstauffassungen und der Stile; aber man sah sie im Lichte von

Qualitätsdifferenzen. Man registrierte Dekadenz[49] oder man belegte umgekehrt den vergangenen Stil zunächst einmal mit Schimpfwörtern (gothic, barocco etc.), die dann später zu geläufigen Stilbezeichnungen gereinigt wurden. Die Zeit und der Wechsel von Stilen wird in der einen oder der anderen Richtung negativ verarbeitet.

Erst die Historisierung der Stile in der zweiten Hälfte des 18. Jahrhunderts bricht endgültig mit den traditionellen Zeitvorstellungen, die es immer noch erlaubt hatten, die Einheit des Schönen, des Wahren und des Guten als Kulminationspunkt der Perfektion zu denken. Erst jetzt kann das Kunstwerk seine eigene Singularität voll in Anspruch nehmen; denn die individuelle Einzigartigkeit des Kunstwerks ist die sicherste Garantie dafür, daß die Kunst immer Neues produziert.[50] Erst jetzt beginnt eine theoretische Ästhetik, mit bereichsspezifischen Problemvorstellungen zu arbeiten; das heißt: durch Reflexion auf die Ausdifferenzierung des Funktionssystems Kunst zu reagieren. Der nun temporalisierte Stilbegriff eignet sich nicht mehr als Regelersatz; und er begründet auch nicht mehr kompensativ den Kunstwert des Kunstwerks. Er ermöglicht statt dessen eine historisch-situativ bewußte Stilpolitik.[51] Vorher war Stilpolitik – etwa der Académie Française zu Zeiten Colberts – Reinigungspolitik gewesen: Bemühen um Selektion und Legitimation derjenigen Formen, die Qualität verbürgen. Jetzt geht es um Entscheidungen, mit denen man historisch Abstand gewinnt und das definiert, was der eigenen Zeit entspricht. Das ist jetzt nicht mehr als Rezeptierung gemeint, sondern sichert nur noch den Rahmen, in dem das Kunstwerk über sich selbst hinausgehende Bedeutung gewinnt.

Eine der wichtigsten Folgen der Historisierung ist: daß die *Vergleichbarkeit* von Kunstwerken eine *Zeitrichtung* erhält und dadurch *eingeschränkt* wird. Die traditionelle Kunsttheorie hatte *alle* Kunstwerke an gemeinsamen Perfektionsidealen gemessen und sie *daraufhin*, wie in den Viten des Vasari zu lesen, in eine zeitliche Abfolge gebracht. Die Zeit führt zur Perfektion hin – oder als Verfallszeit auch von ihr weg. Statt dessen gewinnt jetzt die historische Planung Vorrang. Sie wird tief in das Kunstwerk selbst hineinverlegt. Es vergleicht sich selbst mit voraufgegangener Kunst, sucht und gewinnt Abstand, zielt auf Differenz, schließt etwas aus, was als möglich schon vorhanden ist. Dadurch definiert es seinen Stil oder seine Stilzugehörigkeit. Dagegen hat der in die Zukunft gerichtete Vergleich keinen Sinn. Das Kunstwerk kann sich selbst nicht im Abstand von künftigen Möglichkeiten definieren, die noch gar nicht sichtbar sind. Es kann nicht Formen ausschließen wollen, die noch gar nicht konzipiert sind. Giotto könnte nicht »noch nicht wie Raffael« malen. Auch der Historiker, der solche Vergleiche zieht, verfehlt seinen Gegenstand, die Geschichte. Für die Kunsttheorie bleiben sie möglich, aber dann wohl gebunden an die Voraussetzung eines klassischen Perfektionsideals (Gombrich, E. H., 1982).

Dies liegt nicht zuletzt daran, daß die Kunst in der Disposition über Stile eine Chance hat, über die kaum ein anderes Funktionssystem (am wenigsten die Religion!) verfügt, nämlich abrupt mit der Vergangenheit zu brechen. Die Kunst kann, weil die Kunstwerke ohnehin vollendet sind, bewußt und rücksichtslos diskontinuieren. Sie steht nicht unter Anschlußzwang. Sie muß nicht warten, bis die Investitionen abgeschrieben sind. Nicht einmal den Auftraggebern schuldet sie Kontinuität. Sie kann den Wunsch nach Neuem sofort erfüllen. In der gesellschaftlichen Evolution setzt deshalb die Kunst nicht selten Voraussignale, die rückblickend wie Prognosen gelesen werden können. Dies ist um so leichter möglich, wenn der Stilwechsel keine Qualitätsdifferenz mehr markiert und die Kunstwerke der Vergangenheit in Geltung läßt. Während jedes Kunstwerk so gut wie möglich zu sein sucht, zielt der Stilwechsel nicht auf Besseres, sondern auf Anderes. Das Kunstwerk wird, unter dieser Perspektive betrachtet, zum Moment einer Stilentwicklung. Der Stil selbst ist dabei als abschließbare und ablösbare Einheit bewußt. Das Kunstwerk könnte nichts zur Stilentwicklung beitragen, wäre dies nicht der Fall. Es könnte nur belanglos wirken, wäre der Stil eine endlose, ins Unendliche fortsetzbare Größe. Die Temporalstruktur des Stils selbst, seine Mikrozeit, ermöglicht es, den Aufbau zu fördern oder dem Abbau zu trotzen, avantgardistisch oder nostalgisch zu operieren und die ganze Qualität des einzelnen Kunstwerks für solche Stilpolitik in die Waagschale zu werfen. Dabei ist und bleibt das Kunstwerk stilunabhängig: Es kann trotzdem gut sein. Und gerade der Eigenwert der Kunstwerke eines Stils gibt diesem letztlich sein historisches Gewicht.

Die Komplikation, die in den Hin- und Rücksichten auf Stil liegt, befördert die funktionale Ausdifferenzierung der Kunst in dem unter 1. skizzierten Sinne. Das Stilgespräch zwischen den Kunstwerken entbindet sie von der Aufgabe, Realität zu imitieren. Es macht eine Perfektion der Darstellung von Realität geradezu unmöglich; denn wenn die Möglichkeit einer Mehrheit von Stilen ernst genommen wird, kann dies nur heißen, daß es keine perfekte Darstellung der Realität, keine beste Ansichtsseite der Welt gibt, sondern alles von einem zuvor eingenommenen Standpunkt abhängt. Was die Kunst die Leute lehren will, lehrt sie zuvor sich selbst. Wer jetzt Kunst adäquat erleben oder herstellen, also unter Stilgesichtspunkten beobachten will, muß polykontextural sehen lernen; also lernen zu wissen, wovon abhängt, was er jeweils sieht. Die historische Evolution – nicht nur von Stilen, sondern auch von der Möglichkeit ihres Zusammenhanges im Nacheinander, ist mithin Evolution in Richtung auf Ausdifferenzierung einer Eigenfunktion, die im Sehen des prämissenabhängigen Sehens, in der Fähigkeit zur »second order observation« (Maturana) und im Akzeptieren einer polykontexturalen Welt ohne Oberfläche, ohne Mitte, ohne Hierarchie besteht.

Solange eine Stilbildung möglich ist und in ihrer Zeit Kunstwerke erzeugt, die ihr zugeordnet sind, solange mag diese Lösung des Funktionsproblems genügen. Aber was kann geschehen, wenn diese Möglichkeit ihrerseits ausgenutzt ist und ihr Ende erreicht? Kann es und wird es dann Kunstwerke geben, die soviel Witz aufbringen, daß sie als Einzelwerke funktional Äquivalentes leisten? Oder führt dann im Einzelwerk die Kunst ihre eigene Funktion ad absurdum, indem sie nur noch an sich selbst demonstriert, daß alles anders sein könnte?

VII·

Stil ist nach all dem das, was Kunstwerk mit Kunstwerk verbindet und so die Autopoiesis der Kunst ermöglicht. Autopoiesis heißt aber nur: *daß überhaupt* ... (weiterhin Kunst möglich ist), und sagt nicht: *wie* ... Auch formal gesehen ist Autopoiesis auf sehr verschiedene Weise möglich – wie wir gesehen haben auch so, daß ein Kunstwerk zum Modell für viele andere wird. Was führt dann zu näheren Bestimmungen der Struktur, zu genaueren Hinweisen auf die charakteristischen Merkmale, die ein Kunstwerk an andere ›weitergibt‹? Welche Einschränkungen (»constraints«) werden akzeptiert, um zu bestimmen, in welcher Richtung die Autopoiesis laufen soll?

Es wäre voreilig, in Beantwortung dieser Frage sogleich auf den Stilpluralismus zu verweisen und diesen als »anything goes« zu interpretieren. Gewiß sind Pluralität und (begründungsbedürftige und begründungsfähige) Stilwahl mindestens seit dem 16. Jahrhundert in diesem Zusammenhang wichtig. Man vermeidet (und dies wohl zu allen Zeiten) die Konzentration auf nur einen Stil, was nicht ausschließt, daß ein solcher Einheitsstil gerade deshalb als Desiderat empfunden und gesucht wird.[52] Aber es gibt auch andere, den Stilpluralismus übergreifende Einschränkungen. Sie bestehen in *Reaktionen des Kunstsystems auf seine eigene Ausdifferenzierung und Autonomie,* also in systeminternen Verarbeitungen der Tatsache, daß das Kunstsystem nicht in freier Beliebigkeit, sondern in einer gesellschaftlichen Umwelt für die eigene Autopoiesis zu sorgen hat.

In diesem Sinne fungiert Stil als Kontaktebene zwischen Kunstsystem und gesellschaftlicher Umwelt. Hier muß das Kunstsystem die Geschlossenheit seiner Reproduktion und die Autonomie seiner Strukturwahl definieren, begrenzen, verteidigen. Hier muß es die Anforderungen von ›Interessen‹ zurückweisen und eben dadurch auf Gesellschaft reagieren. Hier muß die eigene Arbeitslogik zur Evidenz gebracht und sichtbar gemacht werden, so daß deutlich wird, weshalb es ausgeschlossen ist, Kunst maßgeschneidert oder auch nur nach Geschmack zu bestellen. Die entscheidende Einsicht ist: daß durch solche Hermeneutik der Autonomie nicht Beliebigkeit geschaffen und nicht ›künstlerische Freiheit‹ verteidigt wird, sondern daß dieses Erfordernis der Definierung von Autonomie wichtige Merkmale von Stilen *determiniert,* also *dem Belieben entzieht.* Jede Theorie, die schlicht Freiheit gegen Zwang setzt, wäre angesichts der Komplexität dieses Sachverhaltes verfehlt. In systemtheoretischer Perspektive erscheint die Autonomie der Reproduktion eher als eine Last oder jedenfalls als eine Nötigung, die *Differenz* von System und Umwelt zur *Selbstdetermination* zu verwenden.

Solange bei Stil noch an Regeln oder Rezepte der richtigen Anfertigung gedacht wird, kann sich diese Ebene der Differenzfixierung zur Gesellschaft hin nicht entfalten. Man denkt, daß die (gute) Gesellschaft ohne weiteres Schönheit goutieren werde und daß es nur darauf ankomme, die Schwierigkeiten bei der Herstellung der Kunstwerke zu meistern. Dies wird im 18. Jahrhundert anders, und das neuartige historische Stilbewußtsein fordert geradezu auf, die jeweilige gesellschaftliche Lage der Kunst zu reflektieren.

Freilich wird man zunächst, auch und gerade in der Kunst, der historischen Relativierung nicht trauen. Muß man nicht fürchten, gerade durch sie wiederum abhängig zu werden von der jeweiligen Gesellschaft? Als besser geeignet, die Autonomie der Kunst auszudrücken (oder sie sogar der Gesellschaft als »ästhetischen Staat« aufzudrücken), erscheint das *Ideal*. Das Ideal ist jedoch eine nach dem Stand der Dinge schon unzulässige, schon überholte, schon anachronistische *Fusion von Code und Programm*. Das »Schöne« wird nicht nur als Moment einer Opposition, eines binären Schematismus verwendet, sondern zugleich auch als Anforderung an das Kunstwerk selbst. Der Code hätte nur zu gewährleisten, daß für jede Operation innerhalb des Systems, für Herstellen und für Betrachten, eine kunstspezifische Orientierung an stimmig/unstimmig, so-statt-anders, förderlich/störend oder wie immer (alle Verbalisierungen sind unzulänglich) möglich ist. Das »schöne Ideal« nimmt darüber hinaus Vorbildlichkeit in Anspruch. Der Code wird dadurch verfälscht zu einem Schema konform/abweichend, und die programmatische Komponente des Idealen setzt sich, obwohl dagegengesetzt, einer Stilentwicklung aus. Das Idealische wird zum Stil und damit zu einer rasch beendbaren Phase der Autopoiesis von Kunst.[53]

Die Romantik ist vielleicht das erste ausgeprägte Beispiel für die Wahrnehmung der dadurch entstandenen Lage. Sie feiert die »unendliche Reflexion« im Kunstwerk selbst. Sie verwendet als Kontext Szenerien, von denen sie weiß, daß in der gesellschaftlichen Umwelt niemand daran glaubt. Sie zelebriert Paradoxien. Sie pflegt Ironie. Es beginnt die Neigung, in der Kunst Kunst zu zitieren (wohl zu unterscheiden von der Wiederverwendung historischer Stilelemente). Auch die anschließenden realistischen und naturalistischen Stilbewegungen stellen sich der Notwendigkeit, Distanzpolitik zu treiben. Gerade wenn man das Stilprogramm verfolgt, sich der Realität zu stellen, muß im Kunstwerk mit zum Ausdruck gebracht werden, daß dies allein noch nicht Kunst ist; man muß die Erfassung der Realität mit zur Erscheinung bringen und zu zeigen versuchen, daß das Kunstwerk sich letztlich doch dem Einsatz spezifisch künstlerischer Mittel verdankt.

Auch die rückwärtsgerichtete Definition von historisch abgelegten Kunstformen als ›Stilen‹ dient derselben Funktion. Auch sie suggeriert, jedenfalls dem 19. Jahrhundert, eine Art stilistischer Konsequenz, die zunehmend puristisch und rekonstruktionsgetreu gehandhabt wird. Was für den Fertigbau des Kölner Doms oder den Wiederaufbau von Carcassonne eine gewisse Berechtigung hatte, wird über den Stilbegriff so weit generalisiert, daß es auch für neue Bauten gelten kann. Der Stil kann dann zumindest in der Architektur nach Katalog angeboten werden; aber wenn man ihn bestellt, muß man sich bis ins Detail der Logik der Stilwahl fügen.

Diese Art der Beachtung von Stilmomenten beim Anfertigen und Beurteilen von Kunstwerken hat durchaus noch Merkmale eines Programms, das die Selektion des Handelns und Erlebens steuert. Sie hat konkrete, nicht nur ›ideologische‹ Relevanz. Sie ist gleichwohl nicht ein Entscheidungsprogramm in dem Sinne, daß die Qualität des Kunstwerks sich aus der Ausführung des Programms schon ergäbe. Die Individualisierung des Kunstwerks verlangt vielmehr, daß in einem konkret entscheidenden Sinne das Kunstwerk sich selbst Programm ist, das heißt selbst limitiert, was in ihm möglich bzw. unmöglich ist. Stil ist dann nur, wie in anderer Weise auch das Kunstwerk selbst, Beschränkung der Selbstselektion – und zwar (wieder in beiden Fällen) eine Beschränkung, die es verdient, ostentativ hervorgehoben zu werden.

VIII

Diese Doppelfunktion des Stils, einerseits die Produktion der Elemente durch die Elemente desselben Systems zu sichern und andererseits das Feld abzustecken, in dem dies geschieht, entspricht begrifflich genau der Definition eines autopoietischen Systems.[54] Ließe sich der hier nur skizzenhaft vorgeführte Gedankengang weiter ausbauen und empirisch bestätigen, dann würde das zeigen, daß auch die Kunst im Zuge neuzeitlicher Gesellschaftsevolution sich als ein autopoietisches Subsystem ausdifferenziert; oder daß sie zumindest genötigt ist, dies zu versuchen, weil sie sich anders nicht helfen kann. Auf diese Überlegung soll jetzt eine Anschlußhypothese folgen, die die »Inklusion« des Publikums in das Kunstsystem betrifft.[55]

Den dahin führenden Gedankengang hatten wir oben schon

begonnen. Die Kunsttheorie hatte, was das soziale Umfeld der Kunst betrifft, sich zunächst mit der allgemeinen Funktion des Stutzigmachens befaßt. Der Betrachter muß zunächst einmal aufgeschreckt werden, er muß sich wundern und dadurch zu weiterem Mit- und Nacherleben von Kunst angeregt sein. Erstaunen und Überraschung galten seit der Antike vor allem als Voraussetzung dafür, daß das Kunstwerk seine moralisch-pädagogische Funktion erfüllen kann.[56] Jetzt wird dies Erfordernis zum Qualitätsmerkmal an sich, die Gedächtnisfunktion und mit ihr die pädagogische Funktion treten zurück, und zugleich wird das anthropologische Korrelat des Neuen und Frappierenden neu bestimmt – eben durch den Begriff des Geschmacks, der die Ausdifferenzierung der Kunst zunächst trägt, die entsprechende Kompetenz postuliert und deren sozialen Kontext reformuliert. Dies Moment wird verfeinert und in einer Theorieentwicklung, die in den ersten Jahrzehnten des 18. Jahrhunderts ihre endgültige Gestalt erreicht, auf ein kunstspezifisches Publikum bezogen. Die Urteilsfähigkeit dieses Publikums, formuliert mit dem Begriff des Geschmacks, wird als natürliche Fähigkeit vorausgesetzt, aber doch schon gesehen als etwas, das man sich in Lektüre oder Salonkonversation[57] oder einfach durch Übung im kritischen Urteilen aneignen muß.[58] Dies ändert sich mit der weiteren Ausdifferenzierung des Kunstsystems und mit der Inanspruchnahme von ›Stil‹ als Vermittlungsebene von Kunst und Gesellschaft nochmals, und zwar in Richtung auf eine Verschärfung der Anforderungen.

Wenn von Kunstwerken erwartet wird, daß, bei aller Isolierung auf sich selbst, sie Stile mitrealisieren, muß der Kunstkenner zunächst einmal Stilkenner sein. Er muß nicht nur die Stile unterscheiden, sondern auch die Stilgerechtigkeit im einzelnen beurteilen, also Stilbrüche erkennen können. Das heißt nicht, daß er als Purist urteilen müßte oder auch nur sollte; aber er muß beurteilen können, ob Stilbrüche durch den Eigensinn des Kunstwerks gerechtfertigt sind oder nicht.

Dies ist jedoch erst ein oberflächliches, möglicherweise auch verzichtbares Erfordernis. Wichtiger ist, daß das Kunstwerk selbst, und zwar als Komponente seines Stils, die Anforderungen an die Teilnahme steigert, und dies in einem seit dem 19. Jahrhundert sich fortsetzenden, sich steigernden Ausmaß. Die Sehleistungen, die die Malerei seit dem 19. Jahrhundert dem Betrachter abverlangt, werden zunehmend komplexer und sind naiv nicht mehr zu erbringen. Sie verlangen gebrochene Unmittelbarkeit und damit eine eigentümliche Distanz zum Objekt. Was Literatur betrifft, hätte man an das Aufkommen von Ironie und dann weiter an härtere Formen der Verwirrung des Lesers zu denken.[59] Die Entschlüsselung des Kunstwerks auf das hin, was an ihm Kunst ist, erfordert geschulte Aktivität; und dies ist nicht nur ein bedauerlicher Nebeneffekt der Komplexität des Kunstwerks, sondern Grund seiner Qualität, eingebaute Absicht, Erfordernis des Weiterwirkens, Explikationspunkt des Stils. Weitere Stadien werden erreicht, wenn der Übergang in ein anderes Vermittlungsmedium und eine entsprechende Schulung erforderlich sind. So ist moderne Musik nur noch unter Zuhilfenahme der Partitur zu verstehen (wer nicht hören kann, muß lesen!), während umgekehrt die hochverfeinerte Rhythmik moderner Lyrik kaum noch zu lesen ist; man muß sie sich vortragen lassen. (Wer nicht lesen kann, muß hören!) Im Ergebnis wirkt dann die Steigerung der Inklusionsanforderungen als Exklusion.

Bedingt ist dies selbstverständlich durch die Verabschiedung der Regel-Ästhetik. Hätte man Regeln und würde man sie befolgen und wäre das der Stil, dann wäre auch vom Publikum nicht mehr zu verlangen und nicht mehr zu erbringen als ein Nachvollzug dieser Regelanwendung. Gerade das bereitet aber kein Vergnügen, hatte man gegen Ende des 17. Jahrhunderts festgestellt und der Kunst deshalb einen Freibrief dafür ausgestellt, herauszufinden, wie sie gefalle. Davon hat die Kunst sich dann selbst dispensiert – getrieben durch die Notwendigkeit, sich ihrer Autopoiesis und damit ihres Stils selbst zu versichern.

Ein abgeschlossenes Urteil über diese Entwicklung ist derzeit nicht möglich. Ihre Effekte sind zu beobachten als Verkleinerung des Kommunikationssystems Kunst auf einen engen Kreis von Liebhabern und als stärkere Differenzierung der Kunstarten in dem Sinne, daß ein Verständnis für moderne Lyrik noch nicht ein Verständnis für moderne Malerei oder ein Verständnis für modernes Theater oder speziell für die Inszenierungskunst des Theaters vermittelt. Daß dies aber so bleiben und vor allem, daß dieser Zustand durch Stilentscheidungen bedingt sein und fixiert werden muß, ist a priori nicht einzusehen. Daß damit wesentliche Vorentscheidungen über die Zukunft von Kunst getroffen werden, dürfte auf der Hand liegen.

IX

Die These, daß Stile dasjenige dirigieren, was ein Kunstwerk für andere leistet, könnte dann fruchtbar werden, wenn es gelänge, den Zusammenhang von Kunstproduktion, Kunstgenuß und Stilentwicklung genauer nachzuzeichnen. Das muß empirischen Untersuchungen vorbehalten bleiben. Will man den Theorievorschlag in diese Richtung operationalisieren, könnte man sich am Begriff der *Abweichungsverstärkung* orientieren (Maruyama, M. 1963). In der kybernetischen Theorie wird auch von positivem ›feedback‹ gesprochen. Wenn immer Verhalten um seines Ausdruckswertes willen gewählt und daraufhin beobachtet wird und wenn die weitere Bedingung erfüllt ist, daß eine Ausgangslage gegeben ist, von der man sich abzusetzen sucht, kann es zu einer Art Abweichungsverstärkung kommen, die Van Parijs »hypercorrection« nennt (1977, S. 138 ff.). Will man für das Verhalten, über das man im Moment befindet, den Ausdruckswert der Abweichung beibehalten, muß man die Tendenz oft verstärken, und dies um so mehr, je mehr die Abweichung schon eingeführt ist und schon geschätzt wird. Das Normalwerden holt die Abweichung gleichsam ein, so daß man sie deutlicher artikulieren muß, um die Qualität des Neuen und Auffallenden wiederzugewinnen. Auf diese Weise werden Differenzierungsprozesse in Gang gesetzt, die zu den merkwürdigsten Übertreibungen führen können, wenn sie nicht durch externe Bedingungen, durch Unbequemlichkeiten, durch Kosten oder durch Auslösung anderer Abweichungsverstärkungen gestoppt werden. Im Bereich des Sprachverhaltens kann man so die Entstehung von Dialekten oder spezifischen Intonationsweisen erklären. Auch der Geschmack unterliegt diesem Gesetz. Man könnte daran denken, es auf Theoriemoden wissenschaftlicher Disziplinen anzuwenden. Im vorliegenden Kontext mag es dazu verhelfen, die Genese von Stilen zu durchleuchten.

Wenn die Ausgangslage in der Form eines dominanten Stils (oder auch nur: irgendeiner Typik von der man sich absetzen will) gegeben ist und wenn man in einzelnen Kunstwerken (sozusagen a conto des Einzelwerks) eine Neuerung erprobt und als Unterschied sichtbar macht, wird die Versuchung stark sein, die Abweichungstendenz fortzusetzen. Der erreichte künstlerische Erfolg macht es möglich und zugleich nötig. Auf diese Weise kann der einzelne Künstler durch »hypercorrection« seinen »persönlichen Stil« finden. Aber auch globalere Tendenzen – etwa zur Orientierung an einer Zentralperspektive, zur Aufhellung der Farbpalette, zur Rückführung der Objekte auf elementare Grundformen – können sich zu immer gewagteren Formversuchen steigern. Eine solche Stilentwicklung zeigt, daß Stil nicht durch eine Programmentscheidung gefunden und eingeführt wird. Eine Abweichungstendenz findet jedoch, einmal in Gang gesetzt, gewissermaßen zu sich selbst und benutzt dann das Prinzip, daß sie in der Ausführung und im Hyperkorrigieren der Ausführungen entdeckt, dazu, ihren Möglichkeitsraum zu bestimmen. Die Tendenz wird dann aus der Stilbewegung abgelesen und in sie wiedereingeführt. Die Prominenz bestimmter Kunstwerke wird sich nach ihrem Stellenwert in diesem Prozeß bestimmen, bis schließlich das Tendenzbewußtsein den Einzelwerken zu schaden beginnt. Die Normalisierung überholt die Abweichung, und selbst extravagante Ausführungen können den Programm gewordenen Stil nicht mehr retten, weil die Kenntnis der Tendenz den Informationswert abschöpft und dem Kunstwerk keine Möglichkeit mehr läßt zu überraschen.

X

Gibt es funktionale Äquivalente für Stil? Gibt es andere Möglichkeiten, dasselbe Problem zu lösen?

Man könnte an *Mode* denken. Die Beobachtung und Beschreibung des Modischen reicht weit zurück. In den Spätphasen der Rhetorik kann man beobachten, daß die offizielle Terminologie der rhetorischen Lehrtradition durch die Beobachtung von Modeerscheinungen aufgebrochen wird, um Übertreibungen zu markieren. So ist »fashion« bei John Hoskins (1599) noch der alte Begriff, etwa: Fassung, und schon der neue Modebegriff; und Stil ist einerseits Machart in einem rezeptierbaren Sinne und auch das Mitmachen von kurzfristigen, durch »courtly inclinations« bedingten Mißbräuchen.[60] Man hat, mit anderen Worten, den Eindruck, daß die Rhetorik ihren eigenen Mißbrauch beobachtet und dabei ihre Terminologie mit einem Zweitsinn ausstattet.

Dennoch scheint der spätere Stilbegriff nicht direkt hier anzuschließen und nicht sogleich aufs nur Modische festgelegt zu sein.

Erst eine theorieoffizielle Temporalisierung des Stildenkens stellt die Verbindung wieder her, und der Stil kann dann von der Mode lernen, daß und wie es auch ohne Anspruch auf Dauergeltung geht.

Auch Mode konstituiert sich in Zeitgrenzen, und auch sie funktioniert trotzdem. In der Tat war um 1700 bei einem damals sehr weit gefaßten Begriff der Mode die Frage aktuell, ob ein Kunsturteil überhaupt etwas anderes sein könne, als eine Frage der Meinung und der Mode. Ist Schönheit der Mode unterworfen oder etwas für die Ewigkeit? Diderot, neben vielen anderen, stellte sich am Anfang seines *Traité du beau* diese Frage, und es liegt eine gewisse Unentschlossenheit darin, daß er sie nicht auf der Stelle zu beantworten wußte.[61] Erst recht wird dieses Problem akut, wenn Stilepochen so kurz dauern und so rasch aufeinander folgen, daß sie wie Moden wirken. Funktionale Äquivalenz also oder heute sogar Fusion zu ein und demselben Phänomen?

Eine Verwandtschaft von Stil und Mode beruht offenbar darauf, daß auch die Mode generalisiert werden und verschiedene Sachgebiete übergreifen kann. »The learned Manner of *Dissection* is out of request«, stellt Shaftesbury zum Beispiel fest (1714, S. 112f.) und zeigt dies am Fleischzerlegen (man bevorzugt Ragouts), am wissenschaftlichen Diskurs (man bevorzugt Ragouts) und am Stil der Predigten (man bevorzugt Ragouts). Modewechsel und Stilwandel lassen sich hier kaum unterscheiden. Man muß daher in eine genauere funktionale Analyse der Mode eintreten, will man ausfindig machen, worauf Ähnlichkeit und Verschiedenheit beruhen.

Es ist nicht leicht zu wissen, was man genau sagen wollte, als man gegen 1600 neben »le mode« jetzt auch »la mode« zu sagen begann. Sicher stand zunächst das Flüchtige und rasch Vergängliche im Vordergrund. Gerade das erwies sich aber, nachdem der Begriff es einmal fixieren konnte, als omnipräsent. Nicht nur Kleider und Sitten, auch sprachliche Ausdrucksweisen, religiöse Stimmungen, Stil der Predigten, Ernährungsgewohnheiten, die feine Art, Fleisch zu zerlegen, und selbst die bevorzugte Art zu töten und zu Tode zu kommen, das Duell, erwiesen sich als Produkte der Mode. Überall schienen die Menschen am Kurzfristigen und jeweils Neuen Gefallen zu finden.[62] Bald darauf sieht man, daß es nicht nur um »plaisir« geht, sondern auch und gerade um Sicherheit, vor allem um Sicherheit für Extravaganzen oder sonstwie sich profilierende Abweichungen.[63] Als Mode kann man viel wagen und viel ertragen, weil man nicht auf Dauer spekulieren muß. Und mit ihrer Durchsetzung kehrt die Mode die Beweislast geradezu um: Wer sich ihr *nicht* fügt, fällt auf.[64]

Der Modeeffekt tritt ein, wenn nicht nur die Verhaltensweisen, sondern auch die Meinungen über die Verhaltensweisen sozial reguliert werden. Dazu ist Kommunikation erforderlich, die die Meinungen abhebt, zensiert und in Distanz zum Verhalten variiert. Dann sind Vorgriffe und Anschlüsse möglich, dann gewinnt man Sicherheiten schon in einem gewissem Abstand zum Vorfindbaren, wenn man nur mit der Mode geht. Insofern hebt die Mode, wenn sie mitzieht, auch Lächerlichkeit auf.[65] Sie kann die seltsamsten Abweichungen normalisieren, nur nicht alle auf einmal.

Offenbar nimmt im Laufe der Entwicklung des Phänomens der Druck, etwas Neues als Neues zu akzeptieren, zu und ersetzt mehr und mehr die Orientierung an Schichtung. Schon vor der Einführung des Modebegriffs hatte man beobachtet und beschrieben, daß die Eigenarten und Vorlieben hochgestellter Persönlichkeiten und die seltsamsten Launen des Hoflebens sich ausbreiten, offenbar wegen des Reputationseffekts, den man damit erzielen konnte.[66] Inzwischen gibt es aber auch, und vielleicht dominierend, die Einführung von unten. Wer fortfährt, nach oben zu blicken, gilt als »snob«. Alles Gute, Echte, Natürliche, Gediegene kommt von unten. Der Überraschungseffekt ist offenbar größer, wenn man plötzlich Pullover trägt wie Schafhirten oder Hosen in der Art von Cowboys oder sich »lässig« gibt wie Leute, die an den Straßenecken stehen. »Sportlich« und »rustikal« werden zu Empfehlungsbegriffen. Schränke, in denen Bauern ihre Milchkannen aufhoben, avancieren, wohlrestauriert, zu Wohnzimmerprachtstücken des höheren Bürgertums. Die Formwelt der Oberschicht scheint erschöpft zu sein, und man inkliniert nach unten. Dafür wird diese Herkunftswelt redefiniert und romantisiert in einer Weise, die mit den Realitäten wenig zu tun hat. In der Umkehrung der Schichtorientierung geht die Authentizität verloren. Die Imitation macht sich das zurecht, was sie imitiert.

Sieht man die Mode in erster Linie als Steigerungsphänomen, als Sicherheitsstrategie für Ungewöhnliches, die das Risiko mit Verfall abzahlt, dann wird verständlich, daß man gezögert hat, ihr alle (oder auch nur die wichtigsten) Werte auszuliefern. Nicht nur den »vrai mérite«, die wahre Tugend (man beachte die Notwendigkeit der beteuernden Zusätze!) galt es vor der Mode zu retten; auch die Schönheit darf ihr nicht ausgeliefert werden. Unterhalb dieser Wertebene, und sie handelt von ›Stil‹, ist der Sachverhalt jedoch weniger eindeutig. Man kann darauf bestehen, daß die eigentliche Funktion der Mode nicht mit der des Stils zusammenfällt. Sicherheit für Ungewöhnliches ist nicht schon Autopoiesis, ist gerade nicht Garantie für Selbstreproduktion. Und doch fällt eine eigentümliche Funktionsgemeinschaft auf. Profitiert die Stilentwicklung nicht von Moden? Kommt die Möglichkeit, auf Mode zu setzen, nicht den Neuerungsrisiken der Stilentwicklung zu Hilfe? Und vor allem: Könnte es nicht sein, daß in der Sukzession der Stile der Anteil an Extravaganz laufend erhöht werden muß, um immer noch Forminnovation anbieten zu können; und daß eben dadurch Stil und Mode allmählich konvergieren? Die Autopoiesis der Kunst müßte sich damit dem Modenwechsel angleichen, und die Frage wäre weniger, was ein Kunstwerk zum Stil beiträgt, sondern wie eine Stilmode die nächste provoziert.

Die Temporalisierung der Komplexität des Systems, die Verlagerung der Sinngebung in die Sukzession, ist auch eine Reaktion auf die Schwierigkeit, Schönheit als Kriterium für Kunstwerke dingfest zu machen. Was funktioniert, ist schon lange nur noch der operative Code, die Differenz von Annahme und Ablehnung als schön bzw. nicht schön.[67] Auf dieser Ebene nistet sich die historische Beurteilung mit ihrer leichten Präzisierbarkeit als Ersatzkriterium ein. Stile und selbst Kunstwerke werden in eine historische Schau eingegliedert und von da her beurteilt.[68]

Mindestens in einer Hinsicht konnte man aber immer noch Stilwechsel und Modenwechsel unterscheiden: am Grade der tolerierbaren Willkür des Bruchs. Stile scheinen sich wie nach »Cope's rule« zu entwickeln (genannt nach Cope, E. D., 1896); sie fangen schlicht und bescheiden an und enden in verwirrender Komplexität. Der Wiederanfang steht daher unter dem Gesetz der Vereinfachung und der neu zu gewinnenden Klarheit. Das kann man von der Entstehung des klassizistischen Stils bis zur Entstehung des funktionalistischen Stils, also über 150 Jahre hinweg verfolgen. Zumindest in dieser Hinsicht gab es also auch in der Sukzession der Stile selbst Anschlußbedingungen, und die Negation des Vorherigen gab nicht einen Freibrief für Beliebiges.

Ob dies weiterhin gelten kann, nachdem der funktionalistische Stil sich selbst das Gesetz gegeben hat, einfach zu bleiben, ist jedoch die Frage. Fast hat man den Eindruck, daß Anschließendes jetzt nur noch über willkürliche Modifikation, über Steigerung eines Einzelprinzips oder in einer ähnlichen Weise möglich ist, die sich dann nicht mehr von einem Modenwechsel unterscheiden läßt. Ein neuer Stil wirkt dann ›progressiv‹ auf den, aber auch nur auf den, der mit dem vorher geltenden Stil vertraut war, und wer sich nicht auf dem laufenden hält, wird die Stilaussagen nicht mehr verstehen können.[69]

Ein Unterschied bleibt allerdings: Die Mode reflektiert auf Nachahmung, sie zieht ihre Auffälligkeit gerade daraus, kopierfähig zu sein, aber den Kopien voraus zu sein. So kann sie Sichauszeichnen mit Konformitätserwartungen kombinieren.[70] Das Kunstwerk dagegen verachtet seine Kopien, und wenn es sich an der Reproduktion von Kunst beteiligt, dann in der Weise, daß es über Stil zu unterscheidbaren Kunstwerken anregt.

Jedenfalls hat das Tempo des Wechsels zugenommen – so sehr, daß man den Stilwechsel nicht mehr durch Generationswechsel erklären kann. (Eher bietet es sich umgekehrt an, Generationen danach zu bestimmen und Künstlerschicksale dadurch zu erklären, welcher Stil in ihrer Jugend Mode war.) Das Tempo des Stilwechsels führt vor die Frage, ob sich die Kunst auf diese Weise zu Ende verändern könnte. Wenn es schon fast dahin gekommen ist oder dahin kommen wird, sollte man sein Urteil nicht vom Vorurteil gegen die Mode leiten lassen. Weder Stil noch Mode schließen es aus, daß das einzelne Kunstwerk Qualität gewinnt. Es wäre nur, gleichsam kontrastilpolitisch, mehr darauf zu achten, daß das gehaltvolle Einzelwerk seine Funktion der Organisation von Kommunikation über es selbst erfüllen kann. Man könnte sich hier an eine Sentenz La Bruyères erinnern: »Un homme à la mode dure peu, car les modes passent; s'il est par hasard homme de mérite, il n'est pas anéanti, et il subsiste encore par quelque endroit; également estimable, il est seulement moins estimé« (1951, S. 392). Freilich setzt das voraus, daß die Differenz von »in« und »out« die Differenz von »schön« und »häßlich« nicht völlig verdrängt.

Während Stil, wie wir ihn seit zweihundert Jahren kennen, sich einerseits in Mode aufzulösen scheint, droht ihm auf der anderen Seite die Gefahr der Geschichte. Um diese Gefahr zu sehen und richtig einschätzen zu können, muß man zunächst die neue Funktion der Geschichte begreifen. Sie dient mehr und mehr nur noch als Kontingenzbeweis zu dem, was sich durchgesetzt hat. Sie wird als ein Modus der Selbstbezweiflung der Gegenwart mit enormen Kosten restauriert, gepflegt, erhalten und gegen den ihr bestimmten Untergang verteidigt. Man zelebriert alte Musik wieder auf alten Instrumten, obwohl – und weil! – es Instrumentenentwicklungen gibt, die einen besseren Klang ermöglichen. Fabriken im Stile von Tudor-Schlössern werden wenigstens als Fassade, das genügt vollauf, gerettet. Dahinter steht, so in Bielefeld, ein Supermarkt. Die letzten Scheußlichkeiten des ›fin de siècle‹ werden Gegenstand heftigster kommunalpolitischer Auseinandersetzungen. Spinnräder und Dampflokomotiven, nicht mehr verwendbare Fördertürme, hölzerne Küchenschränke und Kuchenformen aus Kupfer – die Vergangenheit überströmt geradezu die Gegenwart, um ihr zu bestreiten, daß sie sein muß, wie sie ist.[71]

Offensichtlich sind hier weder künstlerische Interessen noch ästhetische Qualitäten im Spiel. Der Protest genügt, und man muß zunächst dafür Verständnis aufbringen, um den von da ausgehenden Druck auf das ästhetische Erleben würdigen zu können. Die Relikte vergangener Kulturanstrengungen werden, was immer ihr immanenter Wert, als Zeugen gegen die Gegenwart aufgeboten. Wenn sie technisch nicht perfekt waren – um so besser. Wenn sie etwas hilflos und heruntergekommen aussehen – um so überzeugender. Wenn sie sich mit anderen Benachteiligten und Schlechtweggekommenen in eine Reihe stellen lassen – das gerade ist beabsichtigt. Ohnehin kommt es auf die ursprüngliche Funktion nicht mehr an, und daher kann ihnen quer zu all den vergangenen Wertungen und Gebrauchsanweisungen eine neue Funktion zugeschrieben werden: die des Kontingenzbeweises.

Je nachdem, was man in der Gegenwart sehen will, verändert sich der Blick auf die Geschichte. Sieht man die Gegenwart als Fortschritt, belegen die Zeugen der Vergangenheit mit ihren Unzulänglichkeiten ein entsprechendes »noch nicht«. Sieht man sie als unwahrscheinliches Ereignis – als Sieg über die Perser, als Zerstörung des Tempels – wird Geschichte aufgeboten, um dies zu erklären und in die moralische Weltökonomie einzufügen. Soll dagegen dokumentiert werden, in welch problematischen Zustand die Gesellschaft geraten ist und wie wenig Zukunftsgehalt sie zu bieten hat, wird die Vergangenheit aufgeboten, um zu zeigen, daß es auch anders geht.

Unmerklich scheint auch die Musealisierung der Kunst auf diese Funktion einzuschwenken. Das Simple und Ungekonnte demonstriert, in die richtige Beleuchtung versetzt, gegen die Überfeinerung einer Spätzeit; die religiöse Malerei sagt jetzt: ich will gar nicht nach der Natur malen, warum sollte ich? Auffälligerweise ist es schwieriger, an Literatur und Musik den gleichen Sachverhalt vorzuführen – vielleicht, weil hier der Buchdruck eine größere Simultanpräsenz des Ungleichzeitigen ermöglicht hatte und man immer schon wählen konnte. Immerhin: die merkwürdige Hesse-Renaissance zeigt, daß auch hier gleichartige Motive am Werk sind. Das Argument ist jedenfalls, daß die Funktion der Inanspruchnahme von Geschichtlichkeit rein ästhetische Interessen inhibiert und das unbefangene Sehen und Hören erschwert, wenn nicht unmöglich macht. Dies gilt um so mehr, als die betrieblich-organisatorische Seite des Kunstbetriebs dieses historische Interesse aufgreift und Vermarktungsstrategien daran orientiert. Man bekommt Kunst daher immer schon vorgeführt mit der Zumutung, sie unter dem Gesichtspunkt zu erleben, daß dies heute so nicht mehr möglich wäre. Der Rest konsolidiert sich als Avantgarde.

So werden Kunstsammlungen zu Museen. Wenn außerdem dann noch Stilwechsel und Modewechsel zusammenfallen und die Musealisierbarkeitsdistanz dadurch gegen Null tendiert, scheint die Reproduktion von Kunst kaum noch auf eine breit angelegte Stilprogrammatik angewiesen zu sein. Differenz und Verfremdung genügen. Das mag den praktischen Vorteil haben, daß sie binnen kurzem als historische Gegenstände Interesse finden werden. In-Mode-Sein und Aus-der-Mode-gekommen-Sein fügen sich dann aneinander – jedenfalls im Kalkül der Organisation.

Die erzielten Ergebnisse führen uns nicht schon zu einem sicheren Urteil über die Lage der Kunst in der modernen Gesellschaft. Sie lassen noch weitgehend offen, ob und wie weit das Sozialsystem Kunst als ein eigenständiges, sich autopoietisch reproduzierendes Funktionssystem ausdifferenziert werden kann. Sie zeigen nur einige Probleme auf, die man bei einer solchen Entwicklung zu gewärtigen hat und in beträchtlichem Maße schon zu spüren bekommt.

Eine gesellschaftliche Ausdifferenzierung der schönen Kunst zu einem Sozialsystem mit eigener Funktionsautonomie ist nicht nur, wenn überhaupt, ein freudig zu begrüßender Fortschritt. Es kommt auch zu einer Verschärfung der Binnenprobleme in dem Bereich, der traditionell als Kunst gepflegt wurde. Die Gesellschaft zahlt nur noch Zuschüsse, zieht aber ihre Kontinuitätsgarantie der immer gleichen schönen Kunst zurück. Die Binnenkonstellation der Kunst – immer in sozialer Hinsicht gesehen und nicht in Richtung auf Vielzahl und Verschiedenartigkeit von Kunstwerken – wird komplexer. Sie wird auf Zeitabhängigkeit umgestellt, und dem folgt die Temporalisierung der Kunstwerke selbst. Auch und gerade die alten erhalten nun einen historischen Standort zugewiesen. Man diskutiert den Vorzug der dorischen Säule, entwickelt einen archaisierenden Geschmack.

In die Sprache der Soziologie übersetzt, läßt sich im Anschluß daran die Hypothese eines Zusammenhanges mehrerer Variablen aufstellen, nämlich eines Zusammenhanges von:

(1) zunehmender Ausdifferenzierung eines Funktionssystems für Kunst;

(2) zunehmende Autonomie dieses Systems von Profis und Publikum für eigenverantwortliche Selbstreproduktion ihrer Kommunikation anhand von Kunstwerken;

(3) Entwicklung von Reflexionstheorien, von »Ästhetik« im neuen Sinne, zur Kontrolle dieser Autonomie und zur Lösung der unvergleichbaren Eigenprobleme dieses Bereichs;

(4) damit in Gang gesetzt: Individualisierung der Kunstwerke, bis schließlich ab Mitte des 18. Jahrhunderts die Einmaligkeit des Objekts zur Anerkennungsbedingung wird;

(5) damit: Problematisierung der Selbstreproduktion und Einschwenken der mit der Unterscheidung von Stil und Werk zur

Verfügung stehenden Sinnebenendifferenz auf die Lösung dieses Problems;

(6) Verwendung der Sinnebene Stil zur Begründung der Autonomie in Differenz zur (und das heißt immer auch: in Abhängigkeit von der) gesellschaftlichen Umwelt und zur Inklusion/Exklusion von Teilnehmern; und schließlich durch all dies ausgelöst;

(7) die Volltemporalisierung der Komplexität des Systems mit der Folge, daß

(8) der Zeitstellenwert der Stile und sogar der Objekte die Sachkriterien der Schönheit (die man, wenn überhaupt, nur noch in Selbstreferenz bestimmen könnte) zu verdrängen droht.

Mit all dem bereitet die Kunst hauptsächlich sich selbst Schwierigkeiten. Sie verrät damit auch Unsicherheiten in bezug auf ihre gesellschaftliche Funktion, die bei anderen Funktionssystemen Hauptbezugspunkt systemimmanenter Reflexion ist. Üblicherweise hat man dabei Dienstleistungen für andere Funktionssysteme vor Augen gehabt – und verworfen. Mit Recht, denn es kann gerade nicht die Funktion eines ausdifferenzierten Funktionssystems sein, zu anderen Funktionsbereichen etwas beizusteuern. Setzt man mit systemtheoretischen und gesellschaftstheoretischen Analysen an, kommt man zu sehr andersartigen Ausgangspunkten für eine Funktionsanalyse und für ein Beobachten und Beschreiben von Selbstbeschreibungen des Kunstsystems, und das mag Anstöße geben für ein Überdenken traditioneller Prämissen ästhetischer Reflexion.

Ausgangspunkt ist die Kommunikation am ungewöhnlichen Objekt, die verdutzte Kommunikation, die auf das Objekt selbst zurückgelenkt und daran festgehalten wird. Dient also die Kunst dem Erproben der Kommunikation an einem eigens dafür beschafften Fall? Erreicht sie am überzeugenden Objekt den Grenzfall kommunikativer Gemeinsamkeit, die auf Kommunikation so weitgehend verzichten kann, daß sie sich durch Kommunikation nur noch stört? Soll Kunst am exemplarischen Fall Kommunikation über Inkommunikables ermöglichen, daß man nur sehen oder hören kann? Ist dies ein Luxus, den man sich gelegentlich leisten mag, oder ist es gerade jener Extrempunkt, von dem aus alles andere der Kommunikation ausgeliefert werden kann. Ist es nicht gerade die Fiktionalität der Kunst, die, zusätzlich zu allen bestimmten Aussagen, also als Medium gleichsam, der Welt einen

»touch« des Irrealen verleiht? Und ist es nicht gerade die Stringenz des Kunstwerks, die allem anderen den Charakter des »so
nicht Nötigen« zuweist (ohne daß darüber oder gar über Alternativen gesprochen werden müßte!)?

Wir lassen gänzlich offen, ob aus solchen Überlegungen eine für
die Kunst selbst brauchbare Reflexionstheorie entwickelt wird
und ob die dann noch »Ästhetik« heißen kann. Angesichts solcher Sachverhalte ist zu verstehen, daß nicht gerade selten der
Kunst jede gesellschaftliche Funktion abgesprochen und ihre
Autonomie geradezu mit Funktionslosigkeit gleichgesetzt wird.
So kann man das Todesurteil unterschreiben. Man kann aber auch
die Theoriegrundlagen revidieren.

Eine Soziologie, die die moderne Gesellschaft als funktional
differenziertes Sozialsystem auffaßt, behauptet nicht, daß alle
Funktionen bei funktionaler Differenzierung gleich gut reüssie-
ren. Sie hat Zweifel in bezug auf Religion, und sie kann auch in
bezug auf Kunst die Frage stellen, ob diesem Funktionsbereich
die Ausdifferenzierung bekommt und ob ihm eine autopoietische
Selbstreproduktion gelingen kann. Es gibt keine aus der Theorie
ableitbare Antwort auf diese Frage. Angesichts selbstreferentieller Tatbestände versagen methodisch vorgegebene Asymmetrien
der Deduktion und der Kausalität. Man kann nur so vorgehen,
wie wir vorgegangen sind, nämlich herauszufinden versuchen,
welche Schwierigkeiten man sich bei einer solchen Entwicklung
einhandelt und welche funktionalen Alternativen kurz vor der
Auswegslosigkeit noch verfügbar sind.

Anmerkungen

1 Darin liegt auch eine Beschränkung: Wir lassen andere Möglichkeiten
   einer theoretisch fundierten Analyse von Kunst beiseite, so zum
   Beispiel die Auffassung von Kunst als symbolisch generalisiertes
   Kommunikationsmedium. Dazu Luhmann, N. (1981a), S. 245-266.
2 Siehe die Gegenüberstellung von »input-type description« und »clo-
   sure-type description« bei Varela, F. (1983), S. 147-164, und ders.
   (1984), S. 25-32.
3 Der Übergang ist bereits vollzogen, wenn »imitatio« nur noch als
   Selbstimitation zugelassen wird, nämlich als Imitation der Perfektion
   der antiken Kunst. Vgl. zum Beispiel Piles, R. de (1727), S. 48: als
   Ausnahme von der Regel: »tascher d'estre plus que copiste«.

4 Fast ist man versucht zu sagen: »fame effect«, aber ich beziehe mich auf die Analysen von Goffman, E. (1974).

5 Diese etwas zu verführerische Formulierung bei Hofstadter, D. R. (1979), S. 686 ff.

6 So der ältere Strukturfunktionalismus. Siehe repräsentativ: Aberle, D. F. u. a. (1950), S. 100-111.

7 Eine allgemeine systemtheoretische Begründung hierfür gibt Foerster, H. v. (1960), S. 31-50.

8 Unbestreitbar gibt es daneben auch das nichtkommunikative psychische Erleben des Kunstwerks oder auch das nichtkommunikative Überlegen bei der Anfertigung des Kunstwerks. Die psychische Systemreferenz hat ihr eigenes Recht. Es wäre jedoch weit gefehlt, darin die Bausteine für das Sozialsystem Kunst zu suchen. Ein soziales System besteht nicht aus Bewußtseinselementen.

9 Siehe für viele: Dubos, J.-B. (1733), zum Beispiel Bd. 2, S. 324 f.; Cooper, J. G. (1757) (1970), S. 6 f. Es versteht sich, soziologisch gesehen, von selbst, daß hier schichtspezifische Sicherheitsgrundlagen mitzuberücksichtigen sind.

10 »C'est en se permettant les écarts que le génie enfante les choses sublimes«. Man könnte übersetzen: Durch einen Seitensprung kommen die schönen Dinge auf die Welt; d'Alembert, J. L. (1766) (1967a), S. 326. Ausführlicher zu Neuheit als Kriterium für die Qualität von Poesie: d'Alembert, J. L. (1967b).

11 »So the long gazing upon that which we Desire by *Expectation* doth, as it were, deflowre the Delight of it before fruition«. Reynoldes, E. (1640) (1971), S. 211.

12 Das Langweiligwerden ehemaliger Neuheiten ist gut beschrieben bei d'Alembert, J. L. (1967b), S. 376 f. Vgl. auch La Villate, F. C. de (1737), S. 151 zum Modewerden eines Stils: »... il est des styles qui, par un effet contraire, après avoir paru précieux dans leur naissance, deviennent par l'habitude des façons de parler naturels. Ce qui est d'abord recherché, ne l'est plus quand il est autorisé par une mode générale«.

13 Es wäre lohnend, nachzuforschen, wann zuerst die Langweiligkeit von Kunstwerken zugegeben und thematisiert wird. Daß dies Thema aus Anlaß der Ablehnung von Kunstrezepten und Regel-Poesie (Boileau, Bouhours) gewagt werden kann, ist bekannt und deutet auf einen Zusammenhang mit der funktionalen Ausdifferenzierung von Kunst hin.

14 Die Eigenart von Formqualitäten wird durch die Form/Inhalt-Differenz und durch die »Formalismus«-Diskussion eher verschleiert. In der Diskussion der Soziologie Simmels sind diese verschiedenen Aspekte völlig durcheinandergeworfen worden, obwohl an sich gute Funktionsanalysen von Form vorliegen: Form als Bewußtseinsattrak-

tion, als Verselbständigung, Lückenfüllung, Stabilisierung. Siehe hierzu besonders Simmel, G. (1898).

15 Die Unterscheidung Form/Kontext ist daher viel erhellender als die Unterscheidung Form/Inhalt. Vgl. dazu auch Alexander, C. (1964), insb. S. 15 ff.; und Spencer Brown, G. (1972).

16 Auf die besonderen Probleme, die hieraus für Architektur und Raum entstehen, sei hier nur hingewiesen. Man kann sie etwa in Brasilia sehen. Siehe dazu auch, gegenan idealisierend, Valéry, P. (1960).

17 Ambivalenz ja! Gezielte Absurdität aber ist ein kläglicher Formersatz und bewirkt nur, daß das Kunstwerk schnell wieder von sich ablenkt.

18 Dieser Begriff ist hier im strikten Sinne der Theorie H. Maturanas, also als Gegenbegriff zu Struktur verwendet.

19 Für einen Überblick über das heute eher abklingende Interesse der Kunsttheorie und Kunstgeschichtsschreibung vgl. Shapiro, M. (1953).

20 Ganz übereinstimmend heißt es bei Kroeber, A. L. (1957), S. 32: »A historical style can be defined as the co-ordinated pattern of interrelations of individual expressions or executions in the same medium or art«. Und daraus wird gefolgert, »that predecessors *must* (und dies »muß« ist die Notwendigkeit der Autopoiesis) influence successors. Even when their effect is negative, it serves as a stimulant. The take-off for a variation in execution is always the already traversed course of the style, or some part or facet of it« oder, wie ich hinzufügen möchte, eine neuartige Problemstellung, die deswegen fasziniert, weil sie im alten Stil nicht angemessen bearbeitet werden kann.

21 Besonders lange hat sich dieses exemplarische Verfahren auf der Grundlage des Buchdrucks gehalten: Die Utopia und die Utopien; die Princesse de Clèves und die ihr folgenden Entsagungsromane Robinson und die Robinsonaden; und schon weniger deutlich (weil sich in der Sukzession verbessernd) der Bildungsroman.

22 Die Standardisierung des Begriffs ist wohl dem Buchdruck zu verdanken. Vgl. Eisenstein, E. L. (1979), Bd. 1, S. 83.

23 Für terminologische Äquivalente (oder zumindest: Nichtdifferenziertheit) von »stile« und »manner« vgl. etwa Shaftesbury, A., Earl of (1714) (1968), Bd. 1, S. 242 ff. Eine genauere Klärung dieses Begriffszusammenhanges könnte wohl zeigen, daß der Stilbegriff das Suspektwerden, den zunehmend pejorativen Gebrauch von ›maniera‹/›manner‹ im 17. Jahrhundert abfängt.

24 Allein schon deshalb, weil viele der Leitfiguren (insbesondere die Topik) für Rhetorik und Dialektik und für mündliche wie für schriftliche Kommunikation gemeinsam entwickelt wurden.

25 Zur Tradition der »Gemeinplätze« in dieser Hinsicht Lechner, J. M. (1962). Zum Zusammenbruch dieser Tradition, vor allem als Folge des Buchdrucks und der durch ihn erzeugten Massenhaftigkeit und Trivialität der Topoi siehe Ong, W. J. (1967), insb. S. 79 ff.

26 »Le stile sublime (im alten Sinne der Rhetorik) veut toujours des grands mots; mais le Sublime se peut trouver dans une seule pensée, dans une seule figure, dans un seul tour de paroles«; (Boileau-Despréaux, N. (1713) (1966), S. 601.

27 So stellt Piles, R. de (1727), dem Künstler zwar die Aufgabe »tascher d'estre plus que Copiste«, nimmt aber die Imitation der perfekten antiken Kunst explizit von dieser Regel aus.

28 »D'ailleurs, il est autant de stiles qu'il est d'engagements« heißt es zum Beispiel bei La Villate, F. C. de (1737), S. 155. Und dann: »Le stile est une empreinte de l'ame, où l'on voit les divers caractères de ses passions«, S. 156.

29 Zu dieser wichtigen, ins Säkulare überleitenden Tradition Blumenberg, H. (³1959).

30 Shaftesbury, A., Earl of (1714) (1968), nennt diese Stilarten nebeneinander, aber die historische Differenz ist leicht hineinzulesen, besonders wenn man die vorausgehende französische Diskussion mit im Blick hat. Im 18. Jahrhundert ist die Verspottung des pompösen »grand goût« dann so verbreitet, daß sie ihrerseits als problematisch und teilweise ungerecht empfunden werden kann. Vgl. La Villate, F. C. de (1737), S. 1 ff.

31 So zum Beispiel Dubos, J.-B. (1733), Bd. 1, S. 275 ff., 287 ff. Die Differenz, die hier in erster Linie vor Augen steht, ist die gegen bloße Belehrung. Zur Ästhetik von J. B. Dubos vgl. auch Lombart, A. (1913) (1969).

32 Nach Descartes, R. (1649) (1952), Art. 53, ist »l'admiration« die erste Passion und die einzige, die kein Gegenstück hat, also nicht codiert ist und somit auch außerhalb der Moral steht. Sie besteht im Überraschungseffekt eines Objektes, das uns als neu erscheint oder als sehr verschieden von allem, was wir kennen oder vermuten. Die Formulierung faßt »Bewunderung« und »Erstaunen« zusammen, ebenso wie »neu« und »verschieden«. Sie operiert, so scheint es, noch auf der Basis von überlieferten Zusammenfassungen, die sich nun sehr bald auflösen werden.

33 Forster, E. M. (1927) (1974) nennt das »round characters« im Unterschied zu »flat characters«.

34 Die Umstellung findet nicht zuletzt in der Reihenfolge Ausdruck, in der Dubos, J.-B. (1733), insb. Bd. 2, S. 320 ff., dies Thema abhandelt. Die Schätzung der Kunst setze ein Publikum voraus, das seiner Natur nach Sensibilität und Urteilsfähigkeit bereithalte. Aber dies könne nur ein ausgewähltes Publikum sein: »le mot public ne renferme ici que les personnes qui ont acquis des lumières, soit par la lecture; soit par le commerce du monde« (S. 334 ff.).

35 Vgl. Veblen, T. (1899) (1970), Bourdieu, P. (1979) – Bücher, die zwei- bis dreihundert Jahre nach dem Entstehen dieses Tatbestandes erschei-

nen. Für einen allgemeineren theoretischen Rahmen vgl. auch Van Parijs, P. (1977), Dumouchel, P./Dupuy, J.-P. (1979).

36 Daß auch unter älteren Bedingungen relativ große Freiheiten möglich waren und dann exemplarisch wirkten, soll nicht bestritten werden. Man denke an den Fall der Medici, der insofern besonders gelagert war, als zu den üblichen Förderungsmotiven noch das Bedürfnis hinzukam, fragwürdig erworbenes Geld zu waschen und in politischen Einfluß umzusetzen.

37 So bietet Piles, R. de (1727), S. 37, anstelle einer Definition von Geschmack die Formulierung: »la manière dont l'esprit est capable d'envisager les choses selon qu'il est bien ou mal tourné«. Vgl. auch Bellegarde, J. B. Morvan de (1699), S. 160 ff.: obwohl man über Geschmack nicht streiten solle, sei »très assuré qu'il y a un bon et mauvais goust«. Und eben damit differenziert man zugleich gute und schlechte Gesellschaft.

38 Um nochmals Lord Anthony zu zitieren: »Let his (musicians) Hearers be of what Character they please: Be they naturally austere, morose, or rigid; no matter, so they are *Critics*, able to censure, remark, and sound every Accord and Symphony. What is there mortifies the good Painter more, than when amidst his admiring Spectators there is not one present, who has been us'd to compare the Hands of different Masters, or has *an Eye* to distinguish the *Advantages* or Defects of every Stile?«; Shaftesbury, A., Earl of (1714) (1968), Bd. 1, S. 235.

39 Siehe unter Berufung auf Cicero, Horaz und Quintilian; Wright, T. (1630) (1971), S. 172 ff. Gerade im Kontext der Passionslehre, die auf Anregung durch die Sinne abstellt, wirkt ein strikt kausaltheoretisches Argument, nur Passionen könnten Passionen erregen, freilich wenig überzeugend. Man kann an dieser Bruchstelle schon ahnen, daß diese Theorie sich auflösen wird.

40 Dies mag der Hauptanlaß für die im 18. Jahrhundert dann zu beobachtende »Psychologisierung« des Kunstverständnisses gewesen sein.

41 Ong, W. J. (1977), S. 189 ff., hat dies an Veränderungen im Gebrauch von Epitheta von Spenser zu Milton gezeigt.

42 Um 1700 ist das bereits eine Selbstverständlichkeit. Dabei wird Genialität nicht mehr als Gabe Gottes, sondern biologisch-psychologisch aufgefaßt. Vgl. z. B. Félibien, A. (1707), und dann vor allem Dubos, J.-B. (1733), Bd. 2, S. 1 ff. In der älteren Tradition hatte der Genie-Begriff nicht den Menschen als solchen bezeichnet, sondern eine sich durch ihn verwirklichende besondere Potenz. Für den Übergang siehe Zilsel, E. (1926) (1972), insb. S. 283 ff. Übliche Behandlungen der Geschichte des Genie-Begriffs beginnen dagegen erst mit dem 18. Jahrhundert – also mit einer Zeit, in der der Genie-Kult bereits ironisch kommentiert wird. So z. B. Schmidt, J. (1985).

43 Vgl. für weiter ausgreifende Überlegungen Luhmann, N. (1980).

44 Genau ist diese Veränderung schwer zu datieren, weil noch lange der alte, rein rhetorische Gebrauch der Unterscheidung ›antiqui‹/›moderni‹ als Schema der Verteilung von Lob und Tadel nachwirkt. Vgl. dazu Black, R. (1982).

45 Warum dieser Weg in China anscheinend nicht oder nicht in gleichermaßen entschiedener Weise genommen werden konnte, wäre zu klären. Die Differenz deutet jedoch darauf hin, daß Temporalisierungsstrategien komplexe sozialstrukturelle Voraussetzungen haben und nicht jeder Gesellschaft zur Verfügung stehen. Dazu auch Luhmann, N. (1975), und ders. (1980).

46 Davon legen nicht zuletzt die Erörterungen über den Begriff des »Schönen« Zeugnis ab. Vgl. etwa Crousaz, J.P. (1715). Man darf annehmen, daß bei solchen Theorien der Stil des Barock vor Augen steht, der geradezu systematisch Differenzen multipliziert und dann koordiniert. Teils werden Widersprüche suggeriert wo sie nicht bestehen (etwa in der Instabilisierung von Massen) teils werden sie retouchiert, wo sie bestehen, (etwa in der Verwischung von Grenzen). Wenn gegen diese selbstgeschaffenen Probleme *trotzdem* Konsistenz erreicht wird, verwundert es nicht, daß dann Konsistenz bei hoher Komplexität zur Schönheitsformel, wenn nicht, wie bei Leibniz, zur Weltformel wird.

47 Allerdings ohne erkennbare begriffliche Reflexion und ohne erkennbares Bewußtsein einer »Tendenzwende«, vielmehr einfach so, als ob dies schon (?) selbstverständlich sei. Siehe die geringe Beachtung dieser Frage in der Vorrede und der Vorrede zu den Anmerkungen über die *Geschichte der Kunst des Altertums,* zit. nach Winckelmann, J. (1823) (1965), und im übrigen natürlich den Haupttext selbst. Das Werk ist ein klassisches Beispiel für die Auffassung der Geschichte als Bewegung von einfach zu komplex ... (Die Kunst sei unter allen Völkern »auf gleiche Art entsprungen« ebenda, Bd. 3, S. 63), und der Stilbegriff gewinnt in diesem Zusammenhang die Funktion, historische Differenzierungen zu ordnen.

48 Diese scharfsichtige Frage hält Shaftesbury, A., Earl of (1714) (1968), fest: »Had I been a Spanish Cervantes, and with success equal to that comic Author, had destroy'd the reigning Taste of Gothik or Moorish Chivalry, I cou'd afterwards contentedly have seen my Burlesque-Work it-self despis'd and set aside; when it had wrought its intended effect and destroy'd those Giants and Monsters of the Brain, against which it was originally design'd« (Bd. 3, S. 253).

49 Ein ausführliches und gelehrtes Beispiel; Dacier, A. L. (1714).

50 Vorher hatte man dies von der Individualität des *Künstlers* erwartet. Noch bei d'Alembert, J. L. (1967b), S. 375, heißt es: »... je ne proscris pas les poésies de pur agrément, pourvu qu'elles contiennent des beautés *propres à l'auteur,* et par consequent (!) *nouvelles*«.

51 Der Klassizismus des späten 18. Jahrhunderts ist dafür vielleicht das
erste Beispiel, das sowohl dem Bürgertum als auch dem modernen
Staat entgegenkommt.

52 Siehe in diesem Zusammenhang in gesellschaftstheoretischer Perspektive Fischer, F. W. (1977).

53 Daß dies faktisch so gelaufen ist, nehmen wir als empirischen Beweis
für die These, daß das Kunstsystem seine eigene Autopoiesis betreibt
und jede Operation dem unterwirft. Weder transzendentale noch
ideale Stützpunkte können sich gegen diese Bewegung halten, sie
werden zu einem ihrer Momente.

54 Eine dieser (üblicherweise auf lebende Systeme abgestellten) Definitionen lautet: »Die autopoietische Organisation wird als Einheit definiert durch ein Netzwerk der Produktion von Bestandteilen, die 1.
rekursiv an demselben Netzwerk der Produktion von Bestandteilen
mitwirken, das auch diese Bestandteile produziert, und die 2. das
Netzwerk der Produktion als eine Einheit in dem Raum verwirklichen, in dem diese Bestandteile sich befinden« (Maturana, H., 1982,
S. 158).

55 Mit »Inklusion« soll hier allgemein die Mitwirkung psychischer Systeme am Zustandekommen sozialer Systeme bezeichnet sein, und die
im Text formulierte Hypothese spielt speziell auf das Problem an, daß
in funktional differenzierten Gesellschaften Inklusion nicht mehr
durch einen fest definierten, schichtspezifischen »status« geleistet
werden kann, sondern als Aufgabe des Sichzugänglichmachens jedem
einzelnen Funktionssystem zufällt. Siehe für andere Fälle auch Luhmann, N./Schorr, K. E. (1979), S. 29 ff.; Luhmann, N. (1981b), S. 25 ff.

56 Vgl. das bereits oben Gesagte.

57 Vgl. das oben in Anm. 34 gegebene Zitat von Dubos, J.-B. (1733).

58 Vgl. Shaftesbury, A., Earl of (1714) (1968), Bd. 3, S. 164 f.: »A legimate
and just *Taste* can neither be begotten, made, conceiv'd or produc'd,
without the antecedent *labour* and *pains of Criticism*«.

59 Zur Schrift/Druck-Bedingtheit dieser Möglichkeiten vgl. Ong, W. J.
(1977), »From Mimesis to Irony. Writing and Print as Integuments of
Voice«. In: Ong W. J. (1977), S. 272-302. Für W. J. Ong ist Romantik
der erste, sich ganz auf Schrift einstellende Literaturstil.

60 Hoskins, J. (1599), S. 4, einerseits »fashion«, unter den »good properties of epistolary style«, und dann, S. 11: »... now grown in fashion –
as most abuses are«. Die gleiche Doppelsinnigkeit beim Stilbegriff. Er
bezeichnet einerseits, wie beiläufig, die Machart und dann S. 38: »... if
it be well used, it is a figure – if ill and too much, it is a style«. Oder
S. 39: »I have used and outworn six several styles since I was first
Fellow of New College, and am yet able to bear the fashion of [the]
writing company«.

61 Auch Adam Smith hatte in einer ausführlichen Behandlung dieser

Frage Schwierigkeiten, den Einfluß der Mode auf das Schönheitsurteil zu beschränken, obwohl er nicht zugestehen mochte, daß dies alles sei. Vgl. Smith, A. (1759) (1926), Bd. 2, S. 331 ff. Und für Baudelaire war Mode mindestens die Hälfte der Sache, ohne die man in eine undefinierbar abstrakte Schönheit fallen würde. Vgl. Baudelaire, C. (1868) (1954), insb. S. 892 f.

62 »Si la durée fait subsister toutes parties de monde la nouveauté les faict estimer«, heißt es bei de Grenaille, F. de (1642), S. 5.

63 Georg Simmel ist sehr viel später gerade diesem Steigerungsverhältnis von sozialer Absicherung und individueller Ausnutzung von Chancen zur Selbstprofilierung nachgegangen. Siehe Simmel, G. (1905), und auch ders. (1895) (1983).

64 Diese Beobachtung bei Bellegarde, J. B. Morvan de (1699), S. 125. Siehe auch La Bruyère, J. de (1688) (1951), S. 394: »il y a autant de faiblesse à fuir la mode qu'à l'affecter«.

65 »Si la mode, si la faveur, sie l'éclat d'une grande action mettent un homme en spectacle, le ridicule s'évanouit« (Sénac de Meilhan, 1787, S. 321).

66 Als typisches Beispiel: Bodin, J. (1568) (1932), S. 17 ff. – anekdotisch und behandelt im Kontext von Gründen für Preissteigerungen.

67 »On accorde ou l'on refuse cette qualité (i.e. du beau) à tout moment«, ohne über eindeutig bestimmte Urteilsgrundlagen zu verfügen. So Diderot, D. (1772) (1951), S. 1105. Auch für Geschmack hatte man festgestellt, daß bei allen Definitionsschwierigkeiten zumindest dies feststehe: der Unterschied von gutem und schlechtem Geschmack.

68 Optimistisch konnte das eingeschätzt werden als Aufgehen der Kunst im Leben selbst – als Entdifferenzierung. Vgl. im Anschluß an Dewey Dorner, A. (1959), und Cauman, S. (1960).

69 Daß dies auch für Wissenschaftsmoden gilt, mag mit einem Zitat belegt werden: »... in America, where the lessons of structuralism have not been internalized, this type of poststructuralism probably would not be progressive. While a return to a reformulated, poststructuralist subjectivity might produce forward movement in European thought, where liberalism has been seriously criticized, it would likely create retrogressive confusion in American thought, where it has not been«, Heller, T. C. (1984), S. 156.

70 Vgl. zum Modephänomen und zum Imitationsmotiv im Anschluß an René Girard: Dupuy, J.-P. (1979), insb. S. 77.

71 Vgl. dazu, vor allem am Beispiel von Windmühlen, Lübbe, H. (1982).

Aberle, D. F./Cohen, A. K./Davis, A. K./Levy, M. J., Jr./Sutton, F../
Levy, M. J., Jr./Sutton, F. X. (1950), »The Functional Prerequisites of a
Society«. In: *Ethics* 60. S. 100-111.

Adorno, T. W. (1970), *Ästhetische Theorie*. Frankfurt/Main.

D'Alembert, J. L. (1967a), »Réflexion sur l'usage de la philosophie dans
les matières de goût«. In: *Œuvres complètes*. Bd. 4. Genf. S. 326-333.

D'Alembert, J. L. (1967b), »Dialogue entre la Poésie et la Philosophie«.
In: *Œuvres complètes*. Bd. 4. Genf. S. 373-381.

Alexander, C. (1964), *Notes on the Synthesis of Form*. Cambridge, Mass.

Baudelaire, C. (1868) (1954), »Le peintre de la vie moderne«. In: *Œuvres
complètes* (Bibliothèque de la Pléiade). Paris. S. 881-920.

Bellegarde, J. B. Morvan de (1699), *Réflexion sur le ridicule et sur les
moyens de l'éviter*. Paris.

Bialostocki, J. (1961), »Das Modusproblem in den bildenden Künsten«.
In: *Zeitschrift für Kunstgeschichte* 24. S. 128-141.

Black, R. (1982), »Ancients and Moderns in the Renaissance. Rhetoric
and History in Accolti's Dialogue on the Preeminence of Men of His
Own Time«. In: *Journal of the History of Ideas* 43. S. 3-32.

Blumenberg, H. (³1959), »Kontingenz«. In: *Die Religion in Geschichte
und Gegenwart*. Bd. 3. Tübingen, Sp. 1793 f.

Bodin, J. (1568) (1932), *Response à M. de Malestroit*. Hg. v. H. Hauser.
Paris.

Boileau-Despréaux, N. (1674) (1966), »Préface« des »Traité du sublime«.
In: *Œuvres*. Paris. S. 595-604.

Bourdieu, P. (1979), *La distinction. Critique social du jugement*. Paris.
Deutsch (1982), *Die feinen Unterschiede*. Frankfurt/Main.

Cauman, S. (1960), *Das lebende Museum. Erfahrungen des Kunsthistorikers und Museumsdirektors Alexander Dorner*. Hannover.

Cicero (Pseudo-) (1968), *Ad Herenium*. Hg. v. H. Caplan. London/
Cambridge, Mass.

Cooper, J. G. (1757) (1970), *Letters concerning Taste and Essays on
Similar and other Subjects*. 3. Aufl. London. Nachdruck New York.

Cope, E. D. (1896), *The Primary Factors of Organic Evolution*. Chicago.

Crousaz, J. P. (1715), *Traité du Beau*. Amsterdam.

Dacier, A. L. (1714), *Des causes de la corruption du goust*. Paris.

Descartes, R. (1649) (1952), »Les passions de l'âme«. In: *Œuvres et lettres*.
(Bibliothèque de la Pléiade). Paris. S. 691-802.

Diderot, D. (1772) (1951), »Traité du Beau«. In: *Œuvres*. (Bibliothèque
de la Pléiade). Paris. S. 1105-1142.

Dorner, A. (1959), *Überwindung der »Kunst«*. Hannover.

Dubos, J.-B. (1733), *Réflexion critique sur la poésie et sur la peinture*. 2
Bde. Paris.

Dumouchel, P./Dupuy, J.-P. (1979), *L'enfer des choses. René Girard et la logique de l'économie.* Paris.

Dupuy, J.-P. (1979), »Le signe et l'envie«. In: Dumouchel, P./Dupuy, J.-P. (1979), *L'enfer des choses. René Girard et la logique de l'économie.* Paris.

Eisenstein, E. L. (1979), *The Printing Press as an Agent of Social Change: Communications and Cultural Transformations in Early-Modern Europe.* 2 Bde. Cambridge.

Félibien, A. (1707), *L'idée du peintre parfait.* London.

Fischer, F. W. (1977), »Gedanken zur Theoriebildung über Stil und Stilpluralismus«. In: Hager, W./Knopp, N. (Hgg.) (1977), *Beiträge zum Problem des Stilpluralismus.* München. S. 33-48.

Foerster, H. v. (1960), »On Self-Organizing Systems and their Environments«. In: Yovits, M. C./Cameron, S. (Hgg.) (1960), *Self-Organizing Systems. Proceedings of an Interdisciplinary Conference.* Oxford. S. 31-50.

Forster, E. M. (1927) (1974), »Aspects of the Novel«. In: ders. (1974), *The Abinger Edition of E. M. Forster.* Bd. 12. Cambridge.

Fuller, T. (1642) (1938), *The Holy State and the Profane State.* Nachdruck New York.

Gernet, J. (1978), *La vie quotidienne en Chine à la veille de l'invasion mongole 1250–1276.* Paris.

Goffman, E. (1974), *Frame Analysis. An Essay on the Organization of Experience.* New York. Deutsch (1977), *Rahmen-Analyse.* Frankfurt/Main.

Gombrich, E. H. (³1978), *Norm and Form. Studies in the Art of the Renaissance.* London.

Gombrich, E. H. (1982), »Norm und Form«. In: Henrich, D./Iser, W. (Hgg.) (1982), *Theorien der Kunst.* Frankfurt/Main. S. 148-178.

Grenaille, F. de (1642), *La mode ou Caractère de la Religion.* Paris.

Heller, T. C. (1984), »Structuralism and Critique«. In: *Stanford Law Review* 36. S. 127-196.

Hofstadter, D. R. (1979), *Gödel, Escher, Bach. An Eternal Golden Braid.* Hassocks/Sussex. Deutsch (1985), *Gödel, Escher, Bach.* Stuttgart.

Hoskins, John (1599). *Directions for Speech and Style.* Zit. nach d. Ausg. von Hoyt H. Hudson, Princeton 1935.

Kant, I. (1790) (³1902), *Kritik der Urteilskraft.* Hg. von K. Vorländer. Leipzig.

Kroeber, A. L. (1957), *Style and Civilizations.* Ithaca, N. Y.

La Bruyère, J. de (1688) (1951), »Les caractères ou les mœurs de ce siècle«. In: ders. (1951), *Œuvres complètes.* (Bibliothèque de la Pléiade). Paris. S. 59-478.

La Villate, F. C. de (1737), *Essais historiques et philosophiques sur le goût.* Den Haag.

Lechner, J. M. (1962) (1974), *Renaissance Concepts of the Commonplaces*. New York. Nachdruck Westport, Conn.

Lübbe, H. (1982), *Der Fortschritt und das Museum. Über den Grund unseres Vergnügens an historischen Gegenständen*. London.

Lombard, A. (1913) (1969), *L'Abbé Du Bos. Un Initiateur de la pensée moderne (1670-1742)*. Paris. Nachdruck Genf.

Luhmann, N. (1975), »Weltzeit und Systemgeschichte. Über Beziehungen zwischen Zeithorizonten und sozialen Strukturen gesellschaftlicher Systeme«. In: *Soziologische Aufklärung*. Bd. 2. Opladen, S. 103-133.

Luhmann, N. (1980), »Temporalisierung von Komplexität. Zur Semantik neuzeitlicher Zeitbegriffe«. In: ders. (1980), *Gesellschaftsstruktur und Semantik*. Bd. 1. Frankfurt/Main. S. 235-300.

Luhmann, N. (1981a), »Ist Kunst codierbar?« In: *Soziologische Aufklärung*. Bd. 3. Opladen. S. 245-266.

Luhmann, N. (1981b), *Politische Theorie im Wohlfahrtsstaat*. München.

Luhmann, N. (1983), »Die Einheit des Rechtssystems«. In: *Rechtstheorie* 14. S. 129-154.

Luhmann, N. (1984a), *Soziale Systeme. Grundriß einer allgemeinen Theorie*. Frankfurt/Main.

Luhmann, N. (1984b), »Die Wirtschaft der Gesellschaft als autopoietisches System«. In: *Zeitschrift für Soziologie* 13. S. 308-327.

Luhmann, N. (1986), *Die soziologische Beobachtung des Rechts*. Frankfurt/Main.

Luhmann, N./Schorr, K. E. (1979), *Reflexionsprobleme im Erziehungssystem*. Stuttgart.

Maturana, H. (1982), *Erkennen. Die Organisation und Verkörperung von Wirklichkeit*. Braunschweig.

Maruyama, M. (1963), »The Second Cybernetics. Deviation – Amplifying Mutual Causal Processes«. In: *General Systems* 8. S. 233-241.

Ong, W. J. (1967), *The Presence of the Word. Some Prolegomena for Cultural and Religious History*. New Haven, Conn.

Ong, W. J. (1977), *Interfaces of the Word. Studies in the Evolution of Consciousness and Culture*. Ithaca, N. Y.

Piles, R. de (1727), *Diverses Conversations sur la Peinture*. Paris.

Reynoldes, E. (1640) (1971), *A Treatise of the Passions and Faculties of the Soule of Man*. London. Nachdruck Gainsville, Fla.

Schmidt, J. (1985), *Die Geschichte des Genie-Gedankens in der deutschen Literatur, Philosophie und Politik 1750-1945*. 2 Bde. Darmstadt.

Schmidt, S. J. (1984), »The Fiction is that Reality Exists. A Constructivist Model of Reality, Fiction and Literature«. In: *Poetics Today* 5. S. 253-274.

Schmoll, J. A. (gen. Eisenwerth) (1970) (1977), »Stilpluralismus statt Einheitszwang – Zur Kritik der Stilepochen-Kunstgeschichte«. In: Gosebruch, M./Dittmann, L. (Hgg.) (1970), *Argo, Festschrift für Kurt*

Badt. Köln. Neu gedruckt in: Hager, W./Knopp, N. (Hgg.) (1977), *Beiträge zum Problem des Stilpluralismus.* München.

Sénac de Meilhan (1787), *Considérations sur l'esprit et les mœurs.* London.

Shaftesbury, A., Earl of (1714) (1968), *Characteristics of Men, Manners, Opinions, Times.* Bd. 1. Nachdruck Farnborough. S. 151-364.

Shapiro, M. (1953), »Style«. In: Kroeber, A. L. (Hg.), *Anthropology Today. An Encyclopedic Inventory.* Chicago, S. 287-312.

Simmel, G. (1895) (1983), »Zur Psychologie der Mode. Soziologische Studie«. In: Dahme, H. J./Rammstedt, O. (Hgg.) (1983), *Georg Simmel. Schriften zur Soziologie.* Frankfurt/Main. S. 131-139.

Simmel, G. (1898), »Zur Soziologie der Religion«. In: *Deutsche Rundschau* 9. S. 111-123.

Simmel, G. (1905), *Philosophie der Mode.* Berlin.

Smith. A. (1759) (1926), *Theorie der ethischen Gefühle.* Leipzig.

Spencer Brown, G. (²1972), *Laws of Form.* New York.

Valéry, P. (1960a), »Eupalinos ou l'Architecte«. In: *Œuvres* (Bibliothèque de la Pléiade). Bd. 2. Paris, S. 79-149.

Valéry, P. (1960b), »L'idée fixe ou deux hommes à la mer«. In: *Œuvres.* (Bibliothèque de la Pléiade). Bd. 2. Paris. S. 195-275.

Van Parijs, P. (1977), »Triadic Distributions and Contrepied Strategies. A Contribution to a Pure Theory of Expressive Behaviour« In: *Journal for the Theory of Social Behaviour* 7. S. 129-160.

Varela, F. (1983), »L'auto-organisation: de l'apparence au mécanisme«. In: Dumouchel, P./Dupuy, J.-P. (Hgg.) (1983), *L'auto-organisation: De la physique au politique.* Paris. S. 147-164.

Varela, F. (1984), »Two Principles for Self-Organisation«. In: Ulrich, H./Probst, G. J. B. (Hgg.) (1984), *Self-Organisation and Management of Social Systems. Insights, Promises, Doubts, and Questions.* Berlin. S. 25-32.

Veblen, T. (1899) (1970), *The Theory of the Leisure Class.* London.

Winckelmann, J. (1825) (1965), »Geschichte der Kunst des Altertums«. In: *Sämtliche Werke.* Hg. von J. Eiselein. Nachdruck Osnabrück. Bd. 3-4.

Wright, T. (1630) (1971), *The Passions of the Minde in Generall.* London. Nachdruck Urbana, Ill.

Zilsel, E. (1926) (1972), *Die Entstehung des Geniebegriffs. Ein Beitrag zur Ideengeschichte der Antike und des Frühkapitalismus.* Tübingen. Nachdruck Hildesheim.

Paul Watzlawick
Lebensstile und ›Wirklichkeit‹

Die Relevanz meines Beitrags steht und fällt mit der Antwort auf die Frage, ob man von einem *Lebensstil* sprechen kann und, wenn ja, ob dieser Begriff dann überhaupt noch in die klassische Definition von Stil fällt. Meine Kompetenz erlaubt es mir jedenfalls nur, darüber zu referieren, wie wir Menschen der amorphen, phantasmagorischen, kaleidoskopischen Vielfalt unserer Leben Sinn, Ordnung und damit Voraussagbarkeit zu geben versuchen, und wie wir daher unsere Existenzen in ganz bestimmten Weisen leben und erleben.

Von Lebensstilen spricht man in meinem Fach spätestens seit Alfred Adler, dem Begründer der Individualpsychologie. Adler faßte unter diesem Begriff vor allem jene typischen Verhaltensweisen zusammen, mit denen der einzelne sich an die Lebensbedingungen und vor allem an deren Veränderungen anzupassen versucht. Er untersuchte in diesem Zusammenhang besonders die Wirkungen tatsächlicher (organischer) oder vermeintlicher (neurotischer) »Minderwertigkeiten«, die ihrerseits zum Ausgangspunkt für *Anschauungsformen* im Leben des Betreffenden werden. Wer, wie der Kliniker, sich mit den praktischen Auswirkungen solcher Anschauungsformen befaßt, kann sich schwerlich des Eindrucks entziehen, daß die Art und Weise, in der Menschen ihr Leben zu ordnen und leben versuchen, weitgehend auch von überpersönlichen Gegebenheiten abhängt – zum Beispiel von kulturellen, religiösen, ideologischen, ethischen und philosophischen Leitbildern. »Man« hat demnach so und so zu leben, bis sich schließlich eine andere Lebensform als die »rechte« und »selbstverständliche« durchsetzt. Dies bringt den Beobachter aber bereits sehr nahe an den Begriff von *Stilepochen* heran, um so mehr als sich in dieser Sicht unleugbare Epochenschwellen (sensu Luhmann) abzeichnen. Und es erhebt sich dann die Frage nach ihrer Entstehung: Wird zu einem gegebenen Augenblick der Lebensstil eines Einzelnen zum Vorbild für viele, oder wird er umgekehrt von einer überpersönlichen Stilkonfiguration geprägt und damit auch begrenzt?

Mit dieser Fragestellung verfielen wir aber in ein heute nicht mehr vertretbares lineares Ursachendenken. Natürlich gibt es unmittelbare Beziehungen zwischen Ursache und Wirkung, doch sind diese jeweils nur ein kleiner Teil des gesamten Wirkungsgefüges, aus dem sie sich nur zum Preise völlig abstruser Reifizierungen herausschneiden und verabsolutieren lassen. Daß Genie und Wahnsinn sprichwörtlich verwandt und gleichzeitig doch unvereinbar scheinen, ist ein klassisches Beispiel für die Problematik dieses linearen Denkens. In moderner Sicht dagegen erweisen sich Ordnung und Chaos als interdependent: Ordnung braucht Unordnung, und Unordnung kommt aus zu starrer Ordnung. Sie bedingen sich gegenseitig und zusammen führen sie (und nicht ein über ihnen stehender *spiritus rector*) zur Selbstorganisation (*Autopoiese*) von Systemen aller Art. Neu freilich ist diese Einsicht so wenig wie irgendetwas anderes unter der Sonne; sie findet sich bereits in den Upanischaden, im Taoismus und bei Heraklit. Und daß auch die Welt der Wissenschaft nicht das Abbild ewiger Wahrheit ist, stellte Giambattista Vico bereits 1710 fest: »So wäre denn menschliches Wissen (Wissenschaft) nichts anderes, als die Dinge in schöne Beziehung zueinander zu bringen« (Vico, G., 1858).

Auf Überlegungen dieser Art baut sich der moderne Konstruktivismus (Glasersfeld, E. v., 1981) auf. Er postuliert, daß alle *Fakten* eben das sind, was das Wort recht eigentlich bedeutet – *factum* kommt ja von *facere* (machen, tun), genau wie »Tatsachen« nun einmal *getane* Sachen sind. Hierzu auch Schrödinger: »Jedermanns Weltbild ist und bleibt eine geistige Konstruktion; seine Existenz kann in keiner anderen Weise nachgewiesen werden« (Schrödinger, E., 1958).

Alle Konstruktionen sind aber untrennbar mit dem Begriff eines Stils verbunden – und sei dieser so unbeabsichtigt, wie etwa im technisch bedingten Zusammenhang der Strukturelemente eines reinen Zweckbaus, oder so offensichtlich einmalig wie im So-und-nicht-anders-Sein eines Kunstwerks. Zwischen diesem Stilbegriff und dem des Lebensstils aber klafft jener Unterschied, der letzteren für viele unannehmbar machen kann: Daß es unzählige Stile im herkömmlichen Sinne gibt, wird gelassen akzeptiert; der eigene Lebensstil dagegen wird subjektiv fast immer als einzig mögliche, ›normale‹ Sicht der Welt empfunden – eben weil die Welt so und nicht anders ›ist‹.

Als Allegorie einer konstruktivistischen Sicht der Welt bietet sich Hermann Hesses *Magisches Theater* an. Der Held des Romans, Harry Haller, empfindet sich als Steppenwolf, als »das in eine ihm fremde und unverständliche Welt verirrte Tier, das seine Heimat, Luft und Nahrung nicht mehr findet«.

Eines Abends, auf dem Heimweg in sein freudloses Mietszimmer, hat der Steppenwolf ein merkwürdiges Erlebnis. Auf einer alten Mauer, in einem menschenleeren Gäßchen der Altstadt, sieht er plötzlich bewegliche, bunte Buchstaben:

> Magisches Theater Eintritt nicht für jedermann
> Nur -- für -- Ver--rückte!

Dieser »Gruß einer anderen Welt« führt ihn zur Suche nach dem Theater. Weitere merkwürdige Begegnungen und Erlebnisse häufen sich und stellen sein bisheriges Weltbild immer mehr in Frage. Schließlich, am Ende eines berauschenden Maskenballs, wird er von seinem Psychopompus Pablo in das Magische Theater geführt:

Mein Theaterchen hat so viele Logentüren, als ihr wollt, zehn oder hundert oder tausend, und hinter jeder Tür erwartet euch das, was ihr gerade sucht. Es ist ein hübsches Bilderkabinett, lieber Freund, aber es würde Ihnen nichts nützen, es so zu durchlaufen, wie Sie sind. Sie würden durch das gehemmt und geblendet werden was Sie gewohnt sind, Ihre Persönlichkeit zu nennen. Ohne Zweifel haben Sie ja längst erraten, daß die Überwindung der Zeit, die Erlösung von der Wirklichkeit, und was immer für Namen Sie Ihrer Sehnsucht geben mögen, nichts andres bedeuten als den Wunsch, Ihrer sogenannten Persönlichkeit ledig zu werden. Sie ist das Gefängnis, in dem Sie sitzen. Und wenn Sie so, wie Sie sind, in das Theater träten, so sähen Sie alles mit den Augen Harrys, alles durch die alte Brille des Steppenwolfes.

In einer der vielen Logen, die der Steppenwolf nun betritt und von denen jede eine frei gewählte Wirklichkeit enthält, erklärt ihm zum Beispiel ein Schachmeister:

Die Wissenschaft hat [...] insofern recht, als natürlich keine Vielheit ohne Führung, ohne eine gewisse Ordnung und Gruppierung zu bändigen ist. Unrecht dagegen hat sie darin, daß sie glaubt, es sei nur eine einmalige, bindende, lebenslängliche Ordnung der vielen Unter-Ichs möglich. [...]

Wir ergänzen daher die lückenhafte Seelenlehre der Wissenschaft durch den Begriff, den wir Aufbaukunst nennen. Wir zeigen demjenigen, der das Auseinanderfallen seines Ichs erlebt hat, daß er die Stücke jederzeit in beliebiger Ordnung neu zusammenstellen und daß er damit eine unendliche Mannigfaltigkeit des Lebensspieles erzielen kann. Wie der Dichter aus einer Handvoll Figuren ein Drama schafft, so bauen wir aus den Figuren unseres zerlegten Ichs immerzu neue Gruppen, mit neuen Spielen und Spannungen, mit ewig neuen Situationen [...]

Dann strich er mit heiterer Gebärde über das Brett, warf alle Figuren sachte um, schob sie auf einen Haufen und baute nachdenklich, ein wählerischer Künstler, aus denselben Figuren ein ganz neues Spiel auf, mit ganz anderen Gruppierungen, Beziehungen und Verflechtungen. Das zweite Spiel war dem ersten verwandt: es war dieselbe Welt, dasselbe Material, aus dem er es aufbaute, aber die Tonart war verändert, das Tempo gewechselt, die Motive anders betont, die Situationen anders gestellt.
Und so baute der kluge Aufbauer aus den Gestalten, deren jede ein Stück meiner selbst war, ein Spiel ums andre auf, alle einander von ferne ähnlich, alle erkennbar als derselben Welt angehörig, derselben Herkunft verpflichtet, dennoch jedes völlig neu (Hesse, H., 1970).

Was Hermann Hesse im *Demian* nur anklingen läßt, spricht er hier, acht Jahre später, klar aus: Es liegt in unserer Hand, das Leben aus einer Unzahl von Möglichkeiten zu gestalten, wie der Künstler sein Kunstwerk.
Als Parabel dieser konstruktivistischen Weltschau bietet sich auch John Fowles' Roman *The Magus* an, in dem durch ganz ähnliche Stilmittel die Idee entwickelt wird, daß wirklich ist, was wir für wirklich halten, und daß diese Relativierung der Wirklichkeit – wiewohl auch ihrerseits ein Lebensstil – unabsehbare existentielle Folgen hat.
Der Magus ist ein reicher Grieche namens Conchis, der sich auf der imaginären ägäischen Insel Phraxos die Zeit mit dem *Godgame* vertreibt – einem Spiel, das darin besteht, die Wirklichkeitsauffassung der am dortigen Gymnasium jeweils ein Jahr unterrichtenden englischen Lehrer durch komplizierteste Machinationen von Grund auf zu erschüttern. Wie er an einer Stelle dem jungen Engländer Nicholas in seiner typisch paradoxen Weise »erklärt«, nennt er es das *Godgame,* weil es keinen Gott gibt und das Spiel kein Spiel ist. In seiner Besprechung des Romans stellt Ernst von Glasersfeld unter anderem fest:

Fowles kommt dort zum Kernpunkt der konstruktivistischen Epistemologie, wo er Conchis die Idee der Koinzidenz erklären läßt. Er erzählt Nicholas zwei dramatische Geschichten, die eine von einem reichen Kunstsammler, dessen Château in Frankreich eines Nachts mit all seinem

Besitz abbrennt; die andere von einem besessenen Bauern in Norwegen, der als Einsiedler seit Jahren auf die Ankunft Gottes wartet. Eines Nachts hat er die erwartete Vision. Conchis fügt hinzu, daß dies dieselbe Nacht war, in der das Château in Flammen aufging. Nicholas fragt: »Sie wollen damit doch nicht sagen ...« Conchis unterbricht ihn: »Ich will damit gar nichts sagen. Zwischen den beiden Ereignissen bestand kein Zusammenhang. Kein Zusammenhang ist möglich. Oder anders gesagt, ich bin der Zusammenhang, ich selbst bin die Bedeutung des Zusammenhangs.« Dies ist eine auf den Alltag bezogene Paraphrase von Einsteins revolutionärer Einsicht, daß es in der physikalischen Welt keine Gleichzeitigkeit ohne einen Beobachter gibt, der sie erschafft (Glasersfeld, E. v., 1979).

Conchis, mit seinen unbegrenzten Möglichkeiten, erschafft für seine ahnungslosen »Opfer« Welten, einmal in diesem, einmal in jenem Stil, und es wird Nicholas erst langsam klar, daß die vermeintliche Wirklichkeit der Insel Phraxos eine von Conchis eigens für ihn konstruierte ist. Die Zahl dieser Welten ist unermeßlich. Je nachdem, wie wir die Zusammenhänge schaffen und damit selbst zur Bedeutung des Zusammenhanges werden, ›sind‹ wir zum Beispiel der norwegische Bauer, der Gott endlich von Angesicht zu Angesicht sieht, oder Macbeth, für den das Leben ein Schattenspiel ist, »erzählt von einem Dummkopf, voller Klang und Wut, das nichts bedeutet«.
Damit ist noch nichts darüber ausgesagt, *wie* es im Alltag zur Bildung dieser wirklichkeitsschaffenden Lebensstile kommt. Zur Beantwortung dieser Frage bietet sich eine Klasse von Experimenten mit der schwer übersetzbaren Bezeichnung *non-contingent reward experiments* an. Es handelt sich dabei um Versuchsanordnungen, in denen zwischen dem Verhalten der Versuchsperson und jenem des Versuchsleiters ebensowenig Zusammenhang besteht, wie zwischen der Vision Gottes und dem Brand des Châteaus, und in denen die Versuchsperson aber – wie Nicholas – dazu gebracht wird, diesen Zusammenhang (*contingency*) zu schaffen. Praktisch wird dies dadurch erreicht, daß der Versuchsperson die Aufgabe gestellt wird, durch Versuch und Irrtum langsam einen Sachverhalt zu erfassen, der ihr anfangs völlig unbekannt ist. Was sie bis zum Abschluß des Experiments nicht weiß, ist die *Nichtkontingenz* der Situation, die darin besteht, daß zwischen ihren Antworten und den Richtig- beziehungsweise Falsch-Erklärungen der Antworten seitens des Versuchsleiters kein ursächlicher Zusammenhang besteht. In einem solchen Ex-

periment hat die Versuchsperson herauszufinden, ob zweistellige Zahlenpaare, von denen der Versuchsleiter ihr eine lange Liste vorliest, zusammenpassen oder nicht. Auf die nie ausbleibende Frage der Versuchsperson, in welchem Sinne denn diese Zahlen ›passen‹ oder ›nicht passen‹ sollen, antwortet der Versuchsleiter, daß die Aufgabe eben im Herausfinden dieses Zusammenhanges bestehe. Er beginnt dann mit dem Vorlesen der Zahlenpaare, zum Beispiel »48 und 12«. Der Versuchsperson bietet sich eine Reihe offensichtlicher ›Zusammenhänge‹ an: es sind gerade Zahlen, beide sind Vielfache von 2, 3, 4 und daher auch von 6 und 12; sollte es sich um Minuten handeln, so ergäben sie zusammen eine Stunde, und so weiter. Die Versuchsperson sagt also »passen« und der Versuchsleiter sagt »falsch«. Auf Grund dieser Antwort können die eben in Betracht gezogenen Möglichkeiten bereits mit Sicherheit ausgeschlossen werden. Das nächste Zahlenpaar mag dann »17 und 83« lauten. Die Versuchsperson überlegt sich unter anderem, daß diesmal die kleinere vor der größeren Zahl kam; daß beide Zahlen nicht nur ungerade, sondern auch Primzahlen sind und außerdem zusammen 100 ergeben. Sie entscheidet sich daher für »passen«, was der Versuchsleiter wiederum für falsch erklärt. So geht es eine Zeitlang, bis die Antworten langsam immer häufiger richtig sind, und die Versuchsperson schließlich eine, wenn auch noch nicht ganz hieb- und stichfeste, so doch anscheinend weitgehend richtige Hypothese über das ›Zusammenpassen‹ dieser Zahlen entwickelt hat. An diesem Punkt bricht der Versuchsleiter das Experiment ab, läßt sich diese (meist sehr komplizierte) Hypothese erklären und teilt der Versuchsperson erst dann mit, daß er seine Richtigerklärungen der Antworten auf Grund des ansteigenden Asts einer Gaussschen (Glocken-) Kurve gab, das heißt zuerst sehr selten und dann immer häufiger, und daß zwischen den beiden Ereignissen (der Antwort der Versuchsperson und der Reaktion des Versuchsleiters) also keinerlei Zusammenhang bestand. Dies ist für die meisten Versuchspersonen zunächst unannehmbar. Wer in mühsamer Arbeit Ordnung in eine sinn- und regellos erscheinende Welt hineinkonstruiert hat, ist allein schon deswegen nicht bereit, seine Konstruktion aufzugeben, weil er diese Ordnungen für eine gefundene und nicht erfundene Wirklichkeit (vgl. Watzlawick, P., 1981) hält. Dies kann unter Umständen so weit gehen, daß die Versuchsperson den Versuchsleiter zu überzeugen versucht, daß seiner Liste von Zahlenpaaren eine Ordnung zugrunde liegt, die ihm – dem Versuchsleiter – entgangen ist.

Unter den jeweils gegebenen Umständen wird ein Lebensstil also nicht als eine von zahllosen Möglichkeiten gesehen, nach denen das amorphe Material ›Wirklichkeit‹ in der einen oder der anderen Weise geordnet werden kann. Die Ordnung, der Stil, ›ist‹ vielmehr die Wirklichkeit. Die Philosophie hat sich aus dieser Sichtweise spätestens seit Hume und Kant befreit; die Wissenschaft spätestens seit Einstein und seiner berühmten Antwort an Heisenberg: »Es ist durchaus falsch, zu versuchen, eine Theorie nur auf beobachtbaren Größen aufzubauen. In Wirklichkeit tritt gerade das Gegenteil ein. Die Theorie bestimmt, was wir beobachten können.« (Nur die Psychiatrie hält noch weitgehend am Begriff der sogenannten Wirklichkeitsanpassung als Gradmesser für geistige Gesundheit oder Krankheit fest, womit naiverweise impliziert ist, daß es eine menschenunabhängige wirkliche Welt gibt, die den »Normalen« zugänglich ist.)

Eigens feststellen zu wollen, daß *Stil* das Wesen des Geschaffenen prägt, käme einer Tautologie gleich. Daß diese Feststellung aber auch für Lebensstile gilt, ist weniger offensichtlich und scheint – wenigstens auf den ersten Blick – den Stilbegriff vollends zu verwässern. Die Phänomene der sogenannten sich selbsterfüllenden Prophezeiungen (Watzlawick, P., 1981) aber belehren uns eines besseren. Hand in Hand mit der einmal gewonnenen Überzeugung, die Welt *sei* so und so, geht die Nemesis der *praktischen Herstellung* dieser Wirklichkeit:

Die delphische Pythia hatte prophezeit, daß Ödipus seinen Vater töten und seine Mutter heiraten werde. Dieser Mythus gilt allgemein als Allegorie der für alle emotionalen Probleme grundlegend erachteten libidinösen Hinneigung des Kindes an den gegengeschlechtlichen Elternteil und der damit einhergehenden negativen Gefühle in bezug auf den gleichgeschlechtlichen. Wie Karl Popper (1979) dagegen vorschlug, läßt sich der Mythos aber auch ganz anders auslegen: Was immer die Eltern und auch Ödipus selbst aus Entsetzen über die für sie fraglos richtige Weissagung des Orakels zu seiner *Vermeidung* taten, führte zu dessen *Erfüllung*. Eben dies ist das Wesen jeder selbsterfüllenden Prophezeiung. Gerüchte von der bevorstehenden Verknappung einer für viele Menschen wichtigen Ware (zum Beispiel Benzin) führen zu Hamsterkäufen, die über Nacht die Verknappung herbeiführen –

und zwar auch dann, wenn das Gerücht jeder ›wirklichen‹ oder ›wahren‹ Grundlage entbehrt. Es genügt, daß eine hinreichend große Zahl von Menschen es für bare Münze nimmt. Wer – aus welchen Gründen auch immer – der Überzeugung ist, man mißachte ihn, erzeugt durch diese Annahme eine zwischenpersönliche Wirklichkeit, die seine Überzeugung tagtäglich ›bestätigt‹. Sein mißtrauisches, leichtverletzliches, feindseliges Gehabe wird in den anderen die von ihm erwartete Haltung erzeugen, was ihm wiederum ›beweist‹, daß die Welt *so* ist. »Häufig ist die Prophezeiung die Hauptursache für das prophezeite Ereignis«, schrieb schon Thomas Hobbes in seinem *Behemot.*

Damit soll aber nicht der Eindruck erweckt werden, daß es sich bei den wirklichkeitsschaffenden Folgen eines Lebensstils eben doch um eine »Einbahnstraße« von linearen Zusammenhängen zwischen Ursache und Wirkung und nicht um zirkuläre Wechselwirkungen handelt. Gerade das Phänomen der selbsterfüllenden Prophezeiung zeigt, daß die wirklichkeitsschaffende Annahme von ›innen‹ wie von ›außen‹ kommen kann, denn ob der Ursprung der Prophezeiung im Kopf einer Pythia oder im eigenen Kopf entsteht, ob sie das Leitbild einer bestimmten kulturellen Epoche ist, ob man nur ›glaubt‹, die anderen verachten einen oder ob sie es ›wirklich‹ tun, ist in dem Augenblick gleichgültig, in dem sich der Interaktionskreis herausgebildet hat, in dem Wirkung Ursache und Ursache Wirkung bedingt. In diesem Sinne sind die Schlußfolgerungen des chilenischen Biologen und Systemtheoretikers Varela zu seinem Thema »Der kreative Zirkel« (Varela, F., 1981) auch für das Verständnis von Lebensstilen voll gültig:

Daß die Welt von so plastischer Beschaffenheit sein soll, weder subjektiv noch objektiv, weder einheitlich noch trennbar, noch zweierlei und untrennbar, ist faszinierend. Das weist sowohl auf die *Natur* des Prozesses hin, den wir in seiner ganzen förmlichen und materiellen Beschaffenheit erfassen können, als auch auf die fundamentalen *Grenzen* dessen, was wir über uns und die Welt begreifen können. Es zeigt, daß die Wirklichkeit nicht einfach nach unserer Laune konstruiert ist, denn das hieße anzunehmen, daß wir von innen heraus einen Ausgangspunkt wählen können. Es beweist ferner, daß die Wirklichkeit nicht als etwas objektiv Gegebenes verstanden werden kann, das wir wahrzunehmen haben, denn das hieße wiederum einen äußeren Ausgangspunkt anzunehmen. Es zeigt in der Tat die eigentliche *Grundlosigkeit* unserer Erfahrung, in der uns gewisse Regelmäßigkeiten und Interpretationen gegeben sind, die aus

unserer gemeinsamen Geschichte als biologische und soziale Wesen ent-
standen. Innerhalb dieser auf stillschweigender Übereinkunft beruhenden
Bereiche gemeinsamer Geschichte leben wir in einer scheinbar endlosen
Metamorphose von Interpretationen, die einander ablösen.

Literatur

Glasersfeld, E. v. (1979), »Reflections on John Fowles' *The Magus* and the
Construction of Reality«. In: *The Georgia Review* 33. S. 444-448.

Glasersfeld, E. v. (1981), »Einführung in den radikalen Konstruktivismus«. In: Watzlawick, P. (Hg.), *Die erfundene Wirklichkeit*. München.
S. 16-38.

Hesse, H. (1970), *Der Steppenwolf*. In: ders., *Gesammelte Werke*. Bd. 7.
Frankfurt/Main. S. 181-413.

Popper, K. (1979), *Ausgangspunkte*. Hamburg.

Schrödinger, E. (1958), *Mind and Matter*. Cambridge.

Varela, F. (1981), »Der kreative Zirkel«. In: Watzlawick, P. (Hg.), *Die
erfundene Wirklichkeit*. München. S. 295-309.

Vico, G. (1858), *De Antiquissima Italorum Sapientia*. (Stamperia de'
Classici Latini). Neapel.

Watzlawick, P. (1981), »Selbsterfüllende Prophezeiungen«. In: ders.
(Hg.) (1981), *Die erfundene Wirklichkeit*. München. S. 91-110.

V
Abgesänge

K. Ludwig Pfeiffer
Produktive Labilität
Funktionen des Stilbegriffs

I

Wer sich heute (noch) mit dem Stilbegriff beschäftigt, gerät schnell in einen eigentümlichen Schwebezustand. Die modernen Kulturwissenschaften können ihre Gegenstände schon lange nicht mehr als bloße Momente im Wandel geistiger Traditionen begreifen. Marxistische Denkformen haben dagegen, wie man weiß, seit langem Stellung bezogen; Varianten sozialgeschichtlich orientierter Literaturgeschichtsschreibung haben in jüngerer Zeit die Traditionen europäischer Geist- und Bildungsbeflissenheit untergraben. Heute nehmen sich solche Kurskorrekturen vergleichsweise harmlos aus. Radikaler haben, jedenfalls der Absicht nach, die neueren Franzosen mit liebgewordenen Vorstellungen aufgeräumt. Auch wenn man ihre Absichten der Sinn*kritik* im Prinzip billigt, vermißt man freilich oft genug vergleichende und historische Analysen von Sinn*bildungsleistungen*. Auch wenn Sinnstrategien historisch oft genug fehlschlagen, erbringt ihre Analyse mehr an Einsichten in kognitives Verhalten als die theoretische Kritik von Sinn*begriffen*. Daher laufen seit einiger Zeit Bemühungen, Sinnbildungen und Sinnprodukte auf Typen von Kommunikationssituationen (zum Beispiel mündlich/ schriftlich) bzw. auf die Medien (Schrift, Buchdruck, elektronische Medien usw.) zu beziehen, in denen Sinnprodukte allererst hergestellt werden. Dadurch können sich, von der Literaturwissenschaft (vgl. zum Beispiel Kittler, F., 1985 sowie Kittlers Beitrag in diesem Band) bis in die Theologie (vgl. etwa Kelber, W. H., 1983), die Perspektiven einschneidend verändern.

Der Stilbegriff freilich hat sich bislang als weitgehend immun gegen derartige Umkrempelungen erwiesen (vgl. Ong, W. J., 1977, S. 53 f., 82 ff.). Diese Immunität hat Geschichte. Theoretisch immer wieder totgesagt, von permanenten Defitionsschwierigkeiten bedrängt, hat sich der Stilbegriff *praktisch* zäh gehalten und bislang jeden Verschleiß mit Funktionsgewinnen in anderen

Bereichen ausgeglichen. Wer sich an den Stilbegriff heranwagt, versichert normalerweise schnell, wie vage, ja widersprüchlich der Begriff, wie ungreifbar die damit angepeilten Phänomene (geworden) seien (zum Beispiel Anderegg, J., 1977, S. 7 ff.). Wer den Begriff verwendet, verstößt nur allzu leicht gegen elementare Regeln der Begriffsbildung. Aber auch mit solchen Bedenken sind Erfassungs- und Beschreibungsbedürfnisse, deren sich der Stilbegriff immer wieder annehmen muß, nicht abzuschaffen.

Der Begriff des (Sprach-)Stils entstammt der klassischen Rhetorik; er teilt deren Schicksale, ja steigert ihre Vielfalt. Zwar treten ›rhetorische‹ Sprachformen und insofern stilistische Probleme wohl in allen Kulturen und Gesellschaften auf. Häufig regelt die Sprache auch in ›archaischen‹ oder ›primitiven‹ Kulturen die Beteiligung an gesellschaftlicher Macht. Die arabische Poetik kennt Sprachstilstufen, die jenen des europäischen Mittelalters weitgehend gleichen (vgl. Quadlbauer, F., 1962, S. 129). Aber offenbar haben solche Probleme nur in der griechisch-römischen Welt die Ausbildung einer eigenen Disziplin erzwungen. Es klingt plausibel, wenn G. A. Kennedy Entwicklung und Institutionalisierung der Rhetorik als Moment in der Ausdifferenzierung gesellschaftlicher und symbolischer Arbeitsteilung deutet und die Entstehung des Stadtstaates und ›demokratischer‹ Regierungsformen, die Einführung des phönizischen Alphabets, die Niederschrift der *Ilias* und der *Odyssee*, das Auftauchen neuer literarischer und künstlerischer Formen wie der Komödie und der Tragödie, der dorischen und ionischen Architektur, die begriffliche und praktische Ausbildung von Philosophie und Wissenschaften, endlich, auf einer ganz anderen Ebene, die Durchführung der Olympischen Spiele zu einer historisch besonderen und folgenreichen Problemkonfiguration verknüpft (Kennedy, G. A., 1980, S. 6-15). Schon dieser Ausgangssituation aber sind Virulenz wie Flüchtigkeit des Stilbegriffs eingezeichnet. Schon sie offenbart, daß der Stilbegriff jene vorhin genannten kommunikations- bzw. kulturtypologischen und medialen Differenzierungen überlagert, mit welchen man die traditionellen geisteswissenschaftlichen Orientierungen auszuschalten hofft.

In diesem Essay möchte ich daher zeigen, wie sich im Stilbegriff Notwendigkeit *und* Grenzen der Dekonstruktion ›alteuropäischer‹ (N. Luhmann) Vorstellungen immer wieder exemplarisch verdichten. Ich beginne an dieser Stelle mit einer knapp gehaltenen Skizze, die ich später ausführlicher entfalten will. Als die griechische Rhetorik entsteht, hält die Verschriftlichung ihren Einzug. Aber die Kontrolle sprachlicher Implikationen – so will ich vorläufig das Problem des Sprachstils umschreiben, das sich zwischen Wahrheitskriterium, sittlichen Forderungen und Überredungszwängen ausdehnt – findet, etwa bei Gericht, noch in Situationen intensiver Mündlichkeit statt. Stimme, ›Körpersprache‹, die Unmittelbarkeit sozialpsychologischer Umstände und Abläufe gehören zur Sache ebenso wie die Sprache. Dennoch ist dieser Totalrhetorik eine Tendenz zur Literatisierung immer schon eingebaut. Kennedy hat die *letteraturizzazione* der Rhetorik, mithin die *scheinbare* Verselbständigung dessen, was später *elocutio* und dann eben ›Stil‹ heißen wird, mit Erziehungssystemen, mit ursprünglichen Überschneidungen zwischen mündlicher Literatur und Rhetorik, mit dem gleichsam natürlichen Auftauchen rhetorischer Sprachformen auch in der verschriftlichten Literatur und anderem mehr in Verbindung gebracht (Kennedy, G. A., 1980, S. 5, 109-115). Aber die Verselbständigung des schriftlichen Sprachstils bleibt vordergründig. Erlöschen die Wirkungen und Kontrollen situativ-mündlicher Präsenz, so müssen andere einspringen; Sprache verfällt auch dann nicht der puren Abstraktheit, wenn wir uns nicht der Illusion direkter Wirklichkeitsbezüge hingeben.

Damit ist eine paradoxe Struktur vorgezeichnet. P. Zumthor hat sie für das Mittelalter in seinem Beitrag dingfest gemacht. Den volkssprachlichen mittelalterlichen Literaturen könnte allenfalls eine Rhetorik beikommen, welche die Gesamtheit der Inszenierungsbedingungen, der Performanzaspekte der Werke anzuvisieren vermöchte. Eine derart umfassende Rhetorik hat das Mittelalter aus Gründen, die nachzuliefern sind (vgl. unten Abschnitt III), weder rezipiert noch selbst aufgebaut. Aber die sich vermeintlich auf die lateinische Schriftsprache beschränkenden rhetorischen Systeme verstricken sich in Probleme eigener Art, welche ihre normativen, später deskriptiven Vorgaben überborden. Diskrepanzen zwischen Theorie und sprachlicher Praxis brechen auf, welche bislang noch jede Phase ihrer Beziehungen heimgesucht haben. Der Grund dafür könnte einfach sein. Wir können offenbar auf Theorien unseres sprachlichen – und nicht nur sprachlichen – Handelns ebensowenig verzichten wie wir das Handeln mit den Theorien vollständig in den Griff zu bekommen vermögen. Wir behelfen uns, indem wir mit dem Suchbegriff ›Stil‹ jene Bezüge zwischen Sprache, Verhalten und ›Wirklichkeiten‹ zu entdecken suchen, die sich gegen eindeutige Zuordnungen sperren.

II

Dies mag vorläufig dunkel klingen. Ich will daher die paradoxe Struktur im Kontrastprogramm *moderner Sprachwissenschaft* und *moderner Literatur* noch schärfer konturieren, bevor ich mich auf eine stärker geschichtlich-lineare Entfaltung von Funktionsproblemen des Stilbegriffs einlasse. Die Sprachwissenschaft hat den Begriff, wie J. Trabant in seinem Beitrag zeigt, mit Gründen gemieden. Zwischen den Systemen der Grammatik und Semantik und ihrer Ausdifferenzierung in Textsorten und situationellen Varietäten einer Sprache, um die sich die Text- und Soziolinguistik kümmern, kann sich der Stilbegriff keinen rechten Platz sichern. Unverdrossen unternimmt man zwar Versuche, Stil als eine wie auch immer begrenzte Wahl sprachlicher (oder anderer) Ausdrucksmöglichkeiten im Blick auf Sachverhalte und ihre Bedeutung zu begreifen (vgl. Lang, B., 1979, S. 236). Aber ebenso hartnäckig kann man bestreiten, daß sich Ausdruck (das Wie, die Art einer Äußerung), Bedeutung und Sachverhalte überhaupt trennen lassen (vgl. Goodman, N., 1978, S. 231 f.). In dieser Situation mag der Kompromiß, Stiluntersuchungen als Stilsemantik zu betreiben, verlockend wirken. Allein, die Koppelung ›stilistischer‹ Differenzen mit Bedeutungsunterschieden gelingt kaum in einfachen Fällen (Wortumstellungen, Aktiv/Passiv usw.); solche Differenzen müssen in semantischen Modellen normalerweise durch identische semantische Repräsentationen beschrieben und damit neutralisiert werden. Schon Erasmus treibt in seinem rhetorischen Traktat (*De Duplici Copia Rerum et Verborum*, 1511) die mögliche semantische Neutralität stilistischer Wahlen auf eine absurde Spitze, wenn er 150 Formulierungsmöglichkeiten für den Satz »Dein Brief hat mir sehr gefallen« und gar 200 Varianten für den Ausdruck »Ich werde an Dich denken, solange ich lebe« aufzählt (vgl. Kennedy, G. A., 1980, S. 206). Jedenfalls verfängt sich die Stilsemantik in den Fallstricken des philosophisch und linguistisch ungelösten Problems der Synonymie und der Paraphrase (vgl. dazu Spillner, B., 1974, S. 22 ff.). Es hilft nicht viel, wenn man semantische Wirkungen stilistischer Wahlen auf bestimmte, zum Beispiel ›identifizierende‹ im Gegensatz zu stilistisch unbeeinflußbaren ›kognitiven‹ oder ›emotiven‹ Bedeutungen beschränkt (vgl. etwa Chatman, S., 1967, S. 349 ff.). Auch gegen solche Definitionsversuche stehen die Einwände, die B. Gray (1969, S. 12, 42, 103 ff.) gegen Stildefinitionen vorgebracht hat. Eine unklare, populäre Vorstellung verführe zur Setzung eines Sachverhalts, den es in prägnanter Form gar nicht gebe. Vergleicht man aber die Bedeutungsimplikationen wohlbestimmter stilistischer Unterschiede, dann wird der Stilbegriff unversehens zur Formbedingung der Mitteilbarkeit von Sachverhalten radikalisiert.

Eine solche Konsequenz, die der institutionalisierte Optimismus der mit dem Stilbegriff befaßten Wissenschaften kaum offen zuläßt, hat wohl vor allem der klassische moderne Roman gezogen. So decken die Stilparodien in Joyces Ulysses auf, wie leicht die zu identifizierbaren Stilformen geronnenen Sprachprägungen als bloße Metaphern für die Formbedingungen von Bedeutung durchschaut werden können (vgl. Iser, W., 1972, S. 296 f. und unten, S. 692).

In dieser Zwickmühle, die moderne Linguistik und moderne Literatur andeuten, kommt dem Stilbegriff ein eigener, operationalisierbarer Sinn abhanden. Die vermeintlichen Stilunterschiede entfalten entweder keine einigermaßen sicheren semantischen Wirkungen oder sie fallen mit Bedeutung zusammen. Das Verschwinden des Stils in der Bedeutung führen unfreiwillig jene Stiltheorien vor, die das Phänomen Stil zumindest literarisch retten möchten: Danach durchmischen sich in der vollkommenen sprachlich-poetischen Kondensierung erlesener Erfahrung und Emotionen Gegenstand, Erfahrung und Sprache in unentwirrbarer Weise. Die Höhepunkte dichterischer Sprache gelten dann schlechthin als Stil, weil sie ein Spektrum von Gefühlen, ja ein Universum der Erfahrung in einem Dutzend Zeilen verkörpern. Stil ist dann keine Eigenschaft der Sprache, sondern deren kreative Kristallisation schlechthin (vgl. Murry, J. M., 1922, S. 31, 70, 76 ff., 86 ff.). Stiltheorie scheint hier zur epigonalen Romantik abgesunken. Dagegen mag man sich sträuben. Aber solche Zustände haben sich geschichtlich vergleichsweise folgerichtig eingestellt. Wo sich der Stilbegriff von den normativen Vorgaben älterer Rhetorik und Poetik befreit (vgl. dazu zum Beispiel die Beiträge von A. Assmann und K. Dirscherl), da verschwimmen die Bezüge (Persönlichkeit, Sachverhalt, Situationen, Wirkungen), in die so etwas wie neue ›Individualstile‹ eingebunden werden könnten. Die bereits der Antike geläufige »topische Gleichung von Mensch und Stil« (Müller, W. G., 1981, Kap. 1) breitet sich inflationär aus – die *Topik des Stilbegriffs* von W. G. Müller ist weitgehend damit ausgelastet, das unabschließbare Schicksal gerade dieses Topos bis ins 20. Jahrhundert hinein zu verfolgen. Die Gleichung besitzt in der Antike etwa mit der Idee des *vir bonus* eine sittliche Bezugsdimension und damit eine relative Eindeutigkeit, die auf Dauer nicht gehalten werden können. Buffons berüchtigtes Diktum hat folglich jene Exegeten nicht ruhen lassen, die herausfinden wollten, was er damit eigentlich gemeint habe; der Variierbarkeit, der beständigen Uminterpretierbarkeit des Satzes scheinen bis ins 20. Jahrhundert keine Grenzen gesetzt (vgl. Müller, W. G., 1981, S. 40-51). Daher muß der Stilbegriff spätestens dann zerbrechen, wenn, wie bei W. Pater im späten 19. Jahrhundert, die dichterische Sprache Ausdrucksfunktionen verweigert und dem Referenzdruck nicht mehr nachgibt. Bei Pater scheint sich die Sprache zu verselbständigen. Sie soll keinem nachvollziehbaren Inhalt Ausdruck verleihen; in ihr soll sich aber auch nicht die Persönlichkeit, die Seele des Künstlers verströmen. Ihre »bewußt erzeugte artistische Struktur« (Müller, W. G., 1981, S. 140) spiegelt zwar Ausdruckszwänge, doch diese laufen ins Leere, weil sie eine *inkommensurabel* gewordene Subjektivität umkreisen (vgl. Chandler, E., 1958, S. 85-89, Iser, W., 1960, S. 71).[1]

Natürlich kann man sich *praktisch* über Regelmäßigkeiten von Sprachverwendungen einigen, die durch das Raster der Grammatik hindurchfallen (Stilebenen, Funktionalstile). Aber dann fragt es sich, ob diese durch eine Reihe anderer Kategorien, wie sie etwa der linguistische Funktionalismus (M. A. K. Halliday zum Beispiel) entwickelt hat (Ton, Rolle, Register, Textsorte usw.), nicht präziser beschrieben werden. Eine Stilistik, die sich als Ermittlung der »Ausdruckswerte« (Schneider, W., 1959, Faulseit, D./Kühn, G., 1972, Sowinski, B., 1972) von »Stilzügen« versteht, hat in diesem Kontext einen impressionistisch labilen Kompromiß angesteuert. Er krankt vor allem daran, daß sich Stilwerte und stilistische Effekte nicht vorhersagen lassen, sondern sich allenfalls im komplizierten Zusammenspiel von Kontexten und Leserrezeptionen ergeben (vgl., auch zu weiteren Einwänden, Spillner, B., 1974, S. 17).

Die Einbettung von Stilkonzepten in linguistische Paradigmen (Abweichungsstilistik, Stilbegriffe innerhalb der Transformationsgrammatik, der Textlinguistik und der linguistischen Poetik) hat bislang nicht befriedigt. Der Begierde, den »Totaleindruck« spezifischer Sprachverwendung einzufangen, können wir kaum widerstehen (vgl. den Beitrag von J. Trabant). Aber die Möglichkeit, solchen Begierden in linguistisch strenger Form nachzugeben, scheint angesichts der offenen Horizonte, welche Überblicke wie jener Spillners (1974) unweigerlich ansammeln, in weite Ferne entrückt. Inzwischen mag man den Eindruck gewinnen, das linguistische Interesse an Stil sei ein Nebenprodukt des Linguistik-Booms der siebziger Jahre gewesen und mit dem Boom auch dahingegangen. Überdies wurde das Treffen zwischen Linguistik und Stil zu einem wissenschaftsgeschichtlich wenig verheißungsvollen Zeitpunkt eingeläutet. Es fand statt, als diskurstheoretische Ansätze den linguistisch-literaturwissenschaftlichen Stilvorstellungen und ihren diffusen, sprachphilosophisch ungeklärten Grundlagen schon kurzen Prozeß zu machen schienen. Zwar dürfte ein latenter linguistisch-literaturwissenschaftlicher Minimalkonsens darin bestanden haben, Stil für die Art und Weise eines von der Grammatik nicht durchregulierten Sprachgebrauchs und damit für das expressive Moment individueller oder gruppenspezifischer Sinnbildungen zu halten (vgl. Sanders, W., 1973, S. 7, 93 ff., Anderegg, J., 1977, S. 15, 54 f.). Hält man aber dagegen, daß Diskurse den Dingen Gewalt antun, daß die Ausübung solcher Gewalt durch gesellschaftliche Kontrolltechniken und innerdiskursive Prozeduren reglementiert wird (vgl. Foucault, M., 1971, S. 10 ff., 23 ff., 30 ff., 45 ff.), dann verliert ein solcher Stilbegriff jeglichen systematischen Ort. Derrida hat in einem im übrigen durchaus plausiblen etymologischen Spiel mit *stilus* und *stiletto* den Stilbegriff auf diese Konnotationen der Gewalt festgenagelt (Derrida, J., 1979; vgl. den Beitrag von W. Ernst; zu denken wäre auch an die Implikationen von *écriture*-Begriffen). Schon Flaubert (»Ein Stil, der in den Gedanken wie ein Stilett-Stich führe«, vgl. Robert, P., ²1985, s. v. *style*, 1.1.) hatte – der berühmte Satz vom Stil als einer absoluten Sichtweise der Dinge belegt dies auf eigene Weise – mit einer Verabschiedung des üblichen verwaschenen Stilbegriffs geliebäugelt. Es scheint, als habe das Spiel mit diesem Doppelsinn schon bei Cicero begonnen (vgl. Georges, K. E., [11]1962, s. v. *stilus*).

Ich habe bereits angedeutet, daß man die linguistisch-literaturwissenschaftlichen Schwierigkeiten mit dem Stilbegriff und seine diskurstheoretische Umpolung mit Sinnrichtungen moderner Literatur zusammenbringen kann. Mit der Plazierung der beiden ersten Beiträge (W. Ernst, B. Pichon) haben wir jedenfalls derartige Konvergenzen unterstellt. Die Klassiker moderner Literatur, und nicht nur sie, blockieren Stilanalysen herkömmlicher Machart. Sie zerstören in den Texten jene Pseudo-Kohärenz, zu der sich in älterer Literatur Sprache, Subjektivität und Sache zu verschränken schienen. Bei Pater wirken Ausdruckszwänge noch fort. Aber sie schlagen sich allenfalls in einem ›manieristischen‹ Stil nieder, der weder Sachverhalte verdeutlicht noch auch Subjektivität erläutert. Die moderne Literatur hat auch diese leerlaufenden Ausdruckszwänge abgebaut. Sie ist daher weniger durch Stil als durch Verfahren (der Stil*parodie* usw.) zu charakterisieren. Broch etwa hebt auf die »Technik«, die »Methode«, »Syntax« und die »Logik« ab, mit welcher »Realitätsvokabeln« in der Dichtung neu zusammengesetzt werden (Broch, H., 1933, S. 106-117).[2] Selbst der amerikanische Roman, der die europäische Moderne erst im Postmodernismus ein- und überholt, der in den dreißiger Jahren sozialgeschichtliche Orientierungsbedürfnisse nicht einfach beiseite schieben kann, bekundet das Veralten der literarisch-sprachlichen Stilkategorie. Die Position von J. Dos Passos mag dabei schwierig zu verorten sein. Aber bei Faulkner und N. West gehen Stilphänomene, wie im Blick auf West der Beitrag von B. Pichon zeigt, als Fragmente parodierter Kohärenz sang- und klanglos unter; der Stilbegriff ist, wenn überhaupt, auf einer ganz anderen Ebene zu reaktivieren. Derartige Verfahren decken die problematischen Voraussetzungen auf, die in jenen literaturwissenschaftlichen Stilanalysen stecken, wie sie von L. Spitzer bis zu W. Kayser psychologisierend oder werkstilbezogen unternommen wurden. Die Erhebung sprachlicher Merkmale in den Rang bedeutsamer Stilzüge klappt nur, weil Bedeutsamkeit von diffusen weltanschaulichen Bezügen erborgt wird, auf welche die moderne und vielleicht auch ältere Literatur nicht verpflichtet werden kann (vgl. dazu Nohl, H., 1920 a, b und die Beiträge von H.-J. Neuschäfer und R. Rosenberg).

III

Diese Situation besaß und besitzt für das hier vorgelegte Stilunternehmen Symptomwert. Der Verschleiß des Stilbegriffs in seinen angestammten sprachlich-literarischen Domänen und seine Wiederbelebung in anderen Bereichen gehören, so lautet meine Hypothese, *einem* Problemzusammenhang an. Ich will im folgenden die Koppelung sprachlich-literarischer *Anwendungsverluste* mit neuen *Gebietsgewinnen* des Stilbegriffs, die wir seit mindestens hundert Jahren deutlich beobachten können, funktionsgeschichtlich noch schärfer herausarbeiten. Wer Funktionsgeschichte betreibt, muß auf Definitionsversuche erst einmal und vielleicht für immer verzichten. Soll der Begriff Erkenntnismöglichkeiten öffnen, dann müssen zunächst die »Abhängigkeiten und Zusammenhänge« (Anderegg, J., 1977, S. 103, vgl. S. 101 ff.) offengelegt werden, in denen der Begriff trotz oder gerade wegen seiner Vagheit wichtige Funktionen übernimmt.

Wenn wir uns heute mit der diffusen Allgegenwart des Stilbegriffs herumplagen, die Undurchsichtigkeit seiner Implikationen beklagen, dann verwandelt gerade dies ihn in einen Suchbegriff für Schwachstellen der ihn verwendenden kulturwissenschaftlichen Disziplinen. Dem Stilbegriff eignet eine – vielleicht – untilgbare Vagheit; aber diese Vagheit besitzt systematischen Charakter. Man kann es angesichts der wissenschaftstheoretischen Ermüdungserscheinungen als eine wissenschaftsgeschichtlich bedeutsame Erfahrung verbuchen, daß ein Begriff auch dann, wenn er nie das geregelte Leben eines wissenschaftlichen Terminus geführt hat, nicht einfach von der Bildfläche verschwindet. Offenbar machen sich in der Beschreibung der Sprache, der Kunst, ja des Handelns Bedürfnisse und Aspekte geltend, welche die kategorialen Apparate moderner Wissenschaften weder vollständig auf den Begriff zu bringen noch auch auszutreiben vermochten. Vielmehr müssen sie sich, wie etwa linguistische Versuche, die Frage gefallen lassen, ob sie nicht dem »Phantom einer restlos geordneten Wirklichkeit« (Anderegg, J., 1977, S. 49) aufsitzen. Die Funktionsgeschichte des Stilbegriffs ist spannend, weil sie ständig in eine Folge von Selbstdekonstruktionen kippt, aber sich einer abschließenden, ›theoretischen‹ Dekonstruktion bisher immer wieder entzogen hat.

Überblickt man die Aus- und Einwanderungsgeschichten, die der

Stilbegriff durchgemacht hat, so stößt man im Rahmen der europäischen Tradition auf ›Virulenzbereiche‹, deren Spannweite von der Rhetorik über die Poetik und die Ästhetik bis hin zu den Kulturwissenschaften, ja die Philosophie und gelegentlich auch die Naturwissenschaften reicht. Diese Wanderbewegungen halten gemeinsame Problemkonturen durch. Ich presche also mit einer bereits angedeuteten *ersten These* vor und behaupte, daß der Sprachstilbegriff stets als Suchbegriff für Kontrollmöglichkeiten oder doch zumindest als Erfassungsraster für die Implikationen von Sprachhandlungen fungiert. Dies soll besagen, daß Stil immer auf soziokulturelle Vorentscheidungen verweist, ohne diese direkt in den Blick zu rücken. Das komplexe Netz solcher Verweisungen bleibt im Streit um Stilhöhen und -ebenen, um Wortwahl und Satzbau, kurz: im Streit um die auch heute noch nicht begrabene latent oder offen normative Stilistik (vgl. zum Beispiel Reiners, L., 1961, Seidler, H., 1953, Seiffert, H., 1977) meist verborgen. Ansatzweise hat allenfalls in der linguistischen Stilistik G. N. Leech Stil mit sprachlichen Kontrollproblemen gekoppelt, gerade aber deshalb die Linguistik in den Status einer bloß deskriptiv präzisierenden Hilfsdisziplin zurückgenommen.[3] Man kann die These von der »Ubiquität« der Rhetorik (und damit des Stilbegriffs) teilen (vgl. Plett, H.F., 1977a, S. 11). Aber die Rhetorik hat es gerade wegen der unaufgeklärten Kontroll- und Implikationsprobleme im Bereich der *elocutio*, in welchem der Stilbegriff verankert ist, noch nie bis zu einem geschlossenen System gebracht. Die Apparate rhetorisch-stilistischer Kategorien reichen nicht einmal aus, um, wie H. Bonheim bemerkt, ein paar Zeilen Shakespeare zu durchdringen (Bonheim, H., 1977, S. 121). Bonheim geht daher bei seiner Erneuerung rhetorischer Systeme höchst zurückhaltend zu Werke. Vermehrt man nämlich die normativen oder deskriptiven Termini, um das Erfassungspotential der Rhetorik zu steigern, so läuft man nicht nur Gefahr, daß niemand die Termini behalten und anwenden kann. Man riskiert auch, daß man Erscheinungen nicht bemerkt, für welche trotz der Begriffsvermehrung noch immer keine Begriffe existieren (Bonheim, H., 1977, S. 121). Die Literarisierung der Rhetorik hat, wie bereits angedeutet, zu ihrer vordergründigen Beschränkung auf die *elocutio* und zu Ausfallerscheinungen bei den mündlich wirksamen Sprach- und Situationskontrollen (*actio, pronuntiatio*) geführt. Man täuscht sich freilich, wenn man wie Plett

(Plett, H. F., 1977b, S. 148 ff.) glaubt, den Kontroll- und Erfassungsbedarf von Sprachverwendungsweisen über die säuberliche Scheidung postulierter (zum Beispiel narrativer, dialogischer, fiktionaler) Teilkompetenzen decken zu können. Solche Postulate können als lediglich theoretische Kompensationen eines Verlustbewußtseins gelten: Seit dem Ende des 18. Jahrhunderts gibt die Rhetorik auch theoretisch nicht mehr die Einheit von poetischer und sprachlicher Produktionstheorie und Analysesystem vor. Friedrich Schlegel ersetzt sie durch »Kritik«; der kongeniale Kritiker schwingt sich zum Partner des genialen Dichters auf. *Praktisch* aber hat sich die Schere zwischen Produktionstheorie und Analysesystem einerseits und den vielfältigen Sprachprodukten vorwiegend schriftlicher Kulturen andererseits schon lange vorher weit geöffnet. Perspektiven und geschichtliches Material für diese Diskrepanz haben im vorliegenden Band vor allem die Beiträge von A. Assmann, K. Dirscherl, R. Lachmann, H.-J. Lüsebrink und H. Pfeiffer beigeschafft. Man kann, wie ich sogleich vorführen möchte, die Diskrepanz weit zurückverfolgen. Jedenfalls ist der Gegenstand ›Stil‹ wohl deswegen von allen möglichen theoretischen Bemühungen »in einem erstaunlichen Maße unberührt geblieben« (R. Ohmann, zit. bei Sanders, W., 1973, S. 22), weil er kein Gegenstand, sondern Chiffre für (zunächst) sprachliche Kontrollprobleme ist. Daher entspringt K. Dockhorns Reduktion der Rhetorik auf ein die Sprachbeschreibung erleichterndes Hilfsmittel, das seine Kategorien im wesentlichen und übersichtlich aus Ciceros *Orator* und einer »nicht zu umfangreichen Tafel der Tropen und Figuren« (Dockhorn, K., 1977, S. 267), beziehen kann, nicht oder nicht nur einer wissenschaftskonservativen Position. Denn die Rhetorik hat von Anfang an »formale Anforderungen und Sachwissen« miteinander verknüpft (Fuhrmann, M., 1984, S. 9). Philosophie und rhetorische Sophistik lassen sich nur in ihren extremen Ausprägungen – etwa in Platons allerdings nur im *Gorgias* radikaler Rhetorik-Kritik auf der einen und im radikalen Relativismus etwa eines Anaximenes auf der anderen Seite – wirklich auseinanderdividieren. Funktionsgeschichtlich gesehen suchen sowohl Philosophie als auch Rhetorik jene vernünftigen Orientierungen aufzubauen, welche vordem die mythische Tradition geliefert hatte (vgl. Fuhrmann, M., 1984, S. 30 f., Kennedy, G. A., 1980, S. 15). Rückblickend kann man angesichts der eher konfusen Rhetorik-Diskussion Platons im

Phaidros, angesichts der lavierenden, praxisbezogenen Kompromißbereitschaft des Aristoteles und seinem Schwanken zwischen Wissenschaft, Meinen und Kontrollfunktionen der Tugend fragen, ob das Wissen, in gleich welchem Bereich, überhaupt so stabilisierbar war, daß sprachstilistische Normen zuverlässig greifen konnten. Philosophische Argumente und sozialgeschichtliche Dynamik lassen sich nicht streng aufeinander abbilden. Das Problem sprachlicher Kontrolle und damit die verdeckte Labilität des Stilbegriffs ist ihrem diffusen, aber unabweisbaren Zusammenhang freilich allemal zu verdanken. Fuhrmann hat ihn auf einen Nenner gebracht: die gesamte Kultur (Sprache, Religion, Staat, Moral, Recht, Gesellschaft) sei schon bei den Griechen nicht mehr als gegebene Tatsache hingenommen, sondern zum Gegenstand der Reflexion und Kritik gemacht worden (Fuhrmann, M., 1984, S. 18, *passim*; zu weiteren Einzelheiten vgl. Heldmann, K., 1982, S. 14 ff., Ueding, G., 1976, S. 13 ff., Vondung, K. 1984, sowie den Beitrag von T. Schleich in diesem Band).

Die großen Rhetoriken haben die selbstgestellte Aufgabe, die Formulierung eines geordneten Zusammenhangs zwischen Sache, Sprache und Wirkung, kaum bewältigt; ihre Kategorien verwandeln sich oft genug in verkappte Leerformeln. Eine *zweite These*, die, wie ich zu zeigen hoffe, für alle Virulenzbereiche des Stilbegriffs gilt, lautet daher: der Stilbegriff zielt nicht vornehmlich auf die Erfassung eingrenzbarer Sachverhalte ab. Er überdeckt vielmehr analytische Schwächen anderer Kategorien. Das macht ihn irritierend, aber auch interessant. Stil als Kompensation für Funktionsschwächen von Diskursen – eine solche Entwicklung bahnt sich spätestens in der römischen Rhetorik an. Die Kapitel Stoffauffindung, Redegattungen, Redeteile usw. bereiten den Theoretikern im allgemeinen keine Schwierigkeiten; sie nehmen sich allenfalls vergleichsweise armselig gegenüber dem Reichtum an praktischen, situationsbedingten Zweckformen aus. Bereits Quintilian aber hält die Lehre von der *elocutio* (*genera dicendi*, Stilqualitäten, Angemessenheitserwartungen) für den schwierigsten Teil der gesamten rhetorischen Theorie. Denn das Angemessene zerfällt in normative, etwa sittlichen Anforderungen genügende und in wertneutrale, die Persönlichkeit und Position des Redners oder der Adressaten spiegelnde Qualitäten. In Ciceros *De oratore* meint Crassus, die Lehre vom Stil lasse sich gar nicht isolieren, da Wörter und Sachen eine untrennbare Einheit bildeten. Da überdies der Stil von der Individualität des Künstlers, Dichters, Redners abhänge, scheint es zweifelhaft, ob es eine Stillehre überhaupt geben kann. Crassus untermauert diese Auffassung mit geschichtsphilosophischen und sozialgeschichtlichen Argumenten: einst habe ein Zustand der Ganzheit Denken, Reden und Handeln geeint. Der Zerfall dieser Ganzheit habe Theorie und Praxis, Wissenschaft und Politik, Bildung und Erziehung gespalten (vgl. Fuhrmann, M., 1984, S. 58 ff., 75 ff., 114, 120 f., Heldmann, K., 1982, S. 107). Schon in der Kaiserzeit nimmt daher die Rhetorik ihre eigentlichen, problembezogenen Funktionen nicht mehr wahr. Sie wird zum Moment einer mehr oder weniger praxisfernen Allgemeinbildung verdünnt oder zur Kompetenz von Verwaltungsjuristen im Reich als administrativ verlängerter Arm der Machtpolitik pragmatisiert. Dazu paßt, daß Quintilian an der ursprünglichen Aufgabe der Rhetorik-Handbücher, Redner auszubilden, offiziell zwar festhält, aber doch eher die »übernommenen Lehren zu einer allgemeinen Theorie und Kritik der Kunstprosa« (Fuhrmann, M., 1984, S. 71) und einem entsprechenden Überblick über die griechisch-lateinische Literatur erweitert. Ein anschauliches Symptom bietet der stationäre Charakter der rhetorischen Tradition in Byzanz. Einmal zum machtpolitischen Instrument geworden, ändert sie ihre Funktion über nahezu tausend Jahre hinweg kaum, weil die Zugänge zur gesellschaftlichen Karriere und Macht stabil bleiben. Auf diese Weise, dies ist paradox genug, überleben alte Traditionen, welche das westliche Mittelalter kaum mehr beherrschen und von anderen rhetorischen Systemen (etwa der *ars dictandi*) abgelöst worden waren. Im Grunde also für Westeuropa schon längst überholt, beanspruchen sie nach dem Fall von Konstantinopel und der ihm folgenden *translatio studii* in der Renaissance neue, freilich höchst prekäre Geltungen (vgl. Kennedy, G. A., 1980, S. 170 f.).

Jedenfalls vollzieht sich mit der römischen Rhetorik ein doppelter *Funktionsübergang*. Die Frage, wie Sprache auszusehen habe, wird in heterogene ›Systeme‹, in die Literatur und in gesellschaftliche Machtsphären (zu denen bald das Recht zählt), verlagert. In solchen Domänen aber prägen sich Probleme sprachlicher Kontrolle ganz unterschiedlich aus.

Das *Mittelalter* zieht die Diskrepanz zwischen literarischen Anwendungsdefiziten und gesellschaftlicher Pragmatisierung der *elocutio* weiter auseinander. Das Frühchristentum macht zunächst Front gegen die stilistische Funktionalisierung von Sprachverwendungsweisen in der Rhetorik: Das Evangelium, für die ›ungebildeten‹ ersten Christengemeinden abgefaßt, braucht keine Rücksicht auf sprachlich-soziale Differenzierung einer hochentwickelten heidnischen Kultur zu nehmen. Daß die Mehrheit der gebildeten Heiden das urchristliche Schrifttum als abstoßend und lächerlich empfindet, bleibt vorderhand folgenlos. Als aber das Christentum 391 n. Chr. zur Staatsreligion erhoben wird, kann es sich nicht mehr als reine Volksbewegung verstehen. Die Kirche muß den geistig und sozial führenden Schichten etwas bieten, ihre Position konsolidieren, Hierarchien ausbilden, die Lehre so bestimmt und flexibel wie möglich formulieren. Die Missionierung wirft ähnliche Probleme auf; die Rhetorik kommt zwangsläufig wieder ins Spiel. Ihre klassische Form taugt nicht zur Bekehrung der Germanen. Im Reich der Frankenkönige aber gewinnt das Repertoire der alten Rhetorik schnell an Bedeutung. Denn es liefert differenzierte Mittel, die den Zusammenhalt des Vielvölkerreiches sprachlich sichern helfen. Zwar muß das Dogma immer wieder versuchen, das Wort Gottes aus der bedrohlichen Vermehrung sprachlicher Möglichkeiten herauszuhalten; noch im 13. Jahrhundert wird dem Klerus das Studium der freien Künste, darunter der Rhetorik, verboten. Ist aber die Aufweichung fester Beziehungen zwischen Wörtern und Sachen einmal eingeleitet, so kann man sie nicht mehr per Dekret rückgängig machen. Die theologische Theorie der Rhetorik paßt sich daher insgesamt den Zwängen der Praxis an. Schon Augustin hält in *De Doctrina Christiana* die Gefahr einer stilistischen Denaturierung der reinen Lehre für zweitrangig. Er warnt vor einer umgekehrten rhetorischen Ketzerei: wenn der Sophist an sich bestehende Sachverhalte leugne und diese durch den Stil beliebig setzen zu können glaube, so irre ebenfalls, wer da meine, der Besitz der Wahrheit garantiere *ipso facto* ihre Mitteilbarkeit (vgl. Murphy, J. J., 1974, S. 59 f., Ueding, G., 1976, S. 62 ff.). Derartige Ansätze geraten bald radikaler. Hrabanus Maurus (*De Institutione Clericorum*, 819), gestattet alles, was den Bedürfnissen der Kirche entgegenkommt. Augustin legitimierte die Rhetorik noch mit dem versuchten Nachweis, daß die drei Stilebenen, welche Cicero vom Status des behandelten Gegenstandes und des Adressaten abhängig gemacht hatte, schon in der Bibel vorhanden seien. Alkuin, der Berater Karls des Großen, aber löst die freien Künste aus der biblischen Bindung und gesteht ihnen einen eigenen Stellenwert zu (vgl. Murphy, J. J., 1974, S. 60, 85 ff., 191 ff., Quadlbauer, F., 1962, S. 8 f., 21, Ueding, G., 1976, S. 63).

Daraus folgt, daß jene Bereiche schrumpfen, in denen normative Zusammenhänge zwischen Sprache und Sachverhalten ›stilistisch‹ hergestellt oder erzwungen werden können. Dies gilt selbst für die eigentliche rhetorische Leistung des Mittelalters, die Entwicklung der *ars dictaminis (ars dictandi)*. Die *ars dictaminis* fängt theoretisch den sprachlichen Problemdruck ab, welcher die zunehmende wirtschaftliche, rechtliche und administrative Komplexität zunächst vor allem im ökonomisch fortgeschrittensten Teil Europas, in Italien, erzeugt. Nicht zufällig wohl entsteht sie vor allem da, wo auch die Rechtswissenschaft sich konzentriert: in Bologna. Beide Disziplinen müssen praktischen Orientierungs- und Organisationsbedürfnissen Rechnung tragen, müssen der Vielzahl und dem Wechsel von Situationen und Umständen normativ beikommen. Für die Nachrichtenübertragung und Vertragsgestaltung wird daher ein Schatz an standardisierten Formeln angelegt und gehortet. Die Antike konnte das Problem noch mehr oder weniger auf den ›Botschafter‹ abschieben, dem man, gleich ob er die Nachricht mündlich oder schriftlich überbrachte, ver- oder mißtrauen mußte. Der steigende Organisationsgrad der feudalen Gesellschaft aber erzwingt Formel-Repertoires, welche die Sichtmöglichkeiten wechselnder Situationen soweit wie möglich einschränken. Die Rhetorik wird zur Mustersammlung für Verwaltungsbriefe und Urkunden umfunktioniert (Murphy, J. J., 1974, S. 194 ff.; vgl. Ruhe, E., 1975, S. 63-68).

Ich will das kontrastiv mit jenen Analysen verdeutlichen, die H. Lübbe der Sprachhandhabung in der heutigen Politik gewidmet hat. Hat man, nach Lübbe, einmal die politische (bzw., wie ich erweitern möchte, praktische) Unbrauchbarkeit einer positivistisch wissenschaftssprachlichen Alternative von Logik und Lyrik oder Mathematik und Mystik durchschaut, dann erleben Rhetorik und Topik eine neue Konjunktur. Die Situationen, die gedeutet werden müssen, gar das ›Ganze‹, in dessen Namen praktisch gehandelt werden soll, erwerben für die meisten Betroffenen kaum die Prägnanz konkreter Erfahrung oder vertrauter Realität. Den vermeintlichen Streit um Worte können dann nur

»esoterische Öffentlichkeiten« vermeiden, kleine homogene Zirkel also, die sich sozusagen Worte »schenken und in freier, besonnener Übereinkunft ihren Gebrauch« festlegen. In allen anderen Bereichen – das gilt, über Lübbe hinaus, nicht nur für die Politik – überlagern und durchdringen sich Sprachstil, Sichtweisen und Wirkungen. Gegensätze zwischen rhetorischer Stilisierung, also nachträglich-absichtlicher ›Verschleierung‹ und sprachlich vermeintlich ›nackt‹ oder in gutem Stil abbildbaren Sachverhalten lassen sich nur noch als Grenzfälle, Extreme oder Sonderbereiche (ideale Wissenschaftssprachen; Manipulation) konstruieren (vgl. Lübbe, H., 1967, S. 141, 143, 161 f.).

Mit Vorformen solcher Probleme hat sich schon die briefliche Nachrichtenübertragung des Mittelalters auseinanderzusetzen. Ihre Theoretiker streiten darüber, ob der Brief eine durch Regeln und die entsprechenden Formen kodierbare oder freie Äußerung eines Individuums sei. Selbst jene Briefe freilich, die Sachverhalte vertraglich regeln sollen, haben mit der Tatsache zu kämpfen, daß auch noch so erschöpfende Formelsammlungen die Vielfalt realer Situationen nicht absorbieren können. Die Briefmustersammlungen werden daher zu außergewöhnlichem, unhandlichem Umfang aufgeschwemmt. Die Theorie der *ars dictaminis* predigt daher entweder den puren Pragmatismus, der die Sprache dem unterstellten Niveau des Adressaten anpaßt oder sie macht normative Anleihen bei stärker durchregulierten Briefstilen, etwa denen der Kurie (vgl. etwa den Titel von Thomas von Capuas *Summa artis dictaminis sive de arte dictandi epistoles secundam stylum curiae*; dazu Murphy, J. J., 1974, S. 202, 258-263; Ruhe, E., 1965, S. 67 f.). Der Beitrag von H.-W. Strätz deckt in dieser Hinsicht Strategien auf, die schon im mittelalterlichen Recht erforderlich wurden, um die Sprachkontrolle selbst in normierten oder rechtsfähigen Situationen auszuüben.

So herrschen *theoretisch* Formen einer neuen, aber immer noch normativen Rhetorik. Aber die Reichweite jener Sprachverwendungen, die sich dem normativen, ja selbst dem deskriptiven Repertoire von Rhetorik-Systemen entziehen, nimmt zu. Im Blick auf die Poetik lateinischer Literatur im Mittelalter hat Murphy den *artes poetriae* wohl zu Recht bescheinigt, sie hätten die auseinanderstrebenden Zwecke der Sprachverwendung nicht mehr unter einen Hut gebracht (1974, S. 191 ff.). Quadlbauer hat die eher trüben, widerspruchsreichen Prozesse skizziert, in denen die Vergil-Tradition der Rhetorik mit der ciceronisch-augustini-schen konkurriert und endlich zur mittelalterlichen Koppelung von Stilstufen und Gattungen (Tragödie, Komödie, Satire) er-starrt. Ihre Grundlage, ein auf Vergils Werk zugeschnittenes kulturphilosophisches Theorem, wonach die Ordnung der Zeiten zuerst »die vita pastoralis, dann den Ackerbau und schließlich den Kampf um die rura culta gebracht« (Quadlbauer, F., 1962, S. 10, vgl. S. 159-165, 177f.) habe, wonach Vergil eben dies in entsprechenden Stillagen habe demonstrieren wollen, diese Grundlage wird in eine Gattungslehre transformiert, gegen deren wesentlichen Bestandteil, die Stiltrennungsregel, die Literatur meist verstieß. Wenn etwa E. R. Curtius die »Herrschaft der Rhetorik über die Poesie« mit dem Hinweis erläutert, Poesie und auch (Kunst-)Prosa habe man für »zwei Arten der Rede« gehal-ten, eine der wichtigsten rhetorischen Lehrschriftsteller, Hermo-genes von Tarsos habe die Poesie im engeren Sinne als Panegyrik definiert und zur panegyrischsten aller »logoi« erklärt, so läßt seine Metaphorik (»das Latein hat dem Französischen die Zunge gelöst«) nicht erkennen, inwieweit und in welcher Weise die Rhetorik ihren Herrschaftsbereich auch über die volkssprachliche Dichtung ausgedehnt hat (Curtius, E. R., [8]1973, S. 9, 158, 164f., 387f.). E. Auerbach bestreitet daher, daß die etwa im Rolandslied von Curtius und dessen Gewährsmann E. Faral festgestellten, der mittelalterlichen Poetik und antiken Rhetorik entstammenden Stilzüge »Form und Stilwirkung« im neuen Text erklären oder auch nur beschreiben könnten (Auerbach, E., [3]1964, S. 103). Zwar pflegt das französische Heldenlied einen Stil, den Auerbach sei-nerseits einen hohen nennt. Aber das ist ein neuer hoher Stil, der neuartige Funktionen wahrnimmt: er beschränkt, idealisiert, ver-einfacht, überzieht das Dargestellte mit einem »Schimmer mär-chenhafter Verschleierung« (S. 103, 117f.). Ähnlich versucht Au-erbach, die der Rhetorik verpflichtete Theorie Dantes und dessen poetische Praxis voneinander zu sondern. Dante habe sich von den rhetorischen Normen, die bei den mittelalterlichen Theoreti-kern »fortgeisterten«, nie ganz befreit. Aber die Einheit des Textes müsse angesichts der Fülle verschiedenster Höhenlagen des Tones woanders gesucht werden (S. 177ff.). Auerbachs Werk durchzieht die immer wieder verdeutlichte Annahme, daß die »Inkarnation Gottes in einem Menschen niedrigsten gesellschaft-lichen Ranges, sein Wandel auf Erden zwischen niedrig alltäglichen Menschen und Verhältnissen« (S. 44, vgl. S. 73 f., 87-94) wie auch die Vielfalt alltäglicher, kirchlicher Praxis und Lebenserfahrung Sprachformen produziert, welche die normative und deskriptive Reichweite der Rhetorik überschreiten. W. Haug hat die Curtius-Auerbach-Kontroverse als permanenten Widerspruch der christlichen Ästhetik auf den Begriff gebracht. Auch die volkssprachliche Literatur beutet die antiken Bildungs- und Literaturtraditionen aus, weil sie das Glaubensgut als höchsten Wert auch in der kunstvollsten Form darbieten möchte. Aber die antike Theorie der Stilstufen kann nicht weiter gelten, weil es in christlicher Sicht keine objektive Hierarchie der Gegenstände gibt (vgl. Haug, W., 1985, S. 11-22 und zu Auerbach den Beitrag von L. Costa Lima). Auerbach gibt den rhetorischen Stilbegriff nicht preis. Er benutzt ihn aber als negative Folie, mit der jene sprachlichen Wirkungen suggestiv veranschaulicht werden können, die ihm nicht mehr gehorchen. Aber auch diese Wende, welche die Geltung der Rhetorik zur mehr und mehr fehlschlagenden theoretischen Anstrengung sprachlicher Kontrolle abschwächt, also als Dementi ihrer selbst handhabt, ist womöglich noch nicht radikal genug. P. Zumthor schiebt in seinen Beitrag den aus der *elocutio* stammenden Stilbegriff vollends beiseite. Für die Beschreibung volkssprachlicher Dichtung setzt er einen ›anthropologischen‹ Stilbegriff an, der sich von der ursprünglichen mündlichen Rhetorik zur Rekonstruktion der kulturellen Darbietungs-, Inszenierungs- und Wirkungsbedingungen in einer vornehmlich mündlichen mittelalterlichen Kultur anregen läßt.

Dies alles läuft nicht auf eine totale Zerfallstheorie der Rhetorik und ihrer Stilkategorien hinaus. Immerhin kommt das Wort »dichten« von *dictare* (vgl. Curtius, E. R., [8]1973, S. 85 f.). Immerhin hebt Auerbach hervor, daß Boccaccio im *Decamerone* die Stillagen des antiken Liebesromans wiederbelebt (Auerbach, E., [3]1964, S. 207) und sich auf den Weg vom *poeta theologus* zum *poeta rhetor* (K. Voßler; vgl. Plett, H. F., 1975, S. 109) gemacht hat. Die Renaissance, und auch das 18. Jahrhundert, halten an der engen Verwandtschaft zwischen Dichter und Redner fest (vgl. zu England Joseph, Sr. M., 1962, S. 36 usw.). Dennoch trägt die berechtigte Rede von der Ubiquität der Rhetorik, von der engen Verbindung zwischen Rhetorik und Poetik bis ins 18. Jahrhundert hinein, die in gewisser Weise richtige Behauptung, gerade im Werk ihrer Verächter wie Schiller und Hegel lebe die Rhetorik fort (Ueding, G., 1976, S. 3 f., 103 ff., 129 ff.), unübersehbar bloß metaphorische oder einseitige Züge. Die Poetik von der Renaissance bis ins 18. Jahrhundert muß sich um die Legitimation der Dichtung als eines nützlichen Erkenntnismediums bemühen. Dabei kann sie sich der rhetorischen Nutzen- und Wirkungskategorien bedienen. Aber die praktische, etwa politische oder gerichtliche Rhetorik wird von der Renaissance bis in das Barock nicht zu neuem Leben erweckt. Das deutsche Bürgertum, politisch weitgehend kaltgestellt, schafft sich im privaten Bereich die eher trivialen Anlässe (Begrüßungen, Hochzeiten, Begräbnisse, Korrespondenzen usw.), um anspruchsvoll zu reden und zu schreiben. Dem Höfling legt Castiglione die Pflicht auf, bei Gesprächen sich den jeweiligen Sitten und Machtverhältnissen anzupassen (vgl. Ueding, G., 1976, S. 81 ff.). In England lamentiert desgleichen Hugh Blair in seinem Band mit dem bezeichnenden Titel *Lectures on Rhetoric and Belles Lettres* (1783) über den Verfall der Beredsamkeit, findet sich aber bereitwillig mit einer rhetorisch nicht mehr gefesselten, zwischen Vernunft, Imagination und Gefühl angesiedelten Literatur ab (vgl. auch Kennedy, G. A., 1980, S. 240). Natürlich halten sich in der Literatur immer Sprachformen, die sich der rhetorischen Analyse öffnen. Aber der Versuch, die Rhetorik noch in die Dichtung einzuspiegeln, endet zumeist im Schwulst. Selbst die Verfechter rhetorischer Präsenz in der Dichtung melden Zweifel an angesichts einer allzu mechanischen rhetorischen Sprache wie etwa in Lylys *Euphues* oder auch im Frühwerk Shakespeares (vgl. Joseph, Sr. M., 1962, S. 285 f.). Will man folglich auch den ›reifen‹ Shakespeare der ›großen‹ dramatischen Reden nicht ganz aus der Herrschaft eines rhetorisch geprägten Stilbegriffs entlassen, so ist man gezwungen, die Zusammenhänge metaphorisch bis vage als ›Verklärung‹ des rhetorischen Materials, als Verfeinerung, Verinnerlichung, als geschmeidige, jeder dramatisch-psychologischen Situation angepaßte Erweiterung herzustellen (Joseph, Sr. M., 1962, S. 286). Je genauer man sich freilich die Rhetorik- und Poetik-Lehrbücher der elisabethanischen Zeit ansieht, um so mehr verstärkt sich der Verdacht, daß es ihren Verfassern gar nicht mehr darum ging, »die Tragfähigkeit der Theorie an der literarischen Praxis zu erproben« – um die eigentlich sprachschöpferische Leistung der Zeit, um das Drama, hat sich die Theorie praktisch nicht gekümmert (Schäfer, J., 1978, S. 64; vgl. ergänzend dazu Ong, W. J., 1971, S. 48-103).

Ein derartiges argumentatives Pendeln entspringt einem sattsam bekannten Dilemma. Es bricht beispielhaft in der Beschreibung englischer Renaissance- und Barock-Lyrik auf. Die – gewiß von moderner Lyrikerfahrung motivierte – Neuentdeckung vor allem der *metaphysicals* durch T. S. Eliot und den *New Criticism* möchte in der Barock-Lyrik vor allem das Unkonventionelle, ja die Revolte gegen den Druck rhetorischer, sei es antiker, sei es petrarkistischer Tradition erkennen. In dieser Perspektive verstößt vor allem die manieristische Bildlichkeit und ihre ungewöhnliche Konturierung von Sachverhalten gegen ein wie auch immer historisch bestimmtes Dekorum. R. Tuve hat demgegenüber immer wieder die These erneuert, die Lyrik habe die Normen zeitgenössischer wie früherer rhetorischer Theorie erfüllt. Ihre Stilformen lassen sich danach aus diesen Traditionen ableiten: als flexible Übernahme, als jeweils angemessenes Zusammenspiel rhetorischer Redetypen (Lob-, Überzeugungs-, Gerichtsreden), gattungs- und gegenstandsabhängiger Sprachformen (wie sie schon das frühe Mittelalter an Vergils *Bucolica, Georgica* und *Aeneis* als niedrigen, mittleren und hohen Stil unterschieden hatte, und wie sie Renaissance-Poetiken wenig variiert in der Koppelung der Sprachebenen mit Pastoraldichtung bzw. Satire, Liebesdichtung bzw. Elegien und epischer Dichtung usw. hochhielten) und vor allem angemessener, das heißt wirksamer und verständlicher Bildlichkeit (›Figuren‹) (vgl. Tuve. R., 1947, S. 69, 78, 84 f., 166-175, Kap. IX).

Tuves Bilduntersuchungen durchkreuzen in der Tat jene postromantischen Interpretationen, die sich allzu offensichtlich in Formen textueller oder subjektiver Komplexität verlieben. Dennoch wird eine derart harte Version rhetorischen Stehvermögens mit einer folgenreichen, innerrhetorischen kategorialen Verschiebung erkauft. Zwar überlebt – und das natürlich bis in die Neuzeit – das rhetorisch-stilistische Kategorienrepertoire. Aber die rhetorischen und ästhetischen Produkte und ihre Wirkungen haben die produktionsästhetischen Forderungen und Normen kaum je erfüllt. Die bisherigen Erörterungen sollen belegen, daß sich rhetorische Produktionstheorie, die Poetik eingeschlossen, und rhetorisch-ästhetische Produkte nicht wie Norm und Erfüllung zueinander verhalten. Eher schon liefert die Theorie Schemata, deren Grenzen die Dynamik der Produkte mehr oder weniger deutlich überschreitet. Die Kontrolle sprachlicher Implikationen ist geschichtlich nie vollständig geglückt. Das Mißlingen tritt in verschiedenen Epochen nur unterschiedlich stark ins Bewußtsein. Die nichtnormative Rhetorik hat dies von Anfang an einkalkuliert und sich dafür, wie etwa Anaximenes, den Vorwurf eines bodenlosen Relativismus eingehandelt: Anaximenes kennt nichts als eine Vielzahl von Situationen, die der Redner in irgendeiner Weise meistern muß (vgl. Fuhrmann, M., 1984, S. 29 und, zu einem Alternativmodell zu Tuve, dem Wechsel ›stilistischer‹ und ›synkretistischer‹ Epochen, den Beitrag von R. Lachmann).

IV

An epochalen Periodisierungen klebt ein unvermeidlicher Klischee- und Fiktionsverdacht. Gleichwohl nehme ich an, daß mit der *Renaissance* das Verhältnis zwischen Schema und Überschreitung in eine kritische Phase gerät. Zum einen erlebt die Renaissance, nicht zuletzt auch durch byzantinische Importe, einen neuerlichen Rhetorik-Schub. Dieser aber stößt auf Prozesse eigenkultureller und nationaler Entfaltungen. Damit liegt der Verdacht nahe, daß die Rhetorik lediglich, gewissermaßen klassifikatorisch, Bedürfnisse nach sprachlichen Ordnungsleistungen *verdeutlicht*, deren (vor allem literarische) Produkte aber selbst nicht mehr *beherrscht*. In den Rhetoriken und Poetiken der Renaissance erringt das Kriterium der Wirksamkeit vorrangige Geltung. Die Theorie gewährt dem Autor Freiheiten, deren Gebrauch er nach Tuve freilich selbst verantworten muß (Tuve, R., 1947, S. 210 ff.; vgl. Plett, H. F., 1975, S. 133 f.). Die Selbstverantwortung bewahrt für Tuve die Ordnung der Dinge als Ordnung der Sprache. Aber das Urteilsvermögen des Dichters ist keine objektive oder normative Größe mehr. Es profiliert sich, indem es sich geläufigen Kriterien des Wahren, Falschen und Angemessenen entzieht. Sir Ph. Sidney hat das schon früh auf die theoretische Formel gebracht, wonach der Dichter, da er nie etwas behaupte, auch nicht lüge (*An Apology for Poetry*, erschienen 1595). Sidney erhebt die freie, schöpferische Dichtung über die religiöse und philosophische und wettert gegen die Nachahmung rhetorischer Vorbilder. Natürlich schleppt er konservative Normen, etwa Vorschriften für Komödie und Tragödie, mit. Aber die sprachlich-sachlichen Distanzierungen der Dichtung können weit ausgreifen. Manchen von J. Donnes Gedichten wird, um einmal auf die eher kruden Dimensionen moralisch-sozialer Wirkungen überzuwechseln, die Druckerlaubnis versagt; sie kursieren jahrelang im kleinen Zirkel geistvoller Libertins. Mit dem Stilbegriff, der die geordneten Zusammenhänge zwischen Gegenständen, Gattungen und Sprachebenen signalisieren soll, geht es jedenfalls zu Ende. Künstlerische Erfindungspotentiale widersetzen sich einer ›regelrechten‹ Umsetzung in Texte. Ein der *elocutio* verpflichteter Stilbegriff kommt etwa in Frankreich kaum mehr vor oder bricht als Metapher für die Energien von Texten aus ihrem Rahmen aus (vgl. den Beitrag von Pfeiffer, H., ferner Sloane, Th. O., 1985; zu Sidneys Begriff der *force* im englischen Kontext vgl. Plett, H. F., 1975, S. 137).

Ich wiederhole: dies alles bedeutet nicht, daß Rhetorik-Systeme vollständig verleugnet würden; in der Literatur drücken sich weiterhin die Spuren rhetorisch-poetologischer Schemata ab. Aber der Stilbegriff wird umgepolt. Er benennt nicht mehr sprachliche Normen, sondern die Wirkungen der Texte, die sich deren Überschreitung verdanken. So lösen Revolten gegen die Eloquenz einander in der Geschichte ab, die, selbst zu Mustern gerinnend, ihren Sturz wiederum herausfordern (vgl. die Beiträge von A. Assmann, K. Barck und K. Dirscherl). So schlägt, etwa bei Goethe, jener eigentümliche Zwang durch, in der Unterscheidung von Nachahmung, Stil und Manier dem Stil zwischen Regeltreue und Willkür eine prekäre, aber grundlegende Position zu sichern: Stil macht das Charakteristische der Dinge jenseits schlichter Nachbildung und diesseits leerer Subjektivierung sichtbar. Hegel befindet sich in derselben Situation, auch wenn er sie terminologisch anders auflöst. Sein Stilbegriff beerbt die normative Tradition; der Stil betreffe »eine Darstellungsweise, welche den Bedingungen ihres Materials ebensosehr nachkommt, als sie den Forderungen bestimmter Kunstgattungen und deren aus dem Begriff der Sache herfließenden Gesetzen entspricht« (Hegel, G. W. F., 1842, Bd. 1, S. 287). Aber das, was Goethe Stil nennt, braucht Hegel gleichwohl; er nennt es Originalität, welche die Gesetze des Stils und »subjektive Begeisterung« (S. 288) vereint. Goethes und Hegels Begriffsdifferenzierungen haben ihren Preis. Stil und Originalität umgrenzen Reservate des Genies. Nur seine Produkte können jene, wenngleich nun eher metaphorische Wahrheitsfähigkeit behaupten, welche die Philosophie ehedem für Sprachhandlungen allgemein einzuklagen suchte. Aber damit muß eine Spaltung, wie sie etwa in Rom mit der Literarisierung und Pragmatisierung vorgebildet wurde, in Kauf genommen werden. Denn der Stilbegriff wird gleichzeitig, vor allem im Unterricht, pragmatisiert, als Serie praktischer Normen der sozialen Sprachverwendung aufoktroyiert. In beiden Fällen gleitet der Stilbegriff in eine durch das Genie oder sozialen Druck lediglich unzureichend stabilisierte Willkür (vgl. dazu den Beitrag von G. Rupp). Jedenfalls entströmen den Texten Wirkungen, welche der die Kunst Wahrnehmende, auch der Theoretiker, mit dem umgepolten Stilbegriff einzufangen sucht. Der umgepolte Begriff teilt mit dem rhetorischen die vordergründige Konzentration auf die (vor allem) sprachliche Formung. Aber er projiziert den Eindruck einer die Schemata überschreitenden, singulären oder welthaften Geschlossenheit, den die Texte erregen, auf diese zurück. N. Luhmann hat in seinem Beitrag diesen Wandel als Systemproblem der Kunst generell untersucht. Ein Begriffswandel wird verallgemeinert, den schon die Antike vorbereitete. Denn auch sie griff auf die Werke großer Schriftsteller zurück, um mit ihnen die vermeintliche Erfüllung rhetorischer Gebote zu erläutern, obwohl doch eher umgekehrt die ›klassischen‹ Werke ihre Strukturen durchsetzten und deshalb zu Normen kanonisiert wurden (vgl. die Hinweise bei Gadamer, H.-G., ²1965, S. 467). Wenn die Werke *vorgegebene* Normen überschreiten, dann entsteht ein Interpretationsbedarf, den ein *auf die Werke zurückprojizierter* Stilbegriff (›Personalstil‹, ›Werkstil‹) decken muß. Nicht daß es einen regel- oder etwa epochenbezogenen Stilbegriff nicht mehr gäbe. Hegel verwendet ihn; sein Begriff der Manier weist in dieselbe ältere Richtung (vgl. zu diesem Begriff den Beitrag von U. Link-Heer). In der Kunstgeschichte vor allem verschwimmen häufig Stil- und Epochenbegriffe. Aber dahinter verbergen sich komplexere Interaktionen zwischen Techniken der Illusionserzeugung als einer Zurschaustellung, einem Spiel mit dem Kanon der Wahrnehmungsreaktionen, die ihrerseits vielfach gesellschaftlich vermittelt sein dürften. Diesen Interaktionen geht der Beitrag von M. E. Blanchard nach (vgl. auch, aus anderer Perspektive, Möbius, F., 1984). Der rückprojizierte Stilbegriff jedenfalls soll den Totalitätseindruck eines Werkes oder einer Epoche festhalten, gibt aber Normatives nicht völlig preis. Daß etwas Stil oder gar in einem neuen Sinne großen Stil habe, meint fortan das

Beeindruckende einer schlüssig durchgezogenen Gestaltung. Ein solcher Stilbegriff schreibt also die Idee ästhetischer Verbindlichkeit nicht ab. Er kündigt auch eine wie auch immer differenzierte soziale Positionalität der Kunst nicht auf. Aber er ermangelt jener gattungshaften, thematischen, sprachlichen, moralischen und gesellschaftlichen Vorgaben, welche die semantischen Reichweiten rhetorischer Redegattungen oder auch die Wahrnehmungsangebote der Kunst vor der Zentralperspektive regelten. Poetische und optische Bilder entfachen nun eine semantische Unruhe, welche die Herstellung direkter Bezüge unterbindet. Solche, etwa gesellschaftliche Bezüge lassen sich errichten. Aber ihre Eindeutigkeit entstammt den Theorien, mit denen labile, ›stilistische‹ Totalitätseindrücke nachträglich gebändigt werden sollen (vgl. dazu eine Reihe von Beiträgen in Möbius, F., Hg., 1984). Der umgepolte, rückprojizierte Stilbegriff, der Eindrücke, auch disparate, zur Kohärenz bündelt, sammelt also ›Bedeutsames‹ an Werken, welches sich dem erschöpfenden Verständnis oder der schlüssigen Erklärung zu entziehen droht. Derart erwirbt die *Trivialdefinition* des Stils als einer Art und Weise zu reden oder zu schreiben *Tiefendimensionen*, die greifbar und doch unauslotbar zugleich scheinen (zu einer einschlägigen Fallstudie am Beispiel Taines vgl. den Beitrag von U. Schulz-Buschhaus). Mit diesem Stilbegriff umkreisen wir Ganzheitseindrücke, die wir als solche nicht so recht auf den Begriff bringen.

Im Stil offenbart und verbirgt sich Bedeutsames, dessen Kohärenz, Wirkung, das, was man häufig das Pathos von Schlüsselerfahrungen nennen könnte, nach Analyse verlangen und sie gleichzeitig behindern. Gelegentlich aufflackernde Motivationen für eine gänzlich neue Philosophie der Rhetorik werden genau diesem Sachverhalt geschuldet. I. A. Richards hat in diesem Sinne der alten Rhetorik vorgeworfen, sie stochere nur an der Oberfläche sprachlichen Funktionierens herum (1936, S. 6 ff.). Das Interessante an seinem Ansatz liegt weniger in der immer wieder zitierten Definition der Metapher (der *vehicle-tenor*-Struktur). Es steckt eher in der beiläufigen, aber gleichwohl fast gänzlichen Reduktion der Rhetorik auf Beschreibungsversuche metaphorischer Sprachfunktionen. Da Richards die Metapher zur fundamentalen Sprachtatsache und ihr Wirken als ein fast derridaesk zu nennendes Spiel von Differenzen erklärt, kommt die Reduktion der Rhetorik ihrer Erweiterung ins Unübersehbare gleich (Richards, I. A., 1936, Kap. III-VI). Daher dürfte der verbreitete Eindruck rühren, die Literaturkritik früherer Jahrhunderte sei unergiebig. Denn sie ist oft genug vordergründig auf die Diskussion rhetorischer Normen wie des Dekorums eingeschworen, scheint also das, was sich späteren Literaturbegriffen zufolge in der Literatur an bedeutsamer Komplexität abschattet, gar nicht in den Blick zu bringen. Ästhetik, Literaturtheorie und Interpretation neuerer Zeiten ihrerseits schwanken deswegen zwischen Form- und Gehaltorientierungen hin und her, weil die Pluralität literarischer Welten rhetorische und exegetische Traditionen außer Kraft setzt. Den Anfängen dessen, was wir heute Interpretation nennen, war »der Zwang zur fatalen Entscheidung zwischen akademisch streitenden Methoden noch fremd«:

Textkritische, formale, gattungspoetische, biographische, ideen- und sozialgeschichtliche Beobachtungen wirken [im späten 18. Jahrhundert] im historischen Verstehen zusammen, ohne daß die verschiedenen Operationen mit eigenen Begriffen ausstaffiert würden, die dann unvermeidlich in Opposition zueinander geraten, sofern sie nicht als Teildisziplinen auseinandertreten (Schlaffer, H., 1985, S. 390).

Als Kompromißbegriff, auf den sich die später streitenden Methoden einigen können, bietet sich der Stilbegriff an. Wenn man Kunst und Literatur nicht auf unproblematische Gehalts- und Wahrheitsbegriffe, auf Geschichte oder gar die Nation, aber auch nicht auf reine Formbegriffe verpflichten kann, dann mobilisiert man die »kunsthistorischen Wahrheitsprothesen Kultur und Stil« (Musil, R., 1978 (1921), Bd. 8, S. 1055), mit denen man Form und Signifikanz in meist trüber Weise verklammert. In der Geschichte der Literaturwissenschaft erlebt der Stilbegriff dann eine besondere Konjunktur, als etwa mit dem Ende des Ersten Weltkriegs der Begriff der Nationalliteratur – wenn auch in Deutschland nur kurzfristig – kompromittiert ist. Nach dem Zweiten Weltkrieg erringt er in der aus ähnlichen Gründen ins Kraut schießenden werkimmanenten Interpretation erneut eine Schlüsselstellung (vgl. Kayser, W., [10]1964, S. 271: »Wir betreten [...] den innersten Kreis selber, und nicht nur der allgemeinen Literaturwissenschaft, sondern zugleich der ganzen Literaturgeschichte«). Je mehr sich das Interesse auf Stil als Überschreitungsdynamik in kleineren Einheiten wie Werk oder Autor konzentriert, um so mehr drohen die großen Bezugseinheiten des Literatursystems

(Epochen, geistes- und sozialgeschichtlichen Einheiten) zu zerfallen. H. Faensen hat dies zähneknirschend eingestanden:

Das [...] zunehmende Wissen über die Form-, Bedeutungs- und Kommunikationsvielfalt, über den »Stilpluralismus« einer Zeit, eines Raums, ja eines Einzelwerks, über die »Ungleichzeitigkeit des Gleichzeitigen«, über die Sonderentwicklung einzelner Kunstlandschaften, über die unterschiedliche Rezeption und Wirkungsdauer künstlerischen Erbes förderte die Präzisierung, Verfeinerung und Verschiebung der Stilbegriffe. Aber es stellte diese auch überhaupt in Frage. »Wir wissen heute in Einzelheiten, was früher in großen Zeiträumen zu einer Einheit verschmolzen ist«, schreibt Leonid N. Batkin. »Wir wissen von der Renaissance hundertmal mehr als Michelet und selbst Burckhardt. Zum Unterschied von ihnen wissen wir jedoch nicht, was Renaissance ist (Faensen, H., 1984, S. 59 f.).

V

Dem Stilbegriff eignet damit ein eigentümliches Funktionspotential. Mit ihm kennzeichnen wir die expressive Prägnanz, die von sprachlichem wie nichtsprachlichem Verhalten und Handeln ausstrahlt. Dabei ist unterstellt, daß die Prägnanz expressiver Totalität durch andere Beschreibungs- oder Erklärungsbegriffe nicht oder nicht vollständig erfaßt wird. Der Stilbegriff signalisiert daher latente Spielräume von Systemen. Der Sprache, der Literatur und der Kunst scheinen solche Spielräume gleichsam ›natürlicherweise‹ eingebaut. Thesen wie jene C. Martindales, kunstproduzierende Systeme entfalteten intrinsische Innovationsbedürfnisse, beziehen daraus ihre Stärke (Martindale, C., 1978; vgl. die Beiträge von N. Luhmann und A. Hahn). Mit literatursoziologischen Hinweisen auf Status und Rollendefinition von Künstlern kann man solche Annahmen erhärten. Aber eben der »Fähigkeit zur synthetisierenden Zusammenschau [auch] disparater Vorgänge und Erscheinungen verdankt der Stilbegriff seine Anwendung auch außerhalb der Kunstwissenschaften« (Möbius, F., 1984, S. 11). Wenn Psychologen von ›Arbeitsstil‹ reden, meinen sie mehr als nur das übliche Verhalten (was immer dieses sei) am Arbeitsplatz. Bemüht man Begriffe wie ›Führungsstil‹ oder neuerdings gar *corporate style* (bzw. *corporate culture*), so spielt man nicht auf Methoden, sondern auf jene eher unsichtbaren Qualitäten und Energien an, die den Erfolg mehr als alle Regeln zu garantieren scheinen. Der Politologe greift zum Stilbegriff, wenn er die Art des Glaubens und der Durchsetzung politischer Ideen charakterisieren will (vgl. Möbius, F., 1984, S. 11 f., Hofstadter, R., 1965, S. 3-40, Kilman, R. H., 1985, S. 63; vgl. auch die Titelseite der Zeitschriftennummer). In solchen Funktionsmöglichkeiten steckt freilich ein begriffslogischer Pferdefuß. Der Stilbegriff stellt sich überall da ein, wo andere Begriffe zu versagen drohen. Er verschwindet umgekehrt immer dann, wenn wissenschaftliche Theorien das Erklärungspotential härterer Begriffe (wie System, Struktur, Zwang, Macht, Ordnung, Norm, Regel, Sitte, Konvention, Strategie, Erwartung, Diskurs usw.) höher einschätzen. So hat Max Weber etwa Rechtsordnung, Sitte und Konvention subtil durch die Grade von Zwang, (Miß-) Billigung usw. voneinander abgehoben (Weber, M., ⁵1972, S. 187 ff., vgl. auch S. 15-19). Er erwähnt an dieser Stelle den Stilbegriff nicht; aber das Problemspektrum ließe sich damit ohne weiteres verlängern (vgl. S. 249 sowie die ständische »Stilisierung des Lebens«, S. 537). Es macht daher wenig Sinn, gegen Vagheit, Inflation oder Austreibung des Stilbegriffs anzukämpfen; all dies folgt aus Struktur, Ansprüchen und Selbsteinschätzung theoretischer kategorialer Reichweiten. Vielleicht riskiert man zuviel an Spekulation, wenn man Zusammenhänge zwischen dem literarischen Verschleiß des Stilbegriffs in der Moderne und seiner wissenschaftlichen Konjunktur außerhalb der Geisteswissenschaften herzustellen sucht. Gleichwohl ist diese Spekulation verlockend. Konsultiert man die einschlägigen historischen Wörterbücher (Grimm usw.), so stellt man fest, daß die Einwanderungen des Stilbegriffs in Bereiche außerhalb der Sprache und Literatur schon seit einigen Jahrhunderten im Gange sind. Musik und bildende Kunst bedienen sich des Begriffs seit dem 17. bzw. 18. Jahrhundert in unterschiedlichen Verwendungsweisen, in welchen die sprachlich-literarischen Bedeutungsschwankungen (Norm bzw. Gewohnheit gegenüber Wahlfreiheit) sich sehr bald bemerkbar machen. Seit dem frühen 18. Jahrhundert wird Stil auf Verhältnisse des menschlichen Lebens im weitesten Sinn angewandt, eine Tendenz, die sich im 20. Jahrhundert ins Unübersehbare ausweitet (vgl. Grimm, J./Grimm, W., 1854-1954, s. v. Stil, II, H). In England wird im späten 19. Jahrhundert sogar dem Bier Stil oder Stilmangel bescheinigt (*Oxford English Dictionary*, 1933, s. v. *style*, 24.d). Wenn der rhetorische Stilbegriff im 18. Jahrhundert explizit zur Äußerlichkeit verdünnt wird, weil er Welterfahrung nicht mehr wiederzugeben vermag, so leidet das 19. Jahrhundert an einer Stilsehnsucht, die der Bürde vergangener Stilformen und der Unfähigkeit, sie noch den eigenen Ausdrucksbedürfnissen anzuverwandeln, entspringt. Kein Jahrhundert, so A. M. Vogt, habe sich so sehr und so bewußt und so hartnäckig mit dem Stil beschäftigt, ohne mit einer scheinbaren, übergroßen Freiheit der Wahl etwas anfangen zu können (Vogt, A. M., 1971, S. 5 ff.). G. Semper hat das Stilproblem in diesem Sinne als den zerfallenden Zusammenhang zwischen Material, Form und Funktion unentwegt durchdacht (vgl. Semper, G., 1966, S. 32-47, 1860, Bd. 1, S. VIII, XII, XIV ff.) und auf Abhilfe gesonnen. Aber der dritte Band seines großen Werkes über den Stil, welcher die entschwundene Ganzheit von Kunst und Gesellschaftsentwicklung nochmals aufspüren sollte, ist an kein Ende gelangt. Geht die Naivität des Stil-Habens verloren, so wird deutlich, daß die Sehnsucht nach Stil die Sehnsucht nach dem anzeigt, was er vordem – vielleicht – in Formen expressiver Totalität verkörperte: die Einheit von Ausdrucks-, Denk- und Lebensformen (vgl. auch die Beiträge von K. Barck, G. Bollenbeck und J.-M. Fischer). Der für das 19. Jahrhundert unausweichliche Stilsynkretismus, sein »Un-Stil« (Broch, H., 1947/48, S. 111, 114) markiert eine Entselbstverständlichung von Rationalitäten und Lebensformen, in welche Stilpraktiken traditionell mehr oder weniger eingebettet waren. Wenn daher die moderne Literatur in den Stilparodien die Beliebigkeit von Weltentwürfen enttarnt, so radikalisiert sie Geltungsschwächen von Rationalitäten und gelebter Wirklichkeit. Solche Schwächungen aber müssen auch die Wissenschaften zur Kenntnis nehmen. Sie müssen folglich ihr Begriffsrepertoire justieren. Dafür können sie den literarisch verabschiedeten Stilbegriff übernehmen, weil Rationalitäten und Lebensformen in der Realität, anders als in der Literatur, durch Geltungsschwächen *und* Zwänge gleichermaßen gezeichnet sind. Deckt die Literatur prinzipielle Beliebigkeit, ja Fiktivität auf, so setzen die Wissenschaften den Stilbegriff ein, um eine geänderte und unabweisbar gewordene Fragestellung aufzunehmen: Stil bezeichnet den quer zu anderen Begriffen wie System, Struktur, Gesetz, Norm, Brauch, Gattung, Grammatik usw. (die beiden letzten Begriffe haben ja bereits ihren Einzug in die Soziologie etwa gehalten) liegenden Eindruck eines zwischen gedämpfter Normativität und labiler Kohärenz absteckbaren Gestaltungsspielraums. Der Stilbegriff scheint in den Wissenschaften für die Analyse jener Phänomene und Handlungen zu taugen, die sich weder auf Kontingenz noch auf Determinismus einschwören lassen. So überlebt, ja erstarkt das eigentümliche Funktionspotential des Stilbegriffs. Die der rhetorischen Tradition entspringenden Stilkonzeptionen einschließlich ihrer Ersatzformen, der seit dem 18. Jahrhundert rückprojizierten Stilbegriffe, sind in der Geschichte von Sprache und Literatur auch als theoretische Konzepte immer mehr ausgehöhlt worden. Dieser Prozeß mündet in der modernen Literatur in die stilparodistische Dekonstruktion all jener kulturell expressiven Traditionen, für welche die Künste und die Literatur vordem einzustehen schienen. Andererseits aber hat diese Dekonstruktion – und das bezeugt nicht nur Feyerabend – auch traditionelle, ›starke‹ Theorieformen eingeholt. Dadurch aber geraten immer mehr Phänomene zu ›Stilfragen‹. Die Anglistik, sonst eigentlich konservativer, hat das inzwischen erkannt, und ganz im Sinne eines Diktums von Oscar Wilde (»In matters of grave importance style, not sincerity, is the vital thing«) selbst das Sterben zur Stilsache erklärt (vgl. Stewart, G., 1984). Im Begriff des Stils versammeln wir nunmehr jene expressiven Reste an Werten und Normen, an Kohärenz und Totalität, ohne welche wir an Phänomenen wohl nicht mehr interessiert wären. Gerade in seiner nicht stillzulegenden Vagheit behält der Begriff Symptomwert für Stärken und Schwachstellen kulturwissenschaftlicher Begriffsbildung. Um etwas zu leisten, muß der Stilbegriff folglich keineswegs als systematischer Terminus eingeführt werden. T. Luckmann wehrt sich in seinem Beitrag zu Recht gegen die Zumutung, den Stilbegriff als Bestandteil des begrifflichen Instrumentariums in den sozialwissenschaftlichen Einzeldisziplinen anzuerkennen.

Aber der Beitrag von D. Schwanitz führt vor, wie früh und wie schnell die literarische Thematisierung der ›Natürlichkeit‹ des Verhaltens in eine soziologische Begrifflichkeit mündet, die Platz für einen dem literarischen analogen Beobachterbegriff ›Stil‹ schafft. Denn offensichtlich fällt das Verhalten weder mit seinen Normen, Regeln und Konventionen zusammen noch aus ihnen beliebig heraus. Die Transformationsregeln, die T. Luckmann für die Umwandlung von ›Primärdaten‹ in den Stilbegriff fordert, müssen sich aus Strategien und Graden der ›Stilisierung‹ oder bewußter ›Stilpolitik‹ ergeben, die der Beobachter aus Verhaltens-Zeichen als eine »einheitlich abgestimmte Präsentation« (vgl.

den Beitrag von H.-G. Soeffner) ausfiltern zu können glaubt (vgl. auch den Beitrag von A. Hahn). Der Stilbegriff hält den Eindruck kohärenter, aber schwer formulierbarer, impressionistischer, aber unverwechselbarer Totalität von symbolischen Verhaltensselektionen fest. Ganz im Sinne Musils fungiert er meist als Begriffsprothese, wenn andere Beschreibungs- und Erklärungsbegriffe versagen. So hat A. Leroi-Gourhan in der Anthropologie den Stilbegriff eine Ebene tiefer gelegt. Ethnische Besonderheit wird als ›ethnischer Stil‹ wahrgenommen, der als Ensemble von Haltungen, Gesten, Kommunikationsformen, Eß- und Hygienegewohnheiten eine ethnische Gruppe in ein eigentümliches Licht taucht. Der Stilbegriff nimmt sich aufs neue jener Wirkungen an, die frühere Ansätze in weitaus gefährlicherer Weise als zum Beispiel Volks- oder Rassecharakter zu enträtseln oder zu setzen suchten (Leroi-Gourhan, A., 1964-1965, Bd. 2, S. 89-93, 130 f.). Auf anderen, etwa soziologischen Ebenen hängen die Einsatzmöglichkeiten, aber auch die Einsatzzwänge des Stilbegriffs von der gesellschaftlichen oder diskursiven Komplexität und der Kodierung anderer Begriffe ab: Stil umschreibt jene Grade an Freiheit und Druck, die von Gesetzen, Normen, Sachzwängen und dergleichen nicht mehr durchreguliert werden. Ganz in diesem Sinne hat ihn P. Bourdieu in einem Begriffsnetz sozialen Verhaltens installiert, in dem Begriffe wie Ritual, Norm, Regel, Struktur, Modell, Brauch, Habitus, Strategie usw. eben nicht mehr alles erklären. Das Passende des Verhaltens ist Produkt eines Stils, der Lebenskunst, Takt, Geschicklichkeit, Quasi-Spontaneität, *timing*, und *savoir-faire* bündelt (Bourdieu, P., 1976 (1972), S. 31 f., 144, 186 ff.).[4]

Den begrifflichen Verschiebungsprozeß, in dem der Stilbegriff in fast paradigmatischer Klarheit Funktionspotentiale fortlaufend anhäuft, kann man an N. Luhmanns *magnum opus* (1984) beobachten. Für soziale wie psychische Systeme spielt Sinn eine universale Rolle. Freilich: grundlegend wie er ist, ist Sinn auch »basal instabil« (S. 99), weil er nur so dem permanenten Wandel in der Selbstregulierung von Systemen angepaßt werden kann. Die »Selbstbeweglichkeit des Sinngeschehens« (S. 101) erzeugt Netze von Verweisungen, die ihre eigene Reichweite, Komplexität und Geschwindigkeit besitzen. Dabei können sich Kulturen schon auf elementaren Ebenen in der Art und Begrifflichkeit semantischer Wandlungen unterscheiden. Informationen wählen

Systemzustände aus (S. 102), halten sie gewissermaßen momentan an; als Erfahrung lassen sich Ereignisse (Luhmann sagt »Fähigkeit«) verstehen, bei welchen man überraschende Informationen als so vertraut empfindet, daß man mit ihnen arbeiten kann (vgl. S. 104, Fn. 23). Soziale Systeme ihrerseits bedürfen symbolisch generalisierter Kommunikationsmedien (Wahrheit, Liebe, Eigentum/Geld, Macht/Recht usw.), mit denen sie die Erfolgschancen an sich unwahrscheinlicher Kommunikation steigern (S. 222). ›Kultur‹ liefert in diesem Sinne einen kommunikationsfähigen und wandelbaren Themenvorrat, den Luhmann, wenn er eigens für Kommunikationszwecke aufbewahrt wird, ›Semantik‹ nennt (S. 224). Psychische Systeme kennen etwa ›Gefühle‹, die nicht in irgendeinem direkten Sinne von der Umwelt hervorgerufen werden; mit ihnen stellt sich das System auf Eigenprobleme ein (S. 371). Die üblicherweise bekannte Vielfalt der Gefühle aber gilt als Sekundärprodukt. Was wir gemeinhin unter Gefühlen verstehen, gewinnt Prägnanz im Gefolge kognitiver und semantischer Interpretationen. Derartig ›soziale‹ Ausdifferenzierungen prägen komplexe Gefühlslagen, das, was man ›Gefühlskultur‹ nennen könnte, noch stärker. Gefühle sind hier in Echtheitsprobleme verwickelt, denn ihr vermeintlicher Selbstwert gerät in den semantischen Sog sprachlichen und auch nichtsprachlichen Verhaltens.

Organisatoren eines Stil-Kolloquiums mögen angesichts solcher Begriffsausrichtung aufhorchen. Denn der Stil-Begriff scheint sich für die besondere Gestaltung passender oder unpassender Beiträge zur Kultur ebenso anzubieten wie für besondere Präsentationsweisen von Gefühlen. Vorläufig wird diese Hoffnung enttäuscht. Luhmann spricht von der »Lebensführung«, welche in der Moderne »weniger stark durch soziale Typisierungen, die innerlich verpflichten, festgelegt« (S. 544) wird. Das aber – und wieder schöpft der berufsmäßige Stilsucher Hoffnung – heißt nicht, daß die Unabhängigkeit von sozialen Bindungen gewachsen wäre. Es bedeutet, daß Gegenstand und Form von Engagements nicht *im voraus* immer schon festgeschrieben sind. Der einzelne muß (!) sich mehr an seiner »sozialen Justierung« beteiligen. Bewußtes Engagement eröffnet die Möglichkeit stärkerer aktiver Beteiligung, aber auch Spielräume des Rückzugs und in diesem Sinne, der Unzuverlässigkeit (vgl. S. 544). Erneut, so scheint es, harrt der Stil-Begriff seiner Reaktivierung, denn solchen Situationen wird man mit dem Begriff der Lebensführung, wie er sich vor allem ja in der puritanischen Tradition ausgebildet hat, nicht mehr so recht gerecht. Luhmann verweigert sich erneut.

Durch die Hintertür verschafft sich der Stilbegriff aber doch ein beachtliches Comeback. Dabei will ich von einem gleichsam beiläufig-freihändigen Gebrauch absehen, wie er in dem (bei Luhmann in Anführungszeichen gesetzten) Ausdruck »Stil« einer Theorie (S. 123, Fn. 53) und ähnlichem vorkommt. Freilich: Auch ein solcher Ausdruck birgt Überraschendes, wenn er sich – was immer er sei – aus *»grundlegenden* Optionen« (die Wahl etwa von Kommunikationen oder Handlungen als Basis sozialer Systeme, S. 192; meine Hervorhebung KLP) ergibt.

Immerhin mögen das noch bloße Redeweisen sein. Gefährlich und systematisch aber dräut der Stilbegriff bei den ebenfalls zentralen Kategorien der Erwartung und der Erwartungserwartung. Erwartungen – und das ist eine wichtige Sache – schränken »Möglichkeitsspielräume« (S. 397) ein. Mit Entscheidungen reagieren wir handelnd auf eine Erwartung (S. 400). Handlungszusammenhänge ihrerseits sind »über Erwartung von Erwartungen koordiniert« (S. 413). An solchen Begriffsketten kann man weiterstricken. Da gibt es Takt (S. 413), der komplizierte Erwartungen ausbalanciert; da gibt es »sublime Strategien«, um Situationsdefinition zu erzwingen (S. 414). Schließlich kann man Programme (S. 432) und andere hochkomplexe Erwartungsstrukturen unterscheiden – Werte, Pflichten, Normalität usw., also »Surrogatsymbole« (S. 416), die wir brauchen, weil wir uns nicht jedesmal mit allen Umständen einer Situation auseinandersetzen können. Nun kann man Erwartungen gleich welcher Komplexität aber nicht umstandslos auf die Wirklichkeit loslassen. Enttäuschungsgefahren müssen von vorneherein einkalkuliert, in die Struktur der Erwartungen eingebaut werden. Mit Erwartungs*modalisierungen* bzw. Erwartungs*stilen* muß man sich auf das Enttäuschungspotential einstellen, das anderenfalls die Erwartungen selbst zerstören könnte (vgl. S. 436-439, 452 f.). Lernbereite Erwartungen werden als Kognitionen, lernunwillige als Normen stilisiert (kognitiver, normativer Erwartungsstil). Je größer die Enttäuschungsgefahr, so möchte ich folgern, um so wichtiger der Erwartungsstil. Die Relevanz des Stilbegriffs nimmt, so folgere ich weiter, geschichtlich zu; Luhmann selbst hat eine Skizze vorgelegt, die eine solche Annahme stützt. Lösen sich ältere Surrogatsymbole wie etwa Weisheit auf, so müssen sich komplexere Sozialsysteme verstärkt auf einen kognitiven Erwartungsstil umstellen (S. 450 mit Fn., 146, S. 454 mit Fn., 153). Jedenfalls dürfte es sich beim Begriff des Erwartungsstils um jene Kategorie handeln, welche Gestaltung, Wirkungsweise und empirische Umsetzung von theoretischen Grundkonzepten (hier Erwartung) verdeutlicht oder beschreiben soll (vgl. die analoge Verwandlung des grundlegenden Interpenetrationsbegriffes S. 441).[5] Je mehr – und dies ist zumeist eine geschichtliche Angelegenheit – die Gestaltung zur Sache selbst gehört, ja diese ist, um so mehr scheint der Einsatz des Stilbegriffs geboten.

Eine solche geschichtliche Relevanzentfaltung dürfte auch der Behandlung des Stilbegriffs in philosophischen Domänen guttun. Dabei geht es mir weniger um offenkundige Formen philosophischer Literarisierung, die im Blick auf ›Sprachstil‹ und ›Gattungen‹ sich weit zurückverfolgen lassen; neuerdings hat sogar der literaturwissenschaftliche *point-of-view*-Begriff als Stilfaktor seinen Einzug in die Philosophie gehalten (vgl. Lang, B., 1980). Der scheinbar harmlose Streit um Verständlichkeit und Lesbarkeit philosophischer Sprache besitzt jedoch oft genug kognitive Implikationen. Diese zeichnen sich schon in der Auseinandersetzung zwischen Kant und Mendelssohn ab (vgl. dazu Text und Hinweise bei Lang, B., Hg., 1980, S. 50-64; ferner die in Langs Band abgedruckten Texte von R. G. Collingwood, S. 94-112, B. Blanshard, S. 123-143, M. Natanson, S. 221-223, und L. W. Beck, S. 234-255). Natürlich kann man vom vermeintlich überlegenen Standpunkt des Wissenssoziologen rückblickend alles Denken zu Denkstilen erklären. K. Mannheim ist gelegentlich so verfahren, ohne sich um Abgrenzungen zwischen Denken, Denkstil, Denksystem, Denkwollen und ähnlichem allzu viel zu kümmern (vgl. Mannheim, K., 1964, S. 370, 374-380, 411, 423 f. usw.). Umgekehrt hat die offizielle Begriffsgeschichte der Philosophie das Problem eher vernachlässigt und sich allenfalls im Anschluß an H. Leisegang an Denkformen als Denkmodellen (Gedankenkreis, Kreis von Kreisen, Begriffspyramide, euklidisch-mathematische Denkformen usw.) herangewagt (vgl. Gründer, K./Ritter, J. Hgg., 1972, s. v. Denken, Denkform (mit Literaturangaben); zur Wiederaufnahme Leisegangs vgl. unter anderem Thiel, M., 1958). L. Flecks Begriff des Denkstils (vgl. Fleck, L.,

1980 (1935), S. 66, 85, 122, 130) seinerseits ähnelt stark dem, was T. Kuhn später Paradigma nennen wird. Für die vorliegenden Zwecke scheinen die Zusammenhänge zwischen Wissenschaftlerkollektiv und Denkzwang mit dem Kuhnschen Begriff vielleicht passender benannt. Ins Problemzentrum führt Flecks Ansatz gleichwohl hinein. Unterstellen wir, daß die Philosophie durch jene Teilung symbolischer Arbeit hervorgetrieben wurde, die bei den alten Griechen mit dem Übergang in die schriftliche Kultur einsetzt (vgl. oben S. 686 sowie Luhmanns Interpretation von Positionen von E. A. Havelock, Luhmann, N., 1984, S. 219 f.). Die Philosophie übernimmt dabei die Aufgabe, universale, ›sachbezogene‹ Kommunikation noch gegen partikularistische Trends durchzusetzen. Aber diese sachbezogene Orientierung kann nicht unbegrenzt aufrechterhalten werden. Sie mag gegolten haben, solange Philosophie eine unbestrittene soziale Position besetzte. Die Philosophie mag den Anschein ihrer Geltung bewahrt haben, solange ihre neuzeitliche Professionalisierung von sozialer Verankerung und Selbstverständlichkeit nicht scharf zu unterscheiden war. Aber Spezialisierung, Problemzumutungen und das Schwinden fixierbarer Sachgehalte fordern Tribut, beträchtlichen vielleicht seit dem 19. Jahrhundert. M. Merleau-Ponty hat dies auf seine Weise und im Sinne seiner Philosophie formuliert. Die phänomenologische und existentialistische Philosophie erkläre die Welt nicht mehr, beschreibe auch nicht ihre Möglichkeitsbedingungen, sondern formuliere ihre Erfahrung, die allem Denken über Welt vorausliege. Die Metaphysik beginne dann nicht jenseits der Erfahrung, beschäftige nicht lediglich Spezialisten oder andere eine paar Stunden im Jahr. Vielmehr sei der Mensch in seinem Wesen und seiner Existenz metaphysisch, in seiner individuellen wie kollektiven Geschichte, in seiner Liebe und in seinem Haß (vgl. die Abschnitte aus *Sens et non sens*, 1948, bei Lang, B., Hg., 1980, S. 119 f.). Die Begriffe Denk- oder Erfahrungsstil fallen nicht, aber sie wären angemessen, um Modalitäten solcher Weltbegegnungen dingfest zu machen.

F. Fellmann hat seine Arbeiten zum philosophischen Stilbegriff in eben jenen modernen Denkkontexten unternommen. Hier kann man der Verlockung kaum widerstehen, einen allgemeinen Beobachtungsbegriff ›Stil‹ einzuführen, mit dem man an die Zusammenhänge zwischen abstrakten Problemen und der konkreten geistigen Lage einer Zeit herankommt. Davon unterscheiden sich

Methoden, die sich rein auf ›Sachen‹ richten; davon ist auch die Problemgeschichte abzuheben, die als metahistorisches Orientierungsschema die Spielräume des konkreten Denkens, der Denkstile absteckt (vgl. Fellmann, F., 1983, S. 11-18 und den Beitrag in diesem Band). Aber auch wenn man sich der Einsicht, Stil in diesem Sinne sei konstitutives Element des philosophischen Gedankens, kaum mehr verschließen kann, bleibt der Eindruck unabweisbar, es gebe so etwas wie eine historische Relevanzverschiebung von Sache, Methode, Problem usw. hin zu Stil. Das liegt nicht nur daran, daß Beispiele aus der jüngeren Philosophiegeschichte vorherrschen. Es liegt wohl auch daran, daß die Kontinuität von Sachproblemen vordem sozial, institutionell und wissensgeschichtlich besser stabilisiert war. Daher gewinnt der Stilbegriff seine eigentliche Aktualität, ja konstitutiven Charakter für die Philosophie, als diese mit den Wissenschaften konkurrieren muß bzw. danach eine *neue* Form der Eigenständigkeit erlangt.

Es gehört zu den abgedroschenen, aber offenbar umgänglichen Argumentations›stilen‹ neuerer Zeiten, sich Material und Munition für bestimmte Perspektiven aus Nietzsche zu besorgen. Der vorliegenden Arbeit ergeht es nicht anders. Wie sehr sie freilich damit auch einem Klischee zu verfallen droht: Es ist kaum zu leugnen, daß Nietzsche auch für das Problem philosophischer Denkstile ein Paradigma produziert hat. Nietzsche bemüht sich noch, mit der Sprache auch den Gedanken zu verbessern (vgl. dazu den Beitrag von H.-M. Gauger). Aber er nimmt das Denken auch auf eine Serie lediglich in sich stimmiger Entwürfe zurück. Insofern bewegen sich Stil und Sache unaufhaltsam aufeinander zu. Stil und Welt(entwurf) drücken die Dynamik ständiger schöpferischer Formung aus. Damit erhebt sich die Frage, ob es nach Nietzsche nur noch philosophische Stile, aber auch nur Stile, Leseweisen bei der Interpretation philosophischer Werke geben kann (vgl. Allison, D. B., Hg., 1977). In ihnen möchte sich das Denken der Sachen versichern, ohne doch über mehr als ›stilistisch‹ kohärente Versionen zu gebieten. Von einem solchen Stilzwang, meine ich, können uns freilich weder Konstruktivismus noch Dekonstruktion entbinden.

1 Iser täuscht sich freilich, wenn er meint, der Stilbegriff vor Pater sei
durch einen »inhärenten Platonismus« (S. 71), also die Funktion, vermeintlich *vorgegebene* Inhalte auszudrücken, belastet gewesen.

2 Im Essay »Mythos und Altersstil« (1947) verwendet Broch zwar den
konventionellen literarischen Stilbegriff, reserviert ihn aber bezeichnenderweise für jene Klassiker, denen im Alter die Rückkehr zum
Mythos gelang. Den modernen ›Klassikern‹ (Kafka, Joyce) ist diese
Rückkehr und damit ein Altersstil nicht geglückt.

3 Leech, G. N. (1969), vgl. S. VII, 41, 130 ff.; vgl. zu einer ähnlichen
Selbstbescheidung der Rhetorik Lausberg, H. (²1973), (1960), Bd. 1, S. 8
und die Kommentare Schanzes dazu (Schanze, H., 1977, S. 64); undeut-
licher, mit entsprechenden Folgen im Blick auf die vermeintliche
Selbständigkeit linguistisch fundierter Stilmodelle Sanders, W. (1973),
S. 50 u. ö.

4 Im *Entwurf einer Theorie der Praxis* schießt sich Bourdieu vor allem
auf eine Kritik objektivistischer, mechanischer, zum Beispiel struktura-
ler Modelle ein. Dabei entsteht ein deutlicher Bedarf für den Stilbegriff,
der in der englischen Ausgabe allerdings expliziter gedeckt wird. Vgl.
zum Beispiel deutsche Ausgabe S. 31 f. gegenüber S. 6 ff. der englischen
Ausgabe. Ich will nicht verhehlen, daß die Struktur des Stilbegriffs in
Bourdieus *Die feinen Unterschiede* anders aussieht (Kap. 3). Bourdieu
leitet hier ›Lebensstile‹ sehr direkt aus Habitus und Klassenzugehörigkeit ab, deren »praktische Metaphern« (S. 281) sie abgeben. Damit
entfällt jener Spielraum, den ich bisher als begriffliches Einsatzfeld des
Stilbegriffs gerade zwischen Habitusbegriffen und ihrem Bestim-
mungspotential und Freiheitsgraden der Gestaltung reservieren wollte.
Allerdings wird nicht ganz klar, wie deterministisch klassenbestimmte
Lebensbedingungen wirken. Einmal verwandeln sich Notwendigkeiten
in Strategien, Zwänge in Präferenzen; Stil erscheint an solchen Stellen
als Produkt von Wahlen (S. 285). Zweitens kann unter Bedingungen
materieller Not von einem Lebensstil nur negativ die Rede sein; ein
solcher Stil wäre durch die Beziehung der Abwesenheit, des Mangels
definiert, die er zu anderen Lebensstilen unterhält (S. 291). Schließlich
ist Bourdieus Klassenbegriff nicht mehr von einer Art, die Stil als *bloße*
Spiegelung von Klassenzugehörigkeit zu sehen erlaubt.

5 Ohne dem nachgehen zu können, will ich vermerken, daß die frühere
und jetzige Verwendung des Begriffs ›Wirtschaftsstil‹ ähnlich vom
Druck kategorialer Verfeinerung bewirkt wurde. Vgl. Meyer-Abich,
K. M./Schefold, B. (1981), S. 112-121.

Literatur

Allison, D. B. (Hg.) (1977), *The New Nietzsche: Contemporary Styles of Interpretation*. New York.

Anderegg, J. (1977), *Literaturwissenschaftliche Stiltheorie*. Göttingen.

Auerbach, E. (³1964) (¹1946), *Mimesis. Dargestellte Wirklichkeit in der abendländischen Literatur*. Bern/München.

Bonheim, H. (1977), »Für eine Modernisierung der Rhetorik«. In: Plett, H. F. (Hg.) (1977), *Rhetorik. Kritische Positionen zum Stand der Forschung*. München. S. 109-124.

Bourdieu, P. (1976) (1972), *Entwurf einer Theorie der Praxis auf der ethnologischen Grundlage der kabylischen Gesellschaft*. Frankfurt/Main. (Englische Ausgabe: *Outline of a Theory of Practice*. Cambridge 1977).

Bourdieu, P. (1982) (1979), *Die feinen Unterschiede. Kritik der gesellschaftlichen Urteilskraft*. Frankfurt/Main.

Broch, H. (1975) (1933), »Das Weltbild des Romans«. In: ders., *Schriften zur Literatur 2. Theorie*. (Lützeler, P. M., Hg., Kommentierte Werkausgabe Bd. 9/2). S. 89-118.

Broch, H. (1975) (1947), »Mythos und Altersstil«. In: ders., *Schriften zur Literatur 2. Theorie*. (Lützeler, P. M., Hg., Kommentierte Werkausgabe Bd. 9/2). S. 212-233.

Broch, H. (1975) (1947/48), »Hofmannsthal und seine Zeit«. In: ders., *Schriften zur Literatur 1. Kritik*. (Lützeler, P. M., Hg., Kommentierte Werkausgabe Bd. 9/1). S. 111-284.

Chandler, E. (1958), *Pater on Style*. Kopenhagen.

Chatman, S. (1967), »The Semantics of Style«. In: Koch, W. A. (Hg.) (1972), *Strukturelle Textanalyse. Discourse Analysis. Analyse du Récit*. Hildesheim. S. 341-365.

Curtius, E. R. (⁸1973) (¹1948), *Europäische Literatur und lateinisches Mittelalter*. Bern/München.

Derrida, J. (1979), *Spurs. Nietzsche's Styles. Eperons. Les styles de Nietzsche*. Chicago/London.

Dockhorn, K. (1977), »Kritische Rhetorik?« In: Plett, H. F. (Hg.), *Rhetorik. Kritische Position zum Stand der Forschung*. München. S. 252-275.

Faensen, H. (1984), »Probleme stilgeschichtlicher Grundbegriffe«. In: Möbius, F. (Hg.), *Stil und Gesellschaft. Ein Problemaufriß*. Dresden. S. 51-69.

Faulseit, D./Kühn, G. (1972), *Stilistische Mittel und Möglichkeiten der deutschen Sprache*. Leipzig.

Fellmann, F. (1983), *Gelebte Philosophie in Deutschland. Denkformen der Lebensweltphänomenologie und der kritischen Theorie*. Freiburg.

Fleck, L. (1980) (1935), *Entstehung und Entwicklung einer wissenschaftli-*

chen Tatsache. Einführung in die Lehre vom Denkstil und Denkkollektiv. Hg. von L. Schäfer und T. Schnelle. Frankfurt/Main.

Foucault, M. (1971), *L'ordre du discours.* Paris. Deutsch (1974), *Die Ordnung des Diskurses.* München.

Fuhrmann, M. (1984), *Die antike Rhetorik. Eine Einführung.* München/Zürich.

Gadamer, H.-G. (²1965) (¹1960), *Wahrheit und Methode. Grundzüge einer philosophischen Hermeneutik.* Tübingen.

Georges, K. E. (¹¹1962), *Ausführliches Lateinisch-Deutsches Handwörterbuch,* 2 Bde. Hannover.

Goodman, N. (1978), *Ways of Worldmaking.* Hassocks, Sussex. Deutsch (1984), *Weisen der Welterzeugung.* Frankfurt/Main.

Gray, B. (1969), *Style. The Problem and Its Solution.* The Hague/Paris.

Grimm, J./Grimm, W. (1854-1954), *Deutsches Wörterbuch.* 16 Bde. Leipzig.

Gründer, K./Ritter, J. (Hgg.), (1971-1984), *Historisches Wörterbuch der Philosophie.* Bisher 6 Bde. Basel/Stuttgart.

Haug, W. (1985), *Literaturtheorie im deutschen Mittelalter. Von den Anfängen bis zum Ende des 13. Jahrhunderts. Eine Einführung.* Darmstadt.

Heldmann, K. (1982), *Antike Theorien über Entwicklung und Verfall der Redekunst.* München.

Hegel, G. W. F. (1842), *Ästhetik.* Hg. von F. Bassenge. 2 Bde. Frankfurt/Main o. J.

Hofstadter, R. (1965), *The Paranoid Style in American Politics and Other Essays.* New York.

Iser, W. (1960), *Walter Pater. Die Autonomie des Ästhetischen.* Tübingen.

Iser, W. (1972), *Der implizite Leser. Kommunikationsformen des Romans von Bunyan bis Beckett.* München.

Joseph, Sr. M. (1962), *Rhetoric in Shakespeare's Time. Literary Theory of Renaissance Europe.* New York/Burlingame.

Kayser, W. (¹⁰1964) (¹1948), *Das sprachliche Kunstwerk. Eine Einführung in die Literaturwissenschaft.* Bern/München.

Kelber, W. H. (1983), *The Oral and the Written Gospel. The Hermeneutics of Speaking and Writing in the Synoptic Tradition, Mark, Paul, and Q.* Philadelphia.

Kennedy, G. A. (1980), *Classical Rhetoric and its Christian and Secular Traditions from Ancient to Modern Times.* London.

Kilman, R. H. (1985), »Corporate Culture«. In: *Psychology Today,* April 1985. S. 62-68.

Kittler, F. A. (1985), »Literatur und Literaturwissenschaft als Word Processing«. In: Stötzel, G. (Hg.) (1985), *Germanistik – Forschungsstand und Perspektiven.* 2 Bde. Berlin/New York. Bd. 2, S. 410-419.

Lang, B. (1979), »Questions on the Concept of Style: A Checklist«. In: ders. (Hg.), *The Concept of Style*. Philadelphia. S. 233-239.

Lang, B. (1980), »Space, Time, and Philosophical Style«. In: ders. (Hg.), *Philosophical Style. An Anthology about the Writing and Reading of Philosophy*. Chicago. S. 144-173.

Lausberg, H. (²1973) (¹1960), *Handbuch der literarischen Rhetorik*. München.

Leech, G. N. (1969), *A Linguistic Guide to English Poetry*. London.

Leisegang, H. (²1951) (¹1928), *Denkformen*. Berlin.

Leroi-Gourhan, A. (1964/1965), *Le geste et la parole*. 2 Bde. Paris. Deutsch (1980), *Hand und Wort*. Frankfurt/Main.

Lübbe, H. (1967), »Der Streit um Worte. Sprache und Politik«. In: ders., *Bewußtsein in Geschichten. Studium zur Phänomenologie der Subjektivität. Mach-Husserl-Schapp-Wittgenstein*. Freiburg. S. 132-167.

Luhmann, N. (1984), *Soziale Systeme. Grundriß einer allgemeinen Theorie*. Frankfurt/Main.

Mannheim, K. (1964), *Wissenssoziologie. Auswahl aus dem Werk*. Hg. von K. H. Wolff. Berlin/Neuwied.

Martindale, C. (1978), »The Evolution of English Poetry«. In: *Poetics* VII, S. 231-248.

Meyer-Abich, K. M./Schefold, B. (1981), *Wie möchten wir in Zukunft leben. Der ›harte‹ und der ›sanfte‹ Weg*. München.

Möbius, F. (1984), »Stil als Kategorie der Kunsthistoriographie«. In: Möbius, F. (Hg.), *Stil und Gesellschaft. Ein Problemaufriß*. Dresden. S. 8-50.

Möbius, F. (Hg.) (1984), *Stil und Gesellschaft. Ein Problemaufriß*. Dresden.

Müller. W. G. (1981), *Topik des Stilbegriffs. Zur Geschichte des Stilverständnisses von der Antike bis zur Gegenwart*. Darmstadt.

Murphy, J. J. (1974), *Rhetoric in the Middle Ages. A History of Rhetorical Theory from Saint Augustine to the Renaissance*. Berkeley/Los Angeles/London.

Murry, J. M. (1922), *The Problem of Style*. London.

Musil, R. (1978) (1921), »Geist und Erfahrung. Anmerkungen für Leser, welche dem Untergang des Abendlandes entronnen sind«. In: Frisé, A. (Hg.), *Robert Musil. Gesammelte Werke*. 9 Bde. Reinbek b. Hamburg. Bd 8, S. 1042-1059.

Nohl, H. (1920a), *Stil und Weltanschauung*. Jena.

Nohl, H. (1920b), *Typische Kunststile in Dichtung und Musik*. Jena.

Ong, W. J. (1971), *Rhetoric, Romance and Technology. Studies in the Interaction of Expression and Culture*. Ithaca and London.

Ong, W. J. (1977), *Interfaces of the Word. Studies in the Evolution of Consciousness and Culture*. Ithaca and London.

Oxford English Dictionary (1961) (1933), 12 Bde. Oxford.

Plett, H. F. (1975), *Rhetorik der Affekte. Englische Wirkungsästhetik im Zeitalter der Renaissance.* Tübingen.

Plett, H. F. (Hg.) (1977), *Rhetorik. Kritische Positionen zum Stand der Forschung.* München.

Plett, H. F. (1977a), »Perspektiven der gegenwärtigen Rhetorikforschung«. In: ders. (Hg.) (1977), S. 9-22.

Plett, H. F. (1977b), »Die Rhetorik der Figuren. Zur Systematik, Pragmatik und Ästhetik der ›Elocutio‹«. In: ders. (Hg.) (1977), S. 125-165.

Quadlbauer, F. (1962), *Die antike Theorie der genera dicendi im lateinischen Mittelalter.* Wien.

Reiners, L. (1961) (1943), *Stilkunst. Ein Lehrbuch deutscher Prosa.* München.

Richards, I. A. (1965) (1936), *The Philosophy of Rhetoric.* New York.

Robert, P. (²1985) (¹1951-1966), *Le Grand Robert de la Langue Française.* 9 Bde. Paris.

Ruhe, E. (1975), *De Amasio ad Amasiam. Zur Gattungsgeschichte des mittelalterlichen Liebesbriefes.* München.

Sanders, W. (1973), *Linguistische Stiltheorie. Probleme, Prinzipien und moderne Perspektiven des Sprachstils.* Göttingen.

Schäfer, J. (1978), »›Twins by Birth‹. Literaturtheoretische Aspekte elisabethanischer Rhetorik«. In: Ahrens, R./Wolff, E. (Hgg.), *Englische und amerikanische Literaturtheorie. Studien zu ihrer historischen Entwicklung.* 2 Bde. Heidelberg. Bd. 1, S. 45-72.

Schanze, H. (1977), »Rhetorik und Literaturwissenschaft. Zum Verhältnis von Produktionstheorie und Analysesystem von Texten im 18. Jahrhundert«. In: Plett, H. F. (Hg.) (1977), S. 62-76.

Schlaffer, H. (1985), »Ursprung, Ende und Fortgang der Interpretation«. In: Stötzel, G. (Hg.), *Germanistik – Forschungsstand und Perspektiven.* 2 Bde. Berlin/New York. Bd. 2, S. 385-397.

Schneider, W. (⁵1959), *Stilistische deutsche Grammatik. Die Stilwerte der Wortarten, der Wortstellung und des Satzes.* Freiburg.

Seidler, H. (1953), *Allgemeine Stilistik.* Göttingen.

Seiffert, H. (1977), *Stil heute. Eine Einführung in die Stilistik.* München.

Semper, G. (1966) (1834-1869), *Wissenschaft, Industrie und Kunst und andere Schriften über Architektur, Kunsthandwerk und Kunstunterricht.* Hg. von H. M. Wingler, Frankfurt/Main/Berlin.

Semper, G. (1860), *Der Stil in den technischen und tektonischen Künsten oder praktische Ästhetik. Ein Handbuch für Techniker, Künstler und Kunstfreunde.* 2 Bde. Frankfurt/Main (repr. Mittenwald 1977).

Sloane, Th. O. (1985), *Donne, Milton, and the End of Humanist Rhetoric.* Berkeley.

Sowinski, B. (1972), *Deutsche Stilistik. Beobachtungen zur Sprachverwendung und Sprachgestaltung im Deutschen.* Frankfurt/Main.

Spillner, B. (1974), *Linguistik und Literaturwissenschaft. Stilforschung, Rhetorik, Textlinguistik.* Stuttgart/Berlin/Köln/Mainz.

Stewart, G. (1984), *Death Sentences. Styles of Dying in British Fiction.* Cambridge, MA.

Thiel, M. (1958), *Die Umstilisierung der Wissenschaft und die Krise der Welt.* Heidelberg.

Tuve, R. (1947), *Elizabethan and Metaphysical Imagery. Renaissance Poetic and Twentieth Century Critics.* Chicago/London.

Ueding, G. (1976), *Einführung in die Rhetorik. Geschichte, Technik, Methode.* Stuttgart.

Vondung, K. (1984), »The Paradox of Rhetoric«. In: Porter, J. M. (Hg.), *Sophia and Praxis. The Boundaries of Politics.* Chatham, N. J., S. 93-104.

Weber, M. ('1972), *Wirtschaft und Gesellschaft. Grundriß der verstehenden Soziologie.* Tübingen.

Nicht zugänglich bei Drucklegung des Bandes waren:

Heath-King, G. (1986), *Existenz, Denken, Stil. Perspektiven einer Grundbeziehung. Dargestellt am Werk Søren Kierkegaards.* Berlin/New York.

Heinz, R. (1986), *Stil als geisteswissenschaftliche Kategorie. Problemgeschichtliche Untersuchungen zum Stilbegriff im 19. und 20. Jahrhundert.* Würzburg.

Hans Ulrich Gumbrecht
Schwindende Stabilität der Wirklichkeit
Eine Geschichte des Stilbegriffs

Für Siegfried Bartylla,
Stil-Meister

Gregor der Große wurde um 540 in Rom geboren und starb dort im Jahr 604; von 590 bis zu seinem Tod war er der erste Papst dieses Namens. Das Fragment eines kurz vor der Jahrtausendwende entstandenen Codex, der in der Stadtbibliothek Trier aufbewahrt wird, enthält eine Miniatur, der die Postkartenproduzenten (siehe S. 10) des späten xx. Jahrhunderts folgenden Titel gegeben haben: »Papst Gregor I., inspiriert vom Heiligen Geist«.[1] Der Heilige und Papst ist durch Nimbus und liturgische Gewänder kenntlich gemacht. Seine linke Hand ruht auf den Seiten eines geöffneten Buchs, das auf einem Lesepult liegt; in der rechten Hand hält er ein Buch mit goldfarbenem Einband. Auf Gregorius' rechter Schulter sitzt eine weiße Taube, die in hochmittelalterlicher Buchmalerei allein den Heiligen Geist meinen kann. Der Schnabel der weißen Taube ist geöffnet und befindet sich in unmittelbarer Nähe des rechten Ohrs von Gregorius: *der Heilige Geist inspiriert den Papst.*
Deshalb ist Gregorius' Blick nicht auf den Bildbetrachter gerichtet und auch nicht auf das geöffnete Buch. Wenn ich die Simultanität des Bildes in eine Geschichte umsetze, kann ich sagen: Gregorius war mit der Auslegung der Heiligen Schrift beschäftigt gewesen – da erleuchtete ihn der Heilige Geist. Der Papst unterbrach seine durch die Beschränktheit des menschlichen Intellekts notwendig unvollkommene Auslegungs-Bemühung und wurde zum Hörenden, öffnete sich ganz dem unmittelbaren göttlichen Wort und wurde der Situation seiner Exegese entrückt.
Der Mund des Heiligen ist geschlossen. Aber er muß gesprochen haben, bevor der Heilige Geist zu ihm sprach. Denn zur Rechten von Gregorius sieht man hinter einem Vorhang, der an zwei Säulen befestigt ist, die kleinere Gestalt eines Schreibers, den

seine Tonsur als Angehörigen des geistlichen Standes kenntlich macht, der aber nicht die liturgischen Gewänder trägt und auch nicht durch einen Nimbus hervorgehoben wird. Ihm hatte Gregorius nach einem aus der Antike überlieferten Verfahren der Textproduktion die Worte seiner Auslegung diktiert, bevor der Heilige Geist zu ihm sprach. Jetzt zeigt der Schreiber mit dem eisernen Schreibgriffel, dem *stilus*, auf die Taube und mit der von seiner linken Hand gehaltenen, holzumrahmten Wachstafel auf den Heiligen.

Zwar hängt über dem Schreiber ein von einem Knoten geraffter grüner Vorhang, dessen durch Goldfarbe konturierter gezackter Rand – wie der in anderen Miniaturen aus den Wolken ragende Finger Gottes – auf ihn zeigt; doch der Schreiber steht eng am linken Bildrand, *am Rand der Wahrheit*. Soll er überhaupt mehr vergegenwärtigen als die *Unvollkommenheit der Schrift gegenüber dem Wort* Gottes, der göttlichen Inspiration? Sein Blick jedenfalls scheint durch den zwischen ihm und der Szene der Inspiration aufgespannten Vorhang hindurch den Papst und die Taube angestrengt fixieren zu müssen. Und wenn dann der Heilige fortfahren wird, ihm das in unvollkommene menschliche Wörter gefaßte Wort Gottes zu diktieren, dann wird er mit dem abgeflachten oberen Ende des *stilus* immer wieder die vom spitzen Ende des *stilus* ins Wachs gekratzten Schriftzeichen glätten, weil die Wörter des Exegeten und die Zeichen des Schreibers die Fülle der göttlichen Weisheit nicht fassen können – ohne daß die Menschen von der Verpflichtung des Gottes-Verstehens je entlastet würden.

Ganz bewußt bin ich mit dieser Bildbeschreibung das Risiko unwissenschaftlicher Anachronismen eingegangen, weil die Miniatur aus dem Trierer Codex, *so gesehen*, eine komplexe Bedingungskonstellation sinnfällig macht, unter welcher der *Stilbegriff* (wie er im ersten vorchristlichen Jahrhundert durch eine Bedeutungserweiterung des lateinischen Prädikats ›stilus‹, der Bezeichnung für den zur Wachstafel gehörigen Schreibgriffel, entstanden war) ein besonders wichtiger Indikator, aber auch ein Faktor der europäischen Kulturgeschichte geworden ist. Der Ort des *stilus* liegt zwischen der *einen Wahrheit* des göttlichen Wortes, die Gregorius ›aus dem Mund des Heiligen Geistes‹ vernimmt (und die von der Heiligen Schrift symbolisiert wird, ohne daß diese sich *als Schrift* dem Menschen in Eindeutigkeit wie das göttliche

Wort erschließt), und der *Vielfalt* menschlicher Gedanken und Meinungen, deren Vorläufigkeit das gefügige Wachs der Schreibtafel entspricht. Der *stilus* – und der ihn führende Schreiber – sind aber auch Medium zwischen dem *gesprochenen Wort* des Papstes und der *geschriebenen Form* seiner Verbreitung. Schließlich scheint der auf den Heiligen Geist gerichtete *stilus* den Vorhang zwischen dem Schreiber und Gregorius mit seinem spitzen Ende zu durchdringen, so als ob er hindurchstieße durch die opake Scheidewand zwischen dem *erkenntnissuchenden Menschen* und jenem *der conditio humana entrückten Menschen*, der an göttlicher Wahrheit teilhat.

Eine andere ikonographische Tradition rückt die mühsame Suche nach Erkenntnis und die göttliche Inspiration – in der *einen* Gestalt des Heiligen Gregorius – näher aneinander.[2] Sie zeigt Gregorius zugleich als Hörer des göttlichen Worts und als Schreiber. Der Heilige sitzt über ein Schreibpult gebeugt und lauscht dem Heiligen Geist, der von seiner rechten Schulter in sein rechtes Ohr spricht. Seine Schreibgeräte sind nun die des Mittelalters: er hält in der rechten Hand eine Feder und in der linken Hand ein Messer, mit dem er die vorläufigen, unvollkommenen Schriftzeichen vom Pergament schaben (›radieren‹) kann.

Zwischen den Instanzen von der einen Wahrheit und der Vielfalt menschlicher Hinsichten, von Stimme und Schrift, von gesuchter Erkenntnis und empfangener Inspiration entfaltet die Geschichte der zum Begriff gewordenen Metapher vom ›*stilus*‹ Spuren der zwei – oder zweieinhalb – Jahrtausende währenden *Reflexion über das Verhältnis zwischen menschlicher Subjektivität und außermenschlicher Wahrheit*. Das ist genau jener intellektuelle Raum, welchen die im *zweiten Block* dieses Bandes versammelten Beiträge ausloten. Aber ich muß präzisieren: die Bewegungen der Reflexion über das Verhältnis des ›Subjekts‹ zur ›Wahrheit‹ fügen sich nicht zu *einer* kontinuierlichen Geschichte zusammen – so wenig wie sich der Stilbegriff von der Wissenschaft unseres Jahrhunderts auf *eine* Bedeutung oder *eine* Funktion festlegen ließ/läßt. Der Grund für solche Diskontinuität ist vorgegeben in dem Sachverhalt, daß jene Reflexionsbewegungen, deren Spuren die Geschich*ten* des Stilbegriffs ausmachen, stets dann einsetz-(t)en, wenn die Attribution dessen, was immer man ›Stil‹ nannte, im gesellschaftlichen Wissen von der einen zur anderen Instanz, vom Subjekt zur Wahrheit/Wirklichkeit, von der Wahrheit/

Wirklichkeit zum Subjekt, überging. Diese Positionswechsel verfolgen die Beiträge zum *dritten Block* des vorliegenden Bandes aus historischer Perspektive, und die dominant systematisch orientierten Stellungnahmen des *vierten Blocks* sind – falls der Eindruck zutrifft, daß unser neues Interesse am Stilbegriff die beginnende Reaktion auf die jüngste seiner Verschiebungen zwischen ›Subjekt‹ und ›Wahrheit/Wirklichkeit‹ anzeigt – nichts anderes als Material für die Fortschreibung der Begriffsgeschichte von ›Stil‹.

Die auf den folgenden Seiten skizzierte ›Geschichte des Stilbegriffs‹ entstand aus dem Versuch, für dieses Buch eine – zweite – Synthese zu formulieren, eine Synthese genauer, welche sich seine verschiedenen Teile unter komplementären Perspektiven aneignet, um am Ende – beladen mit historischen Materialien – zu jener Strecke europäischer Geistes- und Mentalitätsgeschichte aufzuschließen, welche Wolfgang Ernst und Brigitte Pichon auf den ersten Seiten stilreflektierend markiert haben. Natürlich wird meine Stil-Begriffs-Geschichte höchst unvollständig bleiben, und ich vermute, daß die Angst vor ähnlicher Unvollständigkeit (nicht einmal nur im Hinblick auf die proliferierenden Belege, sondern – und das ist gravierend – im Hinblick auf die folgenreichsten unter den Bedeutungsbewegungen) solche, die weit besser Bescheid wußten als ich, davor behütet hat, eine Geschichte des Stilbegriffs zu schreiben.[3] Trotz aller im Rekurs auf die Beiträge dieses Bandes möglichen Wissens-Ergänzungen wird der Leser sehr bald merken, wo meine Grenzen hinsichtlich der für den Stilbegriff wichtigen Kulturen, Epochen und Praxisbereiche liegen.

Bei allen Defizienzen scheint mir allerdings *ein* Resultat der Bemühungen um die folgende Skizze außer Frage zu stehen: die Gewißheit nämlich, daß eine Rekonstruktion der Geschichten des Stilbegriffs kulturhistorisch von Belang ist, vor allem – und dies vielleicht doch überraschenderweise – für die Reflexion der (hierzulande) sogenannten ›Geisteswissenschaften‹ über ihren kognitiven und gesellschaftlichen Status im späten 20. Jahrhundert. Dieses Interesse zeichnet sich bereits ab, wenn man die Konstituenten jener Situation genauer unter die begriffshistorische Lupe nimmt, in der ›stilus‹, die Bezeichnung für den Schreibgriffel aus Eisen oder aus Rohr, zuerst auf Strukturen geschriebener Sprache bezogen wurde.

Auf dem Weg zur Richtigkeit der Schrift

Im zweiten vorchristlichen Jahrhundert, wo die Kenner der lateinischen Literatur erste Anzeichen für ein von Schriftlichkeit geprägtes Formbewußtsein und zugleich für Gesten der Abgrenzung gegenüber der griechischen Literatur ausmachen, stoßen wir bei Terenz, im Prolog zu der Komödie *Andria*, auf einen Satz, der – eher beiläufig – die Begriffe ›stilus‹ und ›oratio‹ in einer Weise voneinander abhebt, wie sie bis zur Frühen Neuzeit maßgeblich für den Gebrauch des Stilbegriffs im übertragenen Sinn bleiben sollte: »Dissimili oratione sunt (sc.: fabulae) ac factae stilo«.[4] Beide Konzepte sollen den Text des Terenz von griechischen Vorbildern absetzen; doch ›oratio‹ scheint auf den mündlichen Vollzug (beim Diktieren und in der Aufführung) bezogen, ›stilus‹ auf die schriftliche Faktur. Das erste Anzeichen der für uns relevanten Bedeutungsverschiebung erschließt dem Prädikat also als Referenzbereich die *schriftliche Performanz* – und zwar als Ergänzung zu ›oratio‹, der längst eingeführten Bezeichnung für mündliche Performanz.

Dieser schlichte Befund hilft uns verstehen, warum vor allem dem ersten vorchristlichen Jahrhundert – und hier besonders Cicero – entscheidende Bedeutung für die Genese und Ausprägung des Stilbegriffs (oder zunächst besser: für die römische ›stilus‹-Metapher) zukommt. Denn im ersten Jahrhundert wurde Schrift-, Buch- und Bibliothekskultur in Rom zu einer Institution, und seit seinen Anfängen schrieb gerade Cicero Werke so bewußt für einen Markt von Buch-Lesern, daß er schon bald das Geschäft ihrer Verbreitung in die Hände eines Verlegers übergab (Fuhrmann, M., 1974, S. 27). Verstärkend wirkte auf diese Tendenz die politische Geschichte: Ciceros letzte Lebensjahre waren die ersten Jahre der unaufhaltsamen Entwicklung zum römischen Kaisertum, mithin auch die ersten Jahre während derer die im gesprochenen Wort vollzogene Praxis politischer Auseinandersetzung innerhalb der römischen Republik obsolet wurde. Eben dieser republikanischen Praxis der Gerichtsrede und der politischen Beratungsrede hatte Cicero seine – zumindest in jungen Jahren – brillante Karriere zu verdanken, hier hatte er jene Erfahrungen gewonnen, die er seit den frühen achtziger Jahren in einer Reihe von ›rhetorischen Schriften‹ zusammenfaßte und systematisierte (vgl. Schmidt, P. M., 1974, S. 155-161). Schon in der Anklagerede gegen den Provinzstatthalter Verres, mit der Cicero seinen ersten öffentlichen Erfolg errang, zeichnet sich die Stilmetapher ab: »Vertit stilum in tabulis suis, quo facto causam omnem evertit suam«. Die Wendung ›stilum vertere‹ muß entscheidend gewesen sein für jene Bedeutungserweiterung, um die es uns geht. Was die Folge der Bewegung war, mit der man den Schreibgriffel wendete, um die in Wachstafeln geritzten Buchstaben zu löschen und durch neue zu ersetzen, nämlich die Veränderung von Form und Inhalt eines Textes, wurde nun – im übertragenen Sinn – von jenem Syntagma bezeichnet, das ursprünglich allein das Umdrehen des Griffels gemeint hatte. Und was im Kontext der Redepraxis auf punktuelle Handlungen bezogen war, rückte im Rahmen der rhetorischen Theorie (und später im Rahmen der Poetologie) offenbar immer näher heran an einen Prozeß der ›Arbeit am geschriebenen Text‹, mit dem Redner und Dichter – wenn nicht schon die Vollkommenheit, so doch wenigstens – immer neue Stufen sprachlicher Qualität zu erreichen suchten. Hier ist jenes Moment der Prozessualität, der Zeitlichkeit in den Stilbegriff eingegangen, dessen besondere Wichtigkeit Jan Assmann im Rahmen einer systematischen Überlegung zurecht hervorgehoben hat. Denn es handelte sich, wie wir dem folgenden Horaz-Zitat entnehmen können, um eine Sequenz von ›Stil‹-Verbesserungen: »Saepe stilum vertas, iterum quae digna legi sint/Scripturus«.

Ohne Zweifel assoziierte man die Buchstaben-löschende Wirkung der abgeplatteten Seite des *stilus* mit dem Tilgen *überflüssiger* Sprach-Elemente, und so wurde die ›Stil‹-Arbeit zu einem Synonym für die Suche nach einer Eleganz und Prägnanz der Schlichtheit, welche ihrerseits wohl im ersten vorchristlichen Jahrhundert mit dem Übergang von mündlicher zu schriftlicher Performanz assoziiert wurde. Im *Orator*, Ciceros letzter rhetorischer Schrift, die im Sommer 46 abgeschlossen war, zeigt sich diese Bedeutung der Stil-Metapher besonders klar durch ihre Verbindung mit dem Bildfeld der Fülle: »Ubertas orationis stilo depascenda est«.

Schriftlichkeit, Prozessualität der Arbeit am geschriebenen Text und elegante Sparsamkeit in der Sprachverwendung das sind jene Elemente, die wir bisher als Bedingungen für die Entstehung der Stil-Metapher und die sie ermöglichende Bedeutungserweiterung identifiziert haben. Vieles spricht dafür, daß die Stil-Metapher darüber hinaus auch deshalb gängig wurde, weil zum Verschriftlichungs-Schub in der römischen Literatur seit der Mitte des ersten vorchristlichen Jahrhunderts – viele Tendenzen der Verschriftlichung potenzierend – eine ›Attizismus‹ genannte Strömung des sprachlichen Geschmacks kam, über deren Hintergründe und Folgen Thomas Schleich ausführlich berichtet. In Ciceros rhetorischer Schrift *Orator* ist von »orationes Attico stilo scriptae« die Rede, denn gerade ihn, Cicero, traf als unbestrittene Autorität des gesprochenen und geschriebenen Worts die Kritik stilbewußter junger Dichter. Wenn man nun annehmen kann, daß ihre Begeisterung für die Schlichtheit der attischen Redepraxis im fünften Jahrhundert einen spezifischen kulturellen Horizont evozierte, dann dürfte auch die in vierhundert Jahren verfestigte Spannung zwischen den sprachlichen Idealen des Attizismus und des Asianismus als Entstehungsbedingung für die Stil-Metapher in den Stil-Begriff eingegangen sein. Denn sprachliche Schlichtheit war im klassischen Athen deshalb zu einem ethischen Wert geworden, weil sie aus einer Kritik an Berufsrednern, den Sophisten, hervorging, deren Kunstfertigkeit allein auf den Sieg im Rede-Wettstreit ausgerichtet war, ohne in diesem Sieg – oder auch neben diesem Sieg – die Wahrheit zu suchen. So erst wird die Kritik des Sokrates an den Sophisten verständlich, wie sie im *Phaidros*[5] überliefert ist:

Sie behaupten also, man dürfe dieses gar nicht so ernsthaft behandeln, noch von weitem so ausholend ableiten; denn durchaus, was wir auch gleich zu Anfang dieser Rede gesagt haben, sei es nicht nötig, daß irgendwie an der Wahrheit teilhabe davon, was gerecht und gut sei in den Angelegenheiten oder wer so sei unter den Menschen von Natur oder durch Erziehung, wer künftig ein zureichender Redner sein wolle. Denn ganz und gar kümmere sich vor den Gerichtsstätten niemand das mindeste um die Wahrheit in diesen Dingen, sondern nur um das Glaubliche, und dieses sei das Scheinbare, worauf jeder seine Aufmerksamkeit zu wenden habe, der kunstgerecht reden wolle.

Aus der Praxis der Sophisten vor allem schöpften die zahlreichen Rhetorik-Handbücher, die im Griechenland der nachklassischen Zeit entstanden und Vorformen des Stilbegriffs auf drei Konstitutionsebenen der Rede zu begrifflicher Prägnanz brachten: auf der Ebene der *Stilqualität* (›Sprachrichtigkeit‹, ›Deutlichkeit‹, ›Angemessenheit‹, ›Redeschmuck‹, ›Kürze‹), auf der Ebene der *Stilarten* (›schlichter Stil‹, ›mittlerer Stil‹, ›erhabener Stil‹) und auf der

Ebene der *Wortfügungsarten* (›glatte Fügung‹, ›mittlere Fügung‹, ›rauhe Fügung‹). Im Zug der Latinisierung wurden die ›Stilqualitäten‹ als *›virtutes dicendi‹*, die ›Stilarten‹ als *›genera elocutionis‹* und die ›Wortfügungsarten‹ als *›structurae‹* oder als *›compositiones‹* bezeichnet. Die Kunst des Redners stellten die Rhetoriken abstrahierend als die Fähigkeit dar, auf je verschiedenen Konstitutionsebenen der Rede versammelte Elemente im Blick auf eine je spezifische Situation so zu kombinieren, daß er den Sieg im Rede-Agon davontrug. Freilich war die Entstehungszeit der griechischen Rhetoriken zugleich die Epoche des Verfalls der Demokratie gewesen; deshalb verloren die Redepraxis und das aus ihr gebildete Rezeptwissen ihren institutionellen Rahmen, und die Redekunst entfaltete sich als eine Form sprachlicher Performanz, die nicht nur den Wahrheitsbegriff außer acht ließ, sondern nun auch das Handeln der Hörer als Bezugspunkt aus dem Blick verlor. Hier erst gewann der *Asianismus* als eine allein auf die Gefühlsregungen der Rezipienten bezogene Redeart jene Konturen, welche uns die Schrift des (Pseudo-)Longin *Über das Sublime* vergegenwärtigt[6]:

Das fünfte der zum Erhabenen beitragenden Teile, die wir am Anfang vorgeführt haben, bleibt uns noch zu behandeln, mein Bester, es handelt sich um das eigentümliche Gefüge der Worte ... die Harmonie überzeugt und erfreut den Menschen nicht nur seiner Natur gemäß, sondern ist zugleich ein wunderbares Instrument der großen, von Leidenschaft erfüllten Rede. Ist es nicht so: schon die Flöte vermittelt den Zuhörern bestimmte Affekte, versetzt sie gleichsam außer sich und verzückt sie zu einem rauschenden Taumel.

Der Gegensatz zwischen *Asianismus* und *Attizismus* konnotiert eine lange Serie weiterer begrifflicher Oppositionspaare: unter kulturgeschichtlicher Perspektive, wie wir gesehen haben, den Gegensatz zwischen *Sophistik* und *Platonismus*; philosophiegeschichtlich die Spannung zwischen einer Sphäre *vielfacher Sinnwelten*, die sich in Reden, Geschichten und – letztlich – Mythen (vgl. Blumenberg, H., 1979, S. 239-290) artikulieren, und jener *zweischichtigen Vorstellung von der Welt*, in der die diesseitige Wirklichkeit immer nur Abbild einer wahren, transzendentalen Welt der ›Ideen‹ ist; damit auch – religionsgeschichtlich – den Gegensatz zwischen *Polytheismus* und *Monotheismus*. Wenn sich der Platonismus als Suche nach der Wahrheit öffentlich präsentierte, so konnte ihm – zumindest öffentlich – nicht daran gelegen sein, Repertoires von sprachlichen Elementen und einschlägigen Kombinationsregeln zur Konstitution je situationsangepaßter Rede parat zu halten. Beobachtete sprachliche Besonderheiten waren dem Platonismus allein Symptome für das Ethos des Redners. So heißt es in der *Politeia*[7]:

Also Wohlredenheit und Wohlklang und Wohlanständigkeit und Wohlangemessenheit, alles folgt der Wohlgesinntheit und Güte der Seele, nicht etwa, wie wir beschönigend auch den Dummen eine gute Seele nennen, sondern dem wahrhaft gut und schön, der Gesinnung nach geordnetem Gemüt.

Ähnlich vielschichtige Spannungen scheinen wieder aufgelebt zu sein, als um die Mitte des ersten vorchristlichen Jahrhunderts eine neue Generation von römischen Dichtern, die Neoteriker, begann, die – für sie – ›alte‹ Rhetorik etwa eines Cicero im Namen jenes Stilideals zu attackieren, das sie in der gelehrten hellenistischen Dichtung finden wollten. Doch es blieb nicht bei einer bloßen Erneuerung alter Gegensätze. Denn – zum einen – waren es ja nun die Erneuerer, welche in Sprachbewußtsein und Sprachartistik ihre Vorgänger zu übertreffen suchten (auch wenn ihnen an der Eleganz des knappen Worts und nicht an der Exuberanz des Asianismus gelegen war). Und diese neue Generation bewegte sich – zum zweiten – in die Epoche des römischen Kaiserreichs hinein, deren politische Institutionen der sprachlichen Performanz ihren republikanischen Orientierungsrahmen nahmen, wie dies ähnlich schon im Zeichen des Niedergangs athenischer Demokratie geschehen war und zur Ausprägung des Asianismus geführt hatte.

So konnten – und mußten – im Redner-Ideal der römischen Kaiserzeit, welches Quintilian in professoraler Ausführlichkeit und geschichtsmächtiger Bündigkeit formulierte, die Grundelemente zweier Traditionen zusammentreten, die bis dahin in einem Verhältnis der Spannung und der wechselseitigen Ausschließlichkeit gestanden hatten. Einmal das Bewußtsein des Redners, aufgrund einer elaborierten Spezialkompetenz ›stilistisch‹ bessere oder schlechtere, aber auch mehr oder weniger ›erfolgreiche‹ Performanz produzieren zu können; auf dieser Seite tauchte bei Quintilian der Stilbegriff auf: »Tardior stilus cogitationem moratur, rudis et confusus intellectu caret.« Hier ist der Redner – modern formuliert – *Subjekt* der Sprachhandlung und kann zwischen verschiedenen Formen wählen. Auf der anderen Seite mußte er sich – als *vir bonus* – an ein *Ethos* gebunden fühlen, das die Variantenfülle seiner Performanz-Möglichkeiten in die Schranken wies. Wo die Kunst erfolgreicher Rede nun aber – wie bei Quintilian im zweiten nachchristlichen Jahrhundert und ein halbes Jahrtausend zuvor bei den Sophisten – Gegenstand hochbezahlter Lehre geworden war und dennoch die platonistische Bindung an das Ethos nicht aufgegeben werden sollte, gelangte man zu der Erfahrung, daß auch ein *moralisch schlechter* Mensch *gut reden* konnte:

Aber es kommt auch bisweilen vor, daß ein schlechter Mensch das Proömium, die Narratio und die Argumente seiner Rede so gut vorträgt, daß diese nichts zu wünschen übrig lassen. Denn man wird einem, der mutig kämpft, die Tugend der Tapferkeit ja auch dann nicht absprechen können, wenn er ein Dieb ist; und man wird einem Sklaven, der Qualen ohne Seufzer erträgt, das Lob für solche Beherrschung nicht verweigern.[8]

Die Übertragung der Bezeichnung für den Schreibgriffel auf die Verfaßtheit geschriebener Texte vollzog sich, wie wir sahen, während des ersten vorchristlichen Jahrhunderts also nicht allein im Zuge einer intensiven Tendenz zur Verschriftlichung und in dem sie begleitenden Bestreben nach neuen Standards kultureller Performanz. Diese gesamte Bewegung evozierte vielmehr einen mit historischer Bedeutsamkeit geladenen Horizont von Gegensätzen des Geschmacks, des Weltbilds, der Philosophie, der Religionen. Nur deshalb konnte *auf dem Weg zur Vorstellung einer Richtigkeit der geschriebenen Sprache* in den Stilbegriff auch jene Spannung zwischen Subjektivität und kosmologischer Wahrheit eingehen, die seine Geschichte prägen sollte, eine Geschichte, deren Folgen noch für unsere Gegenwart zugleich relevant und problematisch erscheinen. Doch bis hin zum Ende der Antike scheint der Gebrauch des Prädikats ›stilus‹ in seinen heute geläufigen Bedeutungen noch als Metapher erfahren worden zu sein. Auch im Bezug auf geschriebene Sprache blieb die Bezeichnung der ›genera dicendi‹ der lexikalische Normalfall, welchen die Stil-Metapher bloß variierte.

Im Exil der christlichen Kosmologie

Zu sehr gewohnt, nur zu sehen, was schwarz auf weiß dasteht, achten die meisten Handschriftenforscher nicht auf jene unscheinbaren, farblosen Spuren, die der Griffel, der Stilus, im Pergament hinterließ. Man schrieb mit dem Griffel nicht nur auf Wachstafeln. Vielmehr kam diesem Instrument im frühen Mittelalter eine ganz ähnliche Rolle zu, wie sie im heutigen Leben der Bleistift spielt, mag man nun an den Stift der Privatsekretärin denken oder an den des Schülers, der sich die Verdeutschung schwieriger Vokabeln zwischen die Zeilen seiner Klassiker schreibt, an den des Kalligraphen, der Linien zieht, um die Schrift auszurichten, oder den des Zeichners, der eine Vorzeichnung mit dem Bleistift später mit Tusche ausführt. Selbst zu einfachen Merkzeichen in Büchern, wie sie während der Lektüre gemacht werden, hat der Griffel oft gedient; stehen doch in vielen Codices eingeritzte schräge Kreuze oder ähnliche wiederkehrende Zeichen am Rande (Bischoff, B., 1966, S. 88).

Die Wachstafel, auf die der *stilus* Schriftzeichen einritzte, war bei den Schreiber-Mönchen des christlichen Mittelalters nicht gänzlich außer Gebrauch gekommen; aber nur ein einziger Satz von solchen Tafeln ist aus einem irischen Torfmoor geborgen – und überliefert – worden. Hingegen ist die Fülle der Spuren, welche der *stilus* auf den Pergamentseiten hinterlassen hat, nach Meinung der Paläographen bis heute kaum gesichtet. Denn was aus den Rissen entstand, welche die Spitze des Schreibgriffels den Tierhäuten beibrachte, waren Zeichen, die man nicht sehen sollte.
Dieser Befund mutet an wie eine Metapher zur Geschichte des Stilbegriffs im Mittelalter. Eine Welt, die Erfahrung und Wissen allein gelten ließ, wenn sie von der *einen* Stimme göttlicher Offenbarung hergeleitet werden konnten, hatte für die *Vielfalt* der Möglichkeiten sprachlicher Gestaltung keinen Platz. Die äußerst seltenen mittelalterlichen Belege für den Stilbegriff sind zufällige Ergebnisse der hartnäckigen Bemühung um die *translatio studii*, um die Erhaltung selbst jener Stücke aus dem Schatz antiker Gelehrsamkeit, deren Gebrauch niemand mehr verstand. Wie Wachstafeln im Torfmoor wirken daher die auf uns gekommenen Versatzstücke der Rhetorik-Tradition; und oft ist das Streben nach Vollkommenheit der sprachlichen Form so schwer wahrzunehmen wie die Spuren des *stilus* auf dem Pergament.
Das vom Platonismus über die Kunst der Redner und Dichter verhängte Verdikt war zudem im Christentum gleichsam ›überdeterminiert‹ durch den Verweis auf die einfache Sprache der

Apostel, mit der die Verkündigung der Botschaft Christi ihren Anfang genommen hatte. Hier hat bekanntlich Erich Auerbach (1946) (1967) den Anlaß für eine Umkehrung der in der antiken Lehre von den ›drei Stilebenen‹ implizierten Werte und damit die Voraussetzung für eine von ihm postulierte Tradition des abendländischen Realismus gesehen. »Wer liest heute noch den Aristoteles? Von unseren Bauern und Fischern aber spricht der ganze Weltkreis, die ganze Erde hallt von ihrer Sprache wider« (nach Auerbach, 1958, S. 37), heißt es beim Kirchenvater Hieronymus: und noch deutlicher betont Augustin, daß sich Gott »nicht einen Redner, nicht einen Senator, sondern einen Fischer« (a.a.O.) zu seinem Stellvertreter gewählt habe, einen von jenen »in bescheidensten Verhältnissen geborenen, durch keinerlei weltliche Ehren ausgezeichneten, ungebildeten« Männern »ohne Erfahrung und fern allem Geschehen«. Schon bald gewann dieses Argument aus der Tradition auch einen Horizont funktionaler Begründung. In den lateinischen Heiligenviten der Merowingerzeit wurde der Verweis auf die Aporie üblich, welche in der Aufgabe lag, Texte für ein Publikum aus Analphabeten *und* Gelehrten zu schreiben, um dann den Verzicht auf allen sprachlichen Schmuck mit dessen Dysfunktionalität für die Erbauung der Gläubigen zu begründen:

Daher bitte ich den Leser, daß er uns ob der Grobheit unserer Rede nicht gänzlich verachten möge; denn, so beredsam sie auch vorgetragen werden mag, immer wird der Wunsch bestehen bleiben, ihren Stil (›*stilum*‹) zu verändern, damit weder der durch die Gründe und Konventionen der Gebildeten entstehende Wortschwall das Unbehagen der Einfachen weckt, noch ein Übermaß an Ungeschliffenheit die Gebildeten stört ...
Was nützen letztlich die verschiedenen Forderungen der Sprachkenner unseren Lesern, wenn es doch ganz offenbar ist, daß sie dadurch eher abgelenkt als erbaut werden? Was haben wir vom Philosophieren eines Pythagoras, Sokrates, Plato und Aristoteles? (zitiert nach Weber, K., 1930, S. 382).[9]

Paul Zumthor betont in diesem Band mit Engagement (und, zumindest für die Mediävisten: mit seiner ganzen Fach-Autorität), daß die schon für die lateinische Literatur des Mittelalters nur unter solch spezifischer Verschiebung wirksame Stil-Reflexion der Antike die – stets punktuellen – Belege einer Verschriftlichung der Volkssprachen im frühen und hohen Mittelalter kaum tangiert haben kann. Und obwohl sich voraussagen läßt, daß zahllose Literarhistoriker weiterhin die Topoi griechischer und lateinischer Schriftlichkeit in französischen, deutschen oder englischen Quellen vor dem 13. Jahrhundert finden wollen, möchte ich – Zumthors Position zuspitzend – behaupten, daß selbst die christliche Koppelung des *sermo humilis sive rusticus* mit ›Wahrheit‹ im Raum der Volkssprache erst von der Zeit an bewußt und wirksam war, in der die ›neue‹ höfische Literatur von den bis dahin mit dem Vortrag von Heldenepen und Heiligenviten erfolgreichen Spielleuten als Konkurrenz erfahren wurde (vgl. Gumbrecht, H. U., 1983b). Noch im Sachsenepos des pikardischen Spielmanns Jehan Bodel *(Li Saisnes)* aus dem 13. Jahrhundert schlägt ein deutlich apologetischer Ton durch, wenn er die drei »einzigen, jedem Kenner bekannten Stoffe« unterscheidet (die Literaturhistoriker sprechen bezüglich dieser Stelle meistens von einer ›Gattungs-Unterscheidung‹, ohne sich klarzumachen, daß Bodel bezeichnenderweise allein an der Semantik gelegen war) – um der *Wahrheit* der Heldenepen die ›*erfundenen* bretonischen Märchen‹ entgegenzustellen:

Nur drei Stoffe gibt es für jeden, der davon versteht:
den von den Franken und den von der Bretagne und den von Roms Größe;
und keiner dieser drei Stoffe ist einem anderen ähnlich.
Die bretonischen Märchen sind nämlich erfunden und unterhaltsam,
die Erzählungen von Rom sind weise und belehrend,
die von den Franken sind so wahr, daß es jedermann sieht ...
(Zitiert nach Mölk, U., 1969, S. 6 f.)

Bevor jene Ansätze eines auf die Neuzeit verweisenden – und der christlichen Kosmologie geradezu abgetrotzten – schriftstellerischen Bewußtseins vernehmbar werden, über die Peter-Michael Spangenberg berichtet, scheinen die Kategorien der antiken Rhetorik von den Spielleuten überhaupt nur dann benutzt worden zu sein, wenn sie sich als Symptome für eine Entfernung von Wahrheit und Ethos perspektivieren ließen. Den schönsten Beleg für diese eigenartige Parallele zum griechischen Platonismus findet man im altfranzösischen *Roman d'Yder*:

Manche Troubadoure bemühen sich
in den Geschichten, die sie schlecht vortragen,
Beschreibungen zu geben
von Gärten und Zelten
und anderem, so daß alle Hörer bemerken:
sie sagen dort mehr, als sie eigentlich sagen dürften.
Sie wollen damit ihren Vortrag ausschmücken,

aber das gelingt ihnen nicht, denn niemand darf etwas Falsches
als wahr ausgeben;
entweder eine wahre Geschichte oder eine Lüge *(O bien estoire o bien*
mensonge)
– das, was sie sagen, schmeckt wie ein Traum,
denn sie machen allzu viel Worte;
aber ich bemühe mich nicht um Hyperbeln *(Mes jo n'ai cure d'iparboles)*:
die Hyperbel ist etwas, das nicht wahr ist,
das es nie gegeben hat und das man nicht glauben soll,
das ist ihre Definition ... (zitiert nach Mölk, U., 1969, S. 39).

Indirekt belegen sogar die seltenen Stellen aus der mittellateinischen Literatur, in denen wir auf den Stilbegriff stoßen, die Ferne
zwischen der volkssprachlichen Mündlichkeit und der Reflexion
über die Angemessenheit von Formen; denn sie finden sich in
Passagen, die auf das Diktieren, den tradierten Modus der Produktion schriftlicher Texte also, bezogen sind. »Eos (sc. colores)
cuilibet *dictatori* sive potius versificatori offerre curavi pro spe-
culo« (zitiert nach Faral, E., 1923, S. 92), heißt es beim Anonymus
von Saint-Omer, und eine der ausführlichsten Reprisen der antiken Lehre von den drei Stilebenen steht im *Documentum de*
modo et arte dictandi et versificandi von Geffroi de Vinsauf.
Gewiß geht der Brauch, gerade *drei* Stilarten (in der Antike noch
meist: *genera dicendi* oder *sermones*) zu beschreiben, auf die
schon in den griechischen Rhetorik-Handbüchern (etwa bei Aristoteles) kanonisierte Reihe von Gerichtsrede, Beratungsrede und
epideiktischer Rede (Lob- oder Trauerrede) zurück; doch sie
hatte durch ihre in Rom üblich werdende Illustration anhand der
Werke des Vergil eine höchst signifikante Umprägung erfahren.
Genau lautet die schon erwähnte Stelle im *Documentum* des
Geffroi de Vinsauf: »Und sie (sc.: die Stilarten) erhalten Bezeichnungen je nach den Personen oder Dingen, von denen gehandelt
wird. Wenn also von großen Personen oder Dingen geredet wird,
dann ist auch der Stil großartig *(grandiloquus)*; wenn von Be-
scheidenem die Rede ist, dann ist er bescheiden *(humilis)*; wenn
von Mittelmäßigem die Rede, dann befindet er sich in der mittleren Lage *(mediocris)*« (zitiert nach Faral, E., 1923, S. 87). Hier
fällt nicht nur auf, daß die Stilarten mit Inhaltsbereichen statt mit
Redesituationen verknüpft sind, daß also die semantische an die
Stelle der pragmatischen Dimension getreten ist; die Definition
der Stilebenen ist – wie alle mir bekannten inhaltsgleichen Stellen

aus der mittellateinischen Literatur, die auf die sogenannte ›Rota Virgili‹ zurückgehen[10] – im Indikativ (und *nicht* im Konjunktiv) formuliert, sie hält also offenbar – statt eine Anweisung zu geben – einen Sachverhalt fest. Deshalb muß man die Frage stellen, ob nicht die an antiker und neuzeitlicher Poetologie geschulten Interpreten solche Textstellen bisher in bezug auf ihren diskurspragmatischen Status falsch eingeschätzt haben, ob die *Rota Virgili* bis ins hohe Mittelalter hinein überhaupt je als Anweisung zur Verbindung von Stoffen mit entsprechenden Repertoires sprachlicher Mittel gemeint war – und nicht vielmehr ein *Element ›kosmologischen Wissens‹* festhalten sollte, das – wie es der ›symbolrealistischen‹ Mentalität des Mittelalters entsprach – ›Formen und Inhalte‹ als Einheiten auffaßte.

Hier läßt sich die von Marie-Louise Ollier vorgeschlagene Deutung einer linguistischen Analyse mittelalterlich-volkssprachlicher Formeln der Wahrheitsbeteuerung auf die Geschichte der Stil-Reflexion beziehen. Denn wenn die Vermutung zutrifft, daß die Konkomitanz bestimmter Stoffe mit bestimmten sprachlichen Mitteln solange als Teil der göttlichen Schöpfungsordnung (und eben nicht als Objektivation oder Ziel menschlichen Handelns) erfahren wurde, wie die Präsenz Gottes in der Welt zur Aktualität des Erlebens gehörte, dann wird man die Erstarrung des Anrufs an Gott zur Formel in den Sprachhandlungen des Eides und der Wahrheitsbeteuerung als Indiz für einen Strukturwandel von Grundelementen des Weltbildes ansehen dürfen, in deren Folge auch der Stilbegriff und die Reflexion über den Stil die für ihre Entfaltung notwendige Entlastung vom Druck kosmologischer Wahrheit wieder erlangten. Erst die rechtshistorische Untersuchung von Hans-Wolfgang Strätz aber hilft uns verstehen, wie sich dieser Freiraum so erstaunlich schnell mit Stil-Kategorien – und gewiß nicht allein mit solchen, die aus der Antike tradiert waren, – füllen konnte. Auf die Subjektivität sprachlichen Handelns, wie sie in anderen Praxisbereichen erst nach der Einführung der Druckkunst wieder erschien, hatten nämlich über das gesamte Mittelalter – und von den Literarhistorikern nicht zufällig bis heute übersehen – die Autoren und Rezipienten bestimmter Rechtstexte bestanden, weil ihre Geltung – eben anders als die Wirkung von Heldenepen oder Minneliedern – entscheidend von der Erkennbarkeit ihrer *Authentizität* abhing, das heißt von der Möglichkeit, aus dem spezifischen Gestus der

Sprache die Herkunft des Textes identifizieren zu können. Die Untersuchungsergebnisse von Strätz – sie decken sich übrigens vollkommen mit den Resultaten einer Analyse, die Spangenberg (1987) in anderem Zusammenhang einschlägigen Abschnitten aus den *Siete Partidas*, einer kastilischen Rechtssammlung des 13. Jahrhunderts, gewidmet hat, – zeigen, daß die Tradition der Stilreflexion während des Mittelalters *lebendig* wohl nur im Bereich der Rechtspraxis und der Rechtslehre geblieben war, und diesen Befund müßten künftige literarhistorische Forschungen zur Genese und Entwicklung der Renaissance-Poetik berücksichtigen. Doch Rechtspraxis und Rechtslehre scheinen insgesamt gesehen bloß mittelalterliche Enklaven für die Subjektkategorie – und die Stilreflexion – gewesen zu sein. Denn die von Strätz präsentierten Belege (wo etwa an der Stelle einer Formulierung wie ›den Stil vernachlässigen‹ noch stehen kann: ›den Stil(us) brechen‹) sprechen gegen die Annahme, daß die Verbindung des Prädikats ›stilus‹ (mittelalterlich meist: ›stylus‹) mit jeweiligen Repertoires sprachlicher Formen vor dem 14. Jahrhundert den Status einer Metapher verloren hätte. Solange vom ›*stylus curialis*‹ und dem kanonischen Recht noch so viel für das Schicksal der Christenheit – als *Menschheit* – abhängen konnte, hatte die Konjunktur des Subjekts und des Stilbegriffs nicht begonnen.

Proliferation und Reaktionen

Um die Mitte des 15. Jahrhunderts wurde der Marqués de Santillana, ein ›Humanist‹, dessen Latein die italienischen Zeitgenossen belächelten (sosehr man ihn auch auf der mit ›*Latinitas*‹ damals wenig gerüsteten iberischen Halbinsel bewunderte), von einem portugiesischen Prinzen gebeten, eine neue Handschrift seiner (volkssprachlichen) Gedichte herstellen zu lassen und aus Kastilien in das westlich benachbarte Königreich zu schicken. Durch diesen Wunsch scheint sich der Marqués sehr geehrt gefühlt zu haben, denn er fügte dem bald erstellten Codex einen Brief bei, mit dem er seinen Adressaten in das *neue* Wissen von der Poesie einführen wollte. Auch auf die drei Stilarten kam er dort zu sprechen:

Sublim könnte man diejenigen nennen, welche ihre Werke in griechischer oder lateinischer Sprache schrieben, immer vorausgesetzt, daß sie sich dabei an die Metren hielten. Den mittleren Stil verwandten jene, die in der Volkssprache schrieben, so zum Beispiel Guido Januncello aus Bologna und der Provenzale Arnaldo Daniel ... Auf der niederen Ebene stehen solche, die ohne Ordnung, Regel oder Silbenzählung ungereimte Geschichten *(romances)* und Lieder machen, über die sich die Leute des niederen und dienenden Standes freuen.[11]

Kein Kenner der Renaissance-Literatur kann übersehen, wie stark die Lektüre von Dantes *De vulgari eloquentia* den Marqués de Santillana beeindruckt hatte. Doch gerade die Tatsache, daß im 15. Jahrhundert nun auch ein kastilischer Autor die Verschiedenheit der Sprachformen auf verschiedene Situationen und Traditionen bezog, statt sie mit ›literarischen‹ Stoffen zu assoziieren oder gar zu fusionieren, macht den grundlegenden Wandel deutlich, der sich in den für die Stilreflexion relevanten Rahmenbedingungen seit Geffroi de Vinsauf vollzogen hatte. Zwischen griechischer und lateinischer Dichtung, *dolce stil nuovo* und provenzalischer Poesie, Epen und Liedern der Spielleute eröffnete sich in zeitlicher, räumlicher und gesellschaftlicher Dimension eine *Pluralität von Welten*. Erst unter dem Horizont dieser Pluralität war der Stilbegriff seine Verbindung mit jener Frage nach den für jeweilige Situationen ›passenden‹ Sprachmitteln wieder eingegangen, welche Dantes Stil-Definition meint: »est enim exornatio alcuius convenientis traditio«.[12] Tatsächlich scheint eine ganz neue Bereitschaft zur Wahrnehmung von nuancierten Unterschieden in Zeit und Raum der frühneuzeitlichen Proliferation des Stilbegriffs und der sie begleitenden Expansion der Stilreflexion vorausgegangen zu sein. Noch vor der eben zitierten Definition liest man in Dantes *De vulgari eloquentia* die folgende Passage:

Wenn nun aber, wie gesagt, innerhalb desselben Volkes sich die Sprache in der Abfolge der Zeiten verändert und auch gar nicht stehen bleiben kann, dann folgt daraus notwendig, daß sie auch bei den Menschen in verschiedene Richtung geht, die voneinander getrennt oder weit entfernt leben, so wie auch ihre Sitten und Gebräuche untereinander verschieden sind, weil sie nicht aus der Natur oder gemeinsamer Herkunft gebildet werden, sondern aus der räumlichen Nähe der Menschen entstehen.[13]

Nach welchen Kriterien diese ›vielfältigen Welten‹ modelliert wurden, was die Relevanzachsen ihres (für uns rekonstruierbaren) ›Kulturstils‹ waren, das hing wesentlich von je besonderen regionalen Voraussetzungen ab. Wenn etwa der in den Diensten des Herzogs von Alba stehende Juan del Encina in den neunziger Jahren des 15. Jahrhunderts dem einzigen Sohn der Katholischen Könige einen *Arte de poesía castellana* widmete, der dem Prinzen »dienen soll, wenn er nicht mit seinen schwierigen Geschäften befaßt ist, um sich wie die Poeten und Troubadours in unserem kastilischen Stil zu üben, den er aufgrund seines wachen Urteils zwar schon beherrscht, nun aber in systematischer Ordnung erfassen kann«[14], dann war mit dem »kastilischen Stil« nicht nur der Stil einer Sprache gemeint, sondern auch das in Spanien sehr früh einsetzende Nationenbewußtsein – zumindest – konnotiert. Nancy Kobrin hat gezeigt, daß im ›spanischen Nationen-Bewußtsein‹ des 16. Jahrhunderts bereits das an Genealogie als Denkschema gebundene Kriterium der ›Rasse‹ die Zugehörigkeit zu einer Religionsgemeinschaft ersetzt hatte.

Das Prädikat ›*maniera*‹ (und seine Äquivalente außerhalb des Italienischen), das nun neben den Stilbegriff trat, mag solchen Gebrauch zunächst dem Bestreben gesellschaftlicher Gruppen außerhalb der Höfe verdankt haben, die ›höfischen *Manieren*‹ zu Lebensformen ihrer eigenen Welt zu machen. Solche Herkunft scheint etwa in der *Deffense et Illustration de la langue françoise* von Du Bellay mitzuschwingen: »Bien diray-je que Jean le Maire de Belges me semble avoir premier illustré & les Gaules et la Langue Françoise, luy donnant beaucoup de moz & manieres de parler poetique, qui ont bien servy mesmes aux plus excellens de notre tems.«[15] Der Beitrag von Ursula Link-Heer zeigt, daß – offenbar nicht allein in Italien – bald eine zunächst stabile Distribution im Gebrauch der Prädikate ›*stile*‹ und ›*maniera*‹ das letztere auf ›Macharten‹ und ›Produktionsregeln‹ in jenem Bereich bezog, den wir heute ›bildende Künste‹ nennen. »Maniera tedesca« war ein italienischer Name für den gotischen Baustil, welcher von der »maniera greca«, der »maniera grande« (der von Michelangelo geprägten, besonderen Form der Antikenrezeption, wie sie sich in den Bauten des Vatikans objektivierte) und der »buona maniera moderna« abgehoben werden konnte (Panofsky, E., 1960/1984, S. 121 ff.). Entscheidend für die spätere Geschichte des ›maniera‹-Begriffs sollte freilich eine zweite Bedeutung werden, in der er sich auf die Fähigkeit bezog, ein Bild des geplanten Bauwerks oder der zu realisierenden Skulptur zu imaginieren. Hier war das Wort ›maniera‹ mit der Subjektivität des Künstlers gekoppelt und wurde zum Teil eines Wortfelds, welches bald die Loslösung der Subjektivität von den Normen der Tradition und Verständlichkeit als ›Manierismus‹ kritisieren sollte. Als Instanz der Vermittlung zwischen Subjektivität und gesellschaftlichen Ansprüchen konnte in diesem Problemzusammenhang dann auch der Begriff des ›Geschmacks‹ seine uns selbstverständlich gewordene Bedeutung annehmen (vgl. Stierle, K., 1974).

In dem Maß, wie wir eine Annäherung der Argumente beobachten, unter denen ›Stilfragen‹ im Blick auf die Sprach-Kunst und im Blick auf die bildenden Künste diskutiert und zugleich durch die Distribution der Prädikate ›Stil‹ und ›Manier‹ auseinandergehalten wurden, ging die Spezifik in der Referenz des Stilbegriffs auf geschriebene Sprache verloren. Das mag daran gelegen haben, daß man nun – im Normalfall – ohnehin nur noch geschriebene Sprache als Sprach*kunst* diskutierte. Jedenfalls wurde das Prädikat ›*oratio*‹, welches in der Antike meist mündliche Performanz bezeichnet hatte, durch das Obsoletwerden der Unterscheidung ›schriftlich/mündlich‹ für andere Funktionen frei. Versuche einer semantischen Neu-Justierung waren – zumal im 16. Jahrhundert – recht häufig: »Oratio in sensu, stylus in verbis; oratio ad res, stylus ad verba«.[16]

Auf lange Sicht aber setzte sich keiner der Versuche durch, den Gebrauch des Stilbegriffs auf *eine* der von der Antike vorgegebenen Konstitutionsebenen der Rede zu begrenzen. Genau diese ›Erosion‹ hat Helmut Pfeiffer für die Bereiche der ›inventio‹ und ›imitatio‹ bei den Poetologen der französischen Renaissance nachgewiesen. Die Reflexion über den Stil wird auf den »sich verschränkenden und ihre Grenzen verwischenden Territorien« von ›inventio‹ und ›imitatio‹ (von Orientierung an der Natur und Orientierung durch die Tradition) zu einem Ort frühneuzeitlicher Erfahrung der Subjektidentität. Wenn Montaigne seinen Stil »ein form- und regelloses Sprechen, eine ungelehrte Rede und ein undefinierbares Verfahren ohne Gliederung, ohne Abschluß« nennt, geht es ihm vor allem um die Gewißheit, daß dieser ›Stil‹ durch kein neues Thema und keine Imitatio verändert, verbessert werden kann: »die beste Geschichte der Welt vertrocknet in meinen Händen«.[17] Doch man ginge fehl, solche Passagen als ›Selbstkritik‹ zu verstehen: im Gestus des Stoikers akzeptiert Montaigne die Facetten dieser seiner Identität. Er steht historisch zwischen den Bemühungen, Subjektivität zugunsten gesellschaftlicher Normen einzuebnen, und ihrer Pathetisierung zur Individualität, wie sie seit dem 18. Jahrhundert gängig wurde. Insofern entspricht die Haltung Montaignes der Schlußfolgerung, die Hans-Jürgen Lüsebrink aus seiner Studie über Leonardo da Vinci zieht: ›Leonardos Individualstil‹ ist ein Produkt seiner Biographen, dem in Leonardos Biographie noch keine bewußte ›Stilisierung zum Individuum‹ entsprach.

Unsere Befunde sind durchaus kompatibel mit dem Vorschlag von Niklas Luhmann, den Beginn einer neuzeitlichen Geschichte der Stil-Kategorie eng an die Institutionalisierung des *Buchdrucks* zu binden. Denn das gedruckte Buch nahm den Autoren die Verpflichtung, einen Traditionsbestand von Wissenselementen und Formen zu erhalten, und der Übergang von einer in der französischen Renaissance-Poetik noch geradezu exuberanten ›*copia*‹-Metaphorik zu dem bald schon Abschätzung konnotierenden Prädikat ›*copie*‹ könnte wohl die Substitution des Problems der Wissens-Erhaltung durch das Problem der Distanzierung und Verteilung einer belastenden Wissensfülle in all seinen Phasen nachvollziehbar machen. Bald schon führte der Lösungs-Druck des neuen Problems zu einer *Temporalisierung des Wissens*, welche den seit der Zeit der antiken Neoteriker in der Stil-Metapher angelegten Aspekt der Prozessualität reaktualisierte.

Doch vorerst stand die Geschichte des Stilbegriffs noch ganz im Zeichen von *Reaktionen*, die sein Proliferieren auf den Ebenen der ›imitatio‹ und der ›inventio‹ provoziert hatte. Erasmus von Rotterdam, der eine unvergleichliche Berühmtheit unter seinen Zeitgenossen schon weitgehend dem neuen Medium des gedruckten Buchs verdankte, hatte für die Forderung, den Stil antiker Autoren zu imitieren, nur noch Spott übrig:

Was stellen sich eigentlich jene Leute vor, die von uns verlangen, daß wir für alle Zeiten so sprechen wie Cicero? Sie sollen uns zuerst jenes Rom wiedergeben, das einst bestand, sie sollen uns den Senat und die römische Kurie wiedergeben [...] (zitiert nach Müller, W. G., 1981, S. 134).

Zum Hauptargument gegen die Exzesse rhetorischer ›inventio‹ hingegen wurde im 16. und 17. Jahrhundert die Unverständlichkeit der – in diesem Sinn – ›stilbewußten‹ Sprache. Solche Kritik scheint wesentlich zur Herausbildung des ›clarté‹-Ideals der französischen Klassik beigetragen zu haben, und es ist bezeichnend, daß in Boileaus *Art poétique* gerade Malherbe, den noch im frühen 17. Jahrhundert eine Zeitsatire als »pauvre d'invention« (vgl. Bray, R., 1927/1966, S. 11) gescholten hatte, die Stil-Klarheit verkörperte:

Endlich kam Malherbe, und als erster unter den französischen Autoren zeigte er, was eine angemessene Kadenz der Verse ist.
Er demonstrierte, wie wirkungsvoll jedes Wort wird,
wenn es an seinem Platz steht,
und er verpflichtete die Muse auf die Regeln des Notwendigen.
Nachdem die Sprache von diesem weisen Schriftsteller erneuert worden war,
gab sie dem hellhörig gewordenen Ohr keinen Anlaß zum Anstoß mehr.
...
Man erkannte seine Gesetze allenthalben an; wie ein treuer Führer dient er noch den Autoren unserer Gegenwart als Vorbild.[18]

Der frühneuzeitliche Stilbegriff, der unter dem Vorzeichen von ›imitatio‹ und ›inventio‹ Freiräume sprachlicher Artistik markierte und dessen Gebrauch nicht mehr auf einzelne textuelle Konstitutionsebenen, ja nicht einmal auf die Grenzen einzelner Werke zu beschränken war, sondern die Aufmerksamkeit auf die Identität des Subjekts lenkte, stand freilich weiter im Bann der Erfahrungs-Prämisse von der *einen* Wirklichkeit/Wahrheit. Nur so ist das Vertrauen der einzelnen Stilkritiker zu verstehen, man könne den Stil-Exzessen von ›imitatio‹ und ›inventio‹ ein Maß des ›Richtigen‹ oder ›Natürlichen‹ entgegensetzen.[19]
Allerdings waren die Konzepte, mit denen man auf solche ›Richtigkeit‹ verwies, mittlerweile höchst abstrakt geworden, so daß sie ›hinter dem Rücken der Poetologen‹ je besondere gesellschaftliche Konventionen konnotieren konnten. Höchst selten blieb zunächst die Einsicht, daß die Funktion, Stil-Orientierung zu stiften, von den tradierten Regeln und Kanon-Autoren auf das zeitgenössische Publikum übergegangen war – wie sie Lope de Vega im *Arte nuevo de hacer comedias* zur Verspottung seiner regelbewußten Kritiker formulierte:

Und wenn ich ein Drama schreiben will,
dann schließe ich die Regeln mit sechs Schlüsseln ein;
ich nehme den Terenz und den Plautus aus meinem Arbeitszimmer heraus,
damit sie mich nicht anschreien; denn auch
in stummen Büchern schreit die Wahrheit;
und ich schreibe nach der Regel jener,

die den Applaus des gemeinen Volks suchten;
denn da das gemeine Volk die Stücke bezahlt, ist es nur billig,
zu ihm in ungebildeter Weise zu sprechen, um ihm zu gefallen.[20]

In Madrid – wie Lopes' noch heute leicht verständliche *Comedias*
und wie diese im ersten Drittel des 17. Jahrhunderts – entstanden
die dunklen Gedichte des Luis de Góngora, deren Rezeption der
bis heute in den Literaturgeschichten übliche pejorative Gebrauch des Manierismus-Begriffs ganz wesentliche Motivationen
verdankt. Noch in der Terminologie der klassischen Rhetorik
läßt sich Góngoras dunkel-manieristischer Stil als Ergebnis einer
Freisetzung der ›inventio‹ gegenüber ihrem Gegengewicht, der
›imitatio‹, identifizieren, und folgerichtig war die Unverständlichkeit der Sprache ein Haupteinwand gegen Góngora und seine
Nachahmer: »die meisten seiner Verse ... enthalten nur ausgefal-
lene Vokabeln und Wendungen, immer neue Metaphern, von
denen die eine auf der anderen aufbaut; es ist ein reines Marty-
rium für den Verstand, ihn zu entziffern, und noch schlimmer ist
es, daß man nichts Nützliches außer dieser fremdartigen Redeweise findet, wenn man sie mit so großer Mühe entziffert
hat«.[21]
Nichts wäre literatursoziologisch unsinniger als eine Zuordnung
Lopes zum *Gongorismo*, aber dennoch möchte ich die These
vertreten, daß Góngoras Freisetzung der ›inventio‹ vom Gegengewicht der ›imitatio‹ und die Bereitwilligkeit, mit der Lope de
Vega die Ausrichtung seines Stils am Publikumsgeschmack einge-
steht, auf ein und dieselbe mentalitätsgeschichtliche Konstellation
verweisen (vgl. Gumbrecht, H. U., 1987, Kap. 1556-1700). Wenn
es nämlich richtig ist, daß in keiner europäischen Gesellschaft die
neuzeitliche Subjektivität um 1550 so weit differenziert war und
so allgemein als Prämisse der Erfahrung wirkte wie in Spanien,
dann spricht vieles für die Vermutung, daß dort die Neuetablie-
rung des mittelalterlich-substantialistischen Weltbilds im Zuge
der Gegenreformation nur unter der Bedingung einer der Subjektivität im Alltag eingeräumten Konzession möglich war: unter
der Konzession nämlich, den substantialistischen Wirklichkeits-
horizont der Gesellschaft aus der Perspektive des Subjekts ›ent-
wirklichen‹ zu können. Die subjektive Lizenz zur Entwirklichung substantialistischer Wirklichkeit, so meine These, ist Voraussetzung für die bei den spanischen ›Klassikern‹ des frühen

17. Jahrhunderts zu beobachtende, noch heute ›modern‹ anmutende Konkurrenz verschiedener Sinnwelten. Sie erklärt, warum Lope de Vega, der seinen adligen Mäzenen die ›imitatio‹ antiker Autoren weiter als Stilübung empfahl, den sprachlichen Duktus seiner Dramen an den Geschmack des ungebildeten Publikums anpassen konnte. Und sie macht auch verständlich, warum die vom Surrealismus beeindruckte spanische Dichtergeneration des Jahres 1927 sich selbst in Góngoras esoterischer Sprachwelt entdecken zu können glaubte.

Um die Mitte des 17. Jahrhunderts hatte unter den großen Autoren der spanischen Literatur mindestens Baltasar de Gracián die Möglichkeit einer ›Entwirklichung substantialistischer Wirklichkeit‹ auch philosophisch erfaßt. Deshalb konnte Gracián eine Rhetorik entwickeln, deren Zentralbegriffe Renate Lachmann zurecht als ›Gegenprogramm‹ zur tradierten Stilistik identifiziert. Graciáns Redner-Ideal ist dominiert von der ›agudeza‹ (dem antiken ›acumen‹), das heißt: von der Fähigkeit, für die zu evozierenden Bedeutungen und Begriffe ungewohnte, überraschende Bezeichnungen zu finden. Das in ›agudeza‹ fundierte Zeichen nennt Gracián – auf die Diskussionen um den italienischen Manierismus und auf die spanische Góngora-Debatte zurückgreifend – ›concepto‹. Die Begabung zur Originalität, deren Teil die ›agudeza‹ ist, heißt bei ihm ›ingenio‹ – wir stoßen hier auf die Vorform des spätaufklärerisch-romantischen ›Genie‹-Begriffs (vgl. Warning, R., 1974). Jene Stilistik aber, der es um den ›passenden‹ sprachlichen ›Schmuck‹ zu einer als unabhängig von der Sprache gedachten Wahrheit ging, fand bei Gracián *zum ersten Mal* ihr Ende. Er eröffnete explizit die Ebene der Bedeutung für die bisher in ihrer Anwendung auf die Ebene der Bezeichnung beschränkten Tropen und Figuren. Wo mit der impliziten Aufhebung der Prämisse von der *einen* Wirklichkeit/Wahrheit auch die Frage nach dem ›aptum‹ der sprachlichen Mittel aufgehoben war, wurde die Stilmischung – aus der Perspektive der tradierten Stilistik: der *Synkretismus* – Prinzip. Wenn Gracián am Ende seiner so grundsätzlich gewandelten Reflexion über den Sprachgebrauch doch wieder das Prädikat ›estilo‹ gebrauchte, so darf uns dieser wortgeschichtliche Befund nicht verleiten, die Distanz zwischen seiner Reflexion und den frühneuzeitlichen Stil-Debatten zu nivellieren. Denn der auf die Sinn-Ebene übertragene Stilbegriff hatte sich vom Druck der *einen* Wahrheit emanzipiert:

Gewiß, es gibt in der Rhetorik einen Begriff des ›ornatus‹, der sich auf die Wörter bezieht, aber vorrangig ist seine Bedeutung für den Sinn ... Immer wieder muß ich darauf bestehen, daß das *concetto* (›*lo concep-tuoso*‹) das Wesen des Stils ist.[22]

Erst im 20. Jahrhundert hat man Góngora – und auch Gracián – unter jener Perspektive zu lesen und zu schätzen gelernt, die ich am Ende dieses Abschnitts nachgezeichnet habe. Denn fern von der geistes- und kulturgeschichtlichen Enklave des gegenreformatorischen Barock wollte man noch lange den Traum nicht aufgeben, Subjektivität mit der *einen* Wirklichkeit/Wahrheit zu versöhnen.

Genie und Erkenntnissubjekt

Es scheint, als sei die zwischen dem 15. und dem 17. Jahrhundert immer neue Bedeutungen hervorbringende Dynamik des Stilbegriffs seit der Aufklärung zurückgegangen. Und dennoch ist es mir besonders schwer gefallen, für die Phase ab dem 18. Jahrhundert eine Strategie zur Darstellung seiner Geschichte zu finden.

Offenbar geht diese Erfahrung auf den Sachverhalt zurück, daß die verschiedenen, in der frühen Neuzeit entstandenen Bedeutungsvarianten seither je eigene Entwicklungen genommen, *je eigene Geschichten* hinterlassen haben, die man nicht auf *einer* diskursiven Linie der Rekonstruktion verfolgen kann. Die Vielfalt der in einschlägigen Artikeln von d'Alemberts und Diderots *Encyclopédie* um die Mitte des 18. Jahrhunderts notierten Stilbegriffe und die Unmöglichkeit, sie in einer ›Formel‹ zusammenzufassen, welche jenen Zeitpunkt begriffsgeschichtlich charakterisierte, geben ein anschauliches Bild von der Problematik, mit der uns die Pluralität der Geschichten des Stilbegriffs seither konfrontiert.

Man wird wohl zwei wesentliche Voraussetzungen für die Mehrsträngigkeit seiner Entwicklung benennen können. Die erste ist im Beitrag von Dietrich Schwanitz thematisiert. Er hat deutlich gemacht, daß jener Stilbegriff, dessen Abstraktionshöhe seit dem späten 17. Jahrhundert seine Funktionsmöglichkeiten darauf reduzierte, die Forderung nach ›Natürlichkeit des Verhaltens‹ im Namen der Gesellschaft zu vertreten, selbst keine Orientierung des Verhaltens mehr vorgab und mithin zum reinen *Beobachter-*

begriff wurde. Genau als ›Beobachterbegriff‹ wurde der Stilbegriff auf all jene (von ihm bis dahin nicht berührten) Praxisbereiche angewandt, welche der Artikel ›style‹ der *Encyclopédie* nennt: auf die musikalische Komposition und den Musikunterricht, auf die Zeitrechnung, die Jagd, die Wirtschaft.

Die zweite Voraussetzung für die Pluralität der Stilbegriffs-Geschichten im 18. und frühen 19. Jahrhundert betrifft – wiederum – Verschiebungen im Verhältnis zwischen ›Subjektivität‹ und ›Wirklichkeit‹, die zu der neuen Polarität zwischen ›tugendhaftem Individuum‹ und ›depravierter Gesellschaft‹ führen sollen. Bei La Rochefoucauld lesen wir:

> Man spricht nicht über alle Gegenstände im selben Ton und im selben Stil *(avec les mêmes manières)*; an der Spitze eines Regiments geht man nicht so wie man spazierengeht; aber es ist dennoch so, daß uns ein und derselbe Gestus *(un même air)* verschiedene Dinge sagen und in verschiedener Weise gehen läßt; immer ist dieser Gestus natürlich, obwohl wir in ihm so gehen können, wie man an der Spitze eines Regiments geht, und auch so, wie man auf einem Spaziergang geht.[23]

Niemand hat mit ernsterem Pathos dem Rückzug aus einer depravierten Gesellschaft das Wort geredet, deren Anforderungen keinen Raum für jenen ›natürlichen Gestus‹ des Subjekts ließen, als eben La Rochefoucauld. Noch vor der Mitte des 18. Jahrhunderts wandten sich dann die ›Aufklärer‹ und die ›philosophes‹ aus eben jener Selbstreflexion ermöglichenden Distanz von der Gesellschaft wieder an die Gesellschaft mit neuen, ›menschlichen‹ Normen des Verhaltens und Idealen des sozialen Zusammenlebens (vgl. Gumbrecht, H. U./Reichardt, R., 1985). Ihre Ferne von der Gesellschaft präsentierten die ›Aufklärer‹ als Erweis einer moralischen Überlegenheit, welche ihre Gesellschaftskritik und ihre Forderungen nach Änderung der Gesellschaft fundierte.

Von ebendieser Struktur der Polarität zwischen ›Gesellschaft‹ und ›Individuum‹ lebte jene *erste moderne Geschichte* des Stilbegriffs, welche für den Raum der englischen und den Raum der französischen Literatur die sich wechselseitig bestätigenden Untersuchungsergebnisse von Aleida Assmann und Klaus Dirscherl darstellen. In einzelnen Schritten machen sie eine Verschiebung der Bedeutung des Prädikats ›Stil‹ nachvollziehbar, welche von den klassischen Regeln für die Konstitution des poetischen Diskurses hin zu einem je spezifischen Ensemble *individueller Be-*

sonderheiten des Sprachgebrauchs führte, deren Wert sich nur noch an ihrer Wirkung auf die Gefühle der Leser abschätzen ließ. Genau diese neue Bedeutung wird in der *Encyclopédie* von dem Artikel ›*Poésie du style*‹ umschrieben: »das beste Gedicht ist jenes, dessen Lektüre uns am stärksten berührt; ... jenes, das uns so sehr mitreißt, daß wir die Mehrzahl seiner Fehler übersehen«. Unter dem gewandelten Stilbegriff, den die poetologischen Regeln nicht mehr faßten, erfolgte in Frankreich die Kanonisierung des Fabeldichters La Fontaine (vgl. Hassauer, F., 1986), und Rousseau nutzte, wie Dirscherl zeigt, dieselbe Variante der Spannung zwischen Gesellschaft und Individualität, um seinen Diskurs als Schriftwertung moralischer Unschuld zu inszenieren. Voraussetzung für ›Stilpoesie‹ und Grundlage des neuen ethischen Anspruchs war der Begriff ›Naivität‹, den bereits die *Encyclopédie* in einen – zukunftsträchtigen – Zusammenhang mit dem Geniebegriff brachte:

Was man *Naivität* nennt, das ist ein Gedanke, ein Vorstellungsbild, ein Gefühl, das – oft gegen unseren Willen – aus uns herausdringt und manchmal sogar unangenehme Folgen für uns haben kann. Es ist Ausdruck der Lebhaftigkeit, der Offenheit, der Unkenntnis aller Konventionen gesellschaftlichen Umgangs ... die Naivität ist die Sprache des Genies *(le langage du beau génie)* und jener Einfalt, die voller Einsicht ist; sie schafft einen Zauber der Rede, und sie ist die höchste Kunst derer, denen die Kunstfertigkeit nicht angeboren ist.

Wenn man in dieser Definition die Negation der angeborenen Kunstfertigkeit positiviert, dann gelangt man zu jenem zentralen Begriff romantischer Ästhetik, in dem ›Genie‹ und ›Stil‹ untrennbar verbunden waren. Man kann den Traktat *De l'Allemagne* der Mme de Staël als eine auf ›deutschen Geist‹ und ›französischen Geist‹ projizierte Konfrontation dieses Begriffs mit der alten Regelpoetik lesen (vgl. Gumbrecht, H. U., 1986a), und man findet hier jene Geschichte des Stilbegriffs, unter deren Auswirkung die an den Kanon-Autoren orientierten Stilübungen aus dem Literaturunterricht verdrängt wurden, weil die Vorstellung vom ›Stil des Genies‹ mit dem Gedanken seiner didaktischen Vermittlung nicht kompatibel war. Gerhard Rupp hat diese Entwicklung nachgezeichnet.

Entschärft zum ›*Individualstil*‹ fundierte das Genie-Konzept über das ganze 19. Jahrhundert (und vielerorts noch heute) eine neue, doppelte Anwendung der Stilreflexion. Seine rezeptive Seite nannte Novalis »Physiol[ogische] Stylistik. Man kann am Styl bemerken, ob und wie weit der Gegenst[and] den Verfasser *reizt* oder Nichtreizt [sic] – und daraus Folgerungen auf seine Konstitution machen – auf seine zufällige Stimmung etc.«[24]

Zu einer Norm des Ausdrucks konnte ›Individualstil‹ erst werden, nachdem in den ›bürgerlichen‹ Gesellschaften des 19. Jahrhundert die für das Zeitalter der Aufklärung konstitutive Polarität zwischen ›Subjekt‹ und ›Gesellschaft‹ aufgehoben und übergeführt war in (Inszenierung von) Individualität als kollektive Norm. Der *Ausdruck ›innerer Einzigartigkeit‹* galt nun zugleich als Orientierung des Schreibens und Kriterium seiner Beurteilung. Am Ende dieser Geschichte waren – wie das folgende Zitat von John Henry Newman zeigt – ›subjektiver Stil‹ und ›Literatur‹ zu Synonymen geworden: »Literatur drückt nicht, wie man sagt, objektive Wahrheit aus, sondern subjektive; nicht Dinge, sondern Gedanken ... Folglich hat Wissenschaft mit Dingen zu tun, Literatur mit Gedanken; Wissenschaft ist universell, Literatur ist persönlich« (zitiert nach Müller, W. G., 1981, S. 133).

›Stilpoesie‹ und ›Individualstil‹ brachten notwendig die Forderung nach *›Originalität‹* – und mithin einen Effekt der *Temporalisierung* – mit sich. Denn allein der Stil, den man *noch nicht* gesehen hatte, konnte ernst genommen werden als Ausdruck persönlicher Einmaligkeit. Freilich wurde solche ›Temporalisierung‹ zunächst als ein durchaus unerwünschter ›Nebeneffekt‹ aus der Hypostasierung des Individualstils erfahren. Noch spät im 19. Jahrhundert hegte man die Hoffnung, die Annäherung des Stilwandels an den Wechsel der Moden aufhalten zu können, wie sie am 18. Oktober 1804 die *Gazette de France* im Blick auf die bevorstehende Zeremonie der Kaiserkrönung Napoleons formuliert hatte: »Die Moden, welche sich nun schon seit einigen Jahren in höchst verwirrender Weise überschneiden, welche, kaum bekannt, schon überholt sind und oft ohne die rechte Vervollkommnung bleiben, werden nun sehr wahrscheinlich in einen regelmäßigen Rhythmus einmünden und wieder schön und majestätisch werden. So hat man bereits den Damen, die sich zu Hof begeben, vorgeschrieben, ihre Kleider nur aus französischen Stoffen schneidern zu lassen«.

Mit Niklas Luhmann nehme ich an, daß ›Temporalisierung‹ nicht Nebeneffekt des neuen Stilbegriffs war, sondern seine historische Voraussetzung, und ich identifiziere deshalb die kunst- und

kulturgeschichtliche Rekonstruktion von ›Epochenstilarten‹ und
›Nationalstilarten‹, welche nach der Mitte des 18. Jahrhunderts
im Werk Winckelmanns einsetzte, als einen *zweiten Strang in der
Geschichte des Stilbegriffs‹*, den ich als Kompensativ auf den
Druck zur Ablösung je gegenwärtiger Stilkonzeptionen beziehe.
Das aktuelle Handeln mußte entlastet werden vom normativen
Anspruch der gegenwärtig gehaltenen Stilmöglichkeiten aus der
Vergangenheit, und die Distribution solcher Möglichkeiten auf
ferne Epochen und fremde Völker war nicht allein – und nicht
primär – Voraussetzung für ihren ›sentimentalischen‹ Genuß,
sondern vor allem ein Verfahren der Komplexitätsreduktion
durch Distanzierung. In der Zusammenschau machen Winckelmanns programmatische Äußerungen über Ziele und Funktionen
seiner kunstgeschichtlichen Arbeit deutlich, daß einmal stiltypo-
logisch identifizierte Formenbestände aus dem Horizont der für
gegenwärtiges künstlerisches Schaffen wählbaren Orientierungen
ausgeblendet blieben:

Die Geschichte der Kunst soll den Ursprung, das Wachsthum, die
Veränderung und den Fall derselben, nebst dem verschiedenen Stile der
Völker, Zeiten und Künstler, lehren, und dieses aus den übriggebliebenen
Werken des Alterthums, soviel möglich ist, beweisen.[25]

Nach angezeigtem Ursprunge der Kunst und der Materie / worin je
gewirkt / führet die Betrachtung von dem Einflusse des Himmels in die
Kunst / wovon der dritte Abschnitt handelt / näher zu der Verschiedenheit der Kunst unter den Völkern / welche dieselbe geübet haben / und
noch itzo üben.[26]

Die Konjunktur dieses zweiten – *typologischen* – Stilbegriffs
scheint erst gegen Ende des 19. Jahrhunderts eingesetzt zu haben
– zeitgleich etwa mit einem deutlichen Zurückgehen der Forderung, im Stil Individualität auszudrücken. Seither wurde einerseits aus der von Winckelmann erschlossenen Möglichkeit der
Stiltypologie ein Habitus der Kulturwissenschaften, und andererseits verband sich die längst gepflogene Gewohnheit, rekonstru-
ierte Kunst-Verfahren vergangener Epochen als Rezept für die
Herstellung einzelner Elemente in gegenwärtiger Kunst einzusetzen, erst im späten 19. Jahrhundert mit dem kunsthistorischen
Stilbegriff. Schon 1822 hatte Goethe solche Umpolung von
Kunst-Geschichte in Kunst-Produktion gefordert:

Standen aber diese Gebäude jahrhundertelang wie eine alte Überlieferung da, ohne sonderlichen Eindruck auf die größere Menschenmasse, so ließen sich die Ursachen davon gar wohl angeben. Wie mächtig hingegen erschien ihre Wirksamkeit in den letzten Zeiten, welche den Sinn dafür wieder erweckten! Jüngere und Ältere beiderlei Geschlechts waren von solchen Eindrücken übermannt und hingerissen, das sie sich nicht allein durch wiederholte Beschauung, Messung, Nachzeichnung daran erquickten und erbauten, sondern auch diesen Stil bei erst noch zu errichtenden, lebendigem Gebrauch gewidmeten Gebäuden wirklich anwendeten und eine Zufriedenheit fanden, sich gleichsam urväterlich in solchen Umgebungen zu empfinden.[27]

Bündiger heißt es bei Friedrich Schlegel: »Der gesellschaftliche Styl ist nicht wesentlich verschieden vom romantischen«.[28]

Im Blick auf Graciáns Auflösung der Spannung zwischen ›Subjekt‹ und ›Wahrheit‹ durch Eliminierung des Wahrheitsbegriffs hatte ich auf die Obsession des 18., 19. und 20. Jahrhunderts verwiesen, Subjektivität mit dem *einen* Wahrheitsbegriff der westlichen Tradition kompatibel zu machen. Das zu leisten versprach aber weder der Begriff des ›Individualstils‹ noch das Konzept der ›Stiltypologie‹ – wenigstens in ihren bisher dargestellten Graden der Ausdifferenzierung. Um auf die eigentlich wirkungsmächtige Lösung dieses Problems zu stoßen, welche allerdings nur in ihren Anfängen mit dem Prädikat ›Stil‹ verbunden war, müssen wir ein drittes – und letztes – Mal in das Zeitalter der Aufklärung zurückkehren, um zu sehen, daß der Stilbegriff nicht nur bei der Genese des Genie-Konzepts Pate stand, sondern ebenso bei der Entstehung der Rolle des *Erkenntnissubjekts*. Die Rekonstruktion dieser *dritten Geschichte des Stilbegriffs* erscheint zunächst dadurch verstellt, daß sie bei Buffon einsetzt, einem Autor, dessen berühmten Satz *»le style est l'homme même‹«* – aus seinem ursprünglichen Argumentationskontext isoliert – gerade die Ästhetik der Expressivität bis heute immer wieder als ihren Ausgangspunkt reklamiert hat.

Doch gerade um die Ebene des Ausdrucks individueller Gedanken war es Buffon in seinem *Discours sur le style*, der am 25. August 1753 gehaltenen Rede zur Aufnahme in die Académie Française, *nicht* gegangen. Vielmehr hatte er zugleich Abstand genommen von jener Tradition der Rhetorik und der Stilreflexion, die sich auf die ›verba‹ (in Absetzung von den ›res‹) konzentrierte, und von dem in seiner eigenen Gegenwart entstandenen Begriff der ›poésie du style‹:

Zu allen Zeiten hat es Menschen gegeben, welche es verstanden, die anderen Menschen durch die Macht ihres Wortes zu lenken. Aber nur in den aufgeklärten Jahrhunderten hat man gut geschrieben und gut gesprochen. Die wahre Beredsamkeit setzt die Disziplinierung der Begabung und der Geisteskultur voraus. Sie hat nichts mit jener angeborenen Leichtigkeit des Sprechens zu tun, die eine Begabung ist, eine Fähigkeit, über die jene Menschen verfügen, die mit starken Leidenschaften, flexiblen Sprechorganen und lebhafter Vorstellungskraft ausgestattet sind. Solche Menschen empfinden mit großer Intensität, ja sie geraten in Erregung, und das bringen sie unübersehbar nach außen zum Ausdruck; ihre Begeisterung und ihre Erregung nun übertragen sie durch rein mechanische Wirkung auf die anderen. So spricht ein Körper zum anderen Körper; die Bewegung und alle Zeichen konvergieren in solcher Wirkung und tragen gleichermaßen zu ihrer Entstehung bei.[29]

Nach diesem Auftakt war es geradezu unvermeidlich, daß Buffon – wie Gracián – den Stilbegriff auf der Ebene des Sinns lokalisierte: »Der Stil ist nichts anderes als die Anordnung und die Bewegung, die man in seine Gedanken legt« (S. VI). Doch Buffon maß – und dies ganz im Gegensatz zu Gracián – den Wert solcher ›Anordnung und Bewegung‹ der Gedanken an ihrer Übereinstimmung mit den Grundstrukturen der *einen* Wirklichkeit. Die Fähigkeit, eben sie intuitiv zu erfassen, machte für ihn das Genie aus:

Es ist die Macht des Genies, sich alle allgemeinen und besonderen Sinnstrukturen *(idées)* unter ihrem wahren Blickpunkt vorzustellen; nur aufgrund eines besonders feinen Unterscheidungsvermögens wird man sterile Gedanken von fruchtbaren Ideen unterscheiden können (S. VI f.).

Als Buffon daher gegen Ende seines *Discours* den berühmten Satz ›le style est l'homme même‹ formulierte, konnte es ihm weder um ›Stilphysiognomie‹ noch um eine ›Ästhetik des Ausdrucks‹ gehen. Vielmehr erhob er in diesem Satz die *kognitiven Fähigkeiten* zum wichtigsten Maßstab für den Wert eines Menschen. Genau heißt es:

Allein die gut geschriebenen Werke werden die Nachwelt erreichen; die Vielfalt der Kenntnisse, die Einzigartigkeit der dargestellten Ereignisse, ja selbst der Innovationscharakter von Entdeckungen – all das sind keine Garantien für die Unsterblichkeit; wenn die Werke, welche solches enthalten, nur Nebensächliches behandeln, wenn sie ohne den rechten Geschmack, ohne Eleganz und ohne Genie geschrieben sind, dann werden sie untergehen, weil man Kenntnisse, Tatsachen und Entdeckungen einem einzelnen Menschen leicht nehmen kann, weil sie jedenfalls dadurch gewinnen, von geschickteren Händen in Szene gesetzt zu werden. All diese Dinge sind dem Menschen äußerlich, der Stil aber ist der Mensch selbst; den Stil kann man ihm nicht nehmen, er kann sich nicht abheben und nicht verändern: wenn er hoch, edel und erhaben ist, dann wird der Autor zu allen Zeiten bewundert werden; denn es gibt nur eine dauerhafte, ja ewige Wahrheit. Ein guter Stil besteht also in nichts anderem als einer unendlichen Zahl von Wahrheiten, die er hervorbringt *(qu'il présente)*. All die intellektuelle Schönheit, die man in einem guten Stil findet, und die Zusammenhänge, aus denen er konstituiert ist, sind zugleich auch nützliche Wahrheiten, die vielleicht wertvoller für den Geist der Menschheit sind als jene, die den Gegenstand selbst ausmachen (S. xvi. ff.).

Natürlich lag es gerade für den Naturforscher und Naturphilosophen Buffon nahe, vor den literarisch gebildeten und qualifizierten Mitgliedern der Académie Française den Stilbegriff so umzudefinieren, daß er als eine *kognitive* Fähigkeit des Menschen erschien, als Kompetenz des Beobachtens. Doch der neue Begriff fügte sich ohnehin problemlos ein in das Selbstverständnis der Aufklärungsbewegung. Denn ihr wichtigster Anspruch war es ja, tradiertes, an ›intérêts particuliers‹ gebundenes, ›ideologisches‹ (wie wir heute sagen würden) Wissen zu ersetzen durch neue, in empirischer Beobachtung gewonnene und ›der menschlichen Natur gemäße‹ Erfahrungen. Gewiß war das Vertrauen der ›philosophes‹, solchen Hoffnungen schon bald genügen zu können, fundiert in der – meist diffus artikulierten – Vorstellung, daß die kognitiven Fähigkeiten des Menschen als ›Teil der Natur‹ allemal, wenn sie nur nicht durch den gesellschaftlichen Verkehr verbildet waren, die den Menschen umgebende ›Natur‹ adäquat erfassen können müßten. Aus solchen Überlegungen entstand die noch heute gängige – oft bis zur Synomymität getriebene – Kontiguität von Begriffen wie ›Vernunft‹ oder ›Logik‹ auf der einen und ›Natur‹, ›Wirklichkeit‹ oder ›Wahrheit‹ auf der anderen Seite. Daß Buffons Stilbegriff jedenfalls im Zeitalter der Aufklärung kein Einzelfall war, zeigt das von den *Idéologues* bei der Diskussion um neue Programme der Ausbildung an der Wende vom 18. zum 19. Jahrhundert propagierte Konzept des ›style analytique‹, das Brigitte Schlieben-Lange rekonstruiert und konkurrierenden zeitgenössischen Stilbegriffen gegenübergestellt hat.
Ein Blick auf die Geschichte der Philosophie und der Wissenschaften macht zudem deutlich, daß das Zeitalter der Aufklärung jene Probleme, die sich seit der Lösung des Wissensbegriffs von

der göttlichen Offenbarung und seiner Korrelierung mit menschlicher Erfahrung in der frühen Neuzeit kumuliert hatten, auf einer Intensitätsebene erlebte, welche zur Reflexion über und zur Entwicklung von *neuen Verfahren menschlicher Wissensproduktion* führen mußte. Sozialhistorisch gesehen ist dieser neue Problemhorizont ein Ergebnis der fortschreitenden Polarisierung von ›Gesellschaft‹ und ›Subjekt‹. Das in der – nach Meinung der Aufklärer – ›depravierten‹ Gesellschaft gültige, von ihr tradierte Wissen konnte vom ›Subjekt‹ in der Rolle des ›philosophe‹ nicht mehr übernommen werden. Der ›philosophe‹ konstituierte sich als *›Erkenntnissubjekt‹* unter dem Druck der Aufgabe, in einem als Methode strukturierten Verfahren, sozusagen ›durch die Vorurteile der Gesellschaft hindurch‹, zur Wahrheit, zur unverstellten Schau der Wirklichkeit vorzudringen. Aus dieser Sicht der Dinge mag verständlich werden, warum die Konstitution des abendländischen Erkenntnissubjekts ihren begriffsgeschichtlichen Niederschlag in der – vor dem Hintergrund der Tradition: geradezu paradoxalen – Bemühung fand, *Kategorien der Subjektivität und der Objektivität (der Wirklichkeit/Wahrheit) zu harmonisieren.*

Noch weit markanter als in Frankreich erscheinen die Spuren dieser Bemühung in der Literatur der deutschen Klassik und in der Philosophie des deutschen Idealismus. Für die Begriffsgeschichte von ›Stil‹ macht vor allem Goethes Aufsatz *Einfache Nachahmung der Natur, Manier, Stil*, der 1789 im *Teutschen Merkur* erschien, einen epochalen Konvergenzpunkt und – zusammen mit Buffons *Discours* – auch einen Wendepunkt aus. Am Anfang steht Goethes Feststellung, daß die von »ruhigen, treuen, eingeschränkten Menschen in Ausübung« gebrachte ›einfache Nachahmung der Natur‹[30] nicht zur Wahrheit führen könne. Menschliche Erkenntnis sei zu einem – wenn überhaupt – nur intellektuell hochstehenden Menschen lösbaren Problem geworden. Denn es gilt für Goethe als ausgemacht, daß jeder Mensch und »auch jeder Künstler ... die Welt anders sehen, ergreifen und nachbilden« wird. Die Objektivierungen der so beschriebenen Subjektivität nennt er ›Manier‹, und er folgt in dieser Korrelierung des Subjektivitätsbegriffs mit dem Prädikat ›Manier‹ offenbar dem gebildeten Sprachgebrauch seiner Zeit, obwohl freilich der ›Manier‹-Begriff bei Goethe aufgrund seiner Meinung, daß die Subjektivität der Weltauffassung und Weltdarstellung unvermeidlich sei, die im 18. Jahrhundert übliche pejorative Konnotation verliert: »Wir brauchen hier nicht zu wiederholen, daß wir das Wort Manier in einem hohen und respektablen Sinn nehmen, daß also die Künstler, deren Arbeiten nach unsrer Meinung in den Kreis der Manier fallen, sich über uns nicht zu beschweren haben« (S. 34). ›Stil‹ schließlich ist das Prädikat, welches Goethe – wie nun schon zu erwarten – für die (im Vorgriff auf Hegel formulierte) *Synthese* von ›einfacher Naturnachahmung‹ und ›Manier‹ reserviert. ›Stil‹ meint – wie bei Buffon, wenn auch prägnanter und daher für unsere Kritik zugänglicher definiert – die Vollendung der Kunst in der Erfüllung ihrer *kognitiven Funktion*:

Stil

Gelangt die Kunst durch Nachahmung der Natur, durch Bemühung, sich eine allgemeine Sprache zu machen, durch genaues und tiefes Studium der Gegenstände selbst endlich dahin, daß sie die Eigenschaften der Dinge und die Art, wie sie bestehen, genau und immer genauer kennenlernt, daß sie die Reihe der Gestalten übersieht und die verschiedenen charakteristischen Formen nebeneinander zu stellen und nachzuahmen weiß, dann wird der *Stil* der höchste Grad, wohin sie gelangen kann; der Grad, wo sie sich den höchsten menschlichen Bemühungen gleichstellen darf.

Wie die einfache Nachahmung auf dem ruhigen Dasein und einer liebevollen Gegenwart beruhet, die Manier eine Erscheinung mit einem leichten, fähigen Gemüt ergreift, so ruht der *Stil* auf den tiefsten Grundfesten der Erkenntnis, auf dem Wesen der Dinge, insofern uns erlaubt ist, es in sichtbaren und greiflichen Gestalten zu erkennen (S. 32).

Jahrzehnte später tauchte eine ähnliche – aber durchaus nicht identische – konzeptuelle Trias in Hegels *Vorlesungen zur Ästhetik* wieder auf. Wie Goethe ging es Hegel um einen Begriff der Kunst (der künstlerischen Fähigkeit des Menschen), in dem Subjektivität des Künstlers und Anspruch auf objektive Wahrheitserfassung versöhnt werden sollten, und zweifellos macht der Sachverhalt, daß Hegel diese Problemlösung gerade der Kunst zuwies, das besondere Gewicht der *Ästhetik* in seinem philosophischen System aus. Doch die Distribution der Konzepte und die Strategie ihrer Korrelationen bei Hegel weicht in signifikanter Weise von Goethes Aufsatz ab. Der Raum von Hegels Reflexion ist durch die drei Begriffe ›Manier‹, ›Stil‹ und ›Originalität‹ abgesteckt. Am weitesten geht die Überschneidung mit Goethe in der Definition des Terminus ›Manier‹:

Die bloße *Manier* muß wesentlich von der Originalität unterschieden werden. Denn die Manier betrifft nur die *partikulären* und dadurch *zufälligen Eigentümlichkeiten* des Künstlers, die statt der *Sache* selbst und deren idealer Darstellung in der Produktion des Kunstwerks hervortreten und sich geltend machen.[31]

Wie Goethe mußte sich Hegel aber vom ausschließlich pejorativen Gebrauch des Prädikats absetzen, auf das er nicht verzichten konnte, wenn Subjektivität als notwendige Komponente in den Prozeß der Erkenntnis eingehen sollte: »Deshalb stellt sich denn auch ... die Manier nicht etwa der wahren Kunstdarstellung direkt entgegen, sondern behält sich mehr nur die *äußeren Seiten* als Spielraum vor« (S. 377).

Der Begriff ›Stil‹ nun repräsentiert bei Hegel *nicht* die Stufe der Synthese. Erneut war hier die Besonderheit seines Wortgebrauchs gegenüber der Bedeutungsnorm herauszustellen. Dazu zitierte Hegel Buffons Diktum (übrigens: durch Einführung des Demonstrativpronomens ›ce‹ in einer üblich gewordenen Abweichung vom Wortlaut), um auf die im frühen 19. Jahrhundert dominierende Bedeutung des Prädikats ›Stil‹ (›Ausdruck des Individualcharakters‹: unsere erste ›Stil‹-Geschichte) zu verweisen: »›Le style c'est l'homme même‹, ist ein bekanntes französisches Wort. Hier hat Stil überhaupt die Eigentümlichkeit des Subjekts, welche sich in seiner Ausdrucksweise, der Art seiner Wendungen usf. vollständig zu erkennen gibt« (S. 379). Signifikant ist diese Fehl-Deutung von Buffons Text allein deshalb, weil sie die Dominanz des auf Expressivität fundierten Stilbegriffs im frühen 19. Jahrhundert nachweist, von deren Einfluß selbst ein Hegel affiziert wurde, obwohl es ihm eigentlich um eine Lösung ging, die nahe bei dem von Buffon intendierten Stilbegriff lag. Hegels eigener Stilbegriff rückt hingegen in die Nähe des antik-rhetorischen ›aptum‹: er thematisiert vom Gegenstand der Darstellung auferlegte Perspektiven und Regeln des künstlerischen Verfahrens:

Jedoch braucht man das Wort Stil nicht bloß auf die Seite des *sinnlichen* Elementes zu beschränken, sondern kann es auf diejenigen Bestimmungen und Gesetze künstlerischer Darstellung ausdehnen, welche aus der Natur einer Kunstgattung, innerhalb derer ein Gegenstand zur Ausführung kommt, hervorgehen. In dieser Rücksicht unterscheidet man in der Musik Kirchenstil und Opernstil, in der Malerei den historischen Stil von dem der Genremalerei. Der Stil betrifft dann eine Darstellungsweise, welche den Bedingungen ihres Materials ebensosehr nachkommt, als sie den

Forderungen bestimmter Kunstgattungen und deren aus dem Begriff der Sache herfließenden Gesetzen durchgängig entspricht. Der Mangel an Stil in dieser weiteren Wortbedeutung ist dann entweder das Unvermögen, sich eine solche in sich selbst notwendige Darstellungsweise aneignen zu können, oder die subjektive Willkür, statt des Gesetzmäßigen nur der eigenen Beliebigkeit freien Lauf zu lassen und eine schlechte Manier an die Stelle zu setzen (S. 379 f.).

Mehr noch als die mit den Prädikaten ›Manier‹ und ›Stil‹ bezeichneten Konzepte nähert sich Hegels Vorstellung von ihrer Synthese der Stilreflexion Goethes. Das von Goethe und von Hegel anvisierte Problem objektiver Erkenntnis durch das Subjekt hatte bei beiden – jedoch in Verbindung mit verschiedenen Prädikaten – eine bloß in Nuancen differierende Lösung gefunden:

Originalität

Die Originalität nun endlich besteht nicht nur im Befolgen der Gesetze des Stils, sondern in der subjektiven Begeisterung, welche, statt sich der bloßen Manier hinzugeben, einen an und für sich vernünftigen Stoff ergreift und denselben ebenso sehr im Wesen und Begriff einer bestimmten Kunstgattung als dem allgemeinen Begriff des Ideals gemäß von innen her aus der künstlerischen Subjektivität heraus gestaltet.
… Die Originalität ist deshalb identisch mit der wahren Objektivität und schließt das Subjektive und Sachliche der Darstellung in *der* Weise zusammen, daß beide Seiten nichts Fremdes mehr gegeneinander behalten. In der einen Beziehung daher macht sie die eigenste Innerlichkeit des Künstlers aus, nach der anderen Seite hin gibt sie jedoch nichts als die Natur des Gegenstandes, so daß jene Eigentümlichkeit nur als die Eigentümlichkeit der Sache selbst erscheint und gleichmäßig aus dieser wie die Sache aus der produktiven Subjektivität hervorgeht (S. 380).

Es mag Symptom einer spezifischen Verstocktheit gegenüber der Tradition des deutschen Idealismus sein – aber ich kann nicht (auch nach wirklich langer und intensiver Beschäftigung) verstehen, in welchem Sinn die Subjektivität des Erkennens notwendige und zentrale Voraussetzung für die Objektivität des Erkannten sein kann oder soll. Ich deute deshalb – bis auf weiteres – die gemeinsame Grundstruktur der bei Goethe und bei Hegel angetroffenen Reflexionen zum Stilbegriff als Anzeichen des *Wunsches, sich aus einer epistemologischen Aporie zu befreien*, – eines Wunsches gleichwohl, dem zu seiner Artikulation nur die nämlichen begrifflichen Instrumente zur Verfügung standen, welche in die Aporie geführt hatten. Michel Foucault folgend lassen sich Goethe wie Hegel – zumal ihre Begriffe von ›einfacher Natur-

nachahmung‹, ›Manier‹, ›Stil‹ und ›Originalität‹ – jener epistemo-
logiegeschichtlichen Schwelle zuordnen, an der sich zwei Prämissen des ›klassischen‹ europäischen Denkens auflösten. Zum einen
die Überzeugung, daß die Strukturen menschlicher Wahrnehmung und menschlicher Darstellung den Strukturen der wahrgenommenen und dargestellten Gegenstände entsprächen oder entsprechen könnten (›représentabilité des êtres‹); zum zweiten die
(erst nach ihrem Schwinden überhaupt zu fassende) Prämisse, daß
sich die Gegenstände menschlicher Wahrnehmung und Darstellung in der Zeit *nicht* veränderten (›continuité des êtres‹).
Foucault sieht aus dieser Übergangssituation den Wissenschafts-
typ der ›science de l'homme‹ entstehen, in dem sich der Mensch
zugleich als Subjekt der Erkenntnis erfährt und als Gegenstand
der Erkenntnis thematisiert. Wenn es aber in seiner Konsequenz
liegt, daß sich der Mensch auch *als Erkenntnissubjekt* thematisiert
– und mithin relativiert –, dann enthält die ›science de l'homme‹
seit ihrer Konstituierung das Potential zur Auflösung des ›alteu-
ropäischen‹ Ideals von der ›objektiven Wirklichkeitserfassung‹/
›Wahrheit‹. Im Blick auf die – natürlich vor dem Hintergrund
solcher Problemdimensionen extrem enge – Begriffsgeschichte
von ›Stil‹ kann man dieselbe Feststellung – leicht allegorisierend –
variieren: seit der Konstituierung der ›science de l'homme‹ steht
eine neue Dominanz der ›Sophisten‹ über die ›Platoniker‹ an.
Vielleicht ist es deshalb kein – begriffsgeschichtlicher – Zufall,
daß Goethe und Hegel bei ihrem gemeinsamen Bemühen, das
überkommene Ideal von ›Objektivität‹ und ›Wahrheit‹ unter
Einschluß der Subjektivitäts-Kategorie zu retten, in je spezifischer Weise auf den Stil-Begriff rekurrierten. Wenn dabei Hegel –
im Gegensatz zu Goethe – den Stilbegriff ›entthront‹ und seinen
Synthese-Begriff mit dem Prädikat ›*Originalität*‹ bezeichnet, so
kann man vermuten, daß es sich hier um eine (vorbewußte)
Konzession an die Erlebensdimension der ›Temporalisierung‹
handelte. Wobei freilich ebenso der Sachverhalt signifikant ist,
daß Hegel gerade diesen semantischen Aspekt des Begriffs ›Originalität‹ unerwähnt ließ.
Vielleicht wird erst hier verständlich, warum ich in der Überschrift das Motto ›*schwindender Stabilität der Wirklichkeit*‹ in
Zusammenhang mit der ›Geschichte des Stilbegriffs‹ gebracht
habe. Die Relevanz des Stilbegriffs, das ist, so hoffe ich, deutlich
geworden, erwächst aus einer doppelten Grundfunktion: in sei-

nem Namen werden Ansprüche der Subjektivität gegen die überlieferten monolithischen Wirklichkeitskonzepte vorgetragen, und
er schien doch zugleich auch geeignet, solche Wirklichkeitskonzepte gegen die Ansprüche der Subjektivität zu schützen. Die von
Goethe und Hegel in begrifflicher Abstraktion vorgetragene Auffassung von künstlerischer Praxis artikulierte sich freilich über
das 19. Jahrhundert in einem Selbstverständnis, dessen Terminologie und Diskurs eine Verbindung mit dem Prädikat ›Stil‹ auf der
Bezeichnungsebene ausschlossen. Denn ich vermute, daß unter
den Kunst- und Literaturkonzeptionen des 19. Jahrhunderts der
›Realismus‹ – als Versuch zur Rettung einer einheitlich-objekti-
ven Welterfahrung (vgl. Gumbrecht, H. U./Müller, J. E., 1980) –
Goethes Begriff von ›Stil‹ und Hegels Begriff von ›Originalität‹
am nächsten kam. Doch als später die erkenntnispraktischen
Ansprüche des ›Realismus‹ mehr und mehr problematisiert wurden, stand eine erneute – und nun auch wieder explizite – Fusion
des Stilbegriffs mit den Versuchen an, der aus ›schwindender
Stabilität der Wirklichkeit‹ entstehenden Probleme Herr zu werden.

Welten schaffen und Welten verstehen

Deshalb gibt es weder schöne noch häßliche Gegenstände, und wenn man
sich auf den Standpunkt der Reinen Kunst stellt, dann könnte man fast
das Axiom formulieren, daß es überhaupt keine spezifischen Gegenstände
der Kunst gibt, weil der Stil allein eine von den Gegenständen losgelöste
Form ist, die Dinge zu sehen (le style étant à lui seul une manière absolue
de voir les choses).[32]

Dieser Satz, den Gustave Flaubert am 16. Januar 1852 in einem
Brief an Louise Colet schrieb, fehlt in keiner Flaubert-Monogra-
phie, doch er hat die Zuschreibung von Flauberts Werk auf den
›Realismus des 19. Jahrhunderts‹ erstaunlich wenig relativiert.
Jene Synthese zur Rettung der Objektivität aus ›einfacher Naturnachahmung‹ und ›Manier‹, die Goethe ›Stil‹ genannt hatte – und
als deren Einlösung man die ›realistische Kunst‹ des 19. Jahrhunderts ansehen kann –, ist bei Flaubert dissoziiert. Freilich markiert die Charakterisierung des Stils als »manière absolue de voir
les choses« nicht allein eine Distanz, ein ›Losgelöstsein‹ von den
Gegenständen der Darstellung. Dieser Stilbegriff ist ebensoweit

von der Subjektivität des Autors und mithin vom ›Ausdruck der Individualität‹ entfernt. Es kann deshalb naheliegen, gestützt auf andere Stellen aus demselben Brief, bei Flaubert eine Konzeption des Kunstwerks als ›Wirklichkeit sui generis‹, losgelöst von aller Referenz, zu entdecken.

Was ›schön‹ für mich bedeutet, was ich schaffen möchte, das ist ein Buch über nichts, ein Buch ohne Halt außerhalb seiner selbst, das allein durch die innere Kraft seines Stils Bestand hätte (so wie die Erde ohne Stützen in der Luft ist), ein Buch, das fast kein Thema hätte oder in dem das Thema zumindest unsichtbar bliebe.

Doch noch war mit dem ›Losgelöstsein‹, mit der berühmten ›Unpersönlichkeit‹ von Flauberts Stil eine Hoffnung auf Welterfassung verbunden. Wenige Zeilen vor dem Gedanken an ›das Buch über nichts‹ hatte Flaubert zwei Tendenzen aus der ersten Fassung seiner *Education sentimentale* kontrastiert, deren letztere Sprache und ›Wirklichkeit‹ in bisher ungeahnte Nähe rückte, in eine Nähe, die – bildlich gesprochen – gerade für jenes Niveau der ›Konzepte‹ keinen Raum mehr ließ, auf dem Buffon die wesentliche Leistung des Erkenntnissubjekts lokalisiert hatte. Es war eine Tendenz, »so tief als möglich in das Wahre hineinzugraben, die kleinen Sachverhalte ebenso markant wie die großen zu benennen«, eine Tendenz, »welche die Dinge, die sie wiedergibt, beinahe *materiell* spüren läßt«.

Ob man nun sein Werk noch dem Realismus oder schon der nach-realistischen Literatur zurechnet – jedenfalls indiziert Flauberts Stil-Reflexion eine Krise jenes Stilbegriffs, dessen Entstehung im 18. Jahrhundert ich mit der dritten Geschichte (›Buffon bis Realismus‹) des vorausgehenden Abschnitts rekonstruieren wollte. Flaubert hatte den Erkenntnis-Optimismus der Aufklärer verloren, und doch setzte mit ihm eine Folge von Bemühungen ein, eben diesen Erkenntnis-Optimismus zu retten, welcher seinerseits ja schon, wie wir gesehen haben, als Reaktion auf die Krise der traditionellen Episteme entstanden war.

Einen solchen Versuch zur Rettung des Erkenntnis-Optimismus unternahm etwa zwanzig Jahre nach Flauberts Brief an Louise Colet der ›Naturalist‹ Emile Zola. Denn der in seiner Programmschrift *Le roman expérimental* entfaltete Gedanke, den Erkenntnis-Anspruch der Literatur durch Übernahme von Erkenntnis-Verfahren aus den Naturwissenschaften zu wahren, ist unter vielen das deutlichste Anzeichen für eine neue Krise im Verhältnis von ›Literatur‹ und ›Wahrheit‹. Der Stil als »manière absolue de voir les choses« entthronte das aus Aufklärung und Idealismus geborene Erkenntnis-Subjekt. Doch schon bald sollte das *Subjekt* in der Kunst als *Schöpfer von Welten* wiederauferstehen, während die Erkenntnis-Zuversicht von der Subjektivität über die Zolas Werk fundierenden naturwissenschaftlichen Methoden auf die ›Objektivität‹ technischer Medien – den Photoapparat, die Filmkamera, das Fernsehen – überging.

Flauberts Distanznahme von der Subjektivität des Stils war gewiß kein Einzelfall: 1851, wenige Monate vor dem Brief an Louise Colet, veröffentlichte Arthur Schopenhauer sein letztes Werk *Parerga und Paralipomena*, und auch dort finden wir den Gedanken vom Stil als einer Form des Ausdrucks, welche gerade durch die Reduktion aller spürbaren künstlerischen Bemühungen eine neue Wirklichkeits-Nähe ermöglichen sollte:

Die Wahrheit ist nackt am schönsten, und der Eindruck, den sie macht, umso tiefer, als ihr Ausdruck einfacher war; [...] Deshalb nun hat man, wie in der Baukunst vor der Überladung mit Zierrat, in den redenden Künsten sich vor allem nicht notwendigen rhetorischen Schmuck, allen unnützen Amplifikationen und überhaupt vor allem Überfluß im Ausdruck zu hüten, also sich eines *keuschen* Stils zu befleißigen.[33]

Erst vor dem Hintergrund der Tendenz, erneut die Subjektivität aus der Bindung von Stil und Wahrheit zu eliminieren, tritt der historische Stellenwert der von Hans-Martin Gauger analysierten Reflexionen Friedrich Nietzsches ›Zur Lehre vom Stil‹ prägnant hervor. Auch hier wurde die Subjektivität des Stils erneut und geradezu hyperbolisch positiviert – zumal dort, wo Nietzsche die eigene Sprache als »die vielfachste Kunst des Stils überhaupt, über die je ein Mensch verfügt hat«[34], charakterisierte. Noch bedeutsamer ist eine Leerstelle in seiner Stil-Konzeption: der Ort einer (jetzt eigentlich schon im phänomenologischen Sinn: transzendentalen) Wahrheit blieb unbesetzt. Statt dessen wurde von Nietzsche neben der Subjektivität des Autors/Redners nun endlich auch die schon immer wirksam gewesene Subjektivität der Adressaten als Stil-Konstituens genannt. Stil war damit zur *Funktion von situativen Konstellationen* geworden, und weil in Nietzsches Denken die *eine* Wahrheit jenseits aller situationalen Besonderheiten nicht mehr erschien, avancierten die Stilarten selbst zu Wirklichkeiten (auf den Plural kommt es an).

Eben weil es die Wahrheit jenseits der subjektiven Wahrheiten nicht mehr gab, besteht *keine* Kontinuität zwischen der Geschichte eines Stilbegriffs, der den Ausdruck romantischer Individualität meint, und jenem Gedanken der ›künstlerischen Vision‹, wie er in wechselseitiger Berührung mit dem phänomenologischen Konzept einer ›*Pluralität von Wirklichkeiten*‹ entstand. Im Fall von Marcel Proust ist der Einfluß von Bergsons Phänomenologie ohnehin biographisch belegt:

Der Stil ist keineswegs, wie manche glauben, ein Mittel der Verschönerung, ja er ist nicht einmal ein technisches Problem, er ist vielmehr – genau wie die Farbe für die Maler – eine Art des Sehens und Imaginierens (*une qualité de la vision*), die Enthüllung des partikularen Universums, das jeder von uns sieht, und das die anderen nicht sehen. Das Vergnügen, welches uns ein Künstler schenkt, liegt darin, daß er uns ein weiteres Universum kennenlernen läßt.[35]

Daß es eine systematische Korrelation zwischen der Phänomenologie und dem Stilbegriff gibt, können wir im Blick auf das Werk Edmund Husserls belegen. Überall dort, wo Husserl explizit – und polemisch – Abstand nahm von der Illusion, ›das Ding an sich‹ sei der menschlichen Erkenntnis zugänglich, konnte der Stilbegriff zur Profilierung des Gedankens an eine Vielfalt von Sinnwelten erscheinen. So zur Bezeichnung kognitiver Individualität – etwa in der zwischen 1913 und 1918 entstandenen Schrift *Die Konstitution der geistigen Welt*: »Aber wirklich einheitliche *Person* ist das Ich …, wenn es einen gewissen durchgängigen einheitlichen Stil hat in der Art wie es sich urteilend, wollend entscheidet, in der Art, wie es ästhetisch schätzt; aber auch in der Art, wie sich bei ihm ›Einfälle‹ herausstellen«.[36] In ganz ähnlichem Sinn konnte Husserl auch eine Epoche, eine Kultur oder – wie im *Krisis*-Vortrag aus dem Jahr 1936 – einen Wissenschafts-Typ charakterisieren: »Ob die Physik repräsentiert wird durch einen Newton oder einen Planck oder Einstein oder wen immer selbst in der Zukunft, sie war immer und bleibt exakte Wissenschaft. Sie bleibt es selbst, wenn diejenigen Recht haben, die da meinen, daß eine absolut letzte Gestalt des Aufbaustiles der gesamten Theoretik nie zu erwarten, nie zu erstreben ist«.[37] Kaum ein Denker hat wohl so viel wie Sigmund Freud zur Entstehung einer intellektuellen Disposition beigetragen, der die Perspektive einer ›Pluralität von Welten‹ selbstverständlich werden konnte. Und dennoch ist es bezeichnend, daß nicht Freud selbst, sondern, wie Paul Watzlawick anmerkt, sein Schüler Alfred Adler als erster unter den Freuds Anregungen verpflichteten Psychologen von ›Stilarten des Verhaltens‹ sprach. Freud hingegen blieb zeit seines Lebens der naturwissenschaftlichen Denkart so verhaftet, daß er nicht Distanz nehmen konnte von deren positivistischem Anspruch auf Wirklichkeitserfassung. Eben Sigmund Freud gehört aber nun auch zu jenen Stil-Imitatoren und Stil-Sammlern der Jahrhundertwende, deren Mobiliar Jens Malte Fischer als Epochensymptom diagnostiziert. Freuds und seiner (nicht nur) prominenten Zeitgenossen ›Sehnsucht nach Stil‹ indiziert eine mentalitätsgeschichtliche Phase des Übergangs, in der auf der einen Seite keine Weltsicht mehr so problemlos als ›wirklichkeitsadäquat‹ gelten konnte, daß es uns möglich wäre, sie retrospektiv als ›Epochenstil‹ zu identifizieren; in der auf der anderen Seite aber eben die Hoffnung auf allgemein verbindliche Wahrheit noch nicht so obsolet geworden war, daß sich Künstler, Architekten, Wissenschaftler daran gemacht hätten, selbst ›Welten zu schaffen‹. Diese Sehnsucht nach ›Stil‹, der Wunsch nach einer einheitlichen Weltsicht wurde in die Vergangenheit – genauer: in die verschiedensten Räume der Vergangenheit – projiziert, welche dabei unversehens selbst eine Stilisierung erfuhren. »Wir sind fast alle in der einen oder anderen Weise in eine durch das Medium der Künste angeschaute, stilisierte Vergangenheit verliebt«[38], konstatierte Hugo von Hofmannsthal, und Nutznießerin dieses Verliebtseins war – zumindest in Europa – die Nippes- und Möbelindustrie. Georg Bollenbeck hat die nationalen Selektions-Präferenzen in dieser industriellen Vergangenheits-Ausbeutung rekonstruiert, und Roberto Ventura weist nach, daß der europäischen Anfüllung der Gegenwart mit stilisierter National-Vergangenheit chronologisch die Suche lateinamerikanischer Literaten und Historiker nach nationalen Stilformen entsprach. Dort war Stil-Suche identisch mit der Sehnsucht nach National-Identität; doch was die lateinamerikanische Identitäts- und Stil-Sehnsucht endlich befriedigte, das war seinerseits Produkt einer europäischen Stilisierung. Im Begriff des ›tropischen Stils‹ attribuierte man sich selbst eine Exotik, die aus europäischen Evasions-Bedürfnissen entstanden war.

Erst in der Reaktion auf vergangenheitsorientierte Massenproduktion wurde ›Stil‹ zum Programmbegriff eines seine Unabhängigkeit vom Vergangenen affirmierenden Welten-Schaffens der

Künstler. Wenn man sehen lernt, daß in zahllosen Kunst-Objekten des Jugendstils die vom Historismus der Gründerzeit ›zitierten‹ und synkretistisch komponierten Elemente vergangener Stilepochen – im konkreten und im metaphorischen Sinn – *zusammengeschmolzen* waren[39], dann kann man auch die Kontinuität zwischen solchem Synkretismus und dem im Jahr 1905 formulierten Arbeitsprogramm der ›Wiener Werkstätte‹ erfassen:

Das grenzenlose Unheil, welches die schlechte Massenproduktion einerseits, die gedankenlose Nachahmung alter Stile andererseits auf kunstgewerblichem Gebiete verursacht hat, durchdringt als Riesenstrom die ganze Welt. Wir haben den Anschluß an die Kultur unserer Vorfahren verloren, und werden von tausend Wünschen und Erwägungen hin und her geworfen. Anstelle der Hand ist meist die Maschine getreten, anstelle des Handwerkers der Geschäftsmann. Diesem Strome entgegenzuschwimmen wäre Wahnsinn. Dennoch haben wir unsere Werkstätte gegründet, sie soll auf heimischem Boden, mitten im frohen Lärm des Handwerks einen Ruhepunkt schaffen [...].[40]

Hier ging es längst nicht mehr nur um künstlerische Originalität und um Temporalisierung in der Produktion von Kunstformen. Mit der künstlerischen Prätention, neue Formen schaffen zu können, verband sich die Illusion, mittels der neuen Formen auch das Verhalten zu verändern. Möbel, Kleidung und Accessoires, intellektuelle Präferenzen, Weltanschauungen und Verhaltensformen gingen jene Fusion ein, die sich bis heute in dem von Burkhart Steinwachs analysierten Begriff des *›styling‹* erhalten hat:

Tatsächlich wird in einem solchen Zimmer auch eine neue Art des Essens gefordert. In einem solchen Raum sitzt man anders, neue Bewegungen und Unterhaltungen ergeben sich, eine neue Gesellligkeit, eine neue Gesellschaft überhaupt ... ohne die steife Würde und Konvention alter Generationen, schon mit weitem Blick, sportlicher Kleidung, ein Herr, aber kein Direktor – ein geistiger Mensch, aber ohne Professorentitel. Eine neue Geistigkeit fordert nun diesen Stil, eine neue gesellschaftliche Schichtung.[41]

Welten aus Stein und Uniformen, Welten aus einer neuen Geistigkeit und einer besonderen Stilisierung des Verhaltens zu schaffen, die im Glauben an die Einheit der (jeweiligen) ›Rasse‹ die Matrix ihrer Anregungen und zugleich ihre Legitimation finden sollten, das gehörte zur Programmatik des europäischen Faschismus. José Antonio Primo de Rivera, der Gründer der spanischen Falange, war – bei all seiner bewundernswerten Bildung – fasziniert von einer Metapher, die den nationalen Stil aus den ›Eingeweiden‹ der Rasse herauswachsen ließ: »Eingeweide und Stil, das macht Spanien aus … ›Stil‹ ist dabei die innere Form des Lebens, das sich – bewußt oder unbewußt – in jeder Handlung und jedem Wort konkretisiert«.[42] In Italien bemühte sich unterdessen vor allem Gabriele d'Annunzio, seine öffentliche Rolle als Individual-Künstler mit der faschistischen Idee des weltenschaffenden Stils zu vermitteln. Im Jahr 1937, als italienische Truppen längst in den spanischen Bürgerkrieg eingegriffen hatten und José Antonio Primo de Rivera als Häftling der spanischen Republik exekutiert worden war, schrieb d'Annunzio in der Schenkungsurkunde für sein Landhaus:

Alles hier ist von meinem Stil gekennzeichnet in dem Sinne, den ich meinem Stil verleihen will […]. Meine Liebe für Italien, mein Erinnerungskult, mein Streben nach Heldentum, meine Voraussicht auf das Vaterland der Zukunft, werden hier offenbart in der Suche nach Form, in Harmonie und Dissonanz der Farben … Alles ist hier Form meines Geistes, ein Aspekt meiner Seele, ein Beweis meiner feurigen Hingabe.[43]

Am Beispiel der – vermeintlichen – Metapher vom ›Telegrammstil‹ hat Friedrich A. Kittler demonstriert, wie illusionär schon in der dem Faschismus vorausgehenden Epoche der Glaube war, (individuelle oder kollektive) Subjekte könnten Stilarten erfinden oder gar Welten schaffen. Doch was heute – gegen den zähesten Widerstand auch und gerade der Wissenschaftler – wieder ins Gedächtnis gebracht werden muß (nicht nur ins historische Gedächtnis), hatte in den zwanziger und dreißiger Jahren bereits zur Programmatik der damals ›fortschrittlichsten‹ Stilpraktiker und Stiltheoretiker gehört. Die von Karlheinz Barck präsentierten Belege machen uns bewußt, daß ein Charakteristikum unserer Gegenwart weniger die Einsicht in die Abhängigkeit des Menschen von seinen Maschinen ist und ebensowenig die Korrelierung des Stils mit den Medien (als ›Subjekt-Ersatz‹), sondern vor allem die *Furcht* vor solcher Abhängigkeit.

Man könnte nun meinen, die kulturhistorische *›Stilforschung‹ der zwanziger Jahre* sei bloß das akademische Seitenstück zu einem Stilbegriff der Künstler, Fabrikanten und Politiker gewesen, der den Wunsch und die Zuversicht repräsentierte, vielfältige Welten *schaffen* zu können. Unter dieser Prämisse bräuchte ich hier lediglich einige ergänzende Belege zu zitieren und könnte ›zur Tagesordnung‹ (sprich: zum Schlußabschnitt meiner begriffsgeschichtlichen Skizze) übergehen. Doch ich glaube nicht, daß die ›Stilforschung‹ nur ein Nachfolge-Phänomen der Ausdrucks-Ästhetik und des ›Realismus‹ aus dem 19. Jahrhundert war. Vielmehr sehe ich in der kulturwissenschaftlichen Stilforschung eine – späte – Fortsetzung der von Winckelmann inaugurierten Frage- und Untersuchungs-Form, zu deren Institutionalisierung freilich seit Ende des 19. Jahrhunderts eine höchst spezifische Bedingungskonstellation führte.

Die Hermeneutik, wie sie im 19. Jahrhundert entwickelt wurde, unterscheidet sich von ihrer Vorgängerin, der Tradition christlich-theologischer Exegese, vor allem darin, daß sie als Reaktion auf verschärfte Bedingungen des Verstehens entstand. Zunächst hatte man das Auseinandertreten von Wahrnehmung und Wahrheit (also das Ende von der Prämisse der ›représentabilité des êtres‹) und die ›Geschichtlichkeit des Seins‹, mit anderen Worten: den um 1800 zu lokalisierenden epistemologischen Bruch, bloß als eine Erschwerung des Aufklärungs-Projekts erlebt, ein ›vorurteilsfreies‹ Bild von der Wirklichkeit zu entwerfen und zu vervollständigen. Die experimentelle ›Tiefenschau‹ der Naturwissenschaftler und die philosophische Spekulation über ›Geschichtsgesetze‹ galten bis in die Mitte des 19. Jahrhunderts als Garantie für die Möglichkeit, solche Hindernisse zu überwinden. Als aber die Erkenntnis-Versprechen der überkommenes Wissen so radikal ›entmythisierenden‹ Aufklärung selbst unter einen – neuen – ›Entmythisierungs‹-Druck gerieten, gestatteten es die Erwartungen der Gesellschaft offenbar allein den Künstlern, nunmehr auf das Schaffen statt auf das *Verstehen von Welten* zu setzen. Die Bewahrung des Glaubens an die *eine* Wirklichkeit und die Erhaltung des überkommenen Begriffs von ›Wahrheit‹ kamen nun allein der Wissenschaft zu – und bis heute hat sie sich kaum von diesen Erwartungen und Bedürfnissen befreien können. Die Hermeneutik, vermute ich, gewann ihr wissenschaftliches Pathos erst da, wo der Totalanspruch des Fremdverstehens – vor allem – durch den radikalen Historismus potentiell problematisiert worden war. Denn im radikalen Historismus war der Gedanke an eine grundlegende Verschiedenheit zwischen Epochen nicht mehr ausgeschlossen, mit der dem Verstehen die Fundierung in einer minimalen Gemeinsamkeit gemeinsamer mentaler und kognitiver

Strukturen von Betrachter und Betrachtetem genommen wurde.[44] Eben dieses Problem hatte in der idealistischen Philosophie noch der von der Aufklärung übernommene ›Menschheitsbegriff‹ gelöst, und in der Kulturgeschichtsschreibung – vor allem in der Literaturgeschichtsschreibung – waren an seine Stelle die *Nationenbegriffe* als Betrachter und Künstler, Interpreten und Autoren vereinigende Horizonte getreten. Der Stilbegriff hingegen spielte als Kategorie historiographischer Reliefgebung und Totalisierung in der großen Zeit nationaler Literaturgeschichtsschreibung nur eine marginale Rolle.

Erst mit der *Krise des Nationen-Begriffs in den Wissenschaften* begann die Konjunktur kulturhistorischer Stilforschung. Daß die Stil-Kategorie – schon seit Winckelmann – prinzipiell als geschichtswissenschaftlicher Beobachterbegriff fungieren konnte, belegt die Studie von Ulrich Schulz-Buschhaus zu Taines stilhistorischen Analysen. Mit dem Verweis auf die Komplementarität von ›Krise des Nationenbegriffs‹ und ›Aufstieg des Stilbegriffs‹ möchte ich aber vor allem die Ausgangsthese konkretisieren, daß die wissenschaftliche Stilforschung *nicht* Ergebnis einer Expansion des im frühen 20. Jahrhundert dominierenden künstlerisch-literarischen Stilbegriffs war. Vielmehr legen die einschlägigen Beiträge zu diesem Band folgende wissenschaftshistorische Kurz-Geschichte nahe: der Nationenbegriff geriet in den Wissenschaften – um Jahrzehnte früher als in der Politik – in seine entscheidende Krise, weil er jenen Evidenzbedürfnissen nicht mehr genügte, denen die Wissenschaft ausgesetzt war, seit sie *allein* die kollektiven Hoffnungen auf Erkenntnis der *einen* Wirklichkeit trug. Im Gegensatz zum Nationenbegriff konnte der Stilbegriff – so wie er von Winckelmann vorkonzipiert war – dank der in seiner Geschichte sedimentierten Bedeutungvielfalt auf verschiedene Konstitutionsebenen menschlicher Handlungsobjektivationen, besonders aber auf jene der Kunstwerke appliziert werden. Deshalb war er als eine Kategorie der Vermittlung zwischen genauester empirischer Beobachtung ›an den Gegenständen‹ (›Stil als Materialität der Form‹) und den Abstraktionsbedürfnissen historiographischer Totalisierung geeignet (›Stil als epochen- oder kulturtypische mentale Struktur‹). Gewiß trug die Aktualität des Stilbegriffs im Selbstverständnis der zeitgenössischen Künstler (und auch seine Kompatibilität mit dem einsetzenden phänomenologischen Denken) erheblich zu seiner Etablierung in den

Kulturwissenschaften bei. Nach dem Ersten Weltkrieg schließlich gelangte er dort – gegenüber dem nun tabuierten Nationenbegriff – über mindestens ein Jahrzehnt in eine beherrschende Position.

Liest man Alois Riegls *Stilfragen* (1883) oder Wilhelm Worringers Aufsatz »Von Transzendenz und Immanenz in der Kunst« (1910), so wird deutlich, daß sich die Kulturwissenschaft mit dem Stilbegriff Grundzüge einer Anthropologie einverleibte, eine Reihe von Annahmen über psychische Grundeigenschaften und Fähigkeiten *des* Menschen verbunden mit der Aufgabe, ihre rekurrenten Objektivationen in verschiedenen Epochen und Kulturen zu dokumentieren (daher Riegls Konzentration auf die Ornamentik). Damit galt das Problem des Fremdverstehens offenbar zunächst als gelöst. Die programmatischen Einleitungssätze aus Guido Adlers Buch *Der Stil in der Musik* (1911) belegen – komplementär –, wie bedeutsam die an den Stilbegriff geknüpften Hoffnungen auf Systematisierung, mithin auf ›Verwissenschaftlichung‹ für seine Konjunktur unter den Historikern waren:

Mit den vorliegenden Erörterungen sollen Beiträge gegeben werden zur Untersuchung über die Prinzipien der wissenschaftlichen Behandlung und die Arten des musikalischen Stils und in weiterer Folge über die geschichtlichen Etappen der stilistischen Entwicklung der Tonkunst. Bisher war dieses Forschungsgebiet arg vernachlässigt, fast ganz beiseite gelassen. Es herrschen da chaotische Zustände, ein Wirrwarr der Auffassungen, die sich dort und da in den verschiedenen Werken der musikalischen Literatur zerstreut finden. Eine einheitliche Behandlung ist bisher noch nicht versucht worden. Und doch besteht darin das Um und Auf kunstwissenschaftlicher Betrachtung und Behandlung, die Stilbestimmung ist die Achse kunstwissenschaftlicher Erkenntnis. Die Stilfragen sind das Sublimat aller theoretischen und historischen Untersuchungen und Feststellungen.[45]

Vieles – nicht zuletzt 1915 als das Jahr ihrer Ersterscheinung – spricht dafür, daß Heinrich Wölfflins *Kunstgeschichtliche Grundbegriffe* den Beginn jener wissenschaftsgeschichtlichen Phase markieren, welche durch die Dominanz der Stilforschung als Paradigma geprägt ist. Der Grundgedanke von Wölfflins Systematik, welche kunstgeschichtliche Analyse ebenso wie kunstgeschichtliche Darstellung fundieren sollte, war so einfach, wie man das von ›genialen‹ Innovationen erwartet. Wölfflin unterschied innerhalb des ›Sehens‹ als anthropologischer Fähigkeit eine Reihe von ›Sehformen‹ und ›Vorstellungsformen‹, von denen er auf jede kunstgeschichtliche Epoche nur eine kleine Anzahl als realisierbare Möglichkeiten zuordnete. So schienen die auseinanderstrebenden Bedürfnisse der Kulturwissenschaften nach Kategorien historischer Differenzierung *und* nach Sicherung des historischen Verstehens zu neuer Konvergenz gebracht: »Jeder Künstler findet bestimmte ›optische‹ Möglichkeiten vor, an die er gebunden ist. Nicht alles ist zu allen Zeiten möglich. Das Sehen an sich hat seine Geschichte, und die Aufdeckung dieser ›optischen Schichten‹ muß als die elementarste Aufgabe der Kunstgeschichte betrachtet werden«.[46] Noch erstaunlicher vielleicht als Wölfflins – bis heute – bewundernswertes Buch wirkt in der historischen Retrospektive die Kritik, welche sein blutjunger Kollege Erwin Panofsky dem skizzierten ›Grundprinzip‹ schon 1915 angedeihen ließ. Aus dem Abstand eines Dreivierteljahrhunderts nämlich wird klar, daß Panofskys Kritik genau die systematische Insuffizienz des Stilbegriffs traf, die zum Grund für seinen Niedergang in der Wissenschaft werden sollte. Die Betrachtung einzelner Kunstwerke gestattet zwar die Induktion epochaler ›Sehformen‹, aber von solchen ›Sehformen‹ führt kein Weg mehr zum Verstehen ihrer historischen Verschiedenheit:

[...] daß die eine Epoche linear, die andere malerisch sieht, ist nicht Stilwurzel oder Stilursache, sondern ein Stilphänomen, das nicht Erklärung ist, sondern der Erklärung bedarf. Es ist nun gewiß nicht zu leugnen, daß bei so allumfassenden Kulturerscheinungen eine wirkliche Erklärung, die in der Aufzeigung einer Kausalität bestehen müßte, wohl niemals möglich ist; sie würde eine so tiefe zeitpsychologische Einsicht und zugleich eine so große Unbeteiligtheit voraussetzen, daß weder die Herbeiziehung und Ausdeutung kulturgeschichtlicher Parallelen, noch auch die mit dem Geist der verschiedenen Epochen sich gleichsam identifizierende ›Einfühlung‹ jemals zum Ziel führen dürfte [...][47]

Es ehrt Wölfflin, einer der wenigen gewesen zu sein, die Panofskys Argument (das ja auch in der aktuellen Theorie-Diskussion der Geisteswissenschaften heilsame Unruhe stiften könnte) ernst nahmen, und zwar mit einer ausführlichen Replik in der 1922 veröffentlichten Neuausgabe der *Kunstgeschichtlichen Grundbegriffe*. Insgesamt jedoch waren die Geisteswissenschaften zumal in Deutschland während der zwanziger Jahre von einer geradezu ›imperialen‹ Expansion des Stil-Paradigmas charakterisiert.

Wenn der Eindruck richtig ist, daß Stilforschung – außerhalb der akademischen Kunstgeschichte – nirgends mehr reüssierte als gerade in der Literaturwissenschaft, dann läßt sich konstatieren, daß der Stilbegriff – nun als ein Beobachter-Begriff – genau den Bezug auf Schriftsprache zurückgewann, welcher die Stil-Metapher in der Antike motiviert hatte. Das ehrgeizigste Programm entwarf Oskar Walzel in seiner Vision von der »wechselseitigen Erhellung der Künste« als einem Verfahren zur historischen Typisierung von Jahrhunderte übergreifenden Epochen. Rainer Rosenbergs Kritik an Walzel mündet in dasselbe Argument, das auch Panofsky gegen Wölfflin gekehrt hatte (dessen *Grundbegriffe* Walzel immer wieder als autoritativen Bezugstext zitierte). Der Vergleich je zeitgenössischer Kunstformen konnte nur zu – beliebig breiten – epochalen Panorama-Darstellungen führen, die Vermittlung mit geschichtlich wirkungsmächtigen Instanzen außerhalb des Gegenstandsbereichs der Kunstwissenschaften mußte er verfehlen.

Zu den Heroen der Stilforschung in den zwanziger Jahren pflegt man auch Karl Vossler zu zählen, obwohl – aus der Perspektive unserer Gegenwart – mit einer solchen Charakterisierung seine Innovationsleistungen als Historiker der drei großen romanischen Kulturen unterschätzt werden (vgl. Gumbrecht, H. U., 1987, ›Einleitung‹). Vosslers Forderung, »die Nationalsprachen müssen, wenn man ihrem besonderen Charakter gerecht werden will, als Stil und nicht so sehr als Sprache gewürdigt werden«[49], läßt jedenfalls vermuten, daß er vorsichtig mit den geschichtstheoretischen und diskurspragmatischen Problemen umging, die der Preis für die vom Stilbegriff geweckten Hoffnungen waren. Denn seine Konzeption von den ›Nationalsprachen als Stilarten‹, mit der er bewußt jene Reflexionen Humboldts reaktualisierte, deren Bedeutsamkeit Jürgen Trabant herausgearbeitet hat, kehrte *nicht* mit der Beibehaltung – oder Rehabilitierung? – des Nationenbegriffs zu vagen Vorstellungen vom ›nationalen Wesen‹ oder gar zu der – vermeintlich – so naturwissenschaftlich-konkreten Fundierungskategorie der ›Rasse‹ zurück. Näher lagen Vossler (auch biographisch und gerade in den zwanziger Jahren) Reflexionen, die schon bei Husserl und bald auch in der einsetzenden Wissenssoziologie zur Verwendung des Stilbegriffs geführt hatten. ›Nationalsprachen‹ als ›Stile‹ zu perspektivieren, das hieß Sprache als Teil-Objektivierung je spezifischer Weltsichten und

Wirklichkeitsmodelle verstehen. Damit stoßen wir auf einen –
wissenschaftshistorisch – *eher der Soziologie* als der Geistesgeschichte zuzuordnenden Stilbegriff, wie ihn auch zwischen 1942
und 1945 Erich Auerbach bei der Arbeit an seinem Buch *Mimesis*
als theoretische und analytische Zentralkategorie nutzte.

Luiz Costa Lima hat deutlich gemacht, daß Auerbach den ›Realismus‹-Begriff zu einer metahistorischen Funktionskategorie
umformte (ich würde, leicht nuancierend, eher sagen: zum Begriff für eine in der europäischen Kultur langfristig konstitutive
Funktionsstelle). Mit der Kategorie ›Stil‹ zielte Auerbach jedenfalls auf historisch je spezifische ›Wirklichkeitsmodelle‹, welche
die Funktionsstelle des ›Realismus‹ besetzten. Daß er ›Stilarten‹
als ›Wirklichkeitsmodelle‹ aus intensiver Arbeit am Text induzie-
ren wollte, spricht gewiß nicht gegen die Zuordnung seines
Werks auf die Traditionen der Soziologie und der damals noch
jungen Sozialgeschichte. Wer in Lektüre des Einleitungstexts zu
Mimesis (»Die Narbe des Odysseus«) Auerbachs Vergleich der
Wirklichkeitskonzeptionen im Alten Testament und in den Ho-
merischen Epen nachvollzieht, der wird kaum auf den Gedanken
kommen, ihn für einen Vertreter literaturwissenschaftlich-im-
manentistischer ›Stilanalyse‹ zu halten:

Wir haben die beiden Texte (sc.: eine Szene aus dem 19. Gesang der
Odyssee und die Erzählung von der Opferung Isaaks im *Alten Testament*), und im Anschluß daran die beiden Stilarten, die sie verkörpern,
miteinander verglichen, um einen Ausgangspunkt für Versuche über die
literarische Darstellung des Wirklichen in der europäischen Kultur zu
gewinnen. Die beiden Stile stellen in ihrer Gegensätzlichkeit Grundtypen
dar: auf der einen Seite ausformende Beschreibung, gleichmäßige Beleuchtung, lückenlose Verbindung, freie Aussprache, Vordergründlich-
keit, Eindeutigkeit, Beschränkung im Geschichtlich-Entwickelnden und
im Menschlich-Problematischen; auf der anderen Hervorarbeitung einiger, Verdunkelung anderer Teile, Abgerissenheit, suggestive Wirkung des
Unausgesprochenen, Hintergründlichkeit, Vieldeutigkeit und Deutungs-
bedürftigkeit, weltgeschichtlicher Anspruch, Ausbildung der Vorstellung
vom geschichtlich Werdenden und Vertiefung des Problematischen (Auerbach, E., 1946/1967, S. 26).

Als ein Neben-Ergebnis der in Block (2) dieses Bandes präsentierten wissenschaftsgeschichtlichen Studien sollte jedenfalls – mit
Luiz Costa Lima und mit Hans-Jörg Neuschäfer – eine Notwendigkeit schärferer Differenzierung im Rückblick auf jene ›Vorläu-

fer‹ festgehalten werden, die man immer noch allzu pauschal dem Paradigma der ›Stilforschung‹ zuordnet. Auerbachs soziologischer Stilbegriff, der seine späteren Untersuchungen theoretisch fundierte, machte sich den antiken Stilbegriff als ein Element des von ihm konstituierten Objektbereichs zunutze, während die minutiösen Stilbeobachtungen Leo Spitzers – ganz ›unsoziologisch‹ – stets zur Individualität des literarischen Künstlers führten. Dieser Gegensatz schließt natürlich nicht aus, daß man sich unter literarhistorisch-literatursoziologischen Erkenntnisinteressen die Ergebnisse von Spitzers Stilstudien mit Gewinn aneignet. Aber Spitzers wissenschaftsgeschichtlicher Ort ist erst erkannt, wenn man sich bewußt macht, daß sein Stilbegriff zum einen *außerhalb* der phänomenologisch-soziologischen Traditionslinie steht, daß zum anderen in seiner interpretatorischen Applikation Totalisierungsansprüche, wie sie die Stilforschung der zwanziger Jahre vertreten hatte, zurückgingen.

Nur so wird verständlich, warum – zumindest in Westdeutschland – nach 1945, als so viele Literaturwissenschaftler Anlaß hatten, Literatur wie literarische Interpretation in Distanz zur ›Geschichte‹ zu setzen (und *Mimesis* als ein Vademecum der ›immanenten Interpretation‹ lasen), die Bewunderung für Leo Spitzer und die schulbildende Wirkung seiner Arbeiten Auerbach in den Schatten stellten; während heute, da die von systematischen Interessen motivierte Auseinandersetzung mit Spitzers Werk abgeschlossen scheint, die internationale Rezeption der beiden letzten Bücher von Erich Auerbach anscheinend erst an ihrem Beginn steht. Leo Spitzer, ein Schüler des Sprachhistorikers Wilhelm Meyer-Lübke, hatte einen Stil des literaturwissenschaftlichen Umgangs mit dem Stilbegriff geprägt, von dem sich schon bald die strukturale Linguistik ein Mehr an Empirie und den endgültigen Schritt zu hehrer Wissenschaftlichkeit erhoffen konnte. 1959 schrieb Michel Riffaterre:

Der subjektive Impressionismus, die normative Rhetorik und die apriorische ästhetische Wirkung haben lange Zeit die Entwicklung der Stilistik als Wissenschaft von den literarischen Stilen beeinträchtigt. Angesichts der Verwandtschaft zwischen Sprache und Stil darf man erwarten, daß die linguistischen Methoden auf die exakte und objektive Beschreibung des literarischen Gebrauchs der Sprache anwendbar sind. Dieser nämlich, der die spezialisierteste und komplexeste linguistische Funktion verkörpert, kann von den Linguisten nicht vernachlässigt werden.[50]

1986 liest man dieses Programm wie das Manifest einer ›historisch gewordenen Moderne‹. Innerhalb der Literaturwissenschaft wirkt es nach durch die Tabuierung des als ›subjektivistisch‹ und ›aprioristisch normativ‹ verschrieenen Stilbegriffs. Aber die Literaturwissenschaft ist beileibe nicht in Linguistik aufgegangen, und die Literaturwissenschaftler konstatieren verwundert, daß der Stilbegriff – statt in der Linguistik – nun in den Büchern und Abhandlungen der Soziologen und Sozialhistoriker auftaucht, von denen sie sich ja eigentlich alles andere als eine Rückkehr zur Stilistik erwarten. Die Begriffsgeschichte macht uns bewußt, daß dies *nicht* der unter dem Druck der modernen Linguistik tabuierte subjektivistisch-normative Stilbegriff ist.

›Stil‹ ohne Geschichte und Wahrheit?

Am Ende des 20. Jahrhunderts scheint im Westen jede Geste zur intendierten Stilisierung und jede Beobachtung zum erfahrenen Stil zu werden – außerhalb der Wissenschaft zumindest. Hans-Georg Soeffners Studie über die Punks etwa demonstriert nicht nur, wie komplex, vielschichtig und strukturiert Stilisierung im Alltag auch da noch ist, wo sie die Reflexions- und Introspektions-Möglichkeiten der Sich-Stilisierenden längst überschreitet. Die Deutung von Soeffner scheint mir auch *selbst* ein Beleg komplexer Stilisierungspraxis zu sein.
Die Wirkungschancen für die Appelle der Soziologen Alois Hahn, Thomas Luckmann und Niklas Luhmann zur semantischen und pragmatischen Begrenzung des Stilbegriffs beurteile ich deshalb skeptisch, weil ich die Proliferation des Stilbegriffs in der Gegenwart nicht bloß für eine Bewegung der Re-Metaphorisierung und der Bedeutungsverschiebung innerhalb der Sprachnorm(en) halte, sondern zu sehen glaube, daß immer mehr Handlungen und Gesten im Alltag *Handlungen und Gesten der Stilisierung* werden, also eine Struktur annehmen, welche der Struktur des Text-Konstituierens aus verschiedenen vorgegebenen Repertoires sprachlicher Artikulation nahekommt. Zugleich scheint mir Stilisierung *im* Alltag immer mehr zur Stilisierung *des* Alltags zu werden, mit anderen Worten: jenes Gefühl des Welten-Schaffens, deren in ihrer Prägnanz und Plastizität kaum überbietbare Beschreibung durch Aragon Karlheinz Barck zitiert (und philo-

sophie- wie kunsthistorisch erklärt) – »ich nenne Stil den Akzent, mit dem ein gegebener Mensch die Flut versieht, die der symbolische Ozean in ihm auslöste, der die ganze Erde metaphorisch unterminiert« –, dieses Gefühl ist auf dem Weg, sich als kollektive Verhaltens- und Handlungsdisposition zu etablieren. Die *eine* ›Wirklichkeit‹ konstituiert sich dann nur noch als End-Horizont für die verschiedenen, individuellen und kollektiven Welten; sie entsteht in Relation zu diesen Welten und ist ihnen gewiß nicht mehr transzendent. In den Worten von Merleau-Ponty:

Die natürliche Welt ist der Horizont aller Horizonte, der Stil aller Stile, meinen Erfahrungen im Untergrunde aller Brüche meines persönlichen und geschichtlichen Lebens gegebene und nicht gewollte Einheit gewährleistend, deren Korrelat mir selbst die gegebene, allgemeine und vorpersönliche Existenz aller Sinnesfunktionen ist [...][51]

Eine Form des Verhaltens und Handelns, die über Jahrtausende als Privileg der (Sprach-)Künstler galt, ist zur alltäglich dominanten Form des Verhaltens und Handelns geworden. Genau auf diese Strukturverschiebung im Bereich sozialer Interaktion, so meine These, verweist das Proliferieren des einst ausschließlich den Künstlern und dem Kunstwerk attribuierten Stilbegriffs.

Dem Prozeß einer Expansion des Stilbegriffs entspricht die Entdifferenzierung von ›Kunst‹ und ›Alltag‹, die sich freilich ganz anders vollzieht und vollzogen hat, als es sich die avantgardistischen Programmatiker der Jahrhundertwende vorstellten. Nehmen wir uns etwas so Triviales wie eine Zeitungsanzeige vor – allerdings nicht um aus ihr ›als Leben‹ (in der Nachfolge der Avantgardisten) nun ›Kunst‹ zu machen, sondern um den Unterschied zwischen den vergangenen Programmen und der gegenwärtigen Wirklichkeit in der Entdifferenzierung von ›Kunst und Leben‹ erfahrbar werden zu lassen[52]:

Stil
Stil, sagt Marella Agnelli, ist etwas Undefinierbares, Mysteriöses. Und Mode, sagt Yves St.-Laurent, ist eine Art Vitamin für den Stil. Stil entspringt aus Träumen, aus Wünschen und Hoffnungen.
Und oft sind es die Träume und Hoffnungen der Frauen.
Ab 15. Februar erscheint *Harper's Bazaar* erstmals in deutscher Ausgabe, jene legendäre Zeitschrift, die so erfolgreich den Stil der wohlhabenden Frauen von Kultur geprägt hat.
Harper's Bazaar. Ab 15. Februar in deutscher Ausgabe. Mag sein, es ist auch Ihr Stil.

Der Stil, um den es hier geht, scheint zunächst identisch mit ›Kunst‹ zu sein – zumindest mit einem Begriff von ›Kunst‹, wie ihn (trivialisierte) romantische Ästhetik pflegte. Dieser Stil soll – wie Kunst – von Begriffen nicht faßbar sein und von ihnen nicht mehr arretiert werden können; wie Kunst entspringt er individueller Imagination. Doch der gemeinte Stil, der so beschrieben ist, wie sich die Romantiker ›Kunst‹ vorstellten, wird dann – fast – zu einem Synonym von ›Mode‹. Durch die Metapher von der Mode als ›Vitamin des Stils‹ wird nur eine minimale Bedeutungsdifferenz aufrechterhalten: Mode verändert sich *noch* schneller (ist *noch* lebendiger) als Stil; ›Stil‹, wird man weiterhin schließen, verhält sich zur Mode im gesellschaftlichen Symbolsystem so wie jede Kollektion des Modeschöpfers Yves Saint-Laurent zu der ihr nachgeschnittenen Kaufhaus-Konfektion. Diesen Stil nun, der eben noch aussah wie Kunst, so lockt unsere Annonce, kann man *im Leben* (etwa: in der Bahnhofsbuchhandlung) als Zeitschrift kaufen; man kann kaufen und sich einverleiben, was ein undefinierbares Privileg der Begabtesten (und auch: der Begütertsten) zu sein vorgab. Wer Stil *kauft*, der *hat* Stil. Er/sie hat dann Stil, einfach weil er/sie Stil gekauft hat; aber er/sie kauft auch Stil, weil er/sie ›als stilbewußtes Individuum‹ schon immer Stil gehabt hatte, was ihm/ihr der Kauf bestätigt.

Mit so kaufbarem Stil werden Oberschichten-Privilegien und Oberschichten-Symbole verhökert, mithin sozialisiert; und die Sozialisierung von Oberschichten-Symbolen schafft als Wertminderung die Notwendigkeit von ›neuem Stil‹. Gewiß ist das nicht jener Typ von Sozialisierung, der Avantgardisten und Surrealisten animierte, ihre Vorstellungen von der Aufhebung der Distanz zwischen Kunst und Leben ›revolutionär‹ zu nennen. Aber ich möchte gegen diese Stil-Beobachtung auch nicht mehr ganz selbstverständlich den Glaubenssatz stellen, daß der von ihr erfaßte Prozeß ›bloß Privilegien zementiere‹.

So könnte man auch an Niklas Luhmanns (kaum zu bezweifelnde) Feststellung, daß die vom sozialen System ›Kunst‹ präsentierten Partizipationsbedingungen immer anspruchsvoller und deshalb seine Partizipanten immer weniger werden, die Frage anhängen, ob die Überlebensnöte des Systems ›Kunst‹ nicht daher rühren, daß Stilisierung als der guten alten Kunst ähnliche Form des Handelns und Lebens mittlerweile im Alltag allzu erfolgreich geworden ist. Gerät das System ›Kunst‹ durch *Stilisie-*

rung des Alltags unter den letztlich letalen Druck, sich weiterhin vom Alltag differenzieren zu müssen? Das wirtschaftliche Risiko-Unternehmen der ›Bibliothek Deutscher Klassiker‹ rechnet mit Stilisierungs-Bedürfnissen; aber es kann weder darauf bauen, daß seine potentiellen Kunden nicht schon ›einen Goethe‹ im Bücherschrank stehen hätten, noch damit, daß sie alle des mit den Goethe-Texten gelieferten wissenschaftlichen Kommentars bedürften. Die auf das Bedürfnis gesellschaftlicher Stilisierung angewiesene ›Bibliothek Deutscher Klassiker‹ nun lenkt die Blicke auf sich mit einem Plakat, dessen künstlerische Stilisierung kaum mehr ist als der Verweis auf die Möglichkeit von Gesten künstlerischer Stilisierung. Andy Warhol hat ein Porträt des jungen Goethe mit wenigen, farbige Kontur gebenden Strichen versehen und dem Verlag das Recht abgetreten, seinen Namen als Namen des Plakat-*Künstlers* zu nennen. Wohlgemerkt: mir gefällt dieses Plakat.

Am Anfang meiner (leicht gelockerten) Abschluß-Bemerkung zur Begriffsgeschichte von ›Stil‹ hatte ich behauptet, daß Stilisierung und Stil-Beobachtung heute allgegenwärtig seien – *außer in der Wissenschaft.* Vermutlich besteht ein Verhältnis wechselseitiger Bedingtheit zwischen der Selbstverständlichkeit, mit der wir längst im Alltag eine Pluralität von Welten und Wirklichkeiten handhaben, und der erstaunlichen Zähigkeit, mit der Wissenschaftler und Wissenschaft immer noch am Telos der *einen*, in ihrer *einen* Wahrheit zu ›entbergenden‹ Wirklichkeit festhalten. Und der Umgang mit den vielen Wirklichkeiten im Alltag fällt uns so leicht, weil der Alltag die Sorge um die Aufrechterhaltung des Horizonts *einer* Wirklichkeit an die Wissenschaft delegiert hat. Wir wissen, daß ›Geschichte‹ ein Effekt des ›Erzählens‹ und daß die ›Zeitlichkeit‹ des Erzählens ein Effekt menschlicher Bewußtseinsstrukturen ist; aber Geschichts-*Wissenschaftler* darf doch nur sein, wer die *Wahrheit* von Datierung, Epochengrenzen und Quellen ernst nimmt. In den Kulturwissenschaften ist der Stilbegriff heute zu einem wichtigen Element solch ›doppelter Buchführung‹ avanciert. Indem die Wissenschaftler Stil und Stilisierung, das also, was (die Illusion von) Subjektivität *im Alltag* ausmacht, innerhalb der Wissenschaft immer den anderen, jenen Menschen, die sie als Objekt ihrer Erkenntnis sehen, zuschreiben, wahren sie in ihrer Rolle als Erkenntnissubjekte den Anspruch auf Objektivität. Anders formuliert: innerhalb der Struktur der sciences humaines, die den Menschen als Erkenntnissubjekt mit dem Menschen als Erkenntnisobjekt konfrontiert, erhält die Zuschreibung von ›Stil‹ auf den Menschen als Erkenntnisobjekt den Glauben an ›adäquate Kognition‹ durch das Erkenntnissubjekt als Grenzwert. So viel immerhin hängt heute vom Stilbegriff – in den Wissenschaften – ab.

Wo – in den Wissenschaften – die Grenze zwischen dem Subjekt und dem Objekt der Erkenntnis verwischt oder gar aufgehoben wird, wo also die auf diese Grenze – und damit nicht selten: auf den Stilbegriff – angewiesene Struktur der sciences humaines kollabiert, da taucht ein ganz neuer Stilbegriff auf, welcher dem ältesten unter den so zahlreichen Stilbegriffen unserer Kultur ähnlich sieht. Schon in der Einleitung seines Jacques Derridas Buch *Glas* gewidmeten Essays ›*Saving the Text*‹ kommt der amerikanische Literaturtheoretiker Geoffrey H. Hartman auf Derridas Stil zu sprechen: »Das Stil-Problem ist – als literarisches oder philosophisches Problem – von zentraler Bedeutung, denn immer noch gibt es viele, die glauben, daß die besten Philosophen keinen Stil haben dürfen, daß Stil etwas bloß Handwerkliches, eine reine Technik der Adaptation sei. Ich habe nicht vor, Derrida mit den Verfahren der Stilanalyse zu entziffern. Aber es ist doch so, daß sein Stil mich verwirrt und fasziniert.«[53] Das Prädikat ›Stil‹ bezeichnet hier *eine Form geschriebener Sprache*, und am Horizont solcher Referenz-Verengung tauchen Begriffe und Gegenstände auf, die auch am antiken Entstehungs-Horizont der Stil-Metapher gestanden hatten. Die Schrift als *Spur*, das *Einritzen*, das *Löschen* der Spur. Diesen Stil, diese Schrift (›*écriture*‹) rückt Hartman in eine ›systematische Position‹, die dem philosophischen Status der monolithischen Begriffe von ›Wirklichkeit‹ und ›Wahrheit‹ vergleichbar ist. Stil und Schrift sind für ihn das Eigentliche, gegenüber dem Begriffe wie ›Subjekt‹, ›Bewußtsein‹ oder ›Wahrheit‹ zu schieren Effekten verblassen, so wie man seit Plato immer wieder Sprache und Stil als ›bloßen Schmuck‹, als ›Mittel zum Zweck der Wahrheit‹ abgewertet hatte:

Glas ist mit seinem an der Tradition der französischen Klassik genährten und gefügig gemachten Stil so etwas wie die *Fleurs du mal* – als Totenglocke der Klassik. Aber was, so will ich noch einmal fragen, sollen wir mit all jenen verbalen Kunstgriffen, deren Nachahmung zugleich so ergiebig und so einfach ist, anfangen? Die Sprache selbst wirkungsvoll in den Vordergrund stellen, zeigen, daß sie der einzige Gegenstand ist, demgegenüber das Ich und der Autor zu kurzlebigen Begriffen werden, die ein auf Unendlichkeit angelegtes Verfahren durch seinen Fortgang obsolet macht? (S. 22).

Hartman hat – übrigens in einem ganz anderen Argumentationszusammenhang[54] – angedeutet, daß er die Faszination durch die *Materialität des Stils und der Schrift* als eine Reaktion auf die bedrängende Dominanz des Sinns in den Alltagswelten unserer Gegenwart versteht – und schätzt. Die Materialität des Stils/der Schrift wäre die neue Transzendenz, genauer: die *eine* neue Transzendenz, wie sie der Immanenz einer *Pluralität* von *Sinn-* Welten entspricht. Froh werden wir mit dieser neuen Transzendenz, mit der Aufwertung des Stilbegriffs und mit der Pluralität der Sinn-Welten mindestens so lange nicht, wie wir die Ausblendung (die Nichtung?) der Subjektivität als Vernichtung des Menschen (jedenfalls: unseres Bildes vom Menschen) dramatisieren.

Gegenüber diesem Hang zur intellektuellen Depression bietet unser Band nur eine Ausnahme an, und das ist, bemerkenswert genug, der Beitrag des *Theologen* Wilhelm Wuellner über ›Stil der Bibel und Lust der Auslegung‹. Ihn halte ich für den vorerst letzten bemerkenswerten Beleg zur Begriffsgeschichte von ›Stil‹. Denn Wuellner suggeriert, daß an der Pluralität der Stilarten und der Pluralität der in ihrer Rezeption *halluzinierten* Welten allein *Freude* haben kann, wer zugleich – sozusagen an den Bahnen logisch-vernünftigen Denkens ›vorbei‹ – an *eine* jenseitige und persönliche Wirklichkeit glaubt. Aber vielleicht hat man den Raum der Stilreflexion auch schon verlassen, wenn man das Verhältnis zwischen einer Pluralität von Sinnwelten und der *einen* (geglaubten) Wirklichkeit *nicht* als Spannung erleben will.

Koda zu: Le style c'est le diable

Wer gut intertextualistisch Valéry und Buffon kombiniert, entdeckt: *der Mensch ist der Teufel.* Muß deshalb der Schreiber den *stilus* von der Wachstafel nehmen, als der Heilige Geist – tête-à-tête sozusagen – anhebt, dem Heiligen Gregorius ins Ohr zu flüstern?

Anmerkungen

1 Die Postkarten-Reproduktion des Bildes von Gregorius/Stilus/Schreiber haben mir P.-M. Spangenberg und B. Ullrich aus Trier mitgebracht, wo sie im Sommer 1985 an einem von A. Hahn organisierten soziologischen Kolloquium zum Thema ›Selbstthematisierung‹ teilnahmen. – Für Einsichten und Belege habe ich zu danken einer Siegener Diskussionsgruppe zum Thema ›Stil‹, die von April 1983 bis Februar 1985 monatlich tagte (hier besonders: G. Bollenbeck, W. Drost, J.-M. Fischer, K. L. Pfeiffer und B. Pichon), des weiteren den – geduldigen – Hörern meiner Vorlesung »Zur Geschichte des Stilbegriffs« im Wintersemester 1984/85 (unter denen U. Lehmkuhl, G. Smolka-Koerdt und D. Tillmann-Bartylla am stärksten von der – für mich bequemen – Beleg-Sammel-Leidenschaft befallen waren).

2 Die Daten zu Gregor I. entnehme ich – für einen Mediävisten *zu* schlicht – dem siebten Band der siebzehnten Auflage des *Großen Brockhaus*. Dort stieß ich auch zuerst auf das Bild des mit Stilus und Schabmesser gerüsteten heiligen Papstes.

3 Vgl. Gadamer (1975), S. 466: »Der Begriff des Stils ist eine der undiskutierten Selbstverständlichkeiten, von denen das historische Bewußtsein lebt. Ein Blick auf die noch wenig erforschte Wortgeschichte mag verdeutlichen, warum das so ist . . .«.

4 Die lateinischen Belege aus der Entstehungsphase der *stilus*-Metapher entnehme ich dem vierten Band des *Totius Latinitatis Lexicon* von Facciolati und Forcinelli (Leipzig/London 1835), dem zweiten Band der elften Auflage von K. E. Georges' *Ausführlichem lateinischen Handwörterbuch* (Hannover 1962) und dem *Oxford Latin Dictionary* von P. G. W. Glare (Oxford 1982). Diese (und wenige nicht-lateinische) Zitate auf den folgenden Seiten bleiben unübersetzt, weil es unmöglich wäre, die Motivationen von Begriffserweiterungen und/oder ›metaphorischen Substitutionen‹ anders als anhand des Originaltextes zu verstehen. Im übrigen habe ich – eine allzu gesteigerte Mehrdimensionalität der Argumentation scheuend – auf eine Unterscheidung und Kommentierung von metonymischen und metaphorischen Bedeutungsveränderungen verzichtet. (Max Grosse und Ulrich Eberhard danke ich für kompetente latinistische Beratung.)

5 Aus Platons *Phaidros* zitiert nach der Übersetzung von F. Schleiermacher in: Otto, W. F./Grassi, E./Plamböck, G. (Hgg.) (⁵1964), *Platon, Sämtliche Werke* Bd. 4. Reinbek bei Hamburg. S. 53.

6 Nach der zweisprachigen Ausgabe von R. Brandt (Hg.), *Pseudo-Longinus: Vom Erhabenen*. Darmstadt 1966. S. 103, 105.

7 Aus Platons *Politeia*, *Sämtliche Werke* Bd. 3. S. 133.

8 Übersetzt nach der Ausgabe der *Institutionis oratoriae libri* XII von H. Rahn. Bd. 1. Darmstadt 1972. S. 270.

9 Vgl. den bei Auerbach, E. (1958) zitierten Ambrosius-Beleg: »Ea quae aperta continet (sc. Sancta Scriptura) quasi amicus familiaris, sine fuco ad cor loquitur indoctorum atque doctorum; ea vero quae in mysteriis occultat nec ipsa eloquio superbo erigit. Quo non audeat accedere mens tardiuscula quasi pauper ad divitem, sed invitat omnes humili sermone, quos non solum mannifesta (sic) pascat, sed etiam secreta exerceat veritate, hoc in promptis quod in reconditis habens.«

10 Weitere Belegstellen zur Tradition der *Rota Virgili*, und zwar solche, welche den Bezug der drei Stilebenen auf die *Bucolica*, die *Georgica* und die *Aeneis* des Vergil explizit machen, finden sich bei Faral, E. (1923), S. 87 ff. – Curtius (1948) (1967) zitiert eine Passage aus der *Poetria* des Jean de Garlande, die zeigt, daß andere, vom Wissen über die Antike vorgegebene Schemata zur Unterscheidung von Stilebenen den mittellateinischen Autoren so wenig wie die *Rota* zur Systematisierung verhalfen: »Stilus gregorianus, tullianus, hilarianus, ysidorianus ... in stilo tulliano non est observanda pedum cadentia, sed dictionum et sententiarum coloratio; quo stylo utuntur vates prosayce scribentes...«.

11 Marqués de Santillana, *Carta e proemio al Condestable de Portugal*, übersetzt nach der Ausgabe von M. Durán (Hg.): *Marqués de Santillana: Poesías completas*. Bd. II. Madrid 1980. S. 214.

12 Zitiert nach der Ausgabe von P. V. Mengaldo u. a., *Dante Alighieri: Opere minori*. Bd. 2. Mailand/Neapel 1979. S. 146.

13 Übersetzt nach derselben Ausgabe. S. 78.

14 Übersetzt nach dem ersten Band der von A. M. Rambaldo besorgten Ausgabe der *Obras completas* von Juan del Encina. Madrid 1978. S. 7.

15 Nach der von H. Chamard besorgten Faksimile-Ausgabe der ersten Druckfassung der *Deffence* aus dem Jahre 1549. Paris 1948. S. 93 f.

16 Donatus nach Grimm, J./Grimm, W. (1960), Sp. 2909.

17 Übersetzt nach der Ausgabe von R. Radouant, *Montaigne: Oeuvres choisies*. Paris 1914. S. 209.

18 Übersetzt aus dem *Art poétique* nach der von G. Mongrédien besorgten Ausgabe, *Boileau: Oeuvres*. Paris 1961. S. 163.

19 Vgl. etwa George Puttenham, *The Arte of English Poesie*, bei Müller, W. G. (1981), S. 25 f.

20 Übersetzt nach der Ausgabe von Lopes *Arte nuevo de hacer comedias* in Bd. 38 der Biblioteca de autores castellanos. S. 230.

21 Zitiert nach E. J. Gates: »Los *Comentarios* de Salcedo Coronel a la luz de una crítica de Ustarroz«. In: *Nueva Revista de Filología Hispánica* 15 (1961), 211-228, hier 227.

22 Zitiert nach B. Gracián: *Agudeza y Arte de Ingenio*. Clásicos Castalia II. Madrid 1969. S. 243.

23 Nach der Ausgabe der *Oeuvres complètes* von La Rochefoucauld, hg. von L. Martin-Chauffier und andern. Paris 1964. S. 508.

24 Zitiert nach dem von H.-J. Mähl herausgegebenen Band *Novalis* aus der Reihe *Dichter über ihre Dichtungen*, Bd. 15. Hirsch, R./Vordtriede, W. (Hgg.) (1976). S. 194.

25 »Vorrede zu der Geschichte der Kunst des Alterthums«. Zitiert nach der Ausgabe von Johann Joachim Winckelmann, *Kleine Schriften/ Vorreden/Entwürfe*. Hg. von W. Rehm. Berlin 1968. S. 235.

26 Johann Joachim Winckelmann, *Geschichte der Kunst des Alterthums*. In: ders.: *Sämtliche Werke*. Bd. 3. 1825. S. 1 (Neudruck Osnabrück 1965). S. 122.

27 »Von deutscher Baukunst« (1823). Zitiert nach J. W. Goethe, *Schriften zur Kunst/Schriften zur Literatur/Maximen und Reflexionen*. Hamburger Ausgabe. Bd. 12. Sechste Auflage. Hamburg 1967. S. 177-182, hier S. 178.

28 Friedrich Schlegel, *Fragmente zur Litteratur und Poesie* I. Kritische Friedrich-Schlegel-Ausgabe. Hg. von E. Behler. Bd. 16. Paderborn 1981. S. 135. – Welch zentrale Stellung der auf Expression und der auf Beobachtung gestellte Stilbegriff in den intellektuellen Zirkeln und vornehmen Salons von Paris gegen Ende des 18. Jahrhunderts einnahm, das lassen uns drei Kapitel im zweiten Band von Louis-Sébastien Merciers *Tableau de Paris* erahnen (»Du style«, »Style des hommes de cour« und »De ceux qui parlant bien, écrivent mal«, S. 212-217 der in Hamburg und Neuchâtel 1781 erschienenen Ausgabe). Mercier berichtet vom Ehrgeiz aller Autoren, einen *eigenen* Stil zu haben, kritisiert den Vorrang der Stil-Form vor dem Inhalt der Bücher, beschreibt den *style académique* als eine beginnende (hochterminologische) Sondersprache sowie die ermüdende Einförmigkeit des *style des hommes de Cour* im Gegensatz zur Leidenschaftlichkeit des *style des hommes des Lettres* und kommt schließlich auf die Auseinanderentwicklung einer Kompetenz der Konversation und einer Kompetenz des Schreibens zu sprechen. Die all diesen Ausführungen zugrundeliegende Normvorstellung jedoch kann er nur über den Verweis auf Beispiele einbringen: »Un bon style, comme celui de Jean-Jaques & de l'Abbé Raynal, mâle, clair, ferme & simple, est semblable à la baguette de Moïse, changée en serpent. Ce style dévore & anéantit tous les styles inférieurs, ainsi que le serpent dévora les couleuvres Egyptiennes« (S. 214). Den Hinweis auf Mercier verdanke ich Karlheinz Barck.

29 Übersetzt nach der von C. E. Pickford besorgten Faksimile-Ausgabe der zwölften Auflage von Buffons *Discours sur le style* (1753). Hull 1978. S. IV.

30 *A.a.O.* (Anm. 27). S. 30-34, hier S. 31.

31 Georg Wilhelm Friedrich Hegel, »Manier, Stil und Originalität«. In: ders.: *Vorlesungen über die Ästhetik* I. G. W. F. Hegel: *Werke in 20 Bänden*. Bd. 13. Frankfurt 1970. S. 376-385.

32 Übersetzt nach Gustave Flaubert, *Correspondance* II *(1851-1858)*. Hg. von J. Bruneau. Paris 1980. S. 29-33, hier S. 31.

33 Zitiert nach Arthur Schopenhauer, *Auswahl aus seinen Schriften*. Hg. von S. Friedlaender. München 1962. S. 378.

34 Zitiert nach Müller, W. G. (1981). S. 155.

35 Übersetzt nach dem französischen Originalzitat bei Müller, W. G. (1981). S. 165 f.

36 Edmund Husserl, *Die Konstitution der geistigen Welt*. Hg. von H. Sommer. Philosophische Bibliothek. Bd. 369. Hamburg 1984. S. 109.

37 Zitiert nach Edmund Husserl, *Die Krisis der europäischen Wissenschaften und die transzendentale Phänomenologie*. Hg. von E. Ströker. Hamburg 1977. S. 3.

38 Zitiert nach Ritter-Santini, L. (1981), S. 242.

39 Nach einem Vortrag von Josef Adolf Schmoll gen. Eisenwerth bei einem Siegener Kolloquium zu Fortschritts- und Dekadenzkategorien des 19. Jahrhunderts im Herbst 1984.

40 Aus dem »Arbeitsprogramm der Wiener Werkstätte« (1905), zitiert nach G. Sterner, *Jugendstil. Kunstformen zwischen Individualismus und Massengesellschaft*. Sechste Auflage. Köln 1984. S. 115.

41 Kurt Bauch, zitiert nach Sterner, *a.a.O.*, S. 128.

42 Übersetzt nach José Antonio Primo de Rivera, »Entraña y estilo, hé aquí lo que compone a España« (24. Februar 1935). In: ders., *Textos de doctrina política*. Edición cronológica. Hg. von A. del Río Cisneros. Vierte Auflage. Madrid 1966. S. 417.

43 Vgl. *La dimora di D'Annunzio: il Vittoriale*. Palermo 1980. Ich zitiere die Übersetzung von K. Maier-Troxler. In: *Der Hang zum Gesamtkunstwerk. Europäische Utopien seit 1800*. Ausstellungskatalog. Frankfurt 1983. S. 236 f.

44 Meine Thesen zum Struktur- und zum Funktionswandel der Hermeneutik seit dem 19. Jahrhundert verdanken wesentliche Anregungen den Beiträgen von Siegfried J. Schmidt zu einem gemeinsamen Siegener Hauptseminar über »Gattungstheorien – Erkenntnisinteressen, Konstitutionsformen, Applikationsbereiche« im Wintersemester 1985/86.

45 Guido Adler, *Der Stil in der Musik*. Ausgabe von 1929. S. 1.

46 Aus Wölfflins Vorwort zur sechsten Auflage. München 1922. Zitiert nach der von H. Faensen besorgten Ausgabe der *Grundbegriffe*. Fundus-Bücher. Bd. 87/88. Dresden 1983. S. 7.

47 Zitiert nach Panofsky, E. (1915) (1980). S. 25.

48 Konzis und zugleich kritisch informiert über die literaturwissenschaftliche Stilforschung des ersten Jahrhundertdrittels R. Rosenberg, »Stil und Stilauffassung in der Literaturgeschichte«. In: Möbius, F. (Hg.) (1984). S. 70-85.

49 Aus Vosslers 1925 veröffentlichtem Aufsatz »Die Nationalsprachen als Stile«; zitiert nach Müller, W. G. (1981), S. 118.

50 Zitiert nach der deutschen Ausgabe von M. Riffaterre, *Strukturale Stilistik*. München 1973. S. 42.

51 Zitiert nach der deutschen Ausgabe von M. Merleau-Ponty, *Phänomenologie der Wahrnehmung*. Berlin 1966. S. 381.

52 In: *Cosmopolitan* 2 (Februar 1985), S. 125.

53 Übersetzt nach G. H. Hartman, *Saving the Text. Literature/Derrida/Philosophy*. Baltimore/London 1982. S. XXIV.

54 Vgl. G. H. Hartman, *Criticism in the Wilderness. The Study of Literature Today*. London 1980. S. 300 f.

Literatur

Auerbach, E. (1946) (1967), *Mimesis. Dargestellte Wirklichkeit in der abendländischen Literatur*. Bern/München.

Auerbach, E. (1958), *Literatursprache und Publikum in der lateinischen Spätantike und im Mittelalter*. Bern.

Bischoff, B. (1966), »Über Einritzungen in Handschriften des frühen Mittelalters«. In: ders., *Mittelalterliche Studien. Ausgewählte Aufsätze zur Schriftkunde und Literaturgeschichte*. Bd. 1. Stuttgart. S. 88-92.

Blumenberg, H. (1981), *Die Lesbarkeit der Welt*. Frankfurt/Main.

Bourdieu, P. (1979) (1982), »Stil und Erwerbsstil«. In: ders., *Die feinen Unterschiede. Kritik der gesellschaftlichen Urteilskraft*. Frankfurt/Main. S. 120-125.

Bray, R. (1927) (1966), *Formation de la doctrine classique en France*. Paris.

Castle, E. (1914), »Zur Entwicklungsgeschichte des Wortbegriffes Stil«. In: *Germanisch-romanische Monatsschrift* 6. S. 143-160.

Curtius, E. R. (1948) (1967), *Europäische Literatur und lateinisches Mittelalter*. Bern/München.

Danto, A. C. (1984), »Metapher, Ausdruck und Stil«. In: ders., *Die Verklärung des Gewöhnlichen. Eine Philosophie der Kunst*. Frankfurt/Main. S. 252-315.

Faral, E. (1923), *Les arts poétiques du XIIe et XIIIe siècles*. Paris.

Foucault, M. (1966), *Les mots et les choses. Une archéologie des sciences humaines*. Paris. Deutsch (1971), *Die Ordnung der Dinge*. Frankfurt/Main.

Fuhrmann, M. (1974), »Die römische Literatur«. In: ders. (Hg.), *Römische Literatur*. Neues Handbuch der Literaturwissenschaft. Bd. 3. Frankfurt/Main. S. 1-32.

Gadamer, Hans-Georg (1974), »Artikel ›Hermeneutik‹«. In: Ritter, J. (Hg.), Historisches Wörterbuch der Philosophie. Bd. 3. Basel/Stuttgart. Sp. 1061-1073.

Gadamer, H.-G. (1975), »Exkurs 1«. In: ders., Wahrheit und Methode. Tübingen. Vierte Auflage. S. 466-469.

Goodman, N. (1984), »Der Status des Stils«. In: ders., Weisen der Welterzeugung. Frankfurt/Main. S. 38-58.

Grimm, J./Grimm, W. (1960), »Artikel ›Stil‹«. In: dies. und andere (Hgg.), Deutsches Wörterbuch. Zehnter Band/II. Abteilung/II. Teil. Leipzig/Berlin. Sp. 2905-2930.

Gumbrecht, H. U. (1983a), »Rekurs/Distanznahme/Revision – Klio bei den Philologen«. In: Cerquiglini, B./Gumbrecht, H. U. (Hgg.), Der Diskurs der Literatur- und Sprachhistorie. Wissenschaftsgeschichte als Innovationsvorgabe. Frankfurt/M. S. 582-622.

Gumbrecht, H. U. (1983b), »Wie fiktional war der höfische Roman?« In: Henrich, D./Iser,. W. (Hgg.), Funktionen des Fiktiven. Poetik und Hermeneutik. Bd. 10. München. S. 433-440.

Gumbrecht, H. U. (1986a), »»Phönix aus der Asche‹, oder: Vom Kanon zur Klassik«. In: Assmann, A./Assmann, J. (Hgg.), Kanon und Zensur. Archäologie der literarischen Kommunikation. Bd. 2.

Gumbrecht, H. U. (1986b), »Déconstruction Deconstructed. Transformationen französischer Logozentrismus-Kritik in der amerikanischen Literaturtheorie. In: Philosophische Rundschau 33. S. 1-36.

Gumbrecht, H. U. (1987), Eine Geschichte der spanischen Literatur. Frankfurt/Main.

Gumbrecht, H. U./Müller, J. E. (1980), »Sinnbildung als Sicherung der Lebenswelt. Ein Beitrag zur funktionsgeschichtlichen Situierung der realistischen Literatur am Beispiel von Balzacs Erzählung La bourse«. In: Gumbrecht, H. U./Stierle, K./Warning, R. (Hgg.), Honoré de Balzac. Romanistisches Kolloquium. Bd. 1. München. S. 339-389.

Gumbrecht, H. U./Reichardt, R. (1985), »Artikel ›philosophe/philosophie‹«. In: Reichardt, R./Schmitt, E. (Hgg.), Handbuch politisch-sozialer Grundbegriffe in Frankreich 1680-1820. Heft 3. S. 7-88.

Hassauer, F. (1986), Die Philosophie der Fabeltiere. Von der theoretischen zur praktischen Vernunft. Funktions- und Strukturwandel in der französischen Fabel des 18. Jahrhunderts. München.

Hatzfeld, H. (Hg.) (1975), Romanistische Stilforschung. Darmstadt.

Koppe, F. (1977), Literarische Versachlichung. Zum Dilemma der neueren Literatur zwischen Mythos und Szientismus. Paradigmen: Voltaire, Flaubert, Robbe-Grillet. München.

Möbius, F. (Hg.) (1984), Stil und Gesellschaft. Ein Problemaufriß. Dresden.

Mölk, U. (Hg.) (1969), Französische Literarästhetik des 12. und 13. Jahrhunderts. Prologe – Exkurse – Epiloge. Tübingen.

Müller, W. G. (1981), *Topik des Stilbegriffs. Zur Geschichte des Stilver-hältnisses von der Antike bis zur Gegenwart.* Darmstadt.

Panofsky, E. (1915) (³1980), »Das Problem des Stils in der bildenden Kunst«. In: ders., *Aufsätze zu Grundfragen der Kunstwissenschaft.* Berlin. S. 19-27.

Panofsky, E. (1960) (1984), *Die Renaissancen der europäischen Kunst.* Dritte deutsche Auflage. Frankfurt/Main.

Ritter-Santini, L. (1981), »Maniera Grande. Über italienische Renaissance und deutsche Jahrhundertwende«. In: Zmegač, V. (Hg.), *Deutsche Literatur der Jahrhundertwende.* Königstein/Ts.. S. 242-272.

Schmidt, P. L. (1974), »Cicero und die Republikanische Kunstprosa«. In: Fuhrmann, M. (Hg.), *Römische Literatur.* Neues Handbuch der Litera-turwissenschaft. Bd. 3. Frankfurt/Main. S. 147-179.

Seidler, H. (1984), »Artikel ›Stil‹«. In: Merker, P./Stammler, W. (Hgg.), *Reallexikon der deutschen Literaturgeschichte.* Bd. 4. S. 199-213.

Spangenberg, P.-M. (1987), »Allgemeines Recht, Schrifttradition und Dif-ferenzierung kommunikativer Rollen – Alfons der Weise als Gesetzge-ber«. In: Smolka-Koerdt, G./Spangenberg, P. M./Tillmann-Bartyl-la, D. (Hgg.), *Der Ursprung von Literatur.* München.

Spenser, J. (Hg.) (1964), *Linguistics and Style.* Oxford.

Stierle, K. (1974), »Artikel ›Geschmack‹ (1)«. In: Ritter, J. (Hg.), *Histori-sches Wörterbuch der Philosophie.* Bd. 3. Basel/Stuttgart. Sp. 444-449.

Thoma, W. (Hg.) (1976), *Stilistik.* Zeitschrift für Literaturwissenschaft und Linguistik. Jahrgang 6/Heft 22.

Warning, R. (1974), »Artikel ›Genie‹ (1)«. In: Ritter, J. (Hg.), *Historisches Wörterbuch der Philosophie.* Bd. 3. Basel/Stuttgart. Sp. 279-282.

Weber, K. (1930), *Kulturgeschichtliche Probleme der Merowingerzeit im Spiegel frühmittelalterlicher Heiligenleben.* Studien und Mitteilungen zur Geschichte des Benediktinerordens und seiner Zweige. Bd. 17.

Hinweise zu den Autoren

Aleida Assmann, geboren 1947, studierte Anglistik und Ägyptologie, Promotion 1977 in Heidelberg. Von 1972-1980 Lehrtätigkeit am anglistischen Seminar der Universitäten Heidelberg und Mannheim. Seit 1978 Mitarbeit beim Arbeitskreis ›Archäologie der Literatur‹. Interessenschwerpunkte: Erzählforschung, Hermetische Strömungen im 17. Jahrhundert Englands, Mündlichkeit und Schriftlichkeit, Kultursoziologie. Veröffentlichungen: *If Art Could Tell. Erzählprobleme in Miltons Paradise Lost* (1972; Typoskript), *Die Legitimität der Fiktion* (1980), »Wordsworth und die romantische Krise: Das Kind als Vater«, in: H. Tellenbach (Hg.), *Das Vaterbild im Abendland* II (1978), »Werden was wir waren. Anmerkungen zur Geschichte der Kindsheitsidee«, *Antike und Abendland* 24 (1978), »Pan, Paganismus und Jugendstil«, in: H.-J. Zimmermann (Hg.), *Antike Tradition und Neuere Philologien* (1984), »Die Domestikation des Lesens«, *Zeitschrift für Literaturwissenschaft und Linguistik* 57/58 (1985). Zusammen mit J. Assmann und Chr. Hardmeier herausgegeben: *Schrift und Gedächtnis* (1983).

Jan Assmann, geboren 1938, studierte Ägyptologie, Klassische Archäologie und Gräzistik, daneben auch Alte Geschichte und Assyriologie, in München, Paris, Göttingen und Heidelberg. Lehrt nach Promotion (1965) und Habilitation (1971) seit 1976 als Professor für Ägyptologie an der Universität Heidelberg. Neben archäologisch-epigraphischer Feldarbeit in Ägypten bilden Forschungsschwerpunkte: ägyptische Religions- und Literaturgeschichte sowie die Rekonstruktion einer Anthropologie der altägyptischen Kultur. Gründete 1977 den interdisziplinären Arbeitskreis »Archäologie der literarischen Kommunikation«. 1984/85 Fellow am Wissenschaftskolleg zu Berlin. Wichtigste Veröffentlichungen: *Liturgische Lieder an den Sonnengott* (1969); *Der König als Sonnenpriester* (1970); *Das Grab des Basa* (1973); *Zeit und Ewigkeit im Alten Ägypten* (1975); *Ägyptische Hymnen und Gebete* (1975); *Das Grab der Mutirdis* (1977); *Re und Amun. Die Krise des polytheistischen Weltbilds im Ägypten der 18.-20. Dynastie* (1983); *Sonnenhymnen in thebanischen Gräbern* (1983); *Ägypten – Theologie und Frömmigkeit einer frühen Hochkultur* (1984); Mitautor: *Das Vaterbild in Mythos und Geschichte* (1976, mit H. G. Gadamer und anderen); *Funktionen und Leistungen des Mythos* (1982, mit W. Burkert und F. Stolz); Mitherausgeber: *Fragen an die ägyptische Literatur* (1977); *Genese und Permanenz der pharaonischen Kunst* (1983); *Schrift und Gedächtnis* (1983).

Karlheinz Barck, geboren 1934, studierte Romanistik an der Berliner Humboldt-Universität. Lehrtätigkeit daselbst und als Hispanist an der Sektion Lateinamerikawissenschaften der Wilhelm-Pieck-Universität Rostock. Wissenschaftlicher Mitarbeiter am Zentralinstitut für Literaturgeschichte der Akademie der Wissenschaften der DDR. Arbeitsgebiete: Neuere spanische und französische Literaturgeschichte, Literaturtheorie. Mitautor von *Gesellschaft, Literatur, Lesen* (1973), *Funktion der Literatur* (1975), *Künstlerische Avantgarde* (1979), Texteditionen zu *Góngora* (1974), *Rimbaud* (1973), *Miguel Hernández* (1972), zum französischen Surrealismus 1919-1939 (1986).

Inge Baxmann, geboren 1954, Studium in Bochum und Paris, seit 1981 wissenschaftliche Mitarbeiterin am Institut für Französische Literaturwissenschaft der TU Berlin. Veröffentlichungen: »Von der Egalité im Salon zur Citoyenne«. In: Kuhn/Rüsen, *Frauen in der Geschichte*, Bd. III (1983); »Weibliche Identitätsbildung und Revolutionsfeste«, in: *Das Argument*, Heft 138 (1984); (zusammen mit E. Laudowicz und A. Menzel) *Texte–Taten–Träume–Wie weiter mit der Frauenbewegung?* (1985).

Marc Eli Blanchard, geboren 1942, ist Professor für Französisch und Komparatistik an der University of California, Davis. Lehrtätigkeit an der Yale University, der Columbia University, New York University und an der University of North Carolina, Chapel Hill. 1981 Gastprofessor an der Ruhr-Universität Bochum. Wichtige Veröffentlichungen: *Le Moyen Age* (1972; mit S. Gavronsky); *Description: Sign, Self, Desire: Critical Theory in the Wake of Semiotics* (1980); *Saint-Just & Cie: la Révolution et les mots* (1980); *In Search of the City: Engels, Baudelaire, Rimbaud* (1985). Arbeitet gegenwärtig an einem Buch über Montaigne. Zahlreiche Artikel zur Literaturtheorie und Kunstgeschichte.

Georg Bollenbeck, geboren 1947, Studium der Germanistik, Geschichte und Philosophie in Bonn, 1973 Staatsexamen, 1976 Promotion zum Dr. phil., 1976 wissenschaftlicher Assistent in Siegen, dort 1982 Habilitation, seit 1984 Professor für Neuere deutsche Literaturwissenschaft an der Universität-Gesamthochschule Siegen. Veröffentlichungen: *Zur Theorie und Geschichte der Arbeiterlebenserinnerungen* (1976); *Armer Lump und Kunde Kraftmeier. Der Vagabund in der Literatur der zwanziger Jahre* (1978); *Oskar Maria Graf. Eine Bildmonographie* (1985); *Der dauerhafte Schwankheld. Zum Ineinander von Produkt- und Rezeptionsgeschichte beim Till Eulenspiegel* (1985). Herausgeber: Gustav Schwab. *Die deutschen Volksbücher* (1859), 3 Bde., (zusammen mit K. Riha, 1978); *Tyll Eulenspiegel*. In 55 radierten Blättern von J. H. Ramberg (1863) (Mit einem Nachwort, 1980). Zusammen mit B. Zimmermann, O. F. Riewohlt, K. Hickethier *Deutsche Literaturgeschichte. Zwanzigstes Jahrhundert*

(1981). Zahlreiche Beiträge und Rezensionen in wissenschaftlichen Sammelwerken und Fachzeitschriften.

Luiz Costa Lima wurde in São Luis do Maranhão/Brasilien geboren. Studium in Recife, Madrid, Paris und Cambridge/Mass. Er erwarb das Doktorat für Allgemeine und Vergleichende Literaturwissenschaft 1972 in São Paulo und ist Professor an der Pontifícia Universidade Católica (Rio de Janeiro) sowie an der Universidade Fluminense Federal (Niterói). Von 1983 bis 1985 lehrte er am ›Department of Spanish and Portuguese‹ der University of Minnesota. Einige Publikationen: *Mimesis e modernidade* (1980, deutsch: 1987); *Dispersa demanda* (1981) und *O controle do imaginário* (portugiesisch: 1984, amerikanisch: 1986); zahlreiche Aufsätze, darunter Beiträge in: B. Cerquiglini/H. U. Gumbrecht (Hgg.), *Der Diskurs der Literatur- und Sprachhistorie* (1983), H. U. Gumbrecht/ U. Link-Heer (Hgg.), *Epochenschwellen und Epochenstrukturen im Diskurs der Literatur- und Sprachhistorie* (1985).

Klaus Dirscherl, geboren 1940, studierte Romanistik, Anglistik und Germanistik in München, Manchester und Bordeaux. Nach der Promotion (1972) und der Habilitation (1979) lehrte er zunächst an der Universität München, seit 1981 an der Universität Passau als Professor für Romanistische Literaturwissenschaft. Arbeitsschwerpunkte: Literatur der französischen Aufklärung, moderne Lyrik der Romania. Veröffentlichungen unter anderem: *Zur Typologie der poetischen Sprechweisen bei Baudelaire* (1975); »Lügner, Autoren und Zauberer. Zur Fiktionalität der Poetik im Quijote«, in: *Romanische Forschungen* (1982); »Wirklichkeit und Kunstwirklichkeit, Reverdys Kubismustheorie als Programm für eine a-mimetische Lyrik«, in: R. Warning/W. Wehle (Hgg.), *Lyrik und Malerei der Avantgarde* (1982); *Der Roman der Philosophen. Voltaire, Diderot, Rousseau* (1985).

Wolfgang Ernst, geboren 1959. Studium der Theorie und Didaktik der Geschichte, Altphilologie und Archäologie in Köln, London und Bochum. Promoviert seit 1985 an der Ruhr-Universität (Bochum) zum Zusammenhang von musealer Repräsentation und historiographischem Diskurs in der britischen Antike(n)rezeption des 19. Jahrhunderts. Veröffentlichungen: Ausstellungs- und Tagungsberichte in der Zeitschrift *Geschichtsdidaktik*; »DIStory: Cinema und Historical Discourse«, in: *Journal of Contemporary History*, 18 (1983); »Archäologie als Stil«, in: Ausstellungskatalog *Der Archäologe* (Westfälisches Landesmuseum Münster 1983); »Oh Derrida«, in: *kultuRRevolution*, 6 (1984); »J. J. Winckelmann im Vor(be)griff des Historismus«, in: H. W. Blanke/J. Rüsen (Hgg.), *Von der Aufklärung zum Historismus* (1985).

Ferdinand Fellmann, geboren 1939, Promotion 1967, Habilitation 1973 bei Hans Blumenberg, lehrt seit 1980 als Professor für Philosophie an der Universität Münster. Buchveröffentlichungen: *Scholastik und kosmologische Reform* (1971); *Das Vico-Axiom: Der Mensch macht die Geschichte* (1976); *Phänomenologie und Expressionismus* (1982); *Gelebte Philosophie in Deutschland* (1983). Übersetzungen italienischer Philosophen (Bruno, Vico, Croce). Aufsätze zur Geschichte der Philosophie und zur Philosophie der Geschichte.

Jens Malte Fischer, geboren 1943. Professor für Neuere Deutsche Literaturwissenschaft an der Universität-Gesamthochschule Siegen. Studium der Germanistik, Geschichte und Musikwissenschaft in Saarbrücken und München. Außerdem Opernregieassistenz und Rundfunktätigkeit. Arbeitsschwerpunkte: Literatur und Kultur des Fin de siècle und der Jahrhundertwende, Phantastische Literatur, Filmgeschichte und Filmanalyse, Grenzbereiche Musik-Literatur, Opernforschung, Literatur des europäischen Judentums. Buchpublikationen: *Karl Kraus. ›Theater der Dichtung‹ und Kulturkonservatismus* (1973); *Karl Kraus* (1974); *Fin de siècle* (1978); *Filmwissenschaft-Filmgeschichte* (1983); Mitherausgeber: *Phantastik in Literatur und Kunst* (1980, 2. Aufl. 1985); Herausgeber: *Psychoanalytische Literaturinterpretation* (1980); *Oper und Operntext* (1985); Mitautor: *Deutsche Literaturgeschichte. Von der Aufklärung bis zur Romantik* (1981). Außerdem Aufsätze unter anderem zum Fin de siècle, zur phantastischen Literatur, zu Gustav Mahler, zu Richard Wagner, zur europäischen Décadence, zu Karl Kraus, zu Rudolf Borchardt.

Hans-Martin Gauger, geboren 1935. Seit 1970 Professor für romanische Sprachwissenschaft an der Universität Freiburg i. Br. Promotion und Habilitation in Tübingen, seine Lehrer waren dort: Mario Wandruszka, Eugenio Coseriu, Julius Wilhelm, Kurt Wais und Walter Schulz. Das Studienjahr 1981/1982 verbrachte er als Fellow am neu gegründeten Wissenschaftskolleg zu Berlin. Seit 1981 ist er Mitglied der Deutschen Akademie für Sprache und Dichtung und seit 1984 deren Vizepräsident. Veröffentlichungen: *Wort und Sprache. Sprachwissenschaftliche Grundfragen* (1970); *Durchsichtige Wörter. Zur Theorie der Wortbildung* (1971); *Zum Problem der Synonyme* (1972); *Sprachbewußtsein und Sprachwissenschaft* (1976); *Einführung in die romanische Sprachwissenschaft* (1981, zus. mit W. Oesterreicher und R. Windisch); *Sprachgefühl und Sprachsinn* (1982, zus. mit W. Oesterreicher); *Brauchen wir Sprachkritik?* (1985).

Hans Ulrich Gumbrecht lehrt Romanische und Allgemeine Literaturwissenschaft an der Universität-Gesamthochschule Siegen. Zuvor war er von 1967 bis 1971 Student in München, Regensburg, Salamanca und Pavia;

von 1971 bis 1974 in Konstanz wissenschaftlicher Mitarbeiter des DFG-Projekts ›Grundriß der romanischen Literaturen des Mittelalters‹ und später wissenschaftlicher Assistent; von 1975 bis 1982 Professor für Romanische Philologie an der Ruhr-Universität Bochum; 1977 und 1982 Gastprofessor in Rio de Janeiro, 1980 und 1983 an der University of California/Berkeley, 1986 an der Universidad Central de Barcelona, 1982 Directeur d'Etudes Associé an der Ecole des Hautes Etudes en Sciences Sociales Paris. Derzeit faszinieren ihn das Nachdenken über eine Transformation der ›Literaturgeschichte‹ in ›Mediengeschichte‹; die historische Dimension der europäischen ›Körper/Geist‹-Dichotomie; das (Gerücht vom?) ›Ende der Geschichte‹; die Grenzen des Fremdverstehens – und Ragusa. Er glaubt *nicht* mehr/noch nicht an die ›Kunst der Interpretation‹, die emphatischen (›aufklärerischen‹) Begriffe von ›Vernunft‹ und ›Subjekt‹, an die ›historische Objektivität‹ und die Fachdidaktik. 1987 wird sein (dickes und bebildertes) Buch *Eine Geschichte der spanischen Literatur* erscheinen.

Alois Hahn, geboren 1941, studierte Soziologie, Ethnologie, Philosophie und Nationalökonomie in Freiburg und Frankfurt/M.; dort 1967 Promotion. Von 1967 bis 1971 war er Wissenschaftlicher Assistent für Soziologie in Tübingen, danach Dozent und Professor für Soziologie und Politik an der PH Esslingen. 1973 Habilitation in Tübingen. Seit 1974 Professor für Soziologie an der Universität Trier. Arbeitsschwerpunkte: Familien-, Religions- und Kultursoziologie. Ausgewählte Veröffentlichungen: *Einstellungen zum Tod und ihre soziale Bedingtheit* (1968); (mit H. Braun) *Wissenschaft von der Gesellschaft* (1973); *Systeme des Bedeutungswissens – Prolegomena zu einer Soziologie der Geisteswissenschaften* (1973); *Religion und der Verlust der Sinngebung* (1974); *Soziologie der Paradiesvorstellungen* (1976); (mit H. A. Schubert/H. J. Siewert) *Gemeindesoziologie* (1979). Zahlreiche Beiträge vor allem in der *Kölner Zeitschrift für Soziologie und Sozialpsychologie*.

Friedrich A. Kittler, geboren 1943. Privatdozent für Neuere deutsche Literaturwissenschaft an der Universität Freiburg i. Br. Korrespondierendes Mitglied des Collège International de Philosophie, Paris. Bücher: *Urszenen* (zusammen mit H. Turk, 1977); *Dichtung als Sozialisationsspiel* (zusammen mit G. Kaiser, 1978); *Aufschreibesysteme 1800/1900* (1985); *Grammophon, Film, Typewriter* (1986); Herausgeber: *Austreibung des Geistes aus den Geisteswissenschaften* (1980).

Nancy Kobrin ist Direktorin des Center for Humanistic Studies an der University of Minnesota in Minneapolis. Sie hat mit einer Arbeit über marginalisierte religiös-ethnische Minderheiten promoviert. Neben hispanistischen Interessen liegen ihre Hauptarbeitsgebiete in der Arabistik und

Judaistik. Für diese Bereiche hat sie zur Zeit eine Professur an der University of Minnesota inne.

Renate Lachmann, geboren 1936, studierte Slawische Philologie und Osteuropa-Geschichte in Köln, an der FU Berlin und in Heidelberg. 1959 Forschungsaufenthalt in Dubrovnik. 1964-1969 Lehrtätigkeit in Köln, 1969-1978 ordentliche Professorin für Slawistik an der Ruhr-Universität Bochum, seit 1978 ordentliche Professorin für Literaturwissenschaft (Slawische Literaturen) an der Universität Konstanz. Mitherausgeberin der Zeitschrift *Poetica*. Vorstandsmitglied der Internationalen Rhetorik-Gesellschaft. Interessenschwerpunkte: Theorie der Rhetorik und Kultursemiotik; Ästhetik der Intertextualität. Veröffentlichungen: *Stilistik der ragusanischen Barockdichtung* (1964); *Slavica Rhetorica* I (Russische Rhetorik des 17. Jahrhunderts) (1982); *Ästhetik der Intertextualität* (in Vorbereitung). Aufsätze zu Problemen des Formalismus (Sklovskijs Verfremdungsbegriff), des Strukturalismus (Lotmans Textsemantik), zur Theorie der poetischen Sprache (Jakobson, Vinogradov, Bachtin), zur Rhetorik und zur Semantik der Intertextualität. Zuletzt: »Die problematische Ähnlichkeit (Zum Concettismus des 17. Jahrhunderts), in: *Barockliteratur* (1983); »Intertextualität als Sinnkonstitution«, in: *Poetica* 2/3 (1983); »Bachtins Dialogizität und dialogisierte Lyrik«, in: *Poetik und Hermeneutik*, Bd. XI (1984); »Bachtin und das Konzept der Karnevalskultur«. Vorwort zur deutschen Ausgabe von M. Bachtin, *Rabelais und seine Welt. Volkskultur als Gegenkultur*, 1986.

Ursula Link-Heer, geboren 1948, studierte Romanistik, Germanistik, und Philosophie in Bochum und München, spanische Philologie auch in Salamanca. Promotion 1979 in Bochum. Zur Zeit wissenschaftliche Mitarbeiterin im Fach Romanistik an der Universität-Gesamthochschule Siegen. Derzeitiger Arbeitsschwerpunkt: Beziehungen zwischen Medizin und Literatur im 19. Jahrhundert. Mit J. Link Herausgeberin von *kultuR-Revolution – zeitschrift für angewandte diskurstheorie*. Veröffentlichungen: mit J. Link, *Literatursoziologisches Propädeutikum* (1980); mit H. U. Gumbrecht (Hgg.), *Epochenschwellen und Epochenstrukturen im Diskurs der Literatur- und Sprachhistorie* (1985); mit H. U. Gumbrecht und P.-M. Spangenberg (Hgg.) von Bd. XI/1 (zur Historiographie) des *Grundrisses der romanischen Literaturen des Mittelalters* (im Druck); Aufsätze zu Rousseau, Proust, Clarín, ferner zu Diskursinterferenzen von Nervenmedizin und Literatur, speziell bei Zola.

Hans-Jürgen Lüsebrink, geboren 1952; 1971-1977 Studium der Romanistik, Geschichte und Germanistik in Mainz und Tours; 1977-1979 Postgraduiertenstudium der Geschichtswissenschaft an der Ecole des Hautes Etudes en Sciences Sociales, Paris; 1981 Promotion in Bayreuth; 1984

Thèse de IIIe Cycle in Paris. Seit 1979 wissenschaftlicher Mitarbeiter am Lehrstuhl für Romanische Literaturwissenschaft und Komparatistik der Universität Bayreuth; Mitherausgeber der *Komparatistischen Hefte*; Mitglied des DFG-Sonderforschungsbereiches ›Prozesse der kulturellen und nationalen Identität in Afrika‹ der Universität Bayreuth. Veröffentlichungen unter anderem: *Kriminalität und Literatur im Frankreich des 18. Jahrhunderts. Literarische Formen, soziale Funktionen und Wissenskonstituenten von Kriminalitätsdarstellung im Zeitalter der Aufklärung* (1983); (Hg.), *Histoires curieuses et véritables de Cartouche et de Mandrin. Textes de la ›Bibliothèque Bleue‹* (1984); (Hg., mit J. Riesz), *Feindbild und Faszination. Vermittlerfiguren und Wahrnehmungsprozesse in den deutsch-französischen Kulturbeziehungen (1789-1983)*. Arbeitsschwerpunkte: Literatur- und Begriffsgeschichte des 18. Jahrhunderts und der Französischen Revolution; Volksliteratur der Frühen Neuzeit in Frankreich und Italien; französischsprachige Literaturen Afrikas und der Karibik.

Thomas Luckmann wurde 1927 in Slowenien geboren, studierte Sprachwissenschaften, Philosophie, Psychologie und Soziologie an den Universitäten Wien und Innsbruck und an der New School for Social Research in New York, wo er 1953 den M. A. in Philosophie und 1956 den Ph. D. in Soziologie erwarb, und lehrte von 1957 bis 1965 in den USA, 1965 bis 1970 in Frankfurt und seit 1970 in Konstanz (Gastprofessuren unter anderem in Harvard, Stanford und Wollongong). Auf der Grundlage von Husserls Phänomenologie und in Anknüpfung an die Werke seines Lehrers Alfred Schütz hat Luckmann in zahlreichen Abhandlungen und zwei mittlerweile zu ›Klassikern‹ der soziologischen Theorie avancierten Büchern – (mit Peter L. Berger): *Die gesellschaftliche Konstruktion der Wirklichkeit* (1970) und in Ausarbeitung eines Manuskripts von A. Schütz: *Strukturen der Lebenswelt* I (1975) und II (1984) – auch für die Forschung in den historischen Wissenschaften einen Theorierahmen bereitgestellt. Daneben hat Luckmann Studien auf den Teilgebieten der Religions-, Sprach- und Arbeitssoziologie geschrieben.

Niklas Luhmann, geboren 1927, hat Rechtswissenschaft studiert und war daraufhin in der öffentlichen Verwaltung tätig. 1966 Promotion und Habilitation für Soziologie an der Universität Münster. Seit 1968 Professor für Soziologie an der Universität Bielefeld. Veröffentlichungen unter anderem: *Funktionen und Folgen formaler Organisation* (1964); *Grundrechte als Institution* (1965); *Vertrauen* (1968); *Zweckbegriff und Systemrationalität* (1968), *Soziologische Aufklärung*, Bd. 1-3 (1970/1975/1981); *Rechtssoziologie* (1972/1983); *Macht* (1975); *Funktionen der Religion* (1977); *Gesellschaftsstruktur und Semantik*, Bd. 1/2 (1980/1981); *Liebe als Passion* (1982); *Soziale Systeme* (1984); *Ökologische Kommunikation* (1986).

Hans-Jörg Neuschäfer, geboren 1933; lehrt als Professor für Romanische Philologie an der Universität des Saaarlandes. Buchveröffentlichungen: *Der Sinn der Parodie im Don Quijote* (1963); *El Cantar de Mío Cid* (1964); *Boccaccio und der Beginn der Novelle* (1969); (Hg.) *Abbé d'Aubignac, La Pratique du théâtre* (1971); *Populärromane im 19. Jahrhundert* (1976); *Der Naturalismus in der Romania* (1978); *De ›La Dame aux Camélias‹ à ›La Traviata‹* (1981); (mit D. Fritz el Ahmad/K. P. Walter): *Geschichte des französischen Feuilletonromans* (1986). Zahlreiche Aufsätze zur französischen, spanischen und italienischen Literatur, sowie zur Literatursoziologie und Literaturpsychologie.

Marie-Louise Ollier, geboren 1936, studierte in Lyon; Agrégation 1963, Doctorat de troisième cycle Paris-VIII 1974. Seit 1964 lehrt sie an der Université de Montréal im Département d'Etudes Françaises. 1981 wurde sie zur o. Professorin für mittelalterliche Literatur am Institut d'Etudes Médiévales derselben Universität ernannt. Hauptarbeitsgebiet: Die französische Erzähltheorie des 12. und 13. Jahrhunderts. Zahlreiche Arbeiten in verschiedenen Fachzeitschriften. Buchpublikationen: *Elaboration de matériaux pour un dictionnaire et une syntaxe de Chrétien de Troyes* (im Druck), *Syntaxe du français du XIIe siècle* (mit Ch. Marchello-Nizia, in Vorbereitung).

Helmut Pfeiffer, geboren 1952; Studium der Romanistik und Anglistik in Konstanz, Genf, Edinburgh und Tübingen; Promotion 1981 in Konstanz; lehrt seit 1981 Romanistik in der Fachgruppe Literaturwissenschaft der Universität Konstanz. Veröffentlichungen: *Roman und historischer Kontext. Strukturen und Funktionen des französischen Romans um 1857* (1984); *Der Nutzen der Kunst. Kunsttheorie zwischen Geschichtsphilosophie und Gesellschaftstheorie* (1986); (mit R. Galle) *Literatur und Anthropologie in der Renaissance* (1987); (Hg., mit H.-R. Jauss und F. Gaillard) *Art social und art industriel. Funktionen der Kunst im Zeitalter des Industrialismus* (1986). Aufsätze zur Literatur der Renaissance, zur Literatur und Literaturtheorie des 19. Jahrhunderts, vor allem zum Ästhetizismus, und zur modernen Literatur.

K. Ludwig Pfeiffer, geboren 1944; er studierte Anglistik, Romanistik und Germanistik an der Universität Würzburg, Vergleichende Literaturwissenschaft und Philosophie an der Harvard University. 1973 promovierte er in Würzburg, 1977 habilitierte er sich an der Universität Konstanz. 1978 Professor für Anglistik an der Universität Bochum und Lehrtätigkeit an der Universität Bielefeld; seit 1979 lehrt er an der Universität-Gesamthochschule Siegen. 1984/85 Gastprofessor an der University of Houston, 1986 Gastprofessor an der University of California, Davis. Arbeitsschwerpunkte: Funktionsgeschichte der Literatur (speziell des 16., 17.

und 19. Jahrhunderts in England), Literaturtheorie. Buchveröffentlichungen: *Sprachtheorie, Wissenschaftstheorie und das Problem der Textinterpretation* (1974); *Wissenschaft als Sujet im modernen englischen Roman* (1979); *Bilder der Realität und die Realität der Bilder* (1981); Aufsätze zur Literaturtheorie, zur vergleichenden Mentalitätsgeschichte und zur englischen Literatur der Neuzeit.

Brigitte Pichon-Kalau v. Hofe, geboren 1945; studierte von 1974-1981 an den Universitäten Würzburg und Konstanz Anglistik/Amerikanistik, Romanistik, Philosophie und Allg. Literaturwissenschaft. Seit 1981 wissenschaftliche Mitarbeiterin an der Universität-Gesamthochschule Siegen. Veröffentlichung zu Problemen des modernen englischen Romans. Arbeitsschwerpunkte: Amerikanische Literatur seit der Jahrhundertwende, Literaturtheorie.

Rainer Rosenberg, geboren 1936 in Braunau/ČSR. Professor für deutsche Literaturgeschichte am Zentralinstitut für Literaturgeschichte der Akademie der Wissenschaften der DDR in Berlin. Mitherausgeber der *Zeitschrift für Germanistik*. Buchveröffentlichungen: *Literaturverhältnisse im deutschen Vormärz* (1975); *Geschichte der deutschen Literatur*, Bd. 8,1 (1975, zusammen mit H. Bock, W. Feudel und anderen); *Heine und die Zeitgenossen* (1979, zusammen mit J. Grandjono, H. Kaufmann und anderen); *Zehn Kapitel zur Geschichte der Germanistik – Literaturgeschichtsschreibung* (1981); *Literatur und proletarische Kultur. Beiträge zur Kulturgeschichte der deutschen Arbeiterklasse im 19. Jahrhundert* (1983, zusammen mit D. Mühlberg und anderen); *Stil und Gesellschaft* (1984, zusammen mit F. Möbius, H. Faensen und anderen). Aufsätze zur deutschen Literatur des 19. Jahrhunderts, zur vergleichenden Literaturgeschichte und zur Methodologie der Literaturgeschichtsschreibung.

Gerhard Rupp, geboren 1947, Studium der Germanistik, Romanistik und Philosophie in Frankfurt/M. und Paris. Beide Staatsexamina und einjährige Schulpraxis. 1974 Promotion mit einer Arbeit über »Rhetorische Strukturen und kommunikative Determinanz im Werk Friedrich Nietzsches«. 1975 Wissenschaftlicher Assistent im Bereich Neuere deutsche Literaturwissenschaft und Didaktik der deutschen Sprache und Literatur an der Universität Bayreuth, seit 1976 am Germanistischen Institut der Ruhr-Universität Bochum. 1983 Habilitation. 1985 Ernennung zum Professor auf Zeit für Sprachlehrforschung in der Fakultät für Philologie der Ruhr-Universität Bochum. Zahlreiche Veröffentlichungen zur deutschen Literatur des 19. und 20. Jahrhunderts, zur Geschichte der Hermeneutik und des Literaturunterrichts. Bereitet zur Zeit eine Buchpublikation vor mit dem Titel *Rezeptionshandlungen im Literaturunterricht – Fallstudien aus dem Schulalltag* (erscheint 1986).

Thomas Schleich, geboren 1951, studierte Geschichte, Romanistik und Philosophie (später auch Theologie und Vergleichende Literaturwissenschaft) in Berlin, Bochum, Freiburg, Paris und Tours; Promotion 1979 in Bochum. 1978 bis 1983 Assistent am Friedrich-Meinecke-Institut der FU Berlin, 1982 Gastdozent am Centre de recherches comparées sur les sociétés anciennes (Paris), 1983 Stipendiat des Deutschen Historischen Instituts (Paris), 1984 Assistent des Deutschen Historikerverbandes, seit 1985 Mitarbeiter am Projekt Europäische Expansion nach Übersee. Neben der Sozialgeschichte des Römischen Kaiserreiches und des Ancien Régime bildet die Wissenschafts- und Disziplingeschichte einen Forschungsschwerpunkt. Veröffentlichungen: *Aufklärung und Revolution. Die Wirkungsgeschichte Gabriel Bonnot de Mablys in Frankreich* (1981); *Ciceros Finanzen. Wirtschaft, Gesellschaft und Politik am Ende der Republik* (1986); *Die entschleierte Antike. Erforschung und Aneignung des Klassischen Altertums im Frankreich der Aufklärung* (1986); (zusammen mit H. U. Gumbrecht und R. Reichardt) *Sozialgeschichte der Aufklärung in Frankreich* (1981); (zusammen mit H. Pietschmann und E. Schmitt) *Der Aufbau der Kolonialreiche* (1986).

Brigitte Schlieben-Lange wurde 1943 geboren; sie studierte Romanistik, Germanistik und Philosophie an den Universitäten München, Aix-en-Provence und Tübingen; seit 1974 hat sie den Lehrstuhl für Allgemeine und Romanische Sprachwissenschaft an der Universität Frankfurt inne. Arbeitsschwerpunkte: Soziolinguistik, linguistische Pragmatik, Geschichte der romanischen Sprachen unter soziolinguistischen und pragmatischen Gesichtspunkten, besonders: Spätmittelalter und 18. Jahrhundert; Sprachwissenschaftsgeschichte. Wichtigste Veröffentlichungen: *Okzitanische und katalanische Verbprobleme* (1971); *Soziolinguistik* (1973); *Linguistische Pragmatik* (1975); (Hg.) *Sprache und Literatur in der Französischen Revolution* (1981); (Hg.) *La sociolinguistique dans les pays de langue romane* (1982); *Traditionen des Sprechens (Elemente einer pragmatischen Sprachgeschichtsschreibung)* (1983); (Hg.) *Lesen – historisch* (1986); zahlreiche Aufsätze zur Sprachbewußtseinsforschung, zu Problemen sprachlicher Minderheiten, zur Konversationsanalyse, zur Sprachpolitik der Französischen Revolution, zur Historisierung der linguistischen Pragmatik, zur Sprachwissenschaftsgeschichte.

Ulrich Schulz-Buschhaus, geboren 1941; er studierte Romanistik, Germanistik und Philosophie an den Universitäten Hamburg, Aix-en-Provence und Florenz; danach Lehrtätigkeit an den Universitäten Hamburg und Trier; seit 1976 ordentlicher Professor für Romanistik an der Universität Klagenfurt. Veröffentlichungen über die italienische Renaissance- und Barocklyrik: *Das Madrigal* (1969), über die Gattungsgeschichte des Kriminalromans: *Formen und Ideologien des Kriminalromans* (1975), sowie zur Methodologie und Epistemologie der Literaturwissenschaft: *Der Kanon der romanistischen Literaturwissenschaft* (1975), *Literarische Erziehung – wozu?* (1976); Aufsätze vor allem über Flaubert, Balzac, Boileau, Parini, Pirandello, Gracián, Borges und verschiedene Kriminalromanautoren. Interessenschwerpunkt: Praxis und Theorie einer sozialhistorisch orientierten vergleichenden Literaturgeschichte.

Dietrich Schwanitz, geboren 1940; Studium der Anglistik, Geschichte und Philosophie in Münster, London, Philadelphia und Freiburg. Promotion 1969, Habilitation 1975 in Freiburg. Gastprofessur am Wells College, N. Y. und als Max-Kade-Visiting Professor an der University of Massachusetts, Amherst. Seit 1978 Professor für Anglistik in Hamburg. Arbeitsschwerpunkte: Sozialhistorisch und mentalitätsgeschichtlich orientierte Literaturgeschichte, Literaturtheorie, Verbindung von Dramentheorie und Theaterpraxis an einem von ihm geleiteten Theatre Workshop. Veröffentlichungen: *G. B. Shaw. Künstlerische Konstruktion und unordentliche Welt* (1971); *Die Wirklichkeit der Inszenierung und die Inszenierung der Wirklichkeit. Untersuchungen zur Dramaturgie der Lebenswelt und zur Tiefenstruktur des Dramas* (1977); *Literaturwissenschaft für Anglisten* (1985). Ca. 35 Aufsätze zur englischen Literatur- und Kulturgeschichte mit zunehmend systemtheoretischer Orientierung, insbesondere »Systems Theory and the Study of Literature«, in: V. Lokke (Hg.), *Currents in Criticism* (im Druck).

Hans-Georg Soeffner, geboren 1939, promovierte 1972 und habilitierte sich 1976 an der Universität-GH-Essen. Seit 1979 Professor für Soziologie an der Fernuniversität Hagen. Hauptarbeitsgebiete: Kommunikations- und Sprachsoziologie. Wichtige Veröffentlichungen: *Der geplante Mythos – Untersuchungen zu Struktur und Wirkungsbedingungen der Utopie* (1974); (mit D. Krallmann) *Gesellschaft und Information* (1973); (mit Th. Heinze, H. W. Klusemann) *Interpretationen einer Bildungsgeschichte* (1980); (Hg.) *Interpretative Verfahren in den Sozial- und Textwissenschaften* (1978); *Beiträge zu einer empirischen Sprachsoziologie* (1981).

Peter-Michael Spangenberg, geboren 1949 in Berlin; Studium an der Ruhr-Universität Bochum (Romanistik, Philosophie und Sport); Mitarbeiter in der Redaktion des *Grundrisses der romanischen Literaturen des Mittelalters*; seit 1984 Wissenschaftlicher Mitarbeiter an der Universität-Gesamthochschule Siegen. Arbeitsschwerpunkte: Spätmittelalterliche Literatur in Frankreich, Literaturtheorie. Veröffentlichungen: mit H. U. Gumbrecht und U. Link-Heer (Hgg.), *Grundriß der romanischen Literaturen des Mittelalters*, Bd. xi/1 (1987); *Die Alltagswelten des spätmittelalterlichen Mirakels* (1987); zusammen mit D. Tillmann-Bartylla und G. Smolka-Koerdt (Hgg.), *Der Ursprung von Literatur* (1987).

Burkhart Steinwachs, geboren 1942, studierte von 1968 bis 1971 Allgemeine und Vergleichende Literaturwissenschaft in Berlin (Szondi-Institut) und seit 1971 Romanistik, Germanistik und Philosophie in Paris und Konstanz, wo er 1978 promovierte. Seit 1979 Aufbau und redaktionelle Leitung des Forschungsprojekts ›Art social/Art industriel‹ und seit 1980 Tätigkeit als Wissenschaftlicher Assistent in der Fachgruppe Literaturwissenschaft (Romanistik) an der Universität Konstanz. Veröffentlichungen: *Epochenbewußtsein und Kunsterfahrung. Studien zur geschichtsphilosophischen Ästhetik an der Wende vom 18. zum 19. Jahrhundert in Frankreich und Deutschland* (Theorie und Geschichte der Literatur und der schönen Künste, Bd. 66), München (in Vorbereitung). Verschiedene Arbeiten zur Geschichte der französischen Wirkungsästhetik, zu Problemen der Literaturgeschichtsschreibung und zu kunst- und literaturspezifischen Fragen im Verhältnis von Kulturindustrie und Industriekultur im 19. Jahrhundert.

Hans-Wolfgang Strätz, geboren 1939; Studium der Rechte in München und Würzburg (1958-1962), dort Rechtsreferendar (1962-1966) und Große Staatsprüfung (1966); Verwalter des Archivs der ehemaligen Reichsstudentenführung (1962-1966); Promotion (Würzburg 1965) mit einer Arbeit aus der spätantiken Kirchenrechtsgeschichte und Habilitation (Bochum 1970) über die Begriffsentwicklung von Treu und Glauben bis zum 17. Jahrhundert (erschienen 1974) bei Paul Mikat. Dozent, dann Professor für Deutsche Rechtsgeschichte, Kirchenrecht und Bürgerliches Recht in Bochum (1971-1977), seither Ordinarius für diese Fächer an der Juristischen Fakultät Konstanz. Hauptsächliche Arbeitsgebiete zur Zeit: Familienrecht und Vorbereitung der Erstedition der Oberösterreichischen Landtafel von 1616/1629 mit den Entwürfen und sonstigen Materialien. Weitere selbständige Schriften: *Folgekosten bei Versorgungsleistungen in öffentlichen Straßen* (1975); *Verlobungskuß* (1979); *Konstanz, Stadt am Bodensee und Rhein* (1984), Aufsätze und Beiträge unter anderem über die Bücherverbrennung 1933 (1968, 1983), den Bodensee als Rechtsobjekt (1981), bergmännisches Arbeitsrecht (1968), Staatskirchenrecht des Allgemeinen Landrechts 1794 (1972), Sonn- und Feiertage (1975), Säkularisation und kanonistische Literatur (1976), Säkularisation und ihre staatskirchenrechtlichen Folgen (1978), über den kanonistischen und staatskirchenrechtlichen Begriff »Säkularisation« (1985).

Jürgen Trabant, geboren 1942, ist Professor für romanische Sprachwissenschaft an der Freien Universität Berlin. Veröffentlichungen: *Zur Semiologie des literarischen Kunstwerks* (1970); *Elemente der Semiotik* (1976); (Hg. zusammen mit A. Eschbach) *History of Semiotics* (1983); (Hg.) *Wilhelm von Humboldt: Über die Sprache* (1985); (Hg. zusammen mit W. Busse) *Les Idéologues* (1986); *Der Sinn der Sprache* (1986).

Aufsätze zur Textlinguistik, Semiotik, Sprachphilosophie und Geschichte der Sprachwissenschaft. Herausgeber der semiotischen Zeitschrift *Kodikas/Code*.

Roberto Ventura, geboren 1957; 1975-1978 Studium der Anglistik, Romanistik und Wirtschaftswissenschaft in Rio de Janeiro; 1978-1986 Postgraduiertenstudium der Romanistik sowie der Allgemeinen und Vergleichenden Literaturwissenschaft in Rio de Janeiro, São Paulo, Bochum und Siegen. Veröffentlichungen: »O caso Amado: acerca do nacional e do popular«, in: *Encontros com a Civilização Brasileira*, 23 (1980); (mit F. Sussekind) *História e dependência: cultura e sociedade em Manoel Bomfim* (1984); »Bacharéis em luta: literatura e sociedade na geração de 1870 brasileira«, in: *Iberoromania* 20 (1985); »Literature, Anthropology and Popular Culture«, in: *Komparatistische Hefte* (1985); »›Unsere Vendée‹: Der Mythos von der Französischen Revolution und die Konstitution nationalkultureller Identität in Brasilien«, in: H. U. Gumbrecht/ U. Link-Heer (Hgg.), *Epochenschwellen und Epochenstrukturen im Diskurs der Literatur- und Sprachhistorie* (1985).

Paul Watzlawick, geboren 1921; Dr. phil. (moderne Sprachen und Philosophie) Universität Venedig 1949; Analytikerdiplom, C. G. Jung-Institut für Analytische Psychologie, Zürich 1954; Professor für Psychotherapie, Universität von El Salvador, 1957-1959; Forschungsassistent, Institute for Study of Psychotherapy, Abteilung für Psychiatrie, Temple Universität, Philadelphia, 1960; Mitglied des Mental Research Institute, Palo Alto, seit Ende 1960; Lehrauftrag, Abteilung für Psychiatrie und Verhaltenswissenschaften, Stanford Universität seit 1967 (seit 1983 Klin. Professor für Psychiatrie). Arbeitsschwerpunkte: Menschliche Kommunikation; Psychotherapie; Hypnose; Systemtheorie; Konstruktivismus. Neun Bücher (insgesamt 43 fremdsprachliche Ausgaben); 65 Buchkapitel oder Artikel in Fachzeitschriften.

Wilhelm Wuellner, geboren 1927; Studium der Theologie in Münster und Marburg. Promotion Ph. D. University of Chicago 1958. Lehrtätigkeit seit 1957. Hauptgebiet: Hermeneutik und Rhetorik der Bibel. Direktor des Center for Hermeneutical Studies in Hellenistic and Modern Culture in Berkeley, California, 1969-1983. Veröffentlichungen: Herausgeber der Protocols of the Colloquies of the Center for Hermeneutical Studies (1970-1977); *The Meaning of Fishers of Men* (1967); *The Surprising Gospel: A Psychological Hermeneutic of NT Texts* (mit Robert Leslie). Aufsätze zur Rhetorik des Paulus, des Jakobusbriefes, des Johannesevangeliums.

Paul Zumthor, geboren 1915, studierte in Paris klassische und romanische Sprachen und Literaturen; Ordinarius für romanische Philologie und französische Literatur des Mittelalters an der Universität Amsterdam von 1952-1971, an der Universität Montreal von 1972 bis zu seiner Emeritierung im Jahre 1980. Zahlreiche Veröffentlichungen, unter anderem: *Histoire littéraire de la France médiévale* (1954), *Langue et techniques poétiques à l'époque romane* (1963), *Essai de poétique médiévale* (1972), *Le masque et la lumière: poétique des grands rhétoriqueurs* (1978), *Parler du moyen âge* (1980), *Introduction à la Poésie orale* (1983), *La poésie et la voix dans la civilisation médiévale* (1984).

Dieser Band präsentiert Denk- und Diskussionsergebnisse einer interdisziplinär-internationalen Gruppe von Dozenten und Studenten der geisteswissenschaftlichen Disziplinen, die sich im März/April 1985 über zwei Wochen am Inter-University-Centre in Dubrovnik/Jugoslawien mit dem Thema »Style as a Historical Category« befaßten. Armin Biermann, Ute Peter und Barbara Ullrich waren (wo immer *keine* Pannen auftraten) für die Logistik der Tagung verantwortlich. Siegfried Korninger, der *President* des Inter-University-Centre, Berta Dragicević, *Godmother* des Hauses, und ihre Mitarbeiter haben uns erneut die Erfahrung machen lassen, daß sich unüberbietbare Organisations-Perfektion und gelassene Herzlichkeit keinesfalls (wie in Preußen) ausschließen müssen. Die Köche, Kellner, Kapitäne von Dubrovnik lenkten uns gemeinsam mit den Discjockeys nachhaltig von der Wissenschaft ab.

All das wäre nicht zustande gekommen ohne die Einsicht heimischer Freunde und Förderer, daß Luft und Licht der Adriaküste der wissenschaftlichen Vorstellungs- und Urteilskraft nicht abträglich sein *müssen*. Unvergleichlich sind das Engagement, das Vertrauen und der unbürokratische Verwaltungs-*Stil* von Hans-Joachim Herrmann, dem Kanzler der Universität-Gesamthochschule Siegen. Aber auch auf Geduld und Großzügigkeit der Universität Zagreb, der Akademie der Wissenschaften der DDR, des Deutschen Akademischen Austauschdienstes, der Humboldt-Stiftung, der Studienstiftung des Deutschen Volkes, der Gesellschaft der Freunde und Förderer der Universität-Gesamthochschule Siegen (und ihrer Parallel-Institutionen an anderen westdeutschen Hochschulen) waren – und bleiben – wir angewiesen.

Das Dubrovnik-Kolloquium im Frühjahr 1985 und dieser Band machen aus zwei in den Jahren 1981 und 1983 vorausgegangenen Kolloquien den Sockel einer Tradition und aus den Veröffentlichungen ihrer Arbeitsergebnisse eine beginnende Reihe: Bernard Cerquiglini/Hans Ulrich Gumbrecht (Hgg.), *Der Diskurs der Literatur- und Sprachhistorie – Wissenschaftsgeschichte als Innovationsvorgabe*, Frankfurt/M. 1983 (stw 411) und Hans Ulrich Gumbrecht/Ursula Link-Heer (Hgg.), *Epochenschwellen und Epochenstrukturen im Diskurs der Literatur- und Sprachhistorie*, Frankfurt/M. 1985 (stw 486). Die Tradition und die Reihe sollen 1987 mit »Materialities of Communication« konsolidiert werden.

Die Feststellung, daß es unsere Retrospektive/Prospektive auf dieses Dubrovnik ohne Friedhelm Herborth und Elke Habicht nicht gäbe, ist keine *captatio benevolentiae*.

Wo nicht anders gekennzeichnet, stammen die (vom Verlag gewünschten) Übersetzungen fremdsprachlicher Primär- und Sekundärzitate von den Autoren der jeweiligen Beiträge.